EL ASOMBROSO
CUERPO HUMANO

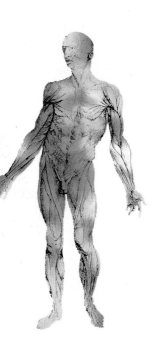

EL ASOMBROSO CUERPO HUMANO

Datos
sorprendentes
y hechos
insólitos
sobre
nuestro cuerpo

Reader's Digest

EL ASOMBROSO
CUERPO HUMANO

Título original de la obra: Wunderwerk Mensch

AUTORES:
Annette Adams, Annette Baldszuhn, Frank Hohlfeld,
Norbert Rupp y Cord Christian Troebst

ASESORAMIENTO CIENTÍFICO:
Hartmannbund, Colegio de Médicos de Alemania y
Landesverband de Baden-Württemberg:
Dra. Ingrid Al-Agha, Dr. Klaus Baier, Dr. Peter Böshagen,
Dra. Elisabeth Böshagen-Oettinger, Dra. Gisela Dahl,
Dr. Johannes Gestrich, Dr. Alf Reuscher, Dr. Karl-Heinz Röderer,
Hans-Jörg Röhm, Dr. Peter Rupp, Dr. Jörg Scheifele, Dr. Sigrid Schneider,
Dr. Volker Stechele; Klaus Forstner

REDACCIÓN: Martin Lehr (director del proyecto), Birgit Scheel
GRAFISMO: Gunthara Michaelis (directora del proyecto)
DOCUMENTACIÓN GRÁFICA: Uwe Rattay
DIRECTOR ARTÍSTICO: Rudi K.F. Schmidt

Edición española:

TRADUCCIÓN: Manuel Campa, María de los Ángeles de la Morena,
Bernardo Moreno
REVISIÓN CIENTÍFICA: Dr. Lope Alejandro Villar

PRÓLOGO

· ·

El cuerpo humano es una de las grandes maravillas de la Creación. Su estructura, la función e interacción de sus órganos, los procesos que se desarrollan calladamente en su interior, la perfecta comunión cuerpo-mente-alma..., son cuestiones que han fascinado a los humanos desde tiempos inmemoriales, pues se refieren nada menos que a su propia vida.

Este libro aborda de manera competente y científica –al tiempo que se esfuerza por evitar tecnicismos enojosos– toda una serie de apartados que se hacen eco de esta milenaria fascinación. Dividido en siete capítulos, los cinco primeros tratan de la constitución de nuestro cuerpo, así como de sus principales reacciones, necesidades y sensaciones. En los dos últimos capítulos se describen respectivamente el devenir de la vida humana, desde el útero materno hasta la senectud, y los trastornos susceptibles de aquejar a nuestro organismo.

Para que el lector pueda hacerse una idea somera del contenido de los distintos artículos se incluye un breve resumen como introducción de cada uno. Asimismo, la obra se completa con un índice alfabético de conceptos que permite localizar cualquier tema tratado de nuestra especial predilección.

Al describir los distintos fenómenos físicos no se ha omitido la referencia a las alegrías y penas en ellos implícitas, pues cada uno de nosotros las hemos experimentado alguna vez en nuestra vida. Así pues, este libro no sólo brinda una lectura amena e interesante, sino que nos ayudará también a profundizar en los misterios de la vida y a adoptar una actitud más comprensiva hacia nuestros semejantes.

· ·

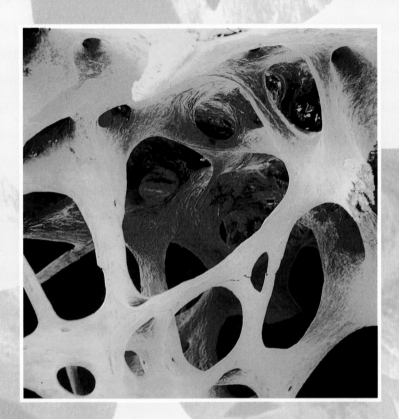

LA ESTRUCTURA
DEL CUERPO

Estructura interna del hueso de una costilla, ampliada 15 veces.

Sección especial

La pequeña diferencia: anguloso Adán, redondeada Eva

Por su ancha pelvis se reconoce a la mujer; por sus poderosos músculos al hombre; ambos rasgos se han convertido en diferenciadores de los sexos.

Formas faciales redondeadas

Busto desarrollado

Cintura estrecha

Cadera ancha

Gruesa capa de grasa

Cara angulosa

Mayor masa muscular

Pectorales más anchos

Antebrazos más largos

Manos más grandes

Piernas más largas

Se ha afirmado siempre que todas las personas son iguales. Si con ello nos referimos a la constitución de un cuerpo con una cabeza, dos piernas y dos brazos, es completamente cierto. Sin embargo, se advierte a primera vista que existen dos tipos distintos de personas: hombres y mujeres. Entre ellos existen claras diferencias. Las más obvias son las relacionadas con los órganos reproductores pero, aún así, nos encontramos con otras que no sirven directamente para la perpetuación de la especie pero sí constituyen pequeños rasgos diferenciales.

ESQUELETO MACIZO Lo que a primera vista diferencia a hombres y mujeres es el sistema muscular y la constitución ósea. El hombre posee una mayor masa muscular,

que representa respecto a la totalidad del peso corporal el doble que en la mujer. Tal cantidad de músculo afecta naturalmente a la apariencia exterior. Como esta fuerte musculatura necesita inserciones óseas más potentes, el esqueleto masculino resulta algo más macizo. Esta sólida constitución corporal también obedece a la evolución histórica de la especie.

Nuestros antepasados varones necesitaban manos grandes y hombros anchos para acometer con más eficacia y rapidez las tareas propias de su sexo, como manejar armas y herramientas. Unos pectorales más fuertes en comparación con los de las mujeres, unos pulmones más grandes, un corazón más potente y unas piernas más largas, les permi-

Desde lejos se puede distinguir quién es hombre y quién mujer. La diferente constitución corporal y las distintas formas de moverse caracterizan a cada uno de los sexos.

tían efectuar recorridos mayores que eran especialmente importantes para la caza. Unos cráneos y mandíbulas más pesados eran menos sensibles a las heridas que podían sufrir durante estas actividades.

Algún beneficio debía suponer para el hombre estar dotado de un vello más profuso y tenaz, y el hecho es que la mayoría de los hombres tienen más pelo que las mujeres en todo el cuerpo y especialmente en la cara. Lo mismo ocurre con el motivo por el que los hombres poseen una voz más grave: sobre sus ventajas podemos únicamente especular que era necesaria para hacerse entender mejor a largas distancias o simplemente para poder imponerse al otro sexo.

SILUETA REDONDEADA El cuerpo femenino debe, por el contrario, estar diseñado para parir y hacer posible el desarrollo del feto. Por eso, la pelvis femenina es más baja y ancha que la de los hombres. El hueso sacro es más amplio y en dirección al canal del parto algo desplazado hacia delante. Del mismo modo, la totalidad de la pelvis está ligeramente retrasada, por lo que las nalgas caen un poco hacia atrás.

El estrecho talle, las caderas más anchas y la distribución de tejido adiposo más abundante dan lugar a una silueta femenina más suave y redondeada. Los muslos se insertan en la pelvis más distanciados entre sí, de forma que se encuentran en ángulo respecto al centro del cuerpo. Como los brazos se sitúan más cerca del tronco, los hombros son estrechos. Las mujeres tienen antebrazos más cortos, así como

manos y dedos más finos para poder manejar seres tan delicados como los bebés. En la industria encontramos ciertas tareas que son desempeñadas preferiblemente por mujeres al exigir una mayor precisión motora.

Un atributo característicamente femenino son los senos. Su función primaria es alimentar al recién nacido durante sus primeros meses de vida. El grosor del tejido adiposo de su interior determina el volumen de los mismos. Los senos no sólo hacen posible la lactancia; sus formas redondeadas emiten también un reclamo sexual. Indican al potencial compañero que la mujer posee los

requisitos corporales necesarios para convertirse en madre y poder alimentar a los hijos.

MARCHA OSCILANTE Esta anatomía tan funcional, que se ha ido imponiendo desde tiempos remotos, se refleja también en las formas del movimiento femenino. Los muslos ligeramente doblados hacia dentro, las caderas más anchas, los brazos pendulantes, los senos y los diversos cúmulos adiposos dan como resultado un paso más oscilante, en el que casi la totalidad del cuerpo se balancea. En claro contraste se encuentra el paso del hombre, más derecho, erguido y rígido.

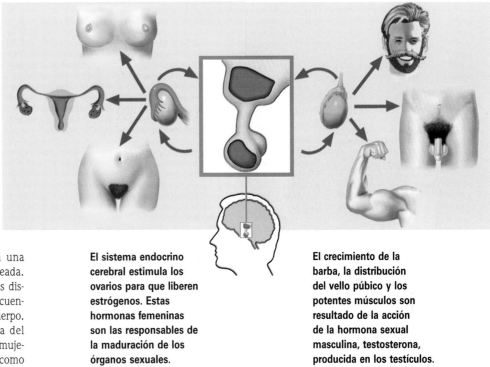

El sistema endocrino cerebral estimula los ovarios para que liberen estrógenos. Estas hormonas femeninas son las responsables de la maduración de los órganos sexuales.

El crecimiento de la barba, la distribución del vello púbico y los potentes músculos son resultado de la acción de la hormona sexual masculina, testosterona, producida en los testículos.

La estatura es hereditaria

La talla del ser humano está determinada genéticamente y establecida desde su nacimiento. Desde la niñez es posible predecir la estatura final de una persona.

Quien tiene una talla por encima de la media afronta en su vida cotidiana numerosos problemas y quien, por el contrario, es de baja estatura tampoco todo lo encuentra fácil. Los ergonomistas, es decir, los científicos que adaptan los objetos de uso

cotidiano de las personas, lo saben: la altura de las puertas no puede establecerse según la talla media, ya que una parte considerable de la población chocaría su cabeza contra ellas. En lugar de basarse en promedios estadísticos poco fiables, la altura de mesas y sillas se

calcula de forma que el 90% de las tallas corporales posibles puedan adaptarse a ellas sin problemas. Sólo el 5% de los muy bajos y el 5% de los muy altos quedan fuera de este cálculo y no pueden utilizar la mayor parte de estos objetos, así como vestidos y zapatos. No les queda más remedio que recurrir a tallas especiales.

¿QUÉ ES NORMAL? La oscilación entre las distintas tallas medias resulta muy significativa. Las mujeres son de 8 a 12 cm menores que los hombres; una persona de 65 años es hasta 9 cm menor que una de 19 que haya alcanzado su máxima estatura. A partir de la pubertad la estatura comienza a disminuir.

El estado evolutivo de los puntos de osificación permite llegar a conclusiones veraces sobre la futura talla de un niño. En la imagen, radiografía de la mano de una niña de 6 años.

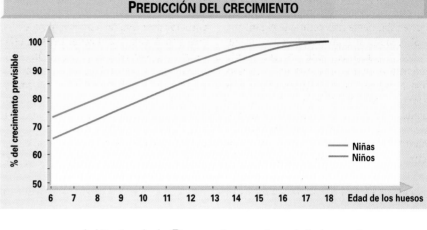

PREDICCIÓN DEL CRECIMIENTO

— Niñas
— Niños

Puntos de osificación

Huesos largos

Pero también los habitantes de los países del Norte son unos 2 cm más altos que los del Sur y la diferencia Norte-Sur en Europa llega a los 7-8 cm. Estadísticamente, la estatura de los centroeuropeos alcanza un máximo de 1,77 m en los varones y de 1,66 m en las mujeres. De este modo se sitúan un poco por encima del valor mundial, que oscila entre 1,68 m y 1,56 m respectivamente.

AFRICANOS GRANDES En el extremo superior de la escala se encuentran los integrantes de la tribu sudanesa de los watusi, africanos de notable estatura que sobrepasan con una talla media de 1,95 m a la mayoría de los habitantes de la Tierra, cuyo promedio es de 1,78 m. De la estirpe sudanesa Dinka, conocida también por su sobresaliente talla corporal, procede uno de los hombres más altos del mundo, el jugador de baloncesto Manute Bol, con 2,14 m de estatura.

Para alcanzar su talla final, el hombre debe crecer, proceso que, junto a la respiración, la alimentación, excreción, movilidad, reproducción y reacción ante el medio ambiente, forma parte de las características esenciales de la vida. Lo que sucede durante los 20 primeros años de crecimiento está predeterminado en su mayor parte antes del nacimiento, pues la talla final depende fundamentalmente de factores genéticos.

No se conoce con seguridad el número de genes que intervienen, y aún se sabe menos sobre cómo se combinan entre sí cuando se engendra una nueva vida. La talla se hereda, por tanto, según el principio de la casualidad. Padres de estatura media pueden tener hijos altos, medianos o bajos. Así, una pareja de chinos de 1,63 m y 1,56 m de estatura, tuvo una hija que llegó a medir adulta 2,47 m. Con cuatro años, Zeng Jin-Lian ya medía 1,56 m y con trece, 2,17 m. En general, de padres altos los hijos suelen ser altos, y de padres bajos la descendencia será de baja estatura.

El crecimiento también puede verse afectado por factores externos como la alimenta-

La curva de crecimiento muestra que un niño de 11 años en situaciones normales alcanzará un 80% de su talla final. Si a esta edad mide 1,44 m, cuando sea adulto alcanzará una estatura aproximada de 1,80 m.

ción o la temperatura. Los hábitos alimenticios de los japoneses en la actualidad se parecen cada vez más a los occidentales, con el resultado de un claro incremento en la talla media en Japón. Del mismo modo, nos encontramos que en el siglo XIX los jóvenes ingleses de clase alta eran alrededor de 13 cm más altos que los pertenecientes a clases sociales menos favorecidas y por tanto peor alimentados.

HORMONAS QUE CONTROLAN EL CRECIMIENTO Para que la talla determinada genéticamente pueda llegar a alcanzarse, la persona en período de crecimiento debe construir tejido corporal permanentemente. Esta multiplicación celular es dirigida y controlada por las hormonas del crecimiento, sustancias químicas producidas en su mayoría por la hipófisis. El papel principal lo desempeñan la somatotropina y la hormona tiroidea tiroxina. Estas hormonas se producen hasta el final de la pubertad, y las hormonas sexuales terminan definitivamente el crecimiento.

La talla corporal está esencialmente determinada por el desarrollo de los huesos largos. Estos huesos poseen en sus extremos epífisis, unas formaciones cartilaginosas donde se encuentran las denominadas uniones epifisarias. En su parte externa se forman constantemente nuevas células cartilaginosas. Así, las células que se encuentran en los extremos pueden osificarse y, en consecuencia, esa zona del hueso crece. Cuando se osifican las uniones termina el crecimiento del esqueleto. Si sufren algún tipo de daño, como una fractura complicada en el brazo u otras lesiones prematuras, el brazo dañado puede quedar sensiblemente más corto que el sano.

Si se daña la hipófisis por causa de un tumor, se puede producir un crecimiento anómalo debido al trastorno en la producción hormonal. Si se producen demasiadas hormonas, los huesos son forzados a un crecimiento patológico que convierte a los jóvenes en gigantes. Una sobreproducción durante la etapa del desarrollo, cuando las uniones epifisarias se encuentran abiertas,

conduce a un crecimiento gigantesco de todo el cuerpo, con lo cual las proporciones corporales se mantienen armónicas en su conjunto. Cuando las uniones ya están osificadas y no permiten una prolongación de los huesos largos, el crecimiento se intensifica en los huesos de la cara y de las extremidades. Las personas así afectadas poseen manos, pies, nariz y barbilla desproporcionadamente grandes.

HUESOS LARGOS Y TALLA CORPORAL En 1900, un científico escocés sospechó que el

tamaño de ciertos huesos permitía llegar a conclusiones definitivas sobre la talla de los seres humanos y estableció un sistema de medidas que relacionaba el tamaño de las distintas partes del cuerpo entre sí. Con este método dedujo que, por ejemplo, un fémur de 50 cm debía corresponder a un cuerpo con una talla de 1,83 m. Algunos médicos forenses utilizan en la actualidad este sistema y con la ayuda de ordenadores son capaces de determinar la estatura de un cuerpo a partir de restos de huesos largos.

●●●

Quedarse pequeño

Con frecuencia son objeto de burla y rara vez se toma en serio a las personas de talla baja que encontramos en los circos, espectáculos de variedades o ferias. Lo único que tienen infradesarrollado es su estatura; en lo demás no se diferencian del resto de las personas.

Conocidos popularmente como enanos o liliputienses, son personas que poseen una talla corporal menor y que incluso de adultos no llegan a medir más que un niño de diez años normalmente desarrollado. Los médicos distinguen según la talla alcanzada entre medianos y enanos. Los hombres calificados como medianos llegan a medir entre 1,36 m y 1,5 m, y las mujeres entre 1,24 m y 1,36 m. Si su talla es inferior, entran en la categoría de enanismo.

Este déficit corporal puede tener diferentes causas. Junto a los defectos genéticos, que son hereditarios, se encuentran otros motivos. A menudo, la producción hormonal no es suficiente o se realiza a destiempo. Si la hipófisis no trabaja de forma correcta, escaseará la hormona de crecimiento, somatotropina, y aparecerá una disfunción tiroidea que ralentiza la producción de tiroxina, otro compuesto estimulador del crecimiento. A pesar de este desarrollo tan lento, la proporción corporal se mantiene y el cuerpo muestra siempre un cuadro armónico.

APARIENCIA INFANTIL Como el desarrollo sexual también depende de la correcta distribución hormonal regida por la hipófisis, nos encontramos a menudo que el enanismo va acompañado de una interrupción del desarrollo sexual, lo que afecta, por ejemplo, a la aparición del vello púbico o los senos.

En tal caso, la apariencia general es totalmente proporcionada pero infantil. También es posible, sin embargo, el proceso inverso: si en un joven se produce la madurez sexual antes del momento normal de la pubertad, puede frenarse prematuramente el desarrollo debido a esta falta de control. Si el defecto ocurre en las zonas de crecimiento de los huesos largos, en las uniones epifisarias, se

desarrolla el tronco con normalidad pero los brazos y las piernas crecen con retraso y permanecen para siempre extremadamente cortos. Las consecuencias negativas en el crecimiento pueden acompañarse también de alteraciones graves del metabolismo, así como de un régimen de alimentación deficiente o erróneo.

PEQUEÑOS PERO NORMALES Mientras que la mayoría de las personas consideran el enanismo como una enfermedad, hay pueblos para los que constituye un rasgo característico. Por ejemplo para los mbuti, pueblo pigmeo del Zaire, donde los varones rara vez superan 1,37 m y las mujeres dejan de crecer al alcanzar 1,35 m.

En el circo se adaptan con toda facilidad, pero fuera de la pista soportan numerosos problemas: el entorno no se ajusta a sus necesidades.

Mitad del padre, mitad de la madre

Que los niños hablen la misma lengua que sus padres
es una cuestión educacional. En cambio, nada se puede hacer
para que sus rasgos sean parecidos: es una cuestión genética.

"Padre e hijo son como dos gotas de agua". "Es igual que su madre". Los niños escuchan este tipo de comentarios con frecuencia. El parecido familiar no es ninguna casualidad, pues se determina genéticamente. Desde la unión del óvulo y el espermatozoide se establecen los caracteres hereditarios que se van a otorgar al hijo y que se reparten ambos progenitores a medias. Las características que posee el recién nacido, como por ejemplo los rasgos faciales y la estructura corporal, se van haciendo más patentes en el transcurso de su desarrollo.

Los transmisores de estas características hereditarias son los núcleos de las células sexuales, los gametos. Todas las células corporales tienen almacenado en sus núcleos el programa genético completo que transmite estas característi-cas. Sin embargo, en estas células el programa no está activo. Sólo se marcan –o se expresan, como dicen los genetistas– los peque-ños elementos de la infor-mación genética que nece-sitan las células para desa-rrollar su función, sean células musculares o de la piel. Sólo en las células sexuales se encuentra acti-vo el aparato genético com-pleto, que en los seres humanos se organiza en 23 pares de cromosomas. A diferencia del resto de las células corporales, los gametos pose-en una disposición simple de cromosomas porque el óvulo y el espermatozoide tienen una sola misión: mezclarse en la fecunda-ción para intercambiar su material genético. De este modo se encuentran las hileras de cromosomas y se unen con los cromosomas de la otra célula.

BAILE GENÉTICO Este acontecimiento, lla-mado "cruce", transcurre como si fuera un baile genético con normas estrictas y codifi-cadas. El resultado es conocido con el nom-bre de cigoto, está dotado de 46 cromoso-mas combinados y comienza rápidamente a

El portador de la información hereditaria es el ácido desoxirribonucleico, que se divide en dos cadenas de las cuales surgen nuevas bases de ácidos nucleicos.

El parecido familiar es evidente: Anthony Quinn (a la izda.) y su hijo Lorenzo.

dividirse. Nace un ser con las características del padre y de la madre y uno sólo de entre los nuevos 1.500 rasgos característicos posi-bles: el fenotipo.

Pero ¿cómo se almacenan estas caracterís-ticas y rasgos en la masa hereditaria? Los cromosomas –formaciones microscópicas en hilera que constituyen la mayor parte del núcleo celular– se componen de genes, por-ciones del auténtico transmisor de la infor-mación hereditaria, el ácido desoxirribonu-cleico (ADN). En estas gigantescas moléculas espirales de doble haz se encuentra almace-nada toda la información genética. Esta información archivada en el ADN se deno-

mina soporte hereditario o genotipo. El genotipo se encuentra codificado en un tipo de estructura que se denomina según una nomenclatura que no incluye más de cuatro letras: las bases de ácidos nucleicos adenina, timina, citosina y guanina. El orden de estos elementos determina la información genética completa sobre las características corporales que se encuentran inscritas en el ADN.

Para cada característica existe una doble formación cromosómica de dos genes, que también se denominan alelos –uno del padre y otro de la madre–, pero solamente uno de estos dos se manifiesta como cualidad corpo-ral externa al ser dominante. El otro rasgo almacenado en el otro cromosoma, y que no tiene manifestación externa, es susceptible de ser transmitido genéticamente, pero sólo se constituirá como rasgo externo, o fenotipo, cuando su pareja en la reproducción sea portadora de esa misma propiedad hereditaria. En este caso se llama gen recesivo o escondido. Por ejemplo, el pelo rubio se transmite de este modo; su variante dominante es el pelo negro.

LA ELECCION DE PAREJA En la selección de las cualidades que van a ser transmitidas en la herencia no sólo participan factores genéticos. La elección de pareja está influida también subconscientemente por los padres y familiares cercanos. Se buscan parejas que de algún modo se asemejen física y espiritualmente a nuestros progenitores. Así se han ido constituyendo los grandes grupos con características y rasgos corporales semejantes que se denominan razas. Por ejemplo, en Nueva Guinea se han descubierto numerosas tribus aisladas con apariencia y color de piel muy diferentes que escogen pareja siempre dentro de su tribu. Una transmisión hereditaria poco habitual se encuentra en Cuba. Debido a la fuerte mezcla genética de rasgos claros y oscuros (blancos y negros), puede darse el caso de que varios hermanos tengan colores de piel distintos, desde el blanco al marrón oscuro.

Como postes duros y resistentes

Cada una de sus piezas, los huesos, son estructuras firmes a pesar de su liviano peso. En conjunto, el esqueleto humano es una construcción con gran capacidad de movimiento que además puede soportar fuertes impactos.

Es ligero pero con capacidad de carga: nuestro esqueleto supone aproximadamente sólo una séptima parte de la totalidad del peso corporal pero soporta mucho más. La masa ósea de un adulto no pesa más de 10 kg: una viga de carga necesitaría una proporción cuatro veces mayor y aun así no sería tan resistente. El material óseo se encuentra entre los más duros y resistentes de los tejidos corporales. Por eso, a diferencia del resto de estos materiales, tiene una particularidad especial: es el único tejido capaz de regenerarse sin dejar huella. Todas las heridas cicatrizan gracias a la formación de un material estable que las recubre y que tiene escaso valor; por el contrario, una fractura ósea puede soldarse sin ningún tipo de cicatrización.

LA CARGA FORTALECE LOS HUESOS A pesar de su dureza, el movimiento de los huesos es muy dinámico. No solamente pueden crecer rápidamente sino que también se adaptan a las cargas a las que se les somete durante su crecimiento. Ante una actividad corporal intensa aumenta la masa ósea; cuando el movimiento es escaso, disminuye.

El reducido peso de los huesos se debe a que su constitución no es densa sino porosa, y está recorrida por diminutos canales por los que fluye la sangre, así como por los vasos linfáticos y los nervios. El material orgánico de los huesos, producido por las células óseas y destruido por células devoradoras, osteoclastos, constituye el 25% del total de la estructura ósea. La parte principal de esta masa orgánica la forman las fibras de colágeno. Si se privara a los huesos de esta sustancia proteica se volverían frágiles como el cristal.

Son también muy importantes los componentes inorgánicos que constituyen el 60% del peso de los huesos. Los cristales de calcio y fósforo les proporcionan la necesaria estabilidad: si se eliminaran de los huesos, éstos perderían su capacidad de cargar peso y se volverían elásticos como la goma.

Un hueso típico consta de tres capas. La fina envoltura exterior es muy rica en terminaciones nerviosas y por lo tanto sensible al dolor, a diferencia del material óseo, que es insensible. La corteza ósea compacta rodea al esponjoso interior de poros óseos, que se ordenan en dirección a las correspondientes fuerzas de tracción y presión. Esto ahorra material sin que la resistencia se vea afectada. El interior de los huesos grandes es prácticamente hueco, lo que en los fémures supone un ahorro del 25% en su peso.

Casi 7 kg de peso del cuerpo corresponde a los huesos. El hombre posee más de 200, desde los milimétricos huesecillos del oído hasta los más largos, los fémures.

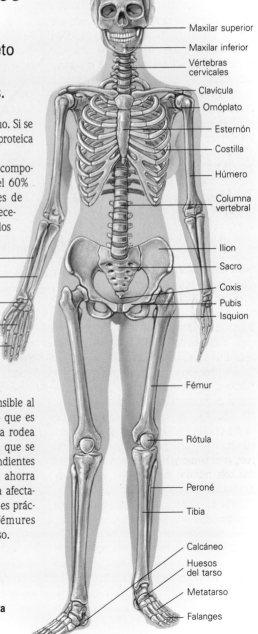

- Cráneo
- Maxilar superior
- Maxilar inferior
- Vértebras cervicales
- Clavícula
- Omóplato
- Esternón
- Costilla
- Húmero
- Columna vertebral
- Radio
- Cúbito
- Carpo
- Metacarpianos
- Falanges
- Ilion
- Sacro
- Coxis
- Pubis
- Isquion
- Fémur
- Rótula
- Peroné
- Tibia
- Calcáneo
- Huesos del tarso
- Metatarso
- Falanges

Gracias a esta construcción tan prodigiosa, los huesos están perfectamente dotados para sus variadas funciones. La misión más importante del esqueleto es la de soportar el resto del cuerpo y mantenerlo erguido. El eje central del cuerpo, la columna vertebral, actúa como amortiguador. Se compone de 24 vértebras unidas entre sí mediante discos vertebrales, que actuan como almohadillas, y termina con nueve vértebras fusionadas en el sacro y coxis; este último no tiene ninguna función concreta y es únicamente un vestigio del rabo animal.

PROTECCIÓN DE LOS ÓRGANOS

La columna vertebral desempeña un doble cometido: no solamente amortigua sino que también protege. Está rodeada de un tejido óseo estable y por su interior hueco discurre el nervio vital del ser humano: la médula espinal. Al igual que la espina dorsal, muchos otros huesos ejercen funciones de

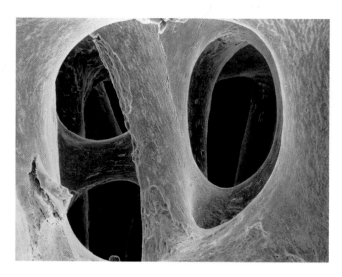

En el interior de los huesos largos abunda el espacio hueco (fotografía obtenida con microscopio electrónico).

protección. Así, la caja torácica protege de lesiones a órganos vitales como el corazón, los pulmones, el hígado, páncreas y riñones,

mientras que el cráneo lo hace con el delicado cerebro.

El cuerpo jamás desperdicia espacio, y por eso los canales de los huesos, así como las capas de trabéculas óseas, están rellenas de médula. La gelatinosa y roja médula es un tejido extraordinariamente vivo. Fabrica plaquetas para la coagulación sanguínea, y cada minuto produce millones de glóbulos rojos y blancos que se encargan de funciones vitales tan importantes como transportar el oxígeno o combatir a las bacterias, respectivamente.

PUZZLE CON MÁS DE 200 PIEZAS

El ser humano no viene al mundo con los huesos ya terminados. El esqueleto se va formando durante la gestación e infancia y consta de 350 corpúsculos óseos que se van transformando en huesos durante el período de crecimiento. Entonces alcanza un promedio de 206, pues en este proceso de osificación muchos se fusionan.

Deslizarse, girar, voltear

Seamos de goma o rígidos como palos, todos, unos más y otros menos, tenemos que agradecer a las articulaciones que nuestro cuerpo pueda moverse en todas direcciones.

Una persona sin articulaciones es inimaginable. Sería prisionera de su armazón óseo e incapaz de cualquier movimiento. Para que pueda moverse en la dirección correcta y caminar, la Naturaleza ha dotado al esqueleto de más de 100 articulaciones en los puntos de unión de muchos huesos. En las zonas de contacto no chocan hueso contra hueso: para minimizar el rozamiento al máximo las terminaciones de los huesos están formadas por corpúsculos pulidos como espejos. Además, el espacio intermedio se encuentra lleno de una mucosidad lubricante.

Para proteger a los huesos del desgaste y rozamiento, los bordes de las articulaciones se encuentran rellenos de unas bolsas serosas: saquitos como cojines acuosos, que se asientan allí donde la articulacion más se desgasta. En la rodilla se encuentran unas doce de estas almohadillas. En algunas articulaciones se sitúan además pequeños corpúsculos en forma de disco llamados meniscos: son los amortiguadores que acolchan completamente articulaciones tan delicadas como la rodilla, absorbiendo al andar una parte considerable del impacto que este movimiento produce.

LOS LIGAMENTOS FRENAN

La forma en que se unen unos huesos con otros varía según las exigencias que impone el movimiento de la correspondiente zona del cuerpo. Cuanto más distendida es la unión, más ágil, pero también mayor el riesgo de que las superficies articulatorias pierdan su contacto. Para mantener este tipo de articulaciones tan estable como sea posible la mayoría se encuentran protegidas por cápsulas cartilaginosas. Los tendones y ligamentos proporcionan el límite necesario y detienen movimientos extremos. Así, el hueso del pie, que soporta grandes cargas, tiene un ligamento interno y

Cómo si fueran de goma: los contorsionistas del circo han conseguido estirar sus ligamentos y articulaciones hasta extremos asombrosos.

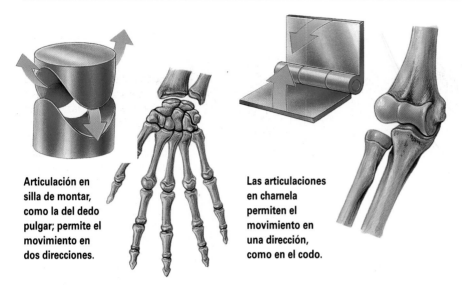

Articulación en silla de montar, como la del dedo pulgar; permite el movimiento en dos direcciones.

Las articulaciones en charnela permiten el movimiento en una dirección, como en el codo.

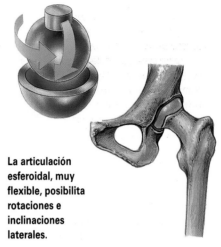

La articulación esferoidal, muy flexible, posibilita rotaciones e inclinaciones laterales.

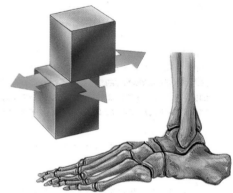

Las articulaciones rígidas se encuentran limitadas en su movimiento por ligamentos, pero pueden soportar cargas.

otro externo para evitar que el pie se doble.

Cada articulación no permite todas las modalidades de movimiento: doblar, estirar, tensar, extender, girar hacia dentro y hacia fuera. Cada tipo de articulación puede funcionar aisladamente o combinarse con otras: todas juntas producen una rotación. Los movimientos que puede producir cada articulación dependen de su forma. El campo más pequeño de acción lo ofrece una articulación en la cual dos superficies óseas planas se encuentran una con otra. Esta articulación no permite ni doblar ni girar; únicamente pequeños desplazamientos hacia delante o hacia los lados. El esternón y la clavícula se desplazan de este modo uno contra otro.

MOVIMIENTO EN PLANO La articulación en charnela trabaja siguiendo el principio de los goznes de las puertas: una terminación ósea con forma de chapa que se ajusta en otra con forma de cuenco. Como en el codo, en la rodilla y entre los dedos, sólo se facilita la flexión y extensión en una sola dirección del plano.

La articulación uniaxial permite el movimiento en un solo eje. Con una unión de este tipo, como la existente entre la primera y segunda vértebras del cuello, puede girarse la cabeza en un eje hacia delante y hacia detrás.

La articulación en silla de montar permite dos tipos de posibilidades. Una de las superficies articulatorias semeja una silla, mientras que la otra es casi el jinete que se sienta sobre ella con las piernas abiertas. Este anclaje es el del dedo gordo a la raíz de la mano.

El campo más amplio del juego lo facilita la articulación esferoidal o en bola. Se encuentra en la cadera y en el hombro y puede ser girada en todos los sentidos. Esta articulación está configurada de forma que mantiene juntos los duros ligamentos de los huesos.

Una variante de la articulación esferoidal es la articulación elipsoide. Su cabeza no tiene forma de bola sino de elipse; así, por ejemplo, la articulación intercarpiana no gira: sólo se mueve sobre dos ejes.

A diferencia de las articulaciones propiamente dichas, que son más libres, existen otras que casi no permiten movimiento. En estas articulaciones, tan rígidas como la del pie, existen unos ligamentos muy potentes que limitan la movilidad.

Ratoncillos bajo la piel

Si imaginamos una persona sin piel, podremos contemplar el trabajo de una gran parte de sus músculos: cómo se contraen y se relajan.

Los antiguos romanos imaginaban pequeños ratoncillos que saltaban bajo la piel cuando se movían, y desde entonces denominaron *musculus* a la parte del cuerpo que se ocupaba del movimiento. La palabra española músculo procede de aquélla.

Nada menos que 639 de aquellos ratoncillos se mueven por el cuerpo. Son gruesos como el glúteo o finos como el milimétrico que mueve el huesecillo del oído. Son tan activos como los músculos oculares, que se contraen hasta cien mil veces al día, o flexibles como la lengua, que alcanza cualquier posición en la boca. Alrededor del 40% del peso corporal corresponde en el hombre a la musculatura esquelética, y en la mujer aproximadamente el 23%.

FIBRAS ESTRIADAS, LISAS Y CARDIACAS Existen tres tipos musculares distintos en el cuerpo. Los músculos esqueléticos estriados están sujetos a la voluntad y actúan como

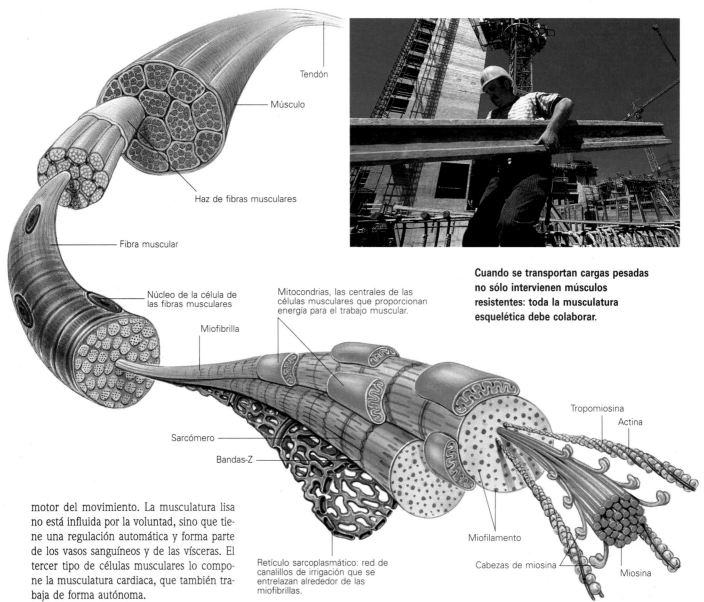

Tendón

Músculo

Haz de fibras musculares

Fibra muscular

Núcleo de la célula de las fibras musculares

Miofibrilla

Mitocondrias, las centrales de las células musculares que proporcionan energía para el trabajo muscular.

Sarcómero

Bandas-Z

Retículo sarcoplasmático: red de canalillos de irrigación que se entrelazan alrededor de las miofibrillas.

Miofilamento

Tropomiosina

Actina

Cabezas de miosina

Miosina

Cuando se transportan cargas pesadas no sólo intervienen músculos resistentes: toda la musculatura esquelética debe colaborar.

motor del movimiento. La musculatura lisa no está influida por la voluntad, sino que tiene una regulación automática y forma parte de los vasos sanguíneos y de las vísceras. El tercer tipo de células musculares lo compone la musculatura cardiaca, que también trabaja de forma autónoma.

Los músculos estriados constan de innumerables fibras estrechas. Cada fibra se compone de delgadísimas miofibrillas que al mismo tiempo están formadas por miofilamentos: la gruesa y oscura, miosina, y la fina y clara, actina. Juntas forman una unidad funcional: el sarcómero.

En una contracción se deslizan los filamentos de actina dentro de los de miosina, estirándose el sarcómero. Como siempre se contraen una gran cantidad de sarcómeros al mismo tiempo, muchas y pequeñas tensiones se unen para producir un gran movimiento.

DEL IMPULSO A LA CONTRACCIÓN El músculo es una obra maestra altamente complicada, que no se mueve si el cerebro no lo ordena. Desde el envío de la señal a través del sistema nervioso hasta la llegada a los

El músculo es un sistema complejo de fibras, fibrillas y filamentos que sólo tiene una función: contraerse para que el cuerpo se mueva.

dedos transcurren fracciones de segundo. Las señales se transmiten desde la corteza cerebral a través de las vías nerviosas hasta la unión entre la última célula nerviosa y la fibra muscular. Allí se libera una sustancia transmisora que rellena estos espacios sinápticos y estimula a la fibra para que se contraiga. Entre el sistema nervioso y el sistema muscular se desencadenan millones de estos impulsos en un segundo sin que los percibamos conscientemente.

A cada célula nerviosa le corresponde un número determinado de fibras musculares estimulables. Cuantas menos fibras compongan una de estas unidades motoras y cuantas más unidades motoras posea un músculo, más preciso será éste. Por eso, el músculo ocular, altamente flexible, posee 1.500 unidades motoras compuestas por no más de diez fibras cada una. Sin embargo, el potente bíceps dispone tan sólo de 700 unidades con 2.000 fibras cada una. Para los músculos que mantienen el cuerpo erguido mediante la contracción en reposo, bastan unos 50.000 impulsos por segundo. Los movimientos complicados y de precisión necesitan unos 200.000 impulsos de este tipo.

Bíceps, tríceps y compañía: máxima potencia

El ideal de los culturistas son los héroes cinematográficos musculosos como Tarzán o Conan, y el único objetivo de su actividad deportiva es el incremento de la masa muscular. Pero estos músculos sólo sirven para exhibirse.

Arnold Schwarzenegger ha conseguido combinar el desarrollo de sus músculos con el de su cuenta corriente. Muchos han intentado seguir este camino utilizando atajos a través de la química. Así, les han crecido a estos atletas unos potentes pectorales y una musculatura tan sobredimensionada que, ante el mínimo esfuerzo, se manifiesta en su totalidad, y a algunas culturistas que consumen hormonas sexuales masculinas para acelerar su desarrollo muscular se les agrava el tono de voz y les brota vello facial.

No todos están predispuestos para presumir de sus músculos. Un hombre de constitución pequeña y gruesa no puede, al igual que uno delgado y muy alto, llegar a ser un Tarzán. Su programa genético de constitución corporal no les permite ni siquiera aproximarse a la masa muscular ideal para el deportista.

Este programa óptimo aparece únicamente en un 20-25% de las personas. Y aun así, sólo mediante el entrenamiento muscular adecuado, la eliminación de grasas y una alimentación correcta pueden llegar a modelar su cuerpo. En los deportes tradicionales se desarrollan sobre todo la fuerza, la resistencia, el movimiento, la posibilidad de reacción y la concentración. Por el contrario, en el culturismo se atiende tan sólo al crecimiento muscular. Estos músculos deben ser entrenados únicamente con el objeto de fortalecerlos, ya que se utilizan exclusivamente como un adorno para posar untados de aceite ante los focos.

SIN SUDOR NO HAY PREMIO El entrenamiento intenso tiene como objetivo el crecimiento de los músculos. Como no es posible que las fibras musculares aumenten de número, hay que incrementar el volumen de las células musculares. Esta hipertrofia se consigue a través del esfuerzo muscular sistematizado: el músculo debe desplegar por medio del entrenamiento, varias veces al día y durante semanas, al menos el 50% de su máxima potencia posible. De esta forma, las fibras musculares se vuelven cada vez más gruesas y con ellas crece todo el músculo.

Una condición previa para posibilitar un crecimiento en volumen de este tipo es un abundante consumo de proteínas. Los aminoácidos que éstas contienen son fundamentales para que las células musculares asimilen estas moléculas proteicas elásticas como goma. Con este fin, los culturistas más comprometidos ingieren preparados proteicos especiales. Debido a sus intensivos entrenamientos, necesitan enormes cantidades de energía, que sobrepasan con creces las necesidades normales diarias.

Los adultos normales necesitan por lo menos una hora de ejercicio moderado o enérgico por semana. Según los expertos, 20 minutos de actividad física tres veces por semana son más que suficientes para estar en forma.

PELIGROSO CRECIMIENTO HORMONAL Hasta que se aprecia el fortalecimiento de los músculos transcurren semanas y meses. Por eso muchos recurren a los anabolizantes: estos estimulantes, relacionados con los andrógenos —hormonas sexuales masculinas—, aceleran el proceso de crecimiento. Pero como estas sustancias intervienen en el metabolismo, no están exentas de efectos secundarios. No solamente es peligroso el hecho de que se altere el equilibrio genético dentro de los músculos y entre los músculos y los tendones, sino que también se ven afectados numerosos procesos corporales. De aquí el dicho: esplendor muscular *o.k.*, organismo *k.o.*

Al culturista le cuesta mucho sudor llegar a conseguir una musculatura que pueda mostrar orgulloso ante un público asombrado.

Muchos tienen que entrenar hasta 40 veces por semana para poder mostrar su máximo crecimiento muscular. Con una predisposición especial, este objetivo se puede conseguir mucho antes.

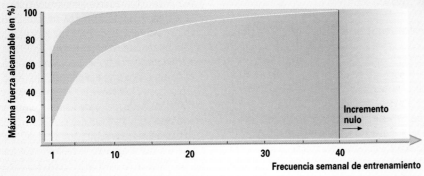

INCREMENTO DE FUERZA SEGÚN FRECUENCIA DE ENTRENAMIENTO

Máxima fuerza alcanzable (en %)

Incremento nulo

Frecuencia semanal de entrenamiento

Las reservas de nuestro organismo, a examen

La obesidad es la principal preocupación de nuestra sociedad. El 27% de las mujeres y el 24% de los hombres sufren exceso de peso y exponen por tanto a su organismo a una sobrecarga funcional.

Nuestro cuerpo conserva aún los hábitos de trabajo que nos fueron transmitidos por nuestros primitivos antepasados, cuyas vidas estaban repletas de privaciones. En aquellos remotos tiempos no se sabía nunca con exactitud cuándo sería la próxima vez que habría algo para comer, por lo que el hambre futura se prevenía acumulando grasa corporal que actuaba como reserva. Hasta hoy, nuestro organismo acumula cada caloría sobrante en previsión de futuras penurias.

Por lo tanto, no podemos juzgar la grasa sólo negativamente; por el contrario, es un sustento básico sin el cual el hombre perdería su salud y su fuerza. El que evita todo tipo de grasa por miedo al sobrepeso, ya sea en los alimentos o eliminando la grasa corporal almacenada, pone en peligro su organismo.

Las reservas de energía son necesarias para la vida. Las células de los tejidos grasos, ayudadas por las fibras de tejido conjuntivo, almacenan en su interior los excedentes, formando depósitos grasos.

¡Las apariencias engañan! A pesar de su impresionante volumen, los luchadores de sumo son muy ágiles: bajo una gruesa capa de grasa se oculta una sorprendente musculatura.

La función más importante de la grasa, a través de sus componentes esenciales, los ácidos grasos, es liberar energía para el metabolismo. Además, en forma de estructuras lipídicas, interviene fundamentalmente de la composición de las membranas celulares. Como la mayor parte de los depósitos de grasa se asientan directamente bajo la piel, pueden tener efectos termorreguladores ante un posible descenso térmico, procurando así al organismo una temperatura estable para su funcionamiento. El tejido graso puede también proteger órganos vitales y fijarlos en su posición. Así, los riñones y los órganos reproductores de los seres humanos tienen fundas de grasa envolventes, del mismo modo que la palma de la mano, la planta del pie y la nalga están rellenas de grasa.

NO TODAS LAS GRASAS SON IGUALES El tejido graso blanco de un adulto está formado por fibras de tejido conjuntivo que se trenzan en forma de red alrededor de las células grasas y las unen formando lóbulos grasos mullidos. Cada célula, de aproximadamente 0,1 mm de diámetro, contiene una gota de grasa que almacena la mólecula; cuando desde el exterior se demanda un exceso de energía, puede hincharse hasta convertirse en una bola gigantesca, con lo que los restantes componentes de la célula son empujados hacia los bordes. Si el ser humano padece debilidad en el tejido conjuntivo, las fibras pierden su consistencia y el tejido graso cuelga.

El cuerpo distingue entre grasa de almacenamiento y grasa estructural. Esta última desempeña funciones de relleno y aislamiento; por el contrario, la grasa de almacenamiento actúa como reserva de energía para épocas de escasez. Ésta constituye el 16% del peso corporal, aunque puede llegar a suponer hasta el 50%. En uno y otro sexo, su principal zona de asentamiento se sitúa bajo la piel, fundamentalmente del abdomen. Las mujeres tienen en cualquier caso de 5 a 6 kg más de grasa almacenada, como reserva para los requerimientos adicionales del embarazo y la lactancia. Esta grasa se reparte sobre todo entre el pecho, caderas y muslos, mientras que en los hombres se sitúa en la espalda y en la nuca.

- Tómese tiempo y paciencia al elegir los alimentos y al comer. Prefiera el disfrute a la prisa. Elija una dieta con la que disfrute y que se acople a su estilo de vida.

- Renuncie a las comidas preparadas, pues contienen exceso de grasa, azúcar y sal. En lugar de ello, escoja productos integrales, verdura fresca y fruta.

- Practique mucho ejercicio. La actividad deportiva, como la carrera gimnástica, el ciclismo o la natación, no sólo mantienen nuestro cuerpo en forma, sino que también tienen efectos sobre el apetito.

- Relaciónese con personas que también deseen perder peso e intercambie experiencias.

- Acuda a seminarios o conferencias sobre alimentación, donde se expliquen la constitución corporal, la composición de los alimentos y las dietas alimenticias.

El exceso de calorías que ocasiona la grasa corporal no tiene por qué proceder únicamente de una dieta rica en grasa. La mayoría de los alimentos contienen una mezcla de los tres principios alimenticios básicos: proteínas, hidratos de carbono y grasas, y al cuerpo le es indiferente cuál de estas sustancias libera el exceso de calorías. En cualquier caso, la grasa natural es la sustancia más concentrada y peligrosa: se compone principalmente de los llamados triglicéridos o grasas neutras. Según sea la configuración de sus ácidos grasos, se dividen en saturadas, simples y polinsaturadas.

EL GUSTO SE CONVIERTE EN PESO Los productos animales y los ácidos grasos saturados contienen pequeñas cantidades de colesterol. Esta sustancia, producida por el hígado, de aspecto jabonoso y parecida a la grasa, es un elemento constitutivo fundamental de las membranas celulares; también se utiliza para la producción de hormonas y jugos biliares. El colesterol corporal y el ingerido deben mantenerse en equilibrio: si éste se altera desde fuera, se produce un incremento en la concentración de colesterol en las arterias.

El colesterol no es soluble en la sangre y por ello ha de ser transportado por las llamadas lipoproteínas. Estas se dividen en dos tipos principales: las HDL (*High Density Lipoproteins*, lipoproteínas de alta densidad) y las LDL (*Low Density Lipoproteins*, lipoproteínas de baja densidad). Mientras las primeras transportan la sustancia al hígado para ser destruida, las segundas invaden las paredes interiores de las arterias. Allí se libera el colesterol, lo que aumenta el riesgo de endurecimiento prematuro de los vasos (arteriosclerosis). Como cada incremento de tejido graso debe ser también abastecido de sangre, se eleva la presión de la circulación sanguínea. El corazón, que se encarga del bombeo, sufre de fatiga, sobre todo si las arterias coronarias están prematuramente endurecidas.

Muchos problemas inherentes al sobrepeso pueden evitarse adoptando precauciones con la alimentación; también ha de tenerse en cuenta la edad, el sexo, la constitución física y los hábitos laborales y deportivos.

Supermúsculo en acción

No tiene la forma convencional que otorgamos al corazón. Tampoco es la morada del alma o un instrumento de medida de la verdad. El corazón, fuente de vida, es una bomba de alta precisión absolutamente genial.

En el siglo XV o XVI llegó Leonardo da Vinci a la conclusión de que el corazón no era un cuerpo muscular hueco; pero en 1628 el médico inglés William Harvey descubrió algo revolucionario: que el corazón es el centro de un circuito sanguíneo cerrado. Desde aquel momento se han perfeccionado los conocimientos sobre la función del corazón como bomba sanguínea y por tanto distribuidora de los productos alimenticios y metabólicos.

El músculo cardiaco adulto tiene aproximadamente el tamaño del puño de un hombre —alrededor de 8 cm de ancho, 6 cm de profundidad y 13 cm de largo— y pesa únicamente 300 gramos. Dos terceras partes del mismo se sitúan a la izquierda de la línea media del pecho, completamente rodeado por los lóbulos pulmonares y descansando sobre el diafragma. Aunque normalmente nos imaginamos al corazón como un órgano unitario, no se encuentra aislado en la caja torácica. Una bolsa cardiaca le proporciona anclajes al esternón y al diafragma mediante uniones de tejido conjuntivo. Al mismo tiempo, sirve de envoltorio y membrana protectora.

VENTAJAS CIERTAS El corazón se compone de tres capas. La gruesa capa muscular del centro, el verdadero músculo cardiaco, está tapizada por dentro y por fuera. En su parte exterior por una fina pielecilla de tejido conjuntivo; por dentro, por otra igualmente delgada que ocupa el espacio interior hueco. Este divide al corazón en cuatro partes: dos pequeñas aurículas que sirven como habitáculo receptor de la circulación sanguínea, y las dos cámaras cardiacas situadas detrás, que actúan como potentes bombas. La sangre sigue siempre el mismo camino: la mitad derecha del corazón la transporta a los pulmones, desde donde regresa enriquecida con oxígeno; la izquierda distribuye el oxígeno recibido y los productos alimenticios hasta los últimos rincones del cuerpo. La sangre utilizada regresa entonces a la mitad cardiaca derecha y vuelve a ser impulsada en un proceso circulatorio de continua renovación de su contenido en oxígeno.

La fuerza del músculo cardiaco se demuestra en el recorrido de este circuito. La pared de la cámara izquierda tiene un grosor uniforme de 1,5 cm, ya que debe soportar una enorme presión para enviar la sangre hasta la punta de los dedos. La cámara derecha, que abastece tan sólo a los pulmones, soporta mucha menos presión y tiene en consecuencia únicamente 0,5 cm de

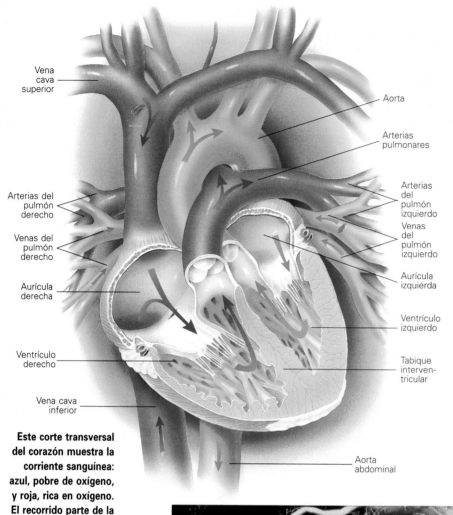

Vena cava superior

Aorta

Arterias pulmonares

Arterias del pulmón derecho

Arterias del pulmón izquierdo

Venas del pulmón derecho

Venas del pulmón izquierdo

Aurícula derecha

Aurícula izquierda

Ventrículo izquierdo

Ventrículo derecho

Tabique interventricular

Vena cava inferior

Aorta abdominal

Este corte transversal del corazón muestra la corriente sanguínea: azul, pobre de oxígeno, y roja, rica en oxígeno. El recorrido parte de la mitad derecha y retorna a la izquierda.

más rápido del corazón. Cada contracción muscular producida por el nodo sinusal o sístole va seguida de una relajación muscular que conduce a una diástole. Estos movimientos continuos configuran el ciclo cardiaco con una duración de tres cuartos de segundo. En la contracción de las aurículas transcurren solamente 0,08 segundos; en la de los ventrículos 0,32 segundos. La contracción conjunta de los músculos ventriculares es tan potente y rápida que el impulso resultante produce en los primeros 0,06 segundos una reacción. Además, el corazón se comprime cada vez, se aplana y se gira aproximadamente un cuarto de vuelta.

DESCANSOS MERECIDOS La segunda mitad de cada ciclo está ocupada por la fase de relajación. En este tiempo relativamente largo descansa el corazón. Aunque tan sólo unos pocos minutos de parada significarían la muerte, el corazón se puede regenerar incluso después de cada latido, en medio del trabajo más duro. En este equilibrio perfecto entre esfuerzo y pausa se basa el vigor de su funcionamiento a lo largo de la vida. Si se pudiera añadir más tiempo a la diástole se aumentaría la vida de una persona de 70 años ¡hasta 35 años más!

Pese a todo, existen fronteras definidas incluso para la musculatura cardiaca más fuerte. Éstas no dependen tanto del motor cardiaco como del sistema de vasos sanguíneos que utiliza para su propio abastecimiento. Un músculo tan activo tiene unas exigencias metabólicas muy elevadas, por lo que el corazón emplea del 5 al 10% de cada latido en las arterias coronarias, que lo rodean en forma de corona. Los vasos venosos transportan la sangre utilizada de vuelta. De este modo, la circulación más corta del cuerpo transporta cada día alrededor de 520 litros de sangre a través del corazón.

Aunque el corazón no hace otra cosa que distribuir sangre continuamente, necesita de sus propios vasos sanguíneos para su abastecimiento, ya que la sangre bombeada circula demasiado deprisa y no puede utilizarla para sus propias necesidades como órgano vital. Además, la sangre no penetra completamente en las gruesas paredes cardiacas y no llega a alimentar las capas más internas, sobre todo porque esta sangre cardiaca derecha llega al corazón ya utilizada y por lo tanto pobre de oxígeno.

masa muscular. El bombeo o latido cardiaco se produce cada vez que las potentes paredes se contraen bruscamente.

Como las capas musculares de las paredes están ordenadas en forma de espiral, remueven la sangre con cada contracción a través del corazón, en una primera oleada desde la aurícula al ventrículo y en una segunda desde los ventrículos hasta las grandes arterias. Cuatro estructuras fibrosas, fuertes y resistentes, las válvulas cardiacas, se abren y se cierran según las necesidades y se ocupan de que la sangre fluya siempre en la dirección correcta.

El corazón funciona siempre de modo rítmico merced a sus propios centros de excitación. El proceso se origina en el nodo sinusal, situado en la aurícula derecha; éste

Los vasos coronarios son las arterias vitales del corazón. Sin su aportación, su tejido muscular moriría.

trabaja de modo autónomo, aunque no sin control. Su instancia superior es el cerebro, que a través de los sensores del centro regulador del corazón puede proporcionar el ritmo natural y permitir, por ejemplo, el latido

Un sistema vital de canales

Los vasos sanguíneos son como carreteras que recorren nuestro cuerpo, empezando por la autopista de arterias y venas hasta llegar a los estrechos capilares.

La red de caminos de los vasos sanguíneos, alrededor de 100.000 km, es una parte imprescindible del sistema circulatorio. Impulsada por un motor llamado corazón, la sangre utiliza los vasos sanguíneos para regar cada célula corporal con todas las sustancias que necesita para vivir y funcionar. Entre ellas se encuentran sobre todo el gas respiratorio, oxígeno (O_2), determinadas hormonas, las sustancias que proporcionan defensa al organismo y el combustible energético procedente de los alimentos. Del mismo modo, la sangre transporta de regreso, a través de los vasos, todo lo que se ha generado en este proceso de alimentación: residuos metabólicos o gases como el anhídrido carbónico (CO_2).

La circulación sanguínea mayor comienza cuando la sangre es bombeada desde el corazón. Los conductos que se encargan de ello son las arterias. Su representante más potente, la arteria principal o aorta, llega a medir al menos unos 3 cm de diámetro. Las arterias necesitan una gran elasticidad para desempeñar su trabajo, ya que deben soportar sin estallar la gran presión de bombeo del corazón que perciben de inmediato. Por eso, las paredes de los vasos poseen unas capas musculares proporcionalmente gruesas entremezcladas con fibras de tejido conjuntivo elástico.

Se inicia de este modo el aluvión de bombeo y continúa en un torrente menor en los siguientes vasos mas pequeños, las arteriolas. Éstas continúan ramificándose hasta convertirse en pequeños capilares tan finos como pelos que llegan a cada fibra de tejido. Esta impresionante ramificación llega a alcanzar una superficie de 4.500 cm².

EL LARGO CAMINO DE REGRESO Naturalmente, en las zonas próximas al corazón la presión sanguínea es más alta y va disminuyendo a medida que la sangre se aleja en dirección a las extremidades corporales. Al final de la red de capilares, cuando se transforma en venosa, desciende casi hasta cero. Para el viaje de vuelta, la circulación debe recurrir a ciertos trucos para proteger a la sangre en su regreso al corazón de los efectos de la gravedad. En ocasiones, las venas se sirven de la fuerza de las pulsaciones en los lugares próximos a las arterias; en otras, el reflujo interno producido por el ritmo inspiratorio y expiratorio sirve como ayuda exterior. Y no menos importante es la contribución de las válvulas que se ocupan de acortar el camino de regreso y no permiten ninguna desviación en el trayecto hacia el corazón. Las venas no necesitan ser tan robustas como las arterias, ya que no soportan ninguna presión: sus paredes son más estrechas y menos elásticas, su forma es irregular y la sangre circula con bastante más lentitud.

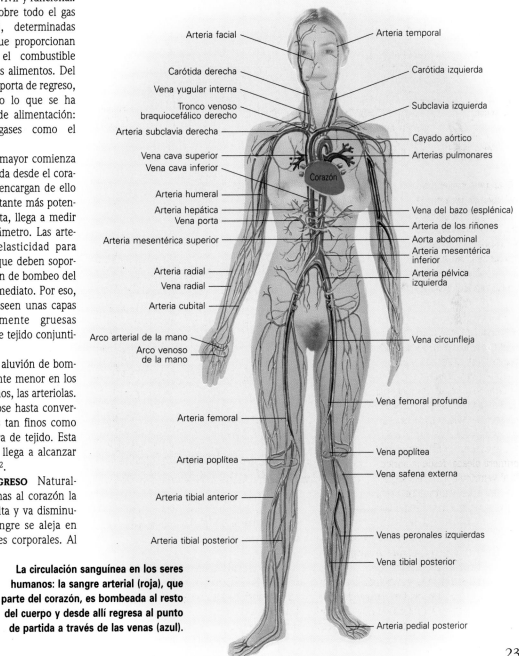

La circulación sanguínea en los seres humanos: la sangre arterial (roja), que parte del corazón, es bombeada al resto del cuerpo y desde allí regresa al punto de partida a través de las venas (azul).

Arteria facial — Arteria temporal
Carótida derecha — Carótida izquierda
Vena yugular interna — Subclavia izquierda
Tronco venoso braquiocefálico derecho —
Arteria subclavia derecha — Cayado aórtico
Vena cava superior — Arterias pulmonares
Vena cava inferior —
Corazón
Arteria humeral —
Arteria hepática — Vena del bazo (esplénica)
Vena porta — Arteria de los riñones
Arteria mesentérica superior — Aorta abdominal
Arteria mesentérica inferior
Arteria radial — Arteria pélvica izquierda
Vena radial —
Arteria cubital —
Arco arterial de la mano — Vena circunfleja
Arco venoso de la mano —
Vena femoral profunda
Arteria femoral —
Vena poplítea
Arteria poplítea — Vena safena externa
Arteria tibial anterior —
Venas peronales izquierdas
Arteria tibial posterior — Vena tibial posterior
Arteria pedial posterior

Una curva refleja la presión

En el cuerpo existen ciertos puntos en los que se puede observar la fuerza del músculo cardiaco. Suponen una valiosa información sobre el estado de salud.

La presión sanguínea representa la fuerza con la que el latido del corazón impulsa una oleada de sangre desde el músculo cardiaco y la hace discurrir por las ramificaciones de los vasos arteriales. Esta fuerza, y por tanto la velocidad de la sangre, es mayor en las proximidades del corazón: la sangre discurre por la aorta a una velocidad de 70 cm/s, mientras que por los capilares de alrededor de un milímetro lo hace con tal lentitud que tarda casi 3 segundos en atravesarlos.

El nivel de la presión sanguínea depende de muchos factores. Los más importantes son la fuerza de bombeo del corazón sano y la resistencia que oponen las distintas prolongaciones de los vasos al torrente sanguíneo. Pero también son importantes otros, como la existencia de válvulas con extremos compactos o la dilatación de las paredes de los vasos sanguíneos.

TRAS LA PISTA DE LA PRESIÓN En las paredes de las grandes arterias de la caja torácica y el cuello existen unas células sensibles a la presión, llamadas presorreceptores, que miden constantemente la presión sanguínea. Comprueban cuánto se dilatan las paredes de los vasos bajo la fuerza del torrente sanguíneo y transmiten esta información a los centros de presión sanguínea del cerebro intermedio y de la médula. Si se sobrepasan los índices de tolerancia interna del cuerpo, el cerebro puede hacer que los vasos se vuelvan flácidos y disminuya el ritmo cardiaco, con lo que se reduce la presión. En el caso de que disminuya, actuará de forma contraria.

La presión arterial se puede medir en todos aquellos puntos del cuerpo en los que se manifiesten con claridad las ondas de presión. Esto suele ocurrir en aquellas zonas en las que los grandes vasos arteriales se aproximan a las capas superiores de la piel. En ellas puede comprobarse el comportamiento de la presión sistólica (valor máximo) y diastólica (valor mínimo). Los valores en los que debería situarse un adulto sano joven, tomados en la arteria braquial, oscilan entre 140-160/80-95 y 100-110/60 mmHg.

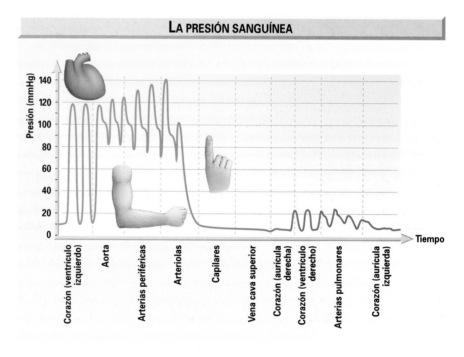

LA PRESIÓN SANGUÍNEA

Cambios de presión en los diferentes vasos del cuerpo: en la zona de los capilares disminuye drásticamente desde el valor más alto del cuerpo, que corresponde a las arterias principales.

Un jugo muy especial...

...es la sangre, como sabía muy bien el Mefisto de Goethe. Un jugo que es mucho más que agua roja y que en su discurrir por el cuerpo presta unos servicios vitales.

Entre 5 y 6 litros de sangre fluyen aproximadamente por las venas de un adulto, lo que supone en conjunto alrededor del 8 % de su peso. Si se centrifugara una muestra de la sangre, es decir, se la hiciera girar a gran velocidad, se apreciarían dos componentes: por un lado, los elementos fijos, como las células sanguíneas, y por otro el medio líquido por el que estas discurren, el plasma sanguíneo. Este último está compuesto en su 90 % por agua, en la que se diluyen los aminoácidos (8 %) y un 2 % de otras sustancias como glucosa, grasa, hormonas, enzimas y vitaminas.

Con la presión de cada latido cardiaco consigue penetrar en los tejidos el 0,5 % del plasma circulante a través de los microporos de los finísimos capilares. Las moléculas proteicas, debido a su grosor, permanecen en el plasma restante y provocan una absorción denominada presión coloidosmótica. Ésta se ocupa de que el excedente de líquido absorbido por los tejidos retorne al torrente del sistema vascular, y precisamente al sector venoso. Las proteínas actúan también como medio de transporte de las sustancias metabólicas, como azúcar o aminoácidos, y así amortiguan las oscilaciones en los valores del ph. Además, suministran los 13 factores de la coagulación hasta ahora conocidos, que intervienen en la cicatrización de las heridas.

CÉLULAS SANGUÍNEAS
Los trombocitos o plaquetas se incluyen en los elementos formes de la sangre que nadan en el plasma y que colaboran en la estabilidad de la sangre; cada gota de sangre contiene 250.000 de estas partículas. Como se necesitan diez días de trabajo para volver a producirse en el bazo y en el hígado, un adulto debe liberar un promedio de 200.000 millones al día. El 99 % de los elementos fijos de la sangre está constituido por los eritrocitos o glóbulos rojos con forma de plato. Sorprendentemente, el hombre posee 30 billones de ellos. Están rellenos del pigmento sanguíneo, la hemoglobina, que confiere a la sangre su color característico. El núcleo de hierro en cada molécula puede fijar oxígeno y dióxido de carbono, y de este modo transportar o evacuar los gases respiratorios fundamentales para la vida. En sus casi exactos 120 días de vida, cada eritrocito recorre cerca de 1.500 km alrededor del cuerpo, mientras que los envejecidos o deficitarios en su función son destruidos en el bazo.

Los escasos leucocitos o glóbulos blancos se diferencian en tres tipos celulares distintos (granulocitos, linfocitos y monocitos), todos los cuales colaboran en la defensa del organismo. Juntos destruyen bacterias, virus, hongos o parásitos, y luchan contra infecciones y células corporales enfermas. La duración de su vida oscila entre algunas horas y cientos de días.

Los glóbulos rojos (aquí, en una arteria) son extraordinariamente elásticos. Gracias a esta cualidad pueden pasar por los finísimos capilares de solo 0,01 mm de diámetro.

¡Increíble pero cierto! Cada gota de sangre contiene 250 millones de glóbulos que fluyen por el plasma sanguíneo.

Un acertijo y su solución

Algunos hombres se asustan ante la prueba de paternidad; también los sospechosos de acciones criminales las temen. Pero sin el conocimiento exacto de los grupos sanguíneos, la moderna cirugía sería inimaginable.

Si se mezcla la sangre de dos personas, esta puede depositarse (aglutinación) o no. Esta observación tan simple tuvo preocupado al serólogo Karl Landsteiner hasta que por fin, en el año 1901, comprendió la causa y descubrió el sistema de grupos sanguíneos ABO, por el que obtuvo el premio Nobel en 1930.

Durante la primera guerra mundial resultó patente que con su teoría se podría salvar la vida de un buen número de soldados heridos, británicos y franceses. En 1940 descubrió, junto con Alexander S. Wiener, el segundo sistema fundamental de diferenciación sanguínea: el factor RH.

La causa de este fenómeno observado estriba en que cada ser humano posee uno de los cuatro grupos sanguíneos A, B, AB y 0, que no son compatibles entre sí. Una molécula proteica específica en la superficie de los glóbulos rojos, llamada también antígeno, determina cada grupo y capacita a las células para producir una reacción inmune en la sangre frente a cuerpos extraños. Los glóbulos rojos del grupo A contienen el antígeno A y su suero (plasma sin pigmento sanguíneo) posee la sustancia aglutinante anticuerpo b. El grupo sanguíneo B dispone del antígeno B y del anticuerpo a. El grupo sanguíneo AB tiene ambos antígenos pero ningún anticuerpo, mientras que el grupo 0 no tiene ningún antígeno pero dispone de ambos anticuerpos.

ESTRATEGIAS DE GRUPO En general, se puede transfundir sangre de personas con el grupo A a las del grupo A y 0 sin problemas. Y los seres humanos del grupo B pueden donar sangre a las del grupo B y 0. El que posee el poco común grupo AB tiene suerte porque su sangre es compatible con la de todos los grupos, es decir, A, B, AB y 0. Por el contrario, los poseedores del grupo sanguíneo 0 sólo pueden recibir sangre de donantes del mismo grupo; sin embargo, su sangre puede utilizarse siempre. Estas reacciones aglutinantes son aprovechadas en el laboratorio, donde la sangre de un grupo desconocido se mezcla con un suero de prueba de los grupos A y B. La técnica se emplea sobre todo

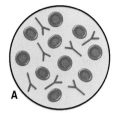 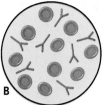 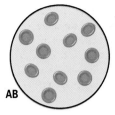 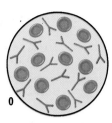

● Glóbulos rojos   < Anticuerpos a   < Anticuerpos b

Se dice que los grupos sanguíneos también definen características personales. Asi, las personas del grupo A tendrían gran capacidad de autocontrol y las del grupo B un espíritu más inquieto. El grupo AB se caracteriza por su pensamiento lógico y las del grupo 0 se identifican por su gran optimismo.

en operaciones quirúrgicas, cuando se precisa sangre compatible para una transfusión.

Además se comprueba el factor RH, que adquiere especial relevancia durante el embarazo. Éste se encuentra presente en el 85 % de la población y falta en un 15 %.

Hoy se conocen 14 sistemas de grupos sanguíneos con aproximadamente 60 antígenos diferentes y distribuciones geográficas distintas. Como los factores de los grupos sanguíneos siguen un patrón genético conocido, se puede determinar exactamente el padre y la madre de un niño. Estos factores son como una especie de huella dactilar genética, a través de la cual se puede determinar con certeza el origen y la identidad de un individuo. Por la misma razón, si los grupos sanguíneos de un niño y de un hombre son incompatibles entre sí, es posible establecer que el hombre no puede ser el padre de ese niño.

Sistema de defensa y limpieza

Existe una segunda vía de transporte de los líquidos corporales: los vasos linfáticos. Por ellos discurre la linfa en una especie de circulación oculta, que procede de la sangre y retorna a ella, constituyendo una reserva de células de defensa.

Los vasos linfáticos son vías unidireccionales que comienzan como finísimos capilares en todos los tejidos del cuerpo. Éstos absorben el 10 % del líquido acumulado en las celulas corporales que cada día resulta del intercambio metabólico en los capilares, mientras que el 90 % restante retorna a la sangre. Dos litros del mismo se filtran a través de vías poco conocidas, por medio de fisuras de los tejidos, a un sistema de conductos que los recoge y transporta.

Los capilares linfáticos se tornan cada vez más gruesos y se unen formando grandes vasos que finalmente desembocan en la principal raíz linfática del cuerpo: el conducto torácico. Éste se abre en la parte superior del corazón, a la izquierda, en la gran vena torácica. Además, va acompañado por una vía linfática derecha que desemboca en la vena situada en la parte superior derecha del corazón. Finalmente, los vasos linfáticos vierten de nuevo su con-

Un linfocito-T (dcha.) localiza un macrófago infectado (izda.). Ambas células defensivas pertenecen al sistema inmunológico del cuerpo.

tenido en la circulación sanguínea. La linfa posee un contenido proteico claramente disminuido porque las gruesas moléculas proteicas, que nadan en el plasma sanguíneo

acuoso, no pueden traspasar las paredes de los capilares.

EQUIPO DE LIMPIEZA EN ACCIÓN Como corresponde a su origen en capilares ciegos, el flujo linfático es lento y se desplaza principalmente gracias a los movimientos corporales y al pulso de las arterias que circulan paralelas a los vasos linfáticos. Unas válvulas en las vías linfáticas se ocupan del retorno linfático; la lenta circulación resultante brinda el tiempo suficiente para la necesaria labor de filtrado. Las partículas extrañas, los desechos celulares y los productos sobrantes son eliminados al mismo tiempo que se distribuyen los nutrientes en el organismo, y el líquido restante es conducido hacia los interespacios celulares, lo que previene las inflaciones tisulares.

También reviste gran importancia su función de mecanismo defensivo del cuerpo. A lo largo de su trayecto, las vías linfáticas se encuentran dotadas de más de cien cápsulas ovaladas, los nódulos linfáticos. Poseen un tamaño que varía entre el de una lenteja y una judía, y se ordenan en grupos que corresponden a un territorio corporal determinado. Son especialmente abundantes en las axilas, en el cuello y en las ingles. Aquí se encuentra el cuartel general de defensa y limpieza del organismo. En estos ganglios linfáticos trabajan millones de linfocitos, una forma especializada de glóbulos blancos. Si el cuerpo está sano se ocupan de que el líquido que transportan, la linfa, se filtre sin dificultad. Sin embargo, ante una infección, se multiplican rápidamente en distintos lugares del sistema linfático y marchan como un ejército a través del torrente sanguíneo, manifestando que tienen al cuerpo bajo su control para defenderlo de cualquier intruso. Esta frenética actividad puede ser apreciada desde fuera, pues los ganglios linfáticos aparecen inflamados. Pero también se producen linfocitos en otros puntos del sistema linfático, incluidos el bazo y el timo.

ARMADOS HASTA LOS DIENTES Los linfocitos son en cualquier caso células con memoria, y constituyen aproximadamente el 30% del total de glóbulos blancos. En el adulto, aproximadamente un cuarto de los glóbulos blancos de la sangre está constituido por linfocitos, mientras que en el niño el porcentaje es mayor. A diferencia de sus otros colegas blancos, que deben concluir su vida al cabo de un par de horas, ellos pueden envejecer. Se dividen en grupos que pueden diferenciarse en la lucha de defensa.

Los linfocitos B utilizan como armas anticuerpos que incapacitan a los intrusos para la lucha; algunos se transforman en las llamadas células de memoria para los antígenos. En el segundo grupo, los linfocitos T, existen tres categorías: las células asesinas combaten con sustancias químicas al enemigo directamente; las células supresoras dirigen el contrataque y las células cooperadoras activan los linfocitos B y mejoran su rendimiento.

El sistema linfático incluye la totalidad de las vías linfáticas, así como los órganos linfáticos, entre los que se encuentran el bazo, el timo, el anillo faríngeo, los ganglios linfáticos y el sistema linfático intestinal o quilo.

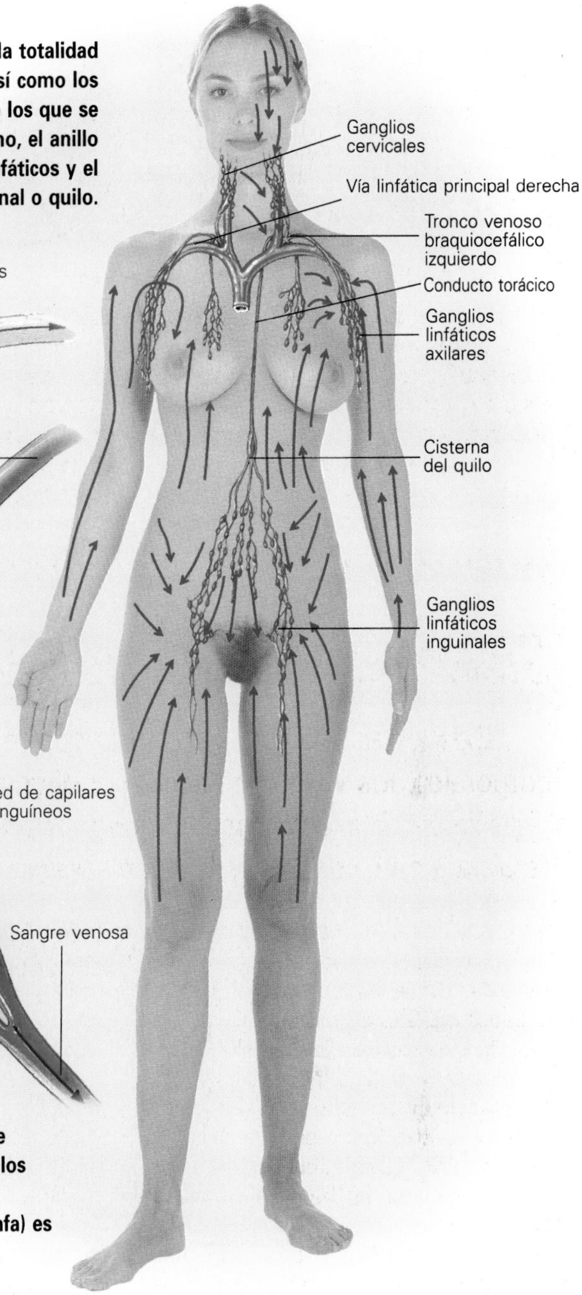

Ganglios linfáticos que actúan como filtro biológico

Vías linfáticas

Sangre arterial

Capilares linfáticos

Red de capilares sanguíneos

Sangre venosa

Células tisulares

Ganglios cervicales

Vía linfática principal derecha

Tronco venoso braquiocefálico izquierdo

Conducto torácico

Ganglios linfáticos axilares

Cisterna del quilo

Ganglios linfáticos inguinales

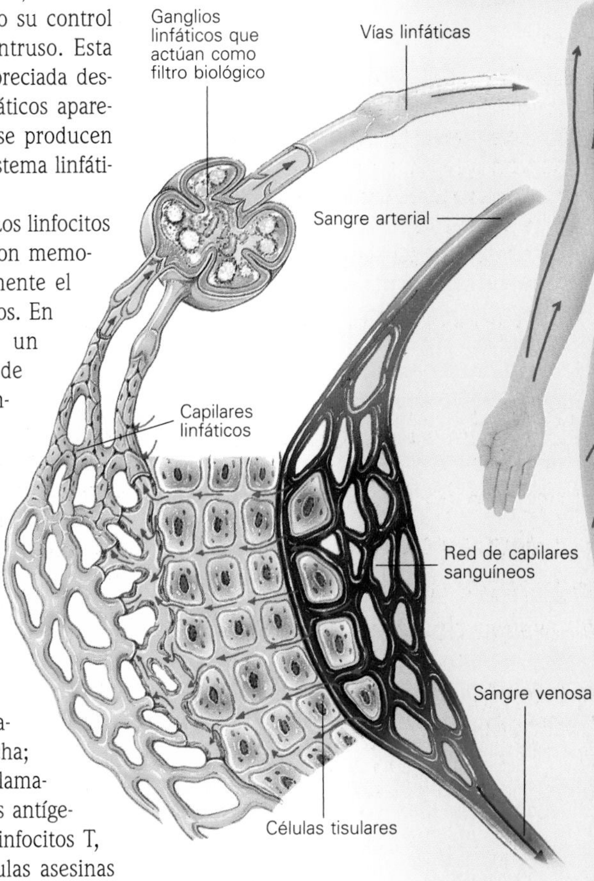

El sistema de vasos linfáticos sirve principalmente para el drenaje de los tejidos. El líquido resultante de la acción de la presión sanguínea (linfa) es conducido a la circulación venosa.

El termostato integrado

El sudor es muy molesto pero fundamental para la vida: constituye uno de los recursos del organismo para mantener constante la temperatura corporal.

Es muy simple: nuestro cuerpo es tan solo eficiente dentro de los estrechos márgenes de una temperatura corporal constante. Se ha demostrado que los órganos funcionan de modo óptimo en el entorno de los 37°C. Aunque se incrementen o disminuyan los valores de un modo tan aparentemente mínimo como 1,5°C, el metabolismo se ve reducido en un 20 %. Del mismo modo puede disminuir también el rendimiento del ser humano. El centro de control principal que mantiene constante la temperatura corporal es el hipotálamo. Desde esta pequeña e importante región cerebral, situada en la parte inferior del cerebro medio, se controla todo lo necesario para el mantenimiento del llamado medio interno, incluyendo la correcta temperatura corporal.

El hipotálamo contiene unos receptores altamente sensibles al frío o al calor externo: los termorreceptores. Su complicado trabajo

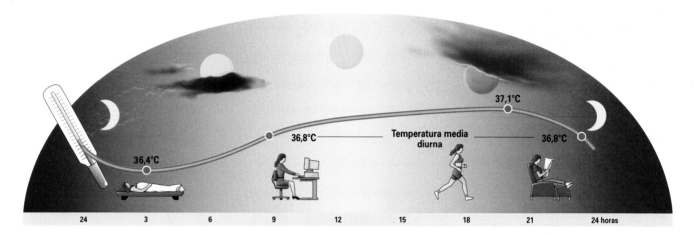

diario consiste en registrar las variaciones térmicas de la sangre que atraviesa el cerebro. Incluso aunque no se modifiquen las condiciones del ambiente, continúa controlando sin pausa. Como la corriente sanguínea pierde calor en su ininterrumpida circulación desde el interior hacia el exterior del cuerpo, debe obtenerse la energía necesaria del metabolismo. El 75% de la continua pérdida de calor corresponde a esta irradiación térmica. Pero el ser humano pierde también temperatura a través de la evaporación de líquidos corporales.

ÓRDENES A LA PIEL La franja de temperatura en la que se puede mantener el cuerpo sin recibir ayuda es la denominada zona térmica neutral. Cuando el hipotálamo registra una variación de los valores normales, conecta sus mecanismos de alarma. Para ello se sirve sobre todo de la piel, que recibe inmediatamente la orden de restablecer el equilibrio térmico. La piel también puede ayudar al hipotálamo a través de sus propios receptores de frío y de calor, que se encuentran ampliamente repartidos por la superficie corporal.

Si la temperatura central se incrementa por el calor, unos dos millones de glándulas sudoríparas distribuidas por la piel humedecen su superficie, mediante la secreción de sudor. Esta mezcla de agua y sustancias minerales, que se secan sobre la piel, se enfría al evaporarse, liberando al cuerpo del exceso de calor. En condiciones normales se pierde por esta vía 0,5 litros de líquido al día, mientras que la fiebre puede provocar 5 litros de sudor al día y los esfuerzos deportivos 2 litros.

Para evitar la retención de calor en niveles peligrosos para la vida, el hipotálamo puede reaccionar con un incremento de la circulación sanguínea de la piel o mediante la dilatación de los numerosos vasos dérmicos.

La temperatura interna del cuerpo muestra un ritmo periódico diario que se relaciona proporcionalmente con las fases de mayor actividad, con una posibilidad de variación de 1°C.

Gracias a estas medidas llegará una mayor afluencia de sangre a la superficie corporal, para ser enfriada por el aire exterior.

Cuando los receptores de frío informan al cerebro sobre la disminución de la temperatura corporal, se ponen en marcha otras medidas para elevarla. El hipotálamo rige determinadas conexiones entre arterias y venas. Gracias a sus órdenes, redes capilares completas no son irrigadas por la sangre, y el caudal sanguíneo de la superficie disminuye drásticamente. De este modo, la sangre caliente permanece en el interior del cuerpo y no puede ser enfriada por el medio ambiente. El estrechamiento de los vasos sanguíneos disminuye asimismo la afluencia de sangre a la superficie fría y permite que la temperatura interna no se reduzca aún más.

RITMO ARMÓNICO Normalmente, la temperatura corporal interna sigue un ritmo periódico diario. La temperatura nocturna más baja se detecta a las 3 de la madrugada; por la mañana, al despertar, se registra la mínima diurna. El máximo se alcanza a las 18 horas. Las variaciones de temperatura pueden llegar a ser de 1°C. No existen factores externos suficientemente intensos para modificar este programa: ni la luz, la hora de comer, la temperatura exterior o el cansancio pueden modificar la regularidad de esta curva. En cualquier caso, el ciclo no comienza exactamente a las 0 horas de cada jornada. Si se permitiera al cuerpo su propia regulación sin influjos externos, el ciclo sería de 24 a 25 horas, es decir, algo más largo que un día completo.

También se aprecian relaciones entre el estado de ánimo y la temperatura corporal. Cuando ésta es más baja se "enfría" el cerebro, mientras que por la tarde, en el punto más alto de la temperatura diaria, la mente se encuentra más despejada.

CONDICIONES AMBIENTALES Para que una persona se sienta a gusto en una habitación deben satisfacerse una serie de necesidades. La temperatura será agradable cuando no se activen los mecanismos del sudor o de los escalofríos, es decir, unos 25-26°C para una persona sentada y no muy abrigada. Como el trabajo sedentario provoca calor, la necesidad térmica disminuye inmediatamente (22°C en una oficina). También influyen en la sensación calor-frío la humedad del ambiente, la radiación térmica de las paredes y las corrientes de aire.

El trabajo corporal aumenta en cualquier caso la temperatura interna independientemente de las variaciones periódicas diarias. En el proceso de enfriamiento mediante el exceso de sudor, la temperatura exterior no influye. A partir de 35°C el exceso de calor producido por un esfuerzo deportivo no puede controlarse. Solamente se conoce un caso en el que se haya obtenido una temperatura de 46,5°C, y se haya podido sobrevivir. El caso contrario puede soportarlo mejor el cuerpo: se sabe de tres hombres que soportaron temperaturas inferiores a 16°C.

La temperatura influye sobre todo en los niños y muy particularmente en los recién nacidos, en los que puede variar a lo largo del día incluso en dos grados. También es importante la comprobación diaria de la temperatura durante el ciclo menstrual de la mujer, ya que permite calcular el día en que se produce la ovulación, pues se registra normalmente un aumento en medio grado de la temperatura tomada por la mañana antes de levantarse.

Corteza fría, interior caliente

La temperatura no sólo puede variar en el ambiente que rodea al hombre; tampoco se registra el mismo calor en todas las partes del cuerpo. Lo que ocurre en la tierra se repite en el ser humano: cuanto más profundo, más cálido.

Resulta evidente que cuando se produce calor en el interior del cuerpo con ayuda de los procesos metabólicos, y es transportado y distribuido mediante los vasos sanguíneos y los tejidos, se registra una disminución de la temperatura desde dentro hacia afuera. El interior del cuerpo, el llamado núcleo corporal, es el más caliente. Cuanto más nos acercamos a la corteza corporal –la piel– y al tejido graso, más disminuye la temperatura.

La distribución del calor es distinta según las personas. Las principales vías de transporte del calor son los vasos que discurren desde el núcleo hasta la corteza corporales. Dependiendo de la abundancia y ramificaciones de las arterias y de la presión en los vasos, la circulación sanguínea será mejor y, del mismo modo, el transporte de calor.

DIFERENCIAS ENTRE HOMBRE Y MUJER Como una parte del calor es transferido desde los tejidos hacia fuera, de la densidad del panículo adiposo dependerá que la pérdida térmica sea más lenta o más rápida. Como en el cuerpo de la mujer suele existir una mayor cantidad de grasa acumulada en las caderas, nalgas y muslos, el calor se mantiene más tiempo que en el hombre.

De todas formas, la temperatura en el núcleo corporal no es igual en todas las personas, pues existen variaciones de 0,2 hasta 1,2°C. En consecuencia, para comprobar si se tiene fiebre se ha

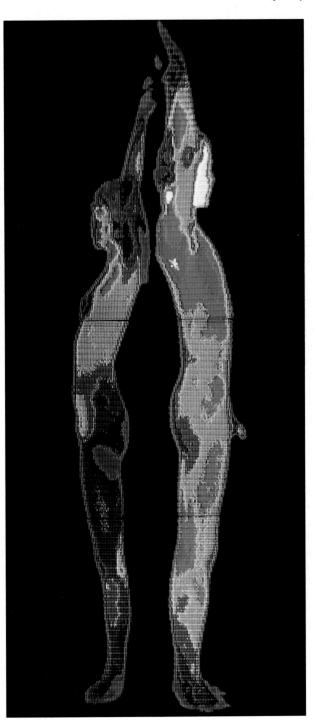

Termografía de una mujer y un hombre. Las almohadillas de grasa de la mujer, en azul, despiden menos calor.

establecido la medición de la temperatura siempre en el mismo punto. Durante mucho tiempo se midió la temperatura rectal, que con 37°C es representativa de la máxima temperatura del núcleo corporal en el individuo sano. Hoy, por motivos prácticos, se utiliza la temperatura del interior de la boca, que es de 0,2 a 0,5°C más baja.

La temperatura del núcleo corporal tampoco permanece constante: no tiene extremos fijos y puede ampliarse o reducirse. Se producen variaciones según las distintas estaciones y momentos del día así como, por ejemplo, cuando varía la temperatura exterior. Cuando nos encontramos en un ambiente frío, el cuerpo se defiende de la excesiva pérdida de calor manteniendo la sangre caliente en el núcleo en lugar de afluir hacia la superficie; la zona caliente se reserva en el interior. Ello determina que sintamos frío en primer lugar en la punta de los dedos de las manos y de los pies.

Las extremidades reflejan por consiguiente una doble sensación: por un lado, la del centro del cuerpo; por otro, la del propio núcleo de la extremidad. Así, un adulto ligeramente vestido y en una habitación a 20°C puede registrar 35°C en los muslos y, sin embargo, tan sólo 27°C en el centro del pie.

TERMOGRAFÍA En la cabeza, tronco, brazos y piernas se pueden acusar también las variaciones de la temperatura en la superficie corporal. Un método diagnóstico científico, la termografía, resulta de utilidad al transformar las radiaciones de calor de las diferentes partes del cuerpo en imágenes coloreadas: las superficies calientes se muestran en tonos rojizos y las frías en tonos azules o verdes. Como se conocen los colores normales que aparecen en cada parte del cuerpo, esta técnica permite detectar ciertas enfermedades.

La termografía se emplea para descubrir ciertos quistes y tumores en una fase temprana de su evolución, como por ejemplo en la mama, así como para el diagnóstico precoz de varices.

29

Inspirar, espirar...

El centro corporal de abastecimiento y transporte de aire está constituido por un gigantesco puerto, los pulmones, en los que existen 100 m^2 de zonas de carga y descarga para el oxígeno y el dióxido de carbono.

Cada célula corporal está sometida a un suministro de oxígeno regular. El gas se emplea en la célula como medio de combustión para la descomposición de los alimentos. Así se obtiene la energía que favorece el proceso celular (sin el oxígeno transportado por la sangre la célula viviría tan solo unos minutos). El suministrador principal de estos gases fundamentales para la vida es el pulmón, que actúa al mismo tiempo como estación de eliminación de los residuos de los procesos de catabolismo de las células, del dióxido de carbono y del agua. Los pulmones se convierten por tanto en el nexo de unión entre el aire ambiental y los gases que el organismo humano inhala y expulsa.

EFECTO DE LA RESPIRACIÓN Aunque el pulmón sólo contiene aire, pesa 2,5 kg. Por su forma se suele hablar de dos pulmones, pues ambas alas están separadas entre sí. El ala pulmonar derecha es apreciablemente mayor, y está dividida por dos hendiduras diagonales en tres lóbulos. El ala izquierda debe proporcionar espacio al corazón, situado a la izquierda, y tiene por tanto dos lóbulos solamente. Ambas estructuras se encuentran en la caja torácica, sobre el potente diafragma. Protegiéndolas se encuentra una rígida jaula constituida por costillas, esternón, columna vertebral y músculos respiratorios.

El oxígeno, que circula en la sangre a través del pulmón, debe ser inspirado en primer lugar. Los pulmones no pueden obtenerlo por sí mismos, y para ello precisan una bomba. Este trabajo es realizado por la cavidad torácica: cuando se expande, le sigue el pulmón dilatado, y el aire es aspirado; cuando disminuye de tamaño, el pulmón se comprime y expulsa el aire al exterior. La dilatación de la cavidad torácica depende del diafragma y de los músculos intercostales, cuyas contracciones son controladas por el centro respiratorio del tronco cerebral.

EL CAMINO DEL AIRE RESPIRADO Para la entrada del aire el cuerpo tiene dos puertas, la nariz y la boca. Respirar por la nariz tiene muchas ventajas, pues el aire es preparado en su camino hasta los pulmones: los pelillos filtran polvo y bacterias, los numerosos vasos sanguíneos de la mucosa nasal calientan el aire y el moco nasal lo hidrata.

El aire inspirado continúa a través de la faringe hasta la tráquea. Este tubo móvil de 12 cm de longitud está cerrado en la parte superior por la laringe, que regula la entrada del aire inspirado y que cubre con una membrana su porción inferior, permitiendo el paso de la saliva, bebida o alimento a través del esófago, situado detrás.

Al final de su trayectoria, la tráquea se divide en dos ramas cortas y gruesas, los bronquios principales, que proporcionan aire a cada una de las alas pulmonares. Estos se subdividen 22 veces como las ramas de un árbol, hasta que se ramifican en un entramado de tubitos. Las ramificaciones más pequeñas son los bronquiolos, terminales de 1 mm de grosor como máximo en los pulmones.

Los bronquiolos pueden captar cualquier germen o partícula de polvo que se escapen

En los orificios nasales se filtra el aire inspirado, se calienta y se humedece.

En la faringe se cruzan las vías respiratoria y la de los alimentos.

La laringe cierra al tragar la tráquea con la epiglotis. Aquí se encuentran también las cuerdas vocales.

La elástica tráquea, que se estabiliza y mantiene abierta mediante 15-20 anillos cartilaginosos, se encuentra delante del esófago.

Los bronquios se dividen en multitud de ramificaciones para formar el árbol bronquial.

Al final de los bronquiolos, las ramificaciones más pequeñas de las vías respiratorias, se sitúan millones de alveolos pulmonares en los que tiene lugar el intercambio de gases, es decir, se introduce oxígeno en la sangre y se expulsa el anhídrido carbónico.

El sistema respiratorio se compone de la boca, nariz, espacio faríngeo, tráquea y bronquios, así como de los lóbulos pulmonares, en donde se produce el intercambio de gases: se inhala oxígeno y se exhala anhídrido carbónico.

de los filtros de la vía aérea superior. Para ello existe en la mucosa una fina capa pegajosa que atrapa las partículas en suspensión del aire inspirado. Por otro lado, unas pestañas vibrátiles se mueven alrededor de 1.000 veces de forma rítmica y ondulante, provocando el retorno del moco con suciedad hacia la faringe. La tos y la expectoración mucosa completan la limpieza de los pulmones.

MILLONES DE VESÍCULAS La vía respiratoria se completa con la región pulmonar, en la que se produce el intercambio de oxígeno y anhídrido carbónico entre la sangre y el aire. Cada bronquiolo termina en un racimo de pequeñísimas ampollas, los alveolos. Cada uno de ellos no es mayor de 0,2 mm, pero su gran número hace posible esta función. Los 300 a 500 millones de alveolos del pulmón representan una superficie de intercambio de gas de alrededor de 100 m², superficie que equivale aproximadamente a la de una pista de tenis. Tan solo así puede llegar oxígeno suficiente a las células para hacer posible la capacidad funcional del cuerpo y de sus órganos.

Alrededor de los innumerables alveolos se encuentra una red de 300 m² de extensión de vasos capilares sanguíneos. Las venas tejen un entramado de finísimos vasos alrededor de cada alveolo pulmonar, donde la sangre se enriquece en las vesiculitas repletas de oxígeno. Lo último que el oxígeno ha de superar es la llamada barrera sangre-aire, la pared que separa los alveolos pulmonares de los capilares. Es una capa tan fina que el gas se puede desplazar rápidamente y sin

LA RESPIRACIÓN CORRECTA FAVORECE EL BIENESTAR

Una respiración demasiado superficial reduce el nivel de oxígeno inhalado y con él la energía corporal. En situaciones de estrés, nerviosismo o cansancio ayuda una correcta respiración.

● Sentarse y permanecer de pie erguidos aumentan el volumen respiratorio.

● Practique una respiración rítmica.

● Durante la inspiración, introduzca voluntariamente aire en el estómago para dilatar el diafragma.

● Después de inspirar, mantenga la respiración durante un tiempo y después, con la boca ligeramente abierta, espire despacio hasta agotar el aire.

En la respiración torácica se ensancha la caja torácica. Las inspiraciones son más superficiales.

En la respiración diafragmática o estomacal se amplía considerablemente la capacidad torácica al descender el diafragma.

Al menos las dos terceras partes del aire inspirado deberían proceder de la respiración diafragmática porque incrementa el volumen respiratorio considerablemente. El organismo recibe más aire y, con él, por consiguiente, también más oxígeno.

problemas donde se necesita: desde la zona de máxima presión y de mayor concentración hasta la de más baja presión y de menor concentración. Para traspasar la barrera de 0,001 mm de grosor constituida por las paredes alveolares, tejido conjuntivo y paredes capilares, el oxígeno necesita tan solo $1/4$ de segundo. A continuación es recogido por los glóbulos rojos, mientras que el dióxido de carbono seguirá por su parte el camino inverso.

Pero ¿qué proporción de oxígeno procedente de la respiración circula en la sangre? El organismo toma tan solo el 4% de los gases contenidos en el aire inspirado y al mismo tiempo aumenta el dióxido de carbono en el aire espirado del 0,03 al 4%. Cuando la sangre sale de los pulmones, la hemoglobina de los glóbulos rojos está saturada de oxígeno en un 98%. Los tejidos que consumen oxígeno lo contienen en mucha menor proporción.

La laringe: un estudio de sonido

Para la emisión de la voz, sin la cual sería muy difícil la comprensión entre los hombres, tan solo son necesarios tres elementos: cartílago, mucosa y aire.

La materia prima de la que se forma el lenguaje, nuestro medio de comunicación más importante, son los sonidos aún no constituidos, que se producen cuando el aire de los pulmones atraviesa la laringe. La laringe no es sólo la llave de paso para la respiración pulmonar, sino también el órgano de fonación de las personas.

Todos podemos tocarnos la laringe, una protuberancia dura y osteocartilaginosa en la parte anterior del cuello. Mide unos 4 cm, es triangular en un corte transversal y está constituida por cuatro cartílagos, el mayor de los cuales es el tiroides, que forma la nuez de Adán con su borde anguloso y prominente. El cartílago cricoides, situado debajo, da acceso a la tráquea; en él se insertan

los otros dos cartílagos, los pequeños pero importantísimos aritenoides. La epiglotis cierra el órgano por encima hacia las vías de alimentación. Los movimientos de la laringe son controlados por músculos y ligamentos.

PEQUEÑA MÁQUINA DE SONIDO La laringe se encuentra totalmente recubierta de mucosa que forma dos pares de pliegues: los vocales y los repliegues ventriculares de la laringe. Estos últimos también se denominan falsas cuerdas vocales, aunque no guardan ninguna relación con la fonación.

Esta actividad la desempeñan las cuerdas vocales, de tonalidad nacarada. Constituyen el extremo superior de los pliegues vocales y se encuentran en el centro de la laringe, entre el borde del cartílago tiroides y los dos pequeños cartílagos aritenoides. El papel

La preparación artística incluye también el entrenamiento de la voz. Cuando se palpa la zona de la laringe se pueden apreciar las diferentes intensidades vibratorias de las cuerdas vocales.

principal en la producción del sonido lo desempeña un pequeño espacio, situado entre las cuerdas vocales, la llamada glotis, cuya abertura puede ser controlada por potentes músculos anclados en los cartílagos aritenoides. Cualquier movimiento de los aritenoides puede ser transmitido por continuidad a las cuerdas vocales merced a esta musculatura.

LA VIBRACIÓN ES REPONSABLE El aire de la respiración pasa siempre a través de la glotis. Ante una respiración sin tono, la hendidura permanece abierta en forma de V; sin embargo, para la formación de sonidos, este espacio se estrecha y comprime el aire espirado. De esta forma las cuerdas vocales vibran y se produce el sonido.

La epiglotis obtura la tráquea al tragar.

Hueso hioides

Nuez de Adán o cartílago tiroides

Cuando el aire espirado hace vibrar las cuerdas vocales se produce un sonido.

El cartílago aritenoides regula la apertura de las cuerdas vocales.

Los músculos de las cuerdas vocales (arriba) y el músculo tiroideo tensan las cuerdas vocales.

Los músculos del cartílago aritenoides posterior y lateral (de dcha. a izda.) regulan la apertura de la glotis.

Tráquea

En la laringe se produce el tono cuando el aire espirado hace vibrar las cuerdas vocales. Su tensión y apertura se controla por los músculos del cartílago.

exterior a través de la glotis: será más alta o más baja según sea la presión del aire.

El tono y la intensidad del sonido se pueden variar voluntariamente. Lo que no se puede modificar es el timbre propio de cada persona, pues está definido por la intensidad, la longitud y la calidad vibratoria de las cuerdas vocales. Las mujeres tienen cuerdas vocales de 1,5 a 1,8 cm de longitud, que oscilan unas 250 veces por segundo. En los hombres miden unos 2 cm y vibran 100 veces menos; por eso su tono es más grave.

El tono del sonido depende de numerosos factores. La agudeza se consigue, como ocurre con la cuerda de una guitarra, mediante la tensión de las cuerdas vocales. Cuanto más cortas y tirantes se encuentran, más rápidas y breves son las vibraciones, lo que origina un tono más agudo. Las cuerdas largas y flojas dan lugar a vibraciones largas y lentas y por tanto tonos graves. La intensidad del sonido depende sin embargo de la presión con que es liberado el aire hacia el

Para que los sonidos producidos mediante el aire y las cuerdas vocales puedan convertirse en un lenguaje inteligible, son necesarios los labios, dientes, lengua y paladar, que formarán una sonoridad diferenciada en sílabas y palabras.

Con ejercicios apropiados, practicados bajo la supervisión de un foniatra, las personas a las que se ha extirpado la laringe pueden aprender a hablar de nuevo, ayudándose de un aparato que, aplicado a la abertura de la tráquea, eleva cuando es necesario el tono de la voz, haciéndola fácilmente audible.

Un órgano con sentimientos

Nuestra voz puede ser enérgica, apagada, temblorosa e incluso silente ante una emoción extrema. Por eso refleja también nuestros sentimientos.

Los sonidos y los sentimientos confluyen en la voz, pero también se puede modificar de forma voluntaria elevándola, bajándola o haciéndola gutural.

El timbre y la plenitud de un sonido dependen del uso del llamado espacio de resonancia, formado por la cavidad torácica, faringe, boca y fosas nasales. El estado de salud se relaciona con el sonido: cuando el

cuerpo se relaja, se ensancha el espacio respiratorio y la columna de aire puede circular sin dificultad, lo que produce un sonido pleno, cálido y grave. Ante el miedo, repugnancia u odio, por el contrario, se estrecha el espacio de resonancia, y las cuerdas vocales se tensan, resultando, en consecuencia, un sonido característico poco profundo, ronco y agudo.

El ser humano puede susurrar sin necesidad de las cuerdas vocales. Permanecen inmóviles y no vibran, y lo único que se puede oír es el golpeteo suave que produce el aire a su paso por la laringe. Se trata tan sólo de los sonidos propios del espacio de resonancia, que produce una especie de cuchicheo; de esta forma pueden hablar las personas a las que se ha extirpado la laringe total o parcialmente.

Las personas que hablan a través de la nariz presentan una alteración en el espacio normal de resonancia que provoca una depresión constante del velo del paladar, por lo que el aire atraviesa siempre la nariz. Cuando el aire pasa a través de la boca y de la nariz al mismo tiempo, la voz tiene un sonido correcto y agradable.

El reino de las pequeñas células grises

Es más inteligente que un ordenador, no siente dolor, pesa aproximadamente 1,5 kg y consume un quinto de nuestra energía: es el cerebro, portador del yo.

El cerebro acoge el alma y el sentir de los seres humanos. Es una masa celular gelatinosa de color grisáceo que se encuentra bien protegida por el cráneo y empieza justo detrás de los ojos y la nariz, se extiende desde allí hasta los huesos del paladar y rellena la frente y el occipucio. Su prolongación, la médula espinal, llega hasta las nalgas.

Aunque esta inmensa acumulación de 1 billón de células nerviosas con 100 billones de puntos de conexión, las sinapsis, parece homogénea en su apariencia exterior, no constituye un órgano unitario. Los expertos lo describen como dos pedazos situados a diferentes alturas con capas que se entremezclan y que se diferencian con dificultad. Esta masa impresionantemente entrelazada, cuyas vías nerviosas colocadas una a continuación de otra alcanzarían una longitud de 1,6 millones de km, es la base de nuestra existencia, pues controla todos los mecanismos corporales. Si dejara de funcionar, solamente le restarían al ser humano 4 minutos de vida.

CONSTITUCIÓN DEL CEREBRO

A primera vista distinguimos una capa en forma de media esfera con dos mitades en forma de nuez que miden 2.200 cm². Es de color gris rosado, de 1,5 a 3 mm de grosor y se denomina córtex o corteza cerebral. Si se observa al microscopio, vemos que esta capa superior contiene seis zonas bien delimitadas: el neocórtex, zona cerebral que diferencia la ser humano de los animales. Se ha ido formando a lo largo de los últimos dos millones de años, por lo que desde el punto de vista evolutivo es muy joven; contiene el 70% de todas las células nerviosas en una espesa concentración que conecta cada célula con varios millares más.

Bajo el córtex se encuentra la sustancia blanca del cerebro, la voluminosa médula espinal, constituida prácticamente por fibras nerviosas que forman una especie de cableado a través del cual se mantienen en contacto las neuronas de la corteza cerebral con los otros centros de información del cerebro. Podemos distinguir tres tramos dentro de estas vías de fibras: una parte une determinados territorios de la corteza cerebral de ambos hemisferios: son las llamadas vías de asociación. Otro tramo lo constituyen unas vías poderosas que forman el cuerpo calloso y que conectan ambas mitades del cerebro. La tercera, o vías piramidales, llega hasta la médula espinal o regresa de ella.

El cerebro está rodeado por una cápsula de tres membranas, las meninges, que son las que nos molestan cuando sentimos dolor de cabeza. El cerebro es insensible al dolor porque no posee receptores sensibles al mismo. El espacio entra las capas media e inferior de la meninge esta relleno de un líquido amarillento llamado líquido cefalorraquídeo. Sirve de amortiguador para las delicadas estructuras y riega las cuatro cámaras cerebrales, los ventrículos y el canal espinal.

CONTROL DE LAS FUNCIONES ORGÁNICAS

La más antigua región cerebral es el bulbo raquídeo: situado en la base del cerebro, éste lo rodea completamente. Consta de diferentes partes, la inferior, la médula, constituye el punto de unión con la médula espinal. Por encima desemboca en el diencéfalo y mesencéfalo, que se encuentran rodeados por el cerebro. Sobre ellas se encuentran las dos glándulas, epífisis e hipófisis, que influyen a través de sus hormonas en múltiples funciones del organismo. El cerebro se subdivide en cinco zonas: los lóbulos temporales, el lóbulo frontal, que en los seres humanos está muy desarrollado y controla aspectos importantes de la personalidad, los lóbulos parietales, occipital e insular. Otra zona esencial del cerebro es el sistema límbico, que acoge nuestros sentimientos: es muy antiguo y

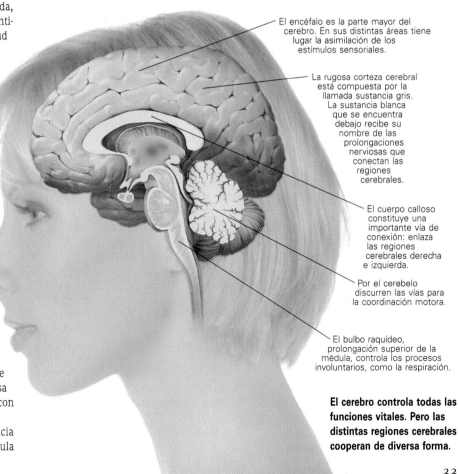

El encéfalo es la parte mayor del cerebro. En sus distintas áreas tiene lugar la asimilación de los estímulos sensoriales.

La rugosa corteza cerebral está compuesta por la llamada sustancia gris. La sustancia blanca que se encuentra debajo recibe su nombre de las prolongaciones nerviosas que conectan las regiones cerebrales.

El cuerpo calloso constituye una importante vía de conexión: enlaza las regiones cerebrales derecha e izquierda.

Por el cerebelo discurren las vías para la coordinación motora.

El bulbo raquídeo, prolongación superior de la médula, controla los procesos involuntarios, como la respiración.

El cerebro controla todas las funciones vitales. Pero las distintas regiones cerebrales cooperan de diversa forma.

guarda una estrecha relación con el neocórtex.

Aproximadamente a la misma altura de las inserciones capilares, en la parte posterior de la cabeza, se encuentra el cerebelo, que desempeña numerosas funciones automáticas, sobre todo relacionadas con el control del movimiento y el equilibrio. Constituye una parte muy antigua y funcional del cerebro.

La médula espinal es la conexión del cerebro con el cuerpo y discurre perfectamente protegida por el interior de la columna vertebral. Mide aproximadamente 1 cm de grosor y 45 cm de longitud. Además, existe otro sistema de conexiones directas, los doce nervios encefálicos, que controlan las funciones sensoriales del cerebro y algunas funciones básicas del cuerpo, como el estrés y las reacciones hormonales, a través de los nervios vagos y simpáticos.

SIN POSIBILIDAD DE REPARACIÓN Las lesiones de la médula y de las células cerebrales no pueden repararse, a diferencia de lo que sucede con el resto del cuerpo. Todas las células cerebrales estan ya formadas en el momento del nacimiento: a partir de entonces sólo aumentan de tamaño y construyen juntas un inmenso complejo de redes de millares de sinapsis.

¿Por qué nos dota la naturaleza con semejante derroche? Algunas investigaciones demuestran que el cerebro sólo utiliza un 15% de sus conexiones. Lo que sucede con el 85% restante se ignora. En los últimos tiempos y con ayuda de aparatos radiológicos especiales se ha observado el funcionamiento del cerebro mediante la introducción de glucosa marcada radiactivamente, es decir, azúcar inyectada en el torrente sanguíneo. La técnica se denomina TEP, tomografía por emisión de positrones, y muestra las áreas cerebrales que utiliza esta glucosa como portadora de energía, lo que revela cualquier incremento de la actividad cerebral. Esta técnica supone un avance importante con respecto a los procedimientos anteriores, los electroencefalogramas, que mostraban la actividad cerebral a través del registro de las ondas cerebrales.

TAN COMPLICADO COMO UN ORDENADOR Antiguamente se dividía el cerebro según la misión desempeñada en las 52 regiones corticales, que correspondían a la vista, oído,

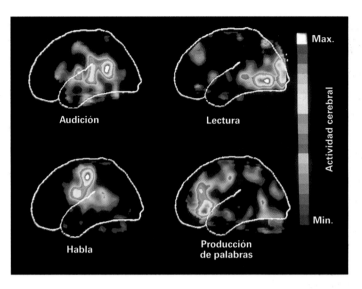

Audición

Lectura

Habla

Producción de palabras

Max.

Min.

Actividad cerebral

Con ayuda de la técnica TEP se reconocen las regiones cerebrales que cumplen distintas funciones. La imagen muestra las zonas responsables de la audición, lectura, habla y producción de palabras y frases.

olfato o los centros de Broca y Wernicke para la formación y control del habla. Ahora se sabe que esta subdivisión no es correcta. Los territorios funcionales se solapan y se conectan a través de las uniones medulares con otros centros cerebrales, y se superponen con el sitema límbico. Sus funciones no pueden separarse del todo como se creía hasta ahora; por el contrario, se conectan entre sí como los sistemas de información de los ordenadores. Esta conexión cerebral es incluso más complicada.

VOLUNTARIA O INVOLUNTARIAMENTE Podemos distinguir dos grandes zonas funcionales en el cerebro: por un lado, los procesos cognitivos, que verifican y reconocen, y por otro los no cognitivos o procesos condicionados. Estos últimos, así como la recepción y asimilación de impresiones sensoriales, se sitúan en el plano inconsciente; los cognitivos, por el contrario, son parte de la conciencia: no podemos, pues, establecer una separación simple y definitiva en el cerebro. ¿Qué sucede cuando sentimos alegría o tristeza? Sin duda intervienen en gran medida funciones no cognitivas en nuestro pensamiento, que influyen en las acciones conscientes y en los procesos mentales. Sobre todo, el sistema límbico entremezcla ambas funciones con sus emociones incontroladas.

También existe el denominado subconsciente, que se rige por sí mismo y cuyos con-

tenidos afloran a la luz para sumergirse de nuevo. Constituye una de las más apreciadas cualidades intelectuales del ser humano: la creatividad, marcada por ciertas asociaciones y tendencias emocionales sin las cuales no se manifestaría.

HERENCIA ARCAICA También nos encontramos con antiguos esquemas de comportamiento fuertemente arraigados, incluso más que otros que también heredamos, procedentes de nuestro pasado animal y que se encuentran en las zonas más arcaicas del cerebro. Se transmiten de generación en generación, como la agresividad, el comportamiento en pareja, los gestos de sumisión, los hábitos impuestos, el instinto maternal... todo ello con un evidente origen animal. ¿Cuál es su utilidad? Nos transporta a épocas más remotas, a los esquemas de comportamiento animal, como por ejemplo el de la protección de las crías. Su sucesión continua, así como el razonamiento y el aprendizaje, dos de las funciones más importantes, se encuentran presentes en los mamíferos así como en algunos pájaros. Lo que sí constituye una novedad es el notable arraigo de estas capacidades en el ser humano, que le ha permitido desarrollar el habla y la tradición, y construir lo que en su conjunto denominamos cultura, que incluye el arte, la técnica, la religión y el desarrollo social y científico.

Aquí hallamos la respuesta al origen del cerebro. La formación cultural supone una ventaja tan grande en la evolución que con ella culmina la exigencia necesaria para que el cerebro pueda convertirse finalmente en la compleja estructura actual. Gracias a esa estructura el ser humano es capaz de transmitir y mantener informaciones de generación en generación, no sólo a través de los genes sino mediante un nuevo mecanismo: la cultura.

De todas estas capacidades desarrolladas por el ser humano puede sin embargo surgir una amenaza, pues con este elevado nivel de desarrollo se corre el peligro de que surjan ciertos procesos cerebrales que no contribuyan al bienestar de las generaciones futuras. Por eso, una de las obligaciones más importantes del ser humano es manejar su herramienta intelectual, el cerebro, de una forma responsable.

Siempre dispuesto

La colaboración entre las distintas partes de nuestro cuerpo se la debemos a un conjunto de cables que transmiten miles de millones de impulsos eléctricos.

Los antiguos egipcios sabían que el cerebro alberga el espíritu humano. Sin embargo, hasta finales del pasado siglo no se descubrieron las instancias que transmiten la información desde él: las células nerviosas. Sus mecanismos de funcionamiento se conocen desde hace aún menos tiempo: sólo unas décadas.

CONSTITUCIÓN DEL SISTEMA NERVIOSO Si observamos al microscopio una célula nerviosa o neurona veremos que se asemeja a una rodaja de madera de la que parten pedúnculos finos y largos: es la unidad más importante del sistema nervioso. En su centro se encuentra el cuerpo celular o soma, donde se clasifican y organizan los impulsos que llegan y parten de allí. El modo en que esto se lleva a cabo es aún bastante desconocido. Esta unidad central de la célula está rodeada por numerosas prolongaciones ramificadas, las dendritas, a través de las cuales se transmiten las señales de unas células nerviosas a otras. En el cerebelo o en la corteza cerebral existen hasta 10.000 de ellas. De otro extremo del cuerpo celular parte un haz de fibra nerviosa, llamado axón o neurita, a través del cual se transmiten a la célula las señales de otras células nerviosas. En la

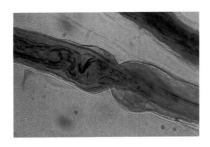

En esta fibra nerviosa (axón) se aprecia claramente el nódulo de Ranvier.

mayoría de los nervios el axón se encuentra rodeado por una envoltura de muchas capas, la cápsula de mielina. Se compone de células espongiformes y cada 1 ó 2 mm es interrumpido por el llamado nódulo de Ranvier, por lo que un axón de este tipo, observado al microscopio, parece un collar de perlas.

Debido a las diferentes cargas existentes dentro y fuera de las células nerviosas, se produce una corriente eléctrica que da origen a los impulsos que se transmiten por los axones. Cuando éstos se encuentran rodeados de una capa aislada de mielina se eleva la velocidad de excitación, por lo que el impulso salta de un nódulo a otro. Una señal nerviosa puede transmitirse de este modo a unos 430 km por hora. Cuando las terminaciones nerviosas de un axón llegan a otra

célula nerviosa, no se tocan nunca directamente, sino que dejan un espacio milimétrico llamado sinapsis. El estímulo nervioso salta este espacio con ayuda del llamado transmisor neuronal. Se trata de sustancias químicas mensajeras que a través del impulso se liberan en forma de pequeñas vesículas. Estos transmisores, como son la acetilcolina, la noradrenalina, GABA y otros, atraviesan el espacio sináptico y liberan en el lado opuesto un nuevo impulso. Un tipo de sinapsis especialmente importante es la placa motora a través de la cual se transmiten las órdenes a la musculatura esquelética.

ASEGURADO Y CONECTADO
Nuestro sistema nervioso está constituido por millares de células nerviosas conectadas entre sí. Se puede dividir en dos complejos distintos: el sistema nervioso central (SNC), con el cerebro y la médula espinal, y el sistema nervioso periférico, que conecta el anterior con las restantes zonas del cuerpo. Desde los órganos sensoriales —los receptores del tacto, calor y movimiento en la piel, en los músculos y en las vísceras—, se transmiten señales a través de los nervios aferentes que llegan por el sistema nervioso central hasta el cerebro. Allí se traducen en reacciones, como movimiento, dolor o imágenes ópticas, que a través de los nervios eferentes llegan a los órganos respectivos.

Mientras que las señales motoras, como son las órdenes de movimiento a la muscu-

Las dendritas profusamente ramificadas reciben los impulsos eléctricos de otras células nerviosas mediante sinapsis.

Al final se ramifica el axón en diferentes cabezas, que se relacionan a través de la sinapsis con las dendritas de las células nerviosas vecinas.

A través de los axones, que pueden medir desde milímetros hasta 1m, se transmiten los impulsos nerviosos a la siguiente célula nerviosa.

El cuerpo celular (soma) tiene un diámetro de entre 5-100 micras.

Nódulo de Ranvier.

Una vaina de mielina de múltiples capas rodea al axón. Estas fibras nerviosas transmiten los impulsos más rápidamente que las que carecen de vaina envolvente.

Las células de Schwann constituyen la vaina de mielina que, como su nombre indica, se compone de mielina, sustancia aislante formada por tejido graso.

Nuestro sistema nervioso consta de más de 100.000 millones de células nerviosa o neuronas. A través de ellas se transmiten estímulos nerviosos en forma de débiles corrientes eléctricas.

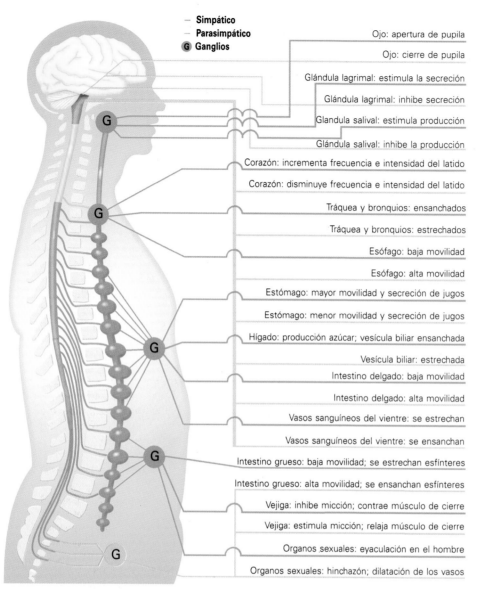

— Simpático
— Parasimpático
G Ganglios

Ojo: apertura de pupila

Ojo: cierre de pupila

Glándula lagrimal: estimula la secreción

Glándula lagrimal: inhibe secreción

Glandula salival: estimula producción

Glándula salival: inhibe la producción

Corazón: incrementa frecuencia e intensidad del latido

Corazón: disminuye frecuencia e intensidad del latido

Tráquea y bronquios: ensanchados

Tráquea y bronquios: estrechados

Esófago: baja movilidad

Esófago: alta movilidad

Estómago: mayor movilidad y secreción de jugos

Estómago: menor movilidad y secreción de jugos

Hígado: producción azúcar; vesícula biliar ensanchada

Vesícula biliar: estrechada

Intestino delgado: baja movilidad

Intestino delgado: alta movilidad

Vasos sanguíneos del vientre: se estrechan

Vasos sanguíneos del vientre: se ensanchan

Intestino grueso: baja movilidad; se estrechan esfínteres

Intestino grueso: alta movilidad; se ensanchan esfínteres

Vejiga: inhibe micción; contrae músculo de cierre

Vejiga: estimula micción; relaja músculo de cierre

Organos sexuales: eyaculación en el hombre

Organos sexuales: hinchazón; dilatación de los vasos

El sistema nervioso vegetativo permite el control automático de las funciones corporales. Se subdivide en simpático y parasimpático y ambos contrarrestan el funcionamiento de órganos, glándulas, vasos sanguíneos y tejidos.

latura esquelética, son estimuladas voluntariamente, existen otras funciones corporales importantes que se producen inconscientemente a través del sistema nervioso vegetativo o autónomo, compuesto por el sistema nervioso simpático y su contrario, el parasimpático. El primero es un sistema de rendimiento y emergencia que entra en funcionamiento mediante informaciones exteriores de actividades que requieren energía, como el trabajo corporal o la reacción ante el estrés. Así dirige el metabolismo líquido, el control de la temperatura, el crecimiento corporal y las funciones sexuales. El parasimpático, o sistema de mantenimiento, domina las funciones internas, como la alimentación, la digestión y la excreción, es decir, actividades que proporcionan energía y descanso.

Los nervios simpáticos y parasimpáticos discurren sobre los ganglios, conjuntos de células nerviosas que actúan como centros de distribución. Todos los ganglios contienen neuronas que reciben los impulsos del sistema nervioso central y los transmiten a las vísceras para regular la actividad de las glándulas. Ambos sistemas se equilibran mediante impulsos nerviosos y hormonas, sobre todo adrenalina y noradrenalina, que los activan y detienen, y se conectan entre ellos en el cerebro medio.

Fábrica de pensamientos

Los niños pequeños tienen ambos lados del cerebro igualmente ocupados. En los adultos, sin embargo, cada mitad desempeña distintas tareas, aunque invertidas.

Gracias a ellas podemos hablar, calcular y pensar mejor de modo creativo, pero escribimos y elaboramos algo correctamente sólo con una mano. El lenguaje se debe a la diferenciación de ambos lados del cerebro, que nos acompaña toda la vida y que tan sólo conocemos cuando perdemos nuestra mano dominante.

En realidad, 10.000 millones de células agrupadas densamente (cada una de ellas conectadas con algunos miles más) forman la corteza cerebral, de 3 mm de espesor, el verdadero centro del pensamiento humano, donde se centraliza la impresión sensorial, se almacenan los recuerdos y nacen las ideas creativas. Para que todas estas neuronas ten-

gan su sitio, el cerebro se divide en circunvoluciones atravesadas por surcos: el mayor separa la corteza en dos mitades, llamadas hemisferios, cada uno de los cuales gobierna una mitad del cuerpo. Como los nervios que parten de allí se cruzan en la médula espinal, la mitad izquierda del cerebro rige la derecha del cuerpo, y la derecha del cerebro, la izquierda del cuerpo. Ambos hemisferios están unidos por una masa de fibras nerviosas llamada también cuerpo calloso. Además, la corteza cerebral controla las diversas actividades en zonas concretas y en parte solapadas entre sí: la zona motora se ocupa del movimiento corporal, y la zona de la corteza sensorial de los impulsos sensoriales de la piel, músculos, tejidos y órganos. Para la captación y elaboración de las informaciones de los órganos de los sentidos existen zonas especiales, como los centros de la vista, oído, olfato y gusto.

ESPECIALIZACIÓN Mientras que para ciertas actividades y capacidades existen en el cerebro zonas concretas, para otras tan sólo se encuentran en una mitad cerebral. Las zonas corticales para el habla y la comprensión del lenguaje, zonas de Broca y Wernicke, se encuentran en el hemisferio izquierdo en la mayoría de las personas, mientras que el lugar específico para la orientación espacial se sitúa en la mitad derecha del cerebro.

El motivo de esta diferenciación habría que buscarlo en la historia del desarrollo humano: cuando, en el curso de la evolución, se necesitaron mayores tareas de control cerebral para funciones corporales añadidas, como el lenguaje, no quedaba suficiente espacio para las zonas de control en ambos lados del cerebro, y los dos hemisferios cerebrales hubieron de especializarse en tareas concretas.

Resulta interesante considerar las zonas corticales formadas en ambos hemisferios en los niños de hasta 7 años. En esta edad, si se produce una lesión de las regiones del habla, en la mitad derecha del cerebro, el gobierno

de dichas funciones se transfiere a la izquierda, lo que demuestra la sorprendente adaptación del cerebro infantil ante las lesiones. Pero esta plasticidad no es posible en los adultos: cuando fallan los centros del lenguaje, por una apoplejía o por la extirpación quirúrgica de un tumor, se producen en mayor o menor medida trastornos en el lenguaje.

ZONA DOMINANTE Al igual que una mitad del cerebro, casi siempre la izquierda, se ocupa del habla, para otras actividades la preeminencia puede situarse en uno u otro lado. El territorio en que se muestra dicho predominio con mayor intensidad es el motor, pues a través de él se establece cuál es la mano dominante. En el 90% de las personas es la derecha, lo que significa que el hemisferio cerebral dominante es el izquierdo. En los zurdos, la actividad motora está controlada por la mitad derecha del cerebro.

Debido al mayor peso de la mitad cerebral izquierda por la dominancia motora, los científicos opinaron durante mucho tiempo que el hemisferio izquierdo era el más importante de los dos. Es responsable del entendimiento y de la formación del lenguaje (hablado y escrito), de la lógica, la conciencia del tiempo, el conocimiento numéri-

co y la destreza matemática, así como del pensaminto abstracto y racional. Se podría decir que la mitad izquierda se concentra en lo analítico, en los detalles del pensamiento que se necesitan para la ciencia.

Como las funciones de la mitad derecha del cerebro no pudieron identificarse hasta mucho más tarde que las del izquierdo, durante mucho tiempo permanecieron ignoradas. Pero hoy se sabe que sus funciones son tan importantes como las del izquierdo: mientras que éste está especializado en el análisis detallado, en el derecho se localiza el pensamiento global que convierte particularidades, ideas, recuerdos, sentimientos y hechos en imágenes coherentes. Aquí se encuentra la percepción espacial, la comprensión del arte y de la música; también tienen su origen la intuición, la creatividad y la fantasía. Pero cada mitad cerebral depende de la otra y sólo puede trabajar de un modo efectivo cuando las informaciones, funciones y recuerdos de un lado pueden pasar al otro a través del cuerpo calloso.

ANALÍTICO O CREATIVO De la dominancia de una u otra mitad cerebrales dependerá el que una persona sea un pensador lógico o un artista creativo: la mitades deciden sobre nuestros talentos o tendencias. Y aunque

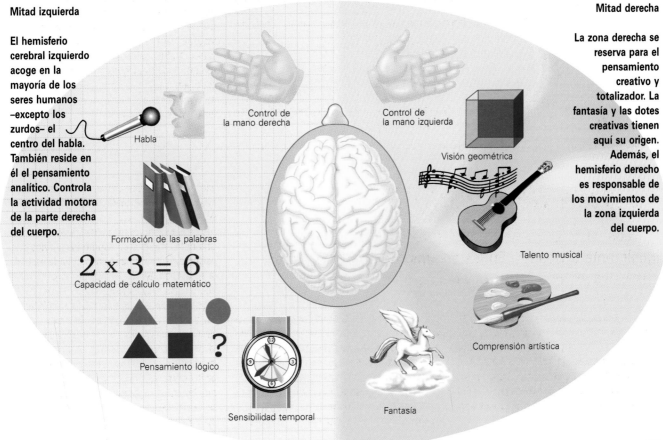

Mitad izquierda

El hemisferio cerebral izquierdo acoge en la mayoría de los seres humanos –excepto los zurdos– el centro del habla. También reside en él el pensamiento analítico. Controla la actividad motora de la parte derecha del cuerpo.

Habla

Control de la mano derecha

Control de la mano izquierda

Visión geométrica

Formación de las palabras

$2 \times 3 = 6$
Capacidad de cálculo matemático

Pensamiento lógico

Sensibilidad temporal

Fantasía

Talento musical

Comprensión artística

Mitad derecha

La zona derecha se reserva para el pensamiento creativo y totalizador. La fantasía y las dotes creativas tienen aquí su origen. Además, el hemisferio derecho es responsable de los movimientos de la zona izquierda del cuerpo.

nunca se puede generalizar, parece que en los hombres domina el lado izquierdo, analítico y racional, mientras que en las mujeres desempeñan un papel importante ambos hemisferios. En la mente femenina fluye reforzado el potencial creativo del lado derecho, lo que se conoce en el lenguaje coloquial como pensamiento sensible. Esta tesis fue demostrada por científicos de la universidad de Yale: con ayuda de la escintigrafia nuclear se midió la actividad cerebral de personas que debían realizar tareas de lenguaje.

En los hombres se activó tan solo un territorio en el hemisferio izquierdo; en las mujeres dos, y además uno en la mitad derecha y otro en la izquierda.

El estudio de las consecuencias de las lesiones traumáticas cerebrales y de las estimulaciones realizado directamente en el cerebro durante intervenciones quirúrgicas ha permitido trazar un mapa de las diversas zonas del cerebro: una es el "almacén" de la memoria; otra controla la palabra hablada; otra hace posible la comprensión de la palabra oída; otra controla la palabra escrita. En suma, una persona que a consecuencia de un ataque de apoplejía pierde la palabra, por ejemplo, puede estar en perfectas condiciones de comprender todo cuanto se dice y hasta de comunicarse por escrito, pues estas dos últimas funciones están controladas por zonas diferentes del cerebro, no afectadas por el ataque o lesión. Sin embargo, cuando un músico profesional sufre una apoplejía que lesiona el hemisferio derecho, suele deteriorarse su habilidad musical.

La izquierda no es torpe

Escribir y trabajar con la mano izquierda no es malo, como demuestran personajes zurdos que alcanzaron gran éxito, como Bill Clinton, Mónica Seles o Napoleón.

Nos saludamos con la mano derecha y en muchos pueblos se utiliza la izquierda tan solo para actividades sucias. Un invitado se sienta a la derecha del anfitrión. En la iglesia se da la comunión con la mano derecha y la Biblia nos presenta a Dios como diestro. Por el contrario, el diablo es zurdo.

CREADO PARA DIESTROS Al igual que las costumbres mencionadas, nuestra vida cotidiana esta preparada para diestros, tanto en la oficina como en el hogar: tijeras, máquinas de coser, sacapuntas, aparatos electrodomésticos e instrumentos musicales, todo está concebido para diestros. Un zurdo que no quiera instalar costosos elementos de adaptación no tiene más remedio que adquirir cierto grado de destreza con la derecha. Antes, los zurdos eran obligados desde pequeños por padres y maestros a escribir con la derecha, y muchos de estos diestros a la fuerza no se sienten en armonía consigo mismos. Estudios recientes demuestran que es frecuente encontrar en ellos trastornos del pensamiento, de la concentración y del lenguaje, pues la reeducación produce una alteración en la organización del cerebro.

La mayoría de los seres humanos son diestros. Debido al entrenamiento de las vías nerviosas correspondientes, predomina la mitad izquierda del cerebro en las salidas motoras. En los zurdos sucede al contrario: en ellos es el cerebro derecho dominante. Algunas personas pueden manejarse con ambas manos, y se desconce si esto constituye una predisposición hereditaria o no. Se puede afirmar, sin embargo, que el desarrollo de la diferenciación cerebral, y por tanto de la dominancia de un lado del cerebro, concluye entre el 7° y el 9° año de vida del niño.

¿SON CREATIVOS LOS ZURDOS? El cerebro del zurdo no es en ningún caso inferior, como se ha creído durante mucho tiempo. Al contrario, en muchos zurdos existe una dominancia menor de una de las mitades del cerebro. Su pensamiento no procede tan solo de la lógica y el análisis, determinados por la mitad izquierda del cerebro, sino que también deriva del potencial creativo y constructivo de la parte derecha. El hecho de que los zurdos abunden entre los artistas (dos ejemplos conocidos son Leonardo da Vinci y Nicolo Paganini), corrobora esa sospecha. Además, los zurdos tienen ventajas en el deporte, como los jugadores de tenis o de esgrima, pues los contrarios diestros reaccionan la mayoría de las veces hacia el lado equivocado.

Se ignora si la zurdería es una característica hereditaria o adquirida, aunque es frecuente que un niño zurdo tenga un progeni-

Seguramente no es accidental que coincida la predisposición musical con el hecho de ser zurdo, como sucede en el ex Beatle Paul McCartney.

tor o pariente cercano con la misma característica funcional. A veces un niño realiza algunas actividades con la mano izquierda –por ejemplo, escribir– y otras de forma completamente natural con la derecha. Tampoco se sabe por qué motivo la zurdería está más difundida entre los hombres que entre las mujeres, pero lo cierto es que más del 90% de las personas son diestras.

La versátil envoltura del cuerpo

Pesa 3-4 kg y con 2 m² de superficie total es el mayor órgano del cuerpo. Nuestra piel es tan resistente que una tira podría soportar todo el peso del cuerpo, y son numerosas las funciones que desempeña.

El lenguaje traiciona bastante la importancia que presta el mayor órgano del ser humano. La piel asume muy diferentes tareas, y algunas de ellas son fundamentales para la vida. La piel brinda un mecanismo protector envolvente, que funciona unido al tejido graso subcutáneo y al pigmento almacenado en la piel. La protección se produce mediante un complejo sistema de tres capas, que miden tan solo de 7 a 9 mm de espesor en la piel mas gruesa. La capa superior, de hasta 4 mm de espesor, o epidermis, está formada por células córneas; se puede subdividir en otras tres capas. En la basal y el estrato germinativo se producen las células córneas, llamadas células espinosas, que son transportadas hacia la superficie. Cada día se forman millones de células nuevas y otras tantas son liberadas en la superficie: la duración media de dichas células es de unos 50 días. Tras su formación, se unen fuertemente unas a otras y se van aflojando a medida que se acercan a la superficie. Al mismo tiempo se deposita sobre ellas sustancia córnea o germinativa. Estas células cornificadas constituyen la tercera capa –la capa de piel córnea–, que varía según la zona de la piel, siendo de mayor grosor en la planta de los pies y la palma de las manos. La epidermis protege al cuerpo como una barrera contra agentes físicos o químicos, evita la pérdida de líquido y cumple una función de pantalla protectora frente a microorganismos como bacterias y hongos.

Cuando pequeñas heridas alteran esta protección y la piel entra en contacto con gérmenes peligrosos, éstos pueden penetrarla. De todas maneras, tales gérmenes deben atravesar el manto ácido de la piel, que está protegido por la capa córnea y que segrega en zonas más profundas sus propios antibióticos, distribuidos por las glándulas sudoríparas en la superficie. En la respuesta inmune

La piel consta de tres capas: epidermis, dermis e hipodermis. Aunque de diferente firmeza, la más resistente es la capa córnea, perteneciente a la epidermis.

del organismo, por tanto, la piel desempeña un papel primordial.

PROPIEDADES INTERNAS La capa media de la piel es conocida como dermis o corion. Tiene otras funciones, como unirse al tejido conjuntivo, contener vasos sanguíneos, nervios y músculos pequeños, sobre todo en las glándulas sebáceas. En la piel existen unos pliegues donde se encuentran las papilas, dotadas de vasos sanguíneos que irrigan la epidermis. Esta capa papilar es la base para la formación de las papilas, donde se localiza el sentido del tacto. Los vasos sanguíneos confieren a la piel de los europeos su característica piel rosada. En la zona interna de esta capa media, la capa en red, se localizan las glándulas sudoríparas, así como grandes vasos y nervios con sus receptores específicos para calor, frío, presión y dolor. Mediante ella, el cerebro establece contacto con el exterior y registra las señales que percibe. Por lo tanto, son cuatro funciones las que se concentran en esta capa media de la piel: el control de la temperatura, las reacciones sensibles del ambiente a través de las células sensitivas, el control de las glándulas sudoríparas y, finalmente, la respiración de la piel.

En la esclerótica y la capa córnea se concentran las funciones más importantes. Pero tampoco se puede ignorar la hipodermis, el

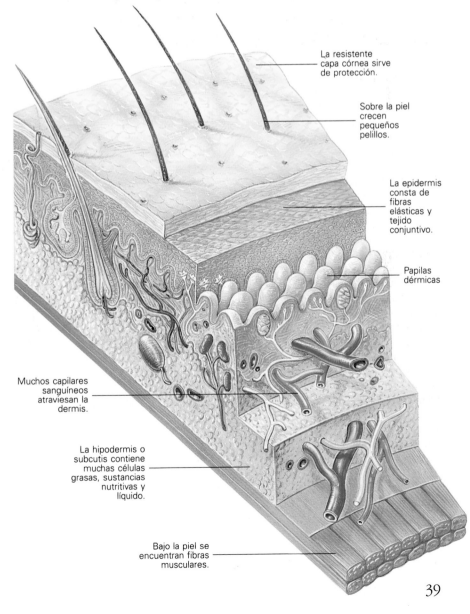

La resistente capa córnea sirve de protección.

Sobre la piel crecen pequeños pelillos.

La epidermis consta de fibras elásticas y tejido conjuntivo.

Papilas dérmicas

Muchos capilares sanguíneos atraviesan la dermis.

La hipodermis o subcutis contiene muchas células grasas, sustancias nutritivas y líquido.

Bajo la piel se encuentran fibras musculares.

subcutis. El tejido graso allí formado tiene una doble misión: en primer lugar, sirve de aislante térmico y, en segundo, amortigua los golpes y constituye un depósito de energía. En la esclerótica y en la hipodermis descansan raíces capilares y algunas glándulas sudoríparas, encontrándose en este lugar los corpúsculos de Vater-Pacini para la sensibilidad profunda.

LA PIEL ES DIFERENTE En cada zona corporal la estructura de la piel varía enormemente. En la cara, pecho y cuello se encuentra el mayor número de glándulas sudoríparas por metro cuadrado, mientras que la mayoría de los receptores sensitivos se halla en la punta de los dedos. La sensibilidad frente a las radiaciones solares y el contenido de melanina varía también dentro del mismo cuerpo. Además, la piel tiene una memoria celular de por vida frente a cualquier tipo de lesión o deficiencia: agresiones de los años tempranos, como una mala alimentación, se manifiestan mucho más tarde en forma de arrugas y sequedad.

La piel sana apenas necesita de cuidados, salvo el lavado regular con agua y jabón. Debe protegerse de los agentes químicos, de los detergentes fuertes y de una excesiva exposición al sol. El jabón o la espuma no deben dejarse sobre la piel (podrían ocluir los poros), sino que deben eliminarse mediante un buen enjuague. La piel grasa debería lavarse con más frecuencia, mientras que la seca puede beneficiarse de las lociones y las pomadas que contienen sustancias grasas. Deberá aplicarse crema hidratante en todas las zonas expuestas de la piel, con la mayor frecuencia posible, sobre todo en manos, cuello y cara. También deberá aplicarse un humectante en todo el cuerpo después de bañarse para reponer la humedad perdida.

Remolinos, arcos y curvas

Sherlock Holmes no las conocía, pero las autoridades policiales las tienen archivadas por millones: son las huellas dactilares, el horror de los delincuentes.

Todos los seres humanos tienen huellas dactilares, y se distinguen de tal manera que incluso entre gemelos pueden observarse leves diferencias. Las huellas dactilares se deben a una particularidad de la constitución de la piel. La capa media, o capa dérmica, contiene elevaciones en forma de papila que se marcan en la capa superior, la epidermis. Este perfil se imprime y es visible principalmente en las puntas de los dedos, aunque también se aprecia en la palma de la mano y planta y dedos del pie. Como estas crestas de piel eliminan una cantidad fija de sudor permanentemente, dejan siempre una marca en las superficies que tocan.

Los antropólogos descubrieron a mediados del siglo pasado la singularidad de cada dedo a través de estas marcas, y este descubrimiento fue desde principios de este siglo muy útil a los criminólogos para la identificación de los autores de delitos. Scotland Yard introdujo esta técnica en el año 1901, clasificando las huellas en remolinos, lazos, dobles lazos y curvas, que entonces, como ahora, se utilizaban preferentemente por consideraciones prácticas. En principio, todas las huellas que tengan elementos constitutivos visibles son apropiadas para su clasificación. Hoy, las muestras archivadas de un sospechoso se encuentran rápidamente con ayuda del ordenador. El departamento criminal alemán, por ejemplo, tiene archivadas en sus ordenadores unos 17 millones de huellas dactilares.

EL SENTIDO DE LAS HUELLAS DACTILARES ¿Cómo surgieron las huellas dactilares? ¿Cuál es su cometido y por qué se han transmitido de generación en generación, teniendo en cuenta que en la evolución sólo las cualidades útiles tienen oportunidad de transmitirse en la herencia genética? Para responder a estas preguntas contamos con los siguientes datos: existe una estrecha relación entre las complicadas huellas de las yemas de los dedos y el sentido del tacto, ya que los corpúsculos táctiles que proporcionan sensibilidad se localizan en estas prominencias de la capa dérmica que forman los

Los criminólogos investigan las huellas dactilares, consideradas pruebas válidas para aclarar delitos, con métodos normalizados y sistemáticos.

surcos de la piel. Como el sentido del tacto ha ido aumentando con la evolución a lo largo de miles de siglos, desde nuestros primitivos antepasados hasta nosotros, también ha crecido notablemente el número de estos corpúsculos táctiles situados en las papilas de la capa córnea. Para que esto fuera posible, también debía agrandarse la superficie de estas capas papilares en las que se encuentran estos receptores nerviosos. Cómo no existe otro espacio para extenderse excepto hacia la epidermis, así lo hicieron, marcando un relieve en los pies y en las manos, donde se encuentra una capa de piel especialmente

gruesa, y para aprovechar el espacio al máximo se formaron lazos y curvas. Un desarrollo parecido tiene lugar en la planta del pie, donde seguramente se produjo un incremento en el número de estos corpúsculos táctiles antes que en las manos, debido a las mayores exigencias de equilibrio que requería el movimiento sobre dos piernas.

PRUEBAS ARQUEOLÓGICAS Los arqueólogos nos han proporcionado pruebas para todas estas interpretaciones genéticas. Por las herramientas utilizadas hace dos millones de años sabemos que la destreza de estos hombres, que todavía no dependía enteramente

del sentido del tacto, se había desarrollado bastante. Aunque las primeras herramientas encontradas no son más que guijarros afilados, se necesitaba para su fabricación y utilización una cierta habilidad en los dedos. Lo mismo puede afirmarse de trabajos más delicados, como cabezas de arpón y agujas, realizadas en hueso, cuerno o marfil. Y los utensilios más perfeccionados inventados por el hombre de Cromagnon hace 20.000 años, afilados cuchillos con dientes milimétricos para serrar, exigían una destreza manual que era posible gracias a un sentido del tacto ya desarrollado.

Negro, blanco, amarillo y moreno

La diferencia más notoria entre los seres humanos es el color de la piel. Para que surja esta variedad, la preferencia sexual es mucho más importante que el clima.

A Darwin le preocupaba la razón de los distintos colores de la piel, y pretendía explicar estas diferencias mediante su teoría de la selección natural. Finalmente, resignado, admitió: "Ninguna diferencia externa entre las razas humanas le supone al hombre algún beneficio directo o específico." Posteriormente formuló la teoría de la preferencia sexual, que desbancaba a la natural. Hoy está demostrado que esta teoría se cumple siempre y es responsable de las evidentes diferencias externas de los seres humanos, ya que el reparto de los tipos claros y oscuros de piel no depende primordialmente del clima. Si esto fuera así, los habitantes de los países donde hubiera poco

Los albinos pueden surgir en cualquier tipo de población de la Tierra: su piel y su pelo permanecen claros.

sol tendrían que ser de tez clara; por el contrario, los habitantes de Tasmania son de tez extraordinariamente oscura. Además, no existen indios negros y los habitantes del sudeste de Asia son de un color pardo claro, casi amarillento, y no negros. Aunque África ecuatorial, junto con Escandinavia y el sur de China, se encuentran entre las zonas de la Tierra con menos luz, los suecos y los chinos tienen muy diferentes colores de piel.

Existe una teoría que aclara cómo los europeos de piel clara han evolucionado des-

de sus antepasados africanos oscuros: es la denominada teoría de la "vitamina D". Parte de la base de que la función protectora de la piel oscura no sería ninguna ventaja en los países europeos pobres de luz sino más bien todo lo contrario, ya que impediría que los rayos ultravioleta penetraran en las capas más profundas de la piel, donde se forma la vitamina D. Esta afirmación aclara la razón de un mecanismo bioquímico establecido en todo el mundo, pero no sirve para explicar la blancura de piel de los escandinavos, que viven al borde del mar y que disponen por ello de gran cantidad de vitamina D.

A TRAVÉS DE LA SEXUALIDAD El modelo de elección sexual aclara por el contrario todos estos problemas: la distribución de rasgos característicos tales como el color de la piel está determinada por la influencia de los antepasados y del grupo. Dentro de los grupos han surgido preferencias estéticas para escoger pareja, que luego se transmiten genéticamente. Estas preferencias se refieren a signos externos como piel, cabello, color de ojos, cabeza, nariz, oídos y cuerpo. Semejantes ideales estéticos no constituían únicamente una cuestión de gusto sino que también dieron lugar a un conjunto de

En las personas de piel oscura los melanocitos producen mucha melanina, que oscurece la piel.

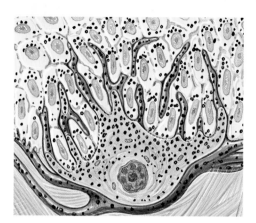

Las células aracniformes o melanocitos producen menos pigmentos en las personas de piel clara.

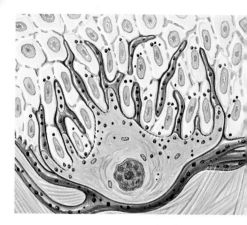

Sea piel clara u oscura, la actividad de los melanocitos es siempre responsable de su color.

mecanismos biológicos: una mujer de piel oscura tendría en África mejores perspectivas para tener descendencia. En Europa sería al revés, ya que un niño debía poseer el mecanismo de la vitamina D que proporciona la piel clara para no morir de raquitismo. **ORIGEN DEL COLOR DE LA PIEL** Junto con el espesor, el contenido en grasa y la circulación sanguínea, los melanocitos, células con apariencia de pulpo, son responsables del color de la piel. Se encuentran preferentemente en las capas más profundas de la epidermis y en las superiores de la dermis, y producen la sustancia colorante melanina, pequeños gránulos coloreados con un diámetro aproximado de 0,1 a 0,3 micras. Además, el matiz de color de la piel depende de la acumulación de una sustancia llamada caroteno en el tejido adiposo subyacente, que desempeña un papel importante en los asiáticos de piel amarilla, por ejemplo.

Todos los seres humanos tienen casi la misma cantidad de melanocitos, pero cada raza es capaz de formar gránulos de melanina en distinta medida. Estos gránulos se producen en los melanocitos y seguidamente son transportados hacia la superficie a través de sus largas ramificaciones, que se abren paso entre las capas celulares inferiores de la epidermis, se mezclan con las células basales y liberan de este modo los gránulos de pigmentos a los restantes cuerpos celulares. En los seres humanos de piel oscura se acumulan en una capa alrededor del núcleo celular, y adoptan una posición que protege de los rayos ultravioleta. Estos gránulos de color son menos abundantes en los europeos, y por ello afloran en mucha menor cantidad en las capas superiores de la piel. Se supone

que esto se debe a un bloqueo del sistema de la tiroxina, que con ayuda de la enzima del mismo nombre dirige la producción de melanina.

ESCASA DECOLORACIÓN Los albinos poseen melanocitos pero no producen melanina. El pigmento les falta tanto en la piel como en el pelo, por lo que son muy pálidos y tienen el cabello casi blanco. Además, tienen los ojos rojizos: los vasos sanguíneos se transparentan a través de un iris sin pigmentación. Los albinos son extremadamente sensibles al sol, ya que los rayos ultravioleta penetran inevitablemente en las capas superiores de la piel.

Los albinos no pueden defenderse de los rayos solares como las restantes personas, precisamente por el fallo en la síntesis de la melanina. Por consiguiente, deben protegerse en cualquier estación contra ellos con particular cuidado, para evitar un grave eritema solar.

El tipo de piel es lo importante

Según el tipo de piel se puede permanecer más o menos tiempo al sol. Si el agujero de la capa de ozono sigue creciendo, este periodo será cada vez más corto.

Nuestros peludos antepasados de hace aproximadamente 5 millones de años tenían un tipo de piel que no creaba problemas. Su robusta vellosidad era muy útil y conveniente porque protegía perfectamente la piel. El ser humano actual,

desnudo, tiene la misma cantidad de raíces pilosas que por ejemplo un simio, pero estos pelos son finos y apenas protegen la piel. No se han desarrollado debido a las glándulas sudoríparas, con el resultado de que la superficie de la piel se halla cada vez más

expuesta a las influencias externas. Según muchas teorías científicas actuales, ésta es la razón por la que comenzaron a surgir una sucesión de tipos de piel condicionados fundamentalmente por el clima.

SIN LUZ NO HAY NADA QUE HACER Los dermatólogos conocen dos posibilidades básicas para caracterizar la piel. La primera la clasifica según sea seca, grasa, escamosa o húmeda; estas características son muy importantes para el cuidado de la piel y la cosmética. La segunda clasificación se obtiene a través de su sensibilidad a la luz, y viene definida por su capacidad de producir melanina para la protección solar, es decir, la cantidad de pigmentos que se han formado en la capa basal de la epidermis y que es transportada a las capas superiores de la piel. Esta capacidad es dirigida por el sistema de tirosinasa corporal, ya que la tirosinasa es una enzima que estimula a los melanocitos para la pigmentación.

La base física de todos estos mecanismos son los rayos ultravioleta. La oscura melanina de la piel evita que la radiación de rayos UV-A y UV-B penetre en sus capas más profundas. De esta radiación trata de obtenerse tanta energía como sea posible en las capas superiores de la piel para transformarla en calor. En realidad, la capa de ozono que rodea nuestro planeta nos protege del exceso de radiación UV. El ozono la absorbe, por lo que sólo nos llegan una pequeña parte de los rayos ultravioleta del universo. Pero desde hace algunos años esta capa está perforándose alarmantemente. La aparición de los gases CFC, metano y otras sustancias está destruyendo la capa de ozono, con lo que

pierde su función como filtro UV. El agujero en esta capa está obligando a los habitantes de países soleados a exponerse poco tiempo al sol y siempre provistos de cremas protectoras y ropa, si no quieren incrementar peligrosamente el riesgo de padecer cáncer de piel. La intensidad energética de los rayos UV puede quemar la piel de tal manera que los productos genéticos de las células se vean alterados.

BASTANTE SENSIBLE La rapidez con la que los rayos ultravioleta dañan la piel depende de su tipo. Los seis tipos distintos de piel reaccionan con una sensibilidad diferente a los rayos solares. Los seres humanos con pelo rojizo, tez muy clara y muchas pecas pertenecen al tipo número 1. Su tiempo máximo de protección propia es de 5 a 10 minutos, y por éste entendemos el periodo durante el cual su propia piel puede autoprotegerse de las quemaduras. Se queman muy fácilmente y no consiguen ninguna pigmentación. El tipo 2 es algo menos delicado

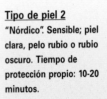

Una fotografía de la Antártida muestra el agujero de la capa de ozono (izda.), que cada vez permite el paso de más rayos UV. Los australianos se encuentran especialmente amenazados, por lo que siempre usan camiseta protectora para bañarse (abajo). Según el tipo de piel, también existen riesgos en Europa (dcha.).

Tipo de piel 1
"Celta". Extremadamente sensible; piel muy clara. A menudo tiene pecas y es pelirrojo. Tiempo de protección propio: 5-10 minutos.

Tipo de piel 2
"Nórdico". Sensible; piel clara, pelo rubio o rubio oscuro. Tiempo de protección propio: 10-20 minutos.

Tipo de piel 3
"Europeo oscuro". Moderadamente sensible; piel con algo de color. Pelo rubio medio a castaño. Tiempo de protección propio: 20-30 minutos.

Tipo de piel 4
"Mediterráneo medio". Piel insensible; pardo clara. Pelo oscuro a negro. Tiempo de protección propio: 30-40 minutos.

Tipo de piel 5
"Sudasiático o mediterráneo oscuro". Piel marrón oscura; pelo negro. Tiempo de protección propio: más de 40 minutos.

Tipo de piel 6
"Negra". Piel casi negra, insensible; pelo negro. Tiempo de protección propio: ilimitado.

y tiene el doble de tiempo de protección. Una ligera pigmentación y pelo castaño son los rasgos característicos del tipo 3. Las personas con tipo 4 de piel se broncean con más rapidez y en su mayoría tienen el pelo oscuro y la tez morena. Al tipo 5 pertenecen personas con una fuerte pigmentación, como las residentes en el sur de Europa y el sudeste asiático, con piel de tonalidad marrón oscuro y pelo casi siempre negro. Por último, el tipo 6 incluye a los africanos negros, prácticamente insensibles a los rayos solares y de pelo negro.

FACTOR MULTIPLICADOR El tiempo de exposición puede prolongarse utilizando cremas solares con protección. El factor de protección indicado en los envases de estos productos nos informa del valor de filtro que poseen. La mayoría de los ciudadanos son de tipo 3, llamado tipo mixto, y en el verano no deben exponerse al sol más de 20 minutos sin protección. Si se protegen con una crema de factor 4 pueden permanecer cuatro veces más tiempo, es decir, 80 minutos. En cualquier caso, se debe proteger la piel acostumbrada al sol, pues también pueden aparecer quemaduras solares.

Las pecas de Pipi

Sobre las pecas hay diversidad de opiniones: algunas personas las encuentran atractivas y otras ven en ellas manchas molestas de la piel. Su origen son pigmentos claros que forman pequeños grumos, sobre todo en verano.

Estas efélides, como las denominan los médicos, son inofensivas. Sobre todo las poseen personas de tez clara y, por supuesto, los pelirrojos. El efecto erótico que provocan lo ha demostrado claramente la actriz irlandesa pelirroja y de ojos verdes Maureen O'Hara en sus numerosos papeles de mujer fatal.

Estas manchas de color pardo claro y oscuro pueblan las superficies corporales que se encuentran a menudo o siempre expuestas a la luz, como la cara, el escote y los brazos, donde en verano se multiplican en mayor o menor medida. Especialmente frecuentes son en la nariz o bajo los ojos; en el invierno desaparecen de nuevo.

La predisposición a las pecas es hereditaria, como el tipo de piel y el color del cabello. Cuando se está genéticamente predispuesto aparecen las primeras manchas a los cinco años y desaparecen a edad avanzada, cuando la piel ya ha perdido su capacidad para formar melanina pues los melanocitos no son tan productivos o han desaparecido. La capa superior de la piel se degenera con la edad, impidiendo el depósito de gránulos de melanina o su coloración disminuye debido a la menor absorción de luz por el envejecimiento de las capas córneas de la piel.

Una variante menos atractiva son los lunares. Su origen es el mismo que el de las pecas pero son mayores y más delimitados. A veces se unen formando una aureola abultada y coloreada.

SÓLO SOBRE LA PIEL CLARA El tipo de piel clara —nos referimos en su mayoría a los tipos 1 y 2— es responsable de la aparición de pecas. En él la cantidad de melanina que se produce es menor; y a veces se forma otro tipo de melanina defectuoso, feomelanina, que reacciona irregular y débilmente ante la luz. Produce solamente pigmentos amarillos o pardos, a diferencia de la eumelanina, que puede llegar a ser totalmente negra. En el pelo rojo o la tonalidad rojiza del pelo rubio se hereda de modo recesivo. La feomelanina tiene gránulos más gruesos y no puede repartirse tan uniformemente como la eumelanina: se distribuye en grupos más bien irregulares y el espacio intermedio queda sin color.

Esta formación de melanina bloqueada en determinadas zonas del cuerpo es hereditaria y su origen se encuentra en una terminación defectuosa del sistema de la tirosinasa que dirige la formación de melanina. Este trastorno se ha desarrollado porque nuestros antepasados de las regiones nórdicas se desplazaron de sus lugares de origen pero siguieron escogiendo preferentemente parejas de piel clara.

La heroína literaria Pipi Langstrumpf procedía seguramente de antepasados escandinavos de piel muy blanca y pelo entre rubio y rojo que escogieron esposas pecosas pelirrojas y de piel clara. Tal familia fue perdiendo progresivamente la capacidad de producir melanina permanente en la piel. Los genes que en la familia Langstrumpf eran responsables del color de la piel transmitían esa información a intervalos, ya que para ellos no era imprescindible.

Nunca se debe intentar hacer desaparecer las pecas usando las cremas de venta en el comercio con este fin, las cuales, además de ser inoperantes en la mayoría de los casos, pueden incluso dañar la piel. Se puede prevenir su formación, al menos parcialmente, evitando exponerse al sol y, cuando no haya màs remedio que tomarlo, utilizando siempre cremas o lociones protectoras. El número de pecas depende de la intensidad de luz solar recibida; las personas que tienen más son también las más propensas a sufrir quemaduras solares.

Quien tiene muchas pecas suele ser casi siempre pelirrojo o rubio. En algunos países como Irlanda son especialmente frecuentes.

Islas de colores sobre la piel

Algunos lunares son pequeños y disimulados; otros de resplandeciente color rojo azulado se extienden sobre la mitad del rostro y hasta se han colocado artificialmente.

Un nevo como el de Mijail Gorbachov es totalmente inofensivo: se puede corregir quirúrgicamente si se desea.

Las damas del siglo XVIII pusieron de moda los lunares, acentuándolos o incluso colocándoselos artificialmente.

Antiguamente, el que un bebé naciera con angioma o verruga podía tener graves consecuencias incluso para la madre: en algunos casos eran desterradas de la sociedad y en otros se mataba a la criatura. Era tal el terror a estas llamativas señales que se consideraban una maldición de dioses y espíritus que podía perjudicar a la comunidad entera. En algunos pueblos aún se piensa así. Pero también puede darse el caso contario: estos niños son considerados como algo santo y más tarde reverenciados como brujos, magos o curanderos.

Muy distinto es el caso de los lunares. No se consideraban manchas sino que por el contrario en determinadas épocas tenía un atractivo especial el adornarse con una mancha oscura en la cara. En los tiempos barrocos e incluso después las mujeres los imitaban con pequeños parches pegados en la cara, para así acentuar la perfección de su cutis o bien disimular las imperfecciones.

PIGMENTOS Y VASOS SANGUÍNEOS Los médicos distinguen más de 30 tipos distintos de estas manchas congénitas de la piel o nevos, también llamadas vulgarmente anto-

jos, que se dividen en dos clases: los antojos propiamente dichos, que se deben a trastornos de la pigmentación, y las manchas de los vasos sanguíneos. En el primer grupo destaca por más conocido el lunar oscuro con forma de lenteja, en latín *Lentigo* o *Naevus pigmentosus,* y su contrario, el *Naevus albus,* un círculo completamente decolorado rodeado de una aureola pigmentada.

MANCHAS COLOREADAS Por *Lentigo,* en español lenteja, entendemos unas zonas poco delimitadas con forma de lenteja marrón oscuro, formadas al nivel de la piel o sobre ella, es decir en relieve y ásperas, debido a un crecimiento desproporcionado de las células de la pigmentación. Estos defectos, al igual que la mayoría de los lunares, no son hereditarios: se trata casi exclusivamente de ligeros trastornos embrionarios que pueden tener distintas causas. Sin embargo, la tendencia a desarrollar trastornos de este tipo sí puede transmitirse por la madre. La diferencia entre ellos y las pecas radica en que en estas últimas la producción de melanina se altera genéticamente; no se produce una cantidad tan apreciable de feomelanina ni se

acumula irregularmente sobre la piel, como sucede con los lunares.

La persona que posea lunares debe vigilarlos regularmente. Si aumentan repentinamente de tamaño, se vuelven ásperos, abultados o sangran hay que tener cuidado: puede estar desarrollándose un melanoma maligno e inmediatamente hay que acudir a un especialista.

SUPERFICIES ROJAS SOBRE LA PIEL

Al segundo tipo de manchas, las relacionadas con los vasos sanguíneos, pertenecen los nevos vasculares, *Naevus flammeus,* y los angiomas. Los primeros no tienen tendencia a malignizarse; sin embargo pueden llegar a hacerse muy grandes y se sitúan preferentemente en la cabeza. Un portador muy conocido de este tipo de mancha es el político ruso Mijail Gorbachov, para el que ha llegado a ser su distintivo personal. Las manchas muy destacadas por su intenso color violeta reciben también el nombre de manchas de vino, y de ellas son responsables los capilares de las capas superiores de la piel. Se trata de hemangiomas capilares, tumores no malignos de vasos sanguíneos que se desarrollan durante el primer año de vida si no son de nacimiento. El 90 % desaparecen por sí mismos.

El segundo tipo de alteración de los vasos sanguíneos es el angioma, hemangioma cavernoso que se eleva sobre la capa superior de la piel y presenta un color azul rojizo. Es algo más peligroso que el nevo vascular, ya que pueden ocasionarse hemorragias si se rompen los vasos de repente.

Los angiomas no son hereditarios y obedecen a una anomalía congénita, cuya causa es desconocida. Si crecen rápidamente, son de localización molesta o persisten después de los 6 años de edad, se puede considerar la posibilidad de su tratamiento. A diferencia de los hemangiomas capilares, los cavernosos desaparecen en unos años y no sufren degeneración maligna.

Un bulto innoble

Toda bruja que se precie tiene una verruga en la nariz. Pero también las personas corrientes las sufren de vez en cuando, ya que son contagiosas y producidas por virus.

La *verruca*, o verruga común, está muy extendida y no causa mayores trastornos. Es consecuencia de una infección de papovirus, de la familia de los papilomavirus. Se conocen unas 35 clases diferentes de estos virus extraordinariamente resistentes a las influencias del medio ambiente.

La verruga normal presenta un color amarillento, es rugosa y su tamaño varía desde la cabeza de un alfiler hasta el de una lenteja. Surge en la juventud en la palma de la mano o en la planta del pie, donde crece hacia dentro debido a la dureza de la piel en esta zona y se denomina papiloma. También puede infectar fácilmente otras zonas del cuerpo, donde crecen verrugas hijas. El peligro de contagio a terceras personas es sensiblemente inferior al de uno mismo.

Si se observan verrugas a través del microscopio se aprecia un abultamiento de la epidermis en el que se ha producido una queratinización defectuosa y la capa superior de la córnea se encuentra profunda-

La verruga se presenta como un crecimiento celular brusco, motivado por la acumulación de células basales infectadas por virus entre la dermis y la capa córnea.

mente agrietada. En estas zonas las células productoras de queratina, o células espinosas, son claramente defectuosas, presentan grandes cavidades en el citoplasma, las vacuolas, y además se observan acumulaciones de gránulos córneos. Todo esto es una clara muestra de la presencia de la infección masiva del virus.

Las poco profundas verrugas espinosas, que pueden llegar a estar muy extendidas entre los jóvenes, son relativamente blandas, redondas y de superficie lisa y suave, a diferencia de las verrugas de los adultos, rugosas y agrietadas.

CAUTERIZAR O CORTAR

Las verrugas son enfermedades contagiosas. El contacto con la sangre, por ejemplo, si se produce una herida en la verruga, es contagioso.

- La mayoría desaparecen por sí solas y no requieren tratamiento.

- Para las verrugas estéticamente molestas hay tratamientos que eliminan la sustancia córnea y medicamentos herbales que las hacen desaparecer.

- También se pueden operar cauterizándolas, arrancándolas o cortándolas con un bisturí punzante.

El jugo de raíz fresca de la celidonia hace desaparecer las verrugas.

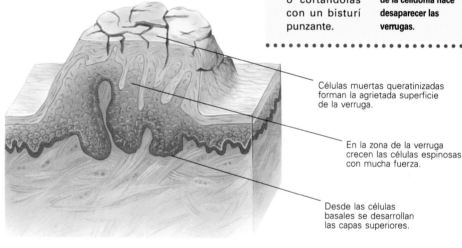

Células muertas queratinizadas forman la agrietada superficie de la verruga.

En la zona de la verruga crecen las células espinosas con mucha fuerza.

Desde las células basales se desarrollan las capas superiores.

Redes azules y rojas

Araña vascular o varices, las finas marcas de capilares en la piel resultan desagradables. Aunque no representan ninguna anomalía, pueden revelar trastornos ocultos.

Sobre todo las mujeres durante el embarazo se quejan de varices, que aparecen también en personas mayores o de piel fina. Surgen a consecuencia de la debilidad en las paredes de los vasos sanguíneos. Enfermedades metabólicas, como la diabetes, pueden provocarlas, pero también una exposición violenta al frío o calor. Los lugares donde se produce con mayor frecuencia son las paredes de las venas pequeñas, arteriolas o vénulas.

En las zonas críticas del sistema de riego sanguíneo, los vasos tienen las paredes extraordinariamente finas. Los capilares en los que se produce el intercambio de sustancias metabólicas y gases con las células del entorno son casi tan delgados como una capa celular, y tienen numerosos orificios microscópicos por los que puede salir la linfa, las células sanguíneas y el suero.

VENAS BAJO PRESIÓN Sometidas a diferentes cargas, estas venillas pueden alterarse con el tiempo: entonces se vuelven rígidas, quebradizas y se abomban. Algunas zonas pueden quedar ocluídas por pequeños glóbulos sanguíneos. Si esto ocurre, pueden suceder dos cosas: que se ensanche el capilar cada vez más o que se cree una pequeña circulación colateral con nuevas venitas. Esto sucede principalmente en las piernas, donde es más probable que la circulación sea más lenta debido a la pesada carga que soportan. También es frecuente en la fina piel del rostro, tan rica en vasos sanguíneos.

La intensa circulación sanguínea que se registra en la mitad inferior del cuerpo de las embarazadas es responsable de la formación de masas de vasos sanguíneos, consecuencia de la hipercirculación del útero. A esto hay que añadir los efectos de los estrógenos en las paredes de los vasos, todo lo cual provoca la formación de pequeñas varices. También las arañas vasculares, que a diferencia de las tortuosas e irregulares varices presentan una elevación central, se manifiestan en la cara durante o después del embarazo. Si aparecen en gran número y por todo el cuerpo, se denominan también estrellas hepáti-cas, pues normalmente su origen es una enfermedad del hígado.

AYUDA MÉDICA Las arteriolas especialmente molestas y llamativas pueden tratarse mediante electrocoagulación. Es importante establecer la causa de la enfermedad. Las varices que aparecen durante el embarazo suelen desaparecer por sí mismas pero pueden reaparecer en una nueva gestación. En general, las personas afectadas deben evitar cambios bruscos de temperatura y no ingerir especias picantes ni dulces.

Casi tan bueno como nuevo

Algunos seres humanos consideran las cicatrices como algo interesante y llegan a hacérselas a propósito. Pero en realidad son el resultado de un complicado proceso de regeneración de los tejidos, insuficientemente conocido.

El proceso de la cicatrización no se conoce muy bien todavía. Su labor consiste en estrechar y cerrar los tejidos dañados, pero no están claros los mecanismos bioquímicos y las señales que los dirigen. Sabemos que sólo se puede conseguir una buena cicatrización si la irrigación sanguínea del tejido es buena. La presencia de ciertas enfermedades, como la diabetes, puede hacer mucho más lento el proceso.

LAS DOS MEJORES SOLUCIONES A veces una herida cicatriza con tanta perfección que no deja huella. Esto sucede sobre todo en las heridas muy pequeñas con bordes muy próximos, tanto en el interior como en la superficie del cuerpo.

Si no es posible una curación tan perfecta, el cuerpo acepta un compromiso: la herida se cierra pero la cicatriz resultante ya no tiene la misma calidad que la piel original. Es más fina en su conjunto, carece de glándulas, pelos y poros, está peor irrigada y además las terminaciones nerviosas, si existen, son mucho menos activas.

El tejido cicatrizal está compuesto principalmente por colágeno, escleroproteína fibrosa y principal constituyente orgánico del tejido conjuntivo y de la sustancia orgánica de los huesos y cartílagos. El colágeno presta cohesión a muchas fibrillas, proporcionándoles una unión estable.

MECANISMO DE REPARACIÓN Durante el proceso de cicatrización aparece al principio, durante la denominada fase de granulación, un tejido provisional y con apariencia de costra córnea granulada. Para ello se aprovecha todo aquello disponible, sangre derramada y restos de tejidos, como si se tratara de un refugio de emergencia fabricado de hojas y arcilla. Este tejido granuloso se destruye y reabsorbe tras la aparición del nuevo tejido definivo, ya que no es necesario para la estabilidad de los tejidos y el aislamiento exterior. El proceso de cicatrización termina cuando la herida se cierra completamente con tejido epitelial.

A veces sucede que el cuerpo no puede detener a tiempo esta última fase de la cicatrización. Aparece entonces un abultamiento blanco-grisáceo sobre la piel, llamado queloide cicatrizante. Esto sucede sobre todo cuando no se ha cuidado bien la herida, no se ha limpiado con regularidad o, lo que es peor, se han intentado adaptar los bordes de la herida aproximándolos uno al otro todo lo posible. Este resultado se puede conseguir con una escayola rígida o un vendaje apropiado. Si es necesario, un médico puede coser o grapar una herida difícil.

Las cicatrices en el interior del cuerpo, causadas por lesiones o intervenciones quirúrgicas, raramente causan trastornos. A veces se pueden producir adherencias, es decir, el tejido cicatricial de una herida se une a los tejidos u órganos vecinos, pudiendo afectar en algunos casos su normal funcionamiento.

Este joven sudanés presenta cicatrices como adorno. Tras la cicatrización, las heridas dejan en la espalda una visible marca ritual.

Bastante más bonito que una joya

Todos, o casi todos, tenemos cabello en la cabeza. Pero pocos saben lo que realmente hay debajo de estos hilos largos, delgados y sedosos, más o menos atractivos.

Comparten destino con las uñas de las manos y de los pies, pues tanto unos como las otras sólo son visibles cuando han traspasado el punto de crecimiento y llegan a la superficie exterior de la piel. Lo que se ve ya está muerto: los hilos finísimos de pelo, de aproximadamente 0,1 mm de espesor, no son más que un complejo de células muertas que ya no pueden dividirse más y por lo tanto no presentan crecimiento alguno. Lo único que aún está vivo es la raíz invisible, profundamente insertada en el cuero cabelludo o, mejor dicho, el recinto celular de la matriz en el bulbo piloso, cuya misión es producir nuevas células pilosas. Todos los pelos del cuerpo tienen una parte central, llamada médula, rodeada por una corteza externa reforzada por una capa de queratina. Esta capa externa, denominada cutícula, está compuesta por escamas.

PROCESO DE QUERATINIZACIÓN
La constante producción de nuevas células hijas impulsa a las más viejas hacia capas más altas. Este movimiento constante es posible porque el revestimiento de la raíz de los folículos pilosos, la vaina radicular, transporta a las células como si se tratara de un canal. En su trayecto hacia el exterior se van queratinizando de un modo semejante a la piel. Sin embargo, las células muertas no son empujadas como si fueran escamas, sino que constituyen fibras largas de una sustancia córnea llamada queratina.

Esta resistente escleroproteína se forma durante el proceso de queratinización y está compuesta por carbono, oxígeno, nitrógeno, pequeñas cantidades de hidrógeno y azufre. Las moléculas constituyen una estructura en forma de hélice (*a-Helix*) que se estira asombrosamente. Por ejemplo, cuando nos lavamos el pelo, éste puede alargarse el doble de

su tamaño por efecto de la humedad y el calor. Este fenómeno se produce porque la estructura anterior puede desenroscarse, situándose las moléculas de forma paralela al romperse en el proceso de lavado las uniones puente de hidrógeno. Al secarse, se vuelven a unir, pudiendo adoptar la forma impuesta por el secador y el cepillo.

CARACTERIZACIÓN ESTABLE Y RÁPIDA La constitución de la queratina es tan estable que ni los agresivos jugos gástricos ni las enzimas que normalmente disuelven las proteínas pueden con ella. El cabello no se puede digerir, y soporta además un peso de alre-

dedor de 80 g: los aproximadamente 100.000 cabellos podrían sostener el equivalente a 8 t.

También es sorprendente la velocidad con la que estas células se deslizan ininterrumpidamente. El pelo crece diariamente unos 0,35 mm, que suponen 1 cm mensual. Si se pudiera observar a la vez el crecimiento diario de todos los cabellos, supondría una línea gigante de más de 30 m. Este ritmo de cre-

cimiento no disminuye a pesar de que nos cortemos el pelo con regularidad. En cambio, sí varía con la estación del año y la temperatura, ya que en verano, y en general con el calor, el pelo crece más deprisa.

La dirección del crecimiento depende de lo que sucede de forma invisible bajo el cuero cabelludo. Los cabellos comienzan a rizarse cuando el proceso de crecimiento en el bulbo es irregular. Durante el proceso de queratinización se acumula más queratina en la parte exterior del pelo. La presión aumenta y, así, el pelo se ensortija formando ondas. El pelo liso, por el contrario, crece a la misma velocidad a ambos lados.

El pelo rubio significa vitalidad y simboliza en la mujer la eterna juventud. Surge por un proceso que destruye los gránulos de pigmento en los folículos pilosos.

A menudo el pelo no es sólo un adorno sino que puede causar admiración, como acontece con los rastafaris de Jamaica y su poderosa cabellera de león. El estado del pelo refleja las condiciones de salud de su propietaria.

Estas alteraciones en la queratinización no tienen por qué permanecer homogéneas toda la vida. Un embarazo o cambios hormonales como los que se registran en la pubertad pueden acentuar o atenuar el grado de ondulación del pelo. El rizo natural de los africanos, por el contrario, es inalterable: el folículo piloso ya se encuentra retorcido y esta característica se acentúa más durante el proceso de queratinización.

LA CAÍDA DEL PELO Si se dejase crecer el pelo sin cortarlo llegaría a alcanzar una longitud de 60-90 cm. Unos cabellos extremadamente largos sólo pueden conseguirlos quienes están dotados de una raíz hiperactiva. En estas personas, los periodos activos de crecimiento duran más tiempo. Por tanto, las fases de reposo son más escasas y el pelo se cae menos: cada pelo vive más tiempo y tiene la posibilidad de crecer más.

Todo el mundo tiene aproximadamente el mismo número de cabellos en la cabeza: 280-340 por cm². La densidad de los mechones depende de su color y vigor. El pelo rubio con sólo 0,03 mm de diámetro, es el más fino, mientras que el pelirrojo llega a tener hasta 0,12 mm de diámetro. Por tanto, en una cabellera rubia caben más cabellos (alrededor de 120.000) que en una pelirroja (unos 80.000).

La coloración de cada individuo –desde rubio blanquecino hasta negro azabache– viene determinada genéticamente y es originada por un pigmento llamado melanina, contenido en las células situadas en la base de los folículos pilosos. Si estas células carecen de pigmento, el pelo resulta de color blanco. Tras el cambio hormonal que se produce en la pubertad, puede afirmarse que la tonalidad del cabello permanece inalterable.

El record Guinness de pelo largo lo ostenta la norteamericana Diane Witt, que no se corta el cabello de 3 m de longitud desde hace 16 años. Cuidarlo, lavarlo y peinarlo le ocupan prácticamente todo el día.

El abrigo de piel humano

En muy pocas zonas del cuerpo tiene el vello una verdadera función. La mayor parte de estas estructuras córneas son una reliquia de tiempos pasados.

Su distribución habla por sí sola. Los largos cabellos pueden ser más llamativos pero en conjunto son bastante menos numerosos que el vello que aflora de los folículos pilosos repartidos por el resto del cuerpo. En efecto, tenemos aproximadamente 100.000 de los primeros frente a 300.000 de los segundos. Sólo los labios, las palmas de las manos y las plantas de los pies se encuentran libres de hilillos córneos que, por el contrario, pueblan zonas aparentemente carentes de pelo, como el vientre, la frente o el interior de los brazos, donde son tan finos que apenas se aprecian.

ANTENAS RECEPTORAS Tanto la fina pelusa del vientre como las poderosas cerdas de las pestañas son muy importantes para los seres humanos. Los bulbos pilosos están cubiertos por unas fibras nerviosas delicadas, de manera que el mínimo movimiento, como una corriente de aire, es captado como si se tratara de una antena y transmitido al cerebro inmediatamente. De esta forma, los pelos contribuyen al sentido del tacto. También forman una capa protectora ante la presión o los golpes, y aíslan además del calor o del frío. Algunas zonas del cuerpo especialmente sensibles y delicadas necesitan una protección pilosa especial: unos pelillos de más consistencia filtran el polvo en los oídos y la nariz, mientras que los pelos de las cejas y las pestañas protegen al ojo de cuerpos extraños.

El hombre experimenta hasta su edad adulta diferentes fases de crecimiento del vello. De los 3 a los 8 meses, el feto está completamente cubierto por un manto piloso que es sustituido por otro menos llamativo; esta capa se mantiene hasta el tercer o cuarto mes después del nacimiento. La tercera etapa de crecimiento del pelo, que constituye el lanugo, permanece el resto de la vida. También aquí se producen cambios, sobre todo en la pubertad, hasta que se define la forma, el color y la distribución

En la Edad Media el hombre creía que el demonio tenía una piel velluda, como se aprecia en este fresco del pintor Giotto di Bondone.

del cabello que caracterizará a cada persona durante el resto de su vida.

RECUERDO DEL REINO ANIMAL La envoltura cutánea del ser humano, a modo de un abrigo de pelo, es compartida con otros mamíferos, en especial con sus parientes más cercanos, los primates. Diversas investigaciones han aclarado la evidente pérdida de pelo que comenzó en el hombre desde los tiempos de la caza: empezaba su ojeo en el calor del mediodía, cuando no había ningún animal despierto. Esto significaba una mayor cantidad de sudor. La densa capa de pelo suponía un grave inconveniente para la evaporación, por lo que en el curso de la historia evolutiva de la especie se seleccionó un vello escaso como ventaja. Desde entonces, el número de folículos pilosos de la piel ha permanecido invariable, modificándose tan sólo la estructura del pelo, que se ha afinado y acortado.

Tejas sobre la cabeza

Los cabellos también tienen escamas celulares, pero no se deben confundir con las pequeñas partículas blancas que se desprenden del cuero cabelludo.

En primer lugar constituyen una señal de pureza, un sello de calidad. El pelo artificial tiene una superficie completamente lisa, sin las estructuras complicadas que caracterizan al pelo verdadero. El pedículo piloso, porción final del pelo más o menos larga que ha abandonado la profundidad de su origen en el cuero cabelludo, posee una cubierta fuerte que protege los haces fibrosos de queratina de su interior.

PROTECCIÓN CELULAR Esta protección, la membrana pilosa, está compuesta de cuatro a diez capas celulares planas, adheridas mediante una especie de masilla. Están dispuestas de forma tan compacta que las escamas celulares se solapan tan sólidamente que hasta las seis séptimas partes de una escama está cubierta por la siguiente. Esta coraza se observa también en la dirección de crecimiento del pelo: si se acaricia desde la raíz hasta la punta, se nota liso; sin embargo, a contrapelo, contra las escamas, es rudo y áspero. Cuando se pasa un peine no se producen daños, pero si queremos cardarlo chocamos contra las escamas, ya que esta técnica consiste en elevarlo y enredarlo para obtener mayor volumen.

BRILLO Y COLOR El brillo del pelo se produce por el reflejo especular de la luz en cada escama, es decir, reacciona como si éstas fueran espejos. Si está dañado, absorbe los rayos en lugar de reflejarlos, quedando el pelo sin brillo. Igualmente ocurre con el color, ya que la capa escamosa, al ser transparente, deja traslucir los pigmentos almacenados en la corteza del pelo. Cuando las escamas se destruyen se pierde la transparencia, quedando descolorido. Las decoloraciones repetidas del cabello pueden ser nocivas y hacer que se vuelva áspero, seco, quebradizo y con puntas abiertas.

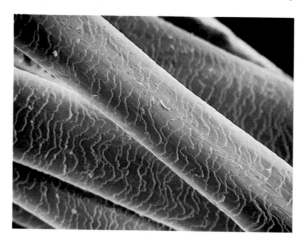

La fotografía muestra claramente que el pelo no es liso: su superficie está recubierta de diminutas escamas.

Una pérdida cotidiana

Cada mañana sucede lo mismo: se encuentran tantos pelos en el peine que nos sorprende no estar calvos. No hay que preocuparse: esta pérdida es normal.

Es generalmente sabido que el cabello crece sin cesar, pero lo que no se sabe es que también necesita un descanso. El 85% de los pelos de un adulto sano se encuentran siempre en una fase activa de crecimiento que dura de 4 a 6 años en los hombres y de 3 a 4 años en las mujeres.

Esta diferencia se debe a las hormonas sexuales masculinas, cuya influencia sobre el crecimiento del pelo es mayor que la de las femeninas. El 1% del pelo se encuentra en una fase estacionaria que dura tres meses. Cuando la raíz del folículo piloso comienza a atrofiarse, el núcleo de la raíz mantiene todavía la papila que lo alimenta. El 14% del pelo se encuentra en la fase de reposo. La terminación inferior de la raíz pilosa se vuelve gruesa, se desprende y se separa del folículo piloso, con lo que el pelo deja de estar anclado al cuero cabelludo, pierde su sujeción y se queda en el cepillo.

Diariamente, de 50 a 100 de los 100.000 cabellos existentes se desprenden de esta forma. Tan solo cuando el folículo piloso ha reposado durante un cuarto de año, vuelve a activarse y forma un nuevo pelo. Los pelos perdidos se reponen continuamente y en unos siete años se renueva todo el conjunto del cabello. Esta regeneración continua puede verse afectada por enfermedades, determinados tratamientos y estrés, lo que producirá una mayor caída de pelo. También quien manipula mucho su pelo puede sufrir las consecuencias. Si la causa de la pérdida es una disfunción orgánica, el tratamiento médico puede reactivar el crecimiento del pelo.

Belleza rebelde

A veces se alborotan al peinarse, otras parecen tener vida propia y de vez en cuando se pone de punta: la causa es la energía eléctrica que se acumula en nuestro cabello.

La energía eléctrica nos rodea y es normal que se acumule en el pelo. No la advertimos en nuestra vida cotidiana por tratarse de una carga mínima. Sin embargo, no es difícil alterar este equilibrio eléctrico: basta tan solo pasar un peine o un secador sobre el pelo recién lavado.

Una variación electrostática de este tipo determina que cualquier cuerpo sin carga pueda activarse de corriente eléctrica. Un ejemplo conocido de este principio es la esfera que, tras repetidos frotamientos en un jersey de lana, atrae trocitos de papel. De la misma manera, los cabellos se pueden cargar cuando se les pasa un peine con fuerza. Se vuelven tan electrostáticamente negativos que son atraídos por el peine cargado positivamente, ya que las cargas positivas y negativas se atraen mutuamente. La consecuencia son pelos que literalmente se

Los cabellos se quedan de punta como si fueran una corona radiante. Esta carga es totalmente inofensiva y puede neutralizarse con otra carga positiva. Existen lociones y tratamientos que compensan esta tendencia del cabello.

pegan al peine. Las cargas de igual signo, por el contrario, se repelen. Esto supone que cada pelo cargado negativamente se aleja todo lo posible de su vecino también así cargado; los cabellos se mueven y se orientan hacia arriba, y parecen querer escapar volando. En este estado no permiten un peinado correcto y no recuperan su forma con el cepillado.

Esta carga electrostática puede reforzarse si, por ejemplo, se utiliza un champú que contenga sustancias negativas. Por el contrario, ayudan los tratamientos capilares que contienen componentes cargados positivamente, pues se depositan en cada pelo e igualan la carga negativa no deseada. Quien se enfrenta con frecuencia al problema del pelo electrizado puede recurrir, por lo tanto, a medios de limpieza del cabello que le ayuden a solucionar su problema.

Los acondicionadores ayudan a proteger el pelo. En consecuencia, deberá escoger el que mejor se adapte a su tipo de cabello. Los enjuagues regulares con acondicionador neutraliza las cargas eléctricas estáticas y hacen el pelo mucho más manejable. En cualquier caso, si su cabello queda "restallando de limpio" significa que lo está lavando muy seguido o está usando mucho champú.

Dureza sana

No se ve cómo y dónde crecen las estructuras córneas que constituyen las uñas de los dedos, pero desde que son visibles desarrollan funciones de protección y apoyo.

Sin ellas no podríamos utilizar los dedos como herramientas de agarre, o lo haríamos de forma limitada, pues estas placas pequeñas y robustas, nuestras uñas, protegen las delicadas yemas y les confieren sujeción. En particular, son indispensables en actividades motoras de precisión y ante el contacto con pequeños objetos. Aunque prácticamente no poseen nervios, están rodeadas por un tejido sensible rico en nervios que detecta cualquier presión por pequeña que sea.

Tampoco se debe despreciar la capacidad de la uña para absorber agua como si fuera una esponja y devolverla más tarde por evaporación. De esta forma evitan que el líquido reblandezca los tejidos de la punta de los dedos de manos y los pies. Cuando las manos están en contacto frecuente con el agua, las uñas se rompen por la continua alternancia de absorción y evaporación.

ZONA OCULTA DE CRECIMIENTO Lo que resulta visible de la uña es tan solo la placa ungueal, de 0,3 a 1 mm de espesor. Se desliza hacia delante sobre el lecho ungueal, cuya fuerte irrigación le confiere su apariencia rosada. La raíz de la uña se sitúa profundamente en el pliegue de la ranura ungueal. Aquí, entre la capa de células madres, la matriz, se produce un crecimiento continuo. La uña crece mientras las células situadas más al extremo de la matriz se transforman en tejido queratinizado muerto, que va siendo empujado desde el pliegue. Si la matriz se destruye, la uña no puede volver a crecer.

RESISTENCIA La sustancia córnea queratina es responsable, como en el pelo, del fuerte contenido de proteína estructural, que proporciona una enorme resistencia. Del mismo modo, también influyen el fósforo, el azufre y el calcio. La uña sana de un adulto debe contener hasta un 1% de calcio.

La constitución de la capa celular de la matriz forma el espacio blanquecino semilunar de la raíz de la uña, conocido como lúnula. En ella se acumulan las células madres tan densamente que no permiten apreciar el lecho rojo de la uña. El tamaño de esta estructura es diferente para cada persona y tiene una explicación genética. Algunos tienen una lúnula en forma de media luna, otros tan sólo una pequeña banda y en algunos casos no es visible. Las demás manchas blancas de las uñas se deben a una lesión menor en la matriz y no necesitan tratamiento.

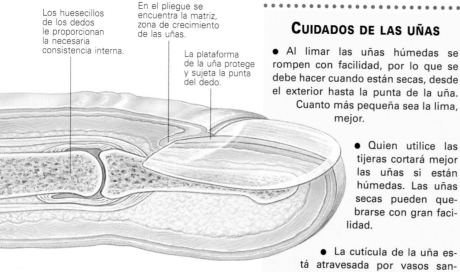

Los huesecillos de los dedos le proporcionan la necesaria consistencia interna.

En el pliegue se encuentra la matriz, zona de crecimiento de las uñas.

La plataforma de la uña protege y sujeta la punta del dedo.

Gracias a las uñas, que actúan como poderosas pinzas, podemos utilizar las sensibles puntas de los dedos como herramientas de agarre para sujetar firmemente pequeños objetos.

CUIDADOS DE LAS UÑAS

● Al limar las uñas húmedas se rompen con facilidad, por lo que se debe hacer cuando están secas, desde el exterior hasta la punta de la uña. Cuanto más pequeña sea la lima, mejor.

● Quien utilice las tijeras cortará mejor las uñas si están húmedas. Las uñas secas pueden quebrarse con gran facilidad.

● La cutícula de la uña está atravesada por vasos sanguíneos y fibras nerviosas. Ofrece protección a la raíz sensible de la uña, por lo que no se debe dañar ni cortar.

Destellos de color en la mirada

Unos relucen pardos o grises; otros son azules o verdes como el jade. Los ojos, nuestra ventana hacia el mundo exterior, son diferentes en todas las personas.

Desde antes del nacimiento está determinado genéticamente el color que dará al ojo su expresión definitiva. Los ojos son los primeros que atraen las miradas ajenas, más aun que la boca. Pueden ser muy expresivos, de mirada apacible; a veces relucen de rabia o se iluminan de satisfacción: con razón se dice que son la puerta del alma.

El color de los ojos se debe al iris, un disco membranoso y transparente que se encuentra detrás de la córnea. El centro del ojo es la pupila, por donde entra la luz provocando una variación en su tamaño; en todas las personas es negro. El propio iris es un cuerpo tisular constituido por varias capas. La interior de tejido conjuntivo está cubierta por delante por otra capa celular envolvente y por detrás por dos capas que forman una doble lámina.

CÓMO SE FORMA EL COLOR Las células responsables del color de los ojos son los melanocitos. Sus largas y entrelazadas raíces buscan el contacto con las células del entorno y las dotan de vesículas de pigmento que puede oscilar desde el color pardo hasta negro, llamadas melaninas.

Esto significa que las células que forman el iris no producen el color por sí mismas sino que lo adquieren. Este aporte de color tan sólo puede dirigirse a determinados lugares: puede afectar a la capa epitelial del iris o a la doble lámina posterior de recubrimiento, o bien a ambas al mismo tiempo. El diferente volumen de gránulos de pigmento determinará un color de ojos diferente.

OJOS AZULES O PARDOS Si los pigmentos se almacenan en la capa protectora trasera, la más profunda del iris, resulta un tono de base claro. Los elementos del tejido conjuntivo permanecen libres de pigmentos en estos tipos de ojos. La diferenciación de los tonos de color, azul, gris o verde claro, dependen del espesor y de la distribución de los gránulos de color que posean esta tonalidad básica. Si por el contrario se acumula una gran cantidad de pigmentos menos profundamente, en la capa conjuntiva más externa del iris, se presenta el tipo de ojos oscuros, con sus características variedades desde pardo hasta negro.

También podemos encontrar tipos mixtos. Cuando los melanocitos llegan de forma irregular a diferentes capas y zonas del iris aparecen ojos de tonalidad variada, en los cuales se pueden combinar por ejemplo verde y castaño. También pueden formarse manchas coloreadas en un tono diferente al resto del ojo.

La acumulación de gránulos de color no ejerce sólo un efecto estético sino que posee una gran relevancia en el proceso de la visión. Los pigmentos evitan que la luz penetre en el tejido del iris, pues absorben los rayos que hasta allí llegan. Para ello se ocupan de que la abertura de la pupila sirva de túnel óptico y que únicamente a través de ella discurran los rayos luminosos.

Los ojos pardos son un rasgo dominante, mientras que los azules son un rasgo recesivo; dos personas con ojos pardos pueden tener algún hijo con ojos azules, que en ellos se encontrarían enmascarados por los genes dominantes de los ojos pardos. Por el contrario, dos personas con ojos azules no tendrán vástagos con ojos pardos. Pero la mezcla de la baraja genética puede deparar sorpresas; por ejemplo, hay personas que tienen un ojo azul y otro pardo. Si consideramos que cada uno de nosotros hereda la mitad de sus genes de su padre y la otra mitad de su madre, es fácil imaginar la infinidad de combinaciones posibles.

Vallas protectoras de pelo

El hombre posee un pelo especialmente robusto en la cara: ordenado en forma de arcos y coronas, protege junto a los párpados los delicados globos oculares.

Cómo los ojos son tan valiosos, necesitan armas protectoras, y no sólo las que dependen de la voluntad del hombre. La naturaleza les ha proporcionado otros medios de defensa eficaces, que otorgan además personalidad al rostro.

PERSIANAS QUE CIERRAN BIEN La protección comienza con el parpadeo, que es automático. Las cubiertas móviles situadas sobre el ojo no son otra cosa que un par de estructuras de piel que se pueden mover y encontrarse en el centro, cerrando completamente la hendidura palpebral que limitan. Los párpados superior e inferior contienen tejido conjuntivo y material muscular. Gracias a un músculo anular con forma de arco se consigue un cierre palpebral perfecto. Cuando más trabaja el músculo es durante la noche, mientras se duerme. Aunque los ojos permanecen cerrados, cada 2,5 segundos aproximadamente trabaja el cierre palpebral: el hombre pestañea, ya que otra cosa no puede hacer. Con cada pestañeo, los párpados ayudan a los ojos, pues distribuyen el líquido lagrimal que protege y humedece la conjuntiva ocular. La sequedad sería muy peligrosa, pues la conjuntiva tan sólo puede funcionar y ser alimentada cuando está correctamente humedecida.

Además del pestañeo constante, los párpados se cierran automáticamente ante cualquier peligro exterior para el globo ocular: cuando un objeto se desplaza rápidamente en dirección a los ojos o cuando una intensa luz los ilumina.

Otra garantía de protección de los ojos son las llamadas glándulas de Meibomio, que se encuentran en los bordes de los párpados. Estas glándulas segregan el sebo que se encuentra en el borde de los párpados y actúa como lubricante. Cierra los pequeños orificios que quedan en la hendidura palpebral y forma una capa que frena el líquido lagrimal para que no se desborde por el párpado.

SENSORES DELICADOS Los bordes de los párpados poseen también dos filas de pestañas que pueden medir hasta 1 cm de longitud. Al contrario que el vello suave de otras zonas del cuerpo, las pestañas pertenecen a

Las cejas abundantes se consideran masculinas. Por el contrario, las mujeres se las estrechan para hacerlas más femeninas.

la categoría de pelos duros, estructuras córneas con función protectora que están presentes en ciertas zonas del cuerpo. Aproximadamente 200 pestañas rodean cada ojo, es decir, 200 sensores de alta sensibilidad. Su raíz, que se hunde profundamente en la piel del párpado, está rodeada por terminaciones nerviosas que registran cualquier movimiento o la más ligera presión. Incluso el vuelo de un insecto o una pequeña mota de polvo desencadenan automáticamente la orden de cerrar los párpados con fuerza. Cada pestaña vive unos cuatro meses. Entonces, el folículo piloso descansa y tras una pausa de recuperación fabrica una nueva pestaña.

CANALONES Y SOMBRILLAS Sobre los ojos existe otra protección: el arco de pelo que llamamos cejas y que recubre el borde óseo superior de las órbitas. Nace entre el párpado superior y la frente, y está reforzado por la curvatura del hueco de la frente. Las cejas forman un tejado protector sobre el ojo que evita el exceso de luz cegadora. También desvía el sudor hacia los lados, para que este fluido salado no dañe a los sensibles ojos. Las cejas pertenecen también a la categoría de pelos duros protectores. Su vida es aún más corta que la de las pestañas, pues se desprenden cada dos meses y medio. Y no hay que olvidar la importancia de las cejas en la expresión de la cara.

Las pestañas y las cejas no deben teñirse porque la piel adyacente es extremadamente sensible: se conocen casos de ceguera producida por un intento reiterado de teñirse las pestañas. Por este motivo deberán elegirse siempre preparados colorantes de origen natural, de venta en el comercio, con absoluta garantía de inocuidad. Aun así, deberán aplicarse con precaución y suspender su aplicación tan pronto se advierta el más mínimo síntoma de irritación o molestia en los ojos.

Agua libre de gérmenes

En realidad lloramos continuamente, produciendo sin interrupción el líquido que llamamos lágrimas, compuesto en su 98% de agua. Sus funciones son múltiples, y cuando han cumplido su misión desaparecen sin dejar huella.

El ojo es una de las zonas del cuerpo humano que necesita más cuidados, ya que siempre está expuesto a la intemperie. Por eso existe sobre la córnea una especie de segunda piel compuesta por las lágrimas, que humedecen continuamente el globo ocular y eliminan los corpúsculos extraños, polvo y gérmenes que se depositan en los ojos. Pero no sólo protegen y limpian sino que también humedecen. Para que el globo ocular nunca se seque precisa en la conjuntiva una película húmeda constante, sobre la que los párpados se cierran sin dificultad.

Las lágrimas proceden de las glándulas lagrimales, situadas en el ángulo exterior del ojo, que por su tamaño y forma recuerdan una almendra. Los conductos lagrimales conducen el líquido producido hacia abajo. Bajo el párpado superior se vierten en el ojo y con cada parpadeo se distribuyen las lágrimas en el conjunto de la conjuntiva.

PELÍCULA DESLIZANTE DOSIFICADA Las lágrimas se deslizan en la dirección correcta hacia el ángulo interno del ojo, donde se unen formando los llamados lagos lagrimales y continúan su desplazamiento. Existen unos canalillos lagrimales en ambos párpados que toman el líquido y lo transportan mediante el saco lagrimal hasta la pared de la nariz y a través del conducto nasal o la porción inferior del orificio nasal, desde donde puede descender a la garganta. De 1 a 3 ml diarios de líquido siguen esta vía, una parte del cual es reutilizado para humedecer el aire inspirado.

El fluido lagrimal está formado en su 98% de agua y el resto de proteínas, compuestos nitrogenados y sales. Los aproximadamente 660 mg de cloruro sódico existentes en cada

CUERPOS EXTRAÑOS

- A menudo la partícula se expulsa del ojo si parpadeamos con intensidad.

- Se recomienda frotarse los ojos siempre de arriba a abajo, ya que esa es la dirección normal de la capa de líquido lagrimal. Nunca debe tocarse la córnea.

- En caso de emergencia, extráigase el cuerpo extraño con ayuda de otra persona introduciendo la punta de un pañuelo limpio para empujarlo.

- El ojo suele continuar escociendo durante algún tiempo una vez extraído el cuerpo extraño.

Cuando se incrementa fuertemente la producción de líquido lagrimal, éste se desborda.

Las lágrimas viajan por canales que desembocan en la cavidad faríngea.

Las glándulas lagrimales producen el líquido lagrimal.

La superficie del ojo está siempre cubierta de un líquido protector, la lágrima, que la mantiene limpia gracias a un ingenioso sistema de conductos.

100 ml de líquido lagrimal le otorgan su característico sabor intensamente salado. Reviste gran importancia la lisozima, que esteriliza el líquido lagrimal. Es una enzima bactericida, antibiótico natural, que ayuda al ojo en las infecciones. Sus componentes son tan activos que una lágrima disuelta en 2 litros de agua puede llegar a alterar algunos gérmenes.

FORMACIÓN EN TRES CAPAS El líquido lagrimal forma en realidad la intermedia de tres capas superpuestas. Debajo se encuentra una capa mucosa y por encima hay una película aceitosa que evita la evaporación de las lágrimas.

La secreción de la cantidad exacta de lágrimas se rige automáticamente, al margen de nuestra voluntad y conocimiento. El sistema nervioso parasimpático actúa aumentando la producción y el simpático la frena. Durante el sueño, cuando el ojo esta cerrado, las glándulas del lagrimal continúan su trabajo.

ANOMALÍAS Por el contrario, la producción aumenta rápidamente si alguna partícula de polvo penetra en el ojo, pues las lágrimas contribuyen a expulsar el cuerpo extraño. También el frío, la luz intensa o los cambios de humor pueden hacernos llorar, especialmente la aflicción, el dolor o una repentina alegría.

En estos casos, las glándulas actúan con tanta intensidad que el líquido resultante no puede ser totalmente encauzado por sus vías naturales y las lágrimas se desbordan y discurren por las mejillas.

Mientras se llora se altera la mezcla de las tres capas de líquidos de la conjuntiva. La capa central se vuelve más espesa y su proporción en el líquido lagrimal se incrementa. Las lágrimas también varían de composición según el motivo del llanto: las de pesar son diferentes de las provocadas por el alborozo, sin que se conozca la causa. El proceso normal de lagrimeo puede verse también interrumpido por un resfriado. Si la mucosa nasal se inflama hasta el punto de taponar los conductos lagrimales, los ojos se encharcan pues las lágrimas son incapaces de evacuarse.

Psicológicamente, las lágrimas desencadenadas por la risa pueden ser la respuesta a una intensa emoción. Fisiológicamente la risa puede producir lágrimas cuando es violenta o convulsiva porque causa un espasmo de los músculos faciales. La risa puede compararse a una botella de champaña que se descorcha dejando salir toda la presión interna.

Confesiones de los labios

Llama la atención la abertura suave y móvil en la parte baja de la cara. Este llamativo cierre carnoso desempeña una serie de cometidos importantes en la alimentación y el habla, pero también otros agradables y sensuales.

Desde el punto de vista científico, los labios son una prominencia de tejido flexible tapizado de piel que enmarcan y circunscriben la boca. El conjunto del labio inferior y superior es, a pesar de su sensibilidad, muy resistente. Y resistente han de ser, pues los labios se usan varias veces al día como puerta del tracto digestivo, para ingerir y encauzar los alimentos.

Para evitar que al masticar se pierda comida, existen unos músculos de cierre en los labios que son una reminiscencia de la llamada musculatura mímica. Gracias a ellos, los labios pueden influir notablemente en la expresión de la cara. Simplemente con accionarlos de arriba a abajo se puede transmitir a los presentes un claro mensaje.

Pero también para el habla es indispensable la musculatura del labio. Junto a la lengua, dientes y faringe, los labios producen, al pasar el aire a través de las cuerdas vocales en la laringe, los tonos que conforman vocablos inteligibles. Por ejemplo, para pronunciar la *b*, la *m*, o la *p*, la intervención de los labios resulta imprescindible.

TERRENO FRONTERIZO Constituyen también el límite entre la mucosa de la boca y la piel de la cara. En esta zona, la piel que los cubre es tan fina que deja traslucir la rica irrigación de vasos sanguíneos de los tejidos subyacentes, lo que determina la tonalidad rojiza de los labios. Existen variaciones individuales de color según los diferentes grosores de esta capa protectora y de la densidad y circulación de los vasos sanguíneos.

En este territorio de paso terminan innumerables fibras nerviosas, lo que motiva que la piel de los labios sea una de las más delicadas del cuerpo. Los sensores de temperatura son aquí especialmente numerosos: la piel del labio tiene 20 veces más receptores de calor y frío que la del pecho, por ejemplo.

La forma de los labios viene determinada por los caracteres genéticos. Contrariamente a otros primates, los labios humanos siempre sobresalen, es decir, están listos para besar, lo que constituye un evidente signo de sensualidad. Prueba de la expresividad de los labios es el hecho de que muchas personas sordas, convenientemente entrenadas, son capaces de leer en los labios de un interlocutor lo que éste está diciendo.

Las geishas japonesas acentúan con carmín la forma de sus labios. Sobre la cara blanca y maquillada, destaca visiblemente este carmín en forma de corazón.

La búsqueda de la belleza

Qué es la belleza? Desde los tiempos más remotos el hombre ha buscado respuesta a esta pregunta. Y es que el ser humano siempre ha tenido la imperiosa necesidad de solazarse con lo que considera bello. En este punto existen diferentes patrones de medida para hombres y mujeres. Mientras que el sexo femenino debe conservar una apariencia joven, el ideal masculino se encuentra más próximo a la madurez y a las huellas que el paso del tiempo deja en él. Como una buena parte de la belleza es cuestión de gustos y éstos pueden cambiar, se puede hacer mucho para influir en ellos. Esto constituye un aliciente para muchas personas y un acicate imperioso para una industria que florece gracias al deseo humano de perfección. La belleza, que así entendida no es más que un intento de mostrar un exterior lo más perfecto posible, constituye una oportunidad al alcance de todo el mundo y consiste sobre todo en la irradiación de una personalidad serena y equilibrada.

Esta cara ya no es joven, pero en los hombres están permitidas las arrugas y las canas. Un Richard Gere maduro es considerado muy atractivo incluso en el exigente Hollywood.

Sea en un concurso de belleza o en la vida cotidiana, todo el mundo procura resaltar sus cualidades al máximo para obtener el ansiado premio de la perfección exterior. Para aproximarse a este ideal la mujer no suele escatimar gastos ni tiempo, y confía en los efectos de la cosmética y la relajación.

El oído: arqueado pero útil

Con sus pliegues y abultamientos cartilaginosos, la oreja tiene el aspecto de un paisaje agrietado y hendido. Pero está perfectamente adaptado a las funciones que desempeña.

Los oídos pueden ser grandes, pequeños, afilados, redondos, salientes o pegados al cráneo pero siempre actúan con el mismo propósito: captar las ondas sonoras y canalizarlas por el conducto interno hasta la membrana del tímpano. La oreja y la vía auditiva externa constituyen el primer requerimiento para una buena audición.

DETERIORO DE LA AUDICIÓN En el transcurso de la evolución, el ser humano ha perdido muchas facultades para la captación de sonidos y ruidos. Contrariamente a los animales, el hombre no tiene que estar pendiente del acecho del enemigo. Tampoco le supone ningún inconveniente no poder mover las orejas en diferentes direcciones como los animales, pues ambas son fijas.

Los músculos que se extienden detrás de la oreja en la mayoría de los seres humanos están atrofiados: muy pocas personas son capaces de activarlos, es decir, imprimir movimiento a sus oídos. Pero aunque no se puedan mover, las

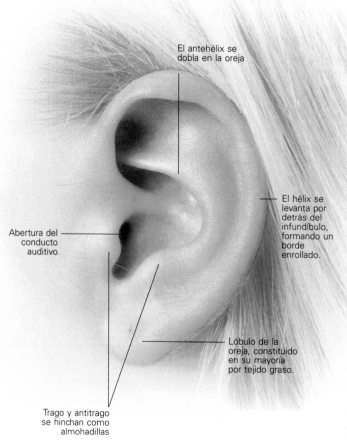

El antehélix se dobla en la oreja

El hélix se levanta por detrás del infundíbulo, formando un borde enrollado.

Abertura del conducto auditivo

Lóbulo de la oreja, constituido en su mayoría por tejido graso.

Trago y antitrago se hinchan como almohadillas

orejas colaboran en la orientación de la audición. Las ondas sonoras son llevadas desde las cavidades y prominencias de un lugar para otro y penetran unidas por la vía auditiva, pero pueden identificar la procedencia de cada sonido.

Además, las orejas desempeñan una importante función protectora del delicado tracto del oído interno. Las irregulares protuberancias del hélix y del antehélix, así como los dos cartílagos en forma de lengua llamados trago y antitrago, impiden la penetración de suciedad, líquido o cuerpos extraños en el delicado conducto auditivo.

OÍDOS DESPLEGADOS Hasta llegar al lóbulo, la estructura del oído es cartilaginosa. Si estos cartílagos carecen de densidad suficiente, las orejas se separan de la cara y es imposible impedirlo con sujeciones o pegamentos. Por medio de una operación se puede acortar el cartílago y así aproximar más la oreja, con lo que se obtendrá una apariencia más estética.

A lo largo de la historia, la forma de las orejas ha dado lugar a diversas suposiciones sobre el carácter de sus propietarios. Un estudio reciente demuestra que la forma de las orejas es única en cada persona.

Las orejas tienen forma de embudo plano compuesto por pliegues cartilaginosos. Recogen el sonido y lo conducen al oído medio e interno.

Higiene misteriosa

Por muy desagradable que parezca, la cera del oído es una secreción muy importante: gracias a ella se limpia y se mantiene abierto el conducto auditivo.

Como un túnel enrollado de 2,5-3,5 cm de longitud, el conducto auditivo externo desemboca finalmente en el tímpano. Este trayecto debe estar siempre libre para que los sonidos puedan llegar sin distorsión al tímpano. Pero esto también supone un riesgo, pues además de los sonidos también puede penetrar suciedad e incluso pequeños insectos. Para que esto no ocurra, esta zona está dotada de muchos pelillos y de aproximadamente unas 4.000 grandes glándulas, denominadas glándulas ceruminosas. Estas glándulas sebáceas pertenecen a la familia de las glándulas sudoríparas y segregan una masa sucia y pegajosa que junto con pequeñísimas escamas de piel forma la cera del oído. Esta secreción, también denominada cerumen, recubre todo el tejido del conducto auditivo como una especie de fina película y proporciona un elaborado sistema de limpieza.

MASA PEGAJOSA Si penetra un cuerpo en el infundíbulo protector del oído y llega al conducto auditivo, la cera empieza a actuar. Ya sea polvo, suciedad o insectos, la cera los rodea antes de que puedan alcanzar la fina y delicada membrana del tímpano. Como receptora de las ondas sonoras, esta membrana es imprescindible para nuestra capacidad auditiva, por lo que cualquier intruso ha de mantenerse alejado. La cera los recoge, los envuelve y los empuja hacia el exterior del conducto auditivo.

Además, esta resistente capa de cera está compuesta de tal manera que contribuye a mantener el medio ácido que predomina en la boca. Y aunque con esto no queremos decir que actúe como bactericida, sí puede dificultar el crecimiento y proliferación de las bacterias.

La dirección de transporte de la cera junto con las partículas de suciedad viene determinada por los pelillos del conducto auditivo. Los folículos pilosos de estos pelillos no se encuentran insertos de forma recta, por lo que crecen inclinados hacia afuera, favoreciendo así la higiene de una manera muy eficaz. Además, cumplen otra misión: a modo de armas punzantes, defienden el interior del oído de los posibles intrusos.

Cuanto más cerca se encuentra el cerumen de la salida más se reseca; finalmente, se desprende ayudado por los movimientos mecánicos que hacemos al ducharnos o lavarnos el pelo. La cera cumple así su cometido, y sin ninguna ayuda exterior mantiene limpio el oído.

TAPÓN EN EL OÍDO Cuando las glándulas trabajan en exceso pueden producir demasiada cera. La excesiva masa de cerumen se transporta con dificultad y pierde su consistencia ceruminosa, tansformándose en un tapón duro y seco. Consecuencia: el conducto auditivo se bloquea y las ondas sonoras no llegan al tímpano, frontera entre el oído externo y medio, por lo que no se oye bien.

Si esta cera reseca no es extraída por el médico, puede ocasionar dificultades en la audición, dolores o pitidos. Si se ha permanecido mucho tiempo bajo el agua al bañarse o nadar, el tapón de cerumen puede dilatarse y ocluir el conducto auditivo, sobre todo si se posee un conducto estrecho de nacimiento.

Para eliminar un tapón de cerumen no deberá utilizarse ningún objeto duro ni afilado, como una horquilla o un palillo de dientes, pues se corre el riesgo de perforar el tímpano y de infectar el conducto auditivo externo. Las torundas de algodón pueden empujar la cera hacia el canal auditivo y empeorar el problema. Es preferible ablandar primero el tapón, aplicando unas gotas de aceite de oliva o de bicarbonato de calcio. La cera debe disolverse por sí sola unos cuantos días después. En caso contrario, el médico extraerá el tapón inyectando en el oído una jeringa de agua templada, previamente hervida.

LA CERA ES INDISPENSABLE

- La cera que se ve al principio del conducto se puede extraer con bastoncillos de algodón.

- No se deben utilizar horquillas, lápices u otros objetos, pues se corre el grave peligro de dañar el sensible conducto o incluso el tímpano.

- Tampoco se debe profundizar demasiado con los bastoncillos: en lugar de extraer la cera la empujamos hacia el interior de oído.

- Si se limpian los oídos con demasiada frecuencia destruímos la capa de cera, dejándolos sin protección contra las infecciones y la sequedad. Además, una excesiva limpieza obliga a trabajar más a las glándulas, lo que puede producir un nuevo tapón.

- Si un tapón atasca el conducto auditivo dificultando la audición, el médico puede extraerlo con un enjuague. En determinadas circunstancias puede ser necesaria la utilización de una cucharilla de legrado, después de haber ablandado durante unos días el tapón de cerumen con unas gotas de aceite de oliva o de almendras dulces.

Perlas blancas en la boca

El hombre no sólo necesita los dientes para morder y masticar: hablar sin dentadura resulta difícil. La higiene es muy importante, pues los dientes son nuestra tarjeta de visita.

Un diente tiene muchas obligaciones que cumplir. La más importante es tomar alimentos y masticarlos. Los incisivos y los colmillos comienzan el trabajo, es decir, dan el mordisco. Están especialmente diseñados para ello, pues poseen un borde afilado y cortante en forma de paleta. Para nuestros antepasados eran todavía mucho más imprescindibles: en la actualidad no ingerimos trozos de carne cruda y con los cuchillos podemos cortar los alimentos mucho mejor.

Una vez en la boca, las muelas y los molares cortan los alimentos en trozos más pequeños y se encargan de triturarlos. Mientras que los dientes delanteros sólo tienen una punta, los molares tienen dos y las muelas entre cuatro y cinco. De esta forma se puede desmenuzar cualquier alimento y prepararlo para la digestión.

Las muelas son con diferencia las más potentes. Poseen de dos a tres raíces, mientras que los demás sólo tienen una. Las que se sitúan en los puntos más internos de la mandíbula se denominan muelas del juicio, pero no siempre crecen del todo y más bien causan problemas porque suelen carecer de espacio suficiente para desarrollarse en el interior de la mandíbula.

MORDER FUERTEMENTE Cuando mordemos una manzana, el maxilar inferior se junta con el superior para cortarla. Luego, al masticarla, movemos la mandíbula inferior de un lado hacia el otro y de delante hacia atrás. Durante la masticación los dientes han de ejercer una gran fuerza: en cuestión de segundos se alternan movimientos de presión y descarga. El mayor esfuerzo de masticación se ejerce con los molares. Incluso se pueden partir nueces y huesecitos con ayuda de la musculatura de la mandíbula. Algunos artistas circenses tienen esa musculatura tan desarrollada que consiguen una capacidad de presión en cada diente muy superior a la media.

Como un diente tiene que soportar tanto esfuerzo en la masticación, ha de ser muy fuerte y a la vez estar elásticamente anclado al maxilar. De esto se encarga la raíz que sujeta los dos últimos tercios del diente en el interior de las encías. La estrecha hendidura de 0,25 mm entre el hueso y el diente está cubierta de haces de fibras que se estiran y encogen como un acordeón: por eso pueden soportar la fuerza sin romperse o afectar al lecho óseo donde se asientan. Un diente sano gira en movimientos horizontales, verticales y cruzados alrededor de su propio eje. Sometido a una fuerza que dure de 2 a 3 segundos, la punta del diente se desplaza hasta 0,25 mm y vuelve a recuperar rápidamente su posición inicial.

CADA DIENTE TIENE SU CORONA El diente se divide en tres partes: la raíz se asienta en el maxilar; la corona es la parte que sobresale del maxilar y resulta visible; por último, el espacio de transición sobre los huesos de la mandíbula, cubierto de la misma mucosa rosa clara y gelatinosa de las encías, es el borde gingival. La masa principal o marfil de los dientes es una sustancia que los odontólogos denominan dentina. La parte interior de la dentina se denomina pulpa y llega hasta el interior de la raíz.

Desde fuera no podemos apreciar el riego interior del diente, y por lo tanto tampoco apreciamos su sensibilidad al dolor. En la pulpa se encuentran los vasos sanguíneos y nervios que llegan al diente por un orificio en el canal de la raíz. Muchos nervios terminan en la dentadura, razón por la que ésta es tan sensible al dolor. Los dientes sanos están recubiertos en su totalidad por un esmalte dental y en la zona de la raíz por

Las tres últimas muelas se llaman también molares.

Los últimos molares se denominan muelas del juicio.

En cada lado hay dos premolares.

Los cuatro incisivos tienen bordes afilados.

Los colmillos están diseñados para desgarrar la carne cruda, como hacen los animales.

La dentadura completa de un adulto consta de 16 piezas en el maxilar inferior y otros tantos en el superior. Distinguimos entre incisivos, colmillos o caninos, premolares y molares.

DIENTES SANOS

- Por lo menos se deberían limpiar los dientes dos veces al día durante 2-3 minutos después de las comidas, utilizando una técnica adecuada. El dentista puede aconsejarle.

- Se recomienda un cepillo de cerdas semiduras y poco puntiagudas de materia sintética, que debe sustituirse por lo menos cada tres meses. La pasta dentífrica debe contener flúor.

- Se recomienda también limpiar los intersticios entre los dientes con seda dental dos veces por semana. También se puede masticar chicle sin azúcar. Después de unos 20 minutos de masticación, el incremento de saliva que se produce es suficiente para detener la acumulación de sarro en los dientes.

- Se debe visitar al dentista una vez al año. El dentista deberá anotar el resultado de cada visita en su expediente o ficha personal, lo que le permitirá conocer en todo momento el estado de su dentadura.

cemento dental, de tal manera que toda su superficie es normalmente insensible al dolor.

Tanto los dientes como los huesos contienen un gran porcentaje de componentes inorgánicos. El cemento del diente, punto de sujeción de las fibras de la raíz al diente mismo, es algo más blando que el material óseo y su composición es parecida. El esmalte dental, amarillento o azulado, proporciona a los dientes su brillo característico y es tan fuerte y estable que se necesita un taladro de 8000 U/s para poder abrirlo. La resistencia de este esmalte no es siempre la misma: disminuye de la zona exterior a la interior y de arriba a abajo.

En la parte más potente, el esmalte tiene unos 4 mm de grosor y es tan resistente como el cristal de cuarzo, mineral con el que se puede rayar el acero. El calcio, el fosfato y el flúor son los principales responsables de que el diente sea impenetrable; en realidad es el hueso más duro del esqueleto.

ÁCIDO ENEMIGO En realidad, el esmalte dental es tan duro como el mármol, pero, al igual que éste, no es resistente a los ácidos. Esto supone un gran perjuicio para los dientes, ya que los restos de comida que quedan

Los dientes pueden soportar una gran fuerza. Pero ejercicios como éste no los recomiendan los dentistas: pueden resultar peligrosos.

en la superficie y el azúcar se transforman en ácidos. En este sentido, el dicho popular que aconseja comer una mazana después de cada comida no es muy acertado, ya que el azúcar que contiene la fruta acaba afectando al esmalte.

El agente principal de la caries es una placa microscópica constituida por bacterias, partículas de alimento y saliva, que se forma en la superficie del diente. La placa hace más daño cuando se combina con azúcar y resulta especialmente peligrosa si no se elimina durante mucho tiempo. Aparte de la limpieza diaria de los dientes, se recomienda no consumir alimentos y bebidas azucaradas todo el día, pues los niveles de ácido se mantendrán elevados y los dientes estarán expuestos continuamente a su ataque. La única defensa natural contra la caries es la saliva, que limpia los dientes, diluye y neutraliza el ácido de la placa que los desgasta.

La dentadura se desgasta con el tiempo y pierde sus cualidades. Los dientes no sólo son necesarios para triturar la comida y masticar sino también para hablar. Las hileras de dientes separan adecuadamente las entradas de aire y así podemos formar y pronunciar correctamente ciertas consonantes como la *t* y la *f*. A quienes tienen las arcadas dentales caídas les resulta mucho más difícil hablar con claridad. Tampoco debemos olvidar el valor estético de los dientes. Gracias a los avances en las prótesis dentales, hoy no es necesario ocultar la ausencia de algunas piezas encajando un pañuelo en el hueco, como hacía en sus apariciones públicas la reina Isabel I de Inglaterra en el siglo XVI.

Un agua muy especial

Sólo con pensar en un bocado exquisito se le hace a uno la boca agua. Pero, ¿para qué produce el hombre 1,5 litros de saliva al día? ¿De dónde procede este líquido?

Se produce de forma oculta: un líquido sin color, olor ni sabor que tenemos siempre en la boca. Ni siquiera notamos de dónde procede ni que se renueva constantemente. Es bien sabido que la cavidad bucal está permanentemente humedecida. Sólo a veces, cuando se está enfermo o al despertar por las mañanas, los labios se pegan, hay una sensación de sequedad en la boca y hasta nos cuesta más hablar.

Esta producción secreta e inapreciable de saliva tiene lugar en una serie de glándulas escondidas en los tejidos superiores de la cavidad bucal; tres pares de glándulas salivares bastante grandes: las glándulas salivares del oído, que se encuentran entre el ángulo de la mandíbula y el oído, las que están bajo la lengua y las que se sitúan bajo la mandíbula, ocultas encima y debajo de la cavidad bucal. Continuamente emiten una secreción que se transporta a la cavidad bucal por un complejo sistema de canalización y que está compuesta en un 99,5% de agua. El restante 0,5% lo componen enzimas imprescindibles para la digestión y limpieza de la boca, así como sustancias minerales sumamente útiles para la protección de los dientes.

AYUDA A LA DIGESTION La composición de la saliva no es siempre la misma. En cualquier caso, fluye más saliva al comer, pero según sea el estímulo de la alimentación se activan diferentes glándulas. Las del oído suministran únicamente saliva ligera y acuosa. Las glándulas submandibulares y sublin-

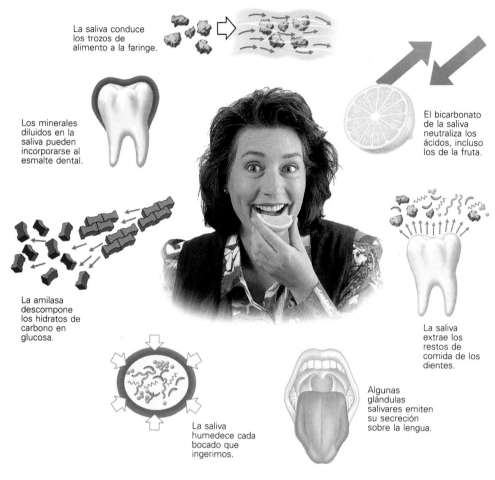

La saliva conduce los trozos de alimento a la faringe.

Los minerales diluidos en la saliva pueden incorporarse al esmalte dental.

La amilasa descompone los hidratos de carbono en glucosa.

La saliva humedece cada bocado que ingerimos.

El bicarbonato de la saliva neutraliza los ácidos, incluso los de la fruta.

La saliva extrae los restos de comida de los dientes.

Algunas glándulas salivares emiten su secreción sobre la lengua.

guales pueden producirla más espesa y de consistencia mucosa.

Si se toma leche y alimentos secos se forma una secreción más viscosa; con alimentación ácida será más bien líquida. Cuanto más blandos y redondos sean los bocados, más profusamente irán acompañados de saliva. Ésta es una de las múltiples funciones de la saliva: remojar los alimentos desmenuzados y masticados y hacerlos más flexibles para poderlos tragar. Con la lengua y los dientes se forman pequeñas bolas resbaladizas que se deslizan con facilidad por el esófago.

En la boca se comienza de otra forma la digestión de los alimentos. La amilasa, enzima presente en la saliva, permite que los carbohidratos sean transformados en energía. Esta enzima descompone los hidratos de carbono complejos y los transforma en azúcares simples como glucosa o maltosa, también llamados azúcares esenciales. Este proceso, mediante el cual se transforman los alimentos en sustancias valiosas para el organismo, también se puede observar cuando se mastica un trozo de pan, ya que acabará teniendo un sabor dulce cuando la amilasa salivar

Sin saliva no podríamos tragar ningún tipo de alimento ni tampoco digerirlo. Este líquido incoloro que discurre por nuestra boca desempeña además otras funciones importantes, como eliminar restos de alimentos de los dientes y dotarlos de minerales importantes.

haya descompuesto los complejos moleculares en azúcares simples.

La saliva también contribuye a la degustación. Contiene sustancias que extraen los elementos sabrosos, lo que excita los receptores del gusto en la lengua y permite saborear mejor los alimentos.

El sabor de la saliva varía de unas personas a otras y eso a su vez afecta al sabor de los alimentos. Una saliva con un bajo contenido de sodio, por ejemplo, hace que cualquier bocado parezca mucho más salado que cuando la saliva tiene un mayor porcentaje de sodio. La composición de la saliva está influída por factores tan diversos como el ejercicio, la deshidratación y la presencia de una enfermedad. Es inevitable, pues, que el sabor de la saliva afecte también al sabor de los alimentos que ingerimos.

Siempre fluido Es fácil apreciar la diferencia de fluidez de la saliva durante el día y durante la noche. Mientras descansamos se produce menos saliva, y además es más densa. Pero si surge algún tipo de estímulo, ya sea porque se mastica, se saborea u olfatea, o porque se ve o simplemente imaginamos un bocado apetitoso, fluirá mayor cantidad de una saliva menos densa. Este proceso está dirigido por el sistema nervioso vegetativo, que es independiente de la voluntad. Si imaginamos un bocado apetitoso, el cerebro dará la orden a las glándulas salivares de reactivar la producción.

La saliva también neutraliza los ácidos que se introducen en la boca con la bebida y comida o se forman allí después de haber ingerido alimentos ricos en hidratos de carbono. Por eso, en la cavidad bucal domina un medio ácido que no favorece ni a la amilasa ni a los dientes. El ácido sobrante debe ser contrarrestado para conseguir un valor de ph neutro. Esto lo logra el bicarbonato existente en la saliva.

La función neutralizadora de la saliva también es necesaria en el estómago. Los problemas psicológicos o una comida pesada dan lugar a que el estómago segregue una gran cantidad de jugos gástricos ácidos. La saliva que tragamos los disuelve y neutraliza. También se activa la salivación en respuesta a una irritación del estómago o de la primera parte del intestino, pues el tragar más saliva ayuda a neutralizar o diluir los irritantes.

Limpieza y protección La saliva contribuye a mantener unos dientes saludables. Durante la comida expulsa los restos que quedan adheridos a los dientes o las mucosas. Como también se introducen microorganismos dañinos, la actividad bactericida es favorecida por enzimas como la lisozima, que destruye las bacterias evitando así la aparición de caries.

Los ácidos desprenden también las sustancias duras de los dientes, como el calcio y el fosfato del esmalte, y los dejan expuestos a las caries. La saliva, gracias a su gran contenido en minerales, defiende el esmalte al envolverlo en una especie de funda protectora. Con el líquido se aporta al diente calcio, fosfato o flúor, que almacena en el esmalte para sanear pequeños daños ocasionados por los ácidos. La saliva puede así contribuir a remineralizar. El flúor cumple además otra función para conseguir un medio bucal sano: no sólo refuerza el esmalte dental sino que también detiene la multiplicación de bacterias, disminuyendo así el riesgo de padecer caries.

2
....

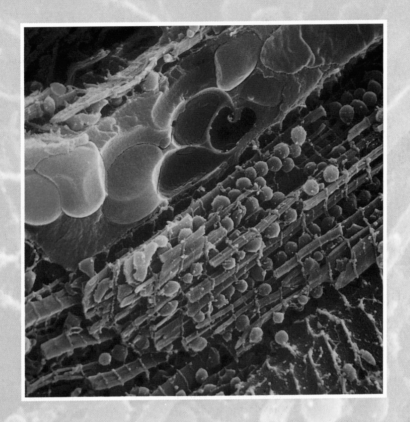

El
CUERPO
SE MANIFIESTA

Imagen microscópica de un músculo estriado, ampliada 3.000 veces.

Sección especial

Un grito sordo del cerebro: ¡más aire o me duermo!

Cuando nuestro cerebro necesita más oxígeno nos invade el irresistible deseo de bostezar. Entonces abrimos la boca lo más posible y respiramos profundamente.

Quien bosteza en público es considerado generalmente una persona de pocos modales, por lo que intentamos desesperadamente reprimir el deseo de hacerlo. Los pueblos primitivos, sin embargo, no se someten a estas obligaciones. Para ellos, estas manifestaciones del cuerpo son algo natural y hay que dejar que se expresen libremente. Este último comportamiento parece mucho más lógico, sobre todo cuando, como en el caso de los bostezos, se manifiesta nuestro órgano más importante: el cerebro indica con los bostezos una necesidad urgente de recibir oxígeno.

PRINCIPAL CONSUMIDOR DE ENERGÍA El oxígeno interviene directa o indirectamente en todos los procesos de nuestro cuerpo, sobre todo en el metabolismo energético. Sin energía nuestro cuerpo no funciona y, al igual que un fuego necesita aire y oxígeno para la combustión, también los necesita nuestro organismo para la transformación de la energía. El cerebro es el órgano que más energía precisa. Aunque representa sólo un 2% del peso de nuestro cuerpo, participa con un 20% en el metabolismo básico, es decir, en el consumo de energía en posición de descanso. Las neuronas de nuestro cerebro, cuyo número asciende a 1 billón (un uno seguido de doce ceros) y que están conectadas entre sí a través de unos cien billones de puntos de comunicación, pueden sobrevivir sólo durante 4 minutos con una falta absoluta de oxígeno. Si mueren, no se pueden regenerar como otras células del organismo. Por tanto, no es extraño que el cerebro empiece a advertir pronto la posible carencia de oxígeno. El bostezo es una de estas advertencias, y por su importancia no se deja reprimir con facilidad. Si a pesar de todas esas señales de advertencia el cerebro no recibe una cantidad suficiente de oxígeno, conecta un mecanismo de emergencia. El consumo de oxígeno se reduce al mínimo y la persona afectada se duerme o se desvanece.

Bostezar en público está mal visto, a pesar de ser sólo una reacción natural a la falta de oxígeno en el cerebro.

¿Pero qué ocurre exactamente cuando bostezamos? El responsable es el bulbo raquídeo, una parte ancestral de nuestro encéfalo que controla entre otras funciones la respiración. Cuando el contenido de oxígeno en la sangre desciende por debajo de un umbral crítico, esta parte del encéfalo emite un reflejo que obliga a los músculos del diafragma a contraerse fuertemente. La musculatura facial recibe a la vez la orden de abrir la boca todo lo posible para que se pueda inhalar el máximo volumen de aire. Esta respiración profunda disminuye a su vez la presión en la caja torácica, lo que provoca que el ventrículo derecho del corazón aspire más sangre de los vasos sanguíneos y la bombee, una vez enriquecida con oxígeno, preferentemente hacia el cerebro.

CAUSAS MÚLTIPLES Se pueden distinguir diferentes tipos de bostezos en función de su causa. En primer lugar, existen los bostezos matutinos y vespertinos. Por la mañana bostezamos porque el cerebro que se está despertando necesita más oxígeno del que le pueden ofrecer los pulmones, que aún no han entrado en plena actividad. Por la noche, sin embargo, la curva de nuestro biorritmo se inclina hacia abajo, la respiración se vuelve menos profunda y más lenta y se absorbe menos oxígeno. Quien a pesar de todo intenta reprimir la necesidad de dormir para acabar un trabajo, una lectura o un programa televisivo obliga a su cerebro a mantenerse despierto a pesar de que éste ya se está preparando para el sueño. Necesita entonces más oxígeno del que se le suministra y se lo procura obligándonos a bostezar ininterrumpidamente. Estos bostezos nos indican claramente: "Venga hombre, acuéstate ya".

Los bostezos que siguen a una comida demasiado copiosa tienen otra causa: el estómago trabaja a pleno rendimiento para hacer la digestión. También el hígado, el páncreas y el intestino aumentan su actividad. La digestión es, por tanto, un proceso que inicialmente necesita mucha energía de arranque para poder transformar en energía aprovechable las sustancias nutritivas contenidas en los alimentos. Por esta razón se refuerza el riego sanguíneo de los órganos digestivos, retirando esta sangre adicional de otros puntos del organismo. El cerebro es especialmente sensible a esta leve reducción del riego sanguíneo e intenta compensar la falta de oxígeno con bostezos. El placentero cansancio que se experimenta después de una comida copiosa es otro indicio con el cual el cerebro nos indica "Voy a desconectarme un poco; no me molestes con tareas difíciles".

UNA SIESTA AYUDA Si esta comida copiosa es la del mediodía, se añade como agravante la caída que sufre nuestro metabolismo durante la sobremesa. Quien puede se echa entonces una siestecita. La institución de la siesta en los países meridionales no es, por tanto, una señal de indolencia o pereza, sino una reacción lógica a las necesidades de nuestro cuerpo que, en el calor del mediodía, tiene otra justificación.

LA CONFERENCIA ABURRIDA Quien en un salón con ambiente cargado tiene que soportar pacientemente una aburrida conferencia siente a veces el irresistible deseo de bostezar. Esto tiene, principalmente, poco que ver con la calidad de la conferencia, y más con la falta de oxígeno en el ambiente. La monotonía y el aburrimiento pueden tener un efecto adormecedor, puesto que el cerebro no detecta ninguna exigencia

y disminuye su actividad, pero no se bosteza, sino que la persona se adormece lentamente. Los bostezos se producen sólo cuando el oyente intenta hacer un esfuerzo, prestar atención y mantenerse despierto. Estos bostezos se corresponden más o menos con la reacción del cuerpo cuando, a pesar de ser tarde, uno intenta permanecer despierto.

PELIGRO DE CONTAGIO Se dice que bostezar es contagioso y que incluso algún visitante del zoo experimenta la necesidad de bostezar al ver que lo hace un hipopótamo. Pero suelen ser otras personas las que nos contagian el bostezo. Se cree que esta reacción es una herencia ancestral del ser humano, que se remonta al período de los primeros primates, mucho antes del comienzo de la evolución humana. Estos primates vivían en grandes grupos con pautas de comportamiento social muy complejas. Entre ellas unas reacciones y comportamientos físicos con los que el individuo manifestaba su pertenencia al grupo. De hecho, tenemos en nuestro repertorio de comportamientos muchas de

estas pautas ancestrales, y es posible que el bostezar por simpatía sea una de estas normas heredadas de nuestros remotos antepasados.

Descargas protectoras

Cuando la nariz se quiere librar de un intruso, no hay nada que hacer: una verdadera explosión espasmódica y sonora sacude el cuerpo, y un fuerte "¡atchís!" llama la atención de los demás.

Todo comienza con un ligero picor en la nariz que se convierte en un fuerte estímulo para estornudar y se descarga finalmente en una explosión más o menos ruidosa, a la que los demás contestan con un cortés "¡Jesús!" o "¡Salud!". El estornudar es primordialmente un reflejo a estímulos térmicos y químicos que reciben las mucosas de la nariz, así como a cuerpos extraños que penetran en ella. Representa sobre todo un mecanismo de protección de los bronquios y de los alvéolos contra sustancias nocivas que pudieran penetrar por las vías respiratorias.

ESTÍMULOS IRRESISTIBLES El impulso para estornudar se genera en el nervio trigémino, que transmite los estímulos percibidos en la superficie y en las mucosas de la cara. En el estornudo, sin embargo, intervienen tres nervios craneales, nervios que transmiten sus impulsos no a través de la médula espinal sino directamente al cerebro. Naturalmente, participa también toda la musculatura respiratoria. Después de una

Con cada estornudo se expulsan hasta 5.000 microscópicas gotitas de mucosa en un radio de varios metros. En vez de desear salud al que acaba de estornudar, debería deseárselo a las personas que lo rodean.

fase de unos 2 a 5 segundos, durante la cual el cuerpo extraño estimula los nervios sensoriales situados en las mucosas de la nariz, sigue una profunda inspiración a boca abierta que puede durar de 4 a 7 segundos. Durante unas milésimas de segundo, el aire inspirado es retenido en los pulmones por medio de una fuerte contracción del diafragma, para seguidamente ser expulsado violentamente por una brusca relajación del diafragma, que catapulta el aire fuera de los pulmones. Durante este proceso, el velo palatino está tan tenso que la corriente de aire, que puede alcanzar velocidades mayores a los 160 km/h, no puede entrar en la boca y tiene que salir por la nariz. Los ruidos que acompañan a esta expulsión violenta de aire representan reacciones involuntarias del aparato de la fonación.

ESTORNUDOS ERRÓNEOS Se estornuda también cuando se está acatarrado, aunque la causa que desencadena el proceso es otra. Las mucosas nasales del acatarrado están inflamadas y producen gran cantidad de histaminas para contribuir a la curación. Estas histaminas provocan un picor que, a su vez, desencadena el estornudo. No obstante, en la llamada fiebre del heno, los estornudos no se producen por una inflamación de las mucosas, sino por un fallo en el sistema inmunológico que clasifica erróneamente el polen de ciertas plantas como enemigo peligroso, enviando a combatirlo todo su arsenal de armas: manda histaminas al frente para desalojar al enemigo. Consecuencias: la nariz gotea, pica y se estornuda.

El aire busca su libertad

Uno acaba de comer abundantemente y le oprime el estómago. Entonces alguien le pregunta algo y, al abrir la boca para responder, del estómago escapa una burbuja de aire y resuena un sonoro e infamante eructo.

En el medievo formaba parte de los buenos y distinguidos modales en la mesa el eructar después de una comida opípara; hoy, en cambio, resulta absolutamente condenable. Pero nuestro aparato digestivo no suele consultar los manuales de urbanidad: sigue sus propias leyes y se desahoga cuando lo necesita.

EL ESTÓMAGO DA SALIDA A LOS GASES El estómago es un órgano en forma de bolsa con numerosos músculos, situado debajo del diafragma. Suele contener siempre una cierta cantidad de aire, puesto que una persona sana traga diariamente entre 2 y 3 litros de aire, entre 1 y 3 ml con cada trago; en estado de nerviosismo o agitación puede ser incluso más.

Cuando, al comer, llenamos el estómago con una mezcla de alimentos masticados y saliva, las paredes del estómago se dilatan. Pero su capacidad de expandirse tiene límites y se llegará a un punto en el que se manifiesta una cierta presión en el vientre, sobre todo cuando se ha comido con prisas, tragando más aire que en circunstancias normales. El estómago regula entonces su estado de tensión a través de unos sensores de presión localizados en sus paredes y a través de una red de nervios propios. Con movimientos en forma de ola empuja el contenido hacia el intestino delgado y lo impregna a la vez con el jugo gástrico. El aire y los gases que puedan contener los alimentos, por ejemplo el gas de determinados refrescos, se acumulan en la parte superior del estómago, donde éste se une con el esófago. Esta desembocadura se encuentra cerrada por un músculo anular, el llamado esfínter inferior del esófago, que actúa como una válvula. La burbuja de aire no podrá salir en un primer momento, pero cuando la presión sobre el esfínter alcanza un umbral crítico, bastará el más mínimo movimiento –como respirar antes de hablar o levantarse, o unos golpecitos en la espalda en el caso de los bebés– para que el músculo se abra. La burbuja de aire escapa hacia arriba provocando unas vibraciones en el esófago y el paladar, y entonces retumba el famoso y temido sonido del eructo.

EL AIRE ATRAPADO Quien, al acabar la comida, se tumba casi inmediatamente en la cama o en el sofá, está en una situación diferente. En este caso, los alimentos masticados ocupan la parte superior del estómago, mientras que los gases se acumulan en la parte inferior y pueden escapar por el píloro, que comunica el estómago con el intestino. Si bien en este último se absorbe una gran parte de los gases, sobre todo el dióxido de carbono, suele quedar un resto que sigue gruñendo en la tripa y ocasiona ventosidades que incluso pueden ser dolorosas. Para evitar estos cólicos de gases, a los bebés se les toma en brazos después de comer para que el aire pueda escapar hacia arriba. Así pues, el eructar es un proceso absolutamente normal e incluso deseable al que hay que dar ocasión para manifestarse, si bien discretamente. En casos aislados, y normalmente en unión con el ardor de estómago, los eructos repetidos pueden ser indicio de un trastorno del aparato digestivo.

Para provocar el eructo a lactantes y para evitarles cólicos de gases, se les toma en brazos después de la comida y se les dan suaves golpecitos en la espalda.

El diafragma se rebela

No se deja reprimir, es absolutamente molesto y hace sospechar que el afectado ha bebido en abundancia: hablamos del espasmódico hipo.

Desde un punto de vista onomatopéyico, la palabra hipo evoca bastante bien este fenómeno fisiológico. Su origen reside en una irritación del diafragma, que realiza un movimiento espasmódico. Al mismo tiempo se cierra la glotis del aparato de la fonación en la laringe y la posterior inspiración brusca a través de la glotis cerrada produce un sonido agudo que se asemeja a la palabra "hipo".

CAUSA PEQUEÑA, GRAN EFECTO Las causas del hipo pueden ser variadas y se pueden clasificar en cuatro grupos. En primer lugar, las relacionadas con la digestión en el sentido más amplio. Se puede producir hipo cuando la persona ha bebido algo caliente o muy frío, cuando ha comido muy deprisa o ha ingerido una comida muy picante y con muchas especias, o cuando tiene el estómago tan lleno que presiona sobre el diafragma y lo irrita, de manera que éste se contrae. Por otra parte, el hipo se puede deber a una respiración rápida o incorrecta, como acontece durante la risa o cuando alguien se asusta. Una tercera posibilidad consiste en trastornos del sistema nervioso debidos al consumo de alcohol: el hipo se manifiesta en estas ocasiones con gran tenacidad. Y finalmente se deben considerar también causas psíquicas, responsables de

· · · · · · · · · · · · · · · · · · · ·

MEDIDAS CONTRA EL HIPO

- Para sofocar el hipo se pueden beber infusiones de hierbas, por ejemplo, una infusión de 10 gramos de hinojo, 20 gramos de milenrama y 20 gramos de centaura.

- También se puede contener la respiración o respirar en una bolsa de papel (no de plástico).

- Pueden favorecer también medidas que estimulen el nervio vago: beber rápidamente y de un trago un vaso de agua, tragar pan seco, tirar de la lengua o presionar sobre los globos oculares.

· · · · · · · · · · · · · · · · · · · ·

muchos casos de hipo inexplicable. Suele tratarse de secuelas de estrés, en las cuales una tensión generalizada puede provocar contracciones de la musculatura respiratoria. A menudo, el hipo se manifiesta de imprevisto y sin causa identificable.

NERVIOS IRRITADOS El verdadero factor desencadenante del hipo es una irritación de las vías nerviosas que controlan la musculatura del diafragma. Estas vías nerviosas discurren en ambos sentidos desde la musculatura del diafragma hasta los centros de control en el bulbo raquídeo, el tronco cerebral. Esto explica por qué un consumo excesivo de alcohol puede provocar hipo. El alcohol figura entre las neurotoxinas más fuertes y ataca las vías nerviosas que comunican el tronco cerebral con el diafragma, así como el centro cerebral mismo. Ambas partes sienten una irritación y reaccionan con el famoso hipo.

El hipo se considera generalmente un fenómeno molesto para el afectado, pero inocuo y pasajero por lo demás. Lo que no se sabe es por qué los varones lo sufren con más frecuencia que las mujeres.

Hay muchos remedios caseros para curar el hipo. Hay quien recomienda beberse un vaso de agua sin respirar o contener la respiración hasta que cese el hipo. Estas simples medidas pueden hacer que el diafragma vuelva a su ritmo normal porque reducen el aporte de oxígeno y aumentan el nivel de dióxido de carbono, lo que estimula el centro respiratorio del cerebro. Otra forma de estimular el sistema nervioso es con un sobresalto o haciendo cosquillas en la nariz.

El hipo es provocado por una contracción espasmódica del diafragma. El ruido característico se produce en la laringe.

CUIDADO CON EL HIPO PERMANENTE
Cuando los ataques de hipo perduran durante mucho tiempo y se repiten conviene adoptar precauciones. Deberá consultarse al médico, puesto que el fenómeno puede ocultar una enfermedad más grave. También después de determinadas intervenciones quirúrgicas se producen frecuentes ataques de hipo. Y el hipo puede ser incluso una más de las manifestaciones molestas que acompañan el embarazo. No obstante, las posibilidades para tratar este tipo de hipo son

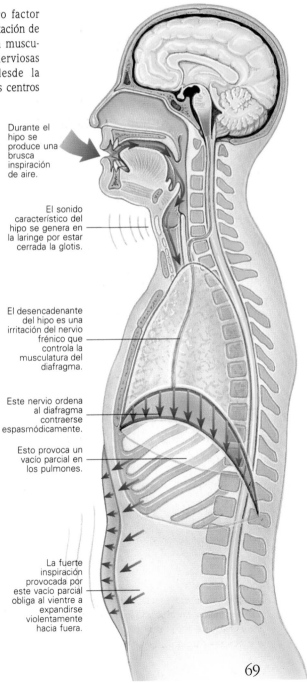

Durante el hipo se produce una brusca inspiración de aire.

El sonido característico del hipo se genera en la laringe por estar cerrada la glotis.

El desencadenante del hipo es una irritación del nervio frénico que controla la musculatura del diafragma.

Este nervio ordena al diafragma contraerse espasmódicamente.

Esto provoca un vacío parcial en los pulmones.

La fuerte inspiración provocada por este vacío parcial obliga al vientre a expandirse violentamente hacia fuera.

El nudo en la garganta

Carraspear es considerado un medio discreto para llamar la atención; en realidad, sirve más bien para abrir la glotis cerrada o para preparar las cuerdas vocales.

Cuando el padre carraspea fuertemente, los niños lo consideran como una seria advertencia, y con razón. Cuando carraspea un orador significa: "Ahora voy a decir algo importante". En un fumador, sin embargo, carraspear es un recurso para eliminar el nudo en la garganta; una llamada de socorro de las cuerdas vocales irritadas e invadidas de mucosas. En estas circunstancias, la glotis, situada entre las cuerdas vocales, no se abre ni cierra bien, lo que perjudica la fonación.

Un nudo en la garganta no es lo único que obliga a carraspear. Un ambiente muy contaminado o un aire muy seco inducen un estímulo semejante en cualquier persona. Otras causas del famoso nudo en la garganta son las inflamaciones entre las cuerdas vocales o de las mucosas, así como tumores en la faringe o el esófago. Pero también el estrés o la tensión psíquica pueden provocar una sensación de estrechez en la garganta y hacer que la voz obedezca sólo después de carraspear fuertemente.

En estados anímicos tensos, el cuerpo produce hormonas del estrés que actúan también sobre los músculos que tensan las cuerdas vocales. Cuando estos músculos se contraen, mantienen las cuerdas vocales demasiado tensas e inmóviles y con ello la glotis cerrada. En tales casos se tiene la sensación de un nudo en la garganta, lo que el médico denomina la sensación de globo. Si la persona quiere hablar, primero tiene que abrir las cuerdas mediante una fuerte inspiración y despegar al mismo tiempo los músculos contraídos. Es una sensación desagradable, sobre todo en situaciones de estrés psíquico, como acontece durante un examen o ante un podio de orador. En ocasiones, la contracción de las cuerdas vocales es tan fuerte que la voz falla del todo y sólo se puede hablar tras carraspear repetidamente.

CUERDAS VOCALES IRRITADAS El nudo en la garganta lo producen también estímulos externos, como el humo del tabaco o las impurezas atmosféricas. En este caso, las cuerdas no se contraen pero sí se hinchan y producen más secreciones. Estas secreciones hacen que la glotis se adhiera y, para abrirla, hay que carraspear. La irritación de las cuerdas y el carraspeo se puede deber también a un aire demasiado seco y caliente. En personas acatarradas, la infección se propaga a menudo hasta las cuerdas vocales, que se inflaman y se dilatan. Las consecuencias son afonía y ronquera.

El aire seco en los auditorios y salas de concierto, así como el miedo a toser, induce a muchas personas a carraspear.

Una perturbación sonora

Roncar puede perturbar seriamente la paz matrimonial. Pero los ronquidos nocturnos no son sólo fastidiosos, sino que pueden desencadenar también una crisis respiratoria.

A nadie se le ocurre acostarse sobre el techo de un camión que circula a toda velocidad por una autopista. Pero muchos cónyuges aguantan noche tras noche un nivel de ruido comparable, entre 80 y 90 decibelios, porque su vecino de lecho ronca. El responsable de esta alteración del silencio nocturno es el velo palatino, un trozo de mucosa reforzado con una fina capa de músculos que delimita la garganta de la cavidad nasofaríngea. Como cualquier otro velo, también el velo palatino empieza a ondear si no está bien tensado y cuando sopla una fuerte brisa, en este caso la corriente de la respiración. A menudo la persona que ronca tiene predisposición a la flacidez del velo, lo que se refuerza con los años. Los sonidos que acompañan a los ronquidos –sean silbidos, gruñidos o resuellos– se forman también en la laringe, con intervención de las cuerdas vocales.

ASPIRACIONES CONCENTRADAS Puesto que muchas personas con el velo palatino flácido no roncan en absoluto o apenas lo hacen, la calidad del velo palatino no puede ser el único determinante. Factores decisivos son también la forma, velocidad y dirección de las aspiraciones. Una fuerte concentración del aire aspirado, lo que crea una especie de corriente en la boca, hace impacto a alta velocidad y con una presión elevada contra el velo palatino y lo hace vibrar fuertemente, lo que provoca los ronquidos. La causa de la

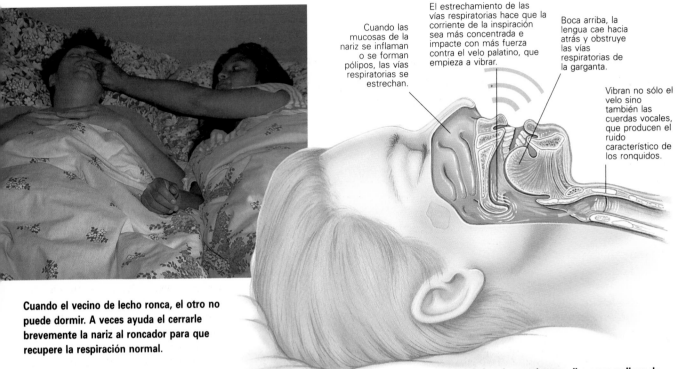

Cuando las mucosas de la nariz se inflaman o se forman pólipos, las vías respiratorias se estrechan.

El estrechamiento de las vías respiratorias hace que la corriente de la inspiración sea más concentrada e impacte con más fuerza contra el velo palatino, que empieza a vibrar.

Boca arriba, la lengua cae hacia atrás y obstruye las vías respiratorias de la garganta.

Vibran no sólo el velo sino también las cuerdas vocales, que producen el ruido característico de los ronquidos.

Cuando el vecino de lecho ronca, el otro no puede dormir. A veces ayuda el cerrarle brevemente la nariz al roncador para que recupere la respiración normal.

fuerte concentración de la aspiración suele ser un estrechamiento de las vías respiratorias. Por ello se ronca más cuando se tiene un catarro, las amígdalas inflamadas y la nariz taponada. También las personas que duermen boca arriba suelen roncar. Durante el sueño, se relaja la musculatura maxilar, de manera que la mandíbula desciende sobre el pecho y la lengua hacia atrás, lo que a su vez provoca un estrechamiento de las vías respiratorias. En estos casos se habla de ronquidos por obstáculo.

EL SÍNDROME DE PICKWICK Una causa que determina que alguien ronque irremisiblemente es la obesidad. En primer lugar, la persona gruesa suele dormir boca arriba, por serle ésta la postura más cómoda. Por el peso, su pecho se mueve con dificultad al respirar y sus pulmones no se pueden desplegar del todo, de manera que el afectado no recibe suficiente oxígeno con cada inhalación. El centro de la respiración en el cerebro intenta compensar esta deficiencia aumentando el ritmo respiratorio: el afectado jadea y ronca a la vez. A pesar de todo, la deficiencia de oxígeno aumenta cada vez más, lo que desencadena un círculo vicioso: por la respiración poco profunda las vías respiratorias se estrechan cada vez más con el paso del tiempo. El afectado desarrolla además problemas respiratorios, puesto que el centro de la respiración se va cansando y pierde la capacidad de regular la respiración en función de las necesidades de

oxígeno. Incluso se pueden producir interrupciones peligrosas de la respiración nocturna: la interrupción respiratoria puede durar hasta 10 segundos, y después el afectado vuelve a respirar jadeando. Estas apneas durante el sueño se pueden repetir hasta 300 veces en el transcurso de una noche. Los médicos lo denominan el síndrome de Pickwick, nombre inspirado en el obeso protagonista de la famosa novela de Charles Dickens.

RONCADORES EN PELIGRO Puesto que en estas circunstancias el cuerpo apenas puede descansar durante el sueño, la persona afectada se siente literalmente molida durante el día. Si bien algunos se despiertan de noche por sí solos con la sensación de asfixiarse, suele ser su vecino de cama el que advierte la parada respiratoria. En cualquier caso, el afectado debe someterse inmediatamente a un tratamiento médico, puesto que la falta permanente de oxígeno perjudica a la larga al corazón.

También quienes roncan frecuentemente sin sufrir apneas deben determinar la causa de sus ronquidos para poder descartar enfermedades más graves. Las personas que, en cambio, roncan sólo ocasionalmente no tienen que preocuparse: los ronquidos indican únicamente que la musculatura de las vías respiratorias se relaja al dormirse. Lo cual es absolutamente normal.

Quien duerme boca arriba corre peligro de convertirse en alborotador nocturno. Durante el sueño se relaja la musculatura de la mandíbula. Esto provoca un estrechamiento de las vías respiratorias y la corriente de aspiración choca contra el velo palatino.

NOCHES TRANQUILAS

● Quien ronca permanentemente y sufre al mismo tiempo interrupciones de la respiración deberá someterse a tratamiento médico.

● Quien ronca ocasionalmente lo puede evitar renunciando a tomar alcohol, somníferos o antihistamínicos antes de acostarse, y colocando la cabecera de la cama algo más alta.

● Puesto que se ronca sobre todo boca arriba, hay dispositivos que despiertan al roncador en cuanto adopta esta posición. Al poco tiempo, se habrá acostumbrado a la nueva postura en la cama.

● Una solución que proporciona cierto alivio puede ser una intervención quirúrgica para tensar el velo palatino.

Problemas de limpieza

La lengua es un órgano que se limpia a sí mismo. Pero a veces falla, lo que se manifiesta visiblemente en la llamada saburra, una capa cuyo color depende de la causa.

Nuestra lengua es un complejo órgano multifuncional. Sirve para hablar, saborear, palpar y comer. También los médicos están muy interesados en ella, sobre todo en sus coloraciones y la llamada saburra. Todos conocemos la famosa orden del médico: "Saque la lengua".

La superficie de la lengua está cubierta con numerosas papilas o botones gustativos, gracias a los cuales podemos distinguir los gustos básicos: dulce, ácido o amargo. Por la elevada densidad de estas papilas, la lengua se puede comparar con una alfombra de pelo largo, y cualquier ama de casa sabe lo difícil que es limpiar estas alfombras. A diferencia de la alfombra, la lengua es móvil y está permanentemente bañada en saliva, lo que contribuye a su limpieza tanto como los movimientos de la masticación. Por ello suele estar limpia y de color rojo claro.

CUANDO FALLA EL SERVICIO DE LIMPIEZA
No siempre los mecanismos de limpieza acaban con la suciedad. Entonces se cubre de saburra, una capa blanquecina compuesta sobre todo de residuos celulares. Estos residuos se mezclan con bacterias, restos de alimentos y con un líquido blanquecino y pegajoso producido por la misma

El aspecto de la lengua es importante para el médico, pues revela información sobre el estado de salud. Algunas enfermedades ocasionan una coloración característica.

lengua que se adhiere a ella; entonces está definitivamente "sucia".

Por la mañana tenemos todos una ligera capa de esta secreción sobre la lengua, puesto que durante la noche la autolimpieza apenas funciona. La saburra del fumador, sin embargo, se debe a que la cavidad bucal se ensucia tanto que el servicio de limpieza de la lengua no da abasto. Los pacientes de enfermedades graves, sobre todo las acompañadas de fiebre, apenas ingieren alimentos y si lo hacen es en forma líquida, de manera que falta la abrasión mecánica producida por los movimientos de masticación. En personas mayores suele ser la falta de una prótesis dental la que ocasiona la saburra.

COLORES REVELADORES Determinadas enfermedades imprimen un color característico a la capa que cubre la lengua. La uremia, por ejemplo, una enfermedad de los riñones, hace que la saburra sea de color marrón, mientras que una infección por hongos en la cavidad bucal provoca manchas blancas sobre la lengua y algunos antibióticos la tiñen de azul. Sin embargo, cuando la lengua muestra un color rojo vivo y ninguna capa, puede existir una carencia de vitamina B. Por consiguiente, no nos debe extrañar que el médico preste tanta atención a la lengua.

En enfermos con el sistema inmunológico debilitado, la secreción que cubre la lengua ofrece condiciones ideales para el asentamiento de microbios, por lo que es conveniente enjuagarse varias veces la boca y mantener una intensa higiene bucal y dental para eliminar la saburra.

La presión y el oído

Puede suceder en el avión, haciendo submarinismo, en el ascensor o cuando el AVE pasa por un túnel: nuestro oído hace un desagradable "crac" y puede llegar a obturarse.

Este fenómeno se produce siempre cuando sobreviene un cambio brusco en la presión exterior: bajo el agua, al hacer submarinismo, la presión sube, al igual que en el tren de alta velocidad que comprime el aire que tiene ante sí y que, al entrar en un túnel, ya no puede escapar lateralmente. En el avión o ascensor que sube o baja, la presión sube o baja también. La consecuencia es un crujido perceptible en el oído que puede llegar a taponarse del todo y sólo se abre si la persona traga con fuerza o se oprime rítmicamente la oreja. Puede ocurrir que el oído se quede obturado a pesar de todo, en cuyo caso el afectado tiene la sensación de oír mal.

DEMASIADA TENSIÓN EN EL TÍMPANO El causante de este desagradable fenómeno es el tímpano que sirve de cierre hermético entre el conducto auditivo y el oído medio. Cuando se produce un cambio brusco de la presión exterior, la presión en el oído medio se mantiene en principio estable. Para ello, el tímpano se abomba hacia afuera cuando la presión exterior desciende y hacia adentro cuando ésta sube. El tímpano se tensa ampliamente y tira del anillo que lo sujeta, lo que se percibe como una presión interior. Al mismo tiempo disminuye la capacidad del tímpano de transmitir las ondas acústicas sobre los osículos del oído medio, para compensar el desnivel entre la presión interior y la exterior. Existe una especie de

A gran altura, la presión del aire es menor y la presión interior de nuestro oído no se puede adaptar. Entonces se produce el conocido "crac" en el oído.

válvula entre el oído medio y la garganta, la llamada trompa de Eustaquio, que desemboca en la parte posterior y superior de la cavidad nasofaríngea. Esta válvula se abre normalmente sólo durante la deglución, es decir, cuando tragamos, y queda cerrada en los demás casos. Cuando esta válvula se activa, se compensa la presión en el oído medio con la presión del aire exterior y el

tímpano se relaja, si bien con cierto retraso. Por ello, el mejor remedio es la deglución, puesto que al tragar se aumenta la presión sobre el aire contenido en la boca, que es impulsado a través de la trompa de Eustaquio hacia el oído medio. De la misma manera, se puede eliminar la presión en el oído apretando con un dedo varias veces sobre el orificio auditivo externo. Así se comprime y descomprime rítmicamente la columna de aire contenida en el conducto auditivo y esta brusca y repetida modificación de la presión consigue desbloquear el tímpano.

OIDOS TAPONADOS

● Sobre todo durante los catarros, se suele manifestar una sensación de insensibilidad en el oído: su causa es una hinchazón de la trompa de Eustaquio que impide contener la presión.

● También en este caso puede ayudar el tragar varias veces y con fuerza. De todas maneras, la presión vuelve a compensarse al cabo de cierto tiempo.

Ojo a las ojeras

No siempre son culpa de una vida desenfrenada: ciertas enfermedades y la edad suelen manifestarse también en estas manchas amoratadas que rodean los ojos.

Quien después de haber trasnochado mira su imagen en el espejo se suele asustar ante la cara de ojos hundidos y grandes ojeras. Pero también los enfermos de corazón pueden presentar estas manchas amoratadas alrededor de unos ojos profundamente hundidos. En el noctámbulo representan sólo un síntoma pasajero de un exceso,

mientras que en el enfermo del corazón son un síntoma permanente de su enfermedad.

Las ojeras y los ojos hundidos pueden deberse a un trastorno del estado de salud, por ejemplo en alcohólicos y otros drogodependientes o en el caso de enfermedades infecciosas, del corazón o del aparato circulatorio. También son síntoma de cansancio,

agotamiento o avanzada edad, pero siempre se basan en dos procesos elementales que son la tensión arterial baja y una atrofia pasajera o duradera del tejido conjuntivo que acolcha la órbita del ojo.

PÉRDIDAS DE TENSIÓN La piel que circunda los ojos es relativamente delgada y apenas posee tejido graso. Al mismo tiempo, existe un buen nivel de irrigación sanguínea en esta zona, puesto que en ella se encuentran numerosos músculos pequeños, como los que mueven los párpados, y nervios. En personas de piel muy clara, las pequeñas venas azules pueden transparentarse incluso cuando se encuentran perfectamente. Ahora bien, cuando desciende la presión sanguínea por una de las causas externas anterior-

73

mente citadas, se reduce el suministro de sangre y la tensión de la piel. Las consecuencias son una cara hundida y una mayor presencia de arrugas. Esta menor tensión en la piel, sin embargo, se ve compensada por los depósitos de grasa acumulados en muchas partes de la cara, como en las mejillas o cerca del mentón. No así en la zona que rodea los ojos, donde no existen tales depósitos: aquí la piel se hunde y hace que se transparenten los vasos sanguíneos azules, originando las famosas ojeras. Cuando éstas resultan siempre patentes, también lo es el trastorno circulatorio que las provoca.

MENOS PANÍCULOS Los ojos hundidos, sin embargo, tienen otras causas. Las órbitas, las cavidades óseas en las cuales están alojados los globos oculares, están por lo general bien acolchadas con tejido adiposo para sujetar y amortiguar este órgano altamente sensible. Con la edad esta capa de grasa se va haciendo más fina, se atrofia, y los globos se hunden más en las órbitas.

Mientras que en personas mayores los ojos hundidos suelen ser irreversibles, en personas más jóvenes vuelven a su posición original en cuanto se elimina la causa del trastorno circulatorio. Y es así porque un suministro insuficiente de sangre no repercute sólo en la piel que rodea el ojo, donde produce las ojeras, sino también en el tejido graso o panículos que les sirve de colchón. Cuando el tejido se atrofia transitoriamente, los globos se hunden y con ellos el rostro.

Una cámara automática

Aunque la pupila del ojo ha servido de modelo para la construcción del diafragma de la cámara fotográfica, nuestro órgano de visión supera al aparato electrónico más sofisticado.

Al igual que el diafragma de una cámara controla la luz que penetra en ella, la pupila lo hace con la luz que penetra en el ojo, estrechándose cuando hay más luminosidad y ampliándose cuando disminuye. La apertura de la pupila puede oscilar entre 1,5 y 8 mm y se controla a través de dos músculos del iris que rodea la pupila: un músculo anular que se ocupa del estrechamiento y un grupo de músculos dilatadores que se extienden como radios hacia afuera y pueden ensanchar la pupila. En ambos casos, el movimiento muscular se desencadena a través de una compleja red de nervios vegetativos.

VISTA AGUDA Como parte de este reflejo de adaptación a la luminosidad, el ojo dispone también de un ajuste automático del enfoque que garantiza la nitidez de la visión, al igual que una cámara moderna. El ojo se enfoca automáticamente al objeto de más interés. Además, posee un mecanismo de enfoque aparte para objetos luminosos en el margen del campo visual, el llamado reflejo de Haab.

Pero, a diferencia de la cámara, que tiene un sólo "ojo", el hombre tiene que coordinar la actividad de dos ojos para obtener una visión tridimensional. Incluso cuando nos tapamos un ojo, la pupila de este ojo se adapta automáticamente a la apertura de pupila del otro no tapado. Esta facultad se debe a un intercambio de datos que se produce en el quiasma óptico, el punto en el que se cruzan los dos nervios ópticos en su camino hacia el cerebro. Por supuesto, también se ajustan las demás reacciones del ojo, como sus movimientos y la acomodación, es decir, la adaptación de la lente o cristalino que, a diferencia de una lente de cristal, no es rígida sino flexible y tiene por tanto un poder de refracción variable.

Tanto la pupila del ojo como el diafragma de la cámara automática reaccionan estrechándose cuando hay mucha luminosidad (arriba) y abriéndose cuando hay poca luz (abajo). El ojo regula automáticamente el enfoque.

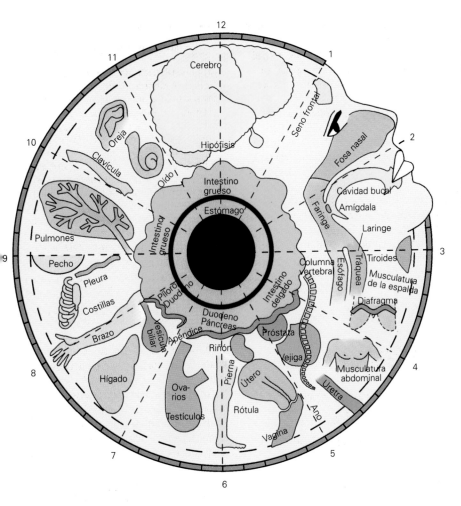

Los médicos naturalistas están convencidos de que determinados órganos y funciones fisiológicas se reflejan en determinadas zonas del iris, y que alteraciones en la estructura de la retina revelan trastornos de la salud.

extiende también al cristalino y a la medición de la presión intraocular.

El iris que delimita la pupila, en cambio, no suele ser objeto del examen del oftalmólogo. Salvo en determinadas inflamaciones, como el reúma o la tuberculosis, el iris brinda poca información sobre el estado de la salud, al menos en opinión de la medicina académica. Los médicos naturalistas, sin embargo, opinan que las enfermedades sí se reflejan perfectamente en el iris. Parten de la convicción de que a determinadas zonas del iris corresponden determinados órganos, extremidades y funciones del cuerpo, y que las alteraciones en las fibras del iris en una de estas áreas indican un trastorno en el órgano respectivo.

OJO REVELADOR Pero incluso si se excluye el iris como revelador de enfermedades, el ojo puede aportar informaciones valiosas a internistas y neurólogos, y contribuye a un diagnóstico preciso de determinadas enfermedades. Hay tres razones para ello: en primer lugar, el ojo es fácil de examinar, al menos desde que se inventó el oftalmoscopio. Por otro lado, una mirada a los ojos equivale a una mirada al interior del cuerpo y, sobre todo, a la superficie del cerebro, puesto que el ojo no es otra cosa que un ramal prominente de este último. En tercer lugar, las arterias bien visibles de la retina reaccionan con especial sensibilidad a trastornos del metabolismo como la diabetes, enfermedades del hígado y de la vesícula biliar y a trastornos nefrológicos. También los problemas circulatorios, como la arteriosclerosis o la hipertensión, modifican el aspecto de las arterias oculares de manera característica y reconocible.

Pero son sobre todo las enfermedades del cerebro las que se detectan gracias al diagnóstico de los ojos. Cuando, por ejemplo, un tumor cerebral desplaza tejido sano aumentando así la presión intracraneal, se pueden detectar estas consecuencias en el fondo del ojo. Lo mismo puede afirmarse de infecciones del cerebro, como la toxoplasmosis, que se transmite a través de animales domésticos. Esta facilidad de diagnosticar las raras enfermedades del cerebro a través de los ojos puede ser de gran ayuda para el médico y, por tanto, para el paciente.

Lo que revela el ojo sobre el interior de nuestro cuerpo

El ojo revela muchas informaciones sobre el estado de salud de la persona, incluso más que la lengua. Esto no es de extrañar: se trata de un ramal directo del cerebro.

"¡Mírame a los ojos, nena!", con esta petición de Humphrey Bogart a Ingrid Bergmann en la película *Casablanca,* el protagonista no pretendía llevar a cabo un diagnóstico de los ojos en el sentido médico, sino más bien saber, a través de una mirada a los ojos, lo que acontecía en el corazón de su pareja.

UNA MIRADA ENTRE BASTIDORES Una mirada a los ojos ajenos es reveladora no sólo para los enamorados sino también para el médico. Y es que el ojo ofrece tantos puntos de partida para establecer diagnósticos que una rama de la medicina se ocupa exclusivamente de este órgano: la oftalmología. El examen del fondo del ojo, sobre todo, puede proporcionar indicios evidentes de determinadas enfermedades. Muchos médicos están convencidos de que determinados órganos y funciones se reflejan en el iris y que las alteraciones de la retina revelan trastornos de la salud.

Por fondo del ojo entendemos lo que se denomina retina, pero como ésta es completamente transparente, también se incluye la capa que yace debajo: la llamada coroides. El examen exhaustivo del médico no se limita a estas dos partes, sino que se

Bienvenido sea cualquier rayo solar

Muy probablemente, los primeros hombres eran de tez oscura. La piel clara de los habitantes de Europa central y del norte se desarrolló después, ante la necesidad de adaptarse a las condiciones de vida.

La cuna de la humanidad se encuentra en África y, al igual que la población africana es hasta hoy de piel oscura, muy probablemente también lo eran los primitivos habitantes de Europa. La tez extremadamente clara de los moradores del centro y norte del continente se desarrolló posiblemente hace sólo 100.000 años como resultado de las circunstancias de vida imperantes en Europa durante el Neolítico. Pero ¿qué tiene que ver la melanina que otorga coloración a nuestra piel con el Neolítico?

El pigmento principal de nuestra piel, la

La tez clara de los habitantes del centro y norte de Europa es resultado de un proceso de adaptación paulatina a una alimentación que no suministraba suficiente vitamina D y a la vida en lugares con poca insolación.

melanina, cumple ante todo una función protectora: impide que los rayos ultravioletas de la luz solar penetren más en la piel, donde podrían ocasionar grandes lesiones e incluso provocar un cáncer. Por otra parte,

la luz solar tiene la virtud de transformar una sustancia grasa subcutánea en vitamina D, la cual, a su vez, regula el equilibrio de calcio en el organismo. La carencia de vitamina D puede provocar raquitismo, enfermedad que origina deformaciones del esqueleto si no es tratada a tiempo. Sin embargo, contienen también vitamina D el pescado y numerosas plantas. Esto significa que en las zonas tropicales, donde hay alimentos frescos durante todo el año, no suele existir peligro de falta de vitamina D, con lo que ésta se destina preferentemente a la protección de la piel. Tal es la razón de que los esquimales tengan una tez más bien oscura a pesar de vivir en el Ártico. Como el mar les proporciona la mayor parte de sus alimentos, no tienen problemas de suministro de vitamina D.

MORENO O SANO En las latitudes medias y septentrionales del mundo la situación es otra. En las regiones centrales, la piel ha desarrollado un método para cambiar la coloración según la estación del año. En el norte, sin embargo, la necesidad de generar vitamina D en la piel era mayor que el peligro que representaba la no muy intensa insolación de aquellas latitudes. Por tanto, se redujo la pigmentación de los habitantes del norte, sobre todo cuando dejaron de alimentarse principalmente de productos del mar y se convirtieron, alrededor del año 6000 aC., en campesinos y ganaderos. La pérdida de los pigmentos se convirtió en una cuestión de vida o muerte, puesto que la luz solar era la fuente principal de vitamina D para el organismo.

El pigmento melanina es, sin embargo, sólo uno de los factores que intervienen en la coloración de la piel. El segundo factor es el riego sanguíneo periférico, por lo cual pueden palidecer también las personas de piel oscura.

PALIDECER DE FRÍO En cierto sentido, la sangre es el vehículo de transporte del cuerpo. Suministra oxígeno y energía, elimina los residuos y el dióxido de carbono, conduce a las células inmunológicas hacia los focos de enfermedades y garantiza una temperatura constante en el organismo. Pero el calor y el frío pueden modificar el riego sanguíneo de la piel. Si el cuerpo percibe demasiado calor, circula más sangre en la piel para disipar al exterior el calor excedente; la piel adopta entonces una coloración que oscila del rosa al rojo. Con el frío, sin embargo, los vasos sanguíneos de la piel se contraen para limitar el intercambio térmico con el exterior, lo que produce una palidez de la piel.

SUMINISTRO DE EMERGENCIA Aparte de las causas psíquicas que pueden provocar rubor o palidez, además del calor y del frío, existen otras reacciones fisiológicas que pueden modificar el color de la piel. En un estado de conmoción, por ejemplo, toda la sangre del cuerpo se acumula en el abdomen y el afectado palidece en grado sumo. La palidez se puede deber también a la presencia de enfermedades, puesto que éstas pueden desviar la circulación hacia órganos importantes para activar la reacción inmunológica del cuerpo.

Sobre todo en las regiones centrales del mundo, la piel ha desarrollado la capacidad de cambiar su color en función de la intensidad del sol, y de protegerse con más pigmentos en caso necesario.

Historias espeluznantes

Tanto si se siente frío como si es miedo, el cuerpo puede reaccionar con la conocida piel de gallina. Este fenómeno es una herencia de nuestros peludos antepasados.

Puede ocurrir después de un día cálido, cuando se levanta una fresca brisa, o cuando se está presenciando una película de terror: en ambos casos nuestro pelo literalmente se espeluzna y nuestra piel se asemeja a la de una gallina recién desplumada. Nuestro cuerpo está ejecutando un programa heredado de nuestros antepasados que se desencadena por dos estímulos diferentes: por un lado, debido a un descenso brusco de la temperatura exterior, y de otro, por la tensión emocional. En ambos casos, nuestro cuerpo se está revistiendo, en cierto sentido, con una funda invisible y caliente.

REACCIÓN ESPELUZNANTE Probablemente esta reacción se remonta a los tiempos de nuestros antepasados peludos y tenía la función de aumentar la capa de aire protectora del vello corporal. Los pelos del cuerpo se erizan gracias a unos diminutos músculos que actúan sobre cada folículo piloso. Al contraerse estos músculos, los folículos se proyectan ligera-

mente hacia fuera, incluso cuando ya no contienen ningún pelo, lo que provoca la característica piel de gallina.

Esta reacción se desencadena en el hipotálamo, una parte del diencéfalo, que

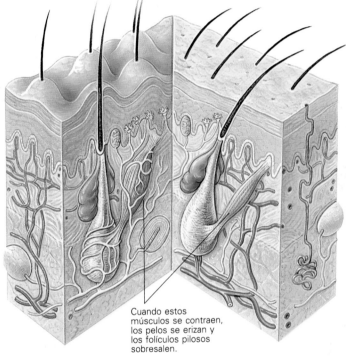

Cuando estos músculos se contraen, los pelos se erizan y los folículos pilosos sobresalen.

recibe las señales del descenso brusco de temperatura enviadas por los sensores térmicos y que ordena la puesta en marcha de una serie de medidas. En primer lugar, se segrega la hormona vasopresina, que constriñe los vasos sanguíneos subcutáneos reduciendo el riego sanguíneo y, con él, la emisión de calor. Después, el afectado comienza a tiritar para aumentar la producción de calor. Y, finalmente, los músculos del pelo reciben la orden de contraerse. Una caída de temperatura representa, por lo visto, un gran peligro potencial para el cuerpo y éste intenta evitarla por todos los medios.

ALERTA MÁXIMA Pero también las reacciones psíquicas, sobre todo el estrés y la sensación de que alguna situación le supera a uno, pueden provocar la piel de gallina. El sentido original de este proceso era conservar las reservas de calor y de energía para una rápida reacción en caso de emergencia. Pero lo que se concibió como protección contra una amenaza existencial, ya no cumple ningún papel cuando vemos una película de terror que nos produce escalofríos.

La sección de la piel reproducida a la izquierda muestra las reacciones de la epidermis ante un descenso brusco de la temperatura corporal; a la derecha, la piel en estado de calor.

Cuando el agua arruga la piel

En la época de las lavadoras, las lavanderas representan una especie en extinción; pero siguen existiendo muchas manos de lavanderas, es decir, arrugadas por el agua.

Todos nos hemos pasado alguna vez varias horas en el agua, sea en la bañera o en el mar, para descubrir después con sorpresa que las yemas de los dedos se nos han arrugado completamente. Son las llamadas manos de lavandera, porque este fenómeno afectaba antiguamente a toda una

profesión. La piel nos protege de las heridas y de la pérdida de humedad, y constituye un escudo contra bacterias y sustancias nocivas que, si no fuera por ella, podrían penetrar en el cuerpo. Para cumplir con estas funciones, la piel dispone de una serie de dispositivos de defensa. La primera capa protectora consiste

en una especie de cuero, la epidermis, recubierta por una lámina aceitosa que se renueva constantemente a través de las glándulas sebáceas. Otra capa interior de grasa actúa como barrera adicional ante posibles entradas de agua, impidiendo al mismo tiempo que el líquido corporal escape por la piel. La queratina situada en el interior de la piel no córnea produce y suministra la grasa. Nuestra piel representa, pues, una especie de castillo con varios tipos de defensas. Y cuantas más de estas defensas queden destruidas por un ataque exterior, menor será la resistencia de la piel.

Las manos arrugadas por el agua son sólo un ejemplo de los ataques que ha de soportar la piel. Las yemas arrugadas se presentan siempre cuando el agua ha penetrado en las estructuras más profundas de la epidermis. Con la ayuda de jabones y otras sustancias que atacan la grasa, el agua va penetrando lentamente por la capa exterior de grasa que sella el estrato córneo, compuesto por escamas muertas de piel. Una vez que haya destruido esta capa, el agua puede entrar en las ranuras existentes entre las células e infiltrarse hasta el estrato de la epidermis donde se produce la queratina. También allí existen ranuras y vasos por los cuales el agua puede filtrarse. Si sigue penetrando en la piel, desplazará ligeramente las células, lo que hace que la piel se esponje y se arrugue. Al salir del agua, el líquido infiltrado comienza a evaporarse; la piel vuelve a tensarse y la capa de grasa exterior se restablece.

DEMASIADO PERJUDICIAL Cuanto más tiempo dure la agresión a la piel y cuanto más frecuente sea, más dificultades tiene para autorrepararse. Se forman numerosas mellas en la superficie y en el interior de la epidermis, por las cuales pueden entrar fácilmente bacterias y sustancias nocivas. Las antiguas lavanderas tenían las manos llenas de grietas, enrojecidas e inflamadas. Pero no sólo las manos: todas las zonas de piel de

Las manos sobre todo son muy sensibles a un contacto prolongado con agua y jabón, pues cada lavado destruye su capa protectora de grasa.

Por las ranuras intercelulares el agua puede infiltrarse en la epidermis, desplazando ligeramente a las células.

Agua y jabón destruyen la capa de grasa que sella la epidermis.

El agua puede infiltrarse por las ranuras intercelulares y penetrar en la epidermis.

Las células se desplazan, lo que dilata y arruga la piel.

nuestro cuerpo son también muy sensibles a un exceso de agua y jabón. Por esta razón, no se debe prolongar demasiado el baño o la ducha y deberán usarse guantes de goma cuando se trabaje algún tiempo con agua y jabón. También deberán lavarse siempre las

manos con agua tibia y usar cremas y productos humectantes para conservar su humedad natural. La piel memoriza todos los perjuicios que se le han causado a lo largo de la vida, para vengarse más tarde con las arrugas.

La amenaza del acné

Al principio no parece nada importante: primero se forma un puntito negro en la piel que después se convierte en una mancha roja, para degenerar en un comedón lleno de pus.

Todos hemos experimentado en alguna ocasión un episodio semejante: el día en que hemos quedado para salir de noche nos miramos en el espejo para comprobar que todo está bien y sobresaltados descubrimos un llamativo comedón, o grano, en la cara.

No suele salir tan de improviso como nos parece, sino que su estado previo, la espinilla, no nos llamó la atención. Las espinillas se producen sobre todo en la cara y la nuca

y, en ocasiones, también en el pecho y la espalda. En función del tipo de piel habrá que resignarse a las molestas espinillas para siempre, o sufrirlas sólo ocasionalmente.

ATASCO EN LA PIEL Todo el problema comienza cuando una glándula sebácea produce un exceso de sebo que obstruye su salida, se atasca en los poros y se mezcla con suciedad. Entonces aparece un puntito negro en la piel que se deberá eliminar suavemen-

te, nunca con las uñas, si es que conviene eliminarlo.

TIEMPO DE MADURACIÓN Si los gérmenes contenidos en la suciedad logran penetrar por el conducto de la glándula y finalmente en la glándula misma, surgirá una inflamación. El puntito negro se convierte entonces en una mancha roja del tamaño de una lenteja y muy sensible a la presión. En el interior de la glándula se lleva a cabo una desesperada lucha de defensa contra los gérmenes y, como consecuencia de esta lucha, se produce pus. El indicio exterior es la aparición de una pústula amarillenta.

Al principio esta pústula es dura y rígida, pero cuanto más se prolonga la lucha en el interior de la glándula sebácea, más aumenta la presión en el interior de la pústula. A este aumento de presión contribuye sobre todo el líquido fisiológico que se acumula allí y el mayor riego sanguíneo en la zona inflamada. Entonces la pústula suele abrirse hacia fuera, vaciar el pus y a continuación la herida cicatriza.

CAUSAS DE LA MOLESTIA La causa de que se produzcan muchos granos suelen ser enfermedades que debilitan las defensas inmunológicas, así como trastornos del metabolismo tales como la diabetes. Puede ser determinante también el tipo de piel: una piel clara, sensible y con un estrato córneo muy fino y una elevada producción de sebo tiende más que otros tipos de piel a desarrollar acné. La utilización de una crema equivocada, por ejemplo demasiado grasa, puede también ser causante, puesto que tapona las salidas de las glándulas sebáceas. Determinados alimentos con alto contenido en grasas difíciles de descomponer, como el chocolate o la mantequilla, son otros presuntos responsables de desarrollar acné.

La persona propensa al acné deberá prevenirlo esmerándose en la limpieza de la piel, con baños de vapor de manzanilla y renunciando a determinados alimentos. Nunca se debe intentar apretar los granos, puesto que esto sólo propaga los gérmenes y fomenta su proliferación. Ungüentos sulfúricos y de otro tipo pueden aliviar el problema, mientras que el alcohol lo puede agravar, puesto que estimula la producción de sebo.

La piel: un vestido para toda la vida

Quien no está contento con su piel espera que esta crema o aquella loción puedan producir un cambio radical. Pero esta esperanza suele ser a menudo engañosa.

Son las leyes genéticas las que determinan también la piel con la que uno nace. Da igual si es grasa, seca, escamosa o mixta; lo único cierto es que no podemos salir de ella.

MÚLTIPLES FACTORES Entre la piel seca y la piel grasa existe toda una gama de tipos de piel distintos, que son el resultado de la intervención de múltiples y complejos factores. Las características de la piel vienen influidas por el espesor del estrato córneo y su índice de abrasión, la estructura de la epidermis y de la dermis, el valor ph de la capa ácida de la piel, su pilosidad, pigmentación, la densidad y actividad de las glándulas sebáceas y sudoríparas, la edad de la persona, su sexo, el clima en que viva, la actividad física, los problemas nerviosos, la alimentación, la digestión, el metabolismo. El número y variedad de los factores que intervienen es enorme y su interacción viene determinada por numerosos efectos recíprocos. Ésta es la razón por la que, a pesar de todas las promesas de la industria cosmética, no se puede cambiar fundamentalmente el tipo de piel por muy sofisticadas y caras que sean las cremas y ungüentos que se utilicen para lograrlo.

No obstante, se puede influir y regular el estado de la piel hasta ciertos límites siguiendo un estilo de vida sano. La piel, como cualquier otro órgano, depende de la alimentación de todo el organismo y de la situación metabólica. Además, es un órgano de evacuación de residuos. Para asegurarse una piel sana hay que observar una dieta equilibrada que contenga suficientes vitaminas, minerales y fibra. El buen funcionamiento del sistema digestivo es también

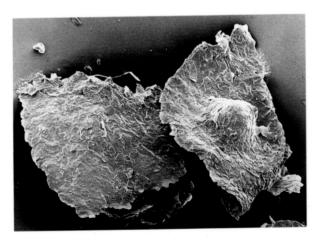

Las escamas son células muertas de la epidermis y, por tanto, un fenómeno absolutamente normal. Pero cuando la piel está muy seca, se manifiestan en exceso.

EL CUIDADO DE LA PIEL

- Para determinar el tipo de piel hay que acudir a un especialista en estética, que realizará un simple test de piel.

- Conviene evitar duchas y baños excesivamente largos, puesto que suelen agravar los problemas de la piel.

- Piel grasa: baños de vapor con manzanilla y jabones para bebés. Piel seca: la hidroterapia, mucho ejercicio físico al aire libre y los masajes con cepillos pueden activar el metabolismo de la piel.

un factor determinante. Si estuviera alterado, algunas sustancias podrían evacuarse a través de las glándulas de la piel, en lugar de hacerlo a través del aparato digestivo. Las consecuencias pueden ser acné y una piel excesivamente grasa, al igual que una piel muy seca que pique, o caspa. Quien tenga la piel muy sensible debe renunciar a estimulantes, especias y grasas. Por la misma razón, los fumadores no deben lamentarse del mal aspecto de su piel, pues la nicotina reduce el riego sanguíneo de la epidermis, por lo que ésta no recibe todos los nutrientes que necesita. Un efecto parecido ejerce el estrés permanente.

DORMIR, EL REMEDIO El sueño es el mejor remedio para embellecer la piel como nos demuestra el ejemplo de la Bella Durmiente. Cuando dormimos, se eliminan los residuos y se regeneran los estratos desgastados de la piel, lo que resulta fundamental para que toda ella se pueda regenerar.

La pomada biológica

Un cabello con brillo y volumen despierta la admiración y envidia de quienes tienen un pelo graso y seco. Esto último se debe a una actividad excesiva o insuficiente de las glándulas sebáceas existentes en el cuero cabelludo.

Todas las mujeres, e incluso muchos hombres, sueñan con tener un cabello voluminosos y brillante, pero la realidad es otra. Mientras unos se quejan de tener el pelo muy graso, otros lo hacen porque el suyo es seco, sin brillo y áspero. Estos problemas capilares se deben a las glándulas sebáceas, cuya actividad, si bien se puede mejorar, no es posible cambiar totalmente.

CAPA DE GRASA PROTECTORA En la cabeza de todas las personas, siempre que no sean calvas, existen unos 100.000 folículos pilosos con su respectivo pelo y de una a dos glándulas sebáceas por folículo. Estas glándulas producen una segregación aceitosa que cubre el pelo con una fina capa protectora. La capa aceitosa confiere a nuestro cabello su brillo, si bien esto representa sólo un efecto óptico secundario, puesto que su función primordial es proteger el pelo contra la humedad y garantizar así el efecto aislante de la cabellera. Esta protección tenía suma importancia para nues-

tros antepasados que no poseían gorros para abrigar la cabeza y proteger así el cráneo.

Ahora bien, estas glándulas sebáceas no funcionan en todas las personas de la misma manera. Su productividad depende más bien de factores genéticos y puede ser muy alta, lo que provoca un pelo graso, o deficiente, con la consecuencia de un cabello seco. No obstante, se puede estimular y aumentar la actividad de las glándulas con factores externos como pueden ser el calor, el consumo de alcohol o determinadas sustancias químicas. Si estos estímulos son constantes o se repiten habitualmente, la producción de grasa se ajusta a esta cantidad elevada y la glándula puede incluso aumentar de tamaño.

CÍRCULO VICIOSO Quien posee el pelo graso tiende a lavarlo con más frecuencia. Esto, sin embargo, únicamente agrava la situación, sobre todo si se lava con agua caliente y un champú agresivo, pues se estimula aún más la actividad de las glándulas. Sobre todo los hombres, cuyas glándulas sebáceas son más activas que las de las mujeres, muestran tendencia a lavarse el pelo diariamen-

te. La consecuencia es una producción exagerada de grasa, la llamada seborrea, que debe ser tratada por un dermatólogo.

Las mujeres, en cambio, se quejan más de pelo seco, sin brillo y áspero que se rompe y parte fácilmente, por ejemplo cuando se peinan con un cepillo muy duro. En tiempos pasados, las madres aconsejaban a las hijas cepillarse el cabello cada noche con al menos 100 pasadas para otorgarle brillo. Esta recomendación funciona efectivamente si se emplea un cepillo blando, ya que el cepillado frecuente determina que las glándulas produzcan y segreguen más grasa.

La estructura del pelo es una realidad que no se puede alterar. El pelo visible que sobresale del cuero cabelludo se compone exclusivamente de material córneo, es decir, muerto. Por ello no es posible cambiar el pelo en su estructura, por muy caro que sea el producto que nos apliquemos para el cuidado del cabello. En la mayoría de los casos, se limita a cubrir el pelo con una capa de laca que sirve para que su superficie escamosa y áspera tenga momentáneamente más brillo y sus características simulen un cabello elástico y voluminoso.

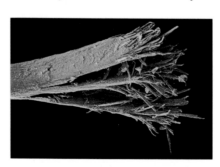

El pelo seco es áspero y tiende a partirse fácilmente (arriba).

La grasa hace brillar como una loncha de tocino el cabello de este luchador japonés de sumo.

Manchas blancas y reveladoras

Llevan una existencia discreta y apenas se notan: las manchitas blancas en las uñas. Sin embargo, son manifestación de trastornos físicos y síntomas carenciales.

Todos las hemos tenido alguna vez: apenas se notan y pronto desaparecen bajo la hoja afilada del cortaúñas, si no han quedado antes ocultas bajo el esmalte de uñas. Pero estas pequeñas manchitas blancas de apariencia inocua se deben a causas que han sido o siguen siendo todo menos inocuas, puesto que son una especie de informe sobre nuestro metabolismo.

REGISTRADO EN LAS UÑAS La zona donde se produce el material que compone las uñas es la matriz situada en su raíz, que convierte permanentemente las células cutáneas en duras escamas córneas. El material de estas escamas consiste en gran parte en queratina, una proteína muy compleja y resistente que se genera en las células de la matriz de la uña. Al igual que en una factoría química, la continuidad de crecimiento de las uñas depende de un ininterrumpido suministro de las sustancias base y de la correcta secuencia de las fases que hacen posible la síntesis del producto.

Este complejo proceso de síntesis se puede alterar fácilmente a causa de pequeñas heridas, leves trastornos de la alimentación y el metabolismo y por la influencia de determinados fármacos, como los antibióticos. En tales casos, el material córneo se genera de manera distinta a como lo hace en circunstancias normales: o se implantan directamente partículas de calcio en la uña para rellenar orificios o quedan atrapadas burbujas de aire en la córnea. Cuando la uña sale de la raíz, estos dos fenómenos se manifiestan en forma de una manchita

Las manchitas blancas de las uñas indican frecuentemente trastornos metabólicos. Si aparecen con carácter permanente, hay que consultar a un médico.

blanca. Las causas son a menudo inocuas, pero pueden revelar también distintos trastornos físicos, como carencia de minerales o vitaminas, problemas en el funcionamiento del hígado, defectos cardiacos e incluso graves trastornos psíquicos.

El momento en que se produjo el trastorno se puede determinar con relativa precisión. Simplemente hay que medir la distancia entre la manchita y la raíz de la uña y calcular el tiempo transcurrido en función de la velocidad de crecimiento, que suele ser de dos a tres milímetros al mes.

Uñas con surcos y ranuras

En los manuales de medicina hindú del Ayurveda, de más de dos mil años de antigüedad, se mencionan estas extrañas ranuras longitudinales y transversales en las uñas.

La superficie de las uñas puede presentar deformaciones en forma de ranuras longitudinales o transversales: cada una de estas dos manifestaciones tiene causas distintas. Mientras que las primeras constituyen más bien un problema cosmético y suelen deberse a una causa inocua, las ranuras horizontales indican que unas seis semanas antes se produjo una interrupción en el crecimiento de las uñas, lo que es indicio de trastornos orgánicos graves que pueden seguir latentes.

Se puede comprobar fácilmente a simple vista que cada uña presenta unas finísimas ranuras verticales. Estas ranuras se forman cuando la uña crece. Puesto que allí se genera el material que compone la uña, ésta suele tener más grosor en este punto y adquiere una estructura de líneas longi-

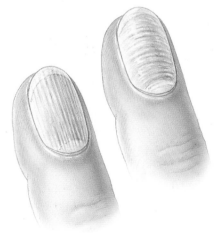

Los surcos verticales (izda.) se forman por el desgaste de la uña, mientras que los horizontales (dcha.) se deben a una interrupción en su crecimiento.

tudinales. Si las partes más finas de la uña se desgastan más que las otras rayas, a causa por ejemplo de detergentes, desinfectantes agresivos o quitaesmalte, el perfil ondulado se refuerza aún más.

CRECIMIENTO INTERRUMPIDO Las líneas y surcos horizontales en la uña revelan, sin embargo, un grave trastorno o incluso una interrupción total del crecimiento a causa de una queratinización insuficiente. Estas ranuras transversales se manifiestan unas seis semanas después de que se produjera el trastorno causante, que suele ser una enfermedad infecciosa como la escarlatina, tifus, hepatitis, gripe o pulmonía. A medida que va creciendo la uña, las ranuras desaparecen.

Si en la uña se presentan repetidas veces ranuras y líneas, pueden ser reveladoras de enfermedades agudas. Las causas más frecuentes son trastornos del metabolismo y del equilibrio hormonal, así como enfermedades de la piel como eccemas o influencias de sustancias tóxicas. En un enfermo de psoriasis, por ejemplo, las uñas pueden presentar pequeñas abolladuras en forma de punto. En enfermedades menos graves, las deformaciones de la uña son menores.

De amoratado a amarillento

Una fuerte presión repentina hace que los vasos sanguíneos en el tejido subcutáneo se rompan. Su contenido se derrama y en la piel aparece un cardenal.

Nos ha pasado a todos: con tanta prisa, hemos calculado mal la distancia hasta el ángulo de la mesa y hemos chocado contra ella. Al día siguiente nos aparece una gran mancha amoratada en el muslo, que duele si se presiona sobre ella.

El origen de este moratón o hematoma, como lo denominan los médicos, reside siempre en un traumatismo obtuso: un puñetazo, un golpe fuerte, una caída o un impacto semejante que, si bien no rompe la capa superior de la piel, sí lesiona el tejido subcutáneo, provisto de abundante riego sanguíneo. Por el violento golpe exterior se rompen algunos de los finos vasos sanguíneos, la sangre se derrama y se infiltra en el tejido circundante. Este fenómeno afecta en igual medida a jóvenes y a mayores, pero en las personas ancianas basta con un pequeño golpe para que surjan moratones, pues sus vasos sanguíneos son menos flexibles y se rompen a la más mínima presión.

PROCESO DE REPARACIÓN URGENTE

La sangre derramada que se distribuye por el tejido empieza a traslucirse bajo la piel y tiñe el lugar afectado de un color amoratado. Asimismo, el cardenal empieza a doler puesto que la sangre presiona sobre los receptores del dolor. Paralelamente, el tejido lesionado emite unas señales químicas que desencadenan el proceso de coagulación de la sangre. En este proceso intervienen en total trece factores que determinan que las roturas de los vasos sanguíneos se cierren, frenando así la hemorragia. Al mismo tiempo acuden al lugar del accidente los fagocitos para eliminar los desechos celulares.

Una vez estabilizada la situación empiezan las verdaderas medidas de reparación. En el curso de los días siguientes al accidente, se construyen verdaderos andamios alrededor de la sangre coagulada. El material de construcción es la fibrina, una sustancia elástica que se genera durante la coagulación de la sangre a partir del fibrinógeno, partículas líquidas que circulan en la sangre. La reparación del tejido se desarrolla a lo largo de estos andamios: las células superiores que no estén lesionadas, por ejemplo en los márgenes de un vaso sanguíneo roto, tienden a dividirse con más frecuencia, de manera que el tejido nuevo avanza por este andamio.

CAMBIO DE COLORACIÓN Una vez concluido este proceso, los andamios vuelven a desaparecer gracias a la labor del fibrinógeno. Ya se puede proceder a eliminar la sangre coagulada. Bajo la influencia de unas enzimas, la hemoglobina, es decir, los glóbulos rojos, se descomponen paulatinamente en hierro, globina y finalmente en bilirrubina. Esta última es de color verde amarillo y confiere al hematoma, al cabo de unos días, su coloración característica.

Entre seis y diez días después, el cardenal se ha curado. Por la complejidad de los procesos bioquímicos de la curación, no hay apenas posibilidades de aceleración del fenómeno. Únicamente, muy al principio, inmediatamente después del suceso desencadenante, se puede influir en las consecuencias. Es importante refrigerar el lugar afectado con hielo o compresas frías. Como el frío desencadena un reflejo por el que los vasos sanguíneos se contraen, se derrama menos sangre. Un ungüento de heparina retarda inicialmente la coagulación de la sangre, lo que permite que la sangre derramada pueda distribuirse mejor por el tejido y por tanto el hematoma sea menor.

En un partido de hockey sobre hielo, los moratones son prácticamente inevitables (arriba a la izda. un hematoma en estado inicial). En una colisión entre jugadores o durante una caída, se produce un traumatismo obtuso o contusión: los vasos sanguíneos del tejido subcutáneo se rompen y la sangre se derrama en el tejido circundante.

Nadie se salva de los chichones

Cuando uno se da un golpe en la cabeza, al poco tiempo le surge un chichón bastante visible. La falta de espacio bajo la piel y las proteínas de la sangre son los responsables.

Las personas altas agachan automáticamente la cabeza cuando pasan por una puerta. Y es que bastantes veces se han golpeado la cabeza contra el dintel. La consecuencia inevitable es un doloroso chichón.

Cuando alguna parte del cuero cabelludo, que empieza justo encima de la nariz y abarca todo el cráneo, se lesiona por un traumatismo obtuso, se forma un hematoma, al igual que en otras partes de nuestro cuerpo. Como la piel que recubre el cráneo es bastante fina, el golpe no es amortiguado por tejidos más blandos. Esto surte dos efectos: por una parte, se rompen más vasos sanguíneos y, por otra, la sangre derramada no puede infiltrarse en tejidos más profundos.

EN CONTRA DE LA GRAVEDAD ¿Pero cómo se produce un chichón? Se podría pensar que la sangre se distribuye lateralmente en todas las direcciones hasta que la coagulación obstruye los escapes en los vasos lesionados. Según esta teoría, en efecto, debería formarse únicamente un gran moratón en el cuero cabelludo.

Pero no es así. La sangre se compone de dos partes esenciales, los glóbulos y el plasma en el cual flotan estos glóbulos. El plasma sanguíneo es a su vez una solución acuosa que contiene determinadas proteínas que son hidrófilas, es decir, atraen y absorben el agua. Estas proteínas extraen el agua del tejido cercano, de manera que en el lugar donde el plasma sanguíneo se ha derramado bajo la piel se forma un edema, una especie de hinchazón llena de agua cuya elevada presión interior actúa en todas las direcciones, incluso hacia arriba, y es suficiente para superar la gravedad. Es entonces cuando el chichón se abulta.

La subsiguiente coloración del chichón se debe a los mismos procesos que determinan la formación de un cardenal. Por consiguiente, el proceso de curación es parecido. Cuando la sangre coagulada empieza a descomponerse paulatinamente y la presión en el edema va igualándose a la presión exterior, el bulto retrocede.

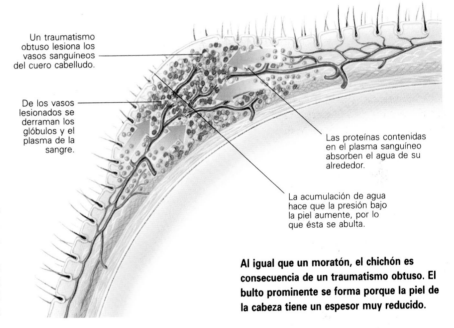

Un traumatismo obtuso lesiona los vasos sanguíneos del cuero cabelludo.

De los vasos lesionados se derraman los glóbulos y el plasma de la sangre.

Las proteínas contenidas en el plasma sanguíneo absorben el agua de su alrededor.

La acumulación de agua hace que la presión bajo la piel aumente, por lo que ésta se abulta.

Al igual que un moratón, el chichón es consecuencia de un traumatismo obtuso. El bulto prominente se forma porque la piel de la cabeza tiene un espesor muy reducido.

Cuando a uno le pica se rasca

El picor o prurito es de alguna manera el hermano pequeño del dolor, puesto que tanto éste como aquél son originados por los receptores de dolor en la piel.

Lo peor de la picadura de un insecto es que escuece mucho. Pero existe toda una serie de causas que pueden originar el picor, o prurito, como lo denominan los médicos: reacciones alérgicas, trastornos metabólicos como la diabetes, trastornos del sistema nervioso, enfermedades de la piel, nerviosismo y muchas más. El picor se origina en los receptores del dolor, las terminaciones nerviosas libres en la superficie de la piel. Independientemente de que sean las causas de carácter mecánico, tóxico o psíquico, externas o internas, al fin y al cabo desencadenan los mismos procesos bioquímicos que impulsan a las terminaciones nerviosas a comunicar al cerebro no un dolor, pero sí un picor. La cuestión de cómo el sistema nervioso, es decir, los receptores, las vías nerviosas hasta el cerebro y el propio cerebro pueden efectuar tal distinción entre dolor y picor aún no se ha elucidado. Según una teoría, las sustancias bioquímicas que originan el picor actúan como una llave sobre el receptor. Esta llave vale únicamente para la cerradura del picor, pero no para la cerradura que conduce el dolor. Esto significaría que se transmiten impulsos electroquímicos de distinta intensidad para el picor y para el dolor. Posiblemente influya también la diferente intensidad del estímulo.

Las sustancias que originan el picor son de carácter bioquímico y portadoras de mensajes; desempeñan un papel esencial la histamina y los llamados liberadores de histamina o emisores de histamina. Estas sustancias provienen a su vez de las células

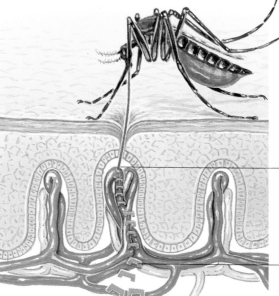

Pica y uno se rasca. La causa puede ser un mosquito cuya trompa ha penetrado en nuestra piel, desencadenando en nuestro cuerpo una serie de reacciones complejas en las que se emite histamina, la sustancia responsable del prurito.

El mosquito lesiona células y emite con su saliva sustancias que el cuerpo identifica como extrañas.

Como reacción a las lesiones y a las sustancias extrañas se emiten unas enzimas que, al penetrar en el sistema sanguíneo, atraen a las células cebadas.

Estas sustancias atraen a las células cebadas como un imán el metal y las activan.

La célula cebada produce y almacena en su interior histamina.

A continuación se libera la histamina que origina el picor.

cebadas. Las células cebadas son pequeños laboratorios químicos que se arrastran a modo de amebas a través del tejido conjuntivo y las mucosas y que, ante determinadas señales, pueden emitir todo un arsenal de los compuestos químicos más elaborados, que tienen almacenados en burbujas en su interior y que están produciendo continuamente. Las señales que activan a las células cebadas son sustancias que se producen durante la destrucción de células y que atraen a las células cebadas como la miel a las moscas. Acuden de inmediato a cualquier lugar de inflamación y liberan allí el contenido de sus burbujas; entre otros, la

histamina. La histamina dirige el proceso de curación e interviene en la defensa de las bacterias y de las sustancias extrañas, estimulando a la vez a los receptores del dolor. Consecuencia: la sensación de picor.

ERROR POSIBLE Como las células cebadas intervienen en determinadas reacciones inmunológicas, pueden producirse picores erróneos, por ejemplo cuando el sistema inmunológico alérgico emplea todo su arsenal de armas contra sustancias inocuas como el polen o el pelo de gato. También las sustancias tóxicas que penetran en el cuerpo desde el exterior, por ejemplo a través de insectos o plantas, ponen en alerta a las células.

De la misma manera, determinados tóxicos metabólicos del propio organismo pueden iniciar el proceso. En el caso de enfermedades de la piel acompañadas de prurito, los receptores del dolor suelen estar dañados o tan irritados que disparan permanentemente señales de prurito hacia el cerebro, como es el caso de la piel muy seca.

También los propios dolores que actúan como señales de alerta pueden independizarse en ocasiones y convertirse en crónicos.

La cuestión de cómo se produce el picor parece aclarada hasta este punto. Pero el sentido del prurito sigue siendo un enigma para los científicos. El médico húngaro Max Rothmann opinaba que el picor se origina para inducirnos a rascarnos y para detener el prurito con el consiguiente dolor. Considerando que una herida pica sólo cuando ya se está curando y que el hecho de rascarse puede perjudicar seriamente el proceso de curación, esta tesis tiene poco sentido.

EL PRINCIPIO DE COSTES Y BENEFICIOS
Parecen más lógicas las consideraciones que parten de una especie de principio biológico de costes y beneficios, las cuales consideran el picor como un efecto secundario desagradable, pero inocuo, de sucesos relacionados con los procesos de defensa general del organismo. Desde el punto de vista físico, no hay apenas razones para ajustar los receptores de dolor de manera que respondan únicamente a verdaderos estímulos de dolor. Esto supondría que tales receptores deberían estar ajustados a una sensibilidad muy reducida. Para el cuerpo es mucho más seguro instalar un mecanismo de alerta con una sensibilidad alta y una banda de actuación relativamente ancha que responda también a estímulos situados debajo del umbral del dolor, puesto que este mecanismo constituye la primera barrera frente al mundo exterior. Independientemente de que se interprete el picor como fase previa al dolor o como un tipo de señal independiente, lo que importa es que el dispositivo de alarma del cuerpo funcione.

· ·

CUANDO PICA

- Hay que distinguir entre un picor generalizado que afecte a todo el cuerpo y un prurito local.

- El picor generalizado suele acompañar a las enfermedades de la piel y a los trastornos metabólicos. En este caso el médico tiene que identificar y tratar la causa verdadera.

- El picor local ocasionado por picaduras de insectos, por ejemplo, puede aliviarse con hielo, pues el frío reduce la sensibilidad de los nervios a los estímulos. El médico puede prescribir también geles que alivien el picor o antihistamínicos.

- En caso de picores alérgicos, la enfermedad subyacente puede ser tratada con antihistamínicos.

· ·

El sutil perfume biológico

Que alguien nos caiga bien o mal depende también del olor que emane. Pero el que alguien huela supuestamente mal no es sólo una cuestión de higiene corporal.

Cuando alguien no soporta el olor de otra persona no significa que ésta no sea limpia. Es más bien el resultado de unas señales olorosas muy sutiles producidas por las llamadas feromonas, señales que a través de la nariz actúan directamente sobre el sistema límbico del diencéfalo y que desencadenan allí las correspondientes emociones.

UN PERFUME INDIVIDUAL Las feromonas son químicamente afines a las hormonas sexuales y se encuentran sobre todo en el sudor de la persona que las emite a través de las glándulas apocrinas del vello axilar y púbico. Las glándulas apocrinas no son otra cosa que glándulas sebáceas transformadas, cuya actividad es controlada por las hormonas sexuales masculinas, los andrógenos. Las feromonas confieren a cada persona su propio perfume individual y actúan como sustancias de atracción sexual, es decir, estimulan sobre todo la atracción sexual de las personas del otro sexo. Sin embargo esta señal olorosa del cuerpo no se percibe por todas las parejas sexuales posibles como agradable. Que a una persona le agrade o no el olor de otra depende, pues, de factores bioquímicos sobre todo.

GUERRA AL OLOR CORPORAL El olor corporal se considera en nuestros días como evidencia de falta de higiene, y por ello disponemos de un amplio arsenal químico para inhibir cualquier perfume de nuestro cuerpo. Esta mentalidad extremadamente higiénica es producto de tiempos relativa-

principal culpable del olor corporal es la capa de grasa que protege nuestra piel. A esta película de grasa, ligeramente ácida, se adhieren impurezas y escamas de piel muerta que, junto con el sudor, forman un cebo que atrae a numerosas bacterias y hongos. Esta grasa se descompone en condiciones herméticas, produciéndose entre otros unos gases de olor fuerte, como metano (también conocido por las flatulencias malolientes), sulfuro de hidrógeno y amoniaco. Estos gases son los causantes del desagradable olor a sudor.

Las causas de un intenso olor corporal pueden residir también en procesos patológicos en el organismo. Los trastornos

La eficacia de los desodorantes es comprobada por narices profesionales y en los lugares donde el cuerpo emana más sudor y olores propios.

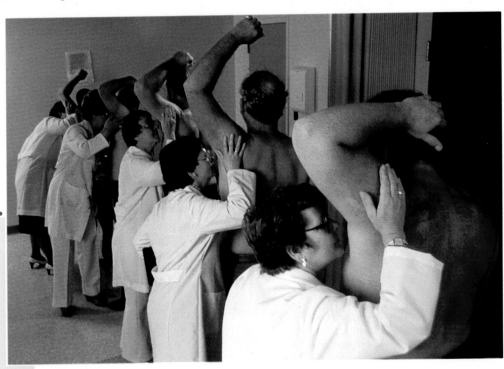

PARA OLER BIEN

- Lavarse dos veces al día contribuye a que el cuerpo no huela mal.

- La ropa interior y los calcetines se deben cambiar diariamente. Las restantes prendas deberán olfatearse para saber si se deben cambiar o no.

- La elección del jabón y del desodorante debería depender del tipo de piel de cada persona. Los perfumes se utilizan según el principio "menos puede ser más".

- Si el perfume corporal experimenta un cambio repentino, la causa puede deberse a un trastorno metabólico. Si se manifiestan más síntomas convendrá consultar a un médico.

mente recientes. Hasta mucho después del Medievo, el baño y aseo corporal se consideraban como una costumbre insalubre. Incluso la nobleza durante el Barroco prefería aplicarse polvos en lugar de lavarse. Pero ya en aquel tiempo se intentaba disfrazar el innoble olor a sudor con abundante perfume.

Ahora bien: el olor del cuerpo no se genera únicamente por el sudor, el cual, cuando es fresco, apenas huele en una persona sana a pesar de contener urea. La

metabólicos, sobre todo, suelen originar un cambio característico del perfume corporal, puesto que el cuerpo elimina determinadas sustancias tóxicas a través de las glándulas sudoríparas. Algunas de estas enfermedades ocasionan un perfume tan característico que un médico experimentado las puede diagnosticar sólamente por el olor que despide el paciente. Este es el caso de la diabetes, que huele a acetona, la fiebre tifoidea, a pan integral, y la gangrena a manzanas podridas.

El lenguaje mudo

No hace falta pronunciar ni una palabra para comunicar de manera muy eficaz mensajes claros. Sólo hay que dejar que el cuerpo hable. Aunque nos hemos alejado ya bastante de las formas de comunicación de nuestros antepasados prehistóricos, hemos conservado el lenguaje corporal, cuyos vocablos son la mímica, los gestos, la postura y el movimiento. Una cara con expresión desesperada y bañada en lágrimas puede expresar infinitamente más que las áridas palabras "estoy triste". La mayoría de estas informaciones no verbales se transmiten inconscientemente; otras con intención. La persona que hace gestos y ademanes puede estar recurriendo a una rica herencia genética, pero también puede descubrir sus propias formas de expresión, puede imitar a otros e incluso puede aprender y perfeccionar conscientemente el lenguaje insustituible del cuerpo.

Las dos niñas que ante el fotógrafo sacan la lengua (arriba, izda.) no saben que están imitando el comportamiento de un bebé; un lactante indica rechazo cuando con la lengua expulsa la comida de la boca. Otros gestos tratan de expresar cercanía. El brazo puesto en los hombros del otro ofrece solidaridad y consuelo sin agobio (izda.). En la foto grande, el dedo índice se convierte en arma, en un foco de atención que no permite escapatoria. El lenguaje corporal, pese a su elementalidad, sigue siendo la expresión más espontánea de nuestros sentimientos.

Sistema de refrigeración perfecto

Para evitar un sobrecalentamiento que pudiera ser mortal, el cuerpo produce sudor; en caso de necesidad, hasta cuatro litros por hora que lo refrigeran completamente.

Todos los mamíferos han desarrollado mecanismos para mantener su cuerpo a una temperatura constante y protegerse contra un sobrecalentamiento. Sin embargo, a la hora de sudar el humano es con mucha diferencia el más efectivo: solo él dispone de aproximadamente 2 millones de glándulas sudoríparas, que le permiten sudar más que cualquier otro mamífero.

GLÁNDULAS SUDORÍPARAS EN VEZ DE PELLEJO El hecho de que el ser humano disponga de muchas más glándulas sudoríparas que cualquier otro mamífero se explica por su pasado evolutivo. Cuando nuestros antepasados lejanos aprendieron a

sudor en la piel absorbe energía en forma de calor, y el calor absorbido contribuye a enfriar el cuerpo. Este proceso físico funciona sólo cuando la humedad del aire está por debajo del 100%, es decir, cuando el aire puede absorber aún humedad. De no ser así, se forma una desagradable película de sudor en la piel.

SAL Y AGUA El sudor que se genera en las glándulas sudoríparas y que fluye a través de los poros en la piel consiste en un 99% de agua y contiene además determinadas sustancias olorosas, sal, urea así como otras sustancias químicas, en su mayoría ácidos. Cuanto más tiempo y cantidad de líquido se suda, más agua y sal se extraen del cuerpo, lo que puede representar un peligro. La primera reacción es la sensación de sed, pero no es suficiente beber mucho líquido, puesto que esto diluye aún más las reservas de sal del cuerpo. Junto con el líquido se debe suministrar sal y minerales al organismo.

DIFERENCIAS DE TRANSPIRACIÓN Hay varias formas de sudar y no todas son

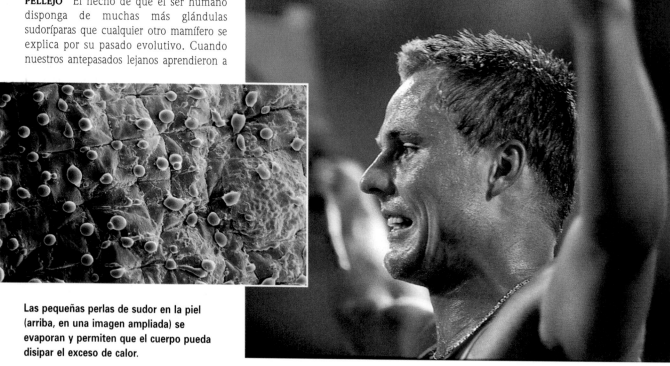

Las pequeñas perlas de sudor en la piel (arriba, en una imagen ampliada) se evaporan y permiten que el cuerpo pueda disipar el exceso de calor.

cazar para proveerse de nuevas fuentes de proteínas, tenían que correr. En el clima cálido del continente africano en el que vivían los hombres primigenios, una vellosidad abundante constituía una clara desventaja puesto que los pelos obstaculizaban la ventilación y refrigeración de la piel. Entonces el humano se deshizo de su pellejo y desarrolló en cambio cada vez más glándulas sudoríparas para protegerse contra un sobrecalentamiento.

EVAPORACIÓN DEL SUDOR El sistema de refrigeración humano funciona según el principio de evaporación. La evaporación de

La evaporación extrae el 95% de exceso de calor del cuerpo para mantener en su interior una temperatura constante de 37 grados centígrados. La temperatura en la piel es necesariamente más baja para garantizar el flujo térmico desde el interior hacia afuera. Cuando la temperatura de la piel sube por encima de la temperatura interna del cuerpo, por ejemplo cuando la persona ha tomado un baño de sol prolongado, se produce una hipertermia. El cuerpo entra en crisis, desconecta una parte de sus funciones y la persona se desvanece: sufre una insolación.

Para evitar que el cuerpo se sobrecaliente durante el deporte entra en acción su sistema de refrigeración: empieza a sudar.

iguales. La forma más sana es la transpiración térmica, sudar a consecuencia de actividad física o en la sauna. En este caso se suda sobre todo en la espalda, en el pecho, la cara y las axilas. El sudor repentino después de haber probado comidas fuertemente especiadas representa una señal de alerta del cuerpo. Sudar sobre todo en las manos, los pies y los genitales es síntoma característico del estrés.

Cuando los pies cantan

Tener los pies sudorosos es desagradable, pues está relacionado con el mal olor. Los hongos y las bacterias son los únicos que disfrutan en este ambiente cálido y húmedo.

Cuando a uno le sudan los pies, o lleva calcetines o zapatos inadecuados o suda más de lo normal, sobre todo si sucede también en las manos. El sudor de los pies puede ser consecuencia del estrés y de la tensión, pero también indicio de una enfermedad interior o de un trastorno vegetativo.

EVAPORACIÓN IMPOSIBLE A menudo, el mal olor es sólo la venganza de los pies maltratados con calcetines sintéticos y zapatos herméticamente cerrados. Cuando el cuerpo siente demasiado calor empieza a sudar por todas partes, incluso por los pies. Para que el sudor cumpla su función refrigeradora precisa evaporarse. Pero como los zapatos oprimidos y cerrados con suelas de goma o sintéticas, y los calcetines de fibras artificiales apenas permiten la ventilación y consiguiente transpiración, el sudor no puede evaporarse, o sólo en muy corta medida. El efecto refrescante sobre la piel no se produce y el cuerpo emite aún más sudor, con lo que llega a formar una capa húmeda y cálida entre los dedos y en otras zonas del pie. Este ambiente húmedo y caliente constituye precisamente un medio de vida ideal para que prosperen las bacterias y los hongos, que se reproducen activamente y causan el característico mal olor que despiden los pies sudorosos.

PIES SUDOROSOS POR ESTRÉS Que alguien sude excesivamente por los pies también puede deberse a causas emocionales. Ya se sabe que en situaciones de tensión notamos las manos húmedas, pero al mismo tiempo también sudan los pies. No se puede delimitar, sin embargo, dónde empieza el sudor excesivo y acaba la transpiración normal, y lo que para uno es normal para otro puede ser excesivo. Quien suda mucho lo hará también por los pies. Las personas nerviosas sufrirán más de pies sudorosos que los flemáticos que no se inmutan por nada.

El único remedio contra el sudor de pies causado por el nerviosismo es un preparado antisudor de venta en las farmacias, aunque constituye únicamente un alivio sintomático. Las terapias de agua según Kneipp y el ejercicio físico, en cambio, pueden reducir generalmente la susceptibilidad a la transpiración excesiva, y el entrenamiento autógeno ayuda a afrontar y dominar las situaciones de estrés que pueden originar sudor.

PIES SECOS

- Lo más importante es un buen calzado: los calcetines deben ser de fibras naturales, preferentemente de algodón, y los zapatos no deben tener suelas de goma o de material sintético.

- Los pies sudorosos deberán lavarse varias veces al día con agua tibia o fría; también hay que mudarse de calzado.

- En vez de desodorantes y productos odoríferos en atomizador que sólo encubren el mal olor, se debe recurrir a polvos que también absorben la humedad.

- Se pueden tomar infusiones de salvia para prevenir la producción excesiva de sudor.

Cuando crujen las articulaciones

Las articulaciones deben estar lubricadas; cuando no lo están, crujen y chascan ante cualquier movimiento, un ruido desagradable que no suele pasar desapercibido.

Cuando se enlazan los dedos entre sí y se tira con fuerza hacia ambos lados se suele oír un crujido. Este ruido se origina en la ranura rellena de lubricante que se encuentra entre los dos extremos de la articulación y la cápsula que la reviste.

Las articulaciones son uniones móviles entre dos huesos. Los extremos de los huesos están recubiertos con una capa de cartílago que actúa como amortiguador. A su vez, los extremos de los huesos están unidos por ligamentos que los mantienen en su sitio, al tiempo que garantizan su movilidad. Los ligamentos revisten también la cápsula

El lubricante es desplazado hacia el exterior de la cápsula.

Entre los dos huesos no hay lubricante suficiente para amortiguar el impacto; la cápsula de la articulación sufre una sobrecarga y cruje.

La presión ejercida sobre los dedos motiva que los dos extremos de los huesos de la articulación se estiren.

Cuando las articulaciones se accionan de improvisto sin poder adaptarse, pueden crujir.

de la articulación con un tejido elástico en el exterior y suave en el interior, la sinovia. Ésta produce el líquido sinovial que lubrica las articulaciones de los huesos al igual que un lubricante industrial lo hace con las partes móviles de una máquina.

Cuando la articulación está sometida a un esfuerzo, es decir, cuando los dos extremos de los huesos se acercan o se alejan entre sí, el líquido sinovial es empujado entre ellos. Cuanto más rápido sea el movimiento, menos tiempo tienen el líquido sinovial y el cartílago para amortiguar el impacto. La cápsula de la articulación sufre una sobrecarga y cruje como cualquier material sometido a una tensión análoga.

CUANDO FALTA LUBRICANTE No siempre existe la misma cantidad de lubricante en la articulación. Después de un reposo prolongado hay menos líquido sinovial puesto que la capa esponjosa en el interior de la cápsula lo absorbe en parte. Ante un estímulo de los receptores mecánicos en la superficie de la cápsula ésta vuelve a producir líquido sinovial.

Los receptores mecánicos responden a la presión que originan los movimientos de la articulación en el interior de la cápsula, lo que supone un cierto retraso en su actuación. Lo advertimos cuando, después de haber estado sentados durante mucho tiempo, nos levantamos de golpe. La articulación cruje, sobre todo porque sus partes interiores no están aún suficientemente lubricadas, lo que reduce su elasticidad.

En las personas mayores la cantidad de líquido sinovial se reduce. La actividad física va disminuyendo y los receptores en la cápsula reciben menos estímulos, de manera que la sinovia se adapta a una menor producción de lubricante. Además, el cuerpo de edad avanzada contiene menos agua, lo que determina que el líquido sinovial sea más espeso. Por estas causas se reduce su capacidad amortiguadora. También la capa de cartílago en los extremos de los huesos se ha desgastado en parte o completamente, de manera que los huesos se acercan mucho y llegan a tocarse cada vez más. Esto se oye, y desgraciadamente el afectado también lo siente en forma de dolor. Las consecuencias son la artritis y la artrosis degenerativa en las personas mayores.

Los músculos pueden sufrir experiencias traumáticas

Cuando los músculos deben rendir al máximo sin un entrenamiento previo, no pueden soportar la sobrecarga y responden con intensas agujetas.

Durante mucho tiempo se creyó que el ácido láctico acumulado en los músculos era el responsable de las agujetas, creencia errónea según sabemos hoy. El característico dolor muscular se origina más bien por los llamados microtraumatismos de las fibras musculares, es decir, por microscópicas lesiones que son tanto más numerosas cuanto más intensa sea la sobrecarga. Si el afectado sigue entrenándose creyendo poder eliminar así las agujetas, se arriesga posiblemente a un desgarro muscular.

SÍNTOMA DE CANSANCIO Un músculo necesita energía para poder trabajar. Almacena esta energía sobre todo en forma de glucógeno, un tipo de almidón. Cuando el músculo dispone de suficiente oxígeno quema directamente el glucógeno; cuando, por el contrario, es sometido a un esfuerzo mayor, la combustión directa no basta para satisfacer las demandas de energía. Entonces el músculo conecta otra forma adicional de consumir energía: las células musculares pueden extraer energía del glucógeno, incluso sin oxígeno, descomponiéndolo

primero en glucosa que posteriormente se convierte en ácido láctico; durante esta reacción se desprende energía. El ácido láctico se acumula junto con otros residuos metabólicos en las células musculares, el músculo sufre una hiperacidez y se cansa. Esta es la señal de que ya no hay suficiente energía para seguir trabajando.

LA CAUSA DE LAS AGUJETAS Los restos de ácido láctico determinan el cansancio del músculo, pero no las agujetas, que tienen otro origen. Un músculo se compone de fascículos con numerosas fibras musculares, compuestos a su vez de una gran cantidad de células individuales unidas entre sí. Cuando el músculo trabaja, sus fibras se contraen y aumentan de espesor. En caso de un esfuerzo muy grande, estas fibras musculares pueden sufrir lesiones microscópicas, sobre todo cuando las fibras se relajan de golpe para volver a contraerse inmediatamente después. Es lo que ocurre, por ejemplo, en el salto de longitud, cuando se salta y se aterriza; o en el fútbol, cuando se golpea el balón después de una carrera.

PREVENIR EN VEZ DE CURAR

● Quien se entrena según un plan razonable adaptado a sus capacidades físicas puede evitar fácilmente la aparición de las molestas agujetas. Se aconseja además practicar varios deportes para someter al cuerpo a esfuerzos variados.

● El entrenamiento tiene que ir precedido de ejercicios de calentamiento y estiramiento. Después hay que empezar despacio y aumentar el ritmo o esfuerzo paulatinamente. En cuanto se sientan cansancio o dolores, deberá suspenderse inmediatamente el entrenamiento.

● No se debe acabar el entrenamiento de forma abrupta, sino disminuyendo lentamente el esfuerzo. La terapia de agua según Kneipp, los masajes y la sauna estimulan el riego sanguíneo y la eliminación de los residuos metabólicos acumulados en los músculos.

● Si, a pesar de todo, se manifiestan las agujetas, los músculos afectados deberán estar, sobre todo, tranquilos. Durante este tiempo se puede ejercitar otros grupos de músculos. Para las lesiones deportivas –y las agujetas, al fin y al cabo, son una lesión deportiva– hay cremas y geles que alivian el dolor.

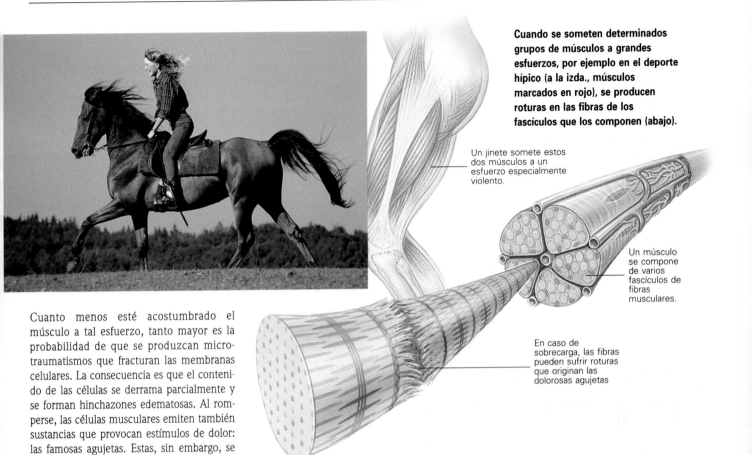

Cuando se someten determinados grupos de músculos a grandes esfuerzos, por ejemplo en el deporte hípico (a la izda., músculos marcados en rojo), se producen roturas en las fibras de los fascículos que los componen (abajo).

Un jinete somete estos dos músculos a un esfuerzo especialmente violento.

Un músculo se compone de varios fascículos de fibras musculares.

En caso de sobrecarga, las fibras pueden sufrir roturas que originan las dolorosas agujetas

Cuanto menos esté acostumbrado el músculo a tal esfuerzo, tanto mayor es la probabilidad de que se produzcan microtraumatismos que fracturan las membranas celulares. La consecuencia es que el contenido de las células se derrama parcialmente y se forman hinchazones edematosas. Al romperse, las células musculares emiten también sustancias que provocan estímulos de dolor: las famosas agujetas. Estas, sin embargo, se producen con cierto desfase temporal respecto a las actividades que las causaron, de manera que el resultado, los conocidos dolores, suelen manifestarse al día siguiente.

HEROÍSMO ERRÓNEO Algunas personas aprietan los dientes y siguen entrenando a pesar de los dolores, lo que supone un heroísmo absolutamente inútil y la mayor torpeza que se puede cometer en este caso.

Un músculo con heridas en su interior necesita, como cualquier lesión o traumatismo, tranquilidad para curarse. Con una nueva carga del músculo la situación irá de mal en peor. Lo saben muy bien los deportistas de élite: no exigen de golpe a sus músculos el rendimiento máximo, sino que se entrenan de manera que los músculos se vayan acostumbrando progresivamente al esfuerzo. Así se refuerza el riego sanguíneo de los músculos y con él se mejora el suministro de oxígeno y el rendimiento del sistema muscular en general. No obstante, este efecto no es duradero: al suspender el entrenamiento regular, el nivel de rendimiento disminuye en un poco tiempo.

Trastornos en las vías nerviosas

Cuando los impulsos nerviosos saltan incontroladamente de los nervios al músculo, se produce un doloroso calambre muscular. La causa es a menudo la falta de magnesio.

Cuando un calambre en la pantorrilla nos despierta violentamente del sueño, el músculo está recibiendo toda una avalancha de impulsos eléctricos que le ordenan contraerse permanentemente. Pero también puede darse el caso contrario, es decir, que no se transmita impulso nervioso alguno: la consecuencia es la llamada parálisis flácida. En ambos casos se trata de un trastorno de las vías nerviosas.

Las causas de estos trastornos de transmisión se conocen desde hace poco tiempo, desde que se ha descubierto el funcionamiento de la transmisión de los impulsos nerviosos y el papel que cumplen los llamados neurotransmisores.

Cuando enchufamos un aparato eléctrico a la red, sólo circulará corriente si los polos metálicos han establecido contacto. Pero la transmisión de impulsos entre las células nerviosas funciona de otra manera. Los impulsos se transmiten de neurona en neurona sólo si superan la hendidura sináptica existente entre las terminaciones nerviosas. Para ello recurren a unas sustancias químicas que actúan de mensajeros, los neurotransmisores. Estos mensajeros químicos son emitidos por la neurona que transmite el impulso y superan la hendidura sináptica de la próxima terminación nerviosa. La maniobra de ataque provoca una señal eléctrica en la neurona que transmite el impulso.

91

Los neurotransmisores se almacenan en burbujas en el interior de las terminaciones nerviosas. El grado y la intensidad de su emisión dependen de la cantidad de calcio y magnesio que exista alrededor de la

Sobre todo en deportes de larga distancia, como las carreras de fondo, puede ocurrir que las reservas celulares de magnesio se agoten. La consecuencia es un calambre.

El magnesio (dcha., ampliado) regula la transmisión de los impulsos nerviosos hacia las células musculares.

nido en la hendidura sináptica, el magnesio frena este proceso.

La transmisión de los impulsos de una célula nerviosa a un grupo de fibras musculares guarda cierto parecido con la comunicación entre dos células nerviosas. Si se quiere mover un músculo, los impulsos se transmiten a través de la correspondiente vía nerviosa hasta llegar a la llamada motoneurona final. También allí se libera un transmisor que salva la hendidura sináptica entre la neurona y el grupo de fibras musculares y que desencadena en las células musculares una serie de reacciones bioquímicas que provocan finalmente la contracción del músculo.

Pero ocurre que la motoneurona puede liberar transmisores sólo cuando recibe calcio a través de determinados conductos situados en la superficie de la célula. La intensidad del flujo de calcio se regula por la cantidad de magnesio que puede obturar los conductos, lo que imposibilita la emisión de transmisores y la transmisión de impulsos de la neurona hacia el músculo.

EQUILIBRIO ALTERADO Cuando el equilibrio entre calcio y

espacio de tiempo sumamente breve. El músculo se contrae excesivamente, quedando inmóvil, en estado de tetania. Al mismo tiempo responden los receptores del dolor que se encuentran entre las células musculares, puesto que reciben señales de fibras excesivamente distendidas. Estas señales, a su vez, originan que se contraigan aún más fibras, hasta que prácticamente todo el músculo esté contraído. Por esta razón los dolores de los calambres musculares suelen ser tan intensos.

POSIBLES CAUSAS Pero ¿cómo se produce esta carencia de magnesio? Una causa frecuente es que la alimentación no suministra suficiente magnesio al organismo. Esto puede ocurrir fácilmente cuando se sigue un régimen para perder peso. En circunstancias normales, cada persona necesita diariamente unos 300 miligramos de magnesio que, con una alimentación equilibrada, proporcionan holgadamente las comidas.

Se puede prevenir el déficit de magnesio consumiendo sobre todo muchas verduras verdes. Quien sude mucho y con facilidad necesitará más magnesio. Los deportistas, por ejemplo, constituyen el principal grupo de riesgo de los síntomas carenciales de magnesio. Esta es la causa por la que muchos futbolistas se dirigen durante el partido hacia su banquillo para tomar bebidas con alto contenido en electrólitos. Estos líquidos contienen los minerales en forma ionizada, es decir, con carga eléctrica, de manera que el organismo los pueda aprovechar de inmediato, lo que vuelve a equilibrar sus reservas de minerales. La falta de magnesio se puede deber también a un insuficiente riego sanguíneo o a determinados trastornos metabólicos, que pueden asimismo provocar calambres musculares.

Que el conocimiento de estas complejas relaciones causales pueda servir de consuelo a quien de noche se despierta con un doloroso calambre en la pantorrilla es otra cuestión. Prácticamente no hay remedios para tal calambre agudo: lo único que se puede hacer es intentar mover el pie en dirección contraria al calambre. Quien sufra frecuentemente de calambres puede prevenirlos haciendo regularmente unos ejercicios de estiramiento y mejorando el riego sanguíneo de los músculos afectados con baños calientes y masajes. Los calambres frecuentes pueden ser síntoma de mala circulación.

neurona. Calcio y magnesio son dos elementos que se compensan entre sí y establecen un determinado equilibrio que garantiza la transmisión de los impulsos nerviosos. Mientras que el calcio determina que las burbujas en las que están almacenados los mensajeros se muevan hacia la superficie de la neurona y vacíen su conte-

magnesio se altera, pueden surgir problemas con la emisión de transmisores. Un exceso de magnesio puede bloquear completamente el flujo de calcio, e impedir que se transmita ningún impulso, con lo que el músculo afectado queda inactivo. Una falta de magnesio, sin embargo, provoca que se transmitan demasiados impulsos en un

Atasco en los nervios

En determinados momentos puede ser molesto que algún músculo del brazo o de la pierna se contraiga a destiempo; pero los nervios están siempre bajo tensión.

Después de haber estado largo tiempo inmóvil en la misma posición, por ejemplo en un concierto o sentado en el autobús, puede ocurrir que las piernas o los brazos hagan un movimiento brusco y se golpee involuntariamente al vecino. Estos temblores son un fenómeno bastante difundido que, cuando se repiten frecuentemente, se convierten en un tic. Aunque al neurólogo le corresponde analizar si tras ello se ocultan causas más graves, normalmente la causa de estos temblores es una obstrucción inocua en las fibras nerviosas.

Los impulsos nerviosos se transmiten en las neuronas a una velocidad que puede alcanzar los 40 metros por segundo. Lo más sorprendente es que los nervios permanecen activos no sólo en los músculos en actividad, sino también en los relajados. Aun cuando el nervio no esté recibiendo estímulos, posee siempre una actividad de base que se denomina "potencial de reposo". La tensión eléctrica de este potencial es sólo de pocos

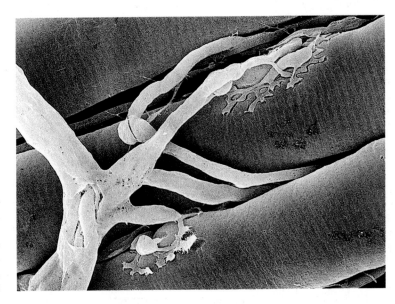

El nervio termina en una fibra muscular. La motoneurona transmite los impulsos al músculo (imagen obtenida con un microscopio electrónico de barrido).

milivoltios, pero siempre circula una cierta corriente, por lo que con el tiempo se puede acumular un mayor potencial de energía.

NERVIOS APLASTADOS Al mantener las piernas dobladas se ejerce una presión mecánica sobre los nervios, que interrumpe la actividad del nervio durante algún tiempo. A pesar de que los nervios de la piel tienen un espesor apreciable (0,03-0,02 mm) se pueden aplastar fácilmente. Como sucede con la manguera de riego cuando se pisa, en el nervio se interrumpen los impulsos con la presión. Si no se mueve la pierna durante largo tiempo, se genera rápidamente un elevado potencial de impulsos nerviosos en los lugares afectados, al igual que la manguera, al cabo de algún tiempo, se hincha en el punto donde se produjo la oclusión. A veces se puede formar un potencial de contracción tan grande que se produce una violenta descarga dentro del nervio y los impulsos buscan su camino como sea; el resultado es que el brazo o la pierna se mueven repentina o incluso violentamente.

FASCICULACIÓN Tal impulso violento se suele transmitir no sólo a determinadas fibras nerviosas, sino a todo un fascículo de ellas. Por esta razón, los científicos hablan de fasciculación o reacción de un haz o grupo regular de fibras musculares dispuestas en fascículos.

También después de grandes esfuerzos físicos pueden producirse tales movimientos involuntarios. En este caso el origen es distinto: el atasco se forma después de haberse registrado durante largo tiempo numerosos potenciales de acción. Los potenciales residuales se descargan de forma repentina.

● ●

En contra de la gravedad

Para la circulación es preciso bombear la sangre desde las piernas hacia el corazón. Los músculos de la pantorrilla y las válvulas de las venas impiden la hinchazón de las extremidades.

Cuando a una persona joven le pesan las piernas en verano, la causa suele ser un exceso de calor corporal. Para facilitar la disipación del calor hacia el exterior, los vasos sanguíneos de la piel se llenan más de lo normal. Pero a partir de los 30 años, cuando

el cuerpo empieza a envejecer de manera más ostensible, muchos varones y mujeres sufren de piernas hinchadas y de varices, sobre todo si permanecen mucho tiempo de pie o se mueven poco. Estos problemas no son sólo de carácter estético, sino que indican que el

flujo sanguíneo de las piernas está alterado.

Y eso que la naturaleza ha previsto muchos mecanismos que garantizan que la sangre no sólo discurra hasta el dedo gordo del pie, sino que también retorne al corazón. La bomba principal de nuestro sistema circulatorio es naturalmente el corazón. Pero éste se apoya en varios mecanismos que se encuentran sobre todo en las piernas.

UNA BOMBA EN LA PANTORRILLA Al andar y correr trabajan sobre todo los músculos de la pantorrilla. A cada paso se contraen y vuelven a relajarse, con lo que se generan movimientos de bombeo. Pero el cuerpo ha ideado un sistema para aprovecharse de este

¿Piernas hinchadas?

- Durante viajes largos o actividades sedentarias es conveniente levantarse y dar unos pasos. Cuando se permanece sentado largo tiempo se pueden contraer los músculos de las piernas para entrenar así la bomba de la pantorrilla.

- Las personas que deben permanecer frecuentemente de pie pueden recurrir a medias ortopédicas que sujetan y comprimen las pantorrillas. Ejercen presión sobre los vasos sanguíneos dilatados hasta que se produce el retorno de la sangre hacia el corazón.

- Los baños de pies con agua fría pero no helada y hacer la bicicleta en el agua mejoran el riego sanguíneo.

- El deporte vigoriza no sólo el corazón, sino todo el sistema circulatorio.

Tras un día agotador, durante el cual se ha permanecido mucho tiempo de pie, es aconsejable colocar los pies en alto. Esto facilita el retorno de la sangre desde las piernas hacia el corazón y disminuye la hinchazón de las piernas.

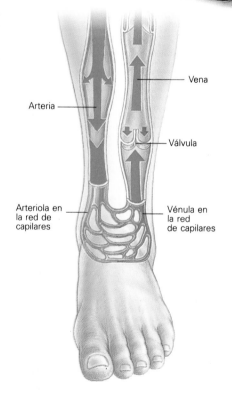

La sangre discurre por las arterias hasta el pie, pasa por la red de capilares y retorna a través de las venas al corazón.

bombeo y para facilitar el retorno de la sangre: los músculos de la pantorrilla bombean la sangre en las venas y actúan directamente sobre éstas en el interior de la pierna. Estas venas que se encuentran en los músculos están conectadas a través de otros vasos venosos con las grandes venas alojadas debajo de la piel. Por esta razón, el bombeo de los músculos de la pantorrilla puede llegar hasta la gran vena de la pierna, la vena safena mayor, que discurre a poca distancia bajo la piel.

Cuando se permanece mucho tiempo de pie o sentado, la bomba de la pantorrilla no puede contribuir apreciablemente al flujo sanguíneo. Entonces la sangre discurre con más lentitud, se acumula en las piernas y las pantorrillas se hinchan a partir de los tobillos.

VÁLVULAS EN LAS VENAS Pero incluso cuando no se mueven las piernas el corazón encuentra una ayuda para hacer retornar la sangre. En el interior de las venas grandes existen una serie de válvulas formadas por dos compuertas orientadas hacia arriba, de manera que impiden el retroceso de la sangre. Estas compuertas parecen dos cucharones y funcionan como válvulas simples, es decir, no se mueven activamente, sino que actúan de manera pasiva: se abren

cuando la sangre fluye hacia el corazón y se cierran ante un eventual retroceso sanguíneo.

Cuando uno de estos mecanismos de retorno no funciona bien o falla del todo, las piernas empiezan a hincharse. El corazón de las personas mayores ya no es tan potente como el de un joven deportista y, por tanto, bombea la sangre con más lentitud. En las paredes de las venas se genera entonces una presión elevada y se acumula más sangre. Las paredes de las venas ceden y se estiran y, en consecuencia, las válvulas de la vena ya no pueden cerrar bien. A causa de las válvulas abiertas se acumula cada vez más sangre en las piernas, sobre todo cuando se permanece de pie o andando. Además, se puede formar un coágulo en la sangre, una trombosis que impide a la sangre retornar al corazón. Sobre todo los fumadores y las personas obesas, pero también las mujeres mayores de 35 años que toman la píldora y las embarazadas, constituyen los grupos de riesgo que estadísticamente sufren con mayor frecuencia trombosis.

En muchos casos no funciona la conexión entre las venas profundas y las que discurren en la superficie de la pierna debido a que los vasos venosos que las unen están obturados. Entonces se dilatan las venas superficiales y forman abultamientos en forma de bolsa, ya que deben transportar más sangre de la prevista. La consecuencia son las desagradables varices.

AGUA EN LAS PIERNAS Todos estos defectos del aparato circulatorio provocan una acumulación de agua en las piernas. Sobre todo en caso de insuficiencia genética de las paredes venosas, éstas se hacen más frágiles y permeables, de manera que se producen escapes de agua que se acumula en el tejido vecino de la vena y provoca que la pierna se inflame.

Además suelen producirse alteraciones en el sistema de los vasos linfáticos. También la linfa circula por nuestro cuerpo y depende para ello de la ayuda de los músculos. Los principales vasos linfáticos poseen igualmente válvulas que ayudan a transportar el líquido venciendo la fuerza de la gravedad. Cuando el sistema de los vasos linfáticos está debilitado, la linfa tiende a acumularse en las regiones bajas del cuerpo, sobre todo en las piernas, y el afectado puede sufrir un linfedema. Este edema puede degenerar en una auténtica elefantiasis, es decir, las piernas y los brazos se hinchan hasta alcanzar varias veces su grosor normal.

Cortes de suministro

Cuando se interrumpe una línea de suministro eléctrico se apagan las luces en la zona afectada. Lo mismo ocurre cuando se interrumpe una vía nerviosa: el brazo o la pierna se adormecen y quedan entumecidos e insensibles.

Los monjes budistas que, durante varias horas de meditación, permanecen sentados sobre sus piernas cruzadas y los japoneses que aguantan una ceremonia de té de varias horas arrodillados sólo nos pueden inspirar envidia a los europeos: a nosotros se nos hubiesen adormecido ambas piernas mucho antes de acabar. Pero conocemos esta sensación sin tener que sentarnos como los asiáticos: por ejemplo, cuando en sueños se nos adormece un brazo porque hemos estado tumbados sobre él. Al despertar, el brazo está insensible, no se nota su existencia y cuando lo sostenemos con la otra mano parece algo flácido y desagradable, un cuerpo extraño. La causa de este fenómeno es una interrupción de los impulsos nerviosos en el miembro afectado.

IMPULSOS BILATERALES Las vías nerviosas son vías de sentido único, es decir, transmiten los impulsos sólo en una dirección. Por ello hay fibras nerviosas que transmiten las impresiones sensoriales desde los receptores de la piel al cerebro; y, a su vez, nervios que comunican las órdenes de movimiento desde el cerebro y la médula espinal al músculo. El primer tipo de vía se llama nervio sensorial; el segundo nervio motor, y ambos forman una unidad senso-motora. Cada una de estas vías puede estar interrumpida por separado. Cuando está cortada la vía motriz se perciben aún estímulos como el tacto, calor o frío sin poder mover el músculo afectado; esta forma de interrupción se denomina parálisis flácida. En sentido contrario puede suceder que un miembro se deje mover sin que se perciban estímulos en la piel; esta sensación de entumecimiento se manifiesta en determinadas enfermedades de los nervios. En el caso del brazo o la pierna adormecidos están interrumpidos ambos tipos de vías.

Puesto que las principales vías nerviosas de las extremidades discurren prácticamente a flor de piel, basta en ocasiones una leve presión para estrangular estos nervios. Consecuencia: no se pueden transmitir los impulsos nerviosos ni en una dirección ni en la otra. El brazo o la pierna afectado se adormece y queda entumecido. Esta sensación desagradable suele durar poco tiempo, ya que al dejar de ejercerse presión los nervios vuelven a liberarse y los impulsos se pueden transmitir sin impedimentos, con lo que recobramos la sensibilidad.

INTERRUPCIONES INTENCIONADAS A veces los impulsos nerviosos se interrumpen a propósito, una posibilidad que utilizan sobre todo los cirujanos para evitar una anestesia general. El dentista, por ejemplo, inyecta un anestésico local en los nervios sensoriales, lo que insensibiliza el diente que se quiere tratar. Este método se puede aplicar

Los monjes budistas pueden aguantar varias horas sentados con las piernas cruzadas sin que esta posición les parezca incómoda. A un europeo sin práctica se le adormecerían las piernas al poco tiempo.

igualmente en intervenciones de mayor envergadura, cuando el médico interrumpe directamente la conducción de un nervio o la médula espinal en un punto situado por encima de la salida del respectivo nervio. Este tipo de anestesia se denomina anestesia troncular o epidural.

Sensación de hormigueo

Nos parece tener una legión de hormigas en los dedos de la mano o de los pies. Pero el origen del hormigueo reside en las sensibles terminaciones nerviosas.

Jugar con la nieve es un gozo para cualquier niño. Pero a menudo las manos se hielan y los nervios en los dedos se quedan literalmente ateridos.

Tras una larga batalla con bolas de nieve o después de una excursión en trineo, los dedos de las manos y de los pies se pueden quedar helados y lívidos. Si a continuación los calentamos con unos guantes o al penetrar en un lugar cálido, empezaremos a sentir un hormigueo insoportable en las puntas de los dedos. Son descargas de impulsos nerviosos irregulares que estimulan a los receptores que habían quedado ateridos. Al poco tiempo, el hormigueo cesa y se manifiesta una agradable sensación de calor que indica que las vías nerviosas han retornado a la normalidad.

Los receptores sensoriales de la piel son muy sensibles a un riego sanguíneo insuficiente. Cuando el suministro de sangre y oxígeno queda reducido durante algún tiempo, como suele ocurrir con el frío, estas células están literalmente asfixiándose al no recibir suficiente oxígeno. Los distintos sistemas de control que regulan el complejo mecanismo electroquímico de transmisión de las señales dependen, en efecto, de un suministro ininterrumpido de energía.

Escaseces en el suministro de oxígeno provocan perturbaciones en las vías nerviosas, al igual que las oscilaciones en la tensión de la corriente eléctrica pueden provocar alteraciones en las imágenes de la televisión. Sólo cuando la capacidad de conducción haya quedado restablecida y los residuos metabólicos acumulados en el nervio eliminados, la transmisión de señales desde los receptores vuelve a funcionar con absoluta normalidad.

Hasta el agotamiento total

Un coche se queda inmovilizado cuando se le acaba la gasolina. De la misma manera, el ser humano no puede moverse cuando ha agotado todos sus recursos energéticos.

Una masa muscular adquirida por entrenamiento y una mejora del riego sanguíneo por el ejercicio físico permiten al hombre acometer prestaciones físicas cada vez más impresionantes. Pero las reservas energéticas del cuerpo son limitadas y se agotan después de grandes esfuerzos, incluso en las personas más entrenadas. Al sobrevenir esta situación, el cuerpo no se desconecta de repente, sino que advierte el inminente peligro con una serie de señales inequívocas. Estas señales, que indican que las reservas y el suministro de oxígeno se están acercando a un estado crítico, son el dolor y el cansancio. Si se hace caso omiso de estas advertencias y se siguen agotando las reservas energéticas, el organismo activa finalmente el freno de emergencia para autoprotegerse contra daños más graves. Las reacciones que entonces se desencadenan imposibilitan el movimiento de determinados músculos e incluso una postura erguida del cuerpo.

DESCONEXIÓN DE EMERGENCIA La energía se transforma en distintos puntos de nuestro cuerpo. La energía química almacenada se transforma con la intervención del oxígeno en calor o movimiento. Uno de los principales consumidores finales es el músculo, que necesita permanentemente una sustancia altamente energética que se pueda quemar inmediatamente. Cuando las reservas energéticas se han agotado, el organismo empieza por bloquear las actividades de las neuronas motrices que controlan los músculos. Un exceso de acidez en las células y en la sangre, la llamada acidosis láctica, y el producto de su descomposición, el lactato,

ALMACÉN DE ENERGÍA

Nuestro cuerpo puede almacenar la energía suministrada en depósitos a corto, medio o largo plazo. Varía, sin embargo, el coste exigido para movilizar estas energías y ponerlas a disposición del organismo.

Los depósitos de energía a largo plazo son, entre otros, las adiposidades o "michelines". "Quemar" esta grasa exige un proceso laborioso hasta poder disponer de energía aprovechable.

El cuerpo puede disponer con más rapidez de la energía almacenada en hidratos de carbono: el glucógeno (almidón) de los depósitos intermedios, sobre todo en el hígado y en las células musculares, y la glucosa (azúcar) que es directamente aprovechable y se encuentra almacenada en las células.

En el músculo existe además una cuarta forma de energía que se deja activar fácilmente e interviene sobre todo al inicio del esfuerzo muscular: los fosfatos de alto valor energético.

dejan el cuerpo fuera de servicio, pues el valor ph dentro y fuera de la célula es decisivo para su funcionamiento. La acidez de la sangre, sobre todo, no debe quedar por debajo del valor crítico de 7,36 ph. La acidosis láctica suele presentarse acompañada y reforzada por una escasez aguda de oxígeno.

Si, a pesar de todo, se intenta forzar la prestación del cuerpo, pueden producirse estados dramáticos, como podría ser un desvanecimiento que restringiría la circulación sanguínea a las zonas más importantes del organismo. El punto crítico en que se produce tal reacción extrema varía de una a otra persona. Mientras que a un maratoniano bien entrenado le quedan aún fuerzas después de la competición, pudiera ocurrir que una persona mayor de 70 años con problemas de corazón se desvaneciera por el simple esfuerzo de subir unas escaleras.

En algunos deportes extremos, como las carreras de fondo, los deportistas llevan sus energías hasta el límite, lo que pagan después con un agotamiento absoluto.

El latir del corazón

El latir del corazón tiene sobre todo dos causas: un esfuerzo físico o una fuerte emoción, como el miedo. Los responsables son el propio corazón, las hormonas y el cerebro.

Nuestro corazón es una pequeña máquina infatigable con unas prestaciones impresionantes. Durante una semana late unas 700.000 veces y en toda una vida nada menos que 2.500 millones de veces... sin parar. Y además se controla a sí mismo. Esta autorregulación es tan precisa que el latido del corazón en condiciones normales adopta siempre el mismo valor, el llamado "pulso en reposo".

Pero este estado de reposo no es el único que puede adoptar el corazón. En determinadas circunstancias, empieza a palpitar vigorosamente y los latidos nos repercuten literalmente hasta en el cuello. Esto ocurre

Cuando se somete el cuerpo a un esfuerzo, la frecuencia de los latidos se duplica respecto al ritmo en reposo.

cuando el cuerpo solicita repetidamente más energía y oxígeno, por ejemplo durante un esfuerzo físico o cuando nos asustamos o nos invade el pánico, circunstancia en que sofisticados mecanismos deben movilizar energías adicionales para una posible huida o ataque. En estos casos nuestro corazón late hasta 200 veces por minuto para poder suministrar más oxígeno y nutrientes al organismo.

REGULACIÓN DEL LATIDO El control de la actividad cardiaca se ejerce en tres puntos del corazón. En la aurícula derecha se encuentra una concentración de tejido muscular especializado en una función nerviosa: el llamado nodo sinoauricular. Es el marcapasos natural del cuerpo que emite sus

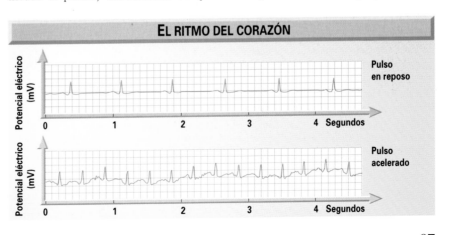

EL RITMO DEL CORAZÓN

Potencial eléctrico (mV)

0   1   2   3   4 Segundos

Pulso en reposo

Potencial eléctrico (mV)

0   1   2   3   4 Segundos

Pulso acelerado

impulsos a los otros dos centros de control, el llamado nodo AV, localizado entre la aurícula derecha y el ventrículo derecho y que a su vez representa una especie de relé de comunicación con el tercer centro, el llamado fascículo de His. De este extenso entramado de fibras musculares, situado en la pared que separa las cámaras del corazón, parten numerosas fibras especializadas que conducen los impulsos eléctricos que verdaderamente regulan la actividad cardiaca hacia el miocardio. Estos impulsos, parecidos a minúsculas descargas eléctricas, son los que se miden en el electrocardiograma. Ante determinadas señales del cuerpo, los tres centros de control cardiaco aumentan el ritmo del corazón y la presión de la sangre.

INTERVENCIÓN DE HORMONAS Y NERVIOS

También los otros dos sistemas reguladores del organismo intervienen en el control de la actividad cardiaca: el sistema hormonal, sobre todo a través de las hormonas del estrés adrenalina y noradrenalina, y el cerebro, a través del sistema nervioso vegetativo, con el sistema simpático y el nervio vago. Se trata de un sistema de regulación muy complejo, dotado de acoplamientos de reacción que aún no se han investigado en profundidad. Desde hace poco se sabe que incluso el propio corazón produce una hormona, el péptido ANP, que actúa sobre el riñón y los vasos sanguíneos y regula la presión arterial.

Por lo tanto, el corazón no es simplemente una bomba aislada, sino que está conectado con todas las partes del cuerpo. Responde según las necesidades con un aumento o reducción de su rendimiento, acelerando o aminorando el ritmo cardiaco y la presión sanguínea. Donde más se nota es en los puntos donde las arterias discurren a flor de piel y no protegidas. Uno de estos lugares que registran con especial sensibilidad un aumento del ritmo cardiaco y de la presión sanguínea es el cuello.

Vivir con los pies helados

Es muy desagradable tener siempre los pies fríos, sea por culpa del tiempo desapacible o por un insuficiente riego sanguíneo.

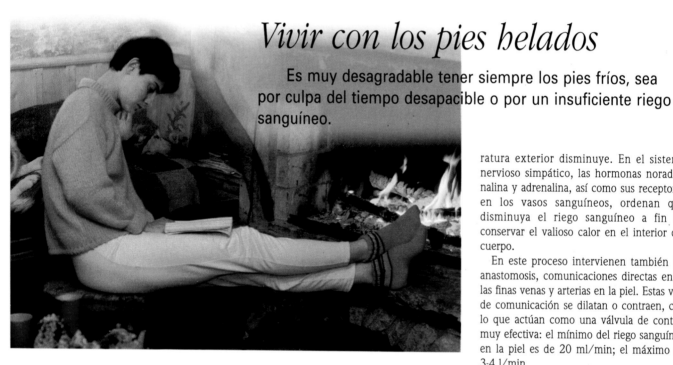

Existen dos tipos de pies fríos. El primero se manifiesta cuando los pies están en un ambiente muy frío, por ejemplo cuando se camina en zapatillas por la nieve. Entonces los pies se quedan forzosamente helados debido a las circunstancias externas. Pero también puede ocurrir que una persona sufra de pies fríos a pesar de hallarse en lugares cálidos. Muchas personas delgadas, sobre todo mujeres, lo saben muy bien y lo padecen.

DESNIVEL NORMAL

En cada persona suele existir un desnivel de temperatura corporal –caliente en el interior del cuerpo y menos caliente en las extremidades–; ley que podría enunciarse diciendo que la temperatura en la periferia del cuerpo es siempre inferior a la

Los pies fríos vuelven rápidamente a una temperatura normal: abrigados con calcetines de lana y reanimados por el fuego de la chimenea.

del núcleo. Además, la temperatura en las extremidades suele variar notablemente.

La temperatura en la superficie de la piel depende en primer lugar de la intensidad del riego sanguíneo. Una mano o un pie está caliente cuando sus vasos sanguíneos están relajados y abiertos, dejando circular mucha sangre. En este caso, sin embargo, aumenta también la pérdida de calor del cuerpo, lo que dispara un ingenioso mecanismo regulador que actúa en cuanto la tempe-

ratura exterior disminuye. En el sistema nervioso simpático, las hormonas noradrenalina y adrenalina, así como sus receptores en los vasos sanguíneos, ordenan que disminuya el riego sanguíneo a fin de conservar el valioso calor en el interior del cuerpo.

En este proceso intervienen también las anastomosis, comunicaciones directas entre las finas venas y arterias en la piel. Estas vías de comunicación se dilatan o contraen, con lo que actúan como una válvula de control muy efectiva: el mínimo del riego sanguíneo en la piel es de 20 ml/min; el máximo de 3-4 l/min.

Naturalmente, no se puede disminuir el riego sanguíneo en los dedos de las manos y de los pies hasta tal punto que se interrumpa el suministro de oxígeno y muera el tejido. La regulación interior de la temperatura es por tanto un auténtico número de equilibrismo. Los pies fríos son un indicio de que este mecanismo térmico está desequilibrado.

PIES FRIOS POR ESTRÉS

Existe otro tipo de pies fríos que son el resultado de una reacción de estrés, como puede ser una situación de temor acentuado o inseguridad. En tales casos, la hormona angiotensina estrecha los vasos sanguíneos para aumentar la presión y poner el cuerpo en alerta máxima.

Temblar, tiritar y castañetear los dientes por el frío

Cuando el cuerpo siente demasiado frío empieza a temblar. Esta reacción sirve de protección contra un descenso excesivo de la temperatura corporal.

Cuando hace unos 65 millones de años se precipitó sobre la tierra un asteroide de un billón de toneladas de peso y con una velocidad de 72.000 km/h, se levantaron miles de millones de toneladas de polvo que oscurecieron la atmósfera hasta una altitud de varios kilómetros. Aumentaron el frío y la oscuridad, puesto que las nubes de polvo no dejaban pasar la luz solar. En opinión de algunos científicos, este suceso fue responsable de la extinción de los dinosaurios, que, como animales de sangre fría, no habrían podido adaptarse a este cambio radical de las temperaturas y habrían perecido de frío. No así los mamíferos que, como animales de sangre caliente, disponen de un complejo mecanismo que mantiene constante su temperatura corporal a pesar del frío. Por ello llegaron a dominar el mundo.

Si bien esta teoría sobre la extinción de los dinosaurios es controvertida, no lo es el hecho de que todos los mamíferos, entre ellos el hombre, son capaces de adaptarse de manera óptima a variaciones de la temperatura exterior. El objetivo primordial del organismo es mantener su temperatura a unos 37°C. La temperatura de la piel, sin embargo, puede variar.

PROTECCIÓN PASIVA CONTRA EL FRÍO El hombre dispone de varias posibilidades para protegerse de la pérdida de calor. Se puede abrigar mucho y sustituir con su ropa el pelaje que calienta a los restantes mamíferos. También el humano conserva su "pelaje", puesto que posee el mismo número de raíces de pelo que un gorila, si bien estos pelos son mucho más finos y no pueden ya constituir una capa aislante. Otro fenómeno que contribuye a la protección térmica es la forma del cuerpo: cuanto menor sea la superficie, menos calor puede escapar al exterior. Por ello, los esquimales son bajitos y rechonchos, mientras que muchos pueblos africanos son altos y delgados; los antropólogos lo llaman la regla de Bergmann. Y, finalmente, contra el frío nos protege también una capa de grasa localizada debajo de la piel, que no suele gustarnos cuando se convierte en adiposidades y gordura.

Aparte de estas posibilidades más bien pasivas de reducir la pérdida de calor mediante el aislamiento, existen también unos mecanismos de protección activa: quien siente frío empieza a tiritar y castañetear con los dientes, lo que constituye una advertencia de que el organismo se enfrenta a una peligrosa pérdida de temperatura.

ACTIVIDAD FÍSICA Este reflejo de protección se origina en los receptores del frío distribuidos en la piel. Cuando comunican el frío al cerebro; éste pone en marcha una amplia serie de reacciones para prevenir la pérdida de calor. La primera medida es reducir el riego sanguíneo en la piel para disminuir las pérdidas de calor y evitar que el frío llegue al interior del cuerpo. Cuanto más frío hace, menos sangre fluye por la piel, que a causa de ello parece más pálida. Si esta medida no basta, el cuerpo empieza a tiritar. Entonces, los nervios vegetativos estimulan a los músculos subcutáneos, ya que cualquier tipo de trabajo muscular aumenta la producción de calor cuatro veces. Esa es la razón por la cual involuntariamente empezamos a a dar pasitos o a movernos cuando tenemos que esperar el autobús en una

Los más curtidos no temen a un baño helado en invierno. Ante la fuerte impresión fría, el cuerpo responde con temblores para mantener estable su temperatura.

parada donde hace mucho frío y corriente. El tiritar dispara nuestra cuota de procesos metabólicos a un nivel 20 veces mayor que el normal. Por ello se tiene bastante más hambre con frío que en verano con calor. Sobre todo una comida rica en proteínas puede aumentar sensiblemente la transformación básica de energía en nuestro organismo, y es sin duda una de las posibilidades más agradables de protegerse contra el frío.

Sangre azul en labios rojos

En circunstancias normales, los labios son de color rojo, pero en ocasiones pueden adoptar un color lívido. No es indicio de linaje noble, sino un síntoma de frío.

Que una mujer se pinte los labios de azul es como mínimo inusual y para muchos incluso chocante. Los labios rojos indican que la persona rebosa de salud; los azules, en cambio, que tiene frío.

Por las venas y arterias de los nobles corre supuestamente sangre azul, una creencia cuyo origen se remonta probablemente a la España medieval musulmana. La nobleza solía tener la tez mucho más clara y, por tanto, las venas azules mucho más visibles que el pueblo llano, que tenía la tez oscura por trabajar al aire libre. Los únicos vasos sanguíneos subcutáneos que se transparentan a través de la piel son las oscuras venas que conducen sangre rica en dióxido de carbono. Las claras arterias que transportan la sangre rica en oxígeno, en cambio, no se pueden ver. ¿Pero qué sucede con los labios, que normalmente son de color rojo y adoptan un color azulado cuando se siente frío?

Este fenómeno se explica por la estructura particular de los labios. Sus vasos sanguíneos discurren a flor de piel, una piel muy fina, y además soportan un riego sanguíneo abundante que desvía inmediatamente la sangre oscura de las venas al interior. Esta es la razón por la que los labios suelen ser rojos.

Ante la exposición al frío, los vasos sanguíneos se estrechan porque el organismo trata de protegerse contra la pérdida de calor. En esa situación, a las arterias apenas se les suministra sangre roja nueva, rica en oxígeno, y la sangre que contienen se va enriqueciendo en dióxido de carbono y no se puede desviar al interior por la estrechez de los vasos. Por esta razón los capilares arteriales adoptan un color azulado.

La traición del sonrojo

Hay muchas y muy variadas causas para que alguien se ponga colorado: calor y esfuerzo, ira y vergüenza. ¿Pero qué es lo que sucede realmente en el organismo?

Quien sale de la sauna suele estar colorado como un pavo, y con motivo. Con temperaturas de 85-95°C, la temperatura del interior del cuerpo aumenta aproximadamente en un grado y la de la piel en 10 grados. Para evitar un exceso de calor en el cuerpo se dilatan los vasos sanguíneos para que la sangre pueda fluir con más velocidad y disipar el exceso de calor. En consecuencia, los vasos subcutáneos, rebosantes de sangre, se traslucen tras la piel y la persona se ruboriza, especialmente en la cabeza y el cuello, donde hay muchos capilares sanguíneos a flor de piel. Ya tenemos el primer mecanismo desencadenante del rubor: el calor exterior.

El mismo efecto produce el calor interior. La fiebre, por ejemplo, hace subir la temperatura corporal. También en este caso el cuerpo intenta disipar el calor excesivo hacia el exterior aumentando el riego sanguíneo en los vasos subcutáneos. Como en el caso de la sauna, el resultado es un sonrojamiento general.

MARATONIANO COLORADO El calor exterior y la fiebre no son las únicas causas del rubor. También el esfuerzo físico puede ruborizar la cara, como se aprecia por ejemplo en el caso de los maratonianos. Cuando se exige al cuerpo más rendimiento, aumentan el ritmo cardiaco y la presión sanguínea, y la actividad muscular genera más calor. Esta elevada producción de calor obliga a los vasos sanguíneos a dilatarse, y el acelerado ritmo cardiaco y la elevada presión hacen circular la sangre con más velocidad. Consecuencia: el deportista se pone colorado.

Los responsables de la coloración de la cara son, por tanto, los vasos sanguíneos dilatados; cuando, en cambio, los vasos se constriñen la piel palidece. El estrechamiento y la dilatación de los vasos sanguíneos se controlan sobre todo a través de las hormonas y los nervios.

EL CONTROL DE LOS VASOS En las hormonas se distingue entre vasodilatadores como la histamina y la bradiquinina, y vasoconstrictores como la adrenalina y la noradrenalina, o la vasopresina y la angiotensina. Además, las paredes de las arterias llevan integradas unas fibras musculares que a impulsos de la médula espinal pueden modificar el diámetro de los vasos sanguíneos, según se contraigan más o menos. Los vasos sanguíneos también pueden autocontrolar su diámetro: en algunos de ellos existen unos receptores que miden la presión en el vaso y la comunican al cerebro; éste ordena una dilatación o constricción para adaptar la presión a las circunstancias requeridas. Aparte de estos mecanismos de control orgánico, el diámetro de los vasos sanguíneos se puede ver alterado también por sustancias ingeridas o consumidas, como son el alcohol, la cafeína o la nicotina, cuya intervención suele perturbar a menudo el sensible sistema de regulación biológico del cuerpo.

Sometido a grandes esfuerzos, el cuerpo produce calor que intenta desviar a través de vasos dilatados a flor de piel. El resultado es una cabeza colorada, como la de este lanzador de martillo en Escocia.

RUBOR POR RABIA O VERGÜENZA No sólo el calor y el esfuerzo, sino también emociones tan dispares como la ira y la vergüenza, pueden hacer que nos sonrojemos. En este caso son órdenes neuronales las que a través de los nervios vegetativos alcanzan los vasos subcutáneos y provocan su dilatación. Al mismo tiempo, la presión sanguínea aumenta por el mayor ritmo cardiaco. A diferencia de lo que ocurre en situaciones de estrés, en las cuales el cuerpo se prepara para una posible huida, la vergüenza y la ira no representan situaciones de emergencia sino emociones que provocan un aumento de la presión sanguínea, que se manifiesta a su vez en un mayor riego sanguíneo en los vasos subcutáneos. A pesar de las diferencias entre ambas emociones, el efecto es el mismo: el rostro y el cuello se ruborizan visiblemente.

Señales de alerta del hígado

Una nariz roja es el distintivo de payasos, personas resfriadas y alcohólicos. En el alcohólico, la coloración es una señal de advertencia del hígado.

Un vaso de vino o una cerveza de vez en cuando no provoca una nariz de bebedor. Ésta es más bien consecuencia de un consumo prolongado y excesivo de alcohol y revela que el hígado está en peligro máximo.

No sólo los pantalones viejos, sino también las venas, se pueden abolsar. Esto se nota fundamentalmente en aquellos lugares donde discurren a flor de piel muchas venas pequeñas, es decir, en las mejillas y en la nariz. En esta última se traslucen unos vasos azules que hacen que el afectado presente una nariz azulado-rojiza: la llamada nariz de bebedor.

Estas vénulas azules suelen indicar un proceso patológico que provoca alteraciones en las paredes de las venas. En la mayoría de los casos, la causa es un trastorno del metabolismo del hígado que se manifiesta no sólo, aunque sí especialmente, en personas alcohólicas.

El hígado es un laboratorio químico con variedad de funciones y una inmensa capacidad de regeneración. Determinadas sustancias, sobre todo el alcohol, son auténticos venenos para el hígado. El consumo excesivo y abusivo de alcohol destruye lentamente el hígado, transformando el tejido activo en el llamado hígado graso, que ha perdido prácticamente su funcionalidad. Ya no puede reparar y transformar la energía contenida en los depósitos de grasa del organismo, de manera que la sangre ya no suministra partículas de grasa sana hacia las células, sino que circulan grasas poco aptas que las células no pueden asimilar. Estas partículas de grasa, en contacto con las paredes de los vasos sanguíneos, acumulan allí plaquetas; el diámetro útil de las venas se reduce y para que pueda fluir la sangre las paredes de las venas se dilatan y se abomban, proceso que no sólo se produce en la cara, aunque allí resulta más visible.

El insoportable malestar del día después

Resaca puede ser el movimiento de retroceso de las olas o el malestar que sigue a una noche de bebida en exceso. En términos médicos es una autointoxicación con alcohol.

Las personas que sufren resaca constituyen frecuentemente el sujeto predilecto de los caricaturistas. Su aspecto pálido con una bolsa de hielo en la cabeza, las gafas de sol puestas y algún recipiente para vomitar delante de sí. Un aspecto realmente

En toda fiesta se incurre a menudo en excesos en el consumo de alcohol. Quien la noche anterior se excedió, se resentirá dolorosamente por la mañana.

cómico... a menos que sea uno el afectado.

Desde un punto de vista fisiológico, las personas con resaca sufren las consecuencias de una intoxicación aguda con alcohol. Y esto es, en realidad, todo menos divertido, puesto que los síntomas físicos como el dolor

de cabeza y las náuseas no son otra cosa que indicios claros y desagradables de trastornos de salud, sobre todo del sistema nervioso, lo que no es de extrañar ya que el alcohol representa una de las neurotoxinas más activas que conocemos.

LUCHA CONTRA LA INTOXICACIÓN El hígado descompone el alcohol con la ayuda de enzimas: puede eliminar aproximadamente 0,1 mil/hora. Pero antes de ser eliminado circula varias veces por el sistema sanguíneo del organismo y así despliega sus fuerzas destructivas. Cuanta más cantidad se bebe en menos tiempo, más alcohol sin descomponer circula por el organismo y mayores serán los daños ocasionados en las células.

El alcohol ejerce un efecto nocivo, sobre todo en las células nerviosas: o las aniquila directamente o quedan tan gravemente dañadas que por un tiempo son incapaces de cumplir su función. Ésta es la razón por la que antiguamente se empleaba el alcohol como anestésico. El mecanismo de destrucción celular, que no afecta sólo a las células nerviosas, es relativamente simple: el alcohol extrae el agua de las células, destruye las proteínas celulares y disuelve las sustancias grasas. Este último efecto, sobre todo, lo hace tan peligroso para las células nerviosas, puesto que la vaina de mielina que encierra las fibras nerviosas y hace posible la conducción de los estímulos consiste en gran parte en sustancias grasas. Por esta razón, el alcohol perjudica sobre todo a los órganos corporales que tratan y descomponen las

grasas, como son el hígado y el páncreas.

EL CUERPO SE QUEJA Los daños ocasionados por el alcohol en las células son los responsables de la resaca cuando los síntomas más agudos ya han desaparecido. El afectado sufre dolor de cabeza porque las meninges, que poseen receptores del dolor, se hacen sentir después de que el alcohol las ha atravesado en su camino hacia el cerebro, que carece de receptores del dolor. La persona afectada siente náuseas: el páncreas, el estómago y el hígado comunican que han sufrido daños y rechazan cualquier alimento. Además se experimenta una viva sed, lo que no ha de extrañar pues el alcohol ha deshidratado las células. Los trastornos en la vista, oído, olfato y gusto se deben a que las células nerviosas fuertemente irritadas y los centros correspondientes del cerebro no han conseguido todavía reparar los destrozos en la línea que los comunicaba.

Quien, espantado por esas experiencias, desee beber alcohol sin sufrir una resaca, deberá hacerlo de tal manera que su organismo pueda descomponer el alcohol sin problemas. Esto significa beber lentamente, tomar bebidas no demasiado fuertes y sobre todo con gran mesura. En caso contrario puede sobrevenir una buena resaca, que puede durar hasta 24 horas.

CONTRA LA RESACA

- Un desayuno el día después con arenque y pepinillos en vinagre y mucha agua mineral con un poco de zumo vuelve a restablecer el equilibrio y las reservas minerales del organismo.

- Hay que evitar todo tipo de estimulantes, como cigarrillos, pues representan una sobrecarga adicional para el organismo.

- Es muy importante guardar cierto reposo. Hay que evitar actividades excesivas y grandes esfuerzos físicos.

- Un paseo al aire libre, en cambio, activa el metabolismo y el sistema circulatorio. Además, puede acelerar la descomposición del alcohol.

- La sauna o la hidroterapia según Kneipp estimulan la circulación y contribuyen a recuperar el tono perdido por el exceso de alcohol.

Tanto el gruñido de estómago como los eructos y los flatos representan ruidos desagradables ocasionados por la digestión, que uno siempre prefiere soportar en casa y no en público. Pero estos ruidos son señales importantes de que nuestra digestión funciona, tan importantes que en ocasiones el médico incluso los busca con el estetoscopio.

GASES RUIDOSOS Normalmente los ruidos digestivos se originan por gases intestinales en el tubo digestivo. Su origen radica, por un lado, en el aire tragado y, por otro, en el mismo proceso digestivo. Cada persona traga diariamente 2-3 litros de aire, que normalmente vuelve a evacuar a través de los eructos. Pero cuando este aire no puede salir hacia arriba, llega hasta el tubo digestivo.

También la digestión de los alimentos produce gases, sobre todo en el intestino. En el intestino delgado se forma sobre todo dióxido de carbono: varios litros después de cada comida. Este gas tiene una presión bastante alta, pero se absorbe rápida y completamente por las paredes del intestino delgado.

En el intestino grueso, sin embargo, la situación es otra. Allí se descomponen sobre todo los hidratos de carbono con la ayuda de las bacterias y de los fermentos intestinales. Este proceso genera varios gases, entre otros hidrógeno, nitrógeno, dióxido de carbono, oxígeno y el maloliente metano.

El intestino grueso está situado en el abdomen en forma de U invertida y representa una auténtica trampa para los gases. Cuando las burbujas de gas que han caído en esta trampa se desplazan de un lado a otro en busca de la salida dilatan la flexible pared del intestino grueso y el intestino se manifiesta ruidosamente. Esto ocurre sobre

Los gruñidos del estómago

Cada día se forman gases intestinales en nuestro tubo digestivo. En no pocas ocasiones, su desagradable actividad llama ruidosamente la atención.

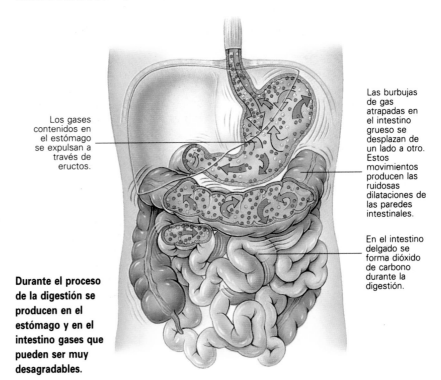

Los gases contenidos en el estómago se expulsan a través de eructos.

Las burbujas de gas atrapadas en el intestino grueso se desplazan de un lado a otro. Estos movimientos producen las ruidosas dilataciones de las paredes intestinales.

En el intestino delgado se forma dióxido de carbono durante la digestión.

Durante el proceso de la digestión se producen en el estómago y en el intestino gases que pueden ser muy desagradables.

todo cuando ha transcurrido algún tiempo desde la última comida, el intestino no está muy lleno y las burbujas de gas tienen más espacio para moverse. En este estado se suele sentir hambre: entonces aumenta la secreción de jugo gástrico y una reacción

química convierte el ácido clorhídrico contenido en el jugo gástrico en dióxido de carbono, el gas que gruñe ruidosamente en nuestro estómago cuando tenemos hambre. No hay un remedio eficaz para evitar totalmente los gases intestinales.

Cuerpos hinchados por la gula

Si bien hoy en día la gula ya no se considera un pecado, una barriga demasiado llena puede provocar un malestar que obligue a moderarse durante las comidas.

El pintor Pieter Bruegel el Viejo nos mostró en su cuadro "El país de Jauja", pintado en 1567, las consecuencias del consumo desenfrenado de alimentos. En su tiempo, la gula pasaba por algo reprochable, mientras que hoy nos parece más bien un acto

poco inteligente cuyas consecuencias se resienten en el propio cuerpo.

El estómago, que vacío tiene aproximadamente la forma de un balón desinflado y está alojado por debajo del diafragma, es un órgano musculoso con una pared muy

elástica de 2-3 mm de espesor y con una capacidad de 1,5-2,5 litros. Después de comer, los alimentos masticados permanecen varias horas en el estómago antes de que la musculatura del estómago inferior, el llamado antro, los desplace hacia el intestino delgado. En caso de alimentos difíciles de digerir, como son las comidas muy grasas, el tiempo de permanencia puede llegar a 8 horas y aun más. Si además el estómago está muy lleno, al jugo gástrico le resultará especialmente difícil penetrar e impregnar la mezcla alimenticia, y eso a pesar de que la producción de jugo gástrico puede aumentar en caso de necesidad de 10 a 1.000 ml/h.

Consecuencias de la glotonería, tal como la pintó el holandés Pieter Bruegel el Viejo: ahítos y atiborrados los comensales yacen por el suelo.

En estas circunstancias, el estómago permanece lleno más tiempo de lo normal y se dilata. Su volumen y el del intestino puede aumentar adicionalmente por los gases, lo que puede llegar a provocar una dilatación excesiva de las paredes gástricas e intestinales.

La sensación de plenitud después de una comida copiosa se manifiesta sobre todo en el abdomen superior. El estómago hinchado ejerce presión hacia afuera y la pared abdominal se abomba. A menudo le falta espacio para expandirse puesto que la ropa,

los cinturones o elásticos demasiado ceñidos la aprietan, lo que origina problemas circulatorios y a veces intensos dolores. Un estómago muy lleno presiona además contra la cara inferior del diafragma: las consecuencias inmediatas son dificultades respiratorias. Finalmente, las paredes excesivamente dilatadas del estómago y del intestino desencadenan a través de sus numerosas vías nerviosas fuertes dolores.

INGESTIÓN RÁPIDA Y COPIOSA La causa principal de todas estas dolencias es una ingestión excesivamente rápida y copiosa de alimentos. Interviene también la composición de la comida, que puede llegar a pesar como una piedra en el estómago. También quien reprime permanentemente los eructos, impidiendo salir los gases que se han acumulado en el estómago, se resentirá de una cierta presión.

Sin embargo, cuando es el bajo vientre el que está hinchado, la causa suele ser un estreñimiento provocado por una falta de movilidad del intestino grueso. Éste se deberá, a su vez, a flora intestinal desequilibrada y a la ingestión de alimentos que provocan muchos gases. Tales molestias en el bajo vientre indican trastornos patológicos con más frecuencia que la desagradable sensación de plenitud en el estómago, que suele ser una molestia pasajera.

Molesta acidez de estómago

El ardor de estómago puede ser molesto y hasta doloroso. Pero tiene un sentido más profundo: es una advertencia muy seria del esófago.

La expresión "ardor de estómago" es muy gráfica, pues el afectado tiene la sensación de que le quema el estómago. El médico y alquimista suizo Paracelso describió en el siglo XVI esta dolencia y su causa –las comidas demasiado copiosas–, así como los síntomas del ardor.

El ardor de estómago se produce cuando una parte del contenido del estómago, incluido el jugo gástrico, es impulsado hacia la parte inferior del esófago, cuyas paredes son muy sensibles a la acidez. Como este reflujo se ve facilitado en posición yacente, no es extraño que se produzca a menudo en la cama. Los dolores se manifiestan como

ardor detrás del esternón y pueden expandirse a través del esófago, hasta la cavidad bucal.

EFECTO CORROSIVO Aparte de la ansiedad y malas costumbres alimenticias como comer deprisa e ingerir mucho café y alcohol, las causas del ardor de estómago son sobre todo los alimentos demasiado grasos, puesto que para su digestión el estómago precisa aumentar su producción de ácidos. Además, el ardor de estómago puede deberse a un trastorno funcional, particularmente a un defectuoso cierre del estómago hacia el esófago. En este caso, el músculo de la entrada al estómago, el

llamado cardias, no cumple su función oclusora y se produce un reflujo permanente del contenido ácido del estómago. En ocasiones puede ocurrir que el jugo gástrico corroa las mucosas del esófago, en cuyas paredes se forman heridas que cicatrizan y reducen la luz del tubo y obstaculizan la ingestión de alimentos.

Quien sufra muchos y frecuentes ardores de estómago deberá acudir a un médico para prevenir o diagnosticar a tiempo corrosiones del esófago y hasta enfermedades graves, como úlceras o incluso carcinomas en el esófago. En la mayoría de los casos el médico detectará un simple enrojecimiento de la piel del esófago, y prescribirá un medicamento que reduce la acidez del estómago. La sustancia responsable de estas irritaciones es el ácido clorhídrico contenido en el jugo gástrico: un líquido acuoso, transparente y ácido producido por unas glándulas especializadas en la pared del estómago. Nuestro estómago produce cada día entre 1,5 y 2 litros de jugo gástrico con una acidez muy alta de 1-1,5 ph, lo que supera sensiblemente la acidez del vinagre. El volumen de jugo gástrico producido depende principalmente de los nervios vegetativos que controlan las reacciones involuntarias de muchos órganos, entre ellos el estómago. Un aumento en la producción de jugo gástrico, y a veces también el ardor de estómago, se puede deber a estados de ansiedad o a la simple contemplación de alimentos.

AUTOPROTECCIÓN Todos nos hemos preguntado alguna vez qué impide al estómago digerirse a sí mismo. En primer lugar, la pared del estómago está protegida por mucosas que pueden neutralizar el ácido hasta cierto punto. Estas mucosas se renuevan cada 3 días, de manera que las células destruidas son reemplazadas velozmente por otras nuevas. Además, el propio proceso de la digestión y los alimentos ingeridos descomponen y diluyen el ácido químicamente. Como se ve, existe una serie de mecanismos de seguridad que impiden que el estómago se pueda digerir a sí mismo. Los ardores de estómago pueden ser una señal de que estos mecanismos no funcionan bien.

Los antiácidos neutralizan la acidez de estómago con ingredientes alcalinos. No obstante, como pudieran ocultar los síntomas de otros problemas más serios, como una úlcera, deberán usarse siempre bajo vigilancia médica.

Ventosidades molestas: ¿una cuestión de modales?

¡Ay de quien las expele! Estas ventosidades, también llamadas flatos, de vez en cuando escapan por la válvula final del intestino y provocan situaciones embarazosas.

Mientras que Martín Lutero hablaba con desenvoltura y abiertamente de sus flatulencias, a nosotros nos parece hoy un asunto molesto y desagradable que intentamos evitar. Los flatos o ventosidades, que el médico denomina flatulencias o meteorismo, son los gases del conducto intestinal. Se pueden deber a malos hábitos de comida y bebida, a una falta de riego sanguíneo en el estómago, al estreñimiento o a trastornos funcionales de otros órganos como el hígado o el páncreas. Pero en su mayoría, los flatos son ocasionados por el proceso de la digestión en el intestino grueso. La pared del intestino grueso no siempre puede absorber todos los gases que se producen durante la digestión, por lo que algunos permanecen en el intestino. Los gases se producen sobre todo cuando se ingieren alimentos difíciles de digerir, como las legumbres secas, pues contienen unos azúcares complejos que el cuerpo no puede asimilar y que empiezan a fermentar en el estómago.

OLOR FÉTIDO Aparte de dióxido de carbono, este proceso produce también metano, que causa el característico olor fétido de los flatos. Afortunadamente, las paredes intestinales son muy flexibles y el intestino grueso puede acoger un gran volumen de gases. No obstante, cuando éstos llegan hasta el final del intestino grueso penetran en el recto, que termina en los dos músculos del esfínter anal.

COMPENSACIÓN DE PRESIÓN El recto contiene gran cantidad de sensores de presión que nos indican no sólo de cuánto tiempo disponemos para acudir a evacuar, sino que responden a la presión de los gases intestinales. Ocasionalmente, la presión puede aumentar tanto que el músculo del esfínter se abre fugazmente para compensar el desnivel de presión. En este punto escapan las ventosidades, cuya ruidosidad depende del grado de apertura del ano. Se produce el mismo fenómeno que en una válvula de presión o una flauta: la fuerte presión con poca apertura de la válvula produce sonidos agudos, mientras que la baja presión con una apertura ancha conlleva un sonido más grave.

CÓMO EVITAR LAS FLATULENCIAS

● Quien muestre tendencia a la flatulencia debe evitar determinados alimentos, como legumbres secas, coles nabos, pepinos y cebollas; pero también la leche. Deberá masticar bien la comida, ya que así se reduce la producción de gases.

● Si se siguen produciendo gases, deberá consultarse al médico: puede ser indicio de una enfermedad intestinal.

● A veces se recomiendan fármacos que absorben el gas. Sobre todo a personas mayores se les prescribe en ocasiones fermentos digestivos. Otro preparado que alivia la desagradable flatulencia es el carbón activo, que absorbe los gases.

● Si el estreñimiento es la causa de los gases, convendrá normalizar la digestión. El ejercicio físico favorece especialmente la actividad del intestino.

Algunas hierbas como el romero, la salvia y el comino (izda.) alivian la dolencia de los gases.

La contención de la orina

La vejiga, última estación de la orina, posee un sofisticado mecanismo de cierre. Pero este mecanismo, a veces, va acompañado de un permanente deseo de orinar.

El puente de Varolio controla los reflejos que abren el orificio de la vejiga.

Los riñones producen la orina.

Uréteres

El músculo detrusor contrae la vejiga.

Uretra

Esfínter externo

Esfínter interno

El vaciado de la vejiga es un proceso controlado por la voluntad y al mismo tiempo un acto reflejo. Se percibe a partir de una acumulación de 350 ml de líquido.

Los pañales y los calzoncillos son dos inventos muy beneficiosos para la humanidad. Mientras que los pañales, como discretos derivados del taparrabos, se utilizaban ya hace mucho tiempo, los calzoncillos no se han convertido hasta el último siglo en parte indispensable de nuestra ropa interior, que nos protege especialmente contra molestos escapes de orina.

La vejiga llena tiene una capacidad de aproximadamente medio litro de orina y una estructura muy flexible. Dos músculos en forma de anillos, los esfínteres, constituyen el mecanismo de cierre entre la vejiga y la uretra. La vejiga posee además otro músculo, el *detrusor vesicae,* que reviste la vejiga entera con tres capas musculares. Cuando el esfínter externo ha dejado abierto el orificio de la uretra —mecanismo de control voluntario que exige aprendizaje–, el músculo detrusor se contrae e impulsa la orina hacia la uretra. Al mismo tiempo se cierran los orificios de los dos uréteres que comunican la vejiga con los riñones. Cuando la vejiga está muy llena, ejerce una gran presión sobre el músculo

detrusor, lo que provoca que la persona sienta la molesta necesidad de orinar.

NECESIDAD ACUCIANTE El deseo de miccionar se empieza a sentir a partir de un volumen de 350 ml. Los receptores de dilatación existentes en la musculatura de las paredes de la vejiga tensan unas fibras nerviosas a través de la médula espinal hasta una parte del cerebro, llamado puente de Varolio, desde donde se controlan los reflejos del vaciado de la vejiga. Estos mecanismos de control se pueden alterar por factores externos como el estrés, el alcohol o la cafeína, los cuales provocan que la musculatura de la pared de la vejiga se contraiga aumentando la presión de vaciado. En ese caso la vejiga nos indica una urgente necesidad de orinar, que en realidad no existe.

Cuando el alcohol va acompañado de gran cantidad de líquido, como acontece cuando se bebe cerveza, la necesidad de excretar se refuerza aún más. Entonces se puede producir la llamada incontinencia de urgencia, es decir, la presión sobre la vejiga es mayor que la presión de la válvula de cierre. Un elevado consumo de alcohol disminuye además el control voluntario, por lo que se pierde progresivamente el control sobre la micción.

¿El excusado, por favor?

El ano es el orificio corporal a través del cual se evacuan los residuos sólidos. Pero a menudo no se menciona por vergüenza. El deseo de defecar nos recuerda que existe.

La palabra ano se deriva etimológicamente del latín *anus,* que significa anillo. Los productos que evacua provienen del vientre; de ahí la expresión "hacer de vientre", o evacuar el vientre.

La defecación es un proceso muy importante para nuestro bienestar, que nos reclama regularmente, de una a tres veces

diarias, como máximo, hasta sólo tres veces por semana. El deseo de evacuar se manifiesta siempre cuando el recto, el tramo final del intestino enormemente flexible, se ha llenado con al menos 120 ml de heces: éste es el umbral a partir del cual se produce el llamado estímulo de defecación. Este estímulo lo desencadenan unos receptores situados

en la pared intestinal, que acusan la tensión muscular y con ella la medida en que se llena el recto.

El recto está cerrado, al igual que la vejiga, por dos esfínteres, uno interno y otro externo. Mientras que el esfínter externo lo controlamos voluntariamente, el interno responde únicamente del cierre del ano. Ambos músculos se encuentran en permanente contracción, salvo en el momento del vaciado. Cuando se ha producido un determinado llenado se percibe a través de las vías nerviosas un intenso deseo de defecar. A través de una compleja cadena de reflejos que empiezan con la tensión de la pared abdominal y del diafragma, así como de la presión sobre el intestino grueso, se evacuan finalmente las heces por un acto de voluntad.

Puesto que el recto no está encerrado en una vaina muscular como la vejiga, sino que posee únicamente una fina capa muscular interior, el deseo de defecar no se deja reforzar tanto por factores externos, como el estrés, o estimulantes como el café o el té.

PROBLEMAS DE VIENTRE El ritmo de evacuación de la persona puede verse alterado, no obstante. Las posibles causas son estreñimiento, diarrea o simplemente hemo-

rroides. Estas últimas, si están muy crecidas, pueden bloquear el ano y provocar un reforzado deseo de defecar. Cuando hacemos esfuerzo para evacuar, las hemorroides se colocan ante el ano y lo obturan.

Las diarreas pueden tener causas muy variadas y producen un elevado volumen intestinal, por la presencia de grandes volúmenes de líquido en el intestino. En consecuencia, aumenta sensiblemente la frecuencia de defecación y la estimulación de las mucosas del recto y de los esfínteres

determinan que el cerebro perciba señales de un intestino supuestamente lleno; la persona acudirá apresuradamente al cuarto de baño, aunque sea en vano. En caso de estreñimiento, por el contrario, el intestino puede estar repleto de heces secas y endurecidas, que ejercen un constante estímulo defecativo sobre las paredes del intestino pero que no se pueden evacuar por su dureza. En la farmacia existen diversos supositorios que facilitan en este caso el mecanismo de la defecación.

Problemas de mal aliento

Un mal aliento puede estropear la historia de amor más romántica y hacer que los demás nos guarden una prudente distancia. Los culpables pueden ser variados.

El ajo es sano, pero sus beneficios son tan incomparables como el hedor que provoca. Esto se debe a los compuestos sulfúricos contenidos en los aceites etéricos de esta planta liliácea, que mantendrá a los demás a distancia por mucho que nos lavemos los dientes y la boca después de haberla comido.

Cuando se lavan los dientes, se eliminan los restos de alimentos por vía mecánica. La pasta y los elixires dentífricos contienen además sustancias antibacterianas que actúan sobre todo enjuagando la cavidad bucal con oxígeno, enemigo de cualquier fermentación causada por las bacterias contenidas en los alimentos.

EN BUSCA DEL RESPONSABLE Frecuentemente la culpa de un mal aliento la tiene una defectuosa higiene bucal. Muchos restos de alimentos permanecen en la boca, sobre todo hidratos de carbono como el azúcar y el almidón que pueden literalmente pudrirse, descomponiéndose en multitud de gases y residuos de putrefacción. También contribuyen al mal aliento las prótesis dentales y los dientes con caries, en cuyos intersticios o agujeros las bacterias de la putrefacción encuentran un ambiente ideal.

A veces existen focos de inflamaciones en la boca y en la nariz, como son las pequeñas úlceras de las encías. También este tejido puede descomponerse en procesos de putrefacción si no se toman medidas; el

El mal aliento se considera inexcusable en nuestros días. Pero existen diversos remedios para eliminarlo y prevenirlo.

correspondiente mal olor puede ir acompañado incluso de pus. Enjuagarse regularmente la boca y acudir al estomatólogo para que practique un saneamiento del foco previenen o eliminan estas fuentes de mal aliento. Sin embargo, éste puede tener también causas muy graves: aparte de enfermedades del aparato digestivo y pulmonares, puede deberse a trastornos del metabolismo. La uremia, por ejemplo, se manifiesta por el característico olor del aliento a orina.

UN ALIENTO FRESCO

● Normalmente uno no advierte que despide mal aliento. Por ello hay que atender a determinadas señales clave, como el hecho de que la persona con la que hablamos retroceda y guarde una prudente distancia.

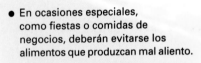

● En ocasiones especiales, como fiestas o comidas de negocios, deberán evitarse los alimentos que produzcan mal aliento.

● El mal aliento se puede evitar o al menos encubrir con una buena higiene bucal y dental, usando pulverizadores, elixires dentales y determinadas pastillas masticables. Se recomiendan los chicles sin azúcar, pues aumentan la producción de saliva que elimina las bacterias y los restos de comida.

● Si el mal aliento se debe a una enfermedad, no podrá eliminarse con estas precauciones. Un mal aliento permanente y no causado por alimentos puede revelar la presencia de una alteración orgánica.

De dulces placeres
a amargos dolores

La dureza de los dientes iguala casi la de los diamantes. Son, sin embargo, muy vulnerables cuando entran en contacto con sustancias como el chocolate o los caramelos. El efecto destructivo suele manifestarse cuando ya es tarde.

El esmalte de los dientes es la sustancia más dura del cuerpo humano. Con un grado de dureza de 8 sobre 10, alcanza casi la dureza máxima, que posee únicamente el diamante. Se podría, pues, pensar que el esmalte de los dientes no puede sufrir daños, salvo en caso de fuerza bruta. Pero soporta ataques permanentes por parte de los hidratos de carbono, y sobre todo del azúcar, que dañan los dientes desde una edad muy temprana. Incluso los bebés, al comienzo de la dentición, pueden desarrollar caries por culpa de los zumos dulces que toman con el biberón.

LUCHA CONTRA LOS AGRESORES Los estados previos a la caries son la placa y el sarro. La placa se puede prevenir lavándose los dientes después de cada comida o, si eso no resulta posible, masticando un chicle especial que contribuye a la higiene dental. El sarro lo elimina el dentista a cuya consulta se debe acudir al menos una vez al año. Si no se observan estas reglas, el esmalte de los dientes pronto quedará destruido de manera irreparable. Las consecuencias son dolores y un no menos doloroso tratamiento por la fresa del dentista.

Cuando nos lavamos los dientes, eliminamos la placa de manera mecánica y las bacterias nocivas de forma química. La pasta dentífrica contiene sustancias que producen oxígeno, lo que aniquila las bacterias nocivas dejando las útiles en paz. Las bacterias nocivas son, en efecto, todas anaerobias, es decir, realizan su labor de putrefacción en ausencia del aire. Una ducha de oxígeno las priva de la energía necesaria para proseguir su labor destructora.

Pero la higiene dental surte también otro efecto importante: regula el valor del ph en la boca y alrededor de los dientes. El esmalte

dental consiste en un 98% de cristales de hidroxiapatita, un mineral extremadamente duro de fosfato de calcio. Este mineral de calcio es muy sensible a los ácidos que se pueden generar en la placa que recubre los dientes, de la misma forma que las incrustaciones de cal que se forman en cazuelas o cafeteras se pueden eliminar con vinagre u otros ácidos.

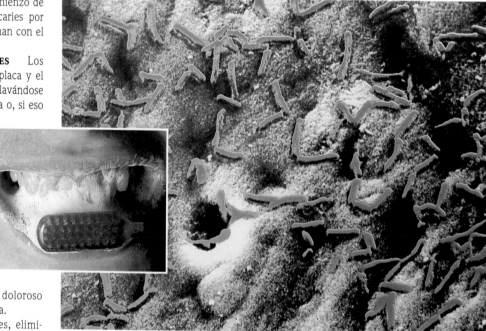

La placa que recubre los dientes contiene multitud de bacterias (foto grande) que producen ácidos y destruyen el esmalte. Una buena higiene dental acaba con estos tenaces agresores.

UN MANJAR PARA LAS BACTERIAS La placa es una capa de color grisáceo y de consistencia pegajosa que se forma sobre todo en las superficies lisas del diente y está compuesta por secreciones y células de la cavidad bucal, microorganismos y sobre todo restos de comida. Los azúcares simples, los llamados monosacáridos, representan el factor realmente destructivo. Para determinadas bacterias de la placa, el azúcar es un auténtico manjar que descomponen rápidamente en ácidos sacáridos altamente corrosivos; estos ácidos atacan y dañan el esmalte de los dientes y son la causa de la caries.

SENSIBLES AL CALOR Y AL FRÍO El sarro dental tiene otro origen. Consiste sobre todo en sales de calcio disueltas en la saliva que se sedimentan mezcladas con otro material orgánico en los cuellos de los dientes. En la juventud no se forma prácticamente sarro, puesto que casi todo el calcio es utilizado en el crecimiento y en el desarrollo de los huesos. Una vez que este proceso ha terminado, los órganos emiten más calcio, como acontece en la vesícula biliar o el riñón, dónde se pueden formar incluso piedras, pero también en la saliva. Las sales de calcio se acumulan sobre todo en aque-

llos lugares de la boca en los que el desgaste mecánico debido a la masticación es menor, es decir, en los cuellos de los dientes. El sarro se intercala entre dientes y encías y motiva que estas últimas se inflamen y retrocedan hasta que los cuellos dentales, altamente sensibles, quedan desprotegidos. La superficie áspera de sarro se presta además como sustrato para la placa que posteriormente ataca el esmalte, que en los cuellos tiene poco espesor. Todos estos procesos los advertimos cuando ya es tarde.

3

El cuerpo
reacciona
y se defiende

*Células sanguíneas en fase de coagulación: hematíes unidos
mediante filamentos de fibrina, ampliados 1.200 veces*

El número de enemigos es bastante considerable. Parásitos, hongos, bacterias, virus, venenos, productos químicos, polvo y agentes externos amenazan nuestro cuerpo y constituyen un serio peligro para la salud. Contra todos estos denominados antígenos, el sistema inmunológico debe estar bien pertrechado.

Pero ¿qué se entiende en realidad por sistema inmunológico? Las batallas de nuestro cuerpo no las libra un único órgano central. Para mantenernos sanos, se requiere la colaboración entre el cerebro, las glándulas, la piel, la médula ósea, docenas de hormonas y otras sustancias mensajeras, por una parte, y por la otra un gigantesco ejército de glóbulos blancos y un sistema orgánico complicadísimo y perfectamente interrelacionado. Sólo mediante una colaboración bien coordinada es posible localizar, combatir y –la mayoría de las veces también– aniquilar a los enemigos.

1 En la médula ósea se originan dos modalidades de células matrices, de las que a su vez se originan los fagocitos para la defensa general (flecha azul) y los linfocitos para la defensa específica (flecha naranja), los cuales se encuentran sobre todo en el bazo y en los ganglios linfáticos.
2 Los linfocitos se entrenan en el timo y el tejido linfático intestinal. Los linfocitos T se dividen en células auxiliares, asesinas y supresoras.
3 Los linfocitos B se convierten en células de plasma que suministran anticuerpos con forma de Y.
4 De los fagocitos se originan los granulocitos y los macrófagos, que devoran y digieren a los intrusos.

Acción concertada contra virus, bacterias y otros enemigos

Nuestro sistema inmunológico libra una batalla constante contra intrusos indeseados. Suele permanecer en un segundo plano; pero cuando entra en acción nos sentimos enfermos.

La exigencia para poder combatir a los enemigos es su previa identificación. Para ello el sistema inmunológico posee un método particularmente eficaz: trata a nuestro cuerpo como si fuera una fábrica rigurosamente vigilada. En los distintos espacios, pasillos y talleres de esta factoría cada célula porta una especie de carné de identidad, consistente en moléculas proteínicas que presentan en la membrana exterior de las células un distintivo característico. Este distintivo permite a las células defensoras exclamar: "¡Ah! Un miembro de la empresa. ¡Puede pasar!" Y, como las sustancias extrañas infiltradas en el cuerpo carecen de esa identificación, son inmediatamente reconocidas como tales.

Del control de la documentación se encargan los anticuerpos. En la sangre hay cantidades incalculables: en un centímetro cúbico se pueden contar hasta mil millones de tales moléculas proteínicas con forma de Y, también denominadas inmunoglobulinas. Por cierto, cada anticuerpo sólo puede identificar a un intruso. Pero gracias a su enorme cantidad, el sistema innunológico está en condiciones de reconocer a los alrededor de 10 millones de intrusos. Si se detecta la presencia de alguno de éstos, el anticuerpo correspondiente se empareja con él, lo cual constituye la señal para que los fagocitos, que forman el primer batallón de contención de la defensa corporal, lo vuelvan inofensivo.

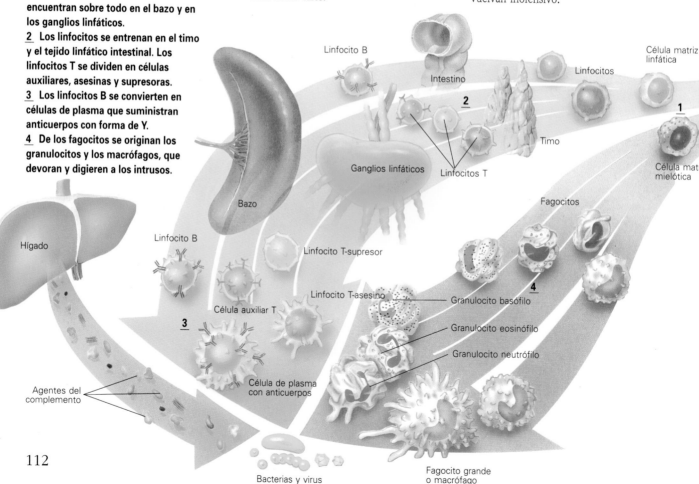

Linfocito B
Intestino
Linfocitos
Célula matriz linfática
2
1
Timo
Ganglios linfáticos
Linfocitos T
Célula matr mielótica
Bazo
Fagocitos
Hígado
Linfocito B
Linfocito T-supresor
Linfocito T-asesino
Granulocito basófilo
4
Célula auxiliar T
Granulocito eosinófilo
3
Granulocito neutrófilo
Célula de plasma con anticuerpos
Agentes del complemento
Bacterias y virus
Fagocito grande o macrófago

Tan pronto como se encuentran el anticuerpo y el antígeno, se activa el sistema del complemento: las proteínas enzimáticas acuden rápidamente a destruir la membrana celular de las bacterias, al tiempo que hacen venir a otros fagocitos.

Dentro de los fagocitos, que conforman aproximadamente los dos tercios de los glóbulos blancos y que maduran en la médula ósea, distinguimos dos tipos, según el tamaño: los granulocitos, pequeños y flotantes, y los macrófagos, algo mayores. Ambos tipos están capacitados para despejar el camino de intrusos (simplemente devorándolos). Con ayuda de las enzimas, los invasores se disgregan y son digeridos (fagocitosis). Sin embargo, en esta operación no sólo perecen los intrusos, sino también los propios fagocitos. Lo que resta de estos adversarios es lo que conocemos con el nombre de pus.

Además de a los gérmenes enfermos, los granulocitos ponen cerco también a la materia celular muerta, así como al polvo inhalado y a otros diminutos agentes perturbadores. Los macrófagos no sólo combaten contra todo lo que es exógeno, sino que además deben limpiar el campo de batalla de los granulocitos caídos y de otras impurezas.

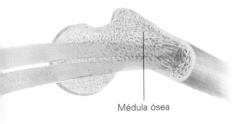

Médula ósea

PETICIÓN DE REFUERZOS Si algún virus, o grandes cantidades de otros gérmenes enfermos, logran introducirse en la circulación sanguínea o en los tejidos, los granulocitos y los macrófagos ya no bastan para acabar con ellos. Los defensores segregan entonces unas sustancias mensajeras que hacen que acudan al lugar crítico unos comandos especiales.

En primer lugar, aparecen los denominados linfocitos T, glóbulos blancos o leucocitos que proceden del sistema linfático. Si alguna de estas células identifica a su enemigo y se empareja con él, se multiplicará a un ritmo vertiginoso: unas 120.000 veces a la hora. El tropel, que en poco tiempo se convierte en un ejército de efectivos incalculables, se compone de diferentes tipos de células, que reciben cometidos también

diferentes. Así, las denominadas células asesinas o citotóxicas están especializadas para localizar a las células corporales y tumorales afectadas de virus y matarlas. Por su parte, las células auxiliares coordinan la defensa activando células de plasma y asesinas por medio de las sustancias mensajeras.

Cuando piden ayuda estas células auxiliares, responden los linfocitos B, que son por así decir las fábricas de municiones del

- - - - - - - - - - - - - - - - - - -

DEFENSA PERSONAL

● Es preferible guardar reposo en cama y sudar a tomar medicamentos. Tal es la divisa de la inmunoterapia. Su objetivo consiste en ayudar al cuerpo a combatir las enfermedades con sus propias fuerzas en vez de aniquilar a los agentes patógenos con una agresión química.

● Una higiene excesiva daña la piel, primera línea del frente inmunológico. Normalmente, no deberíamos ducharnos más de una vez al día.

● Actividades deportivas como el jogging, la bicicleta o la natación poseen efectos preventivos. También fortalecen y tonifican los baños alternos y los tratamientos hidroterápicos, así como sesiones de masaje y visitas a la sauna.

● Los problemas psicológicos influyen asimismo en nuestra salud: las frecuentes preocupaciones y situaciones estresantes acaban debilitando nuestra capacidad de resistencia.

- - - - - - - - - - - - - - - - - - -

Quien en su vida profesional está rodeado de agentes patógenos, con el tiempo se vuelve menos receptivo a ellos.

organismo. Éstas se transmutan en células de plasma que producen grandes cantidades de anticuerpos específicos: precisamente los que se emparejan con el antígeno previamente estimulado. De una sola célula de plasma se pueden obtener hasta 10.000 anticuerpos combatientes por segundo. De esta manera, los antígenos, que la mayoría de las veces entran en escena en grandes cantidades, pueden ser combatidos uno a uno.

EXTERMINADORES EXCESIVAMENTE CELOSOS Una vez conjurado el peligro y atajada definitivamente la infección, entran en acción las células supresoras. Éstas impiden que las células defensoras se excedan en su celo y ataquen a células sanas del propio cuerpo o formen anticuerpos contra sustancias inofensivas. Si dichas células no logran imponerse, se produce la denominada autorreacción inmunológica o alergia.

El sistema inmunológico no sólo reacciona con un arsenal de armas adecuado a las caracteríscas particulares de cada enemigo, sino que además recuerda después con qué enemigo libró batalla, dato que archivan los linfocitos B de memoria. Si en una ocasión posterior se infiltra en el cuerpo el mismo tipo de antígeno, tales células se encargarán de que se forme al instante el anticuerpo correspondiente. El enemigo se ve así frenado antes de que pueda causar daños: el cuerpo está inmunizado.

ATAQUE SIMULADO Este mecanismo de protección contra las enfermedades infecciosas lo podemos también activar artificialmente. Con una vacuna a base de microbios debilitados, el sistema inmunológico se prepara para ataques sucesivos sin que lleguen a desarrollarse del todo los síntomas.

Pero no conviene olvidar que el enemigo infiltrado no es ningún tigre de papel. En efecto, los antígenos se sirven de toda suerte de trucos —camuflaje incluido— para tratar de

engañar al sistema inmunológico. Por ejemplo, muchas bacterias intrusas inducen a las células defensoras a disparar su munición contra objetivos equivocados; otras se infiltran hasta el interior de las células, donde resultan irreconocibles como enemigos; finalmente, hay algunos virus, como el de la gripe y el VHI, que modifican constantemente su estructura superficial, lo que impide que el sistema inmunológico pueda generar los anticuerpos adecuados.

113

En el fragor de la batalla

La fiebre, el aumento patológico de la temperatura del cuerpo, es una señal inequívoca de que el organismo se ha movilizado contra algo que funciona mal.

Durante el día nos sentimos desganados, alicaídos y con dolor en las articulaciones. El termómetro dicta sentencia: 38,4°C de temperatura. Nos asustamos, y la sensación de hallarnos enfermos se torna ahora mucho más intensa.

Los médicos describen la fiebre como la autodefensa del organismo contra ciertas sustancias tóxicas activas o microorganismos que logran penetrar en el cuerpo, o incluso que se forman simplemente dentro de él. El aumento de la temperatura corporal tiene por objeto agotar y reducir al enemigo: estimula las defensas del propio organismo al tiempo que vuelve a muchos agentes patógenos más sensibles a las defensas y a los medicamentos que han de combatirlos.

La fiebre es la manifestación más conocida de las enfermedades infecciosas y de los procesos inflamatorios que suelen seguir a algunas heridas. Pero también hace su aparición cuando se producen intoxicaciones, alergias, afecciones reumáticas, trastornos neurológicos —como, por ejemplo, en caso de insolación— y tumores malignos. También los trastornos de índole psíquica pueden manifestarse acompañados de fiebre.

Cuando tenemos fiebre solemos experimentar escalofríos, además de sufrir una aceleración nuestras palpitaciones. Una fiebre moderada, hasta los 39°C, no es peligrosa para el organismo. El peligro radica más bien en el causante o desencadenante de la fiebre. Por eso deberíamos alegrarnos de este aviso urgente por parte del cuerpo: una subida de la temperatura nos pone sobreaviso de que algo está funcionando mal.

SI EL CUERPO SE CALIENTA EN EXCESO Los recién nacidos pueden no desarrollar la fiebre hasta la cuarta semana de vida porque su sistema termostático aún no está plenamente formado. Por esa razón, al igual que en todos los niños en general, el nivel de temperatura normal es en ellos algo más elevado que en los adultos, en los que suele situarse en unos 37°. Por la mañana la temperatura suele ser 0,5° más baja que por la noche. Si sube hasta los 37,5-38°, hablaremos de febrícula; sólo los valores superiores a los 38° se consideran febriles. Cuando se superan los 41°, la enfer-

medad desencadenante de esta subida térmica ha alcanzado una fase que pone en peligro la vida. Con fiebre alta, el organismo funciona con dificultad y, entre otros factores, aumenta el riesgo de paro cardiaco. Si la temperatura permanece durante mucho tiempo por encima de los 41° podrían seguirse trastornos cerebrales. Una fiebre de 42° sólo la puede soportar el ser humano durante poco tiempo, pues la albúmina orgánica va disminuyendo paulatina y fatídicamente.

ALARMA DE INCENDIO Si se ha infiltrado en el cuerpo algún virus, bacteria, hongo o cualquier otro microorganismo, se inicia en su interior un combate en toda regla. Los intrusos segregan sustancias generadoras de fiebre o pirógenos. Los pirógenos, de la palabra griega *pyr* o fuego, se denominan también exógenos, o procedentes del exte-

rior. A su paso salen inmediatamente las defensas del propio organismo: un ejército de glóbulos blancos, los denominados fagocitos, acude en tropel para tragarse literalmente —haciendo honor a su nombre— a los indeseados invasores. Los apresan en el interior de sus células y los fagocitan o engullen acto seguido. Al mismo tiempo, los fagocitos activados producen pirógenos endógenos, es decir, generados por ellos mismos, que por medio de la circulación sanguínea acaban en el cerebro. Aquí se encuentra el hipotálamo, centro de operaciones del sistema nervioso vegetativo y que, a modo de termostato, regula la temperatura general del cuerpo. De

los pirógenos recibe solamente la orden —también llamada por esto sustancia mensajera— de establecer el valor teórico para la temperatura corporal a un nivel más alto que los normales 37°. A este fin segrega unas hormonas propias que llevan a cumplimiento dicha orden. Resultado: la temperatura corporal se eleva y el paciente tiene fiebre.

En la fase inicial de una enfermedad acompañada de fiebre, el paciente experimenta sobre todo una desagradable sensación de calor. Si la fiebre aumenta, nos asaltan escalofríos.

LOS FAGOCITOS RECIBEN AYUDA Por muy mal que se sienta el enfermo, su "fuego interior" contribuye a acelerar el trabajo de sus defensas. Éstas se calientan, en el sentido estricto de la palabra. Los antiguos egipcios decían: "El cuerpo quema la escoria en el fue-

HIERBAS CONTRA LA FIEBRE

La naturaleza ofrece remedios contra la fiebre, como la tila.

Cuando se tiene fiebre, conviene guardar cama para facilitar la circulación. Es asimismo aconsejable tomar comidas ligeras para ayudar a la digestión. Los fuertes sudores hacen que el cuerpo pierda mucho líquido y sustancias minerales. Los refuerzos son enormemente importantes –sobre todo para los niños pequeños–, pues existe el peligro de que el cuerpo se deshidrate. Lo ideal sería tomarnos la temperatura, a poder ser por vía rectal con un termómetro electrónico, todos los días por la mañana temprano, a mediodía, a media tarde y por la noche. Se recomienda no tomar antipiréticos por sistema, sino sólo cuando la fiebre está agotando al organismo por su duración y por sus valores elevados. Si descubrimos que la causa es relativamente inocua, no deberán tomarse medicamentos.

● Deberán aplicarse compresas empapadas en agua tibia a 15° en las pantorrillas y eventualmente en los muslos y el brazo; repítase la operación varias veces. A partir de los 38'5°, póngase fin a este tratamiento.

● Las infusiones de corteza de sauce, eupatorio y tila favorecen el descenso de la temperatura.

go de la fiebre". Este aumento de la temperatura, así como de las sustancias mensajeras propiamente dichas, favorece la multiplicación tanto de los fagocitos como de los linfocitos T, igualmente estimuladas; éstos son glóbulos blancos que entran en acción en el transcurso de la enfermedad, reforzando a los fagocitos. Hay que mencionar asimismo a un subgrupo de los linfocitos, las denominadas células auxiliares, que hacen pleno honor a su nombre: apoyan con denuedo a los fagocitos en su tarea exterminadora; también se multiplican estimulados por la fiebre. Mientras tanto, la fiebre va debilitando a los distintos agentes patógenos infiltrados en el cuerpo.

DEFENSA GANADORA En muchos casos las "fuerzas combatientes aliadas" de las células del propio organismo consiguen aniquilar al enemigo infiltrado. La temperatura desciende hasta situarse de nuevo en el nivel de temperatura normal. Entre tanto, el cuerpo desprende un calor suplementario a consecuencia del renovado y profuso sudor. La fiebre puede remitir muy deprisa o de manera progresiva.

Según la enfermedad, y la fase en que se encuentre, existe una fiebre estable –por ejemplo, en inflamaciones crónicas como el reúma– que debilita notablemente al cuerpo, y otra fiebre que cesa para volver a reaparecer con regularidad: tal es, por ejemplo, el caso del paludismo, en el que los agentes patógenos del cuerpo siempre están iniciando nuevos ataques.

Las denominadas calenturas o ampollitas de la fiebre, que pueden aparecer en verano en la región de los labios y en la cavidad bucal, no tienen básicamente nada que ver con la fiebre. Se trata, en realidad, de una erupción causada por un virus de la familia de los herpes. Desde luego, es bastante molesto, pero no peligroso.

1 Los agentes infecciosos pasan a la sangre a través de la respiración.

2 Los fagocitos del propio cuerpo salen al paso de los intrusos.

3 Esto desencadena la formación de sustancias mensajeras que producen fiebre.

4 Las sustancias mensajeras llegan a través de la sangre hasta el cerebro, donde se encuentra el centro de control de temperatura.

5 Las sustancias mensajeras se encargan de que la temperatura corporal aumente: el termómetro indica la fiebre exacta.

6 Como consecuencia de la subida de temperatura y de las propias sustancias mensajeras, se multiplican los fagocitos, listos para atacar a los agentes patógenos.

7 El número de los linfocitos T aumenta también: se encargan de impedir la propagación de los agentes patógenos.

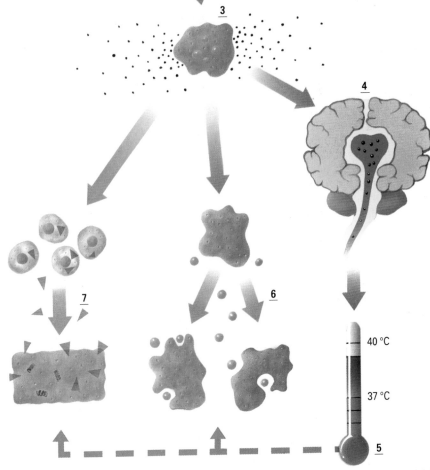

Signos inequívocos de intrusos indeseados

Los antiguos griegos ya sabían lo que ocurre cuando el cuerpo muestra los consabidos síntomas de enrojecimiento, hinchazón, dolor y calentamiento: se está protegiendo.

Cuando, de repente, una zona determinada de la piel se calienta, enrojece, se inflama y empieza a dolernos, no queda lugar a dudas: está librándose un combate encarnizado. El cuerpo se está defendiendo contra un enemigo que ha conseguido penetrar la capa protectora de la piel y representa ya un peligro para las regiones de los tejidos situadas más abajo y para el organismo en general.

Basta un pequeño corte con el cuchillo de la cocina, un pinchazo con la aguja o una astilla que se nos ha clavado; las bacterias y otros agentes patógenos omnipresentes aprovechan la ocasión para introducirse en la zona lesionada y desde allí avanzar –hacia dentro– a través de los tejidos desprotegidos.

La reacción inmediata del cuerpo, a menudo dolorosa, no debe dar motivos a la inquietud; antes al contrario, demuestra que sabe detectar la presencia de un peligro y que ha entrado en acción. ¿Cómo? Acotando en primer lugar la zona lesionada para impedir que el mal se propague al resto del organismo.

SÍNTOMAS CLÁSICOS Los médicos de la antigüedad sabían ya reconocer los cuatro síntomas característicos del proceso inflamatorio. Al primero, el enrojecimiento, lo llamaban *rubor.* Éste se produce porque en los tejidos lesionados las denominadas células cebadas secretan sustancias mensajeras, generalmente histamina, que incrementan la porosidad de los finísimos vasos sanguíneos en el entorno de la herida. De este modo, el plasma sanguíneo y los glóbulos blancos pueden pasar a la zona del tejido herido; con la sangre se puede transportar también a los defensores hasta la misma zona a través de

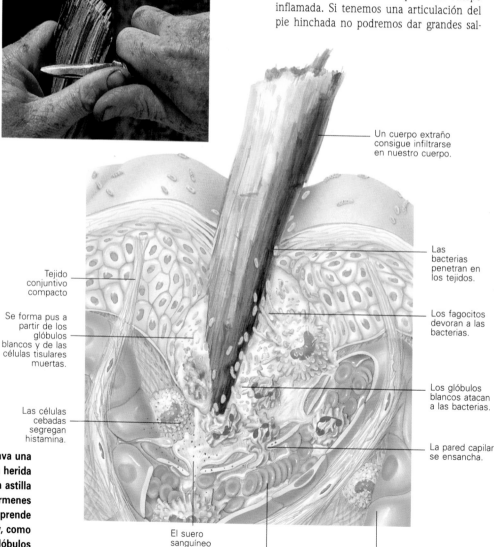

capilares eventualmente porosos. El nuevo aporte de sangre se concentra en el punto herido, deteniendo inmediatamente la hemorragia.

Este aporte sanguíneo origina en el mismo punto una ligera hinchazón *(tumor).* Aquí se concentra también el fluido tisular, lo que produce una ligera opresión, que se nota en las finas terminaciones nerviosas de la piel. Al mismo tiempo, éstas se estimulan mediante la bradiquinina, una sustancia mensajera que tiene la propiedad de rebajar la presión arterial. Es entonces cuando la herida empieza a doler *(dolor).* Otra sustancia mensajera, la prostaglandina, hace que se caliente la zona que rodea la herida *(calor).*

FUNCIÓN TRASTORNADA El famoso médico griego Galeno definió también otro síntoma con el nombre de *functio laesa.* Por éste entendía el trastorno de la parte del cuerpo inflamada. Si tenemos una articulación del pie hinchada no podremos dar grandes sal-

Al cortar madera se nos clava una astilla en la piel: una herida inofensiva. Pero con la astilla penetran en el tejido gérmenes nocivos. El organismo emprende inmediatamente su defensa y, como primera medida, envía glóbulos blancos a la zona conflictiva.

Un cuerpo extraño consigue infiltrarse en nuestro cuerpo.

Las bacterias penetran en los tejidos.

Los fagocitos devoran a las bacterias.

Los glóbulos blancos atacan a las bacterias.

La pared capilar se ensancha.

Tejido conjuntivo compacto

Se forma pus a partir de los glóbulos blancos y de las células tisulares muertas.

Las células cebadas segregan histamina.

El suero sanguíneo se extravasa.

Glóbulos rojos

Vaso capilar

tos, y un dedo dolorido nos impedirá tocar el piano, por ejemplo.

En las heridas leves estos síntomas desaparecen a los pocos días. La inflamación acaba remitiendo: el suero sanguíneo es absorbido por los tejidos más próximos, los glóbulos blancos y rojos que acudieron a la zona hinchada se descomponen y son fagocitados, y la herida se cierra.

Pero si los agentes patógenos infiltrados ofrecen una resistencia inusual o son particularmente grandes, los glóbulos blancos no darán cuenta de ellos tan pronto. Sin duda acudirán en grandes cantidades, pero cada victoria que consigan significará también su propia muerte, transformándose en pus junto con los residuos del tejido mortificado. Alrededor del agente exógeno surge, así, un foco purulento. Si éste alcanza cierto grosor, suele bastar su misma presión para que el intruso salga expulsado de la piel mediante la supuración. De este modo, un organismo estable puede liberarse incluso de una bala o de un trozo de metralla.

DISTINTAS VARIEDADES Además de la inflamación supurante, en la que participan incontables glóbulos blancos, hay otras que se diferencian por su cantidad y su índole. Si en la zona de la inflamación aparecen mayores cantidades de exudado, un líquido rico en proteínas, se puede hablar entonces de una inflamación serosa. Ésta suele manifestarse, por ejemplo, cuando nos pica un mosquito o nos roza una ortiga. Por su parte, las inflamaciones serosas de la membrana mucosa, en las que la membrana contiene también células cutáneas muertas, están consideradas como catarrales. Las enfermedades víricas del aparato respiratorio se manifiestan a menudo de este modo.

Pero con frecuencia las inflamaciones no permanecen acotadas en un solo punto. Los

IMPEDIR LA INFLAMACIÓN

- Las heridas pequeñas deberán dejarse sangrar antes de limpiarlas.

- No deberán limpiarse con agua las heridas sucias, pues los microbios podrían entrar más profundamente en los tejidos heridos.

- Las heridas insignificantes las podemos chupar. La saliva tiene efectos letales para los gérmenes.

- Si se trata de heridas mayores, las vendaremos tal y como están y acudiremos inmediatamente al médico.

- Hasta 6 horas después de haberse producido la herida, el médico puede impedir que se inflame limpiándola con cuidado (retirando la suciedad, desinfectando y acotando el borde de cruento).

- Si sale mucha sangre, interrumpiremos la hemorragia con una gasa esterilizada.

glóbulos blancos y los fagocitos acordonan los alrededores de la herida, destruyendo con ello también el tejido dañado. Sin embargo, es frecuente que no se produzca la reacción del organismo en su totalidad; en ese caso aumenta la temperatura y al afectado le acomete la fiebre.

INFLAMACIÓN DE LARGA DURACIÓN Si las inflamaciones no se curan espontáneamente, pueden convertirse en crónicas, como ocurre por ejemplo cuando el organismo no averigua la causa de la inflamación ni tampoco la puede atajar. Tales inflamaciones pueden hallarse también dentro del propio cuerpo y afectar a determinados órganos o –como en el caso del reumatismo– articulaciones.

Para tratar una inflamación hay que saber primero hasta dónde se ha desarrollado. Si la parte inflamada sólo está ligeramente enrojecida, trataremos de mitigar el dolor, aún suave, y la hinchazón incipiente con ayuda de compresas frías o cubitos de hielo. Pero si se ha formado pus, ya es demasiado tarde para un tratamiento frío: entonces es mejor aplicar calor; por ejemplo, una compresa caliente o, en caso de un padrastro inflamado, un baño caliente con agua jabonosa.

En cualquier caso, si la inflamación no remite a los pocos días, los médicos suelen recurrir a los antibióticos, los cuales refuerzan la acción de los glóbulos blancos en su lucha contra las bacterias. Los casos graves de inflamación crónica no tienen remedio casero: se deberán tratar quirúrgicamente.

El pus, asqueroso pero útil

La supuración tiene un aspecto repugnante y apesta, pero en realidad es muy útil; constituye la prueba de que el organismo ha empezado ya a combatir una posible infección.

Casi siempre que se produce una inflamación en el cuerpo, suele hacer su aparición el pus. Subproducto y resultado de la lucha contra los agentes patógenos, se forma en los tejidos o en los espacios huecos del cuerpo en el transcurso de una infección bacteriana. Para combatir a tales enemigos se alza en armas todo un ejército de glóbulos blancos o leucocitos que tratarán primero de aislar y luego de aniquilar al agente patógeno. ¿Cómo?

Sencillamente comiéndoselo. Semejante estrategia se denomina fagocitosis. Pero en el fragor de la batalla no sólo caen los enemigos intrusos, sino también muchos de nuestros defensores. Sus cadáveres formarán el componente cutáneo del pus; otros componentes serán leucocitos aún activos, así como el suero sanguíneo.

Cuanto más dura la inflamación, más soldados envía el organismo al combate, pero también más células se quedan en el camino. Consiguientemente, la zona inflamada se llena de pus. La supuración sólo termina cuando el enemigo ha sido completamente aniquilado, sea por el propio organismo o con ayuda de medicamentos.

COLORACIÓN SIGNIFICATIVA Para el médico, el pus es una secreción que puede presentar formas muy distintas. La consistencia y coloración de esta sustancia, generalmente amarilla, le puede revelar la modalidad y alcance de una inflamación. Por el pus puede saber si ésta ha empeorado o remitido. El pus marrón parduzco delata la presencia del tifus; si la infección es de estafilococos, se presenta cremoso y espeso; si de estreptococos y neumococos, espeso y verde amarillento; y si de gonococos, verdoso. Por su parte, el pus de la tuberculosis es desmenuzable. El causado sin la presencia de oxígeno huele particularmente mal. Si se concentra en el tejido, se forma un absceso. También se puede concentrar en cavidades como la caja torácica o el seno frontal: en tales casos los médicos hablan de empiema.

EL PUS DEBE SALIR Si el foco de la infección se encuentra alojado profundamente y no cesa de concentrarse, la presión se vuelve tan fuerte que el pus acaba aflorando a la epidermis. Pero si las pústulas y los abscesos no pueden salir por sí mismos, deberán sajarse quirúrgicamente para impedir el envenenamiento de la sangre.

Pero también puede producirse supuración sin que exista infección bacteriana. Esto ocurre cuando penetran en el cuerpo otras sustancias generadoras de inflamaciones. Algunos reclusos de establecimientos penitenciarios se inyectan trementina para provocarse supuraciones y así disfrutar de ciertos privilegios por razones médicas. Este

mismo método se utilizaba antes para el tratamiento de enfermedades, pues el pus era una parte imprescindible en la cura de las heridas.

Hasta que no se atajó el peligro de la infección con la ayuda de la penicilina y otros antibióticos, las grandes acumulaciones de pus en las heridas corrientes y en las quirúrgicas eran sumamente temidas: revelaban que el organismo estaba perdiendo el combate contra los agentes infecciosos.

Para detener las supuraciones, los médicos acudían a los medios más diversos, como vendas de algodón empapadas en agua fría mezclada con sulfato de zinc, tanino o alcohol. Sin embargo, esto no garantizaba la muerte de los agentes patógenos, sino todo lo contrario, ya que pasaban a otros pacientes que entraban en contacto con ellos posteriormente. A menudo las vendas de algodón se humedecían también en infusiones calientes de cicuta o manzanilla. Con fre-

cuencia se administraban al paciente sanguijuelas, purgantes, infusiones de hierbas y hasta opio.

Si nada de esto surtía efecto, entonces solía producirse la temida necrosis o gangrena. El tejido muerto a consecuencia de la inflamación se volvía parduzco, se descomponía y finalmente tenía que ser extirpado por una parte limítrofe sana, libre de pus. Sólo así había esperanza de que la herida fresca se pudiera curar.

REVOLUCIONARIO TRATAMIENTO BIOLÓGICO Los cirujanos británicos y americanos están aprovechando las experiencias de los médicos militares del siglo pasado en el tratamiento de heridas purulentas. Introducen en ellas oxiuros, los cuales no sólo devoran el pus sino también todo el tejido destruido. Las larvas de los gusanos dejan tras sí una herida casi limpia de gérmenes, que apenas forma cicatriz. Este método natural se describe con el nombre de biocirugía.

"¡No te rasques!" ¡Qué madre no ha dicho esto alguna vez a su hijo cuando se le ha desprendido la costra de una herida! Sabe por experiencia que si la costra se cae, la herida vuelve generalmente a sangrar, y ésta se puede infectar si penetra en ella suciedad. Con lo cual se retrasa el proceso curativo y la cicatriz se vuelve mayor todavía.

El niño tiene sobrados motivos para rascarse, pues la herida le pica. Pero esta desagradable sensación es señal de que la herida está sanando y empieza a regenerarse. Y cuanto más nos rasquemos la herida tanta más sustancia mensajera –histamina– segregaremos y tanto más fuertes serán los picores.

DETENER LA PÉRDIDA DE SANGRE Cada vez que se produce una herida, el organismo se encarga de que ésta se cierre lo antes posible y se regenere la porción de piel lesionada. En primer lugar, los vasos sanguíneos se contraen alrededor de la herida con el fin de que la pérdida de sangre se mantenga al nivel más bajo posible. Para que la hemorragia se interrumpa por completo, el organismo reacciona con una defensa de varias fases: el proceso de coagulación.

Este proceso se parece bastante al trabajo del albañil que está tapando un agujero en la pared. A partir de varios ingredientes mezclados (arena, cemento y agua) crea un aglutinante con el que tapona el orificio. Y, para que éste sea más resistente, emplea, como

Obturar, remendar, reparar y restablecer

Si la hemorragia no se cortara, podríamos desangrarnos por una herida insignificante. Pero el cuerpo ha previsto esta eventualidad: una reacción en cadena detiene la hemorragia, cierra la herida y la hace cicatrizar.

fondo un entramado de alambre. Llevado esto al contexto del cuerpo, el aglutinante –al igual que el entramado– lo compondrían los distintos elementos de la sangre.

El elemento principal de la coagulación son las plaquetas (trombocitos). Se sabe que cada milímetro cúbico de sangre contiene unas 200.000 unidades de plaquetas y que tienen forma circular. Se depositan en las fibras conjuntivas de los bordes de la herida y se coagulan formando un tapón de trombocitos. La herida se suele cerrar en un lapso de 3 minutos aproximadamente, siempre que no sea demasiado grande.

Al mismo tiempo las plaquetas se rompen, liberando una gran cantidad de enzimas y de factores coagulantes almacenados en su interior. Éstos se encargan de contraer los vasos sanguíneos, jugando así un papel importante en la coagulación.

LA CASCADA DE LA COAGULACIÓN Por la sangre circulan 13 agentes coagulantes distintos. Son proteínas activadas por orden expresa, que, en una reacción en cadena (la cascada de la coagulación), producen las sustancias necesarias para la curación del tejido. Entre las sustancias más importantes destaca la fibrina, gracias a la cual se forma una tupida red de fibras alrededor de los trombocitos.

Como estas fibras sólo se pueden formar in situ, pues de lo contrario cerrarían vasos muy importantes, en la sangre sólo aparece una sustancia predecesora, el fibrinógeno, también llamado factor I. En la superficie de la herida, éste se transforma en una fibrina activa merced a la enzima trombina, la cual surge de su sustancia precursora, la protrombina o factor II. En esta transformación participan además toda una serie de agentes coagulantes, entre los que destaca el denominado factor hemofílico A (factor VIII). A consecuencia de un defecto genético, en muchas personas este factor o no se desarrolla lo suficiente o no se desarrolla en absoluto: se dice entonces que tales personas padecen hemofilia. Su sangre no se puede coagular, por lo que la menor herida podría resultar fatal para ellas.

El siguiente paso en la coagulación de la sangre se forma a partir de los trombocitos y de un entramado de fibrina del trombo definitivo, el cual se protege mediante el factor IX estabilizador de fibrina para no disolverse antes de tiempo. A partir de este momento, las células del tejido conjuntivo, los denominados fibroblastos, pueden ya desarrollarse normalmente y cerrar en consecuencia la herida.

COAGULACIÓN ABORTADA Si, mientras se forma el trombo, algunos hilos fibrilares de la zona herida van a parar a la circulación de la sangre, son apresados por las sustancias inhibidoras y tornados ineficaces antes de que puedan producir mayores daños. Las sustancias inhibidoras se desplazan constantemente por la circulación vigilando que la sangre sólo se coagule allí donde sea necesario.

Tampoco los tapones de fibrina surgidos normalmente en los vasos sanguíneos, que se han curado mientras tanto, se quedan allí permanentemente. Una reacción en cadena, parecida a la que produce la formación de la fibrina, disuelve el entramado fibrilar y vuelve a abrir los vasos. Esta denominada fibrinólisis se desarrolla, no obstante, de una manera bastante más lenta, ya que el organismo, tras producirse una herida, se debe proteger contra una disolución prematura del coágulo.

Sobre la piel se va formando paulatinamente una costra a partir de la masa aglutinada de trombocitos, linfa y tejidos muertos. Esta costra, que cubrirá finalmente la herida a modo de protección, tiene un color que oscila, según su composición y grosor, del amarillo-marrón al negro.

SÓLO QUEDA UNA CICATRIZ Por debajo de la costra se forma provisionalmente el denominado tejido de granulación, rico en vasos sanguíneos, pero también insensible ya que no contiene ningún nervio. Con el paso del tiempo será sustituido por el tejido circundante. Cuantas más células se regeneren, más parte de costra se desmenuzará por la zona de los bordes. Finalmente, el nuevo tejido ocupará todo el lugar de la piel lesionada. Cuando se ha desprendido la última costra, en las grandes heridas aún se puede apreciar una cicatriz.

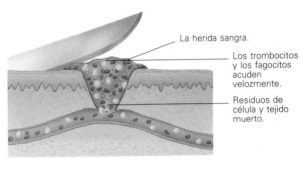

La herida sangra.

Los trombocitos y los fagocitos acuden velozmente.

Residuos de célula y tejido muerto.

Costra de la herida (trombo)

Reconstrucción de tejidos y vasos sanguíneos

Los fibroblastos crecen en la zona de la herida.

La capa superior de la piel se regenera, y la costra se desmenuza.

En cuanto el cuchillo se despega de la herida, el cuerpo reacciona y hace que ésta se cierre, iniciándose el proceso de cicatrización.

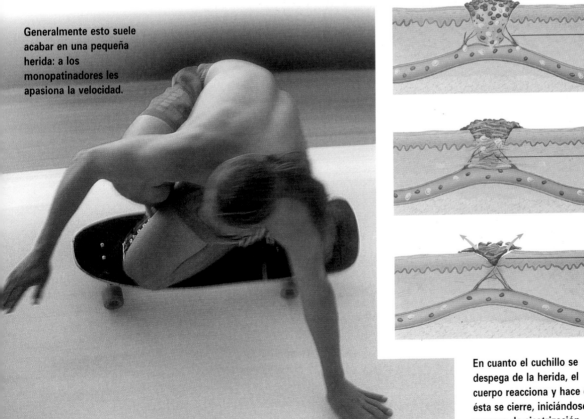

Generalmente esto suele acabar en una pequeña herida: a los monopatinadores les apasiona la velocidad.

La voluntad mueve montañas

La voluntad humana, que no es tan visible como los músculos, ni tan perceptible como el sudor, ni tan palpable como la fuerza física, es no obstante el medio más poderoso de que disponemos para incrementar nuestro rendimiento. A finales de la Edad Media, cuando ya despuntaban los albores de la era moderna, el ser humano descubrió la inmensa potencia de la voluntad y las posibilidades pasmosas que se encerraban en el hecho de que cada cual pudiera acometer lo que se propusiera y explotar posteriormente los resultados. El cuerpo humano tiene unos límites relativamente estrechos ya que depende de las leyes imprescriptibles de la física; pero la voluntad es la que da la orden a los brazos y a las piernas para moverse, y la que nos impulsa a conquistar los objetivos fijados. Como reza el refrán "querer es poder", bate récords, mueve montañas, conquista nuevos continentes, soporta fatigas que superan la capacidad normal. No en vano antiguamente se consideraba las universidades lugares donde, más que a acumular saberes, se enseñaba a ejercitar la voluntad. La fuerza que la voluntad pone a disposición del ser humano se nutre de la intuición y sensibilidad que cada cual posee de una manera completamente distinta y personalizada. Su único límite lo fijan las leyes de la moral, en cuanto que debe ser respetado tanto el bien propio como el ajeno.

La ascesis voluntaria es un elemento esencial de la filosofía de los hombres santos del hinduismo. Este sadhu (izda.) centra su voluntad en superar la ley de la gravedad terrestre. El círculo de calor, que refuerza la agobiante temperatura habitual de la India, debe ayudarle a trascender la materia física en pos de una mayor libertad del espíritu. Sólo así logrará el éxtasis y la perfección espiritual.

"El músculo más importante del escalador es su cerebro". Esta frase del alpinista alemán Wolfgang Güllich nos revela dónde se halla la verdadera fuente de energía cuando nos proponemos una meta fuera de lo común, como es el caso del arriesgado ejercicio en solitario del escalador de la izquierda. La línea divisoria entre la vida y el peligro de muerte sólo se supera mediante una voluntad tensada al máximo. La fuerza del grupo (arriba) puede ayudar a superar las propias debilidades.

La ponzoña que las abejas inoculan a través de la piel procede de la vesícula abdominal.

Para muchas personas, este apicultor, literalmente cubierto de abejas, constituye una imagen rayana en lo terrorífico.

Cuando las abejas matan

Aunque las picaduras de los insectos duelen bastante, suelen ser inofensivas. Sin embargo, pueden resultar bastante peligrosas para determinadas personas alérgicas.

Sin duda, todos hemos experimentado alguna vez el fastidio de los mosquitos o los tábanos. En el lugar del aguijonazo la piel comienza a picar, enrojece y se inflama ligeramente. Pero la hinchazón y los picores remiten muy pronto. Sólo existe peligro cuando el insecto es portador de agentes patógenos. En caso contrario, el cuerpo se basta por sí solo para defenderse contra los ataques de abejas, avispas, abejorros o abejones. Al detectar la presencia de veneno, el organismo reacciona con una vehemencia especial. La piel enrojece en el lugar de la picadura y aparece un habón –la mayoría de las veces blanquecino– o edema, que demuestra que los capilares, los microscópicos vasos sanguíneos situados bajo el tejido cutáneo, se han sobreestimulado. En los intersticios de los tejidos se concentra agua, lo que contribuye a la hinchazón y al consiguiente dolor.

SUSTANCIAS TÓXICAS PELIGROSAS Además de enzimas, el veneno de las abejas contiene sustancias albuminosas que provocan irritaciones dolorosas y, en ocasiones, incluso peligrosas. Sin embargo, se necesitan alrededor de 30-40 picaduras de abeja para dañar seriamente a un adulto; en tal caso, notaríamos probablemente mareos y palpitaciones cardiacas, y poco después ganas de vomitar y dolores de cabeza. También existe peligro cuando la víctima de la picadura es alérgica al veneno de las abejas o de las avispas, en cuyo caso se sigue una anafilaxia.

SHOCK ANAFILÁCTICO Por anafilaxia entienden los médicos la hipersensibilidad del sistema inmunológico a las sustancias extrañas que consiguen abrirse paso hasta el interior del organismo, como es el caso del veneno de las abejas. Hace su aparición cuando el organismo ya ha formado previamente anticuerpos contra estas sustancias. Por tanto, un individuo puede haber sido picado por una abeja o avispa anteriormente sin consecuencias graves y, de este modo, haber desarrollado una proteína exógena sin consecuencias perniciosas, pues no se manifesta hasta después de la segunda picadura. La anafilaxia es un tipo de alergia sumamente violento. La zona de la picadura se inflama dolorosamente, lo que puede llegar a provocar graves trastornos circulatorios. La víctima empalidece ligeramente al principio y siente mareos. Muy pronto empieza su corazón a latir alocadamente; su rostro enrojece y la presión sanguínea experimenta un peligroso descenso. Entonces empieza el cuerpo a hincharse –no sólo en el lugar de la picadura, sino prácticamente por todas partes–, hasta la deformación. Como consecuencia, se estrechan las vías respiratorias y los pulmones, con resultado de disnea. Si no se recibe ayuda médica inmediata, se sigue un shock anafiláctico: la víctima muere de un paro cardiaco.

Pérfidos ataques contra la piel humana

La piel suele reaccionar a las agresiones exteriores con enrojecimiento, picores, habones e incluso edemas. Los causantes son a menudo venenos animales o vegetales.

Unos las destruyen por considerarlas malas hierbas, y otros las ensalzan por sus propiedades curativas; nos estamos refiriendo a las ortigas. Endémicas en las latitudes templadas, crecen a la vera de los caminos, en las escombreras y en los jardines. Si entramos en contacto con una de ellas, el resultado suele ser bastante desagradable, pues en el lado inferior de las hojas, y en parte también en los tallos, poseen unos finos y rizados filamentos llenos de veneno. Si rozamos estos filamentos, se quiebra su punta rígida, vidriosa y sesgada; el filamento rizado adopta entonces la forma de una cánula de la que sale el veneno urticante que penetra por el punto de la piel donde se ha producido el contacto.

PÚSTULAS EN LA PIEL Al contacto le sigue rápidamente una erupción cutánea de color rosáceo claro o incluso blanco: es el característico habón o roncha urticante. Son ligeramente realzados, redondos o irregulares y, según la importancia de la lesión cutánea, de un tamaño que oscila entre la cabeza de un alfiler y una moneda grande. Por lo general, desaparecen con la misma rapidez con que han aparecido, pero a veces persisten en la piel durante horas o días enteros. Agua fría, hielo, rodajas de limón o agua de vinagre pueden aliviar la irritación.

La causa de la erupción cutánea es la histamina, sustancia que se encuentra tanto en la savia de las ortigas como en el propio cuerpo humano, donde, entre otras funciones, se encarga de que descienda la presión arterial y se dilaten los finísimos vasos sanguíneos subcutáneos o capilares.

Tan pronto como la piel entra en contacto con el veneno de las ortigas, se dilatan los capilares y sus paredes se tornan porosas. El flujo sanguíneo se acumula entonces entre las células. La piel se inflama y comienza a enrojecer. Si resultan afectadas grandes zonas de la piel, podemos hablar de un edema. Al mismo tiempo, el veneno de las ortigas hace que se irriten también las terminaciones nerviosas, que, como una fina red, atraviesan las paredes de los vasos sanguíneos y que anuncian finalmente al cerebro la presencia del intenso dolor.

INYECCIONES DE VENENO Estas irritaciones cutáneas tan dolorosas no se producen sólo al contacto de la piel con las ortigas, sino también por otro tipo de causas diversas.

Unas lesiones cutáneas particularmente graves las provoca, por ejemplo, la denominada hiedra gigante, una planta perenne.

Al ser dañados, sus tallos expulsan un jugo lechoso que, por acción de los rayos solares, produce cauterización cutánea y ampollas. Incluso el humo que se despide al quemar muchas plantas venenosas puede producir erupciones y fiebre si es aspirado.

Asimismo, las mordeduras de pulgas o chinches o el simple contacto con determinados tipos de insectos pueden provocar urticaria. Por ejemplo, la oruga procesionaria posee filamentos rizados provistos de un garfio. Si los tocamos, los pelos permanecerán pegados a la piel, y la consecuencia será también la aparición de un fastidioso habón.

Pero no sólo nuestra flora y fauna puede inocularnos venenos. También en los países lejanos deberíamos precavernos contra ciertos agentes irritantes. Por ejemplo, en las playas de Norteamérica se halla muy extendida la hiedra venenosa *(poison ivy)*. Parece un mantillo inofensivo y al primer contacto no sucede nada. Pero luego el cuerpo produce un contraveneno, y al segundo contacto con la gota venenosa de sus hojas se produce una hiperreacción del organismo. En el lugar afectado se forman numerosos habones y ampollitas llenas de agua; la piel enrojece y sentimos fuertes pi-

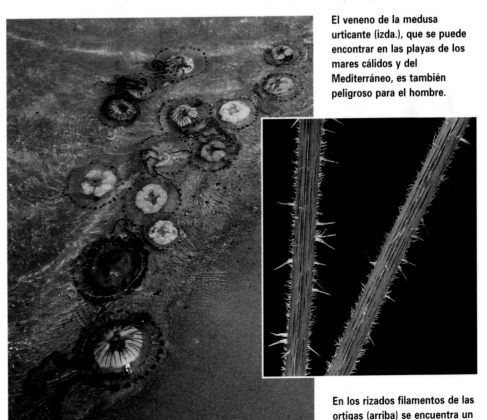

El veneno de la medusa urticante (izda.), que se puede encontrar en las playas de los mares cálidos y del Mediterráneo, es también peligroso para el hombre.

En los rizados filamentos de las ortigas (arriba) se encuentra un veneno que contiene histamina.

cores. Si nos rascamos los habones, la infección puede incluso cambiar de lugar, pues es probable que se revienten las ampollitas, se extienda el líquido y pase de este modo a otras partes del cuerpo.

Por regla general, el viscoso y venenoso jugo de la hiedra venenosa permanece activo durante varios días. Si, por ejemplo, conducimos sobre la hiedra y en las siguientes 48 horas tocamos con la mano uno de los neumáticos, podremos vernos afectados por esta desagradable erupción.

También el agua oculta peligros que acechan a nuestra piel. Quien se bañe o practique submarinismo en los trópicos debería tener cuidado con la fauna marítima desconocida. No deberá tocar nada de cuya inocuidad no esté completamente seguro, y con-

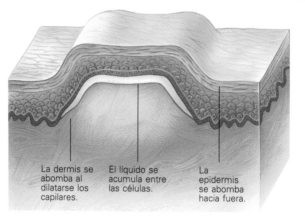

La dermis se abomba al dilatarse los capilares.

El líquido se acumula entre las células.

La epidermis se abomba hacia fuera.

viene llevar siempre puestas unas recias zapatillas de goma.

El contacto con muchos peces tropicales o moluscos puede resultar mortal. Por ejemplo, es particularmente peligrosa la fragata portuguesa, una medusa tropical provista de filamentos urticantes. Al contacto con la

Un habón, roncha o edema es una hinchazón de la piel. Se produce cuando ésta se irrita al contacto con un veneno urticante.

piel, su veneno produce al instante enrojecimiento, gruesos habones y fuertes dolores, así como a veces la pérdida del conocimiento e incluso la muerte.

Una ayuda rápida y eficaz la ofrece la orina, pues el amoniaco que contiene ejerce efectos calmantes, como se demostró palpablemente en la travesía realizada por el famoso investigador noruego Thor Heyerdahl: tras ser salvado de las garras venenosas de una fragata portuguesa uno de los miembros de la expedición, todo el equipo se aplicó a la tarea de calmar con orines el prurito y comezón de su compañero de tripulación.

Auténticos paisajes volcánicos

En la mayoría de las ocasiones, un grano no es más que un bultito antiestético que desaparece pronto. Sin embargo, a veces pueden formarse furúnculos grandes y peligrosos.

Aparece en la piel un grano desagradable coronado de pus. La mayoría de las veces no tarda en desaparecer. Sin embargo, cuando se encuentra en la zona de un folículo piloso y ha sido atacado por agentes patógenos de la familia de los estafilococos, el foco de pus se extiende hasta el tejido celular circundante, donde produce una sensación de dolorosa tensión. La piel se inflama, endurece y enrojece a los pocos días. En medio de este cuadro en forma de cráter surge un pequeño promontorio color amarillo pálido cubierto de una fina capa cutánea. Se trata de la punta de un tapón de pus o furúnculo surgido en la zona pilosa, que a veces va acompañado de fiebre y de una inflamación de los ganglios linfáticos. Si estalla este tapón, se vacía el foco purulento, quedando una especie de cráter que, con el paso del tiempo, también se cura y cicatriza.

Los lugares preferidos por los furúnculos son la cara, la nuca, las axilas, los muslos, las nalgas y la zona de los genitales. Estos focos purulentos son especialmente peligrosos en la cara, por ejemplo entre el labio superior y

la nariz, pues desde aquí los agentes patógenos pueden abrirse paso a través de los vasos sanguíneos y llegar hasta el cerebro, lo que podría producir una inflamación de la meninges.

FOCOS PURULENTOS Si surgen varios furúnculos compactos yuxtapuestos, establecerán una interrelación mediante la cual acaban destruyendo el tejido afectado. Se produce entonces una hichazón bastante extensa que se denomina carbunco o ántrax. A diferencia del furúnculo, éste presenta varios tapones de pus.

Las causas por las que se produce un furúnculo o un carbunco son múltiples. A menudo es la simple falta de higiene corporal, pero también puede provocarlo el contacto permanente con sustancias dañinas, como los aceites y la gasolina. Cuando hacen su aparición varios furúnculos, al mismo tiempo o en el transcurso de meses o años, hay que hablar de furunculosis, que puede deberse a una alimentación deficiente, a una enfermedad de diabetes o también a una debilidad inmunológica.

TRATAMIENTO DEL FURÚNCULO

- Compresas calientes, baños de manzanilla y otras hierbas, o un tratamiento térmico a base de almohadas eléctricas, favorecen la disolución del pus que contiene el furúnculo y lo ayudan a madurar más deprisa.

- En ningún caso se deberá exprimir un furúnculo. Con ello los agentes patógenos penetrarían más profundamente todavía en los tejidos circundantes.

- Si no se rompe sola la piel que recubre el foco de pus, el absceso debería ser desbridado por el médico.

- Las personas propensas a la furunculosis deberían consumir muchos alimentos crudos.

- La levadura, por su riqueza en vitamina B, es un buen remedio contra la furunculosis; por ese motivo los médicos suelen prescribir curas de levadura. También pueden ayudar baños de sol tomados con moderación.

- Para fortalecer la piel, los médicos naturalistas recomiendan lavados de todo el cuerpo, duchas y baños de flor de heno.

Pústulas que provocan fiebre

Las noticias sobre una denominada enfermedad del beso desencadenaron un gran revuelo entre los jóvenes. En realidad, se trataba de la fastidiosa infección del herpes.

Antes de que se manifieste bruscamente una infección causada por el virus del herpes, percibimos un ligero cosquilleo o picor en la zona afectada. Más tarde nos dolerá cuando la toquemos y aparecerán unos puntitos rojos a partir de los cuales se irán desarrollando unas vesículas llenas de líquido, ordenadas por grupos.

En el espacio de unos 2-10 días, las vesículas se revientan solas, con lo que se humedecen y motivan que se inflame la zona afectada. Cuando finalmente ha curado la inflamación y se ha formado una costra, puede ocurrir que ésta se rompa, en cuyo caso la parte afectada empezará a sangrar de manera muy visible. Pero a las dos semanas aproximadamente, casi todo habrá quedado atrás y la desagradable erupción habrá desaparecido.

MUY EXTENDIDA Hay varias formas de herpes. Las más conocidas son las vesículas con fiebre, también denominadas *herpes simplex*. Aparecen generalmente en la zona de los labios, y a veces también en la de los genitales, si bien están causadas por diferentes tipos de virus. Otra infección de herpes es el doloroso herpes zona o herpes zoster.

Esta erupción puede afectar a cualquiera, pues, según datos de la Organización Mundial de la Salud (OMS), aldededor del 80% de los humanos somos portadores de este virus contagioso, por lo que un beso puede resultar a veces peligroso. Una vez que nos hemos infectado, los virus del herpes pasan a los ganglios y a la zona de la médula espinal, desde donde siempre pueden abrirse paso hasta la epidermis y formar allí vesículas.

Saber si va a hacer su aparición la erupción y cuándo depende de varios factores. Uno de ellos es la luz solar, pues las vesículas de la fiebre nos suelen atacar preferentemente cuando la piel está excesivamente expuesta al sol. Pero también quien se resfría con frecuencia es particularmente susceptible a la presencia de estas vesículas. La mayoría de las veces las víctimas son personas cuyo sistema inmunológico se encuentra algo debilitado; por ejemplo, mujeres durante el período menstrual y hombres demasiado estresados.

El médico puede administrar medicamentos que atenúen el dolor y aceleren la curación. Ésta se produce generalmente a las 2-3 semanas, sin dejar secuelas.

El virus del herpes es responsable de la desagradable erupción cutánea que aparece en forma de pustulitas en la zona de los labios. No sólo es contagioso, sino que puede reaparecer.

Delicados cutis pálidos

Igual que las mejillas rojas suelen denotar salud, también nos irritamos por las manchas pálidas del rostro, que a menudo aparecen cuando no nos sentimos bien.

Surgen de repente, y nos sitúan ante una nueva y desacostumbrada tesitura; son del tamaño de una moneda grande, de contorno irregular y casi siempre aparecen en la zona de los pómulos. Nos estamos refiriendo a las manchas pálidas, signo de que el afectado está muy nervioso o padece estrés. A veces esta desagradable erupción, que no hay que descuidar, se extiende también por la garganta y los hombros.

MUY SENSIBLE Se trata de manchas que se resisten a desaparecer. Cuanto más nos excitamos y más somos conscientes de nuestros eritemas, más oscuras y, por ende, más sorprendentes nos parecerán. Quienes más dolorosamente afectadas se suelen sentir por este fenómeno son las mujeres de pelo rubio y cutis fino. Además del cutis, estas personas suelen tener también la psique muy sensible y, en casos de estrés o especial excitación, las manchas dan literalmente la señal de alarma.

Lo que antiguamente muchas damiselas deseosas de llamar la atención intentaban dándose un pellizco en la mejilla, lo consigue aquí por sí sola la circulación sanguínea en ebullición. Los vasos sanguíneos se llenan con gran rapidez y violencia; y allí donde la piel es más fina aflora de repente el color de la sangre, como consecuencia de la congestión de los capilares. Los demás puntos reaccionan, naturalmente, volviéndose más pálidos aún.

ESPEJO DEL ALMA La piel puede convertirse fácilmente en reflejo de los conflictos anímicos. Esto no tiene nada de extraño, pues, como todo el mundo sabe, las reacciones cutáneas son fruto de las órdenes enviadas por los nervios y las hormonas. Así, unas pruebas con pacientes afectados de urticaria dieron como resultado que, en más del 80% de los casos, los habones eran también producto de estados de ansiedad o miedo. Asimismo se descubrió que la denominada *rosacea*, un enrojecimiento cutáneo de color rosado que se manifiesta en la frente, las mejillas, la nariz y la barbilla, podía estar provocada por sentimientos de culpabilidad y de vergüenza.

Una medida previsora para las personas propensas a las manchas claras es aplicarse

125

un buen maquillaje. Con esto no sólo las disimularán bastante, sino que además se sentirán mucho más seguras. Y es posible que, de este modo, acaben desapareciendo.

A LA BÚSQUEDA DE REMEDIOS Pueden ser útiles, por una parte, las terapias de grupo en las que se exponen sin tapujos los problemas de los afectados y, por otra, los ejercicios de autocontrol. Ambas soluciones pueden contribuir a que desaparezcan las causas psíquicas que motivan los molestos eritemas.

Como se ha comprobado también en una clínica suiza, son muchos los pacientes que acaban acostumbrándose a reprimir algunas emociones, como el enfado y el miedo. La mayoría son personas muy inteligentes, tienden a ser cavilosas y suelen resolver sus problemas recurriendo fundamentalmente al cerebro, por desconfiar del corazón y de los sentimientos en general. La tensión contenida, y reprimida, se expresa en ellos en forma de erupciones cutáneas de origen nervioso. Por esta razón, según la mayoría de los dermatólogos, tales trastornos sólo se pueden tratar mediante una terapia global, es decir, con un tratamiento que englobe tanto al cuerpo como a la psique.

Consumidos por el fuego

Todas las quemaduras suelen resultar muy dolorosas y, según su importancia, pueden ser desde relativamente inofensivas hasta provocar la muerte.

Ya sea en el hogar, en el trabajo o en tiempo de esparcimiento, estamos expuestos a múltiples riesgos de quemarnos o escaldarnos; por ejemplo, con la cocina de gas, el aceite de la sartén, el carbón de la barbacoa, el motor del coche que se ha calentado demasiado... Estos contratiempos no suelen revestir mayor importancia; sin embargo, cada quemadura o escaldadura, independientemente de su gravedad, daña de alguna manera la piel, cuya función normal se ve así trastornada o interrumpida. Cuanto más grave sea la lesión cutánea mayor será también el peligro de que los agentes patógenos logren abrirse camino hasta capas más profundas y sensibles del organismo, pudiendo provocar graves infecciones.

LESIONES LEVES O GRAVES Según la gravedad de la lesión de la piel y del tejido subyacente, se puede hablar de varios grados de quemaduras. En las quemaduras de primer grado, se produce un enrojecimiento doloroso en la parte de la piel afectada que desaparece a los pocos días sin dejar cicatriz alguna. En las quemaduras de segundo grado, podemos distinguir entre lesiones leves y graves. En ambos casos los vasos capilares de la piel quedan dañados; sus paredes se vuelven porosas y escapa plasma sanguíneo, que levanta un poco la capa exterior de la piel o epidermis, lo que forma ampollas muy dolorosas. Estas quemaduras

El efecto del calor en los grandes incendios es tan poderoso que los bomberos precisan un atuendo protector especial para combatirlos.

se curan en el espacio de unas dos semanas y tampoco dejan ninguna cicatriz, puesto que la epidermis se regenera mediante las nuevas células epiteliales desagregadas a partir de las células cutáneas no lesionadas. Pero si las ampollas siguen horadando el tejido y dañan por tanto no sólo algunos capilares aislados sino toda la red capilar, entonces el proceso de curación durará alrededor de un mes y se producirán cicatrices.

Cuando las quemaduras de segundo grado se producen a consecuencia de un calor extremado, como por ejemplo tras haber tocado una placa candente, puede ocurrir que las células de la epidermis se fusionen formando una capa fina –parecida al cuero o al pergamino– de piel mortificada. Por debajo se van formando nuevas células epiteliales, hasta que la capa queratinizada se rompe, siendo paulatinamente sustituida por estrías.

LA PIEL SE MUERE Si un chorro de vapor ardiente caliente o fuego inciden durante bastante tiempo en un punto determinado del cuerpo, se producirá una quemadura de tercer grado. En este caso no sólo queda dañada la epidermis, sino también la dermis subyacente junto con los correspondientes vasos sanguíneos, fibras nerviosas, glándulas

---

QUÉ HACER EN CASO DE QUEMADURA

- El agua fría puede aliviar las quemaduras y escaldaduras de primer y segundo grado e impedir la formación de cicatrices.

- Una ampolla o vesícula que produzca fuertes estiramientos y duela mucho podremos pincharla con una aguja esterilizada.

- Para las heridas abiertas se desaconseja el empleo de agua, así como de pomadas, ungüentos y polvos de cualquier tipo.

- Para transportar a una persona con heridas por quemadura deberemos emplear vendas o gasas esterilizadas.

- Los restos de ropa adheridos a la quemadura sólo los retirará el médico, sobre todo si se trata de un tejido de fibra artificial. El profano tampoco deberá desprender los jirones de piel de las heridas.

- Las víctimas de quemaduras graves deben ser trasladadas urgentemente al hospital más cercano. Tras una cura de emergencia, se intentará un transplante de piel. Con ello, las funciones normales de la piel quedarán restablecidas.

---

de la grasa y del sudor y folículos pilosos. Unas semanas después se desgajan las partes de piel mortificadas, quedando grandes cicatrices que a menudo requieren un trasplante de piel. Si se ha quemado el 15% de la superficie corporal, el paciente padecerá el denominado shock del quemado, con un acentuado peligro de muerte. Las personas en las que se describen quemaduras de aproximadamente el 60% de la superficie corporal tienen escasas probabilidades de sobrevivir. Si se trata del 75%, las probabilidades son nulas, al no poder garantizarse la respiración, el equilibro térmico ni el contenido de agua del organismo, factores todos ellos que sólo se aseguran estando la piel sana.

Cuando la lengua se quema

El sentido del gusto de los seres humanos reacciona con suma sensibilidad al calor. Pero, curiosamente, las escaldaduras de la lengua se curan rápidamente.

De nuevo nos hemos levantado demasiado tarde y apenas si nos queda tiempo para desayunar; pero antes de salir de casa queremos tomar al menos una taza de café caliente. Con la prisa, no advertimos que está hirviendo y nos quemamos la lengua.

UN ÓRGANO MUY SENSIBLE La lengua es un órgano muy sensible. Para que pueda captar todos los distintos sabores, no posee dermis propiamente dicha, sino sólo una membrana fina recubierta de las denominadas papilas gustativas. Inmediatamene más abajo se encuentran los innumerables vasos sanguíneos y terminaciones nerviosas. También el interior de las mejillas está recubierto de membranas, de manera que no sólo la superficie de la lengua, sino también toda la cavidad bucal son extremadamente sensibles a la

menor agresión. Esto explica también por qué sentimos tanto dolor cuando nos mordemos la lengua o la mejilla durante la masticación.

¿Qué ocurre cuando, al comer o beber, nos quemamos la lengua? La zona quemada nos parece roma e insensible, las terminaciones nerviosas y las papilas gustativas se solidarizan y la capacidad gustativa también se resiente de las quemaduras superficiales, pues la zona quemada, y fundamentalmente la punta de la lengua, quedan insensibles. Por eso, cuando por la mañana nos hemos quemado tomando el café, deberemos tener en cuenta que la comida, o la cena, nos parecerán sólo la mitad de sabrosas.

Por regla general, semejantes escaldaduras se curan rápidamente, pues las capas celulares de la lengua se renuevan constantemente. Cuando la lengua vuelva a estar nuevamente en forma, podremos volver a apreciar las diferencias de temperatura y de sabor de los alimentos. Para acelerar el proceso de curación se aconseja algo que la lengua nos agradecerá particularmente: chupetear mantequilla o beber nata dulce líquida muy despacio.

A las personas mayores se les recomienda especial prudencia con las bebidas y comidas calientes, pues se pueden escaldar la lengua con mayor facilidad, ya que el número de papilas gustativas y de terminaciones nerviosas se reduce considerablemente con el paso de los años. En cuanto a los bebés, si bien tienen en la lengua más receptores del gusto y más células nerviosas que las personas mayores, también corren peligro cuando toman comidas y bebidas calientes ya que carecen aún de la necesaria experiencia. Por eso, al dar la papilla a sus bebés, las madres la prueban primero para asegurarse de que no está demasiado caliente. O, sencillamente, se aplican sobre la muñeca unas gotas del líquido para comprobar su temperatura.

A principios de siglo, el investigador inglés Robert Falcon Scott emprendió una expedición al Polo Sur. A pesar de ir protegidos con vestimentas gruesas y de mucho abrigo, los participantes no pudieron sobrevivir al frío gélido. Todos perecieron en su camino de regreso a la costa.

Los peligros del frío

No sólo el calor intenso es peligroso para el ser humano; también el exceso de frío puede reducir sus facultades vitales y provocar considerables daños a su salud.

Si nos exponemos durante mucho tiempo al frío o a un viento helado, o nos bañamos durante mucho tiempo en agua helada, nuestro cuerpo correrá grave peligro de enfriarse y no estar en condiciones de regular su temperatura. Si no nos aplicamos suficiente calor a tiempo, el riesgo para nuestra salud puede ser muy grande.

LOS DAÑOS DEL FRÍO Cuando la temperatura a que nos exponemos es demasiado baja, los primeros en enfriarse serán la piel y los músculos de las extremidades, pues los vasos capilares se estrechan en estos puntos para que la sangre atienda debidamente a los órganos más importantes del organismo, como son el cerebro, el corazón y los pulmones. Luego nos acometerán unos fuertes temblores. Sin embargo, sólo conseguirá producir calor suplementario en una medida muy limitada. Si entre tanto la temperatura corporal desciende por debajo de los 30°C, se corre peligro de sufrir un paro cardiaco; y con unos 20° se produce finalmente la muerte.

Pero en determinadas circunstancias podemos también sufrir enfriamientos locales, sobre todo en las extremidades. Las partes más susceptibles de verse afectadas son la nariz, las orejas y los dedos de las manos y de los pies, pues en ellas el tejido está relativamente menos irrigado. La violencia de una congelación depende del frío que hayamos soportado y del tiempo que haya durado la exposición. Al igual que las quemaduras, las congelaciones locales se subdividen también en tres grados. Si se trata de una congelación ligera, la piel se vuelve enseguida pálida, el cuerpo se enfría y los corpúsculos dañados por el frío se insensibilizan. Si aplicamos de nuevo calor en el tejido afectado, éste volverá a regarse de sangre con renovada fuerza.

Las congelaciones de segundo grado presentan ampollas y abscesos, que llegan a curarse sin dejar cicatrices. Finalmente, las congelaciones de tercer grado dañan el tejido y se forman pequeñas ampollas de sangre que revientan pasado cierto tiempo.

El tejido se queda sin riego sanguíneo, lo que acelera la descomposición de las partes dañadas. Si sana, siempre quedarán cicatrices. Pueden surgir complicaciones, como por ejemplo que se infecte la herida, y a veces se deberá proceder incluso a una amputación con objeto de impedir que se siga extendiendo por el cuerpo el proceso de descomposición o putrefacción.

La exposición a las bajas temperaturas puede causar también lesiones crónicas, como es el caso de los denominados sabañones, que siempre aparecen en los meses más fríos del año y suelen producir picores o prurito cuando el cuerpo se calienta. Su tratamiento es de larga duración.

CÓMO PROTEGERNOS DEL FRÍO Para prevenir estos daños es muy conveniente utilizar ropa cálida, cómoda y, sobre todo, seca, pues contra el frío sólo vale una cosa: calor. El viejo remedio de frotar las partes del cuerpo heladas con nieve es absolutamente descabellado, pues la piel y los tejidos conjuntivos se vuelven hipersensibles con el frío. Si les aplicamos masaje, se dañan todavía más. Es mejor deshelar las partes congeladas del cuerpo mediante un baño de agua caliente o acercándolas a una estufa o radiador.

Cuando no se disponga de ninguna fuente de calor, un buen remedio es meter las manos en nuestras propias axilas o, si se trata de los pies, entre las piernas de otra persona.

Pies lastimados, casi siempre pies descuidados

Es frecuente que, al marchar, correr o pasear, nos salgan ampollas en los pies. Sin embargo, con un calzado adecuado podremos evitar éste y otros molestos contratiempos, que pudieran llegar a inmovilizarnos.

Hace un hermoso día de primavera. Nos gustaría disfrutar del sol y nos ponemos las sandalias nuevas para dar un paseo. Apenas hemos recorrido un trecho cuando empiezan a dolernos los pies. Nos quitamos los calcetines y seguimos caminando. De repente sentimos como una quemadura en los dedos de los pies y en los talones, pues las tiras de las sandalias, que aún están rígidas, rozan nuestra piel sudada. Conforme seguimos caminando las molestias no hacen sino aumentar, y, antes de que nos demos cuenta, nos han brotado en los pies unas ampollas que amenazan con abrirse en cualquier momento y quemarnos aún más. No podemos seguir adelante, y la vuelta a casa se nos antoja un auténtico calvario, pues con cada paso sentimos unos dolores infernales, aunque nos esforcemos por andar despacio. Varios días después, las partes del pie friccionadas aún siguen irritadas.

Las ampollas de la piel surgen fundamentalmente a consecuencia del calor y el roce; pero también pueden ser resultado de alguna quemadura, de un eritema solar, de la picadura de un insecto, del contacto con sustancias químicas o de alguna enfermedad infecciosa, como el herpes o la varicela. Es decir, de cualquiera agresión exterior.

PÉRDIDAS POR FRICCIÓN Pero en la mayoría de los casos las ampollas aparecen por un rozamiento mecánico de la piel, más o menos intenso y duradero. Si, por ejemplo, nos friccionamos deprisa y con fuerza los pulpejos, la parte carnosa blanda de las manos, nos sorprenderemos en seguida de los efectos producidos: primero se manifiesta una sensación de templanza, luego de calor y, tras un corto e intenso dolor, detectaremos la presencia de una ampolla rellena de líquido tisular.

Algo parecido nos ocurre en los pies cuando éstos no tienen suficiente libertad de movimientos. A cada paso, la epidermis de los talones, de los dedos o de las plantas roza con la dermis; en los lugares donde se produce la presión se va separando o levantando paulatinamente del tejido subcutáneo y el líquido tisular penetra en la cavidad. Si estalla la ampolla, la dermis también se levanta.

La ampolla, cuyo tamaño puede oscilar entre el de un guisante y un huevo, está por lo general tirante, tensa y caliente. Además del fluido sanguíneo, puede contener aire e incluso pus.

CUIDADO DE LOS PIES Si tenemos que caminar, cubriremos las ampollas con una gasa esterilizada para evitar el roce y las dejaremos curar tranquilamente. De este modo, el líquido va saliendo paulatinamente del tejido, la ampolla se arruga y termina por secarse, sin que queden cicatrices.

Pero si debemos abrir una ampolla, por ejemplo si es demasiado grande, resulta de todo punto necesario utilizar una aguja desinfectada y abrirla solamente partiendo de su borde. Acto seguido secaremos la zona con un antiséptico y la cubriremos con una gasa para que no se infecte ni se inflame. Nunca trataremos de retirar la piel de la ampolla, pues podría producirse una lesión grave y duradera.

Para prevenir la formación de ampollas, al comprar zapatos nuevos deberíamos comprobar que no nos aprieten ni nos rocen en ningún punto del pie. Por regla general, se aconseja llevar siempre calcetines, a poder ser de pura lana virgen, ya que nos pueden servir de almohadilla. Las zonas más sensibles podemos rociarlas con gel de petróleo, o protegerlas con un trozo de algodón para evitar posibles roces. Existen también parches especiales con el mismo fin.

Si nos disponemos a emprender una marcha, deberemos utilizar el calzado idóneo; debe otorgar consistencia al pie, sin llegar a oprimirlo en ningún punto.

Las ampollas son dolorosas. Si revientan, deberemos cubrir la herida para que no entre en ella nada de suciedad.

La epidermis se ha levantado sobre la capa de piel subyacente, la dermis.

La cavidad se llena de flujo sanguíneo o tisular.

Lo que podemos aprender de la piel encallecida

El maestro de detectives Sherlock Holmes solía asegurar, para asombro de sus colegas, que era capaz de adivinar la profesión de una persona desconocida. La posible callosidad de sus manos le servía casi siempre de pista.

El más famoso de los detectives sabía que las callosidades siempre surgen en las zonas del cuerpo que más desgaste sufren en la vida cotidiana. Así, por ejemplo, si veía callos en las manos, llegaba a la conclusión de que su propietario trabajaba duramente con ellas: podía ser herrero o leñador. Pero los callos se pueden producir también practicando actividades recreativas que exigen cierta dureza, como el remo. Son asimismo ilustrativos el tamaño y la situación de cada callo. Por ejemplo, un guitarrista presentará callosidades en el pulgar y el índice, mientras que una arpista presentará puntos cutáneos tumefactos en todas las puntas de los dedos, a excepción del pulgar, donde los callos se encuentran en la parte interior de

Las callosidades cutáneas que presentan los pies de este sherpa se producen generalmente en personas que andan descalzas casi todo el tiempo.

la última falange. Es el precio que hay que pagar por nuestra vocación, sea artística o de carácter prosaicamente laboral.

EXCESO DE PRESIÓN Y DE ROCE Los callos, en griego *tylos,* no son en realidad más que unas capas córneas que se forman en determinados puntos de la piel a causa de la denominada hiperqueratosis. En el resto de la piel corporal, las células de las capas superiores se encallecen igualmente a causa

de una mayor presencia de queratina. Al perder humedad, las terminaciones nerviosas se atrofian, y el tejido se vuelve más duro e insensible al dolor. Si determinados puntos se exponen entonces a una constante presión y a fuertes rozamientos, se formará en ellos una capa córnea más gruesa cuya superficie amarillenta destacará sobre las partes cutáneas circundantes; es decir, se formará una callosidad. En los dedos de los pies esta dureza se suele denominar callo u ojo de gallo.

Las callosidades que se desarrollan en las plantas de los pies y en los talones suelen ser consecuencia de un calzado demasiado oprimido. Por su parte, los indígenas que andan siempre descalzos presentan a menudo una piel encallecida de hasta 1 cm de grosor, la cual suele estar tan seca que acaba resquebrajándose. Las fracturas resultantes llegan frecuentemente hasta el tejido sano; pueden sangrar e inflamarse y son muy dolorosas. Deberán tratarse con pomadas o soluciones desinfectantes e hidratantes.

Hasta que no desaparezcan las causas –y, por tanto el constante rozamiento de las partes cutáneas afectadas–, no desaparecerán las callosidades. Las que reaparecen periódicamente podremos eliminarlas mediante baños calientes y friccionando acto seguido con una lima o piedra pómez. Hay que evitar siempre el empleo de objetos cortantes en general y de hojas de afeitar en particular.

Como chinchetas en los pies

A veces los callos de los pies se parecen a verdaderos ojos de gallo, aunque esta comparación ilustra muy poco sobre los intensos dolores que nos pueden causar.

El término *clavus* lo utilizan sólo los médicos; el lenguaje común y las víctimas del desagradable engrosamiento de la callosidad hablan de callos o de ojos de gallo, callo redondo y algo cóncavo hacia el centro. Todos

se refieren a lo mismo: un bulto o hipertrofia de la capa córnea de la piel, situada en los pies, que reacciona dolorosamente a la presión.

Los callos se suelen producir en los dedos de los pies, en los talones y también en las

plantas. Se sabe con exactitud qué los produce, pero existen distintas teorías sobre la mejor manera de extirparlos.

Los callos suelen aparecer allí donde la piel está permanentemente más expuesta a una fricción, presión u otra forma de irritación; por ejemplo, en las partes del pie que rozan con el calzado. Al principio se forma una callosidad; si persiste la presión, aparece un callo. Hacia él empiezan a afluir células queratinosas, formándose una concentración de células cutáneas especialmente duras con forma de bola. La punta de la bola sigue creciendo hacia abajo en dirección a la

CÓMO MANTENER A RAYA LOS CALLOS

También en este caso es mejor prevenir que curar. Si utilizamos un calzado cómodo y calcetines lisos y sin rugosidades estaremos relativamente a salvo de los callos. Pero ¿qué podemos hacer si ya los tenemos?

Produce bastante alivio un baño caliente con sal, vinagre o jabón, pues contribuye a que los callos se ablanden. Luego podremos deshacerlos sirviéndonos de una lima de uñas grande o una piedra pómez. En las farmacias se venden varias tinturas y preparados contra los callos a base por lo general de ácido salicílico diluido; éste ablanda la piel endurecida y afloja al clavo en su entorno. También en este caso debemos ser previsores e introducir los pies en agua caliente; después aplicaremos la tintura o cataplasma en el punto dolorido. Una vez que el ácido haya surtido efecto, intentaremos extraer el clavo con cuidado, ayudándonos de unas pinzas. Si no lo logramos, deberemos acudir al médico o callista para que lo haga en nuestro lugar; pero en ningún caso nos serviremos de una hoja de afeitar o tijeras para cortarlo, pues podríamos provocar una inflamación y la consiguiente infección.

dermis, rica en nervios. Es como una chincheta girada cuya punta o pivote llega hasta la capa papilar de la dermis entreverada de nervios, donde permanece anclada. Este espolón se suele identificar con el expresivo nombre de clavo. Mientras no consigamos alejarlo, el callo seguirá horadando el tejido cutáneo, con resultados dolorosos.

Cuando, a consecuencia de la presión permanente, de un fuerte rozamiento o de un intento inadecuado por extirparlo, el callo sigue inflamado, se producen fuertes dolores en las capas inferiores de la piel y en la zona del sensible periostio. Un *clavus* está rodea-do casi siempre de una considerable hinchazón, por lo general roja.

No es casual que las mujeres tengan más callos en los pies que los hombres, pues la aparición de este engrosamiento duro se ve favorecida por los zapatos de tacones altos, en los que todo el peso del cuerpo recae sobre los dedos de los pies y la parte anterior de las plantas, con la consiguiente presión sobre estos puntos. También pueden aparecer callos en las plantas de los pies. Como con cada paso éstas soportan la presión en los huesos del pie, el acto de andar se convierte en un auténtico suplicio. Pero no tienen nada que ver con las denominadas callosidades cónicas, producidas por un virus. Además de los callos duros y consistentes, hay otros callos blandos, que son más pequeños y casi siempre aparecen entre los dedos de los pies.

Abombamiento de la piel endurecida alrededor del callo

Capa queratinizada de la epidermis

Clavo del callo

Dermis

A consecuencia de la constante presión, el clavo del callo penetra en las capas más profundas de la piel, produciendo dolores tópicos muy intensos.

Sistema de alarma del cuerpo

El dolor es la más desagradable de las sensaciones corporales. Sin embargo, es fundamental para la supervivencia, pues avisa y protege al organismo.

El dolor tiene varios rostros. Puede ser lancinante, palpitante, punzante o incluso a veces presionante, sordo, paralizador y enervante. Puede aparecer de repente o con cierta periodicidad. En realidad, existen tantas causas del dolor como sensaciones dolorosas. Sin embargo, sea cual sea la forma en que aparezca esta desagradable impresión corporal, nadie puede cuestionar el papel fundamental que desempeña: es un sistema de alarma que avisa siempre que algo funciona mal en la complicada maquinaria humana.

Tanto si nos quemamos con la plancha como si recibimos una patada en la espinilla jugando al fútbol; tanto si nos cortamos con el cuchillo pelando patatas como si nos rozamos la piel con una ortiga, todos estos accidentes desencadenarán en nuestro cuerpo un dolor más o menos intenso. Sin embargo, no todos los estímulos –térmicos, mecánicos o químicos– causan los mismos dolores, pues por fortuna la sensibilidad al dolor actúa de manera selectiva y sólo transmite las excitaciones más fuertes, pues de lo contrario la mayoría de las personas estarían saltando constantemente, como si padecieran el baile de san Vito. Esta penosa impresión se percibe a través de diminutos receptores, los denominados receptores del dolor o nociceptores (del latín *noxa,* daño). Hay unos 3 millones de estas terminaciones nerviosas repartidas por todo nuestro cuerpo; la mayoría se asientan en la piel y el resto en los músculos, tendones, huesos y órganos diversos. Se activan directamente con el calor, la presión, la tensión o una herida. No obstante, las sustancias químicas que se forman en el organismo pueden excitar también los nociceptores e incrementar su capacidad de percepción. En la lesión de un tejido o en una inflamación, por ejemplo, se segregan prostaglandina e histamina. Tam-

En este gráfico se muestran diferentes situaciones dolorosas de la vida cotidiana. Mientras que un jersey que araña la piel se considera relativamente inofensivo, el dolor producido por el contacto con una tapadera candente se sitúa en lo más alto de la escala.

La espalda llena de cicatrices de este muchacho da fe del peligroso trastorno que padece: insensibilidad congénita al dolor. Ante sus compañeros puede alardear de no tener miedo a nada, pero cada herida puede resultarle mortal, pues pasa inadvertida para el organismo.

SENSIBILIDAD AL DOLOR

Evaluación de la intensidad dolorosa por distintas personas sometidas a una prueba

- Tocar tapaderas candentes
- Andar descalzo sobre cristales rotos
- Golpearse el pulgar con un martillo
- Golpearse la cabeza contra el dintel de la puerta
- Calambres musculares al nadar
- Golpearse un codo contra el borde de la mesa
- Hacerse un corte en el pulgar
- Quemadura solar
- Ampollas en los pies después de una caminata
- Piedrecitas en el calzado mientras caminamos
- Agujetas
- Ardores en el estómago
- Nos pisan un pie
- Llevar un jersey que roza

Intensidad del dolor

muy débil   débil   medio   fuerte   muy fuerte

bién la bradiquinina y la serotonina pertenecen al grupo de sustancias que sensibilizan y estimulan a los receptores del dolor. El influjo de estos mediadores del dolor provoca, por ejemplo, que en caso de eritema una camisa que nos roza pueda causar vivos dolores.

DOLOR MÁS LENTO Y MÁS RÀPIDO Antiguamente se creía que, tan pronto como los receptores se lesionaban, el dolor llegaba a través de una autopista de fibras nerviosas hasta el mismo cerebro, como circula la corriente eléctrica a través de un filamento. En la actualidad se sabe que existen dos clases de nervios del dolor que se distinguen por su espesor y por la velocidad a la que transmiten la excitación. Las fibras más fuertes conducen la señal del dolor a más velocidad y desencadenan un dolor más luminoso y fuerte, que se puede localizar bastante bien. En ellas, el impulso del dolor salta una y otra vez de una célula nerviosa

(neurona) a la siguiente. Esto ocurre increíblemente deprisa, pues una señal de dolor agudo salta a una velocidad de 11 m/s de una neurona a otra, si bien no llega al cerebro hasta unos milisegundos después de producirse una herida. Mientras tanto, el cuerpo reacciona generalmente con bastantes reflejos ante el peligro. Este dolor remite cuando los estímulos se repiten y también cuando la excitación ha cesado. El dolor sordo, como el que produce una muela picada, se transmite en cambio a través de fibras nerviosas finas y sin médula. Tiene sólo una velocidad aproximada de 1 m/s y es mucho más difícil de localizar. La conciencia sólo registra esta señal medio segundo después de su aparición. Tal es la razón por la que los especialistas distinguen entre ambas clases de dolor.

Desde un puente de control situado en la zona de la médula espinal se decide si un dolor es suficientemente importante para ser conducido hasta el cerebro. Si es demasiado débil, esta especie de aduana del dolor impide que la señal trascienda. Pero si es suficientemente intenso, quedará despejado el camino hasta el tálamo, situado en el cerebro intermedio. Contrariamente a lo que se creía antiguamente, en el cerebro no hay un único lugar de recepción de las señales. Numerosas secciones del cerebro colaboran para registrar los dolores y para decidir la

reacción más apropiada en cada caso. Sólo una vez que han llegado las señales al cerebro percibimos el dolor. Casi siempre el cerebro estimula primero la producción de endorfinas, sustancias parecidas a la morfina con las que el organismo trata de anestesiarse a sí mismo para adoptar las contramedidas necesarias, como por ejemplo emprender la huida. En las parturientas se ha observado una producción de endorfinas muy elevada, prueba de que los dolores de parto rebasan con mucho el nivel promedio del dolor.

PELIGROSA ANALGESIA Hay también personas cuya sensibilidad al dolor está disminuida. Las sustancias que contraen los vasos, como la adrenalina, son responsables de que no les lleguen todas las informaciones al cerebro. Casi todas las personas en las que la sensibilidad al dolor es prácticamente nula padecen una analgesia congénita. Este trastorno es peligrosísimo, pues los afectados no perciben ningún dolor cuando algo no funciona bien en su organismo.

Antes, la sensibilidad al dolor se medía con la unidad dol. En el nivel más bajo de la escala se situaba el dolor parecido al que se produce, por ejemplo, en un ligero rasguño. Y en lo más alto, con 10 dol, figuraban los dolores de parto y los cólicos nefríticos. Actualmente ya no se siguen tales evaluaciones, demasiado simplistas, pues se ha demostrado que el dolor puede percibirse de manera muy personalizada o subjetiva. La intensidad con que alguien experimenta un dolor depende, entre otros factores, de la edad y la salud, así como de la constitución anímica. Además, los sujetos vigorosos con una constitución atlética muestran una menor sensibilidad al dolor que los flácidos y delgados, también denominados leptosomáticos.

LOS INDIOS NO CONOCEN EL DOLOR La actitud hacia el dolor ha variado con el transcurso de los siglos. En la antigüedad se consideraba un signo de valor el conseguir soportarlo sin proferir ninguna queja. Muchos cristianos soportaron torturas indecibles fortalecidos con la esperanza de la vida eterna. También en la actualidad existen reacciones muy distintas al dolor según las culturas

y las razas, pues su intensidad depende, entre otras cosas, de cómo se perciba y "elabore" anímicamente. Por ejemplo, los indios soportan sin pestañear pruebas de valor y ritos de iniciación sumamente dolorosos, ante los cuales los europeos comenzarían a temblar y gritar despavoridos. Asimismo, los asiáticos parecen soportar mejor el dolor que los pertenecientes al ámbito cultural de Occidente. Curiosamene, en el Lejano Oriente hay muchas menos personas que padecen dolores crónicos. En Indonesia abundan las parturientas que no muestran el menor signo de dolor. Por su parte, las mujeres occidentales soportan los dolores de parto bastante mejor cuando se han preparado

anímicamente para ese trance fisiológico.

Según revelan varios estudios, el miedo y las preocupaciones aumentan el dolor, sobre todo cuando no se conocen sus causas. "El dolor surge en la cabeza", sostienen algunos especialistas. En cambio, el autodominio y la relajación, como muestran los faquires, pueden reducir la sensibilidad al dolor. En efecto, quien se prepara psíquicamente para hacerle frente lo nota menos que quien lo teme por anticipado. Y todos sabemos que, cuando nos proponemos alcanzar una meta con todas nuestras fuerzas, como acontece en una competición deportiva, es difícil que la presencia de sensaciones dolorosas pueda desviarnos de nuestro propósito inicial.

¡Ay, qué dolor!

Unos gritan y otros se limitan a hacer muecas. Sin embargo, pese a las distintas maneras en que se expresa el dolor, cada cuerpo desarrolla un programa destinado a protegerse.

Mucius Cordus Scaevola está considerado como el héroe más desdeñoso del dolor de la epopeya romana. En el año 507 a.C. fue hecho prisionero por los etruscos. Para demostrar su presencia de ánimo mantuvo la mano derecha sobre el fuego de un altar hasta que se quemó. Suponemos que en su cerebro debió de producirse también un auténtica vorágine infernal. Sin embargo, su voluntad se impuso a la que en cualquier otra persona habría sido la reacción natural: retirar el brazo de la zona de peligro.

Poner a salvo la parte del cuerpo en peligro, para que no se lesione o no se vuelva a lesionar, es la primera reacción cuando una excitación –presión, calor o tensión– alcanza una fuerza considerable o incluso ha causado ya una lesión. Tras excitarse los hipersensibles receptores del dolor, la piel envía un telegrama urgente. Cuando éste llega a la médula espinal, a través de un reflejo se produce una inmediata retroalimentación a los correspondientes músculos para que retiren la parte del cuerpo afectada. Al mismo tiempo se comprueba si el peligro es suficientemente grande para retransmitir la información del dolor al cerebro. Si tal es el caso, las señales de alarma atraviesan la médula espinal hasta

1 Si se excita un receptor del dolor al producirse una herida, la información de la lesión pasa a través de las fibras nerviosas sensitivas a la médula espinal y posteriormente al cerebro.

2 Mientras la señal del dolor aún está en camino hacia el cerebro, un haz de reflejos que discurre a lo largo de la médula espinal y de una fibra nerviosa motora nos obliga a retirar la mano.

3 El sistema neurovegetativo desencadena una serie de reacciones no influidas por la voluntad: la presión sanguínea y las pulsaciones aumentan y las pupilas se dilatan; se producen fuertes sudores y los ojos empiezan a segregar lágrimas.

4 El hipotálamo filtra la intensidad del dolor y decide sobre si advierte o no a la conciencia.

5 En el cerebro se torna consciente el dolor, se localiza y se evalúa como peligroso o inofensivo. Según tal evaluación, se adoptan o no medidas conscientes. El sistema límbico se encarga de la evaluación intuitiva de la sensación dolorosa.

Cerebro y sistema límbico

Fibra nerviosa motora

Fibra nerviosa sensitiva

Hipotálamo

Médula espinal

Sistema neurovegetativo

Las excitaciones dolorosas desencadenan en el cuerpo una cascada de reacciones que sirven para proteger al organismo contra posibles daños mayores.

133

llegar al hipotálamo. En este importante puente de control del cerebro intermedio se pone en marcha un proceso decisivo, en cuyo inicio late la siguiente pregunta: ¿Se informa a la conciencia o no?

MOVILIZACIÓN DE FUERZAS Hasta este momento, el herido no ha percibido aún ningún dolor; pues esto no sucederá hasta que llegue al cerebro la información sobre la lesión: entonces empieza la herida a doler. Mediante este mecanismo, el hipotálamo, si es necesario, desencadena una reacción de huida y de defensa sin que el afectado se vea paralizado por el dolor. Así, en caso de lesiones graves, por ejemplo en una situación de guerra, se ha observado que las señales del dolor no llegan en realidad al cerebro, o no con toda su intensidad, lo que permite a muchos heridos inhibir el dolor –o al menos el excesivo dolor– hasta que consiguen llegar a la enfermería.

De manera parecida, hay personas que, en momentos de sumo peligro para sí o para otros, hacen gala de una energía aparentemente sobrenatural. Esto se consigue gracias al sistema nervioso vegetativo, que pone en alerta todo el organismo para adoptar las necesarias medidas de salvamento y moviliza todas las fuerzas físicas disponibles. Con la secreción de la hormona adrenalina se desencadena una reacción de estrés prototípica: la presión sanguínea y las pulsaciones aumentan, las pupilas se dilatan y empezamos a transpirar. Una información ulterior dada por el hipotálamo a la *formatio reticularis,* el centro de observación del cerebelo, se encarga también de que concentremos toda nuestra atención.

Si la información del dolor llega por fin al cerebro –y en ello puede invertir solamente unas décimas de segundo–, nos percatamos entonces del dolor, podemos localizarlo y lo

conceptuamos inofensivo o peligroso. Si hay que pasar a la acción, el cerebro puede dar ya órdenes para emprender medidas selectivas; por ejemplo, vendar un miembro herido o enfriar una quemadura. De la evaluación intuitiva del dolor –¿es lancinante o sordo, se puede soportar o produce inquietud?– se encarga el sistema límbico, sede de las sensaciones. El cerebro puede contrarrestar el dolor secretando endorfinas, sustancias endógenas, parecidas a la morfina, que bloquean en la médula espinal y en el cerebelo la retransmisión de la excitación dolorosa a los receptores del cerebro, con lo cual el dolor se percibe débilmente o hasta desaparece del todo.

Finalmente, hay que tomar en cuenta que un dolor duradero también tiene su sentido, pues obliga a la persona afectada a inmovilizar rápidamente su cuerpo necesitado de tratamiento.

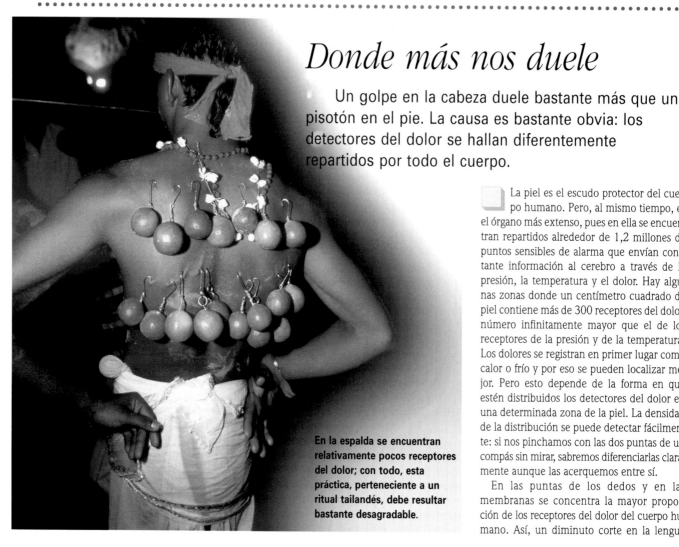

Donde más nos duele

Un golpe en la cabeza duele bastante más que un pisotón en el pie. La causa es bastante obvia: los detectores del dolor se hallan diferentemente repartidos por todo el cuerpo.

La piel es el escudo protector del cuerpo humano. Pero, al mismo tiempo, es el órgano más extenso, pues en ella se encuentran repartidos alrededor de 1,2 millones de puntos sensibles de alarma que envían constante información al cerebro a través de la presión, la temperatura y el dolor. Hay algunas zonas donde un centímetro cuadrado de piel contiene más de 300 receptores del dolor, número infinitamente mayor que el de los receptores de la presión y de la temperatura. Los dolores se registran en primer lugar como calor o frío y por eso se pueden localizar mejor. Pero esto depende de la forma en que estén distribuidos los detectores del dolor en una determinada zona de la piel. La densidad de la distribución se puede detectar fácilmente: si nos pinchamos con las dos puntas de un compás sin mirar, sabremos diferenciarlas claramente aunque las acerquemos entre sí.

En las puntas de los dedos y en las membranas se concentra la mayor proporción de los receptores del dolor del cuerpo humano. Así, un diminuto corte en la lengua

En la espalda se encuentran relativamente pocos receptores del dolor; con todo, esta práctica, perteneciente a un ritual tailandés, debe resultar bastante desagradable.

produce toda una avalancha de sensaciones dolorosas. Y el número menor de estos puntos de alarma se encuentra en las plantas de los pies; lo cual también tiene explicación, pues de lo contrario difícilmente podríamos andar descalzos. En la espalda se registra asimismo una escasa concentración; al contrario que en las partes externas e internas de los órganos genitales.

Si consideramos esta diferencia de distribución con mayor detenimiento comprobaremos que, en las partes del cuerpo en las que se encuentran reunidos varios órganos especialmente importantes para su funcionamiento, la piel está equipada con mayor número de receptores del dolor. Por tanto, podemos afirmar que donde hay mucho que proteger el cuerpo se muestra especialmente sensible, lo que nos permite advertir inmediatamente la amenaza de cualquier peligro. Por este motivo un pequeño chichón en la cabeza produce grandes dolores, y por eso también son tan sensibles los testículos, pues en ellos se encuentra el centro de producción de los espermatozoides, sin los cuales sería imposible la propagación de la especie.

Otros puntos donde se concentran numerosos receptores son los alvéolos dentarios. Su explicación se remonta a la historia de la evolución: en muchas especies animales inferiores, los dientes siguen siendo una parte muy importante de los órganos de percepción. En los humanos ha perdurado su sensibilidad: en cada alvéolo dentario se asientan innumerables nervios.

ENTRAÑAS INSENSIBLES El dolor se parece a una espada, afilada por fuera y por dentro pesada y obtusa; en efecto, los órganos internos tienen menos receptores del dolor, y algunos de ellos, como es el caso del cerebro, los pulmones y el hígado, no tienen

El cuerpo es particularmente sensible al dolor donde hay órganos importantes que proteger. Sobre todo en la cabeza y en la zona de los genitales, existe una densa red de puntos de alarma.

absolutamente ninguno. Sin embargo, esto puede ser también peligroso, pues nos impide percibir cualquier aviso durante mucho tiempo en caso de determinadas lesiones y patologías orgánicas graves. Por ejemplo, esto puede ser la causa de que reconozcamos una cirrosis hepática demasiado tarde. Si un diente tuviera en su superficie de masticación receptores de la presión y el dolor, no podríamos masticar nada. Asimismo, sólo advertimos que tenemos un orificio en un diente cuando la caries ataca el tejido subyacente. Y aun así a menudo es demasiado tarde para salvar el diente.

Los órganos internos a menudo producen un dolor difuso, lo que dificulta la localización del padecimiento. En una operación de intestino, el paciente apenas percibiría dolor aunque no hubiera recibido anestesia. Y cuando se dilatan algunos órganos, como el propio intestino, los pulmones o los riñones, es la cápsula del órgano más próximo la que duele. El dolor cuya causa radica en el corazón –como en el caso del infarto–, no sólo se siente en estos importantísimos músculos de bombeo, sino también en la región del pecho, en el hombro izquierdo y a veces también en la parte interna del brazo izquierdo, hasta debajo del dedo meñique. También el dolor de cabeza es sólo un dolor transmitido: no sólo duele el cerebro; el punto del cuerpo causante del dolor está en otra parte.

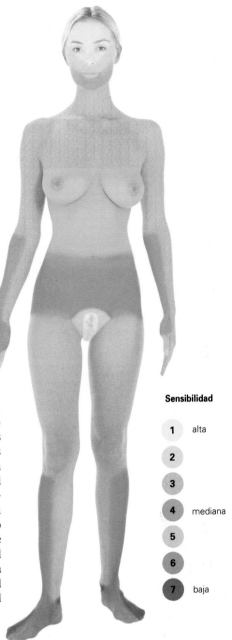

Sensibilidad

1 alta

2

3

4 mediana

5

6

7 baja

Valiosas décimas de segundo

Los deportistas lo saben bien: no sólo son decisivos la fuerza y el aguante, sino a menudo también la capacidad de reacción. A veces esto supone la mitad de la victoria.

También en la vida cotidiana hay situaciones en las que debemos reaccionar deprisa. Tanto si se trata de tomar al vuelo un vaso que se precipita al suelo, como de frenar bruscamente nuestro automóvil para evitar atropellar a un transeúnte que se cruza ante nosotros o de esquivar el golpe de un agresor, en todas estas situaciones el tiempo de reacción juega un papel decisivo y a veces incluso transcendental para nuestra vida.

El tiempo de reacción es el lapso que media entre un estímulo sensorial y el movimiento desencadenado por éste. Aunque entre uno y otro median tan sólo unas décimas de segundo, al cuerpo le da tiempo suficiente para varias reacciones: los nervios periféricos registran la impresión sensorial y la conducen inmediatamente al sistema nervioso central. En la situación imprevista de tráfico antes mencionada, se trata de un estímulo óptico: vemos a alguien corriendo delante del coche. Sin embargo, también puede tratarse de un estímulo acústico, como un bocinazo o un grito. Se debe anali-

zar en el cerebro lo que ha sucedido realmente para reaccionar de la mejor manera: en el ejemplo aducido, existe conciencia de que se trata de una situación de peligro y de que hay que frenar el coche, pues no queremos atropellar a quien se ha cruzado ante nosotros. Entonces se debe formular la orden correspondiente y trasladarla a los músculos respectivos. Obviamente, la ejecución del movimiento –pisar el freno con un pie y el embrague con el otro– requiere también algún tiempo.

Por regla general, el tiempo de reacción oscila entre 0,1 y 0,5 segundos. Pero depende en gran parte de la constitución física y psíquica que se tenga: las personas mayores reaccionan más despacio que las más jóvenes. Para comprobar nuestra velocidad de reacción hay un método muy sencillo: hacemos que nos golpeen en la palma de la mano con una regla, la cual deberemos intentar coger cada vez que choque con

Quien arranca más deprisa tras el pistoletazo de salida y, por tanto, requiere menor tiempo de reacción, se adelanta en unas milésimas de segundo a los demás corredores, lo que puede resultar decisivo para la victoria.

nuestra piel. Al principio nos costará cierto trabajo conseguirlo, pero cuantas más veces lo intentemos, con más facilidad lo iremos logrando.

DEL PRESENTIMIENTO AL REFLEJO Cuando, merced al entrenamiento y la experiencia, adivinamos lo que va a suceder y preparamos nuestro cuerpo para tal contingencia, el periodo de reacción se acorta considerablemente. Con el tiempo, cuando se repiten determinadas situaciones, esta anticipación puede grabarse también en el inconsciente. En ese caso no deben ser analizadas por el cerebro ya que, paulatinamente, a causa de la experiencia acumulada, va conformándose un programa que automatiza el movimiento. La reacción se convierte entonces en un reflejo condicionado o habitual, en el que el cuerpo puede reaccionar sin pensar y más deprisa de lo normal. De esta capacidad pueden extraer muy buen provecho los deportistas de élite. Los velocistas, por ejemplo, se ejercitan una y otra vez para arrancar lo más rápidamente posible tras el pistoletazo de salida. Asimismo, gracias al entrenamiento, los guardametas de fútbol puede atrapar balones que, por su gran velocidad, no resultarían alcanzables con una reacción refleja normal.

Se nos introduce una mota de polvo en el ojo; el párpado se contrae, empezamos a pestañear y las lágrimas fluyen para que el cuerpo extraño vuelva a salir del ojo.

En esta situación el cuerpo reacciona sin intervención de la voluntad. El párpado se cierra y el flujo lagrimal se pone en acción sin que reflexionemos en absoluto ni demos ninguna orden al respecto. Esta respuesta automática e involuntaria del organismo a un estímulo de carácter químico o físico se denomina reflejo.

MEDIDAS DE PROTECCIÓN Muchos de estos reflejos son mecanismos de defensa gracias a los cuales el cerebro no tiene necesidad de ponerse en marcha, pues el cuerpo se protege automáticamente por sí solo contra cualquier agresión. También las pupilas del iris reaccionan mediante reflejos. Si la luz solar es demasiado intensa, se encogen para que ésta no penetre al interior del ojo. En la oscuridad vuelven a dilatarse automáticamente para dejar pasar la escasa luz. Asimismo, a quien tropieza con algo el reflejo rotuliano lo protege contra una caída segura; hace que el cuerpo dé uno o más pasos

Mecanismo automático para situaciones apuradas

Existen momentos críticos en los que no disponemos de tiempo para pensar. Una orden enviada al cerebro sería una peligrosa pérdida de tiempo. En tales casos, la médula espinal piensa más deprisa: el cuerpo reacciona con un reflejo.

suplementarios rapidísimamente para no perder el equilibrio. De manera parecida, si penetra una migaja por la tráquea o por la nariz, el cuerpo tratará de expulsarla mediante el reflejo de una tos violenta o de un estornudo. Más ejemplos: el estómago trata de liberarse de un empacho o de una sustancia tóxica mediante un reflejo faríngeo. Y quien toca sin darse cuenta una plancha caliente, retira la mano automáticamente –como impulsado por una fuerza invisible– incluso antes de haber llegado a percibir realmente el ardor de la quemadura.

Por último, las tiritonas son también un reflejo del cuerpo: el organismo pone en acción la actividad muscular para generar un cierto calor.

PENSAR CON LA MÉDULA ESPINAL Ya se trate de reflejos simples, en los que sólo participan unas cuantas conexiones nerviosas, como de reflejos complicados que exigen la presencia de millones de neuronas, estas reacciones corporales se producen sin la intervención de la conciencia. Seguirían produciéndose si desconectáramos la mayor parte del cerebro, con sus centros responsables del pensamiento, de las sensaciones y de la voluntad respectivamente, puesto que los reflejos discurren fundamentalmente a través de la médula espinal. Si, por ejemplo, estamos descalzos y pisamos la arista cortante de una piedra, automáticamente se estimulan en la piel los receptores del dolor. Esto desecadena un impulso que discurre a través de un nervio sensorial hasta la médula espinal. Y aquí, y no sólo en el cerebro, tiene lugar la transmisión de informacion a los nervios motores, los cuales vuelven a llevar la respuesta a los músculos corespondientes. De este modo los músculos del pie reciben la orden de retirar los dedos de la zona de peligro. Este efecto coordinado de los nervios sensitivos y motores lo denominamos arco reflejo. Hasta unas décimas de segundo después, cuando los dedos de los pies ya están a salvo, no llega al cerebro la sensación de dolor.

Pero también hay reflejos que no son puro automatismo, sino que, en cierto modo, tienen tras sí toda una fase de aprendizaje. A este tipo pertenece, por ejemplo, el reflejo producido por un filete recién hecho al mirarlo u olerlo. Literalmente se nos hace la boca agua, pero sólo porque relacionamos el olor del filete con un recuerdo agradable. Por la misma razón, determinados olores pueden producirnos también náuseas. El estómago se contrae porque se producen más ácidos gástricos. Tales reflejos, fruto de determinadas experiencias o recuerdos, se denominan condicionados, pues en ellos desempeñan un papel esencial la conciencia –y, por ende, el cerebro–, además de la médula espinal. El cerebro puede recordar sensaciones que experimentó antes el cuerpo a consecuencia de ciertos estímulos.

GOLPE EN LA RODILLA El test médico más conocido para determinar si un determinado arco reflejo funciona correctamente a través de la médula espinal o "puesto de control" es la comprobación del reflejo rotuliano o rotular. Se trata de producir una dilatación del músculo del muslo, que es registrada por los sensores de la dilatación. Este estímulo llega hasta la médula espinal, de donde pasa al nervio del movimiento; éste da a su vez al músculo extensor la orden de contraerse. Si funcionan correctamente ambos sistemas nerviosos y la médula espinal, el muslo bascula hacia arriba. El cerebro no interviene, pero esta reacción tiene lugar también en el lapso de unas décimas de segundo, por lo que no se percibe la fase intermedia entre el estímulo y la respuesta.

El reflejo del tendón de la rodilla se denomina reflejo propio, ya que el estímulo se registra en el mismo lugar en que se produce también la reacción. En cambio, cuando tropezamos con una piedra hablamos de reflejo ajeno, pues el desencadenante se encuentra en una parte distinta –es decir, en el pie– del destino de la reacción: los músculos que participan en la retracción de la pierna.

A pesar de que los reflejos son una forma de actividad nerviosa involuntaria, pueden modificarse o condicionarse parcialment. La existencia de reflejos condicionados fue demostrada por primera vez en 1903 por el fisiólogo ruso Ivan P. Paulov, quien realizó experimentos en tal sentido con un perro.

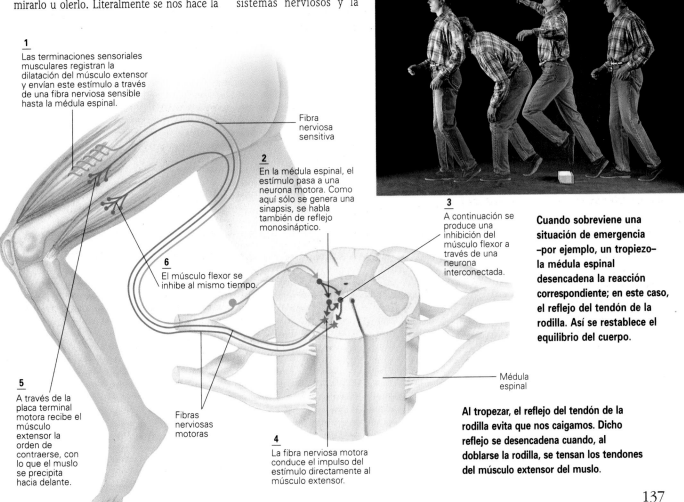

1
Las terminaciones sensoriales musculares registran la dilatación del músculo extensor y envían este estímulo a través de una fibra nerviosa sensible hasta la médula espinal.

Fibra nerviosa sensitiva

2
En la médula espinal, el estímulo pasa a una neurona motora. Como aquí sólo se genera una sinapsis, se habla también de reflejo monosináptico.

6
El músculo flexor se inhibe al mismo tiempo.

3
A continuación se produce una inhibición del músculo flexor a través de una neurona interconectada.

5
A través de la placa terminal motora recibe el músculo extensor la orden de contraerse, con lo que el muslo se precipita hacia delante.

Fibras nerviosas motoras

4
La fibra nerviosa motora conduce el impulso del estímulo directamente al músculo extensor.

Médula espinal

Cuando sobreviene una situación de emergencia –por ejemplo, un tropiezo– la médula espinal desencadena la reacción correspondiente; en este caso, el reflejo del tendón de la rodilla. Así se restablece el equilibrio del cuerpo.

Al tropezar, el reflejo del tendón de la rodilla evita que nos caigamos. Dicho reflejo se desencadena cuando, al doblarse la rodilla, se tensan los tendones del músculo extensor del muslo.

137

Entre el más acá y el más allá

Ser enterrado vivo debe de ser una experiencia mucho peor que la muerte normal. Según las estadísticas, la muerte aparente sólo se produce una de cada 10 millones de veces.

En el verano de 1995 fue internada en un hospital alemán cercano a Magdeburgo, Erna N., de 74 años, tras haber sufrido un infarto. Como los médicos certificaron su muerte, la trasladaron al depósito de cadáveres. Dos días después, las enfermeras notaron que algo se movía debajo de una sábana. La mujer supuestamente muerta había despertado, si bien no viviría más que otras 24 horas. Este caso saltó a las portadas de todos los periódicos de Alemania, y todo el mundo se preguntó: ¿cómo es posible algo semejante?

El tránsito de la vida a la muerte no se produce de manera repentina, como mucha gente cree. Primero sobreviene un estado fronterizo, que los médicos llaman *vita*

La muerte aparente en los cuentos de hadas. Blancanieves despierta a la vida en su ataúd de cristal.

minima, en el que las funciones vitales se han reducido a su mínima expresión. El electrocardiograma aún centellea débilmente, la respiración ya no es perceptible y los músculos y los nervios no muestran ya ningún reflejo. Esta fase-puente dura generalmente unos cuantos segundos, o a lo sumo unos minutos. Sólo en casos muy excepcionales puede durar horas, en las que el sujeto sólo está aparentemente muerto. Varias son las causas que pueden explicar esta inesperada persistencia de la *vita minima.* Por ejemplo, una descarga eléctrica de alta tensión puede provocar los mismos efectos que la congelación de quien se ha hundido en agua helada. También los faquires dominan el arte de detener el metabolismo, hasta el punto de parecer muertos.

El peligro de ser dado por muerto estando vivo es bastante improbable en cualquier país de Occidente si se cumplen las normas vigentes. Según las legislaciones respectivas, debe transcurrir un plazo de 24-120 horas antes de poder inhumar a una persona.

• •

La sustancia que nos envía al dulce reino de los sueños

¿Qué provoca el cansancio? Durante décadas, la investigación sobre el sueño se ha esforzado en vano por aportar una respuesta definitiva. En los últimos años ha surgido una pista: un péptido con el nombre de factor S.

En las salas de conciertos, templos y asambleas de diputados es frecuente ver dormirse a algunas personas rendidas por el cansancio o el aburrimiento, precisamente donde más despiertas se supone que deberían estar. Dormirse en público suele estar considerado como falta de educación. De todos modos, es mejor y más sano rendirnos al sueño que tratar por todos los medios de mantenernos despiertos, pues el cansancio y el sueño resultante cumplen una función protectora fundamental: salvaguardar al organismo contra el peligroso sobreesfuerzo.

LA PEOR DE LAS TORTURAS Las personas que permanecen despiertas más de la cuenta

–por deseo propio o por necesidad– padecen verdaderos suplicios. En 1960 el *diskjockey* norteamericano Rick Michaels batió la marca de permanencia sin dormir por un fin benéfico: no pegó ojo durante más de 10 días. A las 70 horas de vigilia empezó a ponerse cada vez más nervioso y agresivo con sus colaboradores. A las 100 horas, se le notaron indicios de megalomanía. A las 160 horas, se le mudó el carácter y padeció depresiones. A las 180 horas, empezó a sufrir fuertes ataques de debilidad y a tener alucinaciones, y a las 243 horas se derrumbó materialmente. El cansancio lo había vencido por completo. Sin embargo, esta reac-

ción del organismo lo preservó de lo peor: el fallo de su sistema inmunológico, lo que podría haberle ocasionado la muerte.

Pero ¿qué es lo que desencadena realmente el cansancio? A principios de siglo, los científicos creían que en el cuerpo de una persona despierta se iba concentrando, conforme transcurría el tiempo de la vigilia, una especie de veneno del sueño. Esta sustancia, que el fisiólogo parisino Henri Piéron bautizó en 1913 con el nombre de hipnotoxina, provocaba al parecer en el cuerpo tal cansancio que no podía por menos que rendirlo al sueño. En el sueño se destruía finalmente dicha sustancia, y por eso volvíamos a despertarnos.

INCONTABLES EXPERIMENTOS Para verificar esta teoría se llevaron a cabo experimentos en numerosos países. En Suecia varios voluntarios pasaron tres días enteros sin dormir. En esta prueba no se pudo comprobar la hipnotoxina; sin embargo, en el estudio se detectaron interesantes oscilaciones regulares. El momento de menor fatiga se registraba después de comer, y el de mayor a primeras horas del día. Si se superaba la fase crítica de la mañana, resultaba menos fatigoso permanecer despiertos.

Gracias a este experimento los investigadores comprobaron que el cansancio alcanza su nivel más alto cuando la temperatura del cuerpo alcanza su punto natural más bajo. En los animales, este mecanismo produce el sueño invernal. En los humanos, puede conducir a que las personas congeladas encuentren literalmente la muerte en el sueño, al descender demasiado su temperatura corporal. En cambio, nuestra necesidad de sueño es menor cuando la temperatura corporal alcanza su punto máximo. De esto dedujeron los investigadores lo siguiente: el cansancio depende del tiempo que permanecemos despiertos, pero también de nuestro reloj interno. En su cuadrante está escrito el momento en el que vamos a rendirnos al sueño, es decir, el momento de nuestro máximo cansancio. Pero ¿cómo se produce este fenómeno?

ENIGMÁTICO FACTOR S En el laboratorio se llevó a cabo un experimento consistente en impedir que se durmieran unas cuantas ratas. Éstas manifestaron una conducta parecida a la del antes citado *disjockey* norteamericano. Al principio se mostraron inquietas, luego agresivas y pronto les sobrevino un completo agotamiento. Un par de ratas a las que se les impidió dormirse cayeron muertas al final. Se inyectó luego el líquido cerebral de las ratas muertas a otras ratas descansadas, las cuales cayeron dormidas al poco tiempo. Se demostró así que el líquido cerebral debía de poseer una especie de veneno del sueño. A dicho líquido se le dio el nombre de factor S (por la letra inicial de la palabra inglesa *sleep,* sueño). Sin embargo, esta sustancia estaba presente en tan mínimas proporciones que no se la pudo aislar hasta los años ochenta. De 3.000 litros de orina, los investigadores lograron filtrar exactamente 7 millonésimas de gramo. Pero esta cantidad infinitesimal bastó para inducir a 500 conejos un sueño profundo de 6 horas de duración. Desde entonces se han obtenido también los primeros análisis del factor S, con los siguientes resultados: se trata de un péptido, es decir, de un compuesto de aminoácidos, parecido a algunos narcóticos como el opio o la morfina. Entre sus componentes figura también, asombrosamente, el denominado ácido murámico, que sólo suele hallarse en la pared celular de las bacterias.

UNA NUEVA TEORÍA Algo resulta claro, y es que nuestro sistema inmunológico es el responsable de que nos cansemos y nos durmamos. Cuando los macrófagos del cuerpo ejecutan su trabajo, surge el compuesto de ácido murámico, el factor S, en cierta medida como producto residual. Éste pasa a la circulación sanguínea y se disuelve en el cerebro como un narcótico del cansancio. Si se consigue una determinada concentración, nos quedamos dormidos. Y, como se sabe, el cuerpo repone fuerzas durante el sueño. Pero si se nos impide dormir por cualquier medio, estamos forzando a nuestro sistema inmunológico a producir permanentemente más factor S, y a exigirle más de lo normal. En realidad, en las ratas que murieron de agotamiento se comprobó que su sistema inmunológico estaba completamente agotado de recursos.

EXPERIMENTOS DE LABORATORIO El sueño se provoca mediante reacciones bioquímicas que parecen más complicadas aún de lo que hasta ahora se creía. Además del factor S se han descubierto otras cuatro sustancias que desencadenan también el cansancio físico, como la hormona melatonina, la cual se administra a personas cuyo reloj interno se ha alterado tras frecuentes vuelos intercontinentales. En un experimento que duró tres semanas, bastaron 2 mg de melatonina por persona para reducir el tiempo medio en el que se concilia el sueño de 40 a 15 minutos. Quienes más frescas se sintieron al despertarse fueron las personas de edad.

Ejecutivos con aspecto cansado en un *metro* de Tokio a la salida del trabajo. A esta hora, su reloj interno marca la mínima actividad.

Es sano respirar hondo

A veces retenemos el aire unos segundos: respiramos hondo, hacemos acopio de oxígeno y un suspiro perceptible muestra nuestro relajamiento. Gracias al suspiro nos desahogamos y nos liberamos de preocupaciones.

No sólo quien está enamorado, agotado físicamente o agobiado por las preocupaciones exhala suspiros claramente perceptibles. Esta espiración profunda, la mayoría de las veces inconsciente, es también muestra de que estamos a gusto, cómodos y relajados; por ejemplo, al final de un día de mucho trabajo. Es una buena manera de relajarnos. Un suspiro tiene siempre un aspecto de liberación: gracias a él nos desahogamos.

LIBERAR PRESIÓN Suspirar guarda cierto parecido con el fenómeno del bostezo. Cuando bostezamos, tomamos aire inconscientemente con la boca bien abierta y lo expulsamos después despacio. Al suspirar, aspiramos también mayores cantidades de aire que en la respiración normal y luego lo soltamos, pero con mayor presión y con la boca menos abierta. Generalmente, en ambos casos se hunden los hombros, señal de que nos distendemos en cierta medida.

Los fisiólogos y los hipnólogos han estudiado con frecuencia los fenómenos que se producen en el organismo al suspirar y han llegado a la conclusión de que, en caso de una respiración plana más larga, consciente o inconsciente, el contenido de oxígeno en la sangre va decreciendo paulatinamente. Al final, éste disminuye tanto que el metabolismo no puede funcionar con normalidad; entonces existe el peligro de perder el conocimiento y hasta de asfixiarnos por falta de oxígeno. Por ese motivo, en caso de producirse un enrarecimiento del contenido de oxígeno en la sangre se dispara una especie de dispositivo de seguridad, el cual desencadena un reflejo respiratorio. Inhalamos profundamente y, como los pulmones se ensanchan más de lo habitual, expulsamos el aire con un suspiro audible.

Sin embargo, la necesidad de suspirar constantemente suele ser también una patología denominada disnea. Ésta puede tener causas orgánicas, como, por ejemplo, trastornos cardiacos o pulmonares. Muchas veces, no obstante, aparece de repente, a modo de ataque. La víctima siente una repentina y compulsiva necesidad de respirar profundamente una y otra vez. Los suspiros constantes tienen en ocasiones causas psicológicas más profundas y denotan problemas anímicos de cierta envergadura.

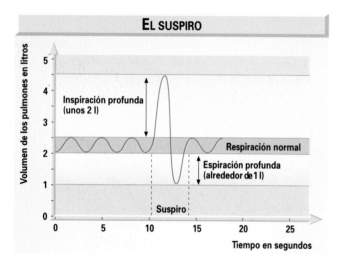

EL SUSPIRO

Volumen de los pulmones en litros

Inspiración profunda (unos 2 l)

Respiración normal

Espiración profunda (alrededor de 1 l)

Suspiro

Tiempo en segundos

Cuando aspiramos profundamente, inhalamos alrededor de 2 litros de aire. En un suspiro expulsamos alrededor de 1 litro.

Sonidos ahogados

Cuando desarrollamos un gran esfuerzo, como acontece en la práctica deportiva, debemos jadear frecuentemente al espirar. Pero no todas las personas pueden hacerlo.

"¡Los niños, mejor que se vayan"!, exclamó en cierta ocasión un comentarista deportivo durante un partido de tenis entre dos campeonas de fama internacional, Monica Seles y Arancha Sánchez Vicario. El motivo de su extraña orden o recomendación no era otro que los sonoros suspiros, gemidos y resuellos de ambas competidoras.

Los gemidos y otros sonidos parecidos que a veces se dejan escapar al espirar con fuerza a causa de alguna situación tensa siempre desencadenan en nosotros sensaciones contradictorias, pues, en efecto, pueden estar relacionados con experiencias tanto dolorosas como sexuales.

Sin embargo, las tenistas no emitían estos sonidos ininteligibles por dolor ni por placer, sino que estaban siguiendo simplemente una nueva técnica respiratoria, gracias a la cual los deportistas logran un mejor rendimiento. Los éxitos de los jugadores que emplean este denominado "jadeo neumático" espontáneo parecen también confirmar lo que algunos médicos deportivos y biogenéticos vienen sosteniendo desde hace tiempo: que respirar con fuerza, y con mucho ruido, mientras se practica deporte de competición, es un fenómeno completamente natural. Un deportista que reprima los suspiros y los quejidos deberá tensar toda su musculatura –desde la base de la lengua hasta el diafragma pasando por la caja torácica–, pues sólo así podrá expulsar el necesario aire sin ruido; lo que significa a su vez un esfuerzo suplementario, por supuesto a costa de las escasas fuerzas disponibles.

EL GRITO LIBERADOR En otras clases de deportes, como, por ejemplo, en el lanzamiento de pesos, determinados movimientos suelen ir asimismo acompañados de un fuerte y perceptible jadeo. Como se sabe, en muchas variantes de lucha oriental, como en el kung-fu, la técnica respiratoria desempeña un papel fundamental. Por ejemplo, cuando un luchador de kárate parte con el filo de la

TÉCNICA RESPIRATORIA SANA

En el mundo occidental, es habitual, en situaciones de especial tensión, contener el aire y autocontrolarse en vez de soltar relajadamente el aire, lo que ayudaría a liberar también tanto la tensión física como la psíquica.

Muchos expertos consideran un peligro para la salud la falta de un cierto equilibrio entre la inspiración y la espiración, o el no respirar tranquila y profundamente sino de manera espasmódica y compulsiva. Por eso en el mundo occidental están ganando cada vez mayor terreno técnicas respiratorias que se utilizan en los países asiáticos desde tiempo inmemorial. Técnicas que deberían ayudarnos a reencontrar la armonía y el equilibrio integrales.

mano una piedra, una teja plana o un madero, trata de liberar tensión con su alarido y, de este modo, hacer acopio de fuerzas. Sin embargo, en algunos pueblos primitivos los gemidos se utilizan de otra manera y con diferente sentido. Los miembros de estas tribus gimen poderosamente cuando se encuentran en una situación comprometida.

El gemido es una forma de respiración y va siempre unida a determinados sonidos. En efecto, no sólo participan en él los pulmones; la glotis también se tensa y el aire inspirado sale expulsado con mayor fuerza y velocidad. La consecuencia es un gemido más o menos fuerte, pero siempre perceptible por los demás.

Esta famosa escultura antigua representa la muerte del sacerdote troyano Laocoonte y sus dos hijos, los cuales, según el conocido mito clásico, fueron estrangulados por una serpiente monstruosa. Aparecen debatiéndose contra el ofidio entre gemidos y con los rostros desfigurados por el dolor.

Por el conducto equivocado

Los humanos podemos respirar y tragar, pero no hacer ambas cosas a la vez. Si una porción de alimento o bebida se nos introduce en la tráquea, ésta sabrá cómo defenderse.

Nos metemos en la boca un pedazo de pan, lo mordemos con hambre y lo tragamos sin más contemplaciones. O estamos comiendo con los amigos y queremos contarles algo, aunque tenemos la boca llena. Así ocurre lo que tenía que suceder: un trocito de alimento se nos atraviesa en la garganta, respiramos con dificultad y comenzamos a toser hasta que la garganta vuelve a quedar expedita. ¿Cómo ha podido ocurrirnos semejante contratiempo, que podría causarnos problemas muy serios?

LA TAPADERA DEBE ESTAR PUESTA En la garganta, la tráquea se encuentra justo delante del esófago. Para que no pase a los pulmones nada de lo que ingerimos, sino que llegue directamente hasta el estómago a través del esófago, la tráquea debe permanecer cerrada mientras comemos y bebemos. Por eso en su terminación superior se encuentra la laringe, que la epiglotis se encarga de cerrar cada vez que tragamos, de manera parecida a como la tapadera cierra herméticamente un pozo de alcantarillado. Cuando masticamos o bebemos algo, la laringe se mueve al mismo tiempo hacia arriba y hacia delante, lo que permite que la

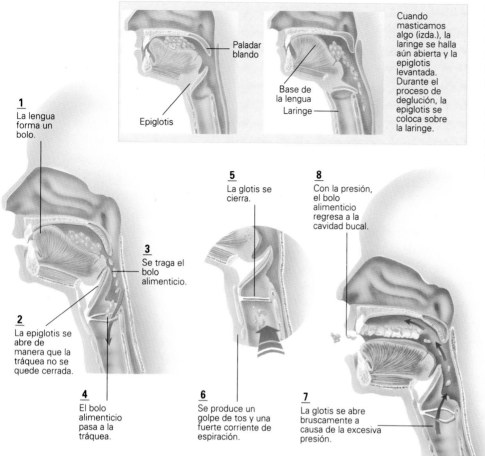

Paladar blando

Epiglotis

Cuando masticamos algo (izda.), la laringe se halla aún abierta y la epiglotis levantada. Durante el proceso de deglución, la epiglotis se coloca sobre la laringe.

Base de la lengua

Laringe

1
La lengua forma un bolo.

2
La epiglotis se abre de manera que la tráquea no se quede cerrada.

3
Se traga el bolo alimenticio.

4
El bolo alimenticio pasa a la tráquea.

5
La glotis se cierra.

6
Se produce un golpe de tos y una fuerte corriente de espiración.

7
La glotis se abre bruscamente a causa de la excesiva presión.

8
Con la presión, el bolo alimenticio regresa a la cavidad bucal.

Cuando los cuerpos extraños pasan a la laringe o a las vías respiratorias, comenzamos a toser inconscientemente de manera violenta y prolongada. Este reflejo puede salvarnos la vida si un bocado se ha desviado hacia la tráquea.

epiglotis se sitúe encima de ella y la obture.

Por tanto, en el transcurso de la ingesta la acción de respirar se alterna con la de tragar. Los alimentos y el aire permanecen de este modo separados. Para que podamos respirar tras una masticación, la epiglotis debe levantarse primero y la laringue volver a su antigua posición. Entonces la tráquea vuelve a abrirse y se hace posible la respiración. Todo esto se produce de manera refleja; sin embargo, en algunos raros casos, como por ejemplo cuando hemos tomado un bocado demasiado grande o estamos comiendo y hablando al mismo tiempo, esta perfecta alternancia puede sufrir algún trastorno. Si tratamos de masticar con la boca abierta, el paladar blando y la base de la lengua dejarán de cerrar completamente el paso hacia la garganta. Lo ingerido sigue deslizándose garganta abajo, aunque la laringe aún no se ha cerrado. La tráquea se abre en el momento inadecuado durante la masticación, y lo ingerido toma un camino equivocado.

Descarrío En la mayoría de estos pequeños "desvíos", el organismo se las arregla por sí solo. Los cilios de los bronquios y de la tráquea, a modo de pequeños plumeros o abanicos, vuelven a barrer hacia la garganta los cuerpos extraños. Esto sucede porque los cuerpos exógenos, por diminutos que sean, desencadenen un golpe de tos: la glotis se cierra, y en el pulmón se produce una presión tan fuerte que la glotis se vuelve a abrir bruscamente a una velocidad de hasta 900 km/h. Esta fuerte corriente de aire arrastra a la membrana y a las partículas extrañas y así, tras producirse un atragantamiento, llega el alimento descarriado a la cavidad bucal. El reflejo faríngeo, por desagradable que parezca, impide que nos ahoguemos.

¿Qué tiempo hace?

Al igual que la indumentaria, también nuestro organismo debe adecuarse a las variaciones climatológicas. Incluso las personas sanas son sensibles a estas alteraciones.

Hay un gran número de personas particularmente sensibles al clima –o barosensibles–; es decir, que sobrerreaccionan a los cambios meteorológicos. En tales ocasiones suelen sentir malestar, jaquecas, dolores articulares, mareos o escotomas centelleantes, y otras sufren incluso depresiones durante los interminables meses invernales. Pero también los cambios climatológicos a corto plazo influyen notablemente en el estado físico y anímico de muchas personas.

Hasta la fecha no se han aportado explicaciones claras al fenómeno de la barosensibilidad; hay demasiados factores en juego, no todos ellos directamente relacionados con la presión atmosférica y el clima.

Antena corporal Hasta los últimos decenios no se han comenzado a investigar las denominadas enfermedades climatológicas. La ciencia que se ocupa de ellas se sitúa en la frontera entre la meteorología y la medicina: por eso se le ha otorgado el nombre de meteoropatología. Según varios estudios, parece ser que las personas completamente sanas raras veces padecen trastornos graves a causa del clima. Reaccionan perfectamente a las condiciones meteorológicas, aunque también acusan pequeños trastornos ocasionados por el clima como, por ejemplo, oscilaciones en la tensión arterial. Por ejemplo, pueden sentirse muy cansadas cuando hace calor. En este caso se dilatan los vasos sanguíneos, desciende la tensión arterial y el corazón empieza a bombear con mayor fuerza para mantener la circulación al ritmo debido. Así pues, también en un organismo sano incide negativamente un cambio climático operado en el curso de unas pocas horas, como acontece cuando se viaja en avión de los fríos países septentrionales a los tropicales, o simplemente cuando se pasa del llano a la alta montaña.

Se consideran barosensibles las personas que no se pueden adaptar a un cambio meteorológico con normalidad. Están particularmente expuestas a estos trastornos las personas cuyo organismo arrastra los efectos de alguna enfermedad o los achaques de la edad avanzada. Muchas molestias climáticas son completamente subjetivas: algunas personas reaccionan a la atmósfera eléctricamente cargada con migrañas o dolores de cabeza, mientras que, por su parte, el viento cálido del sur suele resultar estresante para

el sistema nervioso de muchas personas que habitan en la alta montaña. Tras la irrupción repentina de aire caliente, las cápsulas suprarrenales segregan un exceso de adrenalina; el pulso y la presión sanguínea aumentan, lo que puede producir dolores de cabeza. Otros efectos del viento cálido del sur son el insomnio, los sudores profusos y la flojedad, efectos que suelen ir acompañados de trastornos psíquicos tales como miedo, depresiones y sensación de ahogo.

TIEMPO INESTABLE La rápida corriente de aire de un frente cálido –la fase previa a una depresión y, por tanto, a un empeoramiento del tiempo– suele ejercer efectos negativos en las personas sensibles al clima: la presión del aire disminuye, al tiempo que aumentan la nubosidad, la temperatura y la humedad del aire. Esto suele conllevar la aparición de trastornos cardiovasculares, y a veces incluso de enfermedades graves como trombosis y embolias.

Por su parte, un frente frío, como se denomina lo contrario de una depresión

atmosférica o barométrica, suele venir acompañado de viento frío, con el consiguiente aumento de la presión y humedad del aire y grave riesgo para las personas propensas a sufrir calambres, cólicos o incluso infartos.

La barosensibilidad afecta particularmente a las personas con dolencias crónicas, circunstancia que los científicos atribuyen al hecho de que, al producirse un cambio meteorológico, en el aire se concentran al parecer mayor número de partículas eléctricas. Los iones frenan la actividad de determinadas enzimas que normalmente destruyen la serotonina. Al aumentar el nivel de serotonina desciende el umbral del dolor y aumenta el riesgo de ataques de reúma o asma, por ejemplo. "Siento como si se me estuvieran descoyuntando las articulaciones", dicen los afectados.

Muchas personas residentes en la montaña ven empeorar sensiblemente su estado general con la llegada del viento del sur, cálido y seco.

Una hermosa piel bronceada

Los rayos del sol no sólo calientan; contribuyen además a que el cuerpo produzca melanina, una sustancia colorante que broncea la piel y la defiende contra los rayos ultravioleta.

Hasta principios de siglo las damas elegantes aún seguían protegiéndose la piel con ayuda de enormes sombreros, sombrillas, faldas largas y guantes. La palidez era un signo de distinción; denotaba que quien la poseía no realizaba ningún trabajo físico al aire libre.

SOL PLACENTERO En la actualidad, sin embargo, la piel morena se relaciona con un placentero disfrute del tiempo libre, y el bronceado denota salud, buena forma física y bienestar. La gente piensa que quien no regresa de las vacaciones bien bronceado ha perdido básicamente el tiempo. Por otra parte, el precio asequible de algunas ofertas turísticas hace posible acudir a lugares de vacaciones soleados, y quien se queda en casa puede acudir a broncearse a un solárium.

Las personas que trabajan habitualmente al aire libre tienen una piel muy morena y resistente al sol.

Nadie discute en nuestros días el hecho de que la vida al aire libre y al sol es muy conveniente para la salud. La luz solar activa la circulación sanguínea y aumenta el contenido de oxígeno de la sangre, al tiempo que favorece la formación de hormonas y estimula el sistema inmunológico. Pero también sabemos que el exceso de sol es perjudicial para la salud, particularmente para la piel. Así pues, se recomienda tomar el sol de manera dosificada, pues una piel ligeramente bronceada no se quema tan fácilmente.

UN BUEN BRONCEADO Normalmente, una piel bien bronceada defiende mejor al cuerpo contra el exceso de sol. Bajo el influjo del componente ultravioleta de los rayos solares, los melanocitos, situados en la capa epidérmica inferior, son estimulados para producir mayor cantidad de pigmento. Generan así una sustancia colorante de tonalidad parda llamada melanina, que broncea la piel. Esta pigmentación cumple la función de un parachoques, pues la melanina absorbe los peligrosos rayos ultravioleta en la superficie y los transforma en calor.

La piel al rojo vivo

Tomar el sol tumbados es muy agradable; pero, cuando nos exponemos demasiado a los rayos solares, la piel se enrojece, se tensa y empieza a dolernos. Una experiencia bastante negativa, pues la insolación no se olvida jamás.

Faetón, hijo de Helios, dios del sol, se untaba la cara con una pomada para poder soportar los rayos ardientes de su padre. También nosotros hacemos algo parecido cuando nos aplicamos cremas protectoras en la piel. Sin embargo, son pocas las personas que pueden presumir de no haber tomado alguna vez demasiado sol.

EXCESIVA INSOLACIÓN Una insolación mediana corresponde, más o menos, a una quemadura de primer grado. Quien sufre una inso-

lación en las cumbres nevadas o en una estación de esquí, o sobre el mar, practicando *surfing* o en un velero, puede incluso sufrir quemaduras de segundo grado con ampollas.

Los rayos ultravioleta, ricos en energía lumínica solar, son los que producen las quemaduras. Según su longitud de onda y profundidad de penetración en la piel, los subdividimos en rayos ultravioleta A, que penetran 1 mm en el tegumento corporal, y rayos ultravioleta B, con una penetración de

BRONCEADO SIN PELIGRO

- Aumente gradualmente el tiempo de exposición al sol. Comience con media hora al día y llegue hasta no más de 2 horas.

- No crea que es "seguro" tomar baños de sol cuando hay nubes: un 80% de los rayos UV pueden traspasarlas.

- Use siempre una crema o loción protectora de la piel, a ser posible con factor de protección superior a 15. Repita varias veces su aplicación, sobre todo después de nadar y cada 2 horas fuera del agua, cuando note que se ha secado la que se extendió sobre la piel.

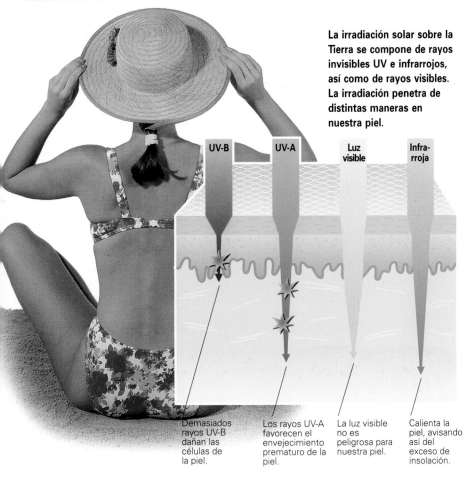

La irradiación solar sobre la Tierra se compone de rayos invisibles UV e infrarrojos, así como de rayos visibles. La irradiación penetra de distintas maneras en nuestra piel.

Demasiados rayos UV-B dañan las células de la piel.

Los rayos UV-A favorecen el envejecimiento prematuro de la piel.

La luz visible no es peligrosa para nuestra piel.

Calienta la piel, avisando así del exceso de insolación.

0,5 mm. Existen también los rayos ultravioleta C, que la atmósfera terrestre se encarga de absorber y que no llegan hasta nosotros.

A NO ES IGUAL A B Los rayos UV-A tienen más o menos la misma intensidad a lo largo de todo el año. Penetran hasta la dermis, pueden destruir determinadas fibras tisulares y acelerar de este modo el envejecimiento de la piel. Por su parte, la fuerza de irra-diación de los rayos UV-B depende de la posición del sol, y, por tanto, de la fase del día y del año, así como de lo lejos que nos encontremos del ecuador. Además, esta proporción de la luz solar aumenta por cada 1.000 metros de altitud en torno a un 20%.

Son los rayos UV-B los que estimulan la piel para el bronceado. Por eso, cuando aún tenemos la piel pálida, debemos activar las células de pigmentación de la epidermis me-diante baños de sol comedidos para formar melanina y los denominados callos lumí-nicos, es decir, un engrosamiento de la capa superior. Pero también de los rayos UV-B es de donde procede el mayor peligro para los humanos, ya que son absorbidos directa-mente por la epidermis, a la que pueden causar graves daños celulares.

LA PIEL SE PROTEGE Aunque los rayos UV-B y UV-A sólo representan el 5% de la irradiación solar, pueden resultar peligrosos: pueden producir desde un enrojecimiento cutáneo hasta una insolación grave. Si los rayos penetran en una piel desprotegida, aún no suficientemente bronceada o expuesta demasiado tiempo a los rayos solares, la células de la epidermis segregan, como pri-mera reacción defensiva, unas sustancias que dilatan los vasos sanguíneos; esto deter-mina que la sangre fluya más deprisa –debe disipar el calor– y que la piel enrojezca. Si en este punto no buscamos ninguna protección contra el sol, estas células se destruirán, morirán y saldrán finalmente expulsadas en forma de descamación. Experimentaremos una fuerte quemazón al formarse nuevas células en la epidermis; tras una irradiación mediana de rayos UV, el cuerpo puede volver a recuperar el 80% del daño en un plazo de 24 horas. Pero esto sólo vale para un número limitado de insolaciones. Si declina la capacidad reparadora de enzimas de nuestro organismo, toda nuestra en-voltura corporal se verá seriamente dañada, envejecerá más deprisa y se arrugará.

Por eso es importante no exponernos durante excesivo tiempo a los rayos solares, ya que ni las sombrillas ni la ropa son imper-meables a los rayos ultravioleta.

Cuando la luz ciega

El sol que brilla intensamente, como sucede en la playa y, sobre todo, en las estaciones de esquí, puede provocar lesiones en los ojos. También hay profesiones en la que es necesario protegerlos contra el exceso de luminosidad.

Si fijamos la vista un día de verano en la reluciente superficie del agua, expe-rimentaremos un breve escozor en los ojos y los cerraremos inconscientemente. La pared blanca de una casa en una isla griega puede producir este mismo efecto cegador. Entor-namos instintivamente los párpados para que pase la menor cantidad de luz posible, como si se tratara de una persiana; al mismo tiem-po, las pupilas se encogen.

En las superficies nevadas y en los gla-ciares, el efecto luminoso es aún mucho más perjudicial, pues en la alta montaña la proporción de rayos ultravioleta en la luz solar es también mayor y más peligrosa para la piel y para los ojos. Si los rayos solares, reforzados por los reflejos de la nieve y el hielo, encuentran las pupilas desprotegidas, pueden causar la denominada ceguera de la nieve.

DOLOR EN LOS OJOS Los síntomas de esta lesión, llamada por los médicos queratoconj-juntivitis actínica, se parecen a los de una inflamación de la conjuntiva y de la córnea, pues son precisamente estas partes del ojo las más afectadas. Aparte del fuerte dolor ocular, la sensación que experimentamos al cambiar la dirección de la mirada es como si nos hubiera entrado arena entre la superficie del ojo y la pupila. Esto se debe a que la conjuntiva, particularmente sensible al dolor –está muy dotada de terminaciones nerviosas sensitivas–, ha recibido una insolación. La notamos inflamada, áspera y abultada. También la córnea, situada inmediatamente al lado, se inflama y enrojece. Los ojos empiezan a llorar fuertemente y la capacidad visual se reduce. Por regla general, la sensación de inflamación y de tener un cuerpo extraño en el ojo no desaparece hasta unas 24 horas después. Pero la irritabilidad ante la claridad y los repentinos cambios del claro al oscuro persisten bastante tiempo.

DESLUMBRAMIENTO Muchas personas contraen queratoconjuntivitis fotoeléctrica porque ejercen una profesión en la que sus ojos

Quien trabaje de soldador deberá proteger sus ojos con unas gafas especiales para evitar lesiones oculares.

están expuestos a una irradiación por ondas cortas. A este conjunto pertenecen, por ejemplo, los soldadores eléctricos que trabajan sin protección ocular suficiente. Las ondas foto-

eléctricas que despiden el arco voltaico o las lámparas de cuarzo, les ciegan, produciéndoles unos diminutos edemas y lesiones tisulares no sólo en la superficie de los ojos, sino también en zonas más profundas. A menudo, las consecuencias no se perciben hasta unas horas después, cuando el ojo busca alivio mediante la secreción lacrimal. A veces esto produce calambres en la pupila, trastornos de la visión e hipersensibilidad a la luz. Todas éstas son reacciones naturales del ojo.

FILTROS DE LUZ Para proteger los ojos contra el sol es importante usar gafas que no dejen pasar los rayos ultravioleta invisibles; son especialmente recomendables las gafas convexas. Si llevamos simples gafas de sol coloreadas, nos sentiremos sin duda menos deslumbrados y los ojos estarán mejor protegidos que si estuviéramos sin gafas, pues los rayos UV incidirían en el ojo abierto sin encontrar ningún obstáculo efectivo.

Atacados por el calor

El aire muy caliente y húmedo suele sentar mal a quienes no están habituados. Si nos exponemos a un sol de justicia, la circulación sanguínea puede sufrir graves trastornos y las delicadas meninges se pueden irritar.

Normalmente, nuestro cuerpo se las arregla por sí solo para que su temperatura se mantenga al nivel correcto. Cuando hace demasiado calor, entran en funcionamiento las glándulas del sudor. Por eso los días de verano sudamos tanto, nuestra piel se humidifica y, a consecuencia de la evaporación del sudor, se logra el necesario enfriamiento.

Sin embargo, a veces este mecanismo no basta, y la temperatura de la sangre sigue subiendo. Entonces el hipotálamo envía órdenes suplementarias al cerebro intermedio. Entre ellas, la dilatación de los vasos sanguíneos de la piel. De este modo el flujo

sanguíneo se vuelve más denso, y el calor se puede neutralizar mejor.

LA TEMPERATURA SIGUE SUBIENDO Sin embargo, si hace un calor extremado suele producirse un sobrecalentamiento del cuerpo. Los que veranean en países cálidos se exponen a menudo demasiado tiempo al tórrido sol. Como además existe una mayor humedad del ambiente y, a consecuencia de la evaporación del sudor, el cuerpo sólo puede enfriarse en una medida limitada, se encuentra más expuesto a sufrir alguna lesión provocada por el calor. También si alguien realiza un trabajo duro a pleno sol, o si se trata de personas de edad avanzada o

especialmente débiles, existe un mayor peligro de que el organismo se caliente demasiado. El termostato corporal simplemente no puede hacer frente a las condiciones ambientales y la temperatura corporal puede alcanzar cotas del orden de los 41,5°C o incluso más.

La insolación suele ir precedida de una creciente sensación de cansancio. Al principio el afectado suda con gran profusión; sin embargo, esta reacción cambia cuando se inicia la insolación propiamente dicha. El cuerpo segrega entonces mucho menos –por no decir ningún– sudor, y la piel se seca y se torna vivamente roja. Al mismo tiempo la respiración se vuelve menos profunda y el pulso más acelerado y débil. La temperatura aumenta notablemente y el cuerpo entra en un estado crítico que exige la pronta intervención de un médico. Mientras éste llega, se recomienda llevar al afectado a un lugar fresco y sombreado. Si no ha perdido el conocimiento, lo dejaremos recostado del lado que le resulte más cómodo vomitar, por si deseara hacerlo. Para reducir la temperatura se aconseja mojarlo ininterrumpidamente con una esponja empapada en agua fría. Además, lo abanicaremos y lo rociaremos con agua a poder ser ligeramente salada. Todas estas medidas están encaminadas a que la temperatura descienda de nuevo hasta un valor normal y a que se recupere y estabilice el nivel de sal y de líquidos del organismo. Sin embargo, si el afectado está inconsciente, deberemos colocarlo también en la mencionada posición de decúbito lateral y refrescarlo pero sin darle de beber.

EL CEREBRO EN EBULLICIÓN Si no nos protegemos la cabeza contra el sol tórrido, el cerebro puede sufrir también una especie de ataque de calor y, en el peor de los casos, una insolación, con el consiguiente riesgo para las meninges. Una señal característica es que la cabeza se pone muy roja y caliente. Al afectado le acometen fuertes dolores de cabeza, malestar general y ganas de vomitar, y a veces también siente rigidez en la nuca. Otras veces los síntomas no aparecen hasta más tarde, por ejemplo, al anochecer; los niños pequeños sobre todo suelen reaccionar con una fiebre muy alta y escalofríos. En todos los casos se deberá solicitar ayuda médica. El socorrista llevará a la víctima a la sombra, y tratará de levantarle la cabeza y aplicarle una toalla húmeda.

Es imprescindible alguna protección en la cabeza para que el cerebro no se caliente demasiado cuando permanecemos mucho tiempo al sol. Por algo las personas que

Los nómadas del desierto se protegen contra los intensos rayos solares con turbantes y túnicas holgadas, bajo los cuales se forma una capa aislante.

viven en los países meridionales van siempre tocadas con sombreros o turbantes.

APORTE CONSTANTE DE LÍQUIDO Para que el organismo funcione bajo el calor de la manera más normal posible, necesita un constante aporte de líquido. Pero no se trata sólo de beber mucho, sino también de saber elegir lo que se bebe. Por ejemplo, la cafeína de un café helado o el alcohol de una cerveza fría aceleran la pérdida de agua en los tejidos. La mejor bebida es agua fría, o al menos fresca, pues de esta forma el líquido lo absorbe rápidamente el intestino y, a través de los vasos sanguíneos, lo conduce directamente al tejido corporal. A través de las glándulas del sudor se puede volver a expulsar y a evaporar. Como la sensación de sed sólo se presenta cuando el cuerpo ha empezado ya a perder líquido, deberíamos beber preventivamente con regularidad y en grandes cantidades aun cuando no tengamos sed, pues la necesidad de líquido en un día caluroso es enorme. Por ejemplo, en una tarea sencilla de jardinería, la pérdida de sudor en el espacio de unas horas puede ascender hasta 4 litros. Esto explica también por qué los jugadores de tenis no suelen visitar el urinario en el transcurso de partidos de larga duración.

Fin de fiesta desagradable

Cuando tenemos ganas de vomitar, la sensación no puede ser más desagradable. Sin embargo, el acto de vomitar es un recurso muy valioso del cuerpo para liberarse de los alimentos en mal estado o capaces de intoxicarlo.

A veces forzamos nuestro estómago: ingerimos demasiadas comidas grasas y bebidas alcohólicas de elevada graduación. No suele suceder nada, pero en ocasiones el organismo se rebela y decide liberarse por cuenta propia de la sobrecarga. Entonces nos sentimos mal, nos asaltan las náuseas, parece como si nos faltara el aire y finalmente arrojamos "hasta la primera papilla".

Aunque la orden del vómito, denominado en lenguaje médico emesis, parece provenir del estómago, la dicta en realidad el centro del vómito, localizado en el bulbo raquídeo, región del cerebro que sale de la médula espinal y se halla alojada en la cavidad craneal posterior. Desde aquí se ponen en movimiento las distintas funciones de manera coordinada.

SENSACIÓN DE FLOJEDAD Si la membrana mucosa del estómago se sobreexcita o sobrecarga, estos impulsos se transmiten por la médula espinal hasta el centro del vómito.

Al principio éste reacciona dando unas órdenes que desencadenan un malestar general a corto plazo. De repente se concentra saliva en la boca, empezamos a sudar, sentimos flojas las piernas y, si echamos una mirada al espejo, descubriremos que tenemos el rostro completamente pálido. En efecto, la sangre se ha retirado de nuestra cara, y tanto la presión sanguínea como el ritmo cardiaco han iniciado un descenso que puede conducirnos a perder el conocimiento.

TODO HACIA ATRÁS Si persiste el estímulo en la membrana mucosa del estómago, en el centro del vómito se activa la región muscular que desencadena la salivación. En este momento tenemos la sensación de que el estómago estuviera dando literalmente vueltas. Se contrae y empuja el bolo alimenticio contra el píloro, el punto fronterizo entre el estómago y el intestino delgado, y de allí sigue su movimiento hacia arriba. A continuación se distiende, y la entrada al estómago se abre todo lo posible, al tiempo que el esófago se encoge y la garganta se cierra a cal y canto. Los músculos del diafragma y de la pared delantera del estómago presionan para que el contenido alimenticio progrese hasta la boca. Respiramos hondo de manera refleja, con lo que se cierra la epiglotis y se detiene la respiración mientras nos invaden las arcadas; con esto se pretende evitar el que podamos ahogarnos. De todos modos, en algunas personas desmayadas o anestesiadas existe el peligro de que, al no funcionar los reflejos correcta-mente, partes del vómito invadan la tráquea, con el consiguiente riesgo de asfixia, que puede poner en peligro la vida.

CENTRIFUGADORA DEL VENENO El organismo reacciona de manera particularmente violenta cuando al estómago llegan venenos fuertes. Pueden ser partículas de plantas con sustancias tóxicas, como la belladona y las setas amanitas, o de plantas decorativas de jardín, como la dafne y la digital, o incluso de plantas de interior como la dieffenbachia. También son muy peligrosos los productos de limpieza y de conservación, que deben mantenerse alejados de los niños, sobre todo los desinfectantes del baño, pues contienen ácidos o lejías que cauterizan el tejido del estómago y del esófago.

A veces echan a perder el estómago los propios alimentos si se ingieren en grandes cantidades. En tal caso actúan como venenos y desencadenan un violento vómito. Esta reacción pueden provocarla también el alcohol, la cafeína o la nicotina. Una forma especial de envenenamiento alimenticio es la provocada por la toxina botulínica, que puede aparecer en productos en conserva, carnes y pescados. La patología resultante, denominada botulismo, se debe tratar siempre en el hospital.

En estos trastornos masivos del entorno estomacal, las náuseas permanecen aún después de haberse vaciado el estómago. La irritación es tan grande que se segrega una considerable cantidad de bilis. Ésta imprime al vómito un tono amarillento verdoso y deja un gusto desagradablemente amargo.

SIEMPRE HAY UN MOTIVO Si se experimenta malestar general y ganas de vomitar después de un banquete, pronto nos volveremos a sentir bien. Si el malestar se debe al asco producido por malos olores o al cabeceo de una embarcación en alta mar, también se superará una vez que haya desaparecido la causa desencadenante.

Pero si vomitamos ininterrumpidamente grandes cantidades de comida, acompañados de sudores, náuseas y abundante flujo salival, resulta evidente que alguna parte del cuerpo tiene problemas. Como en el vómito perdemos sales minerales necesarias para el cuerpo, es importante que el médico descubra la causa exacta. A menudo se trata de un trastorno del aparato digestivo —las posibilidades varían desde un simple malestar intestinal a una oclusión intestinal—, pero también puede revelar la presencia de una gripe vírica en la zona del estómago o del intestino o incluso de una infección renal.

En los niños resfriados, que suelen vomitar con mayor frecuencia que los adultos, la proximidad del centro de la tos y del vómito en el cerebro es clara y desagradablemente perceptible: un ataque de tos puede acabar en un vómito. Sin embargo, esta molesta contrariedad suele desaparecer a los pocos años de edad.

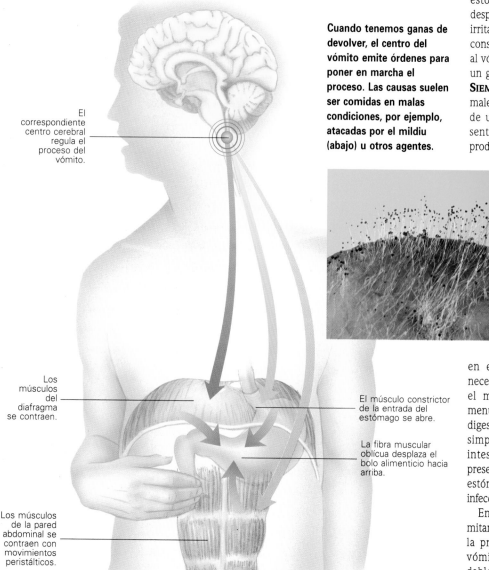

El correspondiente centro cerebral regula el proceso del vómito.

Cuando tenemos ganas de devolver, el centro del vómito emite órdenes para poner en marcha el proceso. Las causas suelen ser comidas en malas condiciones, por ejemplo, atacadas por el mildiu (abajo) u otros agentes.

Los músculos del diafragma se contraen.

Los músculos de la pared abdominal se contraen con movimientos peristálticos.

El músculo constrictor de la entrada del estómago se abre.

La fibra muscular oblicua desplaza el bolo alimenticio hacia arriba.

Vivir tranquilos, dormir a gusto

Son muchas las personas que, ante la ineficacia de los buenos consejos (entre ellos, el tradicional de contar ovejas), acaban recurriendo a los somníferos para engañar al organismo.

Los tranquilizantes y los somníferos son sin duda los medicamentos más recetados en todo el mundo. Sin embargo, aunque sus efectos son conocidos desde hace siglos, sólo en los últimos años se ha estudiado cómo actúan estas sustancias sobre el organismo humano.

Los receptores bioquímicos juegan un papel importante en muchos procesos del organismo. Se trata de grupos moleculares que se encuentran en las membranas de las células nerviosas y que sirven para recibir señales químicas de las sustancias del propio cuerpo. Estos receptores se encargan de que el estímulo transmitido por las sustancias activas sea ulteriormente retransmitido.

No obstante, para cada sustancia activa sólo se muestran receptivos unos cuantos receptores muy concretos. Son como una cerradura en la que sólo entra una llave. A estas llaves pertenecen las endorfinas, es decir, los opiáceos del propio organismo. Las endorfinas desencadenan en situación de fuerte estrés, como en caso de peligro de muerte o de extremo agotamiento, una euforia especial: una sensación de felicidad embriagadora parecida a veces a la alucinación.

OPIÁCEOS TRANQUILIZANTES Muchos tranquilizantes y analgésicos contienen opiáceos emparentados con las endorfinas. Por servirnos de la misma imagen, funcionan como ganzúas que se adaptan a la misma cerradura. Estimulan, por tanto, los mismos receptores. Su efecto es, por tanto, análogo al de las endorfinas pero muchísimo más fuerte. Según su concentración, surten un efecto relajante o soporífero. Con una dosis más elevada, el denominado sistema de préstamo del cerebro desencadena una sensación de felicidad embriagadora.

El más famoso de estos tranquilizantes o medicamentos sedantes es el comercializado con el nombre de válium. A través de los receptores adecuados, los tranquilizantes reducen la excitabilidad e irritabilidad del sistema nervioso central y amortiguan su suscepti-

bilidad a toda una gama de estímulos indeseados. Se emplean sedantes cuando es preciso tranquilizar a un paciente que sufre, por ejemplo, una hiperfunción de la glándula tiroides o mareos, o en situaciones de excesiva tensión a personas con un corazón demasiado débil.

En la mayoría de los sedantes, una dosis pequeña provoca la relajación. Los médicos los recetan para estados de ansiedad y nerviosismo, así como para casos de depresión o insomnio. El efecto de algunos sedantes dura muy poco, mientras que el de otros puede durar hasta 12 horas y más.

Como todos los medicamentos, los tranquilizantes pueden ser útiles pero también perjudiciales. Todas las personas a las que se les receta demasiado válium para tranquilizarse padecen ocasionalmente estados de aturdimiento, pronuncian frases incoherentes y muestran lentitud mental, por lo que a menudo son consideradas equivocadamente como seniles.

EFECTO MÚLTIPLE Los sedantes poseen además un efecto acumulativo; es decir: dos píldoras ingeridas a la vez tienen el doble de eficacia. En consecuencia, quien después de tomar un somnífero bebe alcohol, sustancia que posee efectos sedantes, está poniendo en peligro su vida. En efecto, se conocen muchos casos de muerte, involuntarios o no, provocados por este efecto acumulativo.

Si se consumen sedantes de manera habitual, el cuerpo acaba acostumbrándose a ellos, y entonces se debe aumentar la dosis para obtener el mismo efecto. Resultado: se crea dependencia.

Su nombre no es casual: la adormidera es una planta de la que se extrae la morfina, uno de los estupefacientes más potentes que se conocen.

DORMIR SIN QUÍMICA

- Lo mejor es prescindir de los somníferos y demás tranquilizantes, pues suelen crear dependencia.

- Una vez atajadas las causas, casi siempre desaparece también el insomnio. Las causas principales son el estrés, el nerviosismo, las preocupaciones y el exceso de estimulantes.

- Con frecuencia el insomnio está causado por una temperatura elevada o por exceso de abrigo. Se aconseja dormir con la calefacción apagada y la ventana abierta.

- No deberán consumirse demasiados alimentos de difícil digestión, ni acostarse inmediatamente después de cenar.

- Un corto paseo antes de acostarse suele obrar maravillas.

- Un baño caliente relaja y produce cansancio. Se aconseja un gel a base de extractos de hierbas de valeriana, melisa, ginseng, primavera, anís o lavanda, por sus propiedades soporíferas.

Recuperar el tono

Hace siglos que el ser humano descubrió las propiedades vitamínicas y tonificantes de muchas plantas. Para muchos de nosotros sería inimaginable un día sin café o sin té, los estimulantes más consumidos en el mundo.

Quien se toma tranquilamente por la mañana una tacita de té negro para despertar su vitalidad, casi nunca repara en que está tomando el más viejo tonificante del mundo. Hace más de 5.000 años que los chinos conocen los efectos vivificantes del brebaje obtenido con las hojas de la planta denominada *thea sinensis.*

El té, el café, el cacao –tan apreciado igualmente en nuestras latitudes–, el mate suramericano, la nuez de cola africana o la semilla de la paulinia-liana brasileña contienen una serie de sustancias activas que se conocen como drogas de degustación.

El té debe su virtud estimulante sobre todo a la teína, idéntica en sus propiedades a la cafeína contenida en el café. Esta misma sustancia activa se encuentra en la mayoría de las otras plantas citadas.

MÁS QUE UN ESTIMULANTE Tomado en exceso, el té no se limita sólo a tonificar. Al igual que el café cargado, puede producir insomnio, nerviosismo e incluso patologías de orden cardiaco. Otros efectos secundarios pueden ser la sobreexcitación, el aturdimiento, un zumbido en los oídos, relampagueos y alteración del ritmo cardiaco. Hay algunas personas que se vuelven adictas al café; si no ingieren su ansiado brebaje, pueden llegar a padecer dolores de cabeza lancinantes, náuseas y sudores abundantes.

Otra de las denominadas drogas de degustación es la palma de areca o betel, que consumen –principalmente en Asia– alrededor de 400 millones de personas. La arecolina contenida en la nuez de betel es una sustancia que estimula el sistema nervioso parasimpático. También se estimulan la musculatura del estómago y del intestino, el músculo constrictor y todas las glándulas del tubo digestivo. A quien prueba por primera vez la nuez de betel le ocurre más o menos como al fumador del primer cigarrillo: siente mareos, un intenso flujo salival, náuseas, sudores fríos y ganas de vomitar. Hasta que el cuerpo no se ha acostumbrado, no se aprecian los efectos tonificantes del betel.

ALCALOIDE DE ALTA EFICACIA Al igual que la cafeína, la arecolina es también un alca-

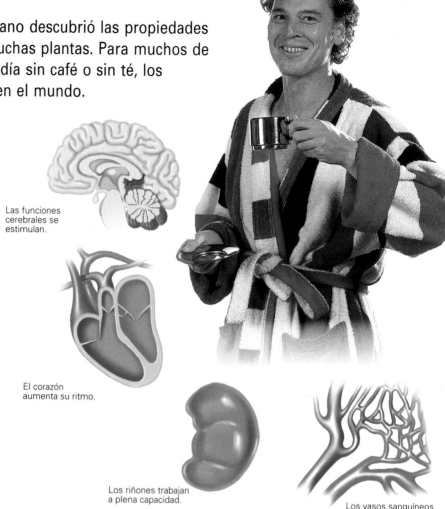

Las funciones cerebrales se estimulan.

El corazón aumenta su ritmo.

Los riñones trabajan a plena capacidad.

Los vasos sanguíneos se contraen.

El café no sólo estimula las papilas gustativas, sino también una serie de funciones orgánicas diferentes.

loide. Bastan cantidades insignificantes para que surtan efecto estas sustancias tóxicas vegetales –a las que, entre otras drogas, pertenecen el opio o la cocaína–, al liberar dentro del organismo varias sustancias mensajeras del propio cuerpo. Estos denominados neurotransmisores estimulan zonas concretas del cerebro, de donde parten las órdenes para que se produzcan reacciones como el estímulo del centro respiratorio o cardiaco, el estrechamiento de los vasos sanguíneos, la relajación de la musculatura, el estímulo del estómago y el intestino o el deseo de orinar. Asimismo, algunas sustancias producen una potenciación de la percepción óptica o acústica.

Por otra parte, muchas de estas sustancias se emplean en medicina con fines terapéuticos. El café, o para ser más exactos la cafeína contenida en él, se emplea para el tratamiento de intoxicaciones producidas por sedantes ingeridos en dosis excesiva (por ejemplo, somníferos o alcohol). La cafeína también se emplea en ocasiones para aliviar el dolor. Asimismo, se combina en algunos preparados (por ejemplo, con el ácido acetilsalicílico u otros analgésicos) pues al parecer potencia el efecto anestesiante. De todos modos, existe un elevado riesgo de contraer adicción.

De un calibre completamente distinto a estas llamadas drogas de degustación son los tonificantes fabricados sintéticamente, como es el caso de las denominadas anfetaminas. Sintetizada por primera vez a finales del siglo pasado, esta droga se parece a la adrenalina, una hormona producida por el propio organismo. Al igual que ésta, surte efecto en casi todos los órganos corporales. Logra que se estimule el sistema nervioso, que se dilaten las pupilas y los bronquios, que aumenten la tensión arterial y la temperatura corporal y, finalmente, que se aceleren también el pulso y el ritmo respiratorio. Pero, contrariamente a la adrenalina, la anfetamina actúa también sobre el cerebro, cuya actividad incrementa pero a costa de no poder descansar. En realidad, no aumenta el rendimiento sino la resistencia al esfuerzo. El trabajo rutinario parece gustar de repente y se apodera de nosotros una extraña sensación de euforia.

DESAPARECE EL CANSANCIO Las anfetaminas actúan como látigo sobre rocín desfallecido; es decir, anulan el cansancio natural que protege al organismo contra el peligro de derrumbarse. Quien recurre a estos estimulantes para permanecer despierto, trabajar más horas o pasar toda la noche bailando, está viviendo peligrosamente. La industria farmacéutica ha desarrollado una gran variedad de preparados anfetamínicos que se comercializan con nombres diversos. Sin embargo, su elevado riesgo de adicción determina que se receten muy esporádicamente, por ejemplo en caso de narcolepsia, enfermedad que nos sume en un sueño profundo durante cierto tiempo.

Las anfetaminas contenidas en estos medicamentos surten efecto incluso en dosis de unas pocas milésimas de gramo. Si no estamos habituados, una dosis elevada puede resultar peligrosa. Más de 20 mg producen dolores de cabeza, náuseas, vómitos, estado febril y aturdimiento. Una dosis de 100-200 mg es casi siempre letal... a menos que recurramos inmediatamente al botiquín de emergencia. Pueden servir como contravenenos los barbitúricos y, por tanto, los tranquilizantes fuertes.

Las anfetaminas crean hábito. La euforia constante y el estado de vigilia forzada, que mantienen al cuerpo en tensión permanente, pueden acabar destrozando el sistema nervioso. Al final se llega a un colapso físico cuyos síntomas guardan bastante semejanza con enfermedades mentales agudas tales como la esquizofrenia. El adicto a las anfetaminas se imagina perseguido y amenazado por extraños.

A pesar de su peligrosidad, la demanda de estimulantes artificiales es notable. Como todas las sustancias químicas necesarias se pueden producir fácilmente, en laboratorios improvisados se preparan cada vez más cócteles anfetamínicos que suelen tener fácil salida en el inframundo de la droga.

FUEGO EN EL CEREBRO Las anfetaminas, aspiradas por la nariz en forma de polvo o inyectadas en forma líquida en las venas, pasan directamente al cerebro, donde surten efecto rápidamente. Sin embargo, los drogadictos casi siempre las consumen en forma de cápsulas o comprimidos; por ejemplo, el *speed,* una conocida droga de diseño. Ésta desencadena una especie de incendio en el cerebro, un torbellino de impresiones neuroquímicas. En semejante estado, donde el tiempo parece haberse detenido, los consumidores propenden a veces a cometer acciones violentas.

La lucha contra el dolor

Que los pacientes no sientan ningún dolor mientras se les opera es un logro relativamente reciente. Antes de que se inventara la anestesia, las intervenciones eran una tortura.

El 16 de octubre de 1846, los médicos y estudiantes de medicina congregados en la sala de anatomía del hospital general de Massachusettts, en Boston, esperaban con ansiedad la posible reacción al dolor de un paciente al que se extirpaba un tumor de garganta. Pero ésta no se produjo. El paciente permaneció sumido en la más completa inconsciencia y no sintió nada durante la operación.

El dentista William T. Morton utilizó como anestésico vapores de éter, hábilmente mezclados con perfume, pues nadie debía descubrir su secreto. El éter era entonces un medio muy utilizado para alcanzar un éxtasis rápido; se servía hasta en las tabernas. ¿Cuál era el preparado? Se mezclaba simplemente una parte de éter con nueve de agua o con una cantidad de alcohol a discreción. Sin embargo, Morton había descubierto que estos vapores no sólo producían euforia –al igual que el alcohol, inhiben los estímulos paralizantes de la corteza cerebral–, sino que además anulaban la consciencia si se producía una concentración más fuerte. Si la dosis se aumentaba, desaparecía la sensibilidad al dolor y los músculos se dormían.

EL DOLOR ESTÁ VENCIDO La observación de Morton significó un paso trascendental en la secular lucha contra el dolor. Desde entonces han proliferado los anestésicos. Pero la razón y la manera en que estos narcóticos adormecen el sistema nervioso central, hasta el punto de producirse la pérdida de la conciencia y la insensibilidad al dolor, es algo que aún no se ha conseguido descubrir. Sin duda, las sustancias activas contenidas en la anestesia producen unos estímulos químicos tan numerosos e intensos en los receptores de las terminaciones nerviosas de la médula espinal que el cerebro sólo encuentra una defensa: desconectarse.

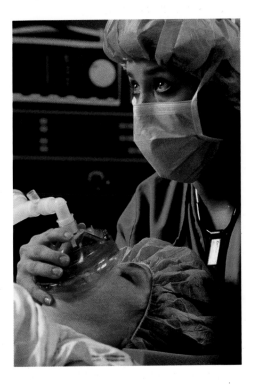

Antes de cada operación quirúrgica importante, unos profesionales se encargan de anestesiar al paciente. En la imagen, una anestesista administra sustancia narcótica.

Para saber cuáles son los receptores que se activan en el organismo hay que conocer antes la composición química de la anestesia, mientras que, por otra parte, la virtualidad del efecto depende de la dosis administrada. Por ejemplo, una dosis demasiado fuerte de éter produce una distensión total de la musculatura respiratoria, y por tanto, su paralización (y, en consecuencia, también la muerte).

Pero en la anestesia local el paciente puede conservar su consciencia: sólo se desconecta la sensibilidad al dolor de la zona que se va a intervenir. De este modo, los receptores allí situados no pueden transmitir ninguna señal de dolor al cerebro.

Desde tiempos prehistóricos los humanos intentaron combatir los dolores masticando hierbas o bebiendo una pócima preparada con éstas. Para el mismo fin, los médicos de la antigua Grecia utilizaban el jugo blanquecino de las cápsulas de semillas inmaduras de la adormidera, a las que otorgaron el nombre de opio (de *opos,* savia). El opio crudo contiene 25 alcaloides distintos, entre los que figuran la morfina, la codeína, la papaverina y la tebaína. Todos ellos poseen propiedades narcotizantes.

EFICACIA MÚLTIPLE La forma en que actúan los opiáceos es imprevisible, ya que aumentan su efecto o lo inhiben parcialmente según su combinación; por ejemplo, el efecto calmante de la morfina se quintuplica cuando se le añade narceína, un opioalcaloide. La morfina ejerce también un efecto inhibidor del centro respiratorio. Este efecto se puede mitigar agregando noscapina, otro alcaloide, aunque aumenta su toxicidad.

Una de las drogas que más adicción producen es precisamente un derivado del opio. Producida en 1898 como analgésico presuntamente inofensivo, la diacetilmorfina recibió el elogioso calificativo de "droga heroica". Hoy, como se sabe, la posesión y consumo de heroína están fuertemente penalizados en casi todo el mundo.

Sagrada y embriagadora seta

La más conocida, y extendida, de las plantas productoras de estados de éxtasis es el cáñamo. También en las setas y los cactus se encuentran sustancias alucinógenas.

Colores intensos y brillantes, formas espirales en constante mutación y un dinamismo desbordado caracterizan las diversas impresiones y experiencias visuales plasmadas en este cuadro por su autor durante un "viaje" de LSD.

Hay constancia de que los chinos del siglo III aC. ya conocían el cáñamo, si bien presumiblemente sólo lo utilizaron como planta medicinal. En la literatura india esta planta aparece en el 800 aC. Y, a través de los antiguos griegos, la *cannabis sativa,* como se denomina botánicamente esta planta, llegó hasta Europa. Aquí el cánnabis, cuyas hojas secas y flores se fuman con el nombre de marihuana, se ha convertido en una planta que, por sus virtudes de exaltación mental, es particularmente apreciada por los jóvenes. La resina que se obtiene de las sumidades florales se conoce con el hombre de hachís y produce efectos más intensos aún.

El efecto varía según el consumidor. Según el entorno, el estado de ánimo y la mentalidad del fumador, el hachís puede provocar diferentes experiencias extáticas: distensión, apatía, sensación de felicidad, abatimiento, percepción sensorial intensificada, angustia, desasosiego, excitabilidad o agresividad. A veces llega incluso a producir náuseas y ganas de vomitar.

Una seta que los aztecas denominaban *teonanacatl* –carne de los dioses–, produce también visiones embriagadoras y placenteras durante varias horas. Aún hoy los indios mexicanos entran en un estado de trance en el curso de determinadas ceremonias religiosas con la ayuda de este hongo em-

briagador. Por su parte la mescalina, obtenida del cacto peyote, tiene una propiedad parecida a la psilocibina de la seta. Ambas sustancias pertenecen al grupo de los alucinógenos.

La droga de la felicidad de la cultura *hippy*, el alucinógeno LSD, debe su existencia al químico suizo Alfred Hofmann. En 1943, creyó descubrir propiedades estimulantes de la circulación en el cornezuelo del centeno, un hongo parásito de la planta, y sintetizó a partir de él la dietilamina del ácido lisérgico (LSD). Bastan unas proporciones mínimas de este alucinógeno para trastornar por completo la conciencia de una persona e inducirle experiencias psicodélicas.

PROFUSIÓN DE VISIONES Una vez ingerida esta droga, se dilatan las pupilas, se aceleran las pulsaciones y la respiración y aumenta la temperatura corporal. La percepción visual se trastorna también y se experimenta una profusión de formas y figuras de colores. Si la alucinación se intensifica, los objetos varían también de dimensión; parecen más profundos y como si cobraran movimiento. El sonido ambiental se percibe con mayor intensidad, el sentido del tacto se multiplica y el tiempo parece ralentizarse.

Aún no se ha investigado a fondo la manera en que actúa este alucinógeno. En cualquier caso, se ha comprobado que este psicotropo acelera la actividad cerebral: es como si se abrieran unos compartimentos secretos del subconsciente y se activaran recuerdos durante largo tiempo sepultados. Pero, sobre todo, el LSD actúa en los sistemas límbico y reticular, es decir, en los centros cerebrales que reaccionan a los estímulos sensoriales, los seleccionan y regulan en consecuencia las sensaciones.

No todo lo que ingiere el ser humano es aprovechable. Muchas sustancias que penetran en el organismo con la alimentación, el aire respirado o por otros conductos pueden ser incluso perjudiciales para la salud. El dióxido de azufre de la atmósfera, el plomo del agua, los pesticidas de frutas y verduras, los metales pesados del terreno, los disolventes y detergentes del hogar y de la ropa, las hormonas de la carne..., la lista se nos antoja interminable.

De los casi 100.000 productos químicos con los que tenemos contacto actualmente de manera habitual, sólo unos cuantos han sido debidamente investigados hasta la fecha. Aún se sabe muy poco de los efectos que podrían ejercer estas sustancias combinadas. No obstante, algo es seguro: el ser humano es el último eslabón de la cadena alimenticia. Los venenos que se liberan en la atmósfera, el agua y el suelo son asimilados por las plantas y, por tanto, por los animales, y van a parar finalmente a nuestro plato.

EL HÍGADO, CENTRAL DE DESINTOXICACIÓN

Si estas sustancias llegan al organismo, se debe reaccionar inmediatamente y eliminarlas a toda costa. De ello se encarga el hígado, un laboratorio bioquímico polivalente. Por regla general, cumple sin problemas su trabajo de central de desintoxicación. Pero si la invasión tóxica es muy grande, parte de ella se extravía, en el sentido literal de la palabra, y se concentra en distintas zonas del cuerpo.

El hígado, que pesa alrededor de 1,5 kg, debe ejecutar diariamente una amplia gama de reacciones químicas. Controla el metabolismo graso, produce sustancias úricas, sintetiza albúmina, favorece el almacenamiento

Sustancias contaminantes en la sangre, huesos y órganos

El organismo humano está expuesto a una variadísima gama de contaminantes, contra los que suele defenderse sin problemas. El riesgo surge cuando se produce una excesiva concentración de tales sustancias en el cuerpo.

de grasas e hidratos de carbono y produce jugos biliares. Pero, sobre todo, desintoxica la sangre de alcohol, de medicamentos y de la mayoría de las sustancias nocivas que ingerimos a través de la alimentación.

Las sustancias tóxicas que nuestro sistema inmunológico no puede eliminar con la ayuda del hígado ni de los riñones se almacenan en unos depósitos especiales del orga-

nismo: las glándulas y los tejidos adiposos. Como esto ocurre exactamente igual en los animales, conviene vigilar muy especialmente el consumo de vísceras. Si consumimos hígado y riñones de cerdo, de vacuno o de aves de corral, podemos recibir de manera concentrada sustancias nocivas.

Por ejemplo, el mercurio que se fija en los huesos, hígado, riñones y cerebro, se con-

La química aniquila sin duda parásitos animales y vegetales nocivos para las cosechas, pero a menudo con consecuencias perniciosas para la salud del consumidor.

LOS CONTAMINANTES Y SUS EFECTOS EN EL ORGANISMO

SUSTANCIA TÓXICA	PARTE AFECTADA	EFECTO TÓXICO
Alcohol	Hígado, corazón, sistema nervioso	Lesiones en el hígado y los nervios
Benzopireno	Pulmones, hígado	Agente cancerígeno
Plomo	Sangre, hígado, riñones, sistema nervioso	Trastornos en el desarrollo
Cadmio	Riñones, pulmones	Trastornos metabólicos
Pesticidas clorados	Hígado, riñones, vejiga, sistema nervioso, tiroides, senos de la mujer	Cáncer, malformaciones del embrión
Dioxina	Piel, hígado, pulmones	Lesiones cutáneas; posible malformación del embrión
Monóxido de carbono	Sangre	Disnea
Nitrosaminas	Hígado, riñones, aparato digestivo	Cáncer
Disolventes orgánicos	Sangre, hígado, riñones, sistema nervioso, vejiga	Cáncer
Difenil policlorado	Hígado, bazo, riñones, vejiga	Cáncer
Hidrocarburos policíclicos	Hígado, bazo, sistema nervioso, vejiga	Cáncer
Mercurio	Aparato digestivo, piel, sistema nervioso	Náuseas, diarrea, caída de dientes

Según el grado de concentración de una sustancia nociva, la frecuencia con que entremos en contacto con ella y nuestra complexión física, los contaminantes pueden llegar a causar daños crónicos e irreparables en nuestro organismo.

153

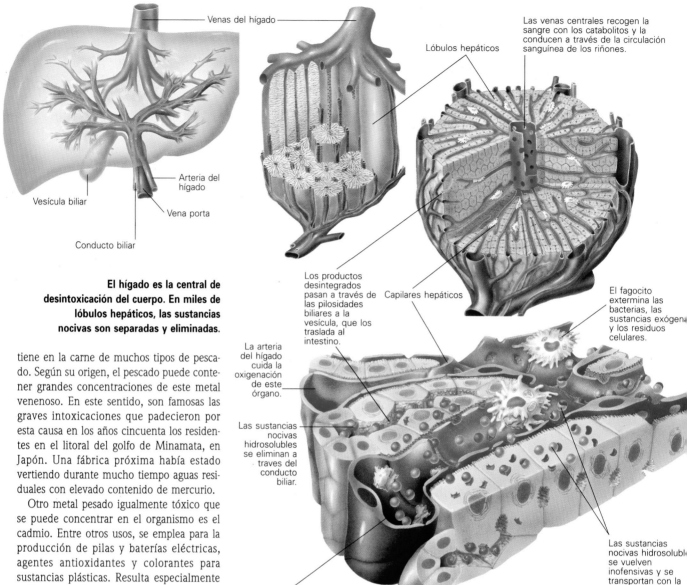

Venas del hígado

Las venas centrales recogen la sangre con los catabolitos y la conducen a través de la circulación sanguínea de los riñones.

Lóbulos hepáticos

Arteria del hígado

Vesícula biliar

Vena porta

Conducto biliar

Los productos desintegrados pasan a través de las pilosidades biliares a la vesícula, que los traslada al intestino.

Capilares hepáticos

El fagocito extermina las bacterias, las sustancias exógenas y los residuos celulares.

La arteria del hígado cuida la oxigenación de este órgano.

Las sustancias nocivas hidrosolubles se eliminan a traves del conducto biliar.

Las sustancias nocivas hidrosolubl se vuelven infensivas y se transportan con la sangre.

La sangre de la vena porta transporta los productos de la digestión.

El hígado es la central de desintoxicación del cuerpo. En miles de lóbulos hepáticos, las sustancias nocivas son separadas y eliminadas.

tiene en la carne de muchos tipos de pescado. Según su origen, el pescado puede contener grandes concentraciones de este metal venenoso. En este sentido, son famosas las graves intoxicaciones que padecieron por esta causa en los años cincuenta los residentes en el litoral del golfo de Minamata, en Japón. Una fábrica próxima había estado vertiendo durante mucho tiempo aguas residuales con elevado contenido de mercurio.

Otro metal pesado igualmente tóxico que se puede concentrar en el organismo es el cadmio. Entre otros usos, se emplea para la producción de pilas y baterías eléctricas, agentes antioxidantes y colorantes para sustancias plásticas. Resulta especialmente peligroso en forma de polvo volátil y de vapor, como se respira en las fábricas que no reúnen las medidas de seguridad adecuadas. Se deposita en los pulmones, pero también en el hígado y los riñones, donde permanece durante décadas y pueden producir graves disfunciones.

PESTICIDA EN EL TEJIDO ADIPOSO Algo parecido sucede con muchos productos utilizados para acabar con los parásitos animales y vegetales. El *Lindano,* un pesticida sumamente eficaz (una diemillonésima de miligramo puede matar una mosca) es absorbido a través de la piel. Aunque sólo penetra en el tejido adiposo de manera parcial, una dosis muy pequeña consigue dañar el sistema nervioso central y los riñones.

Por qué las sustancias exógenas se fijan en determinadas zonas del organismo es algo que aún no está muy claro. Sí está claro que

cada veneno posee una especie de lugar preferido en el organismo. Por ejemplo, el tejido óseo es el emplazamiento predilecto del plomo. Éste suele proceder de las conducciones de agua domésticas que aún se fabrican con este metal. Lo ingerimos con el agua potable y, particularmente en los niños pequeños, puede causar graves trastornos nerviosos. Por su parte, el esqueleto es el lugar preferido del flúor y el estroncio.

Además del cadmio, se pueden depositar en el hígado y los riñones otras muchas sustancias nocivas, entre las que destaca el zinc. En la glándula tiroides se suele concentrar el yodo. Los tejidos que contienen queratina (entre los que figuran la piel, las uñas y

el cabello) son los lugares preferidos del trióxido de arsénico, sustancia que puede tener efectos letales; antiguamente se solía recetar para aumentar de peso, pero en realidad actuaba como agente cancerígeno. Finalmente, el monóxido de carbono se disuelve en la sangre, donde impide la circulación del oxígeno.

AYUNAR PUEDE SER PELIGROSO Aun cuando dejáramos de comer, y por tanto dejáramos de ingerir sustancias perniciosas, no conseguiríamos librarnos de éstas: muchos síntomas negativos en patologías por ayuno los atribuyen los médicos a venenos almacenados que vuelven a ser segregados por el tejido adiposo.

Bien forrados para el invierno

Los animales que hibernan consumen antes una buena porción de grasa para poder subsistir. También los humanos somos propensos a consumir mucha grasa en invierno.

La predisposición a almacenar grasa para la temporada fría del año es probablemente un vestigio ancestral de la humanidad. Costumbre milenaria que necesita una completa revisión en nuestros días.

El hombre primitivo tenía una piel que lo protegía contra el frío y disponía de una capa de tejido adiposo subcutáneo. Esta especie de acolchamiento bajo la piel era un mal conductor del calor y no sólo lo aislaba contra el frío, sino que le servía también de reserva alimenticia para los días o semanas invernales en que no podía obtener alimentos.

EXCESO DE GRASAS En determinadas etnias africanas, como acontece entre los hotentotes de África del Sur, las mujeres presentan todavía la denominada esteatopigia, o adiposidad excesiva de las nalgas, que les ayuda a pasar el invierno. También para un aborigen australiano es completamente normal consumir por la noche alrededor de 2 kg de carne de canguro, para obtener el máximo posible de grasa. Sin embargo, estos aborígenes no co-

Para estar bien pertrechados contra el frío, como es el caso de los inuit, se necesita un buen aislante térmico.

nocen ni los excesos de peso ni los infartos. Por su parte, los paracaná, una población indígena del Amazonas, comen con fruición grasa de palma y sólo cazan animales que están gordos. Asimismo, los indios de Norteamérica solían consumir únicamente la parte grasa del bisonte, dejando que se pudriera la carne magra. Los masai africanos se alimentan principalmente de leche, sangre y carne de vacuno, y los esquimales, sobre todo

los inuit, ingieren grandes cantidades de grasa a través de la carne de pescado y de foca.

Desde que en los países industrializados se ha extendido la calefacción central, en invierno consumimos mucha menos energía corporal y por tanto menos grasa para entrar en calor. Pero, como en los meses fríos ingerimos de manera automática más alimentos, y más calorías con ellos, también formamos lentamente una capa apreciable de tejido adiposo.

Esta capa puede representar en un adulto hasta el 15% de su sustancia corporal, sin que llegue a parecer grueso. Basta para proporcionarle energía durante todo un mes, aun cuando no ingiera ningún alimento. Lo importante es que el cuerpo disponga de suficiente líquido.

LIBERARNOS DE LA GRASA Como las mujeres tienen por naturaleza más tejido adiposo que los hombres, comprueban que suelen engordar durante el invierno. Pero, siguiendo una dieta y haciendo ejercicio apropiado, este exceso vuelve a desaparecer para la primavera. Más difícil resulta eliminar cantidades de grasa mayores; es decir, las que produce la obesidad crónica.

- -

El flato no se considera peligroso; desaparece en cuanto el cuerpo recupera el reposo. Es una señal de alarma: nos avisa que la cantidad de sangre disponible en el organismo no puede aportar suficiente oxígeno allí donde se necesita. Cuando nos acomete el flato –suele hacer su aparición de manera repentina–, sentimos como si nos estuvieran dando una serie de puñaladas. Como el dolor es grande, el cuerpo se ve obligado a buscar reposo hasta que la circulación se vuelve a normalizar.

El desencadenante del flato es el bazo. Este órgano de color rojizo parduzco pesa 150-170 g, es aproximadamente del tamaño del corazón y se halla situado en el costado izquierdo, inmediatamente debajo del estómago. No es muy compacto; se compone de tejidos boleiformes que pueden recibir más de un litro de sangre.

Las tareas del bazo son múltiples. Por ejemplo, en el feto produce glóbulos rojos y blancos. Tras el nacimiento, su actividad se ase-

El bazo da la alarma

Cuando llevamos mucho tiempo corriendo, sentimos a veces unas violentas punzadas en la parte izquierda del costado: es la señal de alarma del flato.

meja más bien a una central depuradora de residuos, que aleja y elimina los glóbulos rojos viejos y agotados. Al mismo tiempo, el hierro contenido en las células es reconducido a la sangre para que pueda emplearse en la producción de más hemoglobina. El bazo participa también en la producción de antígenos para el sistema inmunológico.

UN BANCO DE SANGRE Normalmente no advertimos la presencia del bazo ni su actividad, salvo cuando forzamos la máquina corporal, como sucede a menudo en el deporte. En estos casos, el volumen de sangre en circulación no basta para oxigenar sufi-

cientemente a los tejidos y a los músculos y salta la alarma.

Cuando los animales, como los perros, experimentan una situación parecida, su bazo, que posee unos especiales vasos de almacenamiento con músculos constrictores, se activan de repente. Movilizado por estímulos nerviosos y hormonales, se contrae y extrae de sus reservas una fracción de sangre suplementaria para incrementar la circulación. También en los humanos el bazo puede aportar más sangre, pero en una proporción demasiado pequeña para que aumente el flujo sanguíneo.

La lengua, en constante peligro

Quien se muerde la lengua para no decir algo tendrá sus buenos motivos para hacerlo. Pero el órgano del gusto prefiere no caer entre las dos filas de dientes. Cuando esto llega a ocurrir, el dolor es terrible.

Desde que nacemos, nuestra lengua, riquísima en filamentos musculosos, se encuentra alojada en la cavidad bucal, bien protegida por la arcada de dientes del maxilar inferior. Mientras somos bebés nos ayuda a mamar, y luego a comer y hablar. Crece con nosotros, pero sin llegar nunca a superar el vallado protector. En ocasiones puede colarse entre los dientes al masticar, y entonces sentimos un gran dolor: una muela que mastica ejerce una presión equivalente a 70 kg de peso.

UN CONTROL BASTANTE COMPLEJO En los accidentes de circulación, a veces la víctima pierde un trozo de lengua a consecuencia de la colisión. Pero habitualmente la compleja red de nervios y músculos impide cualquier herida a la lengua o la membrana que recubre las paredes de la cavidad bucal. Además, el órgano del gusto también está dotado de multitud de células sensoriales que se estimulan al rozar la lengua con la cavidad bucal. Los sensores más finos anuncian constantemente al centro de masticación, situado en el sistema nervioso central del cerebro, la posición de la lengua con relación al paladar y a los dientes. El centro de masticación calcula entonces, con la ayuda de los estímulos anunciados, cómo deben moverse los músculos de la lengua para que ésta no quede atrapada entre los dientes. Los movimientos de la lengua son a su vez reflejos. De esto nos damos dolorosa cuenta cuando el control nervioso ha quedado neutralizado, como ocurre, por ejemplo, cuando el dentista nos inyecta anestesia: al salir a la calle es fácil que nos mordamos la lengua.

En cambio, los reflejos de la lengua funcionan de manera bastante satisfactoria mientras dormimos. En efecto, al igual que todos los demás músculos, la lengua no pierde la tensión ni siquiera cuando está inmóvil, en reposo. Gracias a esta denominada tonicidad, un músculo estimulado se contrae automáticamente. Del mismo modo, la lengua se desplaza inmediatamente en cuanto sus sensores detectan el roce de los dientes. Aun así, la lengua está expuesta a un peligro especial en aquellas personas que tienen un sueño agitado y duermen con la boca abierta. Cuando rechinan los dientes o muerden con fuerza durante el sueño, los maxilares pueden ser más rápidos que la lengua.

DESVANECIMIENTO PELIGROSO Si perdemos el conocimiento, la lengua correrá grave peligro. Generalmente la musculatura se relaja al faltar el oxígeno, y la lengua ya no encuentra ningún tope. Si estamos tendidos boca arriba, la lengua puede también deslizarse al interior de la garganta, y, en caso de que se obturaran las vías respiratorias, podríamos ahogarnos. Este peligro se conjura con una de las medidas más conocidas y eficaces de los primeros auxilios: a la persona desvanecida hay que colocarla en decúbito lateral.

Fuegos artificiales en la retina

No es preciso que nos den un cachiporrazo o que tropecemos contra una farola. Cualquier golpe seco en la cabeza basta para que veamos las estrellas.

Las estrellas que ve un boxeador profesional forman parte de los inofensivos, aunque molestos, gajes de su peligroso oficio.

¿Cómo se explica que de repente vean estrellas nuestros ojos? En realidad se trata de unos fugaces relampagueos que no existen en la realidad, sino tan sólo en nuestro cerebro. La retina posee más de 100 millones de células nerviosas que contrarrestan la violencia con la que los rayos de luz inciden en nuestros ojos. En forma de estímulos sensoriales, son conducidos al cerebro, donde se forma la imagen del objeto considerado. Al producirse una fuerte sacudida, las células nerviosas de la retina resultan también violentamente zarandeadas y envían al cerebro unos impulsos que son interpretados como estímulos lumínicos. Consecuencia: vemos estrellas. Los estudiosos del cerebro han verificado este fenómeno con medios muy sencillos. Vendaron los ojos a una persona y estimularon las células de sus nervios ópticos mediante ligeros impulsos eléctricos: la persona en cuestión percibió rápidamente un vivo relampagueo.

A veces, sobre todo cuando llevamos mucho tiempo sin parpadear, vemos también partículas diminutas revoloteando ante nuestros ojos. Esta visión, que a diferencia de las estrellas danzantes no se debe a una ilusión óptica, se denomina con el nombre de moscas volantes. Se trata de minúsculos grumos de gelatina y de células muertas que flotan entre el líquido del cristalino ocular, proyectando sombras y máculas sobre la retina. Con la edad, este fenómeno se acentúa, pues el líquido del cristalino se va deteriorando paulatinamente. La catarata, por su parte, es una opacidad progresiva del cristalino, que normalmente es transparente.

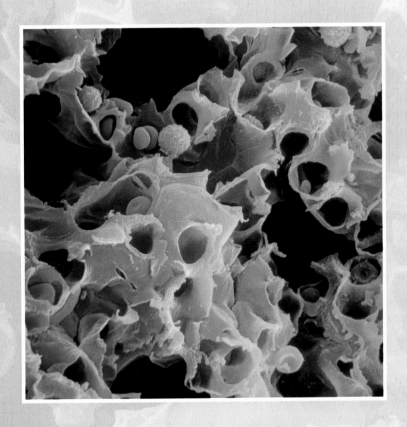

LO QUE
EL CUERPO
DEMANDA

*Imagen microscópica de los alvéolos pulmonares,
con glóbulos rojos y blancos, ampliada 800 veces*

Sección especial

En los países desarrollados son muchas las personas que no saben lo que es pasar hambre y atiborran el cuerpo de alimentos que a menudo suelen ser poco sanos y perjudiciales.

En la cocina asiática predominan las verduras, el arroz, el pescado y la fruta, alimentos muy sanos que proporcionan al organismo las sustancias nutritivas que precisa.

El gusanillo en el estómago

Los signos del apetito son inconfundibles. Primero se extiende por todo el estómago una ligera sensación de vacío, que se va haciendo cada vez más dolorosa al tiempo que el intestino comienza también a producir ruidos extraños.

En los países desarrollados del mundo occidental son muchas las personas que nunca han conocido el hambre real, es decir, esa sensación que se experimenta cuando al cuerpo le falta alimento, o, si se quiere, las sustancias nutritivas necesarias para la vida (y, por ende, las fuerzas vitales). La mayoría de las veces se la confunde con el apetito, esa leve sensación de hambre que se tiene entre las comidas regulares, producida por la caída del nivel de glucosa, o azúcar, en la sangre. En efecto, la glucosa, imprescindible para nuestro organismo, se obtiene generalmente a partir de los hidratos de carbono; éstos se desintegran en la digestión y pasan directamente a la sangre en forma de glucosa.

Como en los países desarrollados la alimentación es bastante rica en hidratos de carbono, con frecuencia se encuentra mucha más glucosa en la sangre de la que el organismo necesita realmente: después de una comida rica en hidratos de carbono, el intestino reabsorbe alrededor de 50 g de glucosa. Según muestran las investigaciones, podemos soportar tres bajadas de glucosa sanguínea seguidas sin comer, antes de que el famoso gusanillo en el estómago anuncie la presencia del hambre.

Sin embargo, no olvidemos que el mero hecho de poder estudiar la diferencia entre hambre y apetito es privilegio de los seres humanos para quienes el ayuno resulta una decisión voluntaria. Cuando decidimos ayunar, el hígado trata de procurarse glucosa por otros métodos y hacerla pasar a la sangre; por ejemplo, a partir de la grasa, de los aminoácidos o de determinadas proteínas de los músculos y otros órganos.

Si el estómago permanece unos días vacío, acaba desapareciendo hasta la misma sensación de hambre. Esto tiene que ver con los productos intermedios que hacen su aparición con la supresión de la grasa corporal. Estos productos, denominados cetonas, actúan como inhibidores del apetito. De todos modos, si la falta de alimentación es prolongada, el organismo no sólo pierde –con la desaparición de las proteínas– las defensas de que dispone normalmente, sino que inicia una fase de autoconsunción cuando ya no le quedan otras reservas.

En nuestras sociedades de consumo, el problema no radica en la falta de alimentación, sino, por paradójico que pueda parecer, en el exceso de la misma. El cuerpo se ve constantemente "solicitado" por un exceso de alimentos (y, lo que es peor, a menudo poco sanos), y nos olvidamos así de interpretar correctamente las señales que nos envía el organismo.

NO SE ESCUCHA UNA SEÑAL La señal que anuncia la presencia del hambre está localizada en el hipotálamo, región del cerebro intermedio que también regula otras necesidades. Los receptores corporales registran la caída del nivel de azúcar en la sangre o, en caso extremo, la falta de suficiente grasa corporal, y transmiten las correspondientes señales al cerebro intermedio. Si el estómago recibe finalmente lo que exigía con tanta urgencia, la señal contraria retorna al cerebro.

Sin embargo, mientras que la señal de hambre llega con gran rapidez (generalmente alrededor de un minuto después de disminuir el nivel de azúcar en la sangre), la que anuncia "saturación" tarda en llegar bastante más tiempo. Tan pronto como los dientes inician el proceso de la masticación, las papilas gustativas dan la señal al estómago de que el proceso de la nutrición se ha puesto en marcha. Inmediatamente después, el estómago empieza a producir ácido clorhídrico para disolver las sustancias nutritivas. Si se tiene una dosis alimenticia suficiente, el estómago señala al cerebro que ya no necesita nuevos aportes. Pero esta señal no llega al cerebro hasta 15 minutos después de empezar a comer, de manera que, en caso de una comida apresurada y una masticación insuficiente, el cuerpo puede recibir más de lo que realmente necesita.

MALOS HÁBITOS ALIMENTICIOS Incluso después de emitir el cerebro la señal de saciedad –y, por consiguiente, después de desaparecer el hambre–, a menudo seguimos comiendo como si tal cosa. Y ello ocurre porque normalmente suelen ser factores sociales o de costumbre los que aumentan o reducen el hambre, y por tanto nos impiden percibir la verdadera sensación de carencia alimenticia.

Como se sabe, las comidas con amigos nos saben mejor que las comidas en solitario. Según un estudio norteamericano, las personas que comieron con un grupo de más de cinco amigos ingirieron un 76% más de alimentos. Asimismo, se ha comprobado que una mesa bien puesta y surtida de viandas incrementa las ganas de comer en un 28%.

¡Socorro, el agua escasea!

Con la sed, nos asalta la sensación de estar secos por dentro: la lengua se nos pega al paladar y sentimos resecas la boca y la garganta porque nos falta saliva. Con estas señales el cuerpo nos advierte que andamos faltos de líquido.

El ser humano se compone en un 60% de agua, lo que en una persona que pese 70 kg corresponde a una cantidad de 42 l. Este porcentaje debe permanecer siempre constante, pues sin agua nuestro organismo no estaría en condiciones de realizar sus funciones más elementales. Con la ayuda del agua, el cuerpo transporta, por ejemplo, las sustancias nutritivas a las células y elimina las sustancias perniciosas.

Precisamente porque el agua es necesaria para la vida, el organismo reacciona rápidamente a la falta de líquido desencadenando la sensación de sed: ésta nos hace saber que el cuerpo ha experimentado una pérdida de agua que se debe reponer cuanto antes si no queremos que el equilibrio orgánico entre en crisis. Las señales las emiten unos receptores que tienen su sede en las grandes vías circulatorias y en el corazón. Su tarea consiste en acusar la disminución de líquido –en volumen o presión– producida en el sistema circulatorio. Otros receptores localizados en el hipotálamo, importante estación de control alojada en el cerebro intermedio –que, entre otras funciones, es también responsable del porcentaje de agua,– se

Cuando el sol aprieta y el sudor empapa todo nuestro cuerpo, solemos suspirar por una cerveza fría. Pero no hay nada más engañoso, pues la cerveza contiene sustancias diuréticas que provocan más sed en lugar de calmarla.

No tener sed es muy importante para el deportista, pues basta que la pérdida de líquido sea sólo superior en un 2% respecto al peso del cuerpo para que se deje de rendir como de costumbre.

EL AGUA MINERAL, EL MEJOR REMEDIO CONTRA LA SED

- Los médicos aconsejan ingerir al día por lo menos 2 l de líquido, a ser posible agua, con lo que el cuerpo dispondrá no sólo del líquido necesario, sino también de todos los minerales imprescindibles para la supervivencia.

- Si la alimentación es pobre en sales, hay que prestar atención sobre todo al contenido en cloruro de sodio, uno de los componentes minerales más abundantes en el agua. Es especialmente recomendable en este caso un agua que contenga menos de 20 mg de sodio por litro.

- El agua mineral, que carece de microorganismos perjudiciales y de contaminantes químicos, puede también emplearse para preparar biberones, si bien para este uso se debería elegir un agua con un contenido de flúor no superior a 1,5 mg./l. En efecto, un excesivo contenido en flúor, en determinadas circunstancias y a la larga, produce unas manchas características en los dientes, además de estropear el esmalte dental.

- Cuando hace mucho calor, debemos tratar de que no se produzca la primera sensación de sed: antes bien, procuraremos tener a lo largo de todo el día un nivel equilibrado de líquido; de lo contrario, el cuerpo se secará al poco tiempo. Aunque para ello debamos beber sin excesivas ganas.

encargan de notificar el aumento de sal en la sangre y en el líquido celular como consecuencia de la falta de agua. Estos mensajes son enviados al centro de la sed –cuya localización se encuentra asimismo en el cerebro intermedio–, el cual desencadena inmediatamente la sensación de sed. Pero también captan la señal de la sed determinadas hormonas, especialmente la hormona antidiurética, también conocida con la abreviatura de HAD o adiuretina, la cual se ocupa de que los riñones eliminen menos agua.

Cuando bebemos, reponemos la pérdida de agua y desaparece la sed, una señal de recuperación del volumen de líquido que parece estar relacionada sobre todo con la tersura de la pared estomacal.

CUANDO FALTA AGUA Generalmente, el porcentaje de agua aproximado que posee el cuerpo –un 60%, como dijimos antes– sólo oscila en un 0,2% aproximadamente respecto al peso del cuerpo. En un adulto que pese 70 kg esto supondría 140 ml de agua. Sin embargo, hay toda una serie de situaciones en las que el cuerpo pierde bastante más agua y, por consiguiente, debe recibir un mayor aporte de líquido del exterior.

Así ocurre, por ejemplo, cuando realizamos un esfuerzo físico que nos obliga a sudar, lo que produce una pérdida de líquido suplementaria. La denominación científica de este fenómeno es deshidratación. Generalmente, el agua emana del tejido celular. Por ello, cuando hacemos deporte y sudamos, se produce siempre pérdida de líquido corporal,

es decir, perdemos un volumen adicional de sustancias minerales vitales, como son el sodio, potasio, calcio y magnesio. Por regla general, este déficit de líquido se recupera en el mismo día. En una situación de esfuerzo extremo, agravado además, por ejemplo, por los rayos de un sol tórrido, la disminución del agua puede llegar hasta el 8% respecto del peso corporal –si éste es de 70 kg, la pérdida supondría, pues, 5,6 l–. Si el cuerpo pierde más de 5 l de agua, esta disminución no se puede recuperar en el

mismo día, con lo que persiste el peligro de deshidratación.

FUENTES OCULTAS Tras lo dicho, más de uno se preguntará por qué a los corredores de maratón sólo se les da de tarde en tarde un vaso de líquido. En efecto, en comparación con otros plusmarquistas beben poquísimo, unos 0,75 l como promedio. Esto se debe al hecho de que, en una prueba que exige tanto esfuerzo, el propio cuerpo extrae agua mediante procesos metabólicos. Durante la carrera, que dura unas 3 horas, los corredores pierden hasta 3 kg de peso, y, con la eliminación de la grasa, se forma en el cuerpo agua anódica. Además, a consecuencia del elevadísimo consumo de energía en una maratón, con la consiguiente pérdida de glucógenos y su transformación en glucosa, se libera agua de disolución. En conjunto, pues, durante la carrera se puede formar de este modo más de 1 litro de agua corporal.

Pero no sólo las competiciones deportivas le cuestan al organismo agua que se debe recuperar. También quien está tumbado en la playa tomando tranquilamente el sol puede sentir mucha sed –y no ya sólo por el calor–, pues en esa posición los riñones incrementan su actividad y expulsan bastante más agua de lo que harían en condiciones normales.

La importancia primordial del agua para el organismo la confirma el hecho de que, si pasamos unos días sin beber, moriremos de sed; en cambio, podemos sobrevivir hasta 70 días sin comer nada, siempre que dispongamos de agua suficiente.

Misterio: por qué unos queman calorías y otros no

A primera vista, la situación no parece presentar problemas: quien come más de la cuenta se carga rápidamente de peso, mientras que quien se modera en la mesa y vigila lo que come puede guardar la línea.

Todo el mundo las conoce; me refiero a esas personas envidiables que no saben renunciar a los postres ricos en calorías porque, a pesar de tales excesos, no añaden ni un gramo de peso... Y probablemente nosotros pertenecemos al otro grupo: a esos tipos dignos de compasión que han de extremar su cuidado, incluso ordenando medias raciones, porque de lo contrario lo pagan viendo cómo se dispara el fiel de la balanza. Según la voz popular, los primeros sabrían quemar calorías, al contrario que los segundos. Dicho esto mismo de manera menos popular, tales diferencias tienen que ver con el metabolismo corporal.

Al organismo hay que suministrarle constantemente energía en forma de alimento si queremos que funcione debidamente. El calor así producido se mide en julios (J), aunque en lenguaje corriente todavía se sigue utilizando el término familiar de calorías (cal).

EQUILIBRIO FINAL Actualmente se distinguen dos formas de metabolismo energético. En primer término, el metabolismo basal, también denominado metabolismo de mantenimiento o de reposo, que indica la producción de energía del cuerpo que, en estado de reposo y a una temperatura corporal de 37°, es necesaria para el mantenimiento de las funciones orgánicas. Con la alimen-

tación se debe aportar un promedio de 1.400-1.800 kcal (5.880-7.560 kJ) a modo de combustible. Sin embargo, este metabolismo basal tiene un nivel distinto en cada persona, en función de la edad, el sexo, el peso y otros factores personales y genéticos.

Pero, además de esta energía básica, el organismo necesita también energía para las distintas actividades corporales que realiza. Si se trata de una actividad ligera, como por ejemplo el trabajo de oficina, el denominado metabolismo laboral exige al día por término medio 2.300-2.500 kcal (9.660-10.500 kJ). En cambio, en situaciones que requieren grandes esfuerzos, con especial desgaste muscular, la cifra puede llegar casi duplicarse y ascender a las 3.500-4.000 kcal (14.700-

16.800 kJ). Pero también se consume energía con la digestión o la regulación de la temperatura corporal, así como con las emociones (como sucede, por ejemplo, cuando nos dejamos llevar por la ira en medio de un ataque de rabia).

EL FIEL DE LA BALANZA Se podría afirmar entonces que, en el caso ideal de un nivel de energía equilibrado (es decir, cuando la ingestión y consumo de energía son más o menos iguales), el peso corporal se mantiene fundamentalmente constante. Pero aquí entran en juego también las particularidades personales antes mencionadas. En efecto, si se registra un superávit en el balance energético, es decir, un exceso en energía alimenticia, éste es almacenado por las células del tejido adiposo en forma de "grasa de reserva"; ésta equivale, en cierto modo, a la corteza de tocino que se guarda para los tiempos flacos, para que en caso de necesidad el cuerpo puede recurrir a sí mismo para alimentarse. Pero, a corto plazo (o largo, según se mire), una excesiva reserva de grasa conduce a un aumento de peso superfluo, si bien recientes experimentos han demostrado que un constante exceso de alimentación en distintas personas puede tener efectos muy distintos

Cuando los quemadores de calorías no comen con moderación, su cuerpo incrementa su producción de calor y quema en poco tiempo hasta un tercio de la energía sobrante. En cambio, en los que no queman calorías el exceso de alimentación produce otros efectos: almacenan más grasa y aumentan más fácilmente de peso. Hay también otra serie de factores físicos que influyen en las oscilaciones del metabolismo basal. Así, por ejemplo, éste aumenta en caso de fiebre, de embarazo y de determinadas enfermedades, mientras que, por el contrario, el estrés producido por los cambios hormonales puede hacerlo bajar.

Estar delgado no es sólo una cuestión de autodisciplina. Frecuentemente lo determinan factores genéticos.

Tratar de no engordar suele representcar muchos sacrificios; una dieta regular puede no producir los resultados esperados.

El largo viaje a través del túnel de la digestión

Se trate de alimentos líquidos o sólidos, todos siguen el mismo camino en nuestro cuerpo: de la boca al estómago, pasando por el esófago, hasta abandonar el intestino.

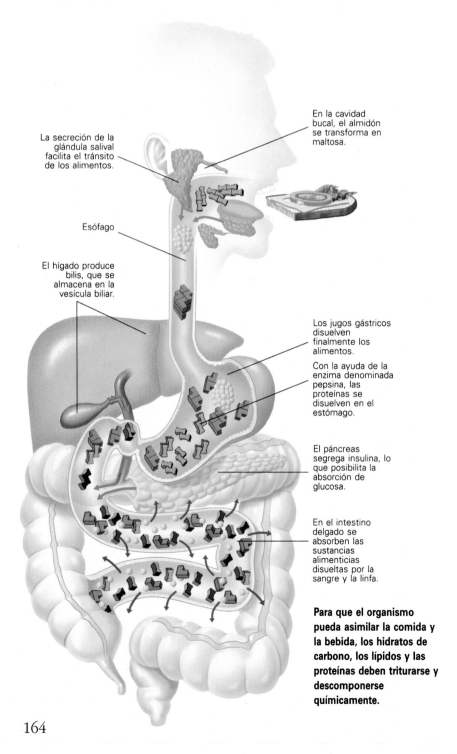

La secreción de la glándula salival facilita el tránsito de los alimentos.

En la cavidad bucal, el almidón se transforma en maltosa.

Esófago

El hígado produce bilis, que se almacena en la vesícula biliar.

Los jugos gástricos disuelven finalmente los alimentos.

Con la ayuda de la enzima denominada pepsina, las proteínas se disuelven en el estómago.

El páncreas segrega insulina, lo que posibilita la absorción de glucosa.

En el intestino delgado se absorben las sustancias alimenticias disueltas por la sangre y la linfa.

Para que el organismo pueda asimilar la comida y la bebida, los hidratos de carbono, los lípidos y las proteínas deben triturarse y descomponerse químicamente.

Cuando nos levantamos de la mesa tras una comida apetitosa transcurren unas dos horas antes de que volvamos a pensar en la comida. Pero, para el cuerpo, ése es precisamente el momento de ponerse a trabajar: en un proceso químico sumamente complicado, deberá disolver los alimentos en partículas diminutas para que el organismo pueda extraerles el debido provecho.

La digestión se inicia en el momento preciso en que introducimos una porción de comida en la boca. En primer lugar, los dientes trituran los alimentos sólidos al tiempo que éstos se mezclan con saliva. De este modo se produce la amilasa, una enzima contenida en nuestra saliva, cuyo cometido es transformar en glucosa los hidratos de carbono. Mediante movimientos automáticos de la lengua y de los músculos de la boca, se tragan las porciones de la comida, que pasan a continuación a la garganta y al esófago. Aquí se contrae rápidamente la musculatura antes y después de cada bocado; las contracciones son tan vigorosas que incluso haciendo el pino el ser humano puede tragar normalmente. El tránsito de los alimentos hasta el estómago no tarda más de 10 segundos.

ESTACIÓN INTERMEDIA El estómago vacío presenta una imagen arrugada; se parece a un balón de fútbol aplastado por un lado. Pero cuando los alimentos entran por su sinuoso conducto superior, o fundus, entonces se hincha como un balón precisamente. De esta especie de depósito o despensa van saliendo poco a poco pequeñas porciones en dirección a la parte inferior del estómago, o antro, donde los músculos amasan los alimentos y, ayudándose del jugo gástrico, compuesto principalmente de ácido clorhídrico y de enzimas digestivas, los mezclan hasta formar una especie de papilla. Al cabo de un lapso que dura entre 3 y 6 horas, la comida pasa del estado sólido a otro semilíquido. Las enzimas resultan indispensables para los distintos procesos digestivos, pues gracias a ellas se producen las reacciones químicas necesarias para que el cuerpo disponga de las sustancias energéticas y reconstituyentes que precisa para su normal funcionamiento.

Una vez que el bolo alimenticio, o quimo, se ha predigerido de esta manera, intervienen unas especiales hormonas tisulares que controlan el vaciado del estómago en colaboración con los nervios. Éstas hacen que, tras atravesar el denominado píloro, el quimo pase paulatinamente a la siguiente fase del proceso digestivo, que tiene lugar en

CUÁNTO TIEMPO PERMANECEN LOS ALIMENTOS EN EL ESTÓMAGO

0	1	2	3	4	5	6	7	8 Horas
miel azúcar alcohol	té caldo desgrasado café (sin azúcar) leche desnatada	pescado cocido huevos pasados por agua arroz cocido leche pan	patatas huevos revueltos legumbres cocidas carne magra cocida	aves de corral pan moreno queso fruta (natural) jamón	carne asada de vacuno carne ahumada legumbres filete de lomo	asado de cerdo alimentos grasos y fritos salmón ahumado ensalada de pepino setas		carne grasa vísceras sardinas en aceite repollo o berza rizada

la sección del intestino superior llamada duodeno.

En el intestino delgado, que mide unos 3,5 m de longitud por 3 cm de grosor, es donde se desarrolla la tarea principal de la digestión. Aquí las tres sustancias esenciales de la digestión –hidratos de carbono, proteínas y lípidos– se disuelven en unidades diminutas. La secreción de la glándula salival o parótida favorece la transformación de las proteínas en aminoácidos y de los hidratos de carbono en glucosa. El jugo biliar, de color amarillento-verdoso, que se forma en el hígado por efecto del colesterol, disuelve la grasa no hidrosoluble en gotitas finísimas, con objeto de que tam-

bién éstas, al igual que las demás moléculas de las sustancias nutritivas, puedan ser reabsorbidas por las vellosidades del intestino delgado.

PLIEGUES Y REPLIEGUES Para que la circulación sanguínea absorba la mayor cantidad posible de las sustancias nutritivas disueltas, junto con las vitaminas y las sustancias minerales que se encuentran en las superficies de contacto, el intestino delgado está compuesto de unos 600 pliegues en forma de bucle. En cada pliegue se encuentran miles de divertículos membranosos con forma de anillo. Toda la membrana mucosa está punteada de diminutos vasitos sanguíneos a través de los cuales pasan a la sangre los constituyentes de

No todos los alimentos permanecen en el estómago el mismo tiempo. Cuantos más lípidos se consumen en los preparativos, más dura el tránsito.

hidratos de carbono, así como los aminoácidos; de la reabsorción de los lípidos se encargan las vías linfáticas.

Cuando el bolo alimenticio abandona el intestino delgado, concluye el proceso digestivo propiamente dicho, al haberse asimilado ya la comida ingerida varias horas antes. ¿Cuántas? En ocasiones pueden transcurrir más de 24 horas hasta que se digiera la comida en su totalidad y se eliminen los residuos sobrantes.

El proceso de la evacuación

Nuestro cuerpo aprovecha aproximadamente el 95% de una comida sustanciosa. Los residuos inservibles prosiguen su curso hasta su expulsión al final del aparato digestivo. Antes intervienen innumerables bacterias.

Cuando el intestino delgado ha descompuesto químicamente las sustancias nutritivas y las ha hecho pasar a la circulación sanguínea, el bolo digestivo se acoda para dirigirse al intestino grueso. Éste es menos de la mitad de largo que el intestino delgado, es decir, mide aproximadamente 1,5 m, si bien su diámetro es mayor. El intestino grueso, o colon en la jerga médica, se compone principalmente del colon ascendente y del apéndice, al que pertenece el apéndice cecal. El colon termina en un bucle en forma de S, de una longitud que oscila entre 10-20 cm, llamado sigma, para desembocar finalmente

en el ano. A través de todo el intestino pasan diariamente unos 11 litros, entre comida, líquidos y las distintas secreciones corporales.

PROCESO DE SECADO Contrariamente a lo que ocurre en el interior del intestino delgado, la membrana mucosa del intestino grueso no posee vellosidades, sino solamente unos divertículos bastante acentuados. Éstos se componen principalmente de células segregadoras de mucosidad para que las heces y la piel estén debidamente lubrificadas, así como de otras células que se encargan de llevar al sistema circulatorio agua y electrólitos. Por esta razón el bolo

alimenticio, que a su paso por el intestino delgado era relativamente acuoso con objeto de facilitar la absorción y transporte de las distintas sustancias nutritivas, se ve privado en el intestino grueso de buena parte del agua. En consecuencia, el contenido intestinal se vuelve más sólido y al mismo tiempo más deslizable para su expulsión. Pero antes de llegar a esta fase, entran en escena innumerables bacterias del intestino grueso.

En la actualidad se conocen más de 400 tipos de bacterias que configuran la flora intestinal. En 1 g de contenido intestinal residen hasta 50.000 millones de tales bacterias, las cuales desempeñan una función digestiva posterior: ser corresponsables de la síntesis de la vitamina K y ocuparse de que los elementos básicos de los alimentos pesados (digestivamente hablando) sean finalmente eliminados mediante los procesos de fermentación y putrefacción, y por tanto quemados por el cuerpo. Su actividad tiene, no obstante, un efecto secundario bastante desagradable: produce algunos gases malolientes.

Pero, fundamentalmente, son las sustancias alimenticias de difícil digestión las que llegan al intestino grueso, así como fibras celulosas vegetales, denominadas también sustancias de lastre. Esta descripción no les hace justicia en absoluto, pues no constituyen para el cuerpo ninguna carga superflua. Por una parte, las sustancias de lastre sirven de sustento a las bacterias intestinales, que extraen de ellas la energía suficiente para su metabolismo, mientras que, por otra, los grandes residuos vegetales desempeñan una función de barrido: en su recorrido por el intestino grueso limpian bien las curvaturas donde son susceptibles de sedimentarse las sustancias residuales.

Lo que queda finalmente de la digestión –el excremento o las heces–, se sigue componiendo aún de agua en sus tres cuartas partes. El resto son albúminas, lípidos, sustancias inorgánicas, alimentos difíciles de digerir, restos desecados de jugos gástricos intestinales, células intestinales repelidas y bacterias muertas. Para deshacerse de los productos residuales del metabolismo, que al igual que muchos productos de las bacterias del intestino grueso son

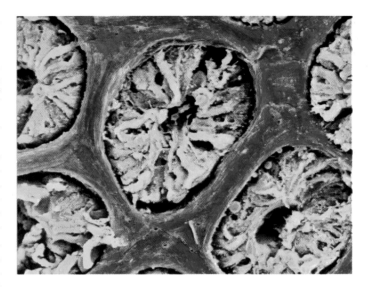

Imagen coloreada de la membrana mucosa (verde) que recubre el intestino grueso. Contiene numerosas glándulas (amarillas), de las que parten conductos hacia el interior del intestino.

sustancias venenosas para el cuerpo, las ondas peristálticas los impulsan en dirección del recto.

COMPOSICIÓN DE LOS RESTOS El caso es que en el intestino grueso los alimentos que le aporta el intestino delgado permanecen entre 12 y 14 horas, hasta que alcanzan la composición correcta y tienen ya luz verde para pasar al recto. Al final, sólo un 5% de lo ingerido es evacuado por el cuerpo.

Los plastificantes vegetales, y por tanto, el pan integral, el salvado, el muesli, las legumbres y la fruta, pueden servir de gran ayuda contra la extendida disfunción del estreñimiento. Por eso son muchos los nutriólogos que aconsejan ingerir diariamente al menos 30 g de sustancias de lastre. Esto basta para producir 120-150 g de heces blandas. Por ejemplo: una alimentación muy rica en carnes y lípidos sin plastificantes vegetales produce unos 40 g de heces duras, con forma de bucle. Esto se debe a que este tipo de alimentación se disuelve casi por completo en el intestino delgado en sus distintos componentes, siendo asimilada totalmente por el organismo.

NECESIDAD URGENTE La evacuación a través del ano de esta última sección del contenido intestinal en el acto de la defecación la podemos realizar de manera consciente y voluntaria, merced a un complejo sistema de oclusión de los dos músculos esfínteres con forma de anillo. A primeras horas de la mañana se puede advertir de manera especial la presión de las heces; en efecto, hacia las 7 de la mañana alcanzan su primera plenitud los órganos de la digestión, principalmente el intestino grueso, al que le gustaría evacuar su contenido.

Una fuerte presión en la vejiga indica que ha llegado el momento de abrir las esclusas corporales para soltar las impurezas del metabolismo y demás desechos que pudieran envenenar nuestro organismo. Cuando llega este momento, los riñones ya han culminado su importante misión. En todo este proceso los riñones llevan a cabo una tarea múltiple: vuelven a poner en circulación minerales y sustancias nutritivas, se preocupan de la calidad de la sangre y regulan la sal. Asimismo, al desviar el agua superflua, mantienen constante en el cuerpo el nivel adecuado de líquido.

Cuando estos órganos no funcionan debidamente, no se elimina el líquido exigido, lo que conduce a una intoxicación del organismo. En tales casos es necesario recurrir a la depuración de la sangre, denominada diálisis, con ayuda de aparatos especiales.

Poderosa planta depuradora

Cada día, todo el volumen de la sangre se bombea casi 300 veces a través de los riñones, que filtran las sustancias tóxicas y los productos desechados por el metabolismo.

CRIBA Los riñones, cada uno de los cuales mide 12 cm de longitud y tiene un peso de 150 g, están situados a ambos lados de la columna vertebral, hacia la altura de la cintura, y se encuentran bien protegidos por una capa adiposa. Por ellos pasa toda la dotación sanguínea del cuerpo –unos 5 l– más de diez veces en el transcurso de cada hora, lo que supone bombear 1.500 l de sangre. En esta limpieza de la sangre desempeñan un papel importantísimo los

alrededor de 2 millones de corpúsculos renales que se encuentran en la sustancia cortical de los riñones. Estos diminutos glomérulos vasculares, cada uno de los cuales forma una unidad y posee una arteriola que alternativamente recibe y expulsa, son los filtros de los riñones. Por ellos pasa el agua de la sangre, pero también la glucosa, las sales y demás minerales (sustancias todas ellas imprescindibles para el organismo, que más tarde retornan a la

Los riñones tienen el tamaño de un puño, la forma de una habichuela y color rojo oscuro. De ellos fluye la orina a la vejiga a través de los uréteres.

circulación sanguínea). Hay asimismo otras sustancias nocivas que fluyen a través de la pelvis renal y de la uretra y que se expelen junto con la orina.

El volumen de líquido filtrado por los corpúsculos renales, la denominada orina primaria o preorina, asciende al día a unos 180 l. Este líquido se reúne en una especie de cápsula en torno a cada uno de los corpúsculos renales o de Malpighi. Acto seguido, el líquido pasa a los tubos uriníferos, o tubulares, que están unidos a los corpúsculos renales pero que a continuación se unen a los tubos colectores. Su tarea consiste en concentrar la orina de tal manera que al final sólo quede aproximadamente un 1% de la misma, es decir, entre 1 y 2 l de orina final. Además, al igual que los corpúsculos renales, deciden cuáles son las sustancias de la orina que necesita el cuerpo y deben ser reconducidas nuevamente a la circulación de la sangre. De este modo no sólo se mantiene el nivel adecuado de minerales, sino también el de líquido.

Para que se pueda eliminar finalmente, la orina fluye por ulteriores tubos colectores hasta la pelvis renal y desde allí hasta los uréteres, que enlazan los riñones y la vejiga. Con sus vigorosos músculos parietales, en los que se desarrollan las ondas peristálticas, arrastra la orina hasta la vejiga. La orina final se reúne aquí como en un vigoroso almacén dilatable, hasta abandonar finalmente el cuerpo. Curiosamente, en el hombre la orina efectúa un recorrido más largo que en la mujer: mientras que el conducto urinario masculino mide 20-25 cm, el femenino tiene de 2-4 cm menos.

LÍQUIDO AMBARINO Y AMARILLENTO Pero ¿de qué está compuesta la sustancia que desaparece regularmente por el urinario? La orina contiene un 95% de agua aproximadamente, en la cual se disuelven las sustancias sólidas que la integran (hasta 25 g cada día). Éstas se forman en el hígado y proceden de la desintegración de la albúmina. Asimismo se expulsan principios activos y ácidos úricos, como sales orgánicas e inorgánicas (entre éstas, el cloruro sódico). Sin embargo, se equivocaría de plano quien creyera que la orina, abundante en impurezas, es puro veneno. Cuando la orina es excretada por un

cuerpo sano, está completamente esterilizada; de ahí que en la Edad Media se empleara para curar heridas.

El color de la orina lo produce un catabolito de la sustancia colorante biliar denominada bilirrubina. No obstante, la pigmentación no es siempre igual: cuanto más bebemos menos espesa y por tanto más clara es la orina. La denominada orina matinal, en cambio, es más concentrada y, en consecuencia, más oscura. Si tuviera una pigmentación

rojiza, delataría una hemorragia renal o del conducto urinario; y, si tuviera un aspecto turbio o color blanco cremoso, se trataría de una infección, pues el color estaría determinado por la presencia de numerosos glóbulos blancos. La orina tiene finalmente un valor semiológico en cuanto que sirve para diagnosticar enfermedades; por ejemplo, la enfermedad del azúcar o la diabetes, cuyo nombre alude al hecho de que la orina de los que la padecen tiene un sabor dulce.

La sustancia cortical envuelve al órgano.

La médula renal está situada entre la sustancia cortical y la pelvis renal.

Pelvis renal

Arterias renales

Venas renales

Uréter

Cada día pasan por los riñones 1.500 litros de sangre: la dotación sanguínea de 300 personas.

El agua es vida

Sin agua el mundo estaría muerto. Sin agua nada crece, nada florece, nada madura; sin agua se seca la naturaleza y se seca el cuerpo humano. El agua es la sustancia que posibilita los distintos procesos de la vida. No hay ningún otro líquido que nos preste tantos servicios: lo mismo hace de disolvente para las reacciones químicas celulares que de medio de transporte para el metabolismo. El cuerpo humano se compone de agua en una proporción que oscila entre el 60 y el 65%, por lo que no ha de extrañar que su consumo cotidiano resulte de vital importancia. Sin agua el cuerpo sólo puede sobrevivir unos días. Pero el agua tiene aún otras virtudes. El ser humano se queda maravillado cuando contempla un paisaje fecundado por el agua y sigue paso a paso sus vicisitudes; por ejemplo, cuando cae del cielo en forma de lluvia y se transforma en arroyos, ríos y mares, permitiendo así que fructifiquen alimentos... Por último, el agua es un refrigerio para el espíritu. Actúa como una verdadera fuerza viva, ya nos sirva de bebida o para refrescarnos; ya la usemos para sumergirnos en ella o para contemplarla en sus infinitos matices.

Más de la mitad de la humanidad se alimenta diariamente de arroz, una planta tan dependiente del agua que para su cultivo se construyen terrazas y bancales atravesados por numerosos canales de regadío y drenaje.

El agua debe tener algo mágico para satisfacer tantas necesidades. Ante todo, es una condición inexcusable para la supervivencia del organismo, el cual necesita beber varios litros al día (izda.). También es importante para el esparcimiento: dentro de ella, el ser humano puede sentirse por unos momentos ingrávido y libre de las preocupaciones cotidianas (ilustración a toda página).

El jadeo liberador

Si sumergimos la cabeza dentro del agua mientras nos bañamos tal vez consigamos retener el aire durante un breve lapso de tiempo. Pero, a los 30-40 segundos como máximo, la presión se vuelve tan insoportable en nuestro pecho que nos vemos obligados a sacarla para respirar.

Igual que se puede contener la respiración, también es posible inhalar aire profundamente, como acontece, por ejemplo, cuando el médico nos ausculta el pecho por hallarnos resfriados. También al toser, hablar o cantar ejercemos un dominio activo sobre nuestra respiración. En todos estos casos comprobamos que podemos influir en nuestra respiración hasta cierto grado, pero sin poder interrumpirla nunca por completo, ante la necesidad imperiosa que experimentamos constantemente de recibir aire.

INTERCAMBIO DE GASES La respiración, exteriormente reconocible por las inhalaciones de aire y el rítmico ascenso y descenso de la caja torácica, sirve para suministrar al cuerpo, día a día y minuto a minuto, el oxígeno que necesita. El ininterrumpido suministro de este gas, así como su transporte a través de la circulación sanguínea a todas las células del cuerpo, es para el organismo en general, y para todos los procesos bioquímicos en particular, tan vital como el aprovisionamiento de comida y bebida. Simultáneamente a la inhalación de oxígeno, el cuerpo se deshace del dióxido de carbono producido en el acto metabólico. Este proceso, denominado intercambio de gases, tiene lugar en los aproximadamente 300 millones de alvéolos pulmonares.

FUELLE AUTOMÁTICO Para que llegue a los pulmones el aire que necesitan para respirar, el cual contiene aproximadamente un 21% de oxígeno, una persona debe respirar normalmente unas 14 veces por minuto. Esto significa que, como promedio, realizamos unos 600 millones de inspiraciones y espiraciones en el transcurso de nuestra vida. Con cada una de estas respiraciones se inspira o espira aproximadamente 0,5 l de aire, es decir, de 6-7 l por minuto o alrededor de 3.000 litros durante un sueño de 8 horas.

En el acto de la inspiración, la caja torácica se dilata gracias a la musculatura respiratoria, compuesta por el diafragma

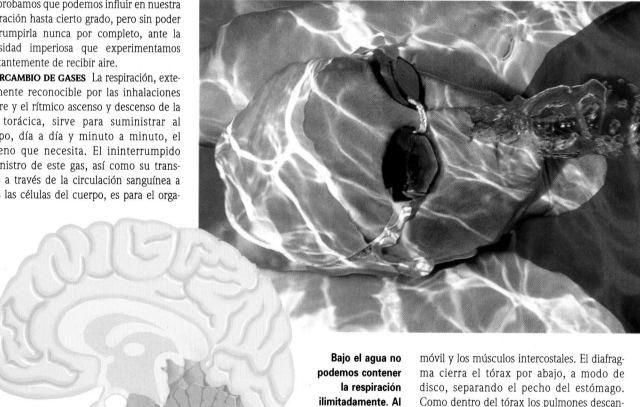

Bajo el agua no podemos contener la respiración ilimitadamente. Al poco tiempo tenemos que salir a la superficie, pues la musculatura respiratoria nos obliga a inhalar.

En el bulbo raquídeo se asienta el centro del control de la respiración. Aquí se analizan las informaciones del organismo y se envían las correspondientes órdenes a la musculatura respiratoria.

El centro respiratorio, situado en el bulbo raquídeo, regula los movimientos respiratorios.

móvil y los músculos intercostales. El diafragma cierra el tórax por abajo, a modo de disco, separando el pecho del estómago. Como dentro del tórax los pulmones descansan sobre este disco muscular, se ven involucrados en sus movimientos. Cuando el diafragma se contrae, se elevan las costillas y se dilata el espacio torácico. En consecuencia, se expanden los pulmones, y en su interior se produce una especie de efecto de reacción que permite que el aire penetre en ellos. De este modo, a través de los microscópicos alvéolos pulmonares, llega a la sangre el imprescindible oxígeno, que después pasa a los demás órganos a través del ventrículo izquierdo del corazón.

En el proceso inverso, la sangre pobre en oxígeno y rica en dióxido de carbono pasa a los pulmones a través del ventrículo derecho; el diafragma se relaja, las costillas bajan, la caja torácica se vuelve a nivelar y, en la espiración, el aire viciado por el dióxido de carbono sale expelido de los pulmones.

CENTRO DE CONTROL Los movimientos respiratorios se producen de manera automática y, por regla general, también inconsciente, por lo que no percibimos la respiración sosegada. El ser humano no necesita, por tanto, acordarse constantemente de que debe inhalar aire; de esta tarea se encarga el

cerebro. En el bulbo raquídeo, región situada en la parte inferior del cerebro, encima de la médula espinal, donde se regulan las funciones básicas del organismo, se encuentra también, junto al centro de control de la circulación, el centro de control respiratorio, que regula los movimientos de los músculos necesarios para la ventilación a través de impulsos nerviosos. Las necesarias informaciones las facilitan, por una parte, los receptores nerviosos, que informan al centro respiratorio sobre el grado de dilatación de la musculatura del espacio torácico, y, por otra, los receptores químicos, que miden la concentración de gases en la sangre. Pero en

todo este proceso no es el oxígeno el que cumple la función impulsora, por así decirlo, sino el valor pH y el contenido en dióxido de carbono de la sangre. Los receptores bulbares miden la concentración de este gas en el flujo de la médula espinal del cerebro, que se halla en permanente contacto con la sangre. En cuanto estos receptores advierten el menor exceso en dióxido de carbono, son enviadas órdenes desde el bulbo a la musculatura respiratoria, con lo que se produce un fortalecimiento de la respiración y se potencia la eliminación de dióxido de carbono, hasta que la concentración de este gas retorna a su nivel normal.

¡Rápido, pero sin sulfurarse!

Cuando tenemos prisa, nuestro cuerpo también tiene prisa. Las palpitaciones y la respiración se aceleran y contraemos una deuda de oxígeno que hemos de reponer.

Otra vez se nos han pegado las sábanas y, al salir a la calle, vemos al autobús dirigiéndose a la parada. Nos lanzamos a la carrera y conseguimos abordarlo en el último instante, cuando ya estaban cerrándose las puertas. Llegamos jadeando y necesitamos un poco de tiempo para recuperarnos del esfuerzo.

En la respiración normal –es decir, en estado de reposo– el cuerpo inhala cada minuto, en aproximadamente 14 respiraciones, alrededor de 280 ml de oxígeno y exhala 230 ml de dióxido de carbono. Si le pedimos un esfuerzo suplementario y de mayor duración, la situación varía notablemente: los músculos deben liberar más energía y, para ello, necesitan ante todo más oxígeno. En este caso, se habla de metabolismo aeróbico. Para hacer frente a esta mayor necesidad de oxígeno, los pulmones recurren a buscarlo en la sangre. Como el sistema respiratorio, al que pertenecen los pulmones, está íntimamente vinculado al sistema circulatorio, el esfuerzo corporal incrementa el rendimiento de ambos sistemas. Pero al ser mayor la frecuencia de la respiración y de las palpitaciones, aumenta también la inhalación de aire a través de los pulmones, con lo que la ventilación pulmonar puede incrementarse de 10 a 20 veces. Durante un período de estrés más

prolongado, la actividad respiratoria y circulatoria se mantiene en un valor constante antes de recuperar el nivel normal.

DEUDA DE OXÍGENO En la carrera para alcanzar el autobús, el esfuerzo corporal, por su carácter repentino e inesperado, necesita de inmediato tanta energía que los pulmones no disponen de tiempo suficiente para hacer frente a la mayor necesidad de oxígeno. En este caso, la naturaleza se sirve de un recurso: los músculos contraen una deuda de oxígeno; es decir, reciben su necesaria energía, como en el caso de un metabolismo aeróbico en el que se eliminan las moléculas de la glucosa, pero sin la colaboración del oxígeno (y por tanto, sin aerobio).

Durante un esfuerzo de corta duración, apenas aportamos oxígeno al cuerpo. Respiramos

sólo lo indispensable, y se dice con razón que nos quedamos "sin resuello" cuando, por ejemplo, tratamos de abordar un autobús que se nos escapa. Conseguido el objetivo, jadeamos con violencia, pues el oxígeno buscado urgentemente debe ser posteriormente aportado mediante una actividad respiratoria reforzada. El saldo de esta deuda de oxígeno salta a la vista de cuantos nos rodean: empezamos a jadear atropelladamente mientras nuestra caja torácica sube y baja con violencia.

Subir escaleras y transportar pesos, sobre todo cuando tenemos prisa, suele provocar el que parezcamos una locomotora echando humo.

Los párpados inconstantes

De vez en cuando nos quedamos mirando fijamente una cosa. Pero, unos 20 segundos después, nos vemos siempre obligados a parpadear.

Cada minuto nuestros párpados se abren y cierran entre 3 y 40 veces. Se trata de un reflejo que ha sido perfectamente medido en sus diferentes fases. Unos 50 milisegundos antes de parpadear se produce el denominado efecto ciego, así llamado porque hace que se cierren los sistemas visuales. A continuación, el párpado inferior inicia el movimiento del parpadeo. Para salir del estado de reposo, los párpados necesitan entre 10 y 20 milésimas de segundo, y un lapso suplementario de 20-50 milésimas para empezar a acercarse. Cuando se encuentran, permanecen 50 milésimas de segundo pegados el uno al otro antes de volver a separarse y liberar así la visión. La apertura de los ojos tarda hasta 200 milésimas de segundo más que su cierre y la fuerza necesaria procede de unos diminutos músculos situados en sus paredes.

El ser humano puede parpadear intencionadamente o de manera inconsciente. El parpadeo inconsciente sirve fundamentalmente para mantener en todo momento húmeda la supersensible córnea, en un efecto parecido al del limpiaparabrisas de un automóvil. De este proceso se ocupa la con-

El parpadeo equivale a un aleteo. El inconsciente nos ayuda a mantener húmeda la córnea y protegerla; en cambio, el deliberado constituye a menudo una señal del lenguaje corporal.

juntiva. Solemos darnos cuenta de que parpadeamos sobre todo cuando sentimos que nos pesan los párpados. Con el cansancio parpadeamos más a menudo, y los párpados permanecen cerrados también más tiempo. A esto hay que añadir el efecto ciego, es decir, el lapso en el que, aunque estemos mirando, no vemos nada. Todo esto puede tener efectos fatídicos al volante.

Mientras que el efecto limpiaparabrisas sirve para mantener húmedo el ojo, el instintivo y rápido cierre del párpado nos protege contra posibles lesiones oculares. Los ojos están estrechamente interconectados con el sistema nervioso. Por eso la córnea, el revestimiento exterior de la pupila, contiene en el tegumento anterior un sinfín de nerviecillos sumamente sensibles. Un movimiento repentino delante de nuesto ojo, un deslumbramiento, una detonación cercana..., todos estos estímulos —y otros muchos análogos—, que los nervios del dolor y del tacto detectan en la córnea, desencadenan como acto reflejo el cierre de los ojos. Los párpados, ayudados por las pestañas, situadas en sus terminaciones, impiden de esta manera que lleguen a introducirse en nuestros ojos cuerpos extraños.

A veces nos ocurre que nos quedamos mirando fijamente a alguien y, por tanto, pasamos un buen rato sin parpadear. Pero, ¡atención! A la mayoría de las personas les suele disgustar que las miren fijamente durante más de 4 segundos. Es preferible un guiño simpático.

El movimiento dinamiza

En el despacho, al volante, ante el televisor: los humanos pasamos cada vez más horas sentados. Por ello un poco de ejercicio no sólo sienta bien al cuerpo, sino también al espíritu.

Triste, pero cierto: sólo el 15% de los europeos practican algún deporte regularmente. Los demás tal vez tengan mala conciencia, pero el hecho es que sienten verdadero pánico con sólo pensar en hacer algún

ejercicio que los obligue a sudar. No obstante, para sentirnos bien no es imprescindible practicar deportes que nos dejen sin resuello. Las tesis que defendieron los médicos deportivos hace apenas 5 años son ya agua pasada. Si

bien entonces se consideraba imprescindible un entrenamiento de cuatro horas a la semana —prescripción que hizo engordar la tesorería de gimnasios y clubes deportivos—, las modernas investigaciones apuntan en otra dirección. Los médicos deportivos prefieren actualmente los movimientos suaves y consideran que basta con practicar deporte una hora y media aproximadamente a la semana. Y, aun así, nadie necesita hacer levantamiento de pesas ni correr hasta la extenuación. Basta con renunciar al ascensor varias veces al día y subir a pie las escaleras, o montar en bicicleta de vez en cuando o caminar algunos trechos.

Hasta los grandes detractores del deporte reconocen que el ejercicio y la salud están íntimamente unidos. Por otra parte, todos conservamos sin duda un grato recuerdo de lo mucho que nos movíamos de niños. El placer que nos procura el ejercicio es innato. Disfruta lo mismo el bebé que anda a cuatro patas que el pequeño que enreda o corretea alocadamente. Por último, el hecho de que la necesidad de hacer ejercicio no se agota con la edad lo confirma la popularidad de que gozan actualmente los programas de culturismo y acondicionamiento físico para mayores de 70 años.

BUENO PARA LA CIRCULACIÓN El ejercicio cumple otra finalidad: se encarga de que no se anquilose la musculatura. En efecto, todos los ejercicios son desarrollados por los músculos, tarea para la cual necesitan constantemente oxígeno, el gas vital procedente del aire que inhalamos y que a través de los pulmones pasa al sistema circulatorio. No en vano se dice que el movimiento activa la circulación: con la actividad corporal entran en acción los centros circulatorios del cerebelo. Éstos hacen que el corazón palpite con mayor vigor y rapidez, al tiempo que favorecen la actividad respiratoria. Al aumentar las palpitaciones, aumenta también el volumen de sangre bombeado a todo el cuerpo. De este modo se refuerza la musculatura del corazón y se incrementa la elasticidad de los vasos sanguíneos; como también aumenta el número de los capilares, los diminutos vasos sanguíneos que suministran sangre a los músculos.

El ejercicio es asimismo el mejor procedimiento para mantener en forma las articulaciones, al tiempo que sirve de estabilizador de los huesos y de la columna vertebral. Esto no es aplicable, empero, a la

La necesidad de ejercicio es congénita en el ser humano. En los niños se expresa con su bulliciosa movilidad; en los años posteriores encuentran en el deporte su mejor válvula de escape.

vejez, ya que, a causa de la pérdida de minerales, los huesos se vuelven con los años más débiles y frágiles. Pero, en general, el esfuerzo físico ayuda a los huesos a asimilar calcio, mineral de suma importancia para la contextura ósea.

SENTIRSE A GUSTO CON UNO MISMO El ejercicio no sólo impide que disminuyan nuestras fuerzas, sino que además es una especie de *jogging* para el cerebro. Con las últimas técnicas informáticas se puede demostrar gráficamente cómo aumenta el riego sanguíneo del cerebro con el ejercicio físico, por suave que éste sea. Aunque los músculos hagan el trabajo principal, el cerebro desvía sangre para sí. La causa es, evidentemente, el necesario transporte hormonal. Las endorfinas, cuya virtud analgésica y estimulante es de sobra conocida y que son producidas por el cerebro cuando existe alguna actividad física, deben llegar a todo el organismo con rapidez a través de los vasos sanguíneos. El mayor aporte de sangre

y oxígeno mejora nuestro rendimiento cerebral, lo cual ejerce efectos positivos para nuestra capacidad de reacción, orientación y control. Cuando se segregan endorfinas mejora nuestro estado psíquico, lo que suele ir acompañado de una sensación de bienestar. Finalmente, el ejercicio regular mejora también nuestra capacidad para combatir el estrés. En un estado de tensión física, el cuerpo libera adrenalina y noradrenalina, sustancias que aumentan la presión sanguínea y, a largo plazo, pueden ocasionar lesiones corporales. El ejercicio y el deporte contribuyen, por el contrario, a la eliminación de la hormona del estrés.

Vistos sus numerosos efectos positivos, el deporte practicado con moderación es una auténtica fuente de juventud. Varios estudios han demostrado que una persona de mediana edad que no ha realizado ejercicio durante su vida es fisiológicamente unos 20 años mayor que otra de su misma edad que haya practicado deporte con regularidad.

Con música todo parece mejor

Nadie puede sustraerse al encanto de la música: produce buenas "vibraciones", vivifica nuestro organismo y nos devuelve el buen humor y la alegría de vivir.

El canto y la música acompañan a los humanos a lo largo de toda la vida. Con nada mejor se duerme el bebé que con la nana que le entona su madre. En los niños de casi todas las edades los sones de un carillón producen un efecto mágico; asimismo, cuando un adulto está canturreando una melodía sabemos que está de buen humor.

Hay un dicho alemán que reza: "Quien no quiera desafinar que se una al coro". A menudo se relaciona este dicho con las grandes diferencias que existen en cuanto a la calidad de la voz humana; en efecto, hay todo un mundo entre un cantante de ópera y un participante cualquiera en una fiesta de cumpleaños o el coro de fin de curso, por ejemplo. En principio, puede cantar todo aquél que puede también hablar. Pero la música es superior al lenguaje en un punto: ofrece unas posibilidades casi inagotables para expresar sentimientos. Unas posibilidades que puede utilizar el ser humano para sentirse mejor psíquicamente. A quien empieza el día con una canción en los labios, sin duda el trabajo le resultará más llevadero.

Con música todo va también mejor en los momentos particularmente difíciles. Está científicamente comprobado que el canto o canturreo de cualquier melodía en plena crisis psíquica ejerce efectos relajantes; nada más natural, por otra parte, si tenemos en cuenta que al cantar se llenan de oxígeno los órganos respiratorios, con lo cual se estimula la circulación.

RITMOS CALIENTES No sólo quien hace uso de sus cuerdas vocales para su propio placer experimenta el efecto benéfico de la música; también la disfruta quien la escucha "pasivamente", pues tras penetrar la música por el oído pasa directamente a la psique. Nuestro ser más íntimo es sumamente receptivo a las melodías armoniosas: las aprendemos con facilidad y, cuando nos gustan particularmente, las tarareamos una y

Personas en perfecta sintonía con la música. Los buenos bailarines, que parecen flotar, son la imagen viva de la armonía.

otra vez en el mismo momento o algún tiempo después. Por su parte, el ritmo pasa a las piernas y, en cierto sentido, también a la sangre, pues influye en todo el sistema nervioso vegetativo, regulador de todas las funciones orgánicas no sometidas a la voluntad. Cuando oímos un ritmo sencillo y alegre, automáticamente se pone en movimiento nuestro cuerpo. Lo acompañamos con el pie, con los dedos y otras veces también con las palmas. Los buenos bailarines son precisamente los que mejor saben transformar la música en movimiento. Varios científicos norteamericanos han explicado este fenómeno afirmando que todas la funciones corporales esenciales, reguladas por esta parte del sistema nervioso, se desarrollan rítmicamente: la respiración, el ritmo cardiaco, los ciclos del sueño o la digestión. La música no hace, según esto, más que poner en acción el ritmo innato que todos llevamos dentro.

Hay muchas piezas musicales que se distinguen por la inspiración especial con que fueron compuestas y que poseen una cualidad que resulta agradable al intelecto.

Una composición polifónica cantada por voces bien empastadas regocija no sólo el corazón del melómano, sino también su espíritu.

Pero, fundamentalmente, el efecto de la música depende del gusto personal de cada uno, y ya se sabe que sobre gustos no hay nada escrito. Así, a uno le puede parecer simple ruido lo que a otro le suena como auténtica melodía celestial. Las diferencias en la apreciación de lo que es bello y de lo que no lo es están determinadas tanto por el entorno social como por la experiencia personal. Pero hay una cosa cierta: en el desarrollo de la musicalidad y del gusto musical desempeña un papel importantísimo la educación recibida durante la infancia.

ASOCIACIONES PERSONALES La música despierta constantemente en nosotros unas sensaciones que son eco y reflejo de nuestras vivencias personales. Por ejemplo, si escuchamos por la radio una canción de amor que relacionamos con una fase especialmente feliz de nuestra vida, se despiertan automáticamente en nosotros unos vivos recuerdos que pueden llegar a emocionarnos.

Este efecto de reconocimiento estimulado por la música lo saben explotar a la perfección los estrategas de la publicidad: se asocia a un mensaje publicitario una melodía corta y pegadiza que produce buenas vibraciones –la denominada *jingle*– y se la hace llegar, a través de la radio y la televisión, hasta el mismo cuarto de estar del consumidor. Lo cual surte, al parecer, bastante efecto: los niños tararean o cantan hoy a menudo melodías infantiles que acompañaron a *spots* publicitarios famosos en los años sesenta. Pero también los adultos retienen los *jingles* por su especial facilidad e identificación.

Todo lo que posee algún tipo de ritmo o de musicalidad interior se almacena en el hemisferio derecho del cerebro, como es el caso de los versos, refranes o series numéricas automáticas, como son, por ejemplo, los números de teléfono que sabemos de memoria. Mediante la estrategia de la repetición, en la que se basa la publicidad, se nos cuela también allí la sencilla y pegadiza melodía de un anuncio radiofónico o televisivo, la cual, junto con su letra, nos vendrá espontáneamente a la memoria y a los labios sin necesidad de esfuerzo alguno.

EFECTO RELAJANTE El efecto inmediato de la música sobre el cuerpo humano ha sido investigado también por los médicos: se sabe que influye en las palpitaciones y la respiración, así como en la presión y la circulación de la sangre, en la tensión muscular y hasta en la actividad digestiva.

En otros experimentos se ha podido comprobar asimismo el efecto tranquilizador y relajante de ciertos tipos de melodías y composiciones musicales. Sin embargo, las resonancias capaces de diluir las tensiones musculares o de mitigar las penas del alma no tienen por qué parecerse a las que se

escuchan a menudo por la megafonía de los grandes almacenes, a menudo cansinas y lánguidas. También el rock duro "rompedor", las canciones de viejas películas y las marchas militares pueden producir este mismo efecto siempre que al oyente le parezca "biensonante" la composición musical en cuestión. El efecto relajante depende de la medida en que la música secunde y responda a las necesidades del individuo.

AGRADABLE MEDICINA Cada vez se utiliza más la música como sedante y con fines terapéuticos. Si antiguamente sólo se utilizaba para combatir las perturbaciones del sueño o determinados estados de nerviosismo, en la actualidad se han multiplicado los casos que recomiendan su utilización. Así, por ejemplo, los pacientes que escuchan melodías relajantes antes de una operación quirúrgica suelen experimentar menos temor y necesitan por tanto una dosis menor de anestesia. Asimismo, son cada vez más numerosos los dentistas que renuncian a aplicar anestesia porque la música que el paciente escucha por los auriculares consigue frecuentemente calmarlo, y a veces hasta consigue imponerse al ruido exasperante de la fresa.

Alegría de vivir

Unos ojos chispeantes y una sonrisa radiante son signos inequívocos de alegría. En el cuerpo, la sensación de felicidad la desencadena una sustancia que rinde maravillas.

Cuando nos embarga una gran alegría, por extraño que parezca no tiene su origen en el corazón, sino en la cabeza. Los científicos han localizado en el sistema límbico cerebral, centro de todas las emociones, las células nerviosas que regulan las sensaciones positivas. Las sustancias mensajeras que transmiten las sensaciones de felicidad de unas células nerviosas a otras se denominan endorfinas. Igual puede afirmarse de la morfina endógena, originada dentro del organismo. Al igual que las morfinas sintéticas, que se utilizan como anestésicos, estas sustancias producidas por el cerebro neutralizan también el dolor. Poseen propiedades que desencadenan la euforia y potencian la sensación de felicidad; sensación que podemos elevar hasta el estado de éxtasis, cuando el individuo se siente "fuera de sí" de felicidad.

Por desgracia, todos sabemos por experiencia que la alegría suele durar poco. Cuando tras una breve euforia vuelve a instaurarse la rutina emocional, entran en juego las enzimas, que desintegran las endorfinas en unos minutos. El motivo no deja de ser un tanto paradójico: para el cerebro, la alegría permanente es una especie de estrés.

Sin embargo, en la vida cotidiana nuestro cuerpo y nuestros sentidos nunca están permanentemente "inyectados" de endorfina. De todos modos, los períodos difíciles se pueden superar con una especie de programa de emergencia, ya que es posible producir la alegría artificialmente. Por ejemplo, en numerosas personas a las que se ordenó que sonrieran se registró una actividad mayor en la región cerebral donde tienen su sede las emociones positivas.

Dos enamorados se abrazan efusivamente al volver a verse: su alegría y su felicidad saltan a la vista.

La primera impresión decide si hay "química" o no

¿Por qué necesitamos tan sólo unos segundos para saber si una persona nos cae simpática o si –en el sentido también literal– no la podemos ni oler, y menos aún tragar?

Las mayoría de las veces basta una breve mirada para decidir si nos gusta o no la persona que tenemos enfrente. Ya se trate del revisor, de un vendedor de zapatos o de un nuevo compañero –póngase respectivamente en femenino–, la primera impresión es la que decide si se manifiesta simpatía, indiferencia o rechazo. Un lapso de unos siete u ocho segundos nos basta para captar y valorar las informaciones más relevantes: aspecto, lenguaje corporal, vestido, acento, estatus so-

cial y otros factores. No obstante, esta primera impresión no se produce igual en el hombre y en la mujer. Según recientes investigaciones llevadas a cabo con la ayuda de una lente especial en la que se han incrustado tres pequeñas videocámaras, que al contacto de la mirada revelan tanto la dirección como la duración de la misma, los hombres que miraban por primera vez a una mujer se fijaban principalmente en las partes media e inferior de su cuerpo. Concretamente, se fijaban en los senos, el talle y las caderas. En cambio, las mujeres que miraban a los hombres se detenían más tiempo en la cara y la mitad superior del cuerpo. Miraban primero los ojos, prosiguiendo luego su inspección en sentido descendente hasta detenerse en los hombros, cuya anchura calibraban. Al parecer, y contrariamente a lo que muchos hombres suponen, sólo unas pocas mujeres miraron por debajo del pecho.

EL CUERPO REACCIONA Si la primera impresión resulta positiva, se producen en el que mira unas reacciones fisiológicas específicas. Aunque a menudo éste no percibe casi nada, se pueden comprobar las reacciones en un aumento de la conductancia cutánea. Así, una señal frecuente de simpatía es la dilatación de las pupilas, fenómeno regulado por el hipotálamo, localizado, como sabemos, en el cerebro.

Pero también desempeña un papel importante el olfato. Cuando alguien nos irrita, le decimos que no lo podemos ni oler. La importancia del perfume corporal no nos debería sorprender si consideramos que cada individuo posee un olor corporal propio; un olor producido por las sustancias aromáticas que se catabolizan a partir de las glándulas del sudor. Como el olfato humano está conec-

Según recientes investigaciones, todas las mujeres que miran a un hombre por primera vez lo hacen de manera parecida (izda.). En cuanto a los hombres, miran a las mujeres desde una perspectiva diferente, que llega hasta regiones más bajas (dcha.).

tado a las partes del cerebro relacionadas con las sensaciones y el instinto sexual, podemos también evaluar al prójimo a partir de su olor.

Naturalmente, cada individuo segrega un tipo determinado de señales, que evaluamos como simpáticas o antipáticas. Para esto resultan decisivas las experiencias que hayamos podido tener con determinados tipos de individuos, así como la noción de lo que entendamos personalmente por tipo ideal. Sin embargo, suelen contar como puntos positivos la mirada franca, la actitud abierta y un aspecto simpático. Pero si el ojo detecta una mirada hosca o unos hombros caídos, se produce un giro de ciento ochenta grados. Sólo arriesgaremos una segunda mirada si la primera ha valido la pena. Para que pueda haber algo más tras la inicial "comunión de sensaciones" –eso es precisamente lo que significa en griego la palabra "simpatía"– tenemos que volver a mirar una segunda vez.

Un padre enfrascado con su hijo. En realidad sólo está jugando con un barco de papel junto al bordillo; pero nadie ha establecido todavía límites a la fantasía. En el juego también el adulto se convierte en capitán o en pirata.

El niño que llevamos dentro

Al principio sólo quería construirle a su hijo un tren de juguete. ¿Por qué razón, a los pocos minutos de estar jugando, nos olvidamos por completo del mundo que nos rodea?

Rebosante de entusiasmo, el pequeño aporrea el plato lleno de papilla y, al ver cómo salpica, lo intenta otra vez. Esta conducta, que pone a los padres al borde de la desesperación, es el fruto natural del instinto lúdico del ser humano. En la infancia, esta necesidad corre pareja con la urgencia por descubrir el mundo.

Al principio, el niño no distingue bien todavía entre jugar y aprender. Cada objeto despierta su interés, y él trata constantemente de llegar hasta el fondo de las cosas. Cada nueva experiencia agudiza sus sentidos, estimula sus fantasías y despierta sus aptitudes mentales. Al jugar simplemente con los dedos de las manos o de los pies, está al mismo tiempo aprehendiendo y aprendiendo cosas. Y, cuando alarga la mano para agarrar un juguete que se mueve, está aprendiendo a coordinar los movimientos.

FASES DEL DESARROLLO Más tarde, el instinto lúdico se manifiesta sobre todo en la necesidad imperiosa de moverse. Su constante saltar, enredar y, en definitiva, su constante actividad es una condición indispensable para el adecuado desarrollo de su aparato motor y de su organismo en general. Asimismo, cuanto mayor es su sensación de equilibrio mayor es también su seguridad de movimientos. Además, jugando aprende a calibrar hasta dónde puede rendir su cuerpo en una situación de emergencia.

Pero el juego es también importante para el desarrollo de su personalidad y de su vertiente social. Sin embargo, a pesar de su gran capacidad de aprendizaje, el juego es la actividad que ejerce más a gusto, pues jugando se siente el rey del mundo.

EL ESPACIO LÚDICO En realidad, el ser humano conserva el instinto lúdico toda la vida, si bien sus espacios lúdicos se van reduciendo con el tiempo. La sociedad parece ver con malos ojos a quienes desearían prolongar su instinto lúdico más allá de la adolescencia. La necesidad de volver a comportarnos como niños tienen su válvula de escape durante el carnaval, durante el cual podemos –sin soportar las miradas reprobatorias de los demás, pues nos ocultamos tras un disfraz– imitar o personificar todos esos arquetipos que creemos llevar dentro. También en los estadios, en las canchas deportivas o en los parques de atracciones podemos los adultos gritar y gesticular a nuestras anchas, o divertirnos girando en una atracción vertiginosa. Tales ocasiones, en las que nos olvidamos de la rutina cotidiana –con sus imposiciones y restricciones– y volvemos a sentirnos otra vez niños, resultan muy importantes para nuestra salud mental y espiritual.

Naturalmente, hay también otros muchos juegos que satisfacen esta necesidad instintiva y que resultan socialmente aceptables. El monopoly, los dados, el ajedrez, los solitarios con naipes..., las oportunidades de esparcimiento para jóvenes y adultos son numerosas. Asimismo, algunos deportes –como el fútbol, el balonmano o el tenis– cumplen esta misma función. Es cierto, sin embargo, que, contrariamente a las fiestas carnavaleras, que producen cierta impresión de anarquía, estos juegos poseen unas reglas fijas a las que deben someterse voluntariamente los participantes. Pero son unas reglas que crean un microcosmos aparte que sustrae al que juega de la prosaica realidad.

Este efecto de irrealidad se puede suscitar de distintas maneras. La emoción de los juegos de estrategia estriba en que vencemos al contrario con armas incruentas. En los juegos de ingenio podemos regocijarnos haciendo alarde de nuestros saberes, mientras que en la mayoría de los juegos de naipes existe el elemento añadido del azar, que presta a la experiencia lúdica una mayor emoción. También se siente una emoción especial en la ruleta, donde el que juega se ve además recompensado –o castigado– según su disposición a arriesgar.

VOLVER A SER NIÑOS Jugando con niños podemos experimentar esa maravillosa sensación: el mundo exterior queda completamente relegado a un segundo plano, al tiempo que nos olvidamos de nosotros mismos. ¿Quién no recuerda haberse hecho alguna vez el sordo a las llamadas de su madre? Estas furtivas huidas del presente nos proporcionan la fuerza necesaria para hacer frente a las múltiples exigencias de la vida.

Vivir sin estrés

Para muchas personas el descanso equivale a permanecer tumbadas en la playa tomando el sol. Pero, en realidad, todos deberíamos hacer algo que nos relajara.

Los pajarillos gorjean y las hojas susurran al viento mientras estamos tumbados en el jardín en paz con el mundo y con nosotros mismos. Las tensiones del trabajo, las tareas pendientes y las preocupaciones familiares han pasado a un segundo plano y nos sentimos sencillamente a gusto. Estos momentos placenteros solemos evocarlos más tarde con especial agrado.

Quien más quien menos ha conocido algunos de estos maravillosos momentos. Sin embargo, en la mayoría de las ocasiones nos sentimos agotados, apáticos, nerviosos e irritados y, lo que es peor, nos olvidamos de que cuando nuestro cuerpo presenta este cuadro clínico está reclamando a gritos una pronta recuperación. La psique y el organismo humanos están sometidos al principio de la armonía, a la ley pendular de la tensión y la distensión. Pero, aunque conozcamos este principio, el hecho es que las fases de tensión pocas veces se compensan con otras de distensión, de manera que sobre muchos de nosotros pende, a corto o largo plazo, la

"Sólo nos estamos regalando un momento de descanso", parecen decir estos clientes de un balneario romano, mientras tratan de olvidar las cuitas cotidianas y sus efectos.

amenaza del desplome total orgánico y anímico.

HAY QUE HACER PAUSAS Las interrupciones en medio de la rutina cotidiana para regenerarnos y recuperar nuevas fuerzas resultan indispensables para todos. Podemos lograrlo repantigados en la butaca de orejas leyendo una novela o en la sauna en compañía de un amigo o una amiga. No importa: cada cual sabe de sobra qué es lo que más lo relaja y le hace sentirse a gusto. Mientras que unos prefieren practicar *jogging* en el campo para reencontrarse con su cuerpo, otros liberan tensión sentados tranquilamente en el banco de un parque en completa inactividad y abandonados a sus pensamientos.

Esto último, el no hacer nada, es algo que muchos de nosotros deberíamos redescubrir.

En nuestra sociedad moderna, regida por la prisa y la necesidad de rendir cada vez más, el ocio está equiparado con la holganza y la pérdida de tiempo. Sin embargo, es muy importante aprender a cuidarse de manera responsable e inteligente. Esto no es egoísmo ni mucho menos, pues nuestras relaciones con el prójimo funcionarán tanto mejor cuanto más a gusto nos sintamos con nosotros mismos; también sobrellevaremos mejor la rutina del trabajo.

REPONER ENERGÍAS, CULTIVAR LA ALEGRÍA Una actividad –o inactividad– agradable suele ejercer un influjo positivo en nuestra psique. Pero también podemos crear espacios mágicos alrededor de nosotros viviendo la vida con los cinco sentidos: vista, oído, gusto, olfato y tacto. Con una mayor dosis de alegría vital conseguiremos cada vez más reservas para los momentos difíciles de la existencia.

Cuando nos encontremos en un momento de especial tensión convendrá hacer una pausa para escucharnos a nosotros mismos; así descubriremos qué es lo que no funciona bien en este momento. Por cierto: "desconectar con el estrés" no siempre supone silencio e inmovilidad; varias investigaciones han demostrado que, tras un trabajo agotador, no es aconsejable la inactividad absoluta. Al parecer, suele relajar nuestro espíritu el ocuparnos activamente de algo que nos complazca de manera particular. Por ejemplo, si nos apetece tomar el aire, un paseo nos posibilitará a la vez movernos y cambiar de ritmo. Pero tal vez nos apetezca también charlar un rato con un amigo o amiga; en este caso el teléfono nos permitirá abrir el corazón y, tal vez también, reírnos un poco.

LA RELAJACIÓN TAMBIÉN SE APRENDE En los cursos de entrenamiento autógeno, yoga y otras técnicas de relajación se nos enseña a liberar y distender los músculos. De repente, las preocupaciones pierden importancia y los recuerdos y pensamientos parecen esfumarse. Al final nos sentimos como nuevos, más equilibrados y con fuerzas para afrontar sosegadamente las frustraciones cotidianas... y, para no irritarnos constantemente ante la menor contrariedad.

También es posible aprender a controlar las respuestas de nuestro cuerpo ante el estrés mediante el procedimiento más moderno: la biorretroalimentación.

Caricias para el alma

Premios, medallas, condecoraciones, títulos honoríficos... todo acredita que una persona ha realizado algo excepcional. Desde la más tierna infancia, todos ansiamos el reconocimiento ajeno, casi tanto como el pan de cada día.

"¡Mira lo que sé hacer!", grita el niño para que le digan: "¡Qué bien!" El niño necesita esta confirmación para desarrollar un buen concepto de sí mismo. La necesidad de subir al estrado y suscitar asombro tampoco es extraña a los adultos; a menudo les induce a realizar gestas extraordinarias, como demuestra una simple ojeada al libro de los récords.

Pero ¿por qué se nos inflama el pecho de orgullo cuando subimos a lo más alto del podio? El deseo innato de ser amados parece desempeñar aquí un papel fundamental. Todas las formas de aprobación y de reconocimiento incrementan nuestra autoestima, al tiempo que nos espolean para seguir aumentando nuestro rendimiento.

COLMADOS DE ELOGIOS Muchas personas se turban y sonrojan cuando reciben un cumplido. Para que no cedamos a la vanidad, desde la infancia nos enseñan refranes como "quien menos vale más presume" o "la modestia es el mejor adorno del alma". Sin embargo, esto no se debe llevar hasta el extremo de "esconder la luz bajo el celemín", lo cual podría tener consecuencias nefastas tanto para la autoestima como para el reconocimiento por parte de los demás, al que todos somos acreedores.

¡APLAUDAN, POR FAVOR!

- El elogio motiva, estimula y da fuerzas para afrontar nuevos retos. Esto deberíamos tenerlo bien presente en el trato cotidiano con la familia, los amigos y compañeros de trabajo.

- Cuanto más contentos estemos con nosotros mismos –y por tanto mejor concepto tengamos de nuestros logros– más y mejor nos respetarán y valorarán respectivamente los demás.

- La autocrítica es, por supuesto, necesaria, pero dudar constantemente de nosotros mismos puede ejercer efectos desastrosos.

- Todos deberíamos aprender a autopremiarnos cuando hemos alcanzado un objetivo. Esto no constituye ninguna afrenta a la verdadera modestia.

No hay dos personas iguales

Las grandes personalidades suelen distinguirse por algún rasgo especial de carácter. También el hombre corriente tiene algo muy especial: ser único e irrepetible.

Si intentáramos cambiar nuestra personalidad con la de otro ser como se cambia un traje, pronto advertiríamos la inutilidad del intento: nuestra personalidad no se adapta a nadie más que a nosotros. Y esto no sólo vale en sentido figurado; en efecto, las arrugas de la piel poseen en cada ser humano una configuración completamente propia y distintiva. Otros adornos –mucho más vistosos– como el vestido y el peinado, dicen también mucho sobre el estilo de vida y la manera de ver e interpretar el mundo de cada cual.

EJEMPLARES ÚNICOS Cuando hablamos de personalidad, nos referimos, por una parte, a los pensamientos, palabras, acciones, actitud anímica, manera de pensar y disposición hacia los demás y, por otra y no menos importante, a la actitud hacía sí mismo; es decir, al concepto o valoración que de sí posee cada individuo. Concepto que, por cierto, todos desarrollamos bastante pronto. Se trata de un proceso que, al igual que la maduración corporal, es al parecer innato y se manifiesta desde la primera infancia. Para que se forme un vivo sentimiento del yo –la consciencia

de la propia unicidad– es muy importante nuestro reflejo en el mundo exterior y, más concretamente, en el mundo social; es decir: resulta imprescindible vivir en comunidad, pues sólo comparándonos con los demás podremos desarrollar unos criterios de autovaloración adecuados. Consiguientemente, tener personalidad significa desmarcarnos respecto de los demás.

Hitos importantes en este camino hacia la forja de la personalidad son las relaciones amorosas, la vida laboral, la familia –tanto la originaria como la originada por nosotros–, las propiedades y muchos otros factores. Se advierte que alguien posee una personalidad sólida cuando demuestra tener una visión clara de su propia vida, actúa desde unos presupuestos claramente trazados y defiende unas posturas políticas y religiosas personales.

RASGOS PERSONALES Cada persona suele tener alguna experiencia clave –feliz o dolorosa– que marca decisivamente el resto de su vida.

La personalidad la expresamos desmarcándonos y adaptándonos al mismo tiempo a la generalidad; es decir, no confundiéndonos con ella pero tampoco nadando siempre contra corriente.

Muchos de nuestros rasgos característicos han surgido de tales experiencias, mientras que otros son innatos. Los científicos han aportado numerosas teorías al respecto. Con todo, podemos afirmar sin temor a equivocarnos que la personalidad es el resultado de factores tanto inmutables, es decir, hereditarios, como casuales, determinados por nuestro entorno. Según recientes investigaciones, los gemelos univitelinos que crecen separados y en un entorno vital completamente distinto muestran similitudes de carácter y conducta que tienen presumiblemente un origen genético; esto lo prueba, por ejemplo, el hecho de que prefieran el mismo perfume y las mismas comidas o que gesticulen de manera parecida. Por otra parte, en hermanas que se han educado en condiciones de vida parecidas se advierten rasgos característicos completamente opuestos.

DESMARCARSE Y ADAPTARSE La autorrealización es una de las cuestiones más debatidas en la sociedad actual. Por una parte, es necesario forjar y desarrollar constantemente la propia personalidad, pero, por otra, hay que procurar que los demás no paguen las consecuencias de nuestra obstinación por alcanzar los objetivos prefijados. Sin embargo, es indudable que las maneras de pensar y de actuar que se apartan de las normas preestablecidas suelen generar nuevos retos para la sociedad. En otras palabras: la sociedad se enriquece y transforma merced a los individualistas. Así pues, si cierta capacidad de adaptación parece imprescindible para lograr la autoafirmación, el deseo contrario de pasar desapercibido resulta estéril tanto para el individuo como para la sociedad. El secreto radica en lograr un equilibrio entre originalidad y convencionalismo en nuestro comportamiento social.

Los feriantes retornan cada año con nuevas atracciones que nos hacen olvidar la rutina de nuestra vida con emociones y escalofríos inimaginables.

Éstos son sólo tres ejemplos de las múltiples ofertas que nos ofrece el macromercado de la industria del ocio, una industria que ha transformado en negocio la innata necesidad del ser humano de comprobar constantemente su valor.

¡QUÉ GUSTO SENTIR MIEDO! Hace varias décadas que se vienen ocupando los psicólogos de esta necesidad humana de emoción y estremecimiento, que también definen como "miedo placentero". En este fenómeno subyace un principio bastante elemental: en toda aventura autoelegida, el miedo a lo desconocido y la incertidumbre correspondiente acentúan el placer. En este caso, naturalmente, resulta imprescindible que esa necesidad se satisfaga con las máximas garantías de seguridad.

Por supuesto que en la historia humana han existido seres particularmente valientes. En el pasado, temerarios pioneros descubrieron y exploraron nuevos territorios sin arredrarse ante ningún peligro. Luego vinieron los primeros pilotos aéreos, que osaron desafiar nada menos que la ley de la gravedad; muchos de esos héroes pagaron su temeridad con la propia vida. También en épocas más recientes han surgido personalidades excepcionales, como el navegante noruego Thor Heyerdahl, quien, en su tra-

Sensaciones intensas

Muchas personas se quejan de no experimentar sensaciones intensas en la vida cotidiana. La industria del ocio sale al paso de sus quejas con ayuda de la técnica.

Los practicantes de *puenting* no reparan en gastos para poder precipitarse al vacío en caída libre, sujetados tan sólo por una cuerda elástica. Asimismo, ningún precio nos parece demasiado elevado para poder catapultarnos a 80 km/h por una montaña rusa de cinco bucles o desde una altura vertiginosa con cuádruple aceleración.

vesía del Pacífico a bordo de una frágil balsa, no retrocedió ante ningún peligro con tal de conseguir su objetivo. En un plano algo diferente, el riesgo que asumen los aventureros del ocio debe estar ante todo bien controlado. Cuando se embarcan en la vagoneta del *looping* tienen la certeza de que las máquinas de alta tecnología han superado los preceptivos controles técnicos, o cuando saltan en paracaídas tienen siempre a mano otro de repuesto. En estos casos, la heroicidad del adulto, parecida a la del niño que se lanza desde una altura plenamente convencido de que su padre lo va a recibir en brazos, consiste en reprimir y superar sus miedos ancestrales.

ESCAPAR DE LA RUTINA   El hombre y la mujer de nuestros días parecen experimentar muy poca emoción en su trabajo cotidiano; todo suele estar perfectamente planificado y asegurado (en los dos sentidos de esta última palabra). Para liberarlos de esta especie de monótona noria –así lo

consideran muchos psicólogos–, la industria del ocio se las ingenia ayudándose de los últimos adelantos técnicos. Aunque la vida laboral produce bastante estrés, abundan quienes buscan relajarse de una forma bastante laboriosa. La experiencia intensa del miedo y el dolor, que se transmuta en una embriagadora sensación de felicidad, la describen los psicólogos como una vivencia límite existencial que puede ser positiva para quien la experimenta. Quien arrostra un peligro y lo supera estaría al parecer mejor preparado para hacer frente a los temores auténticos –o sólo imaginados– de la vida real. Es la supuesta búsqueda permanente del sentido último de la vida por parte del ser humano.

Naturalmente, en un parque de atracciones cada cual siente el escalofrío o el cosquilleo en el estómago de manera distinta. Mientras que unos creen rebasado su nivel de temeridad con un simple viaje en la montaña rusa, para otros esto no es más que

un simple aperitivo de las emociones que el recinto ferial nos reserva y nos ofrece con prodigabilidad.

EN BUSCA DE LA EUFORIA   En cualquier caso, estos "desafíos" suponen una viva experiencia para todo el mundo. En el *puenting,* los segundos inmediatamente anteriores a la caída a plomo se convierten en puro estrés: las palpitaciones y las pulsaciones aumentan bruscamente, el cuerpo se inunda de hormonas del estrés y libera las últimas reservas para la pelea o la huida. Cuando nos precipitamos con las piernas temblorosas y emitiendo un fuerte grito, nuestro cuerpo segrega endorfinas, que actúan de manera analgésica y generan euforia; en cierto modo podemos compararlas con las drogas. Cuando volvemos a pisar el suelo firme, la virtud extática de las endorfinas aún sigue actuando, pero sólo durante poco tiempo, pues enseguida se destruyen. Y, así, muchos vuelven a buscar en otro salto la misma sensación de euforia.

Rascarse la barbilla, muestra de perplejidad

Hay pequeños gestos que delatan nuestras más íntimas preocupaciones, sobre todo cuando no las tenemos todas con nosotros y nos asalta la incertidumbre.

Un turista nos pregunta, por ejemplo, dónde está la estación de ferrocarril. Una eventualidad bastante delicada, pues, por una parte, no sabemos del todo bien cuál es el camino más corto para llegar a la estación y, de otra, hemos de hacer un esfuerzo especial para recordar nuestros rudimentos de inglés. ¿Qué hacemos en un momento de ansiedad y apuro? Nos rascamos la cabeza.

He aquí otra situación bastante corriente: asistimos a una conferencia en extremo aburrida y bostezamos esperando que el conferenciante acabe su plúmbea disertación cuanto antes. Sin darnos cuenta, empezamos a tamborilear con las puntas de los dedos sobre el brazo del sillón. Finalmente, todos hemos observado alguna vez cómo nuestro interlocutor, para concentrarse mejor, cierra los ojos unos instantes y tal vez se los tapa también con la mano.

En general, tales momentos de abstracción, en los que tratamos de ahondar en lo más profundo de nuestros pensamientos, no llaman particularmente la atención a los demás ni a nosotros mismos. Sin embargo, se perciben como una forma más del lenguaje corporal espontáneo.

TAMBORILEOS INCONSCIENTES   En el ámbito de las sensaciones, tales comportamientos suelen ser sin embargo más reveladores de lo que nos gustaría que fueran. ¿Qué es lo que revelan realmente? Para empezar, no nos encontramos a gusto en la situación de marras. Así, cuando nos rascamos la cabeza en el transcurso de un juego de ingenio, aumenta enseguida el riego sanguíneo del cuero cabelludo; pero no se crea que haciendo esto vamos a solucionar el problema. Los psicólogos lo interpretan como una especie de gesto expeditivo para ganar

Cuando ella mira en actitud pensativa y al mismo tiempo se rasca la nariz, lo más probable es que no se sienta demasiado a gusto o esté aburrida.

tiempo. Como el individuo a menudo no puede seguir su instinto por motivos sociales, ejecuta inconscientemente un movimiento que no se corresponde con su verdadero deseo, que probablemente sería marcharse o pedir que lo dejaran en paz. No obstante, el gesto es bastante expresivo. El rápido tamborileo con los dedos significa, por ejemplo, que nos gustaría levantarnos e irnos a otra parte. Pero como esto no puede ser, nos quedamos sentados donde estamos. Sin embargo, el conferenciante parlanchín percibirá nuestra impaciencia. Algo parecido nos sucede cuando, para concentrarnos, nos tapamos inconscientemente los ojos con la mano. Con este gesto queremos echar una persiana sobre todo lo que pudiera distraernos del presente, y ganar algo de tiempo. Podríamos asimismo enumerar toda una serie de reacciones semejantes, a primera vista ilógicas.

EN UN APURO A menudo los momentos de perplejidad o distracción son muestras de inseguridad y delatan una situación de la que al afectado le gustaría escapar si pudiera.

En tales casos solemos palparnos la barbilla o la nariz, o incluso rascarla. Los hombres suelen manosear la corbata o los puños de la camisa, mientras que las mujeres se atusan –o echan hacia atrás– el pelo o se tiran de las orejas. Pero no olvidemos que tales comportamientos son también bastante comunes en el acto del flirteo, es decir, cuando queremos llamar la atención de alguien que nos atrae particularmente.

Todos necesitamos un consuelo

¿Qué tiene en común chuparse el dedo con fumar?
Ambas reacciones, al menos eso afirman algunos psicólogos,
procuran un pequeño consuelo psíquico.

Los niños se chupan el dedo pulgar sobre todo a la hora de dormir. Dormirse abrazados a su peluche les procura una sensación de seguridad.

Los niños que se meten el pulgar en la boca y se lo chupan a placer están obedeciendo a un impulso succionador innato. Pero este reflejo no sólo tiene una vertiente física, sino que además satisface las necesidades psíquicas del bebé, pues, junto con el contacto corporal de la madre, este sencillo gesto parece proporcionarle calor, protección y seguridad.

Por eso a veces no nos queda más remedio que darle el chupete cuando el bebé no puede satisfacer sus necesidades inmediatamente. El chupete le sirve de consuelo, le ayuda a ahuyentar el miedo a la soledad y le transmite una sensación de protección y seguridad.

SUSTITUTO DEL CHUPETE Para asombro de muchos padres, los hijos eligen a menudo para que los acompañen de día y de noche un viejo e hirsuto peluche, la muñeca más vieja y fea o una mantita roída. Y hay muchas personas que no se separan de estos sustitutos del chupete en toda su vida. Otros adultos llenan la cama con una colección cada vez mayor de peluches o se compran un animal doméstico. Asimismo, según la opinión de muchos psicólogos, la afición a fumar no es otra cosa que la satisfacción adulta de este instinto succionador de la primera infancia. Un recurso para recuperar la antoconfianza y la seguridad cuando fallan ambos.

¡A tu salud!

Una copita de vino para acompañar la cena, una cerveza después de sudar o una copa para calentarnos el estómago. Nada que objetar, siempre que no nos excedamos.

Alrededor del 70% de los adultos consumen regularmente alcohol, cifra que no distingue entre quienes abusan diariamente del alcohol y quienes sólo beben esporádicamente un vasito de vino o de licor. Mientras que fumar en público cada vez acarrea mayores críticas, el disfrute del alcohol está socialmente aceptado: mostramos comprensión hacia quien ha bebido más de la cuenta, mientras que lanzamos miradas ceñudas a quien, en una ronda en el bar, insiste en beber sólo agua mineral. La expresión "cultura de la bebida" eleva el disfrute etílico al rango de la exquisitez: el catador de vino sabe vivir, mientras que el abstemio nos parece un tipo poco sociable.

BRINDIS ABUNDANTES Las ocasiones para brindar con nuestros semejantes son tan abundantes como la gama de bebidas alcohólicas disponibles en los anaqueles del supermercado. La frase misma "a tu salud" parece entrañar que el alcohol y el bienestar van bastante unidos, ya sea en una cena para dos, en una celebración de cumpleaños o en el hotel de la estación de esquí. Además, percibimos claramente que el vasito tomado "a la salud de quien sea" sienta bastante bien al cuerpo: una pequeña porción de alcohol, a través de la circulación sanguínea, llega a todos nuestros órganos y, natural-

La gama de bebidas alcohólicas en los bares y restaurantes es bastante amplia, como lo es la costumbre de beber por aburrimiento o prestigio.

mente, sobre todo al cerebro y a la totalidad del sistema nervioso; así es como las bebidas alcohólicas influyen también en nuestro estado anímico. ¡Quién no ha conocido una sensación de euforia tras ingerir un vaso de vino! Nos sentimos más relajados y los malos humores parecen volatilizarse. En estas circunstancias, las personas que no beben habitualmente se vuelven más habladoras y pierden la timidez, y las personas con problemas parecen olvidarlos por un rato.

EFECTOS ENGAÑOSOS El alcohol produce una gran variedad de efectos físicos; por eso se recurre a él en tantas situaciones. Un aperitivo despierta el apetito, pues pequeñas cantidades de determinadas bebidas alcohólicas coadyuvan a que el estómago produzca nuevos jugos gástricos. Lo propio ocurre cuando probamos un tónico digestivo. Quien tras un paseo en pleno invierno llega helado a casa, se prepara un ponche de ron para entrar en calor. Pero esto sólo es verdad en parte, pues, al dilatarse los vasos sanguíneos durante un rato, aumenta también la sensación de frío, si bien al mismo tiempo se emite más calor. También se estimula la circulación con las bebidas alcohólicas; pero sólo temporalmente, pues luego sentiremos cómo se apodera de nosotros una gran pesa-

En los grandes festivales de la cerveza se rinde culto a la bebida. Pero no se disfruta más cuanto más se bebe.

dez. Y, si se analiza bien, ni siquiera sirve de somnífero propiamente dicho. Sin duda nos dormimos rápidamente; pero como el alcohol altera el ritmo descanso-vigilia del cerebro, el sueño resulta menos profundo y, por ende, menos reparador.

NO PROPASARSE Aún siguen debatiendo los investigadores si el consumir regularmente pequeñas porciones de vino tinto puede proteger los vasos sanguíneos contra los sedimentos de colesterol. En Francia se ha observado en los bebedores moderados de vino

menos enfermedades cardiovasculares que en la población alemana, lo cual no deja de ser sintomático, aunque no existan conclusiones definitivas al respecto.

Contra el alcohol ingerido en pequeñas cantidades no hay nada que objetar; sin embargo, su ingestión no debería convertirse en costumbre. Para disfrutar de un buen vino o de una cerveza fresca basta con beber un solo vaso o una sola jarra.

MANTENER EL CONTROL

- No debe recurrirse a las bebidas alcohólicas para calmar la sed. No se debe beber todos los días, y nunca con el estómago vacío.

- Las mujeres soportan peor el alcohol que los hombres porque la enzima que elimina el alcohol en la membrana mucosa del intestino y del estómago es menos activa en su cuerpo.

- Durante el embarazo, el alcohol debería ser un tabú.

- El consumo de alcohol perjudica siempre nuestra capacidad de concentración y de reacción.

- Los niños no deben beber alcohol en absoluto.

Cuanto más exótico el país, más añoramos el nuestro

Quemar las naves y empezar una nueva vida en otras latitudes. Muchos hacen realidad este sueño, pero pocos consiguen romper por completo con su lugar de origen.

¿Qué impulsa a los que viajan a otro país a unirse al poco tiempo de llegar a la colonia de sus paisanos o a suscribirse a una publicación periódica en lengua materna? A primera vista, semejante conducta puede parecer extraña; sin embargo, quien haya pasado algún tiempo en un país lejano sabrá por experiencia propia lo que es vivir con nostalgia.

CAMBIAR DE AIRES Son muchos los que suspiran por pasar sus vacaciones en un país exótico, cuanto más lejano mejor. Por fin dejan atrás la rutina cotidiana, se alejan del camino trillado y se disponen a saborear la aventura. La excitación de lo exótico es tan seductora que todo lo que les rodea les parece aburrido e insípido. Pero cuando por fin llegan a su destino soñado, no pasa mucho tiempo sin que vuelvan a pensar en el suelo patrio. Durante la primera semana sólo tienen tiempo para pensar en la novedad y en

"¿Oiga? ¿Eres tú, mamá? ¿Cómo seguís?"
En los países lejanos, el teléfono es el cordón umbilical que nos mantiene unidos con los seres queridos.

todo lo que están viendo y experimentando; durante la segunda, empiezan ya a extrañar ciertos hábitos del hogar y, contemplada desde la lejanía, la vida cotidiana de la que querían huir con tanta vehemencia deja de parecerles tan rutinaria. En cambio, lo insólito acaba cansándoles con el tiempo y poniendo a prueba su capacidad de aguante.

Por eso les alegra tanto encontrar a otros compatriotas; se reúnen con ellos para fantasear sobre lo bien que se vive en su país y los inconvenientes que presenta el "exilio" actual. En los últimos días de vacaciones, la soterrada melancolía suele dejar paso a una auténtica alegría: por fin van a volver a dor-

mir en su cama, a comer ese plato que tanto añoraban... y a reencontrar su vida cotidiana.

¿Por qué el ser humano no se contenta nunca con lo que tiene en cada momento? ¿Por qué empieza a planificar las siguientes vacaciones en cuanto vuelve a su ciudad? Y ¿por qué no puede disfrutar nunca plenamente del "país de sus sueños" sin establecer comparaciones con su país real?

EN POS DE LA UTOPÍA Si hacemos caso a los psicólogos, tras estos fenómenos se oculta una búsqueda irrequieta del equilibrio anímico. Como el ser humano raras veces alcanza un estado de paz interior en su entorno habitual, dominado por el ruido y el estrés, lo busca en otros lugares supuestamente paradisíacos.

Y decimos "supuestamente" porque los destinos vacacionales sólo resultan verdaderamente idílicos en los polícromos folletos de las agencias de viaje. En la realidad, el veraneante tiene que enfrentarse a menudo con situaciones de las le gustaría poder sustraerse: playas abarrotadas, niveles de ruido insoportables, pequeñas incomodidades que acaban resultando exasperantes. Y, para colmo, tampoco consigue desconectarse plenamente de las cuitas familiares y de las preocupaciones profesionales.

Esta búsqueda porfiada resulta vana porque sólo en sí mismo puede el ser humano encontrar el verdadero sosiego y plenitud espiritual. Esto no significa que debamos renunciar a las vacaciones: se trata simplemente de una llamada de atención para que no concibamos falsas expectativas en torno a las supuestas "semanas más bellas del año"; como tampoco deberíamos limitar a unas pocas semanas la necesaria tarea de reponer fuerzas y sentir el escalofrío de la aventura. El equilibrio anímico lo encuentra también quien consigue remontar el vuelo en medio de la rutina cotidiana y vivir exóticamente sin salir de casa.

Por cierto, no está mal que nos acordemos de casa cuando nos hallamos lejos del hogar. A veces conviene alejarse de las cosas ordinarias para otorgarles su verdadera perspectiva y llegar a apreciarlas debidamente.

La suerte de compartir la vida con los demás

Encontrarnos con amigos, hablar con los demás, asistir a fiestas... De vez en cuando, el ser humano echa de menos la vida en común: no puede sobrevivir sin el aliento de la gente.

La mayoría de las personas se negarían a aceptar la afirmación de que en el fondo son unos animales gregarios; pero lo cierto es que como mejor se sienten es en compañía de los demás. Por eso a veces traban amistades en la infancia que duran toda la vida. Por eso buscan una pareja con quien compartir los momentos buenos y los malos. Por eso la pérdida de un ser querido les afecta tanto que a menudo no consiguen superarla. Y por eso, y pese a lo difícil que resulta en ocasiones llevarse bien con los demás, la sociabilidad es uno de los componentes esenciales del ser humano.

La necesidad de tener a alguien al lado se manifiesta desde el día en que el recién nacido ve la luz por primera vez: el primer grito es una especie de preanuncio de lo que va a ser el resto de su existencia. Durante la fase en la que aún no sabe hablar, se ayuda de la mímica, los gestos y el lenguaje corporal. A los pocos días de nacer, reacciona ya a las muecas de las personas más cercanas. Y con el tiempo va ampliando su repertorio expresivo y de comunicación; hace distintos gestos para indicar alternativamente placer o disgusto, o conversa con su interlocutor imitando su voz o dedicándole una sonrisa especial.

ORIENTACIÓN TEMPRANA Cuando se satisface desde el nacimiento la vertiente social del ser humano, queda implantada la piedra angular de su desarrollo integral. En cambio, si los padres se despreocupan de atender esta necesidad vital desde la más tierna infancia, el niño podría tratar luego a sus semejantes con una actitud distante, lo cual es sumamente pernicioso, pues sabemos de

Una charla jovial y tonificante: la cháchara cotidiana mantiene unidos a estos habitantes de una pequeña aldea situada en el sur de Europa.

sobra cuán fundamentales que son las relaciones con los demás para la estabilidad corporal, mental y anímica de cualquiera de nosotros. Los resultados de investigaciones muestran inequívocamente que los factores psíquicos pueden influir directamente en nuestro sistema inmunológico.

Para funcionar correctamente, el organismo no precisa sólo de oxígeno y alimentos, sino también de la presencia de los demás. Esta cercanía ofrece al individuo la posibilidad de abrir su corazón, de intercambiar opiniones o de distraerse gracias a la conversación. Si no se atiende debidamente esta vertiente comunitaria, el sistema inmu-

Hay pequeños detalles, como regalar un ramo de flores, que facilitan el inicio de las relaciones interpersonales.

nológico reacciona igual que si se produjera una situación de estrés. Lo anteriormente dicho está avalado por el siguiente experimento: poco antes de un examen de medicina, se comprobaron las defensas de varios estudiantes. Quienes se habían preparado encerrados en su cuarto sacaron peores notas que quienes compartieron la tensión previa al examen en unión de otros compañeros. Estos resultados se han visto corroborados por otras investigaciones: por ejemplo, se ha demostrado que las personas propensas al infarto que viven solas acusan doble riesgo que las personas por las que se preocupa algún ser querido.

SEÑALES QUÍMICAS ¿Cómo es informado el sistema inmunológico de la carencia de contactos sociales? El mensaje se transmite mediante señales químicas del cerebro, que reaccionan a las sensaciones y predisponen al organismo. Por ejemplo, estimulan la secreción de determinadas hormonas e influyen por tanto en la respiración, la presión sanguínea y la temperatura corporal.

Como se sabe, en los primeros capítulos del Génesis se lee que no es bueno que el hombre esté solo. Sin embargo, en nuestro mundo actual, en el que cada vez hay más personas que viven solas, la necesidad del trato con los demás resulta a menudo desatendida. Afortunadamente, existe el invento del teléfono.

El largo camino desde la primera palabra

El lenguaje es lo que nos diferencia principalmente de los animales. Aunque no lo parezca es el cerebro el que más trabaja a la hora de hablar... aunque las palabras parezcan fluir solas.

Vista desde su aspecto puramente mecánico, la capacidad para hablar del ser humano consiste en una tarea de equipo por parte de incontables células nerviosas del cerebro, más cinco músculos de la laringe y alrededor de 200 músculos más de la garganta y la caja torácica. Pero, en realidad, tras todo esto se oculta uno de los fenómenos más complejos de la naturaleza. En una conversación normal, un interlocutor pronuncia unas tres palabras por segundo, y, consiguientemente, el otro interloculor percibe cada palabra en un tercio de segundo. Esta rápida sucesión de informaciones la controlan dos centros situados en la corteza cerebral, en el

La torre de Babel es el símbolo de las innumerables lenguas que se hablan en el mundo. Aunque responsables de que no podamos entendernos todos los humanos, aportan riqueza y variedad cultural al planeta.

hemisferio izquierdo. El área de Broca, también denominado centro motor del lenguaje, se encarga de que las palabras lleguen al hablante a través de las cuerdas vocales, el paladar, la lengua y los labios. El área de Broca es también responsable del flujo de las palabras y de la estructura gramatical de las frases. La segunda zona importante del hemisferio lingüístico del cerebro es el denominado área de Wernicke. Este centro, llamado también campo de formación de los recuerdos sonoros, se

encarga de la comprensión de la lengua hablada; al parecer, es en esta región cerebral donde cobran sentido las palabras. Pero las palabras se forman también en otros puntos del cerebro; por ejemplo, los sustantivos se elaboran en su superficie visual, ya que transmiten una especie de imagen conceptual a quien escucha.

Por otra parte, en las personas diestras el lenguaje se regula en la mitad izquierda del cerebro, mientras que la mitad derecha comprueba el contenido intuitivo de una afirmación. Gracias a ello, una persona reconoce, por ejemplo, si su interlocutor dice algo en serio o en broma. Finalmente, la conversación es algo más que un simple intercambio de datos e informaciones. Quien sorprende los murmullos de dos enamorados o asiste a una acalorada discusión, no necesita oír cada palabra para reconocer los sentimientos que se ventilan. Pero cuando las situaciones y los contenidos de la conversación no están claros, debemos conectar la "mitad intuitiva" del cerebro e interpretar lo que se ha dicho, corriendo siempre el riesgo de malinterpretar el mensaje.

DIFERENCIAS DE SEXO Según recientes investigaciones, las interpretaciones erróneas no sólo se deben a las diferencias culturales de los interloculores, sino también a su sexo respectivo. Así, los hombres tienden a la unilateralidad, es decir, que para hablar "conectan" principalmente la mitad izquier-

da del cerebro, mientras que las mujeres conectan las dos mitades.

El lenguaje, lo que más claramente distingue a los hombres de los animales, es una capacidad de origen genético, pues el recién nacido ya posee una especie de gramática innata, un programa merced al cual las palabras se combinan en frases significativas. Sólo tenemos que aprender el vocabulario requerido, pues la adquisición del lenguaje propiamente dicho es un proceso que se desarrolla según un patrón idéntico en cada una de las numerosas lenguas que se hablan en el mundo.

Los progenitores de los recién nacidos se comunican con sus retoños en la denominada lengua nodriza. Para ello se sirven de la voz impostada a pleno volumen. En su segundo mes de vida, el bebé contesta ya con vocales chapurreadas, y más tarde comienza a imitar espontáneamente los sonidos que oye pronunciar a sus padres.

Según los investigadores, esta temprana afición del bebé a repetir maquinalmente lo que escucha demuestra que hablar es una necesidad elemental del ser humano. También a los adultos les cuesta mucho trabajo mantener la boca cerrada, hasta el punto de que el silencio conventual les resultaría a muchos un castigo insoportable.

La lectura, alimento del cerebro

Según los futurólogos, los ratones de biblioteca y los aficionados a la lectura forman una especie en peligro de extinción. No obstante, la lectura es una actividad irrenunciable.

La mayoría de los habitantes de los países industrializados leen hoy menos que nunca. Esto puede parecer paradójico, ya que las necesidades de información de los seres humanos han aumentado en lugar de disminuir. Lo que sucede es que, en el terreno de la difusión de las informaciones, los medios de comunicación impresos – libros, revistas, periódicos– hace tiempo que se debaten en encarnizada competencia con la radio y la televisión. En efecto, el oyente o telespectador puede mantenerse informado de los sucesos de nuestro mundo apenas sin esfuerzo, y además de manera entretenida. Cada hora se emiten informativos por la radio, y para captar su contenido se necesita bastante menos esfuerzo mental que para leer. Quien escucha la radio o contempla la televisión puede incluso realizar otras actividades paralelas. En cambio, la palabra escrita exige plena y exclusiva dedicación, pues la lectura desencadena en el cerebro un proceso bastante complejo.

LEER ANTES QUE HABLAR Desde el punto de vista de la historia del desarrollo, la lectura es presumiblemente la función cerebral más antigua del ser humano. Según los investigadores del cerebro, éste poseyó la capacidad fundamental para leer antes incluso de articular la primera palabra; en efecto, para el desciframiento de las sílabas, las palabras y las frases enteras, el cerebro recurre a un sistema de reconocimiento primitivo no vinculado al habla ni a la escritura.

Al igual que en la lengua hablada, los científicos pueden, mediante complejas técnicas informáticas, determinar también qué regiones del cerebro se activan en la lectura. Junto al área de Broca y el área de Wernicke, que regulan el lenguaje y la

comprensión de lo que se habla, se activa también una tercera zona en el hemisferio izquierdo del cerebro, el centro del lenguaje óptico, situado exactamente entre la corteza visual y el área de Wernicke. En este proceso colaboran tres mecanismos distintos: el denominado tope visual, la activación del prototipo y la memoria asociativa. En el tope visual, las informaciones ópticas que llegan de la retina al cerebro a través del nervio óptico se almacenan temporalmente. Por su parte, la activación del prototipo coteja las informaciones con los conocimientos almacenados. Finalmente, a través de las diferentes señales llegan las informaciones a la memoria asociativa, en la que están almacenadas las propiedades características de los objetos conocidos. Así pues, quien ha aprendido el abecedario en su momento y ha grabado los contornos de las letras, no sólo reconocerá momentáneamente lo leído como escrito, sino que además podrá descifrar el contenido lingüístico o al menos fonético.

TRABAJO DETECTIVESCO Mientras que la lectura de la letra impresa no suele presentar problemas, el cerebro debe llevar a cabo un auténtico trabajo de detective con lo que está escrito a mano y es a primera vista ilegible. A menudo se consiguen descifrar algunas palabras tras relacionarlas con la frase entera. En cambio, cuando oímos alguna frase de manera incompleta, como, por ejemplo, en una comunicación telefónica defectuosa, el contenido de la información global nos resulta ininteligible.

Un ciudadano lee tranquilamente un libro sentado en el banco de un parque (arriba), mientras que estos estudiantes chinos se enteran por el periódico mural de las vicisitudes de su revuelta (izda.).

La esfera íntima, tabú para los extraños

El ser humano es sociable por naturaleza; pero cuando alguien se le aproxima demasiado suele reaccionar con bastante susceptibilidad.

Imaginemos el día en que comienzan las rebajas de invierno: la gente se agolpa, se empuja y se pisa. O el metro en hora punta: pasajeros aglomerados como sardinas y sin apenas aire para respirar. Cuando coinciden muchas personas en un espacio reducido, el roce con extraños se torna inevitable y lo soportamos con paciencia.

Sin embargo, ¿por qué sentimos desazón cuando nos roza alguien a quien no conocemos? Además de las normas del decoro, hay también otras normas sobre la distancia a guardar que el ser humano asimila desde la más temprana edad. Esta especie de ley no escrita establece la distancia corporal más adecuada para cada situación. Y, aunque sólo somos conscientes de este principio cuando es violado, son muchos los elementos que inducen a pensar que la salvaguardia de la esfera íntima pertenece a nuestras necesidades elementales.

Escala de distancias Los psicólogos dividen la esfera íntima en cuatro zonas según la distancia, zonas que envuelven a las personas como pantallas protectoras. La distancia de seguridad aconsejada en cada momento depende sobre todo de qué persona esté rozando nuestra piel. En la zona de la denominada distancia íntima, de 0-60 cm de distancia y que permite el contacto físico, sólo pueden entrar las personas que mantienen con nosotros una estrecha relación afectiva. Por su parte, la zona de la distancia personal permite una distancia corporal de 60-150 cm y posibilita, por ejemplo, una conversación confidencial. En tercer lugar, la zona de la distancia social, de 1,5-4 m, la que más frecuentemente se mantiene en la vida profesional, vela por la seguridad en las relaciones entre el superior y los subordinados, entre el jefe y los empleados. Finalmente, la distancia superior a los 4 m se denomina distancia pública. Por ejemplo, un conferenciante se dirigirá a su público desde una distancia de 5 m aproximadamemte, y una estrella del rock que quiera salvar el pellejo ante el acoso de sus *fans* tratará de mantener una distancia de seguridad de 8 m.

El contacto estresante
Sin embargo, estos muros de protección invisibles no siempre se interponen en las situaciones corrientes de la vida cotidiana. Por ejemplo, quien entra en un ascensor no puede preten-

En las aglomeraciones de un metro atestado no se puede evitar el contacto físico. En estas situaciones incómodas, reaccionamos fingiendo que no vemos al prójimo que nos oprime.

Escala aproximada de las distancias: hasta 60 cm, íntima; hasta 1,5 m, personal; hasta 4 m, social; de 4 m en adelante, pública.

der que se respete la barrera de la intimidad corporal. Pero ¿cómo reacciona el cuerpo a las infracciones de la escala de distancias? En primer lugar, con claras muestras de agitación: la respiración se acelera y empezamos a sudar, a sofocarnos y a suspirar por salir de allí. Pero como esto no es posible, nos refugiamos en una pauta de conducta bastante poco sociable: aunque la cara del prójimo está a una distancia de 20 cm de la nuestra, fingimos ignorar su presencia o fijamos la mirada en nuestros zapatos o en el techo.

Espacios acotados Cada ser humano tiene una escala de distancias personal. La gente que se roza mucho suele pertenecer a las denominadas culturas del contacto. En los países meridionales, por ejemplo, la gente no se preocupa tanto de observar la mencionada escala, e incluso en las relaciones profesionales se acepta una distancia corporal menor que en los países más fríos del norte. También en las playas se puede distinguir fácilmente si un turista pertenece a la cultura del contacto meridional o a la cultura de la distancia septentrional, por los espacios que acotan instintivamente. El mensaje no puede ser más explícito: ¡No te acerques demasiado, forastero!

Los mensajeros del amor

Del respeto a la pasión, el amor tiene infinitas maneras de expresarse; las mayores probabilidades de éxito corresponden a las parejas que comparten una visión análoga de la vida.

¿Qué es el amor? ¿Una mezcla de atracción erótica, idealización y anhelos inexplicables? Sus síntomas no se pueden describir con exactitud. ¿Por qué nos centramos en esta persona concreta, y por qué no sólo nos gusta esta persona sino que además la amamos con pretensiones de exclusividad, lo que no parece tener ninguna explicación lógica?

EL JUEGO DE LAS HORMONAS En los últimos años la ciencia se ha ocupado también de este fenómeno, dispuesta a despojarlo de los velos de misterio de que tradicionalmente ha estado rodeado. Si hemos de creer a los investigadores del amor, la responsable de la más feliz de las experiencias vitales es la bioquímica: las hormonas son las verdaderas mensajeras del amor, por lo que éste tiene su origen menos en el corazón que en el cerebro. Es en el sistema límbico, en efecto, donde se asienta el centro que coordina y regula las distintas emociones.

Según esta teoría, los prolegómenos del amor –la fase eufórica del enamoramiento–, la desencadenan también unas sustancias químicas: las anfetaminas. Tanto por su estructura química como por sus efectos, están emparentadas con la adrenalina, hormona segregada por las cápsulas suprarrenales, e inundan el cerebro del enamorado. Su efecto excitante es sin duda el motivo por el que en la fase del enamoramiento rebosemos de energía y nos sintamos capaces de realizar grandes hazañas. Pero, con el tiempo, las terminales nerviosas del cerebro se vuelven inmunes a la anfetamina, y con ello desaparece la primera sensación embriagadora del enamoramiento; es entonces cuando hace su aparición el verdadero amor. El cerebro produce endorfinas parecidas a la morfina, que ejercen un efecto anestesiante y tranquilizador. Bajo su influjo se profundiza en el afecto, al tiempo que el amor cotidiano abandona su fase apasionada.

FINAL INCIERTO Enamoramiento, gran amor... Pero ¿qué viene después? También el fracaso de las relaciones amorosas lo atribuyen los científicos, al menos parcialmente, a las hormonas. Según su teoría, con el tiempo sucede como con las emociones: el cerebro se torna también inmune a las endorfinas.

El cariño, elemento importante del amor, no puede confundirse con el erotismo.

Sin embargo, esta teoría, como las anteriores, resulta tan gris como la propia masa encefálica, por lo que los románticos no deberían cejar en su entusiasmo ante los embates de estas suposiciones prosaicas. Como respuesta a estas tesis tan poco apasionadas podríamos aducir el nutrido número de parejas felices que a lo largo de los años han mantenido vivo el fuego del amor. ¿Existe también para estos casos una hormona que lo explique todo, o simplemente fueron estas personas más certeras a la hora de elegir pareja? También los sociólogos se preguntan por la receta del éxito en las relaciones armónicas de larga duración. La conclusión no deja lugar a dudas: para la felicidad en el amor, vale menos la frase "los extremos se atraen" que esa otra, más sensata, de "cada oveja con su pareja" (o "Dios los crea y ellos se juntan"). Las parejas que siguen siendo felices al cabo de muchos años se sienten unidas ante todo por intereses comunes y por una visión parecida de la vida. A esto contribuyen también una buena dosis de solidaridad y de intuición para adivinar los sentimientos del otro.

DISTINTOS TIPOS Los psicólogos distinguen en el amor seis clases distintas de atracción recíproca. El *ágape* es el amor altruista, que busca constantemente el bien de la persona amada. El motor principal del *eros*, o amor erótico, es la pasión sexual. En el *ludus* lo más importante es el aspecto lúdico del amor, mientras que el *storge* describe el componente de camaradería del amor. Por su parte, la *manía* es según los psicólogos un tipo de amor enfermizo y posesivo, mientras que *pragma* se confunde con la unión equilibrada en la que ambos participantes se esfuerzan por conseguir el bien recíproco. La condición ideal para una felicidad amorosa duradera parece surgir cuando se encuentran dos personas que comparten una visión parecida sobre la esencia del verdadero amor, pues los humanos solemos ser bastante fieles a nuestras propias concepciones y sentimientos, no sólo durante el tiempo que dura una relación sino a lo largo de toda la vida.

Cuando los labios se funden

Un beso apasionado no sólo es una fuente de placer, sino que, según los científicos, es también un acto saludable y un eficaz tratamiento estético para los enamorados.

Termografía de un beso caliente, en el sentido más literal de la palabra. Los puntos con mayor riego sanguíneo, y por tanto más calientes, aparecen en blanco.

Desde un punto de vista meramente científico, en el acto del beso se mueven 29 músculos, 17 de los cuales se encuentran en la lengua. Se trata de un juego muscular muy activo, para el que las células necesitan mucho oxígeno; en efecto, el promedio de riego sanguíneo de la cara aumenta hasta un 30%. Además, como los vasos situados bajo la piel permanecen elásticos a lo largo de todo el proceso, el beso no es sólo la mejor gimnasia del rostro, sino posiblemente también un tratamiento estético tan eficaz como una buena crema antiarrugas.

El beso no sólo hace bullir la sangre y enfervoriza el corazón en sentido figurado; en el plano estrictamente biológico, la presión sanguínea pasa también bruscamente de 120 a 180 mm de la escala de mercurio, ya que, con 150 latidos por minuto, el bombeo del corazón se duplica y las cápsulas suprarrenales comienzan a segregar adrenalina.

Sin embargo, según recientes investigaciones, además de para la circulación, el beso es también bueno para el sistema inmunológico. En efecto, en las personas que se prodigan en besos se incrementa al parecer la producción de las sustancias químicas que activan las células asesinas del sistema defensivo del cuerpo, con lo que éste puede combatir mejor a los virus o las bacterias.

Hambre de contacto

Todo ser humano necesita una dosis mínima de caricias para satisfacer su necesidad elemental de contacto corporal, pues resultan balsámicas.

Para los enamorados, las caricias y demás carantoñas son la salsa de su relación. En otro orden de cosas, casi nadie se puede resistir a hacer mimos y acariciar a un bebé. Sin embargo, fuera de estos casos, en nuestra cultura el contacto físico interpersonal suele ser bastante excepcional. Por término medio, sólo palpamos a otras personas entre ocho y doce veces al día, mientras que los enamorados se tocan casi 40 veces al día. Las pautas sociales nos prohiben dar rienda suelta al apetito elemental del ser humano de contacto físico, para desgracia de nuestra mente y de nuestro cuerpo.

UN DELICIOSO COSQUILLEO Las caricias le llegan al ser humano a través de la piel. La piel podemos describirla sin temor a equivocarnos como un verdadero revestimiento de nervios, pues la piel de un adulto –de unos 2 m² de superficie total– presenta muchos millones de terminales nerviosas, a las que llegan los estímulos táctiles para ser reenviados a los tejidos nerviosos del cerebelo, lo que potencia aún más la estimulación. De aquí pasan a la corteza cerebral y finalmente al sistema límbico, sede de las sensaciones, donde desencadenan un delicioso estremecimiento. También se experimentan sensaciones particularmente intensas en ciertos lugares del cuerpo bastante ocultos y

Mientras que el contacto físico entre la madre y el bebé juega en todas las culturas un papel muy importante –como demuestran estos indios yanomami–, en los países industrializados casi se ha olvidado en el trato cotidiano.

generalmente poco tenidos en cuenta: en la nuca, en las corvas, entre los dedos de los pies y de las manos o detrás de las orejas. Estas zonas cutáneas pertenecen también a las denominadas zonas erógenas, es decir, las partes del cuerpo particularmente excitables desde el punto de vista sexual.

TRANQUILIZANTES Y ANALGÉSICOS El carácter placentero del tacto es algo consustancial al ser humano. Pero el poder del tacto parece ir más allá, pues ejerce también un efecto tranquilizador, relajante y sedativo. Esto se debe a que, en todos los contactos cariñosos, el cerebro libera endorfina, una especie de hormona cerebral cuya estructura se parece a las morfinas analgésicas.

Otras observaciones han demostrado asimismo lo importante que para el desarrollo del bebé resulta el contacto físico; así, las caricias y besos que recibe en sus primeros días lo hacen evolucionar más deprisa, al tiempo que potencian su resistencia a las infecciones.

La vida psíquica se beneficia también de los contactos epidérmicos cariñosos, que tienen la virtud de reducir notoriamente el miedo, el estrés y las frustraciones. Abrazarnos o agarrarnos del brazo de un amigo o de un ser querido con mayor frecuencia de lo que prescriben las convenciones al uso tonifica, pues, no sólo el cuerpo sino también el espíritu. Al fin y al cabo, es el mismo instinto de protección que buscábamos en la infancia.

El ardor del deseo

Una mirada seductora, un beso intenso o una simple caricia pueden bastar para que prenda la pasión y se desencadene el impetuoso deseo sexual.

¿Qué ocurre realmente en el cuerpo cuando, después de besarse dos amantes, no se despiden cortésmente, sino que insisten en proseguir sus abrazos y caricias? También en este caso, como en tantos otros en que los sentidos ganan la partida, el deseo sexual es pilotado por el cerebro.

Los estímulos producidos por una mirada, o incluso por un roce o un olor agradables, llegan a través del cerebelo y el tálamo hasta el cerebro y el sistema límbico, donde son elaborados. Si un estímulo es evaluado aquí intuitivamente como sexual, el sistema nervioso vegetativo se encarga de excitar los puntos sexuales secundarios del cuerpo humano.

CARRERA DE RELEVOS DE LAS HORMONAS Las sensaciones experimentadas en un beso apasionado se explican merced al flujo constante de hormonas regulado por el hipotálamo, región del diencéfalo, del tamaño aproximado de una cereza, que forma parte del sistema límbico y que, entre otras funciones, actúa de centro de operaciones del sistema hormonal del organismo. El hipotálamo segrega las denominadas hormonas liberadoras, que pasan a la vecina neurohipófisis, donde provocan a su vez la secreción de hormona luteinizante (LH), así como de gonadotropinas y hormona foliculoestimulante (FSH). Estas dos hormonas de la hipófisis son enviadas con la sangre rumbo a la glándula germinativa masculina, el testículo, o a la glándula germinativa femenina, el ovario. Su tarea consiste en facilitar que estas glándulas sexuales segreguen las hormonas del sexo: la testosterona en el hombre y el estrógeno en la mujer. La hormona del sexo se encarga por su parte de que el cerebro mantenga una retroalimentación constante de los procesos hormonales.

Mientras inunda el cuerpo toda esta cascada de hormonas, se pone en marcha también el sistema límbico del cerebro,

1
Una mirada, un olor o un roce desencadenan una viva sensación. Cuando el cerebro y el sistema límbico la evalúan como sexualmente estimulante, el sistema nervioso se encarga de excitar los órganos sexuales.

6
A través de las hormonas sexuales –la testosterona y los estrógenos–, se produce una retroalimentación hormonal al cerebro (flecha rosa).

4
En la mujer, la LH y la FSH liberan pequeñas cantidades de testosterona, la hormona masculina secretada por la corteza adrenal.

5
La FSH y la LH favorecen en los ovarios la producción de estrógenos, la hormona sexual femenina.

2
La sensación psíquica de placer la asegura el ciclo hormonal. Éste arranca en el hipotálamo, que segrega las hormonas gonadotrópicas.

3
Estas hormonas liberadoras pasan finalmente a la hipófisis, donde producen la secreción de hormona luteinizante (HL) y hormona foliculoestimulante (FSH).

4
Bajo el influjo de LH y FSH (flecha verde), el hombre segrega en la corteza adrenal testosterona y pequeñas cantidades de hormonas sexuales femeninas.

5
En los testículos, las hormonas de la hipófisis producen testosterona, así como esperma.

El placer sexual es fruto de una cascada de hormonas que parten del cerebro e inundan todo el organismo.

corresponsable de la vida sensorial, para que el flujo de las hormonas sexuales sea percibido también como placentero y haga entrar en juego las sensaciones correspondientes. Así se cierra el ciclo de las hormonas, al producir un placer psíquico junto a la excitación corporal.

Este ciclo lo pone en movimiento el hipotálamo aproximadamente cada cuatro horas mediante las hormonas liberadoras. En la mujer aumenta el nivel de secreción antes de la ovulación, pudiéndose producir una cada 90 minutos. Éste es sin duda el motivo por el que muchas mujeres experimenten en esta fase cíclica una apetencia sexual mayor.

LA HORMONA DEL PLACER Hay una hormona producida por el hipotálamo y segregada por la hipófisis que está siendo estudiada actualmente con especial interés: la oxitocina. Que ésta estimula en las mujeres las contracciones uterinas y la producción de la leche materna es algo que se sabía desde hace tiempo. Pero recientemente se han descubierto pruebas fehacientes en el sentido de que actúa también como estimulante sexual en ambos sexos, desempeñando un papel importante en la gratificación sexual.

Sin embargo, aún no se sabe a ciencia cierta qué sustancias participan, y de qué manera, en la producción del placer sexual. Sólo se sabe que la naturaleza se sirve aquí de una pícara artimaña para asegurar la perpetuación de la especie humana. Las sensaciones placenteras que acompañan a la excitación sexual –sean provocadas por impulsos emocionales, por pensamientos amorosos o eróticos, o por las caricias y estímulos sensoriales que preceden al encuentro físico–, son una especie de invitación constante a los humanos para que unan sus cuerpos y, a poder ser, se reproduzcan.

Hacia el clímax del placer

Estimulados por caricias íntimas y la excitación de las zonas erógenas, el cuerpo y la mente se esfuerzan por alcanzar, tras un placentero preludio, el punto culminante del placer y de la distensión.

Tanto si una pareja pasa mucho tiempo en la fase de las caricias como si llega al orgasmo por la vía rápida en el calor de la pasión, la excitación sexual, que ocupa el nivel máximo en la escala de las experiencias sensoriales, cumple la función primordial de preparar al cuerpo para el acto del amor.

LAS ZONAS ERÓGENAS Muchas partes del cuerpo, como la nuca, los pezones, la parte interior del muslo y, sobre todo, el pene en el hombre y los pequeños labios de la vulva y el clítoris en la mujer, reaccionan a las caricias de manera sumamente sensible. Su estimulación desencadena sensaciones intensísimas, pues en estas zonas del cuerpo se encuentran infinidad de células táctiles y nervios muy particulares, que registran y trasladan velozmente esa excitación.

En el hombre, la excitación corporal resulta visible merced a la erección del pene. Los cuerpos cavernosos de su interior se inundan de sangre, provocando su erección y abultamiento; la piel del escroto se tensa y abulta igualmente. Por su parte, el sistema nervioso autónomo se encarga de que, durante la fase de la erección, se llenen al máximo de sangre los órganos sexuales.

También en la mujer se produce la excitación sexual con una concentración de sangre en la región de los órganos sexuales. Al hincharse en la vagina los vasos sanguíneos, se estimulan numerosas glándulas de la membrana vaginal para que segreguen un flujo lubricante que facilitará la introducción del pene. Al mismo tiempo, la vagina se dilata, los labios de la vulva se hinchan y el clítoris, la parte más sensible de los órganos sexuales femeninos, se vuelve más grande y más sensible aún al tacto. También los senos de la mujer reaccionan ahora con particular sensibilidad a las caricias amorosas, produciéndose fácilmente la erección de los pezones. En el interior del cuerpo se tersa el útero y, poco antes del orgasmo, en una fase de alta tensión muscular, la vagina se con-

El preludio erótico lleva a los amantes a una verdadera embriaguez de los sentidos: todo lo demás queda relegado a un segundo plano.

trae en su tercio inferior hasta formar un fuerte anillo, el denominado manguito orgásmico, para aprisionar con fuerza al pene.

TAN FATIGOSO COMO EL DEPORTE Junto a estas reacciones físicas, en el juego amoroso tienen lugar también otras alteraciones que se encargan literalmente de la excitación. Los preámbulos eróticos elevan el ciclo hasta su punto máximo, y la frecuencia cardíaca

En este rito japonés, al igual que en otras muchas culturas, el pene en erección es símbolo de fecundidad.

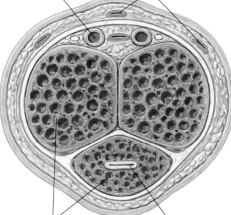

La erección surge a consecuencia de la estasis de los cuerpos cavernosos del pene. Un miembro viril pequeño puede duplicar su longitud; si es grande, la erección suele ser menor.

Las arterias del pene suministran sangre a los cuerpos cavernosos.

Las venas del pene se estrangulan con la congestión, lo que les permite contener el flujo sanguíneo.

En la erección, las cavidades de los cuerpos cavernosos se inundan de sangre y tensan el pene.

A través del orificio uretral se expulsa el líquido seminal.

puede pasar de unas sosegadas 60 palpitaciones por minuto a unas vertiginosas 180 palpitaciones poco antes del orgasmo. También la respiración se vuelve cada vez más rápida, pasando de 14 a 40 inhalaciones por minuto. Este efecto vertiginoso lo produce la hormona del estrés, o adrenalina, secretada durante la excitación sexual. A consecuencia de esta estimulación circulatoria se puede consumir en semejante borrachera de los sentidos casi tanta energía como en una sesión de gimnasia.

La explosión de los sentidos

Alcanzar el éxtasis del placer tras los preámbulos amorosos es una sensación tan indescriptible como embriagadora. En el plano biológico, nuestro cuerpo también se beneficia de esta exaltación de los sentidos.

Como en éxtasis... Aunque al final es sólo cuestión de segundos, la experiencia zarandea nuestro cuerpo y nuestra psique con tal intensidad que nos sitúa al borde del desmayo. En el orgasmo, la tensión sexual que se acumula en la fase de la excitación se descarga de una manera igualmente explosiva.

LA FUNCIÓN DEL ORGASMO Lo que a menudo se describe con cierta socarronería como el sucedáneo más bello del mundo, es algo que la naturaleza ha ideado con mucha intención. El orgasmo no es sólo una macrofiesta para los sentidos. Sin él, la humanidad se extinguiría probablemente, pues el aspecto hedonista y la función de la reproducción van íntimamente unidos en el ser humano.

Cuando el hombre alcanza el clímax mediante las contracciones rítmicas de los músculos de los epidídimos, la próstata y el orificio seminal, expulsa a través del flujo seminal hasta 200 millones de espermatozoides. Las violentas contracciones de la musculatura abdominal deben llevar las células seminales a una posición de salida óptima para su posterior viaje hasta el óvulo fértil, es decir, justo delante del orificio uterino.

En la mujer no se produce ninguna relación tan manifiesta entre la propagación y el éxtasis del placer, si bien recientes investigaciones insinúan que, mediante las contracciones orgásmicas del hipogastrio, el orificio uterino sigue bañándose rítmicamente en el líquido seminal concentrado tras la eyaculación en el extremo de la vagina. De este modo, el esperma puede pasar correctamente por el cuello uterino.

CLÍTORIS O VAGINA En líneas generales, el orgasmo es en la mujer un fenómeno más complejo que en el hombre. Los sexólogos hablan de un 5-10% de mujeres que nunca han conocido el clímax sexual, sea durante el coito o en solitario. La culpa de este déficit de placer hay que atribuirla en parte al ancestral mito culpabilizador del orgasmo vaginal de la mujer, considerado exclusivamente con fines hedonísticos. De todos modos, existe una pequeña parte del órgano sexual externo que juega en el orgasmo femenino un papel más importante que la vagina; nos estamos refiriendo al clítoris, que

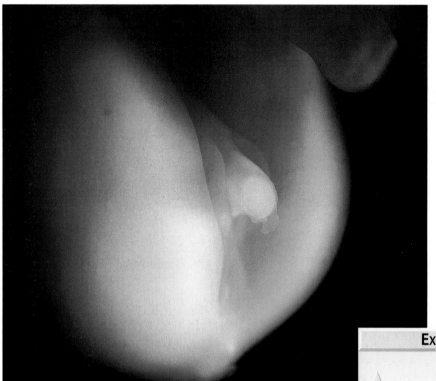

Como se puede apreciar en la fotografía, en el embrión femenino el clítoris se desarrolla del mismo órgano que el pene masculino. Por eso es tan excitable este importante órgano sexual de la mujer.

de la excitación sexual: la sangre refluye de los tejidos eréctiles de los genitales, mientras que clítoris y pene se tornan nuevamente flácidos. Las sensaciones de placer que se experimentan de este modo son consecuencia de la descarga de determinadas células nerviosas del cerebro. Y la oxitocina, la hormona que se segrega con el orgasmo en la hipófisis, es presumiblemente responsable de esa sensación de placer supremo que convierte al orgasmo en una experiencia tan hermosa y tan relajante, ya se produzca en brazos de la persona amada o –en épocas de soledad– mediante la autosatisfacción.

se encuentra oculto, como al abrigo, bajo el pequeño labio de la vulva y que en la excitación sexual se abulta y resalta fácilmente. Muchas mujeres sólo llegan al orgasmo si su clítoris es estimulado. Otras se procuran satisfacción sexual mediante la excitación del denominado punto G, un punto muy sensible al tacto situado en la pared vaginal por encima del orificio uretral.

TENSIÓN Y DESCARGA La intensa experiencia del orgasmo resulta de la interrelación entre los órganos sexuales y el cerebro. El orgasmo no se percibe sólo en la región de la pelvis, sino que arrastra también en su torbellino al resto del cuerpo y a la psique. En el clímax de la fase de meseta, una vez que se ha alcanzado la cima del placer, el cuerpo se inmoviliza durante unos segundos antes de que toda la musculatura pélvica inicie unas contracciones rítmicas. Esta contracciones incontrolables pueden percibirse como suaves fluctuaciones o llevar al cuerpo a unos espasmos extáticos. La sangre que durante la fase de excitación se ha acumulado en los vasos de la región pélvica se bombea ahora fuera del tejido, e incluso se relaja espontáneamente la tensión muscular.

En uno y otro sexo, después del orgasmo, se produce una relajación de la tensión sexual y una reversión de los procesos físicos

Este gráfico muestra esquemáticamente el curso de la excitación en las mujeres y en los hombres. La fase de excitación en las mujeres –aquí no se considera su verdadera duración– es por regla general un poco más larga que en los hombres. Por este motivo permanecen más tiempo estimuladas tras el orgasmo y pueden experimentar incluso varios orgasmos seguidos (arriba). Muchas mujeres alcanzan la fase de meseta, pero no experimentan ningún orgasmo, por lo que no se produce ninguna descarga repentina de tensión (centro). Los hombres no pueden tener varios orgasmos seguidos; han de esperar cierto tiempo en la fase refractaria antes de poder experimentar un nuevo clímax (abajo).

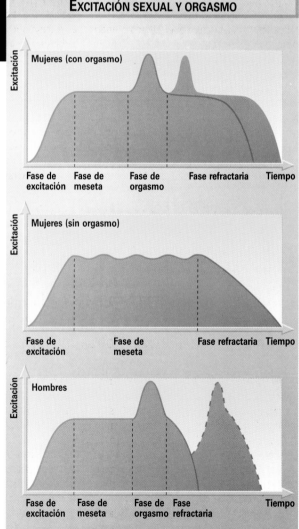

Amor al mismo sexo

Aunque aún no se conocen bien las causas de la inclinación hacia el mismo sexo, sí hay una cosa segura: la homosexualidad no debe considerarse una enfermedad.

Por raras o pintorescas que puedan parecernos algunas manifestaciones o marchas de gays o lesbianas, lo cierto es que no les falta razón en su reivindicación de un trato igualitario por parte de la sociedad. A pesar de la liberalización sexual, los hombres y mujeres homosexuales de nuestros días aún tienen sobrados motivos para denunciar la discriminación que padecen a todos los niveles.

Según una estimación aproximada, entre el 1 y el 5% de los humanos sienten inclinación hacia el propio sexo –o hacia ambos a la vez–; no se pueden realizar otras encuestas más precisas ya que los encuestadores tropiezan con el hecho de que la homosexualidad y la bisexualidad siguen siendo todavía un tema tabú.

Las causas primordiales de estas formas de orientación sexual no se conocen aún con exactitud. La mayoría de las investigaciones se centran actualmente en descubrir el núcleo biológico de la desviación sexual. Al parecer, en los homosexuales masculinos hay determinadas estructuras del cerebro, donde se presume que radica el centro sexual, que se asemejan mucho más a las del cerebro femenino que a las de las personas del mismo sexo. En la investigación de las causas de la homosexualidad también se tienen en cuenta las influencias genéticas. En este sentido abunda un estudio según el cual entre los parientes de hombres homosexuales se registra un elevado porcentaje de casos de orientación hacia el mismo sexo.

Sin embargo, aún no se sabe con claridad qué papel juega exactamente el entorno social en este fenómeno. Se sabe al menos que el entorno ejerce prácticamente la misma importancia que para el desarrollo de la personalidad en general.

Al igual que las parejas de heterosexuales, las parejas de homosexuales se demuestran también su amor con gestos y expresiones de afecto.

Fracaso en la cama

Cuando en la cama "no pasa nada" –sea temporalmente o durante un largo período–, no hay que atribuirlo a la falta de amor; puede deberse a otras múltiples causas.

Habíamos pensado pasar una velada auténticamente romántica. Pero la rutina cotidiana ha vuelto a hacer de las suyas en nuestro sistema nervioso; aún nos duran los efectos de la bronca con un compañero de oficina o de una regañina a los niños. Así pues, lo único que nos apetece en este momento es arrellanarnos en la butaca y disfrutar de unos momentos de paz.

El estrés laboral y las trifulcas cotidianas son auténticos asesinos del amor; en efecto, cuando el cuerpo y la psique están cansados o tensos, el deseo se bloquea. Esto se explica por sí solo si consideramos la historia de la evolución: las reacciones de alarma física en situación de estrés, que originalmente preparaban para el combate o la huída, dejan momentáneamente fuera de juego la función de los órganos reproductores. Lo cual no debe extrañarnos: pensar en la reproducción en una situación de peligro podría haberles costado la vida fácilmente a nuestros antepasados...

Pero tampoco en los tiempos actuales, bastante menos peligrosos, está el cuerpo constantemente preparado. Así, tras el nacimiento de un hijo, la vida sexual de los flamantes padres suele tomarse unas vacaciones. Además, los dolores que siente la mujer en el hipograstrio durante las primeras semanas después del parto disminuyen considerablemente su apetito sexual.

HORMONAS ASESINAS DEL DESEO El hecho de que, tras el parto, el amor físico quede relegado para muchas mujeres a un segundo plano es también una consecuencia natural de los cambios hormonales. Mientras la madre amamanta a su bebé, su cuerpo segrega mayores cantidades de progesterona. Al parecer, según opinión de algunos científicos, esta hormona reduce también el apetito sexual, opinión que corrobora la observación del ciclo menstrual femenino. En efecto, mientras la mujer experimenta menos placer en el amor durante los días siguientes a la ovulación, su apetito sexual aumenta considerablemente unos días antes de la menstruación, cuando el nivel de progesterona ha vuelto a disminuir.

Sin embargo, abundan las mujeres que muestran poco interés por el sexo. Esta falta de apetencia, vulgarmente llamada frigidez, puede tener múltiples causas: inhibiciones, pudor, una inculcada aversión a la sexualidad o un temprano abuso –o mal uso– de la misma. Pero tal vez se deba también a que aún no ha encontrado con su pareja la técnica amorosa adecuada. En tal caso, un compañero delicado y sensible puede obrar auténticas maravillas. Sin embargo, en los casos en que la frigidez se debe a algún problema psíquico serio, convendrá recabar el asesoramiento de un especialista.

MIEDO A FALLAR En el hombre, el no querer depende frecuentemente del no poder. Cuando, a causa de las cuitas, el estrés, las tensiones con la pareja o la excesiva ingestión de alcohol, no se logra la erección, suele desencadenarse frecuentemente un círculo infernal: el miedo a no estar a la "al-

SUSTANCIAS ERÓGENAS NATURALES

Quien desee potenciar la libido con afrodisíacos, no debe recurrir a mixturas exóticas, sino fiarse del efecto estimulante de determinados productos vegetales. Ricos en proteínas, minerales y vitaminas, aumentan por tanto la capacidad del rendimiento general, incluido el sexual.

- El pimiento picante no sólo estimula las papilas gustativas sino también la libido.

- Las pipas de girasol y de calabaza contienen mucha vitamina E y por tanto incrementan el rendimiento. También los berros y el apio ejercen efectos estimulantes y revigorizantes.

- Uno de los estimulantes predilectos de los herbolarios es el ginseng, que puede tomarse en forma de tabletas, tónico o infusión.

- La albahaca contiene determinadas sustancias curtientes o taninos, así como aceites etéreos, a los que se atribuye un efecto afrodisíaco.

- La vainilla está considerada en el campo de la homeopatía como un remedio contra la impotencia.

- El caviar, los langostinos y las ostras, ricas en zinc, pueden servir también para estimular el amor.

tura" sexual que muchos hombres se exigen bloquea no sólo la cabeza sino también el pene. Una compañera comprensiva que no dé excesiva importancia a la situación podrá contribuir decisivamente a que dicho bloqueo sea un simple problema pasajero.

Pero, aparte de esta impotencia de carácter contingente, entre el 4 y el 8% de los hombres padecen problemas de erección permanentes, en su mayoría debidos a causas orgánicas. En tales casos, se recomienda seguir también un tratamiento médico.

¿Sólo hijos deseados?

Antes era la naturaleza la que determinaba habitualmente cuántos hijos se iban a tener; en la actualidad, para muchas parejas, es un problema de planificación.

Apenas hace unos decenios, la maternidad estaba considerada como una decisión que dependía de la naturaleza y como la misión primordial de la mujer; pero hoy día, al menos en los países industrializados de Occidente, la situación ha cambiado bastante. En efecto, gracias a los modernos medios preventivos y anticonceptivos, una pareja puede decidir si desea –y en qué momento– aumentar el número de sus miembros. De este modo, las mujeres no tienen por qué renunciar a su importante papel en el mundo profesional.

MATERNIDAD O TRABAJO Aun cuando el ser humano ha superado en astucia a la naturaleza en materia de reproducción, desde Adán y Eva el proceso ha sido más o menos así: con el principio de la pubertad, el cuerpo de la mujer está ya preparado para tener hijos, pues cada mes madura un óvulo fértil. Por supuesto, también hoy está en

Concebir un hijo es fácil; educarlo debidamente es harina de otro costal. Pero, a pesar de los desvelos y las preocupaciones, la mayoría de los padres y madres encuentran gratificante su nueva responsabilidad.

manos de la mujer la decisión de permitir o no una fecundación. Pero para muchas mujeres esto supone un conflicto entre su cabeza y sus entrañas. Por un lado, les gustaría tener un hijo, pero por otro les asaltan dudas, temores e inseguridades sobre la forma de armonizar el papel de madre con su vida profesional o laboral, cada vez más demandante. Pero la decisión no se puede aplazar sine die, pues, mientras que el hombre es fértil hasta bien entrada la vejez, la mujer sólo lo es durante un espacio de tiempo limitado. El temor a que su reloj biológico se

pueda detener sitúa a muchas de ellas ante una difícil disyuntiva.

LA FECUNDACIÓN ARTIFICIAL Completamente distinto es el problema de las parejas que no pueden tener hijos. Cuando, tras intentarlo una y otra vez, no se consigue el embarazo, muchas mujeres suelen sumirse en una profunda depresión. Sin embargo, también en este caso la medicina puede ayudar bastante. Si hace unos años los denominados bebés probeta acapararon las primeras páginas de los periódicos, en la actualidad son muchos los niños deseados

que han visto la luz gracias a la inseminación artificial. La mezcla de óvulos con células espermáticas tiene lugar ahora en la probeta, y el óvulo fecundado se implanta acto seguido en el útero materno. Las probabilidades de éxito de esta fecundación in vitro oscilan entre un 15-20%.

Sin embargo, muchas parejas rechazan este procedimiento clínico y se deciden por la adopción, regalando al niño de este modo no la vida propiamente tal, sino un hogar y una familia, a menudo más feliz y seguro que el de sus progenitores naturales.

Mes a mes: el itinerario de la procreación

Mientras es fértil la mujer, sus órganos reproductores funcionan según un ciclo aproximado de 28 días, durante el cual su cuerpo se prepara para un posible embarazo.

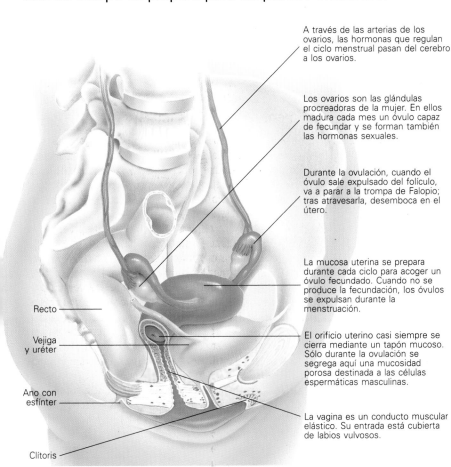

A través de las arterias de los ovarios, las hormonas que regulan el ciclo menstrual pasan del cerebro a los ovarios.

Los ovarios son las glándulas procreadoras de la mujer. En ellos madura cada mes un óvulo capaz de fecundar y se forman también las hormonas sexuales.

Durante la ovulación, cuando el óvulo sale expulsado del folículo, va a parar a la trompa de Falopio; tras atravesarla, desemboca en el útero.

La mucosa uterina se prepara durante cada ciclo para acoger un óvulo fecundado. Cuando no se produce la fecundación, los óvulos se expulsan durante la menstruación.

El orificio uterino casi siempre se cierra mediante un tapón mucoso. Sólo durante la ovulación se segrega aquí una mucosidad porosa destinada a las células espermáticas masculinas.

La vagina es un conducto muscular elástico. Su entrada está cubierta de labios vulvosos.

Recto

Vejiga y uréter

Ano con esfínter

Clítoris

Probablemente no haya un fenómeno físico más contaminado por los mitos y los tópicos que el período menstrual de la mujer. En el pasado, la menstruación era un tema tabú que sólo se mencionaba indirectamente; y aún hoy sigue estando rodeado de prejuicios. En el Antiguo Testamento, la mujer aparece descrita durante su período menstrual como un ser impuro. Y no hace aún mucho tiempo que se imponían prohibiciones absurdas a las mujeres que tenían la regla; por ejemplo, no podían batir la nata por miedo a que ésta se cuajara, ni visitar ninguna piscina pública para no manchar el agua.

DE NIÑA A MUJER Con los nuevos conocimientos científicos acerca de la menstruación, semejantes supersticiones han ido desapareciendo paulatinamente. Las jóvenes de nuestros días ya no afrontan su primera regla con el temor de sus antecesoras ni se les ocurre pensar, por ejemplo, que están realmente enfermas por ello. Unos 2 años después de iniciarse la pubertad, con el ligero abombamiento de las glándulas mamarias y el brote sutil del vello púbico, se llega a la primera menstruación o menarquia. En la época actual, ésta se suele presentar por término medio a los 12 años; es decir, bastante antes que hace un siglo, cuando las jóvenes menstruaban por primera vez con 17 años cumplidos.

El desencadenamiento del primer ciclo lo provoca el hipotálamo. Con el inicio de la pubertad, este centro de control, responsable entre otras funciones de la secreción hormonal, produce en el cerebro intermedio una sustancia mensajera que hace que la glándula vecina o hipófisis segregue una

Los órganos reproductores de la mujer se preparan para la ovulación dentro de un ciclo regido por las hormonas.

Esquema de un ciclo menstrual: en el primer día se inicia la hemorragia de la regla, con la que se elimina parte de la mucosa uterina. Durante la primera mitad del ciclo madura un nuevo folículo. El estrógeno producido por éste regenera la mucosa. La ovulación tiene lugar hacia la mitad del ciclo. A partir del folículo se desarrolla el cuerpo amarillo, cuya hormona, la progesterona, prepara la mucosa para que reciba el óvulo fecundado. A los 14 días aproximadamente, si no se produce la fecundación, éste sale expulsado.

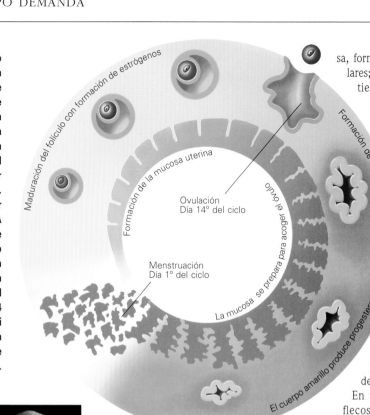

Maduración del folículo con formación de estrógenos

Formación de cuerpos amarillos

Formación de la mucosa uterina

Ovulación
Día 14º del ciclo

Menstruación
Día 1º del ciclo

La mucosa se prepara para acoger el óvulo

El cuerpo amarillo produce progesterona

Esta imagen ampliada es la trompa uterina que mantiene atrapado al óvulo durante una fase del ciclo.

serie de hormonas. Una de éstas es la hormona foliculoestimulante (FSH), hormona estimulante que permite a los ovarios desempeñar su función y producir estrógenos, la hormona sexual femenina.

Las primeras menstruaciones suelen llegar con cierta irregularidad; pero luego el ciclo (es decir, el tiempo que transcurre entre el primer día de la menstruación y el día anterior a la siguiente), se va estabilizando

de manera paulatina en 28 días aproximadamente. En muchas mujeres, un ciclo normal dura sólo 21 días, mientras que en otras puede extenderse hasta 36 días. Pero, a pesar de estas diferencias de cómputo, en el cuerpo de cada mujer se verifican siempre los mismos procesos.

VICISITUDES HORMONALES Mientras que las células sexuales masculinas no aparecen hasta el inicio de la pubertad, el cuerpo femenino está dotado desde el nacimiento de unos 400.000 óvulos inmaduros, de los que sólo unos 400 llegarán a madurar durante la vida de la mujer. Éstos se encuentran en los dos ovarios situados junto a las dos trompas, que desembocan lateralmente en la parte superior –y más gruesa– del útero piriforme. Cada óvulo posee una envoltura celular, denominada folículo.

Cada ciclo comienza cuando el hipotálamo de la hipófisis da la señal para que se active el ovario mediante las hormonas estimulantes del folículo, con lo que se pone en marcha el proceso de maduración de 10-20 óvulos. En los folículos en maduración se forma el estrógeno, la hormona sexual, que pasa a la sangre. Con el nivel creciente de estrógenos se estimula, entre otras, la formación de la mucosa uterina, también llamada endometrio. Esta membrana, que envuelve completamente al útero, se enriquece con sangre y se vuelve más grue-

sa, formándose glándulas y tejidos celulares; todas estas medidas preparatorias tienen por objeto tomar un óvulo fecundado y poder alimentar al embrión a partir de ese momento. Por término medio, este proceso dura 9 días, hasta que la mucosa uterina se ha formado por completo. Al final de esta fase cíclica, el nivel de estrógenos alcanza una cota muy alta; después desciende sensiblemente y con ello se da la señal para que la hipófisis segregue la hormona luteinizante (LH) o luteína en el espacio de unas 16 horas.

LA OVULACIÓN Bajo el influjo de estas sustancias mensajeras estalla ahora el más maduro de los folículos, liberando al óvulo. En unas fracciones de segundo, los flecos con los que se guarnecen las puntas embudiformes del óvulo pasan a través del ovario y lo mantienen preso, mientras innúmeras pestañas insertan el óvulo en la trompa. Muchas mujeres perciben la llegada de la ovulación por un leve dolor en mitad del ciclo. Durante los siguientes 4 ó 5 días, el óvulo progresa a través de la trompa en dirección del útero. Facilitan este transporte los cilios o pestañas, en movimiento continuo, así como las ondas peristálticas que desembocan en la trompa.

El ahora vacío folículo se colorea de amarillo, por lo que, tras la ovulación, se denomina cuerpo amarillo o lúteo, y produce la hormona progesterona. Si, tras la ovulación, el óvulo llega a fecundarse, el lúteo generador de progesterona se encarga de que la mucosa uterina permanezca consistente y bien regada de sangre, con lo que estará garantizado el cuidado del embrión. Pero si el óvulo no ha sido fecundado, muere el lúteo en un espacio de 12 días, con lo cual se agota finalmente la producción de progesterona y la mucosa deja de estar alimentada, muriendo al final del ciclo. El óvulo sale expulsado junto con la sangre de la menstruación, iniciándose con ésta un nuevo ciclo.

La hemorragia de la regla dura en la mayoría de las mujeres entre 4 y 7 días. Casi siempre empieza débilmente, arrecia el segundo y tercer día y vuelve a debilitarse las últimas jornadas. La sangre menstrual no se suele coagular porque la mucosa uterina produce factores anticoagulantes. La mayoría de las veces la hemorragia es tan intensa y copiosa que pueden llegar a formarse pequeños grumos.

Frecuentemente, la regla suele ir acompañada de dolores ligeros, que en ocasiones pueden llegar a ser intensos. En efecto, a muchas mujeres los días previos les resultan particularmente desagradables. Como consecuencia del exceso de líquido de los tejidos se inflaman las articulaciones y se tensan los senos, los cuales se vuelven extremadamente sensibles al contacto, por lo que muchas mujeres se sienten particularmente irritables, nerviosas y aturdidas. Cuando estos trastornos, que normalmente vuelven a desaparecer con el inicio de la regla, son tan fuertes que se experimentan como una sobrecarga corporal y anímica, se habla de síndrome premenstrual. Según varios estudios realizados a nivel mundial, entre el 50 y el 70% de las mujeres padecen molestias corporales antes y durante el período.

Sin embargo, también tienen cosas buenas los días previos a la regla. Muchas mujeres disfrutan particularmente del amor durante esas jornadas que propician una mayor excitación sexual. Asimismo, el rendimiento de la mujer parece aumentar durante la fase premenstrual, como se puede observar en el caso de muchas deportistas de alta competición.

¡Preparados, listos... ya!

Cada mes, y a lo largo de unos pocos días, tiene lugar la carrera por la fecundación. Sólo un espermatozoide entre millones llegará a la meta y lo logrará.

Cuando se han mantenido relaciones sexuales sin adoptar medidas preventivas y no llega la regla, se puede inferir que uno de los filamentos del semen ha alcanzado su objetivo y, por tanto, ha quedado fecundado un óvulo, con lo que la naturaleza inicia su complicado programa para el desarrollo de un ser humano. Unos días antes de la ovulación, que tiene lugar aproximadamente hacia la mitad del ciclo menstrual, empieza el útero a expulsar una viscosidad parecida a la clara de huevo y a tirar de los filamentos; señal segura de que pronto tendrá lugar la ovulación. Esta viscosidad es muy porosa para las células espermáticas masculinas, a las que ofrece un medio de supervivencia muy favorable antes de que prosigan su viaje en dirección a la trompa.

BUEN MOMENTO PARA VIAJAR Sólo si los espermatozoides inician el viaje rumbo a un óvulo maduro en este punto favorable del ciclo habrá probabilidades de que se produzca una fecundación. Como el óvulo es fecundable entre las 12 y las 24 horas de la ovulación, mientras que los espermatozoides no pueden sobrevivir más de 72 horas –mientras esperan al óvulo en la trompa–, la procreación solamente es posible en teoría durante un período máximo de cuatro días cada mes. Sin embargo, de los millones de espermatozoides del flujo seminal sólo unos cuantos miles buscan el óvulo maduro en su viaje hacia el útero a través de la trompa. La tarea no es fácil, pues en esta tremenda competencia sólo el más apto triunfará. Numerosos espermatozoides deficientes, que no entran en liza para la fecundación, acaban muriendo. Además, hoy sabemos que en la eyaculación se encuentran innúmeros espermatozoides protectores y agresivos cuya misión consiste en rechazar, e incluso eliminar, llegado el caso, a las células espermáticas extrañas de un rival potencial.

Así, sólo entra en liza para llegar al óvulo maduro un regimiento fuertemente diezmado. Finalmente, un solo espermatozoide logrará penetrar en el óvulo, que tiene unos 0,2 mm de espesor. Inmediatamente después, las enzimas hacen que la pared del óvulo se vuelva intransitable, con lo que queda cerrado el paso a ulteriores espermas.

De la fusión entre el espermatozoide masculino y el óvulo femenino surge el denominado cigoto. En este momento ya ha quedado establecido si, 9 meses después,

De los muchos espermatozoides que penetran en la envoltura ovular, sólo una célula espermática (parte superior) logrará, atravesarla.

Para recorrer el camino a través del útero, los espermatozoides (amarillos) necesitan entre 6 y 10 horas.

199

será un niño o una niña quien verá la luz, pues el sexo del bebé se determina mediante el cromosoma sexual del padre. En el óvulo femenino, el cromosoma sexual es generalmente un cromosoma X. Si el padre, que lleva los cromosomas X e Y, aporta a través de la célula espermática otro cromosoma X, se producirá una combinación XX, es decir, la que dará como resultado un bebé de sexo femenino. Pero si el espermatozoide que penetra en el óvulo porta un cromosoma Y

como definidor del sexo, en tal caso tendremos una combinación XY y, por tanto, un bebé de sexo masculino.

A las pocas horas de la fecundación se fusionan en el cigoto el núcleo del óvulo y el núcleo del espermatozoide, con lo que se unen la dotación cromosómica del padre y de la madre. Al cabo de unas cuatro horas, se divide esta célula por primera vez y, unos 4 días después, mediante ulteriores divisiones surge la mórula, una silueta en

forma de bola. Mientras sigue creciendo la semilla, las ondas peristálticas y las pestañas de la pared de la trompa la mueven en dirección del útero. Unos 5 días después de la fecundación, esta bolita celular que ni siquiera tiene el tamaño de la cabeza de un alfiler, pasa a alojarse en la membrana uterina. Así, el nuevo ser se incorpora a la circulación sanguínea de la madre y se inicia la formación de la placenta, que se encargará de cuidar del embrión.

Un lazo muy fuerte

Aun cuando amamantar sea privilegio exclusivo de la mujer, también los padres sienten instintivamente la necesidad de cuidar de sus hijos pequeños.

A muchas mujeres jóvenes les gusta llevar a sus bebés en arneses o alforjas delanteros. El bebé experimenta así con más naturalidad el beneficioso contacto físico con la madre.

El lazo afectivo entre la madre y el bebé se crea durante el embarazo. En el claustro materno crece el feto en estrecho contacto corporal con la madre, la cual lo cuida a su vez con todas sus sustancias vitales. Cuando nace el bebé, tal vez sus padres no dominen del todo ciertas prácticas o habilidades para su cuidado, como darle el pecho o envolverlo en pañales; pero los elementos básicos para que el retoño se críe con todo tipo de cuidados están ya programados, según opinión de numerosos conductólogos, en el código genético de sus progenitores. Esto induce a los padres a velar instintivamente por la supervivencia del bebé; y, viceversa, también el bebé muestra una conducta innata que contribuye a que sus necesidades fundamentales sean satisfechas por las personas de su entorno. En el acto del amamantamiento resulta particularmente manifiesta esta interacción, pues al bebé se le nutre con todas las sustancias alimenticias y protectoras imprescindibles para su desarrollo. El contacto corporal y el calor materno satisfacen asimismo sus necesidades psíquicas, y el acto del amamantamiento refuerza el vínculo entre la madre y la criatura.

Como tradicionalmente las mujeres han sido –y siguen siendo en buena parte todavía– las que cuidaban de los bebés, se acuñó la expresión "instinto materno". Sin embargo, también los padres reaccionan instintivamente ante las necesidades de sus retoños. Por ejemplo, les hablan con un tono más agudo, complaciendo así intuitivamente sus deseos (aunque los recién nacidos, según algunos experimentos, prefieren el tono más agudo de la voz femenina).

EL OLVIDADO INSTINTO PATERNO En muchas culturas tradicionales los niños pequeños, contrariamente a lo que acontece en las sociedades industrializadas de Occidente, disfrutan de una estrecha relación física con los adultos; en efecto, tanto el padre como la madre se ocupan de ellos prácticamente en igualdad de condiciones, lo que demuestra que no se debe hablar sólo de instinto materno, sino también de instinto paterno.

No obstante, existe al parecer una hormona que se encarga de que el vínculo entre madre y criatura sea desde el principio más estrecho y cariñoso. La oxitocina –u hormona del amor, según la denominan algunos investigadores– juega en el nacimiento un papel fundamental, puesto que consigue aliviar los dolores del parto. Tras el nacimiento, la misma hormona se encarga también de que acuda la leche a los pechos maternos. En una serie de pruebas realizadas con animales se ha podido comprobar que el influjo de la oxitocina fortalece a la cría. Como prueba de que esta hormona también excita los sentimientos de la mujer, aducen los científicos un hecho que casi siempre se repite tras cada nacimiento: antes aún de que le corten al bebé el cordón umbilical, la madre tira de él hacia sus pechos y, en este momento en el que su cuerpo está aún inundado de oxitocina, se olvida de los dolores del parto.

¿Qué sucede de noche?

Los humanos pasamos un tercio de la vida durmiendo. Pero este tiempo no lo perdemos en realidad: durante él recuperamos las fuerzas físicas y mentales desgastadas en las extenuantes horas de vigilia.

Noche tras noche se repite el mismo ritual: primero nos resulta cada vez más difícil manener abiertos los ojos; pronto acabamos rindiéndonos al sueño. El sueño es imprescindible para el organismo. Sirve para que nos recuperemos y acopiemos fuerzas para el día siguiente. En la antigüedad llamaban al sueño el hermano pequeño de la muerte porque suponían que, durante el descanso nocturno, también descansaban la mayoría de las funciones corporales. Es cierto que, hacia las 3 de la madrugada, las pulsaciones se reducen hasta los 50 latidos por minuto y que la temperatura corporal desciende también apreciablemente. Mucho antes, hacia las 21 horas, la producción de ácidos gástricos empieza a reducirse, deteniéndose casi por completo hacia la medianoche. Sin embargo, mientras el ser humano duerme por la noche, el organismo no descansa: aprovecha el tiempo para acopiar nuevas y reparadoras fuerzas.

SOMNÍFERO NATURAL Durante las horas nocturnas, el sistema hormonal se muestra particularmente activo. Hacia el anochecer, la glándula pineal empieza a segregar mayores cantidades de melatonina, lo que determina que se frene el metabolismo. Esto explica también que durante el sueño se registre una conductibilidad menor de la superficie cutánea, puesto que aumenta la resistencia epidérmica. Durante el sueño profundo se segregan en mayor proporción las hormonas del crecimiento, cuya misión en los adultos es apoyar la regeneración corporal. En efecto, hacen que aumente la velocidad a la que se dividen cada noche las células de la epidermis superior. En este proceso se expulsan las células endurecidas de la piel, la cual se renueva literalmente hablando durante el sueño.

Activos de noche		Pasivos de noche	
● El hígado destruye los venenos y elabora sustancias vitales para la nutrición.	● La resistencia eléctrica de la piel se refuerza cuanto más profundo es el sueño.	● Baja la presión sanguínea.	● Disminuye la formación de ácidos gástricos.
● Se activan las hormonas del crecimiento.	● La glándula pineal segrega más melatonina, con lo que el metabolismo se frena.	● Desciende la temperatura corporal en unos 0,4°C.	● La respiración se torna superficial y regular.
● El sistema inmunológico combate la excitación.		● Se reduce la frecuencia de los latidos y pulsaciones.	● Disminuye la tensión muscular; la musculatura se relaja.

Mientras dormimos, el consumo de energía corporal se reduce en un tercio. Durante este período se recuperan las reservas de energía.

El microscopio de luz polarizada nos permite observar la estructura cristalina de la melatonina, sustancia que regula nuestro ritmo sueño-vigilia.

Gracias a distintas investigaciones, hoy sabemos que algunos órganos están en plena forma por la noche. El hígado, por ejemplo, alcanza hacia las 2 de la madrugada su máximo rendimiento; transforma las sustancias nutritivas ingeridas el día anterior y elimina el alcohol de la sangre. Tampoco el sistema inmunológico descansa mientras dormimos: sus macrófagos sobre todo se muestran particularmente activos. Según investigaciones recientes, se ha demostrado que entre el sueño y el sistema inmunológico existe una interrelación muy estrecha; no en vano predomina una sensación de cansancio cuando la salud está delicada: el sueño es entonces la mejor medicina.

FALTA DE SUEÑO Las personas que se duermen con dificultad porque se las despierta constantemente se vuelven en seguida excitables y padecen dificultades de concentración. En tales casos, un buen sueño puede devolver el suspirado bienestar corporal y anímico. Si experimentamos problemas para dormirnos, o para dormir de un tirón, la salud se resentirá con toda seguridad. La causa puede residir en algún trastorno físico, como la presencia de dolores intensos, pero muchas veces se debe también a problemas psíquicos. En el 70% de los casos, es el estrés o alguna depresión lo que nos impide dormir profunda y apaciblemente. Asimismo, trabajar de noche, abusar de la cafeína o del alcohol e ingerir somníferos suelen ser agentes inhibidores de la acción reparadora del sueño.

El regalo de una cabezadita

Todos tenemos necesidad de dormir. A quien sólo echa una cabezadita se le puede despertar sin problemas; no así al que está disfrutando de sus preceptivas horas de sueño.

Napoleón y Thomas Alva Edison, el famoso inventor norteamericano, figuran entre los durmientes breves: al parecer les bastaban cinco horas de sueño diarias, si bien Leonardo da Vinci los superó a este respecto, pues según sus biógrafos le bastaba con dos horas cada jornada. En el extremo opuesto figura Albert Einstein, quien confesaba que solía dormir "más de la cuenta".

Normalmente, cada persona suele pasar por la noche 7-8 horas en la cama. Pero esto no significa necesariamente que quien no duerma este promedio se sienta menos en forma o se canse más que los demás, pues la duración del sueño no es directamente proporcional a la recuperación física de cada cual.

Lo importante es entrar en esa fase profunda del

Este operario se ha tumbado un rato en medio de la jornada. Si su sueño relámpago es suficientemente profundo, logrará recuperar sin dificultad la plena forma física y mental.

sueño en la que el cuerpo se recupera realmente. Quien, por ejemplo, no ha pegado el ojo en toda una noche –voluntaria o involuntariamente–, no debe en modo alguno dormir la noche siguiente más horas de las habituales para subsanar el déficit. Si al cuerpo se le ha escatimado el tiempo de sueño preceptivo, éste recuperará por sí solo lo que necesita, y el siguiente sueño será particularmente profundo; la duración juega en este aspecto un papel secundario. Tal es

también el motivo por el que en los durmientes breves no suele observarse ninguna merma apreciable de rendimiento físico o mental durante el día.

UNA SIESTA REPARADORA Asimismo, tras una cabezadita podemos sentirnos otra vez completamente "nuevos", pues el cuerpo y la mente, si hemos llegado a dormirnos del todo, se recuperan plenamente tras hacer acopio en este corto espacio de tiempo de la energía necesaria.

Hay quienes duermen poco o mal de noche y suelen recuperar el sueño con una siestecita, pero ésta no debería durar más de 60 minutos; en tales casos, el momento más aconsejable es el inmediatamente posterior al almuerzo. En efecto, cuando nos tumbamos a esta hora del día estamos haciendo creer al cuerpo que se trata de un sueño nocturno: tan pronto como nos hayamos dormido se pondrá en marcha la primera fase de sueño profundo. Quien ponga el despertador a la hora adecuada volverá a sentirse fresco y recuperado.

En cambio, una cabezadita antes del mediodía hará creer al organismo que se trata de una prolongación del sueño nocturno normal, lo que ejercerá sobre el cuepo unos efectos mucho menos reparadores. Por eso, tras semejantes sueñecitos a deshora nos solemos sentir por lo general cansados y aturdidos.

Un sueño muy variable

Si nos vamos a la cama cansados, nos aguarda una noche sumamente agitada: durante el sueño pasamos por numerosas fases y altibajos, de distinta duración.

Cuando, embargados por una agradable sensación de cansancio, se nos cierran finalmente los ojos, iniciamos un viaje que consta de varias etapas o fases, unas más largas y profundas que otras pero todas ellas necesarias para reponernos las fuerzas y energías gastadas. Todos sabemos por expe-

riencia propia que cada noche dormimos de una manera distinta: unas veces con un sueño profundo y pesado, y otras en un estado de semivigilia más parecido a la duermevela. Sin embargo, parece ser que en el transcurso de un mismo sueño atravesamos toda una serie de fases distintas.

Los hipnólogos están tratando de descubrir qué sucede realmente una vez que hemos cerrado los ojos y nos abandonamos al sueño. Según estos especialistas, cada fase del sueño se caracteriza por un comportamiento especial de las corrientes cerebrales: cuanto más profundo es el sueño, más prolongadas son las ondas cerebrales.

Los científicos dividen el sueño en dos grandes fases: el denominado sueño REM (del inglés *Rapid Eye Movement* o "movimiento rápido del ojo") y el no-REM. En la fase REM tienen lugar la mayoría de los sueños, y el cerebro está casi tan activo como en la vigilia. Una característica del sueño onírico son los rápidos movimientos

En el laboratorio se pueden realizar experimentos con el sueño (a la dcha.), en los que se miden las ondas cerebrales con ayuda de un electroencefalograma (EEG). Las lecturas son distintas en cada una de las 5 fases del sueño.

1 Vigilia
El punto de partida para las lecturas del EEG son las ondas cerebrales, las cuales se pueden estudiar durante la vigilia.

2 Momento de dormirse
Las ondas cerebrales que se producen en la fase que media entre el sopor y el momento de conciliar el sueño muestran que la consciencia se va reduciendo paulatinamente.

Fases del sueño

3 Sueño ligero
En esta fase se pueden reconocer en las ondas cerebrales los denominados husos del sueño, los cuales se cree que protegen el sueño.

4 Sueño profundo 1
Tras sumirse en el sueño profundo, el cual se subdivide a su vez en dos fases, las ondas cerebrales se tornan mucho más lentas.

5 Sueño profundo 2
En esta fase del sueño profundo se sigue reduciendo la actividad cerebral, y se inicia el umbral del despertar.

6 Fase REM
Las corrientes cerebrales de la fase onírica se parecen a las del estado de vigilia, si bien no poseen ondas activadoras de la musculatura del esqueleto.

de los ojos que se registran tras los párpados cerrados.

La fase del sueño no-REM se divide a su vez en otras cuatro fases, dependiendo de lo profundo que éste sea. Durante las fases 1 y 2, el sueño es aún superficial, o entre ligero y medio profundo; de ahí la probabilidad de ser despertados por un ruido liviano cualquiera. Por su parte, durante las fases 3 y 4 nos sumimos en un sueño profundo, del que resulta más difícil despertarnos. Al final de esta fase profunda se cierra el estadio del sueño onírico o REM. Todo este ciclo, que va desde el momento de dormirnos pasando por un sueño ligero y profundo hasta llegar al sueño REM, dura en total unos 90 minutos y se repite por regla general unas cinco veces cada noche.

Sin embargo, este ciclo no siempre transcurre igual, pues la duración de cada fase puede ser diferente. Un factor importante radica en saber en qué punto exacto del tiempo empieza o termina cada ciclo. Esto determinará, entre otros efectos, el que las fases del sueño sean cortas o largas.

SOMNOLENCIA PROFUNDA La intensidad y duración del sueño están estrechamente relacionadas con nuestro estado anímico. Así, los hipnólogos creen que durante el sueño profundo se producen los procesos del metabolismo que posibilitan la recuperación del organismo y le suministran nuevas energías. Por esa razón, inmediatamente después de quedarnos dormidos entramos en la fase más profunda, la denominada fase cuarta del sueño. Este primer sueño profundo y urgente dura unos 30 minutos, lo

que explica la somnolencia que nos domina si algo o alguien nos despierta en este período. En cambio, cuando se acerca la mañana, los períodos de sueño profundo son cada vez más cortos, abundando el sueño ligero y las fases REM. El cuerpo va recibiendo de este modo la información de que se aproxima la hora del despertar.

FIJADOR DE MEMORIA La fase REM no sólo sirve para enviarnos al país de los sueños, sino sobre todo para fijar la memoria. El sueño onírico contribuye a que las nuevas experiencias que se vivieron durante el día pasen por la noche a la memoria "de larga duración". Según varios experimentos, si se suprime el sueño REM, el recuerdo de los sucesos del día disminuye de manera significativa.

Actualmente se intenta descubrir la relación existente entre el sueño REM y, por ejemplo, la posibilidad de aprender una lengua extranjera o a manejar un instrumento musical. Varios experimentos con personas que habían realizado prácticas con un instrumento inmediatamente antes de irse a dormir arrojaron los siguientes resultados: si se las despertaba durante una fase REM, al día siguiente mostraban ciertos

progresos en el aprendizaje; pero si se las despertaba durante otra fase del sueño, su capacidad rememorativa no mostraba ninguna variación.

TODO EN REGLA Dormir soñando o sin soñar es una alternancia que se produce todas las noches. Un mecanismo biológico se encarga de que, en ese viaje que es el sueño, atravesemos todas las estaciones o fases que resultan importantes para nuestro organismo. Un conjunto de células nerviosas del cerebro, las denominadas neuronas activadoras REM, segregan sustancias químicas mensajeras –como la acetilcolina–, que hacen posible el que empecemos a soñar. Sin embargo, este conjunto de neuronas está revestido de otras células nerviosas del cerebro, las denominadas neuronas desactivadoras REM. Éstas producen a su vez serotonina, histamina y otras sustancias mensajeras que afectan al sueño profundo y expulsan al durmiente del reino de los sueños.

Por fortuna, cuando nos entregamos plácidamente en manos de Morfeo, ignoramos esta compleja actividad de nuestro cerebro. Sólo así podemos sumirnos en un sueño dulce y reparador.

¡La hora de levantarse!

¡Qué fácilmente nos dormimos por la noche, sobre todo si estamos cansados! Pero despertarnos por la mañana ya no resulta tan fácil; necesitamos la ayuda del despertador.

¡A todos nos ha sucedido seguramente alguna vez! Nos hemos olvidado de poner el despertador, o sencillamente no lo hemos oído. Al abrir los ojos, nos levantamos de la cama a toda prisa y conseguimos a duras penas hacer lo que teníamos programado para la mañana. Pero no importa: aunque no lo consigamos, no habremos perdido completamente el día.

UN RELOJ DENTRO DE LA CABEZA Un despertador interior se encarga de darnos cada mañana la señal para iniciar las actividades cotidianas. Se trata de un conjunto de células del cerebro intermedio denominado núcleo supraquiasmático o, abreviadamente,

Al alba, un despertador interior de nuestro organismo se encarga de dar la señal para afrontar la nueva jornada.

Para que el cuerpo esté en forma por la mañana, entre otras sustancias la sangre recibe una hormona esteroide: la cortisona.

NSQ, que posee una ventana al mundo exterior a través de los nervios ópticos y, por tanto, recibe informaciones lumínicas del entorno.

Cuando aumenta la oscuridad, el NSQ estimula la glándula pineal del cerebro, que segrega la hormona llamada melatonina. Esta sustancia es una especie de somnífero natural del organismo, pues consigue que nos sintamos cansados. Cuanta más melatonina produce la glándula pineal, más se amodorra el organismo. Sin embargo, con las primeras luces del día, el NSQ da la señal para que interrumpa la producción de melatonima. En cuanto disminuye la cantidad de esta sustancia, todo nuestro cuerpo parece despertarse a la vida; y así, con la ayuda de las hormonas del estrés, como la cortisona, el organismo se pone en marcha para afrontar los retos del nuevo día.

ALONDRAS Y LECHUZAS Las personas madrugadoras, como las alondras, suelen quedarse casi siempre infaliblemente dormidas a la misma hora. Estas personas experimentan un descenso de actividad y tono vital después de comer, y por la noche se notan enseguida cansadas y no tardan en irse a la cama.

En el extremo opuesto se encuentran las personas trasnochadoras, como las lechuzas, llamadas también de manera menos galante "gruñones matinales". Cada mañana tienen que realizar un esfuerzo sobrehumano para levantarse de la cama y, durante la primera mitad del día, muestran cansancio y desgana. Frecuentemente alcanzan su mejor momento físico y psíquico después de comer, y por la noche, cuando los madrugadores ya empiezan a pensar en acostarse, se encuentran aún en plena forma.

¡Quién no ha sentido alguna vez ganas de echar una cabezadita después de comer! Hay personas que se sienten siempre cansadas por la noche, y otras que se despiertan puntualmente por la mañana sin que suene ningún despertador. Esta alternancia regular de la actividad física y mental impone también unos límites naturales al ser humano en la moderna sociedad industrial, pues ni el organismo más sano puede funcionar con precisión cronométrica.

RITMO CIRCADIANO Gracias a la disciplina de la cronobiología sabemos hoy que los momentos de tensión y recuperación forman

24 horas cadenciadas

Después de comer, el ser humano es, desde un punto de vista químico, completamente distinto a como es de noche. Esto explica las oscilaciones del rendimiento cotidiano.

parte de un macrorritmo acompasado que dura 24 horas y domina nuestra actividad diaria. Este denominado ritmo circadiano o ritmo diario actúa como un motor interno que tan pronto estimula al

organismo como frena sus bríos, siendo asimismo responsable de que la capacidad de rendimiento no se agote y se capitalicen siempre las fuerzas de la manera más conveniente.

Horario de los órganos

Las cápsulas suprarrenales segregan las hormonas del estrés.

La sensibilidad al dolor es mínima.

Las células distribuidoras del cerebro suelen estar muy activas.

Aumenta el nivel de acidez del estómago; los órganos digestivos se activan, lo que provoca un relativo vacío sanguíneo en el cerebro.

La circulación y la fuerza muscular alcanzan un valor máximo.

Los sentidos del gusto y el olfato se encuentran en su fase más sensible.

Es el momento en el que las medicinas –por ejemplo, los antibióticos– suelen resultar más eficaces.

El índice de desintegración de las células de la piel alcanza su punto máximo.

El hígado destruye durante la noche gran cantidad de sustancias tóxicas.

Las hormonas sexuales –la testosterona en el hombre y el estrógeno en la mujer– alcanzan su punto máximo de secreción.

El organismo humano está sometido al ritmo circadiano. Su rendimiento es distinto según las horas del día.

La función de reloj biológico que marca ese ritmo la desempeña el núcleo supraquiasmático del cerebelo (NSQ). Éste se encuentra estrechamente relacionado con el sistema nervioso simpático, el cual activa las funciones orgánicas, entre ellas la respiración, los latidos cardiacos y las pulsaciones. Asimismo, el sistema simpático colabora con la noradrenalina, sustancia mensajera producida por las cápsulas suprarrenales y que actúa principalmente como vasoconstrictor, regulando el sistema cardiaco-circulatorio según las necesidades de cada momento.

El nivel de noradrenalina oscila según las fases del día. Así, la mayor proporción se registra después de comer; a partir de la medianoche desciende el nivel hormonal, y hasta el amanecer la sangre no vuelve a recibir nuevos aportes. Las oscilaciones diarias del nivel de noradrenalina influyen, entre otras funciones, en el binomio rítmico sueño-vigilia, así como en la actividad psíquica y el metabolismo general.

EL HORARIO DEL CUERPO Estimulado, o en su caso ralentizado por el marcapasos interno, el organismo trabaja según un horario regular. Hacia las 3 de la madrugada, cuando ya hemos dejado atrás la mitad del sueño

nocturno, el cuerpo "navega" tranquilamente. Tanto los latidos cardiacos como la presión sanguínea y la temperatura registran sus valores más bajos. Poco antes de que suene el despertador –y, por tanto, de que se dé la señal de partida para el nuevo día de trabajo–, el organismo se programa para la fase de rendimiento. Hacia las 6 de la mañana, el corazón empieza a latir más deprisa: la mencionada "inyección" de noradrenalina asegura este incremento de actividad.

Hacia las 11 de la mañana alcanzamos nuestro primer máximo del día en cuanto a rendimiento. El corazón y el cerebro trabajan a esta hora a plena marcha. Pero hacia las 13-14 horas, cuando ya ha transcurrido la mitad de la jornada laboral, tiene lugar la famosa caída del mediodía. Bien es cierto que si para entonces se ha almorzado el cuerpo está bastante ocupado con sus tareas digestivas: la sangre acude con renovada fuerza a los órganos digestivos, dejando algo desatendido al cerebro. Nuestro rendimiento puede experimentar a estas horas una disminución de hasta un 20%.

Después de esta caída, no tarda en llegar el momento de la subida. El segundo momen-

to de máximo rendimiento se produce hacia las 17 horas. El corazón bombea ahora más sangre a la circulación, a la vez que el páncreas se encarga de regular la actividad digestiva.

Hacia las 19 horas, el organismo se va orientando paulatinamente hacia el descanso y la recuperación: desciende la presión sanguínea, así como el número de pulsaciones, y la predisposición al estrés va perdiendo intensidad conforme disminuye el nivel de noradrenalina.

AL COMPÁS DEL MARCAPASOS No todo el mundo puede vivir al compás de su propio marcapasos interno: las exigencias del mundo laboral lo impiden a menudo. Si tenemos un trabajo por turnos, deberemos plegarnos a la planificación establecida artificialmente y tratar de superar las caídas de ritmo dictadas por nuestro reloj biológico. Pero, a la larga, esto conduce a una sobrecarga física y psíquica, y probablemente también acabe resintiéndose nuestra salud.

Cuerpo, mente y alma en la montaña rusa de la felicidad

Hay días en que todo nos sale bien. Pero hay también otros, los llamados días negros, en que todo el mundo parece haberse puesto de acuerdo para fastidiarnos. ¿Se debe al azar, o se puede predecir en el curso vital de la persona?

Para quienes creen en la fuerza determinante del biorritmo, la existencia de rachas buenas y rachas malas no es ningún secreto indescifrable. Su plausibilidad concuerda perfectamente con las denominadas biocurvas. Así pues, un biorritmólogo debería estar en condiciones de predecir los días en que somos más propensos a la suerte o a la desgracia.

El médico alemán Wilhelm Fliess es considerado el fundador de la disciplina del biorritmo. A principios de los años veinte dio a conocer su tesis, según la cual tanto nuestra constitución física como psíquica están influidas por ritmos biológicos que se repiten a intervalos regulares. Teoría que se ha desarrollado en años posteriores; los actuales defensores del biorritmo hablan de dos ritmos básicos elementales: el ritmo físico de 23 días, también denominado ritmo masculino, y el ritmo emocional de 28 días, o ritmo femenino. Finalmente, a éstos añaden otro ritmo, el mental, que tiene una duración de 33 días.

LA IMPORTANTE HORA CERO La periodicidad de estos ritmos está programada en los genes del ser humano. Se pueden representar gráficamente en forma de curvas sinusoidales que pasan por campos tanto positivos como negativos. El particular buen ojo del biorritmólogo debe descubrir los puntos de intersección en los que las curvas se cruzan con las denominadas líneas críticas. Tales puntos son los días críticos en los que es mayor el riesgo de desgracias o incluso de accidentes. Pero son más amenazadores todavía, según esta teoría del biorritmo, los días doble o triplemente críticos; es decir, aquéllos en los que coinciden dos o tres biocurvas vitales que señalan peligro.

TEORÍA CONTROVERTIDA Los partidarios de la disciplina del biorritmo tratan de respaldar su tesis con estadísticas que prueben que se producen tantos accidentes "autoculpables" en días críticos como infartos de corazón o fallecimientos en general. Sin embargo, esta teoría, que parece completamente plausible, no resiste los criterios científicos. Por eso abundan quienes relegan la biorrítmica al subgénero de la superstición. Hay también, empero, bastantes personas serias que sí creen en la teoría de los biorritmos. Tal es el caso, por ejemplo, de algunos médicos que trasladan de fecha las operaciones quirúrgicas que coinciden en un día crítico para ellos mismos o para el paciente. Y hay asimismo algunas compañías aéreas que asignan los vuelos a sus pilotos en función de sus biocurvas personales.

Pero, aunque no creamos que el éxito o el fracaso —o la suerte o la desgracia— dependan de misteriosas fuerzas internas, está comprobado que en la vida de cada persona existen altibajos de carácter cíclico. Por ejemplo, hay varios fenómenos biológicos que se repiten según el denominado ritmo circadiano —que, como se sabe, abarca 24 horas—, mientras que otros se registran en intervalos de diferente duración, como, por ejemplo, el ritmo circanual, que dura un año.

ENIGMAS DE LA CRONOBIOLOGÍA A lo largo del año, nuestras fuerzas físicas oscilan bastante, y hay fases en las que nos sentimos peor que en otras. En la mayoría de los casos relacionamos estas oscilaciones rítmicas —de cuyo estudio se encarga la cronobiología— con las estaciones del año o con el tiempo atmosférico. Por cierto, en el ritmo circadiano el sol juega un papel decisivo: en verano, nuestras defensas son bastante mayores, por lo que en esta época del año solemos sentirnos mejor por lo general, mientras que en los meses invernales aumentan las probabilidades de contraer enfermedades.

El influjo de las estaciones del año en la salud, y fundamentalmente en el corazón y el sistema circulatorio, resulta evidente si consideramos el número mayor de defunciones producidas: son considerablemente más infrecuentes en julio y agosto que en los demás meses del año. En cambio, entre diciembre y marzo se multiplican los casos de ataques al corazón con resultados fatales.

También nuestra psique acusa estos altibajos estacionales. El mejor ejemplo es la depresión invernal que se apodera de

El biorritmo está representado por tres curvas sinusoidales que se intersectan. La mayoría de los médicos consideran pura especulación la supuesta regularidad en el cambio del talante anímico que manifiestan.

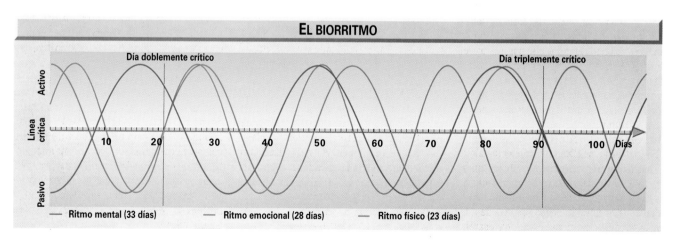

EL BIORRITMO

Día doblemente crítico — Día triplemente crítico

Activo — Línea crítica — Pasivo

10 — 20 — 30 — 40 — 50 — 60 — 70 — 80 — 90 — 100 — Días

— Ritmo mental (33 días) — Ritmo emocional (28 días) — Ritmo físico (23 días)

muchas personas en cuanto los días empiezan a acortarse y el sol comienza a escasear. Otro fenómeno que guarda evidente relación con el ritmo circanual del organismo es el cansancio que nos suele invadir en primavera.

DÍAS CRÍTICOS Aunque los cronobiólogos entienden por biorritmos una cosa completamente distinta a lo que entienden los segui-

dores de la doctrina de Wilhelm Fliess, también hablan de los malhadados días críticos. En efecto, según ellos el riesgo para la salud no sólo oscila según las estaciones del año, sino también según los días de la semana. Por ejemplo, en invierno los profesionales deberían tener especial cuidado las mañanas de los lunes, pues están particularmente expuestos a padecer un infarto. Para tales

hechos se aducen dos explicaciones: en invierno el sistema inmunológico está más debilitado, y el inicio de una nueva semana de trabajo supone para la mayor parte de los humanos una sobrecarga psíquica especial.

Aunque nuestra actividad vital está sujeta a ritmos regulares, no es posible establecer con exactitud la función de los biorritmos en el estado de salud de las personas.

Después de los largos días invernales, fríos y oscuros, llega por fin el cálido sol. Montar en bicicleta al aire libre acelera la circulación y elimina el cansancio primaveral.

Atonía primaveral

Cuando en abril y mayo estalla la naturaleza, no logramos desembarazarnos del cansancio invernal. Sentimos una cierta atonía, al tiempo que nos apetecería escalar el Himalaya.

PLENA FORMA EN PRIMAVERA

- El oxígeno es bueno contra el cansancio primaveral. El deporte al aire libre incrementa el rendimiento físico.

- La primavera prefiere lo ligero: en el menú deberán abundar las verduras, la fruta y los productos integrales.

- Para eliminar las impurezas acumuladas en el cuerpo, se aconseja beber mucho.

- Si nos sentimos cansados por la mañana, podemos darnos una ducha de agua fría y caliente para despejarnos.

- La visita a la sauna fortalece los vasos sanguíneos, lo que resulta especialmente recomendable.

Al principio de la primavera, el sol desprende más luz y más calor; sin embargo, el organismo humano parece aún anclado en el invierno. El cuerpo parece renqueante y como oxidado, pues necesita cierto tiempo para adaptarse a la nueva circunstancia estacional. Mientras que por una parte en primanera nos invade el deseo de hacer cosas, por otra la menor actividad desarrollada parece haber agotado nuestras reservas de energía. En una palabra: padecemos cansancio primaveral.

En invierno el organismo está falto sobre todo de tres fuentes de energía elementales: sustancias nutritivas, oxígeno y luz. Como en invierno preferimos estar entre cuatro paredes, por regla general acumulamos más calorías de lo normal. Las fiestas navideñas, con sus comilonas ricas en grasas y azúcares,

constituyen el fatídico punto álgido de la mala alimentación. Esto no sólo supone un aumento notable de la grasa corporal, de la que tanto nos cuesta liberarnos más tarde, sino también la ingestión de menos vitaminas, minerales y oligoelementos. Y cuando al cuerpo le faltan estas vitales sustancias alimenticias, es muy difícil que rinda adecuadamente.

EL SUEÑO INVERNAL El efecto reductor del rendimiento se incrementa por el hecho de que la circulación y el metabolismo trabajan a marcha lenta. Además, el frío y la nieve desalientan incluso a las naturalezas más deportivas a salir a la calle para caminar o montar en bicicleta. Y, al faltar movimiento, el cuerpo no retiene suficiente oxígeno. Nuestra capacidad de rendimiento decrece aún más, y nuestras defensas se agotan.

A todo lo cual hay que añadir otra carencia importante: la falta de luz solar. Cuando los días se hacen más cortos, la glándula pineal aumenta su actividad en el cerebro. Este órgano, también denominado epífisis, induce el cansancio durante los días oscuros y nublados, segregando la hormona del sueño o melatonina. En invierno llega más melatonina a la sangre, al tiempo que el cuerpo bloquea la producción de serotonina, la hormona activa antidepresiva. Por eso, no es de extrañar que cuando nos desvelamos una noche de invierno nuestros temores más profundos revistan formas especialmente amenazadoras.

Cuando llega finalmente la ansiada primavera, el cuerpo se despierta paulatinamente del sueño invernal. La curva de la actividad aumenta, junto con el optimismo, y transcurrido cierto tiempo –gracias al mayor movimiento al aire libre y a la alimentación más sana– conseguimos superar nuestro bajo rendimiento estacional.

DESPERTAR PRIMAVERAL El sol parece insuflar nueva vida a cuanto nos rodea. A través de la retina llegan hasta el cerebro los estímulos lumínicos, y allí, en la glándula pineal, se bloquea la producción de la hormona del sueño o melatonina. El hipotálamo segrega la tonificante endorfina y, finalmente, la luz solar moviliza también las defensas que el cuerpo tenía en reserva. Los rayos ultravioleta, que penetran en el cuerpo atravesando la piel, estimulan al hígado y los riñones a producir vitamina D; esta vitamina activa, entre otras funciones, los fagocitos del sistema inmunológico.

GANAS DE AMAR Conforme el cuerpo va recuperando las fuerzas en primavera, también el dios del amor, Eros, vuelve a empuñar el arco y las flechas. De esto es nuevamente responsable el astro sol, al provocar cambios importantes en el nivel hormonal del organismo. El hipotálamo estimula la producción de las hormonas sexuales. Nada de extrañar, pues, que los bancos de los parques se llenen de parejas de enamorados.

Un reloj interno marca el ritmo

En una cosa al menos aventajó Colón a los modernos turistas: no padeció *jet-lag*, esa enojosa sensación que nos embarga cuando efectuamos largos recorridos en avión.

Hace tiempo que ya no supone nada especial para los ejecutivos hacer un viaje en avión alrededor de medio mundo. El directivo emprendedor embarca de noche en París y aterriza al día siguiente en Tokio después de comer. Pero también para el turista se ha convertido en algo normal viajar a países lejanos, como la India o Australia.

Por desgracia, tales vuelos producen unos desagradables efectos secundarios. El agotamiento y el aturdimiento resultantes suelen denominarse con la expresión inglesa *jet-lag* (de *jet* [avión a reacci*ón*] y *lag* [diferencia horaria]), que definen el desfase temporal de las funciones físicas y psíquicas tras haber realizado un largo viaje en avión atravesando diversos husos horarios. El *jet-lag* afecta principalmente a las funciones físicas reguladas por el sistema nervioso vegetativo, y su principal efecto es una notoria disminución de nuestra capacidad mental.

CANSANCIO REPENTINO Los síntomas del *jet-lag* empeoran a todas luces a causa de las condiciones reinantes en la cabina del avión: el contenido en oxígeno del aire es menor que en tierra y la presión muy baja. Los científicos creen que de este modo se multiplican en el cuerpo los denominados radicales libres, partículas químicas muy agresivas que atacan a las células. Una vez en el lugar de destino, el viajero se siente abrumado por el cansancio; el sueño se apodera de él y por la noche se siente muy débil. Asimismo, con frecuencia se producen trastornos digestivos: el alcohol sube a la cabeza más deprisa de lo normal y a algunas mujeres se les altera el ciclo menstrual.

Quien realiza en avión grandes recorridos en dirección oeste o este, atraviesa en poco tiempo varios de los 24 husos horarios en los que se divide el globo terráqueo. Para el viajero, esto significa un desplazamiento temporal que incide también negativamente en su estado general, ya que el reloj biológico que regula nuestro organismo según el ritmo circadiano se confunde. Así, el turista que viaja a Estados Unidos desde Europa se salta seis husos horarios, y el que viaja a Tokio, ocho. Quienes hayan viajado por estas rutas de largo recorrido, tras aterrizar en el lugar de destino habrán sorteado una diferencia horaria de entre 6 y 8 horas. Pero el reloj biológico sigue funcionando "en falso", al haberse alterado el ritmo día-noche.

EL DÍA TIENE 25 HORAS Sin embargo, existe una diferencia notable para el organismo según viajemos al encuentro o de espaldas al sol. En el vuelo de Europa a América del Norte, es decir, hacia occidente, el día se alarga unas 6 horas, y el viajero debe retrasar su reloj interior. En el vuelo a Tokio, en cambio, el día se acorta unas 8 horas, y el reloj interior se debe adelantar.

A su llegada a Nueva York, el turista europeo probablemente padecerá menos el *jet-lag* que el viajero al Lejano Oriente. Esta suposición la corrobora un experimento que demostró que el reloj biológico del ser humano sigue un ritmo de unas 25 horas tan pronto como se le sustrae de la habitual alternancia claridad-oscuridad. El alargamiento del día en el vuelo en dirección oeste se adapta por tanto mejor al reloj interior que el acortamiento del día en un viaje en dirección este.

Tan pronto como la diferencia horaria es superior a las 3 horas se comienzan a percibir los efectos del *jet-lag*, que persistirán hasta que el organismo se adapte a las nuevas circunstancias externas. El reloj interno de muchas personas necesita 1-2 días para adaptarse a la nueva situación, mientras que el de otras necesita un día por huso horario franqueado.

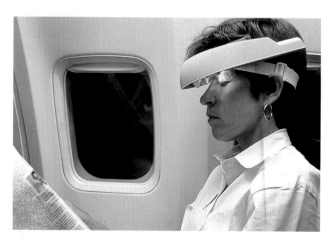

Casco de luz contra el jet-lag: los ojos del pasajero se iluminan con unos rayos especiales, destinados a "engañar" al reloj biológico del organismo.

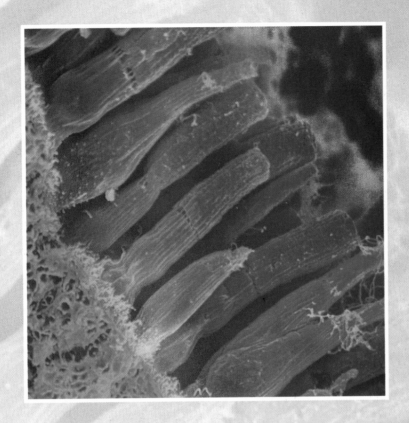

Cómo percibe
y siente
el cuerpo

Retina con conos y bastones. Imagen ampliada 2.500 veces.

Sección especial

Un punto de vista personal

Todo lo que vemos con nuestros propios ojos son en realidad imágenes reveladas por nuestro cerebro. Los ojos solos no pueden percibir nada. Sólo en conexión con el cerebro nos brindan una reproducción subjetiva de la realidad.

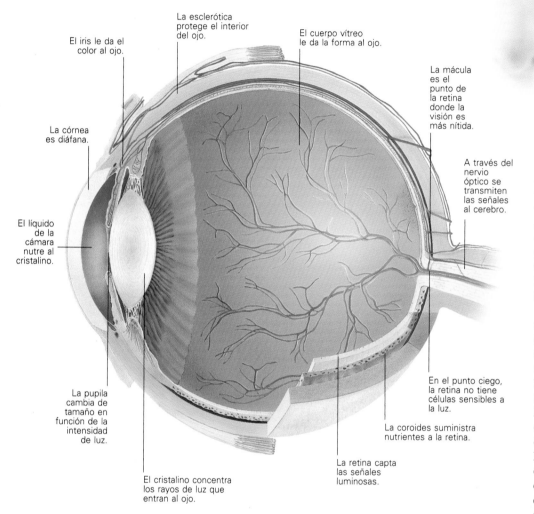

El iris le da el color al ojo.

La esclerótica protege el interior del ojo.

El cuerpo vítreo le da la forma al ojo.

La mácula es el punto de la retina donde la visión es más nítida.

La córnea es diáfana.

A través del nervio óptico se transmiten las señales al cerebro.

El líquido de la cámara nutre al cristalino.

La pupila cambia de tamaño en función de la intensidad de luz.

El cristalino concentra los rayos de luz que entran al ojo.

La retina capta las señales luminosas.

La coroides suministra nutrientes a la retina.

En el punto ciego, la retina no tiene células sensibles a la luz.

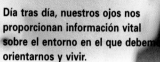

Día tras día, nuestros ojos nos proporcionan información vital sobre el entorno en el que debemos orientarnos y vivir.

¿Cómo es posible que con nuestros ojos podamos abarcar nuestro entorno de un solo vistazo? ¿Por qué sabemos distinguir lo cercano de lo lejano, percibir nuestro alrededor como espacio y movernos con seguridad en él? ¿Qué sucede cuando nuestros ojos captan un objeto, por ejemplo, una mesa, un coche o un árbol? **LUZ REFLECTADA** En principio, la luz que incide sobre el objeto avistado es reflejada por éste y desde allí entra al ojo. Pasa por la córnea que cubre la cara anterior del ojo y

atraviesa después la cámara ocular. Finalmente entra por la pupila en el iris, y éste se dilata o contrae en función de la intensidad de luz entrante. Con mucha luz reduce su tamaño; en la oscuridad, sin embargo, se ensancha. Una vez pasada la pupila, el rayo de luz atraviesa el cristalino, el cual proporciona la nitidez de la imagen. En función de la distancia a la que esté el objeto mirado, el cristalino cambia su curvatura y con ella su poder de refracción. Cuanto más cerca esté el objeto, más tiene

que concentrar el cristalino los rayos de luz que entran, y más debe contraerse. Esta tarea de adaptación la cumple un pequeño músculo que abraza el cristalino como un anillo. **IMPULSOS ELÉCTRICOS** A continuación, la luz concentrada atraviesa el cuerpo o humor vítreo, una masa gelatinosa que contiene sobre todo agua y que conserva la forma del ojo. El rayo de luz incidirá después en la finísima retina, en la cual forma una imagen invertida y reducida del objeto fijado.

La retina se compone de varias capas. Una de estas capas consiste en células fotorreceptoras altamente sensibles a la luz de dos clases distintas: unos 120 millones de los llamados bastones y aproximadamente 6 millones de conos. Mientras que los bastones se distribuyen por toda la retina, los conos se concentran en el llamado hoyo central o mácula que constituye el centro de la retina. A esta zona de mayor nitidez es donde llega la luz concentrada, ya que nuestro ojo se ajusta automáticamente, de manera que la imagen se forma en este lugar. Los extremos de la retina sirven sobre todo para captar movimientos y reconocer los contornos de un objeto en la penumbra.

Cuando la luz llega a los bastones y conos, éstos inician una reacción química que traduce la energía óptica en impulsos eléctricos. Los impulsos se transmiten a través de células nerviosas que confluyen en el nervio óptico, que a su vez llega por un canal directamente al cerebro. En el punto por donde el nervio óptico sale del ojo, el llamado punto ciego o papila, no hay células receptoras y, por consiguiente, no se captan señales de luz.

EL CEREBRO INTERVIENE La información proporcionada por el ojo y transmitida a lo largo del nervio óptico se procesa en el cerebro. El mundo que percibimos es, por tanto, una construcción de nuestro cerebro, razón por la cual personas con los ojos sanos y el centro de la visión dañado no pueden ver.

En el camino hacia el cerebro, parte de las fibras nerviosas se entrecruzan compensando la información visual de los dos ojos entre sí. De esta forma, las impresiones de los dos ojos al mirar al objeto desde distintos ángulos visuales hacen que la imagen plana se convierta en una tridimensional, que por los subsiguientes cálculos del cerebro ya no estará invertida.

LA VISIÓN INDIVIDUAL Todas las áreas del cerebro que participan en el procesamiento de la información visual están en contacto

Cuando vemos un objeto, los ojos captan la información y la transmiten por medio del nervio óptico al cerebro, donde se procesa la imagen correcta.

permanente. Cada segundo que los tenemos abiertos, los ojos deben procesar e interpretar cantidades ingentes de datos. Lo que ve cada persona depende por lo tanto en gran medida de sus experiencias personales y sus conocimientos. Esa es la razón por la que dos personas no podrán ver nunca

exactamente lo mismo, aun cuando sus ojos perciban exactamente las mismas impresiones externas. Esto sucede porque, según los psicólogos, el reconocimiento visual de un objeto depende del conjunto de las informaciones aisladas que tenemos del mismo.

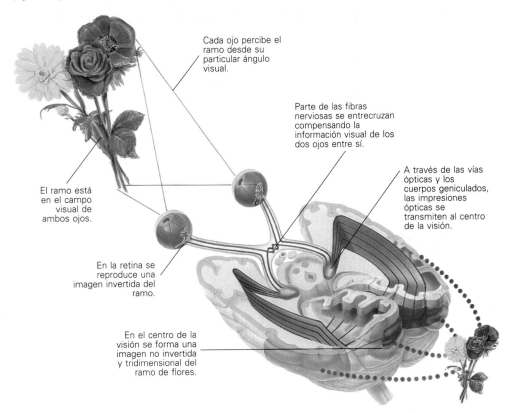

Cada ojo percibe el ramo desde su particular ángulo visual.

Parte de las fibras nerviosas se entrecruzan compensando la información visual de los dos ojos entre sí.

A través de las vías ópticas y los cuerpos geniculados, las impresiones ópticas se transmiten al centro de la visión.

El ramo está en el campo visual de ambos ojos.

En la retina se reproduce una imagen invertida del ramo.

En el centro de la visión se forma una imagen no invertida y tridimensional del ramo de flores.

De noche, todos los gatos pardos

De día, con la luz de sol, el mundo nos parece alegre y multicolor. De noche, con la pálida luz de la luna, todo nos parece gris. ¿Por qué vemos el mundo tan diferente?

No sería sólo triste, sino a veces incluso peligroso, el que en vez del cielo azul y los prados florecientes con múltiples colores viéramos todo en blanco y negro. Los colores no sólo animan nuestro interior, sino que cumplen funciones importantes en la vida diaria. Pensemos, por ejemplo, en los colores de los semáforos. Para poder apreciar los colores, nuestro ojo tiene que distinguir entre las distintas longitudes de onda de la luz visible. El color de las cosas tiene su origen en el hecho de

que los objetos absorben determinadas longitudes de onda de la luz que incide sobre ellos, reflejando las otras hacia fuera.

MERAS REFLEXIONES Lo que vemos son, por consiguiente, meras reflexiones del mundo que nos rodea. Si toda la luz es absorbida vemos literalmente negro, pues nuestro objeto ya no refleja luz. Si el objeto refleja toda la luz, nos parece de color blanco. El color surge cuando un objeto absorbe determinadas bandas del espectro óptico, reflectando otras longitudes de onda.

Los conos de la retina reconocen las diferentes longitudes de onda de la luz que entra al ojo. Estas células sensibles a la luz, que son de tres tipos distintos con pigmentación diferente, se encargan por tanto de la visión en color. El primer tipo de conos responde sobre todo a la luz de onda corta, el segundo a la de onda media y el tercero a la luz de onda larga. La luz de onda corta la vemos azul, la de onda media, verde, y la de onda larga, roja. Nuestro espectro de colores se forma de manera similar a como se hace en la paleta de un pintor, es decir, los estímulos de los tres tipos de conos se suman y los tres colores primarios se combinan en miles de matices distintos.

Si los tipos de conos no responden a las distintas longitudes de onda de la luz, la persona afectada es daltónica. Quien tenga sólo uno de los tres tipos de conos

Los impulsos se transmiten al cerebro a través de las terminaciones nerviosas.

En el interior hay numerosas mitocondrias que suministran energía a las células.

En el llamado segmento exterior se encuentra el cromatóforo visual.

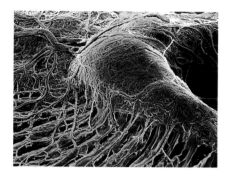

El microscopio electrónico muestra numerosas venas y arterias capilares en la capa de tejido posterior a la retina. Estos vasos abastecen a los conos y bastones de sangre y oxígeno.

defectuoso, no sabe distinguir determinados colores. Si, por ejemplo, fallan las células receptoras de rojo y verde, estos colores se perciben como grises.

MEZCLA VARIOPINTA Cuando entra luz a nuestro ojo, los tres tipos de conos son estimulados con distinta intensidad. Mediante una reacción química, convierten la luz entrante en impulsos eléctricos que, a continuación, se transmiten a través de las células nerviosas desde la retina al nervio óptico. Puesto que los tres tipos de conos suelen reaccionar a la vez con mayor o menor intensidad, en la retina se produce una mezcla de distintos impulsos nerviosos, es decir, de distintos tipos de colores. A partir de la mezcla de los tres colores básicos, nuestro cerebro registra el color definitivo del objeto tal y como lo percibimos de manera individual. Por la infinidad de combinaciones posibles de señales de luz captadas y procesadas por los conos, somos capaces de captar hasta los matices más mínimos.

NOCHES GRISES Lo que sí es imprescindible para la visión en color es cierta intensidad de luz. En la penumbra o la oscuridad, la cantidad de luz que penetra en el ojo no es suficiente para estimular los conos. En estas condiciones, sólo funcionan las células bastones, mucho más sensibles a la luz y, por tanto, empleadas para ver en la oscuridad.

Todos los bastones reaccionan de manera idéntica a la luz entrante y no hay respuestas diferenciadas a distintas longitudes de onda. Por consiguiente, el cerebro ya no puede registrar color alguno. Esa es la razón por la que de noche, aunque veamos algo, no podemos distinguir los colores. Sólo si determinados objetos se distinguen en su intensidad luminosa, los percibimos en distintos grises más o menos claros. Por tanto, en la oscuridad todos somos daltónicos. Por su parte, la denominada ceguera nocturna se debe generalmente a una deficiencia de vitamina A, sustancia indispensable para el buen funcionamiento de los bastones.

Nada más que alucinaciones

Si después de haber fijado la mirada en una imagen de luz intensa la dirigimos repentinamente a la oscuridad, por unos momentos seguimos viendo la primera imagen.

Quien haya conducido alguna vez de noche conoce el fenómeno. Primero, los focos de los coches en sentido contrario nos deslumbran y, una vez pasados, su imagen persiste afectando nuestra vista durante algún tiempo. Tales imágenes persistentes se forman también cuando se fija la mirada durante un tiempo en el mismo objeto y se dirige después a una superficie neutra.

Siempre que una fuente luminosa irradie luz a nuestros ojos, las células fotosensibles de la retina son estimuladas y generan impulsos nerviosos. Cuando el estímulo deja de existir, las células fotorreceptoras permanecen estimuladas, lo cual engaña nuestra percepción, y se forman imágenes persistentes que, dependiendo del objeto que se mire, pueden tener incluso colores. En estas imágenes aparecen los colores complementarios, es decir, los que junto con los colores realmente vistos forman una luz blanca. El origen de este fenómeno radica en que determinados receptores se cansan y apagan mientras las señales de las células aún activas hacen que la primera imagen persista.

Cuando se fija la mirada en el centro del cuadrado de cuatro colores y se dirige después a la superficie gris (derecha), aparecen los colores complementarios: el azul se convierte en naranja, el rojo en turquesa, el verde en púrpura, y el amarillo en violeta.

La puerta al mundo de las voces y de los sonidos

Mediante una técnica sofisticada, el oído es capaz de convertir vibraciones invisibles del aire en impulsos eléctricos que percibimos y reconocemos como sonidos.

Los sonidos de cualquier índole son elementos esenciales en nuestra vida diaria. Las palabras pronunciadas sirven para la comunicación, la música contribuye a nuestro bienestar y relajación, los pitidos de la bocina de un coche nos advierten de algo. Todos estas informaciones las recibimos exclusivamente a través del oído.

ONDAS MECÁNICAS El oído responde a oscilaciones en el aire que se propagan como ondas. El pabellón auditivo, la oreja, capta estas ondas sonoras o de presión como un embudo y las conduce a través del conducto auditivo hasta el oído medio, donde se amplifican considerablemente. Esta amplificación es necesaria para posteriormente poner en movimiento un líquido viscoso en el oído interno.

Primero, las oscilaciones se transmiten del conducto auditivo sobre una fina membrana de sólo 0,5 cm² —el tímpano— que se halla al final del conducto auditivo y separa herméticamente la oreja del oído medio. En este último se encuentra la llamada cavidad timpánica, unida a través de la trompa de Eustaquio con la cavidad nasofaríngea. Esta unión asegura la compensación de presión entre oído medio y aire exterior, de manera que la presión de aire es la misma a ambos lados del tímpano. Así, el tímpano no puede distorsionarse y sus vibraciones no se ven afectadas.

REACCIÓN EN CADENA Cuando las ondas sonoras llegan al bien tensado tímpano, éste empieza a vibrar impulsando consecutivamente los tres osículos de la cavidad timpánica que están conectados entre sí: martillo, yunque y estribo.

Este movimiento es desencadenado por el martillo, que está unido directamente al tímpano y que vibra cuando éste vibra. La vibración se propaga a través del yunque y del estribo hasta la ventana oval, una membrana que cierra el otro extremo del

Un sonido bello, como el del niño que escucha el supuesto susurro del mar procedente de una caracola, puede hacernos olvidar nuestro entorno.

oído medio. También ésta empieza a vibrar al unísono transmitiendo las ondas sonoras al oído interno, de estructura compleja y sofisticada.

EXPERIENCIA SONORA En el oído interno se encuentra el verdadero órgano auditivo: el caracol. Está formado por un cono que se estrecha gradualmente y que se enrosca en dos vueltas y media alrededor del propio eje.

El caracol está relleno de un líquido viscoso, la llamada perilinfa, y atravesado por un puente óseo que sigue las circunvoluciones del conducto dividiéndolo en dos cámaras extendidas que en la punta del caracol están unidas por un finísimo orificio.

En el puente está alojada además la membrana basilar, sobre la cual se encuentra el órgano de Corti con las células ciliadas.

La ventana oval recibe las vibraciones del estribo poniendo a su vez la perilinfa en movimiento. Así se forman ondas progresivas que se propagan a lo largo de la cámara superior o conducto vestibular hasta llegar a la punta del caracol y regresan desde allí al comienzo del caracol a través de la cámara inferior o conducto timpánico. Estas ondas hacen vibrar la membrana basilar, lo que a su vez determina que los cilios de las células sensibles del órgano de Corti se doblen y conviertan los estímulos mecánicos en eléctricos.

Las distintas alturas de tono tienen asignadas determinadas áreas de la mem-

Lo importante es tener un buen olfato

El sentido olfativo reviste un papel más importante en nuestra vida de lo que muchos sospechamos: los olores que percibimos ejercen una gran influencia sobre nuestras reacciones y sobre nuestro mundo afectivo.

Domingo por la mañana: un delicado aroma a café llega desde la cocina y le despierta a uno de sus dulces sueños. Se levanta de buen humor con la expectativa de un idílico desayuno.

El olfato, al igual que la vista o el oído, es receptor de estímulos que nos llegan de cerca y de lejos. Sus funciones son múltiples. A menudo, apenas percibimos conscientemente determinados olores que, sin embargo, pueden súbitamente mejorar o empeorar nuestro estado de ánimo. También nos pueden advertir de algo, por ejemplo, de alimentos podridos. El olfato influye además de manera decisiva en nuestro comportamiento. Por ejemplo, el papel de los olores es importante en la vida sexual, hecho con el cual está relacionada la costumbre humana de perfumarse.

RESPIRAR PROFUNDAMENTE

Un aroma nace cuando una determinada sustancia emite moléculas al aire que la rodea. Allí, las moléculas de gas de la sustancia se mezclan con las del aire y son transportadas con los movimientos de este último. Cuando las moléculas de la sustancia aromática volatilizada alcanzan un número suficiente, podemos percibirlas como olor.

¿Qué acontece en la nariz cuando entra en contacto con sustancias odoríferas? Durante la respiración, la mayor parte del aire aspirado pasa por la nariz directamente a los pulmones. Otra parte, sin embargo, llega a los dos pequeños campos o mucosas olfativas localizadas en los meatos nasales superiores, es decir, debajo del cerebro. Al respirar profundamente o intentar olfatear un aroma, el volumen de aire que llega a las mucosas olfativas es sensiblemente mayor. Como consecuencia reaccionan más células sensoriales y percibimos el olor con mucha más intensidad.

En las mucosas olfativas se comprimen entre las células de sostén millones de células sensoriales que terminan en cilios olfativos. Estos diminutos pelos reaccionan con las moléculas odoríferas que hayan entrado en la mucosa suspendidas en el aire inspirado. Cada célula sensorial responde a determinadas moléculas.

Un cilio estimulado de este modo transmite a través de su célula sensorial un impulso nervioso a un órgano altamente especializado, el llamado bulbo olfatorio. Allí se procesa la información obtenida. La intensidad del estímulo olfatorio depende del número de células sensoriales activadas. La distribución o el patrón de las células activadas en la mucosa informa al cerebro sobre el tipo de olor percibido. De esta manera, el ser humano es capaz de distinguir entre varios miles de aromas.

El bulbo olfatorio transmite su información al rinencéfalo, que se encuentra encima del techo de la cavidad nasal en el cerebro. Allí se efectúa un segundo procesamiento del patrón. Primero se coteja con los patrones ya almacenados, es decir, el cerebro comprueba si el olor específico es conocido. De no serlo, se almacena en función de su afinidad con otros olores en un grupo de olores conocidos. Una vez almacenado, el patrón olfatorio no se pierde y la información puede ser consultada en cualquier momento. Por ello, el ser humano recuerda muy bien determinados olores.

Desde el rinencéfalo, las vías nerviosas prosiguen hasta el sistema límbico. Allí radican los centros que controlan nuestro

Para percibir bien los aromas exhalados por un líquido hay que inspirar profundamente. Sólo así el aire aspirado llega a los campos olfatorios de la nariz y se estimulan los cilios.

comportamiento, nuestras emociones y nuestro estado anímico, de manera que los olores que percibimos cada día se relacionan inmediatamente con los sentimientos. Una vez procesados por el sistema límbico, los estímulos olfatorios son conducidos hacia el cerebro donde la información se percibe finalmente de manera consciente.

Puesto que los olores, antes de llegar al cerebro, son desviados a través del sistema límbico, pueden evocar desde lo más profundo de nuestro ser sensaciones muy antiguas. Sin que seamos conscientes de ello, hay determinados olores, como por ejemplo el aroma a café o el perfume de las flores o del heno, que nos hacen sentirnos bien; y, por el contrario, nos deprimen los malos olores, sea cual sea su procedencia.

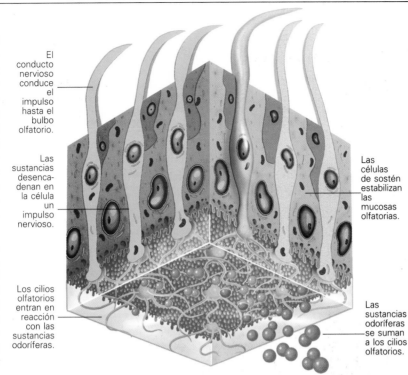

El conducto nervioso conduce el impulso hasta el bulbo olfatorio.

Las sustancias desencadenan en la célula un impulso nervioso.

Los cilios olfatorios entran en reacción con las sustancias odoríferas.

Las células de sostén estabilizan las mucosas olfatorias.

Las sustancias odoríferas se suman a los cilios olfatorios.

Los olores se perciben a través de los dos campos olfatorios en la nariz. Se encuentran en la parte superior de los meatos nasales y su tamaño no es superior al de un sello de correos.

Cuando estamos expuestos de manera permanente a malos olores, el umbral de estímulo a partir del cual las células nerviosas perciben el olor aumenta en poco tiempo de forma notable. Por ello somos capaces de acostumbrarnos a los peores hedores y al poco tiempo dejamos de registrarlos.

Esta subida del umbral de estímulo para determinados patrones olfatorios garantiza que se puedan seguir percibiendo los otros olores menos intensos. El umbral de estímulo aumenta sólo para el olor más intenso y capacita al hombre para percibir y clasificar otros patrones olfatorios más débiles.

El umbral olfativo varía según determinadas circunstancias: el aumento de la temperatura aumenta el umbral de percepción de los olores, mientras que la humedad del aire intensifica todos los olores.

Una cuestión de gustos

También en la elección de la comida, sobre gustos no hay nada escrito. Nuestras sensaciones gustativas no sirven sólo para nuestro deleite; nos sirven de protección.

Quien come una guindilla se arrepiente tras el primer bocado. Tiene la sensación de que su boca arde y, al poco rato, ya no es capaz de percibir sabor alguno. Intenta extinguir el "fuego" con un vaso de agua, pero cuanto más bebe más le arde la boca. El agua distribuye las moléculas responsables por toda la cavidad bucal y por la lengua, donde desencadenan una reacción aún más virulenta antes de que las arrastre el líquido.

En realidad, la impresión de estar comiendo algo picante no constituye una sensación gustativa. Lo que causa el ardor no son las papilas gustativas de la lengua, sino los receptores de dolor en la cavidad bucal, y cuanto más fuerte sea el dolor causado por

la comida picante, más se sobrepone sobre la percepción gustatoria. Si se suele consumir habitualmente comida muy picante, la percepción de gustos va insensibilizándose, y, para seguir percibiendo la comida como picante, hay que aumentar cada vez más las dosis de especias. Entonces, las células sensoriales ya no responden a una excitación normal y el afectado queda alejado, si no excluido, de los placeres y aromas sutiles que percibe un gastrónomo.

Las células sensoriales responsables del gusto se hallan concentradas en los llamados botones gustativos, localizados en las paredes de las papilas, que son diminutos mamelones dispersos por la superficie de la lengua. Estas células sensoriales tienen

terminaciones nerviosas dactiliformes conectadas con la cavidad bucal a través de unos poros diminutos, y entran así en contacto con los nutrientes disueltos en la saliva. Entonces responden a estímulos gustativos y los convierten en impulsos nerviosos. Estos impulsos se transmiten a través de la base de las papilas y la lengua a determinados centros cerebrales, en donde se procesa la información y se clasifica el gusto de acuerdo con patrones gustativos ya conocidos.

Las papilas gustativas de la lengua permiten distinguir sólo entre cuatro sabores básicos: dulce, ácido, salado y amargo. Lo dulce se percibe en la punta de la lengua, lo ácido en los laterales, lo salado también en los laterales y en la punta y lo amargo en la parte posterior de la lengua.

Un niño tiene papilas gustativas en toda la lengua; con los años, sin embargo, la lengua pierde cada vez más la capacidad de distinguir entre sabores, ya que el número de papilas activas decrece de manera continua, por lo que el sentido del gusto queda afectado en la vejez.

La lengua humana, vista al microscopio (dcha.): Entre las papilas filiformes se distingue una papila fungiforme.

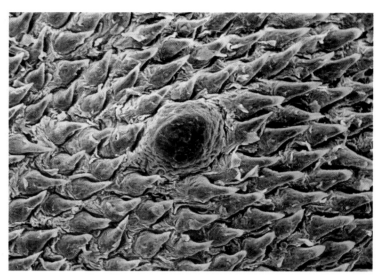

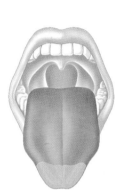

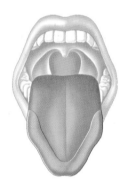

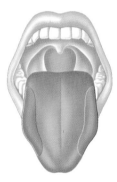

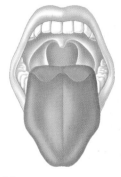

En la punta de la lengua están las papilas que perciben lo dulce.

Lo salado se siente a través de receptores en la punta y los laterales de la lengua.

En los laterales posteriores están localizadas las papilas que responden a estímulos ácidos.

Los aromas amargos se hacen notar en la parte posterior de la lengua.

Los cuatro sabores básicos –dulce, salado, ácido y amargo– se perciben en cuatro áreas distintas de la lengua (columna a la izda., de arriba abajo).

UN AUTÉNTICO GASTRÓNOMO La compensación entre los cuatro gustos básicos en el cerebro da como resultado el sabor que percibimos, y las múltiples y a veces muy matizadas variaciones gustativas se basan en la colaboración entre los sentidos gustativo y olfativo. Al fin y al cabo, los sabores diferenciados de una comida o bebida se determinan en gran medida por los efluvios que exhalan, los cuales ascienden a la nariz y se perciben en los campos olfatorios. Con las células olfatorias sabemos distinguir entre miles de aromas, y no sólo los cuatro básicos.

La dependencia del desarrollo gustativo del sentido olfatorio es también la razón por la que no percibimos sabores cuando estamos constipados, con rinitis, o con la nariz taponada. Por ejemplo, el buqué aromático de un buen vino se reconoce sobre todo con el olfato. Para que el buqué se pueda desplegar bien hay que tener el vino algún tiempo en la boca, ya que las papilas sólo se estimulan perfectamente si se revuelve intensamente con la lengua, al igual que las células olfatorias hacen con los aromas. Pasados unos segundos con el vino en la boca nos habremos acostumbrado a los nuevos estímulos gustativos y los percibimos con menos intensidad.

PROBAR ANTES En un principio, nuestra capacidad de distinguir con la lengua lo dulce, lo salado, lo ácido y lo amargo cumplía otra función: no servía para saborear aromas, sino para sobrevivir. Todavía hoy, a la hora de comer algo, nuestro cuerpo reacciona con determinados reflejos que nos deben proteger.

Si, por ejemplo, ingerimos algo sabroso, aumenta la secreción de saliva y la producción de jugos digestivos; nuestro cuerpo se prepara para la comida. Sin embargo, si probamos sabores negativos, se desencadenan arcadas y reflejos faríngeos y vomitivos. En estos casos, el cuerpo trata de protegerse contra intoxicaciones potencialmente peligrosas.

La comida dulce se suele percibir como algo agradable, puesto que es rica en hidratos de carbono, lo que promete una buena aportación de energía al cuerpo. Muchas personas aprecian el sabor dulce, incluso en dosis altas, mientras que los otros tres sabores básicos en intensidades altas son disuasorios, como una especie de advertencia.

Algo que tiene un sabor ácido puede haber fermentado y contener productos de descomposición bacteriana, y, por consiguiente, ya no servir para comida, como por ejemplo, la leche cuajada.

Lo mismo puede decirse del sabor amargo; también serviría para advertir al cuerpo humano de algo tóxico. Por ello, nuestro umbral de percepción de los aromas amargos es especialmente bajo. Los agentes amargos, como el de un peligroso veneno, la estricnina, los podemos percibir incluso en concentraciones muy diluidas.

En los alimentos salados, la concentración de sal es lo que determina si los encontramos comestibles o no. Si bien el cuerpo necesita una determinada cantidad de sal para sobrevivir, un exceso le perjudica. Una pizca de sal, por ejemplo en el caldo de gallina, nos agrada, e incluso hay quien añade otra para sazonar más. Si, en cambio, intentamos beber agua salada, nos produce inmediatamente náuseas.

El sentido del gusto es algo muy personal: el mismo plato puede producir en varias personas sensaciones gustativas distintas. Estas diferencias se deben en parte a la herencia: los genes determinan que en algunas personas los receptores de lo amargo, por ejemplo, sean especialmente sensibles. También el sabor de la saliva varía de unas personas a otras, y eso a su vez afecta al sabor de los alimentos.

Un órgano para tomar contacto: la piel

Aparte de ojos, oídos y nariz, la piel es uno de nuestros órganos sensitivos más importantes. Con ella podemos explorar nuestro entorno tentando y palpando, y gracias a sus sensibles antenas percibimos matices mínimos.

Todos sabemos con qué facilidad un contacto o roce despierta sentimientos. Un amistoso apretón de manos, una leve caricia del pelo o un beso cariñoso son un bálsamo para nuestra alma y contribuyen al bienestar. Lo que nuestra piel siente está muy directamente relacionado con lo que sentimos en nuestro interior. Además, nuestro sentido del tacto nos proporciona información importante sobre nuestro entorno y nos advierte de posibles peligros. Esta funda que nos envuelve es elástica, impermeable y un buen aislante térmico, a la vez que un importante órgano sensitivo.

CON MUCHO TACTO En el interior de la piel hay unas células sensoriales muy sensibles a influencias externas como la presión, el calor o el frío; registran inmediatamente estos estímulos y los transmiten en forma de impulsos eléctricos por las vías nerviosas a la corteza cerebral, donde se procesan. La piel

o las mucosas de las partes más sensibles del cuerpo, como la cara –y en ésta especialmente los labios–, la lengua y las manos, particularmente las puntas de los dedos, poseen una red especialmente densa de células sensoriales. Así, por ejemplo, las puntas de los dedos pueden captar presiones ínfimas que desplazan la piel sólo por milésimas de segundos, mientras que en otras partes del cuerpo, como la espalda o los muslos, el umbral del estímulo es mucho más alto. Una célula sensorial estimulada en las puntas de los dedos es suficiente para transmitir un impulso nervioso al cerebro. En la espalda, por el contrario, hacen falta una serie de impulsos de varias células para que el cerebro lo advierta.

Además, un estímulo táctil sobre la punta del dedo tarda sólo milésimas de segundo en ser procesado y el cerebro queda libre para registrar y calcular el estímulo siguiente.

Esta elevada velocidad de procesamiento de los distintos estímulos táctiles convierte nuestra mano en un herramienta rápida y precisa. Al persistir el contacto con la piel surge un efecto de adaptación que hace que en breve cesen los impulsos nerviosos. Si no fuera así, tendríamos dificultades para coser un botón o clavar una escarpia en la pared, puesto que el estímulo táctil permanente desviaría nuestra atención de nuestra verdadera tarea.

MUY EXCITABLE Las distintas células receptoras de la piel están especializadas en diferentes estímulos. La estructura más simple corresponde a las terminaciones nerviosas libres. Su umbral de estímulo es tan alto que sólo responden a presiones y dolores mayores. Otras fibras nerviosas, que nos proporcionan sobre todo el sentido del tacto, terminan en estructuras y órganos especiales. Estos órganos son, por ejemplo, el corpúsculo de Meissner y el disco de Merkel, que se encuentran con mayor profusión en las puntas de los dedos, en las palmas de las manos y en las plantas de los pies, así como en los labios. Ambas estructuras u órganos responden a desplazamientos mínimos de la superficie cutánea. Otros órganos sensitivos de la piel, como los corpúsculos de Pacini, reaccionan más bien con presión y vibraciones.

La escritura para ciegos aprovecha nuestra capacidad de percibir con las puntas de los dedos hasta las más mínimas superficies.

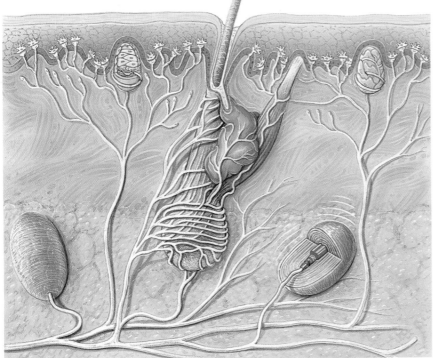

Este gráfico muestra un folículo piloso (centro), un corpúsculo táctil de Meissner (amarillo), un corpúsculo de Pacini (azul) y discos táctiles de Merkel (discos estrelliformes bajo la epidermis).

221

Cómo reacciona el cuerpo al fuego y al hielo

El control continuo de la temperatura de la piel es una de las medidas protectoras más importantes del organismo. Los llamados puntos de calor y de frío miden permanentemente la temperatura y transmiten los valores al cerebro.

Todos sabemos que empezamos a temblar si estamos demasiado tiempo expuestos al frío, y a sudar si nos exponemos excesivamente al calor. Estas reacciones del cuerpo a las variaciones de temperatura se producen porque en toda la piel poseemos sensores altamente sensibles al calor o al frío. Los estímulos térmicos del exterior los perciben varios tipos de células sensoriales. En cuanto la temperatura superficial de la piel rebasa la estrecha franja comprendida entre 33 y 35°C, le llega un mensaje al cuerpo: frío o calor excesivo.

AMPLIO MARGEN DE TOLERANCIA Sólo se mide la temperatura de la piel, no la del ambiente. Si bien el cuerpo intenta mantener una temperatura interna de unos 37°C, la temperatura corporal en la piel puede variar mucho. Los sensores de frío transmiten impulsos nerviosos hasta una temperatura de 35°C, mientras que los de calor empiezan a producirlos a partir de los 30°C. Con temperaturas ambientales superiores a 40°C o inferiores a 20°C, una persona desnuda siente calor o frío persistentes a pesar de la compensación térmica de la temperatura de la piel.

Cuanto más se estimulen los sensores térmicos de la piel, más rápida será la sucesión de impulsos nerviosos. Las células responden con especial intensidad sobre todo a cambios notorios de temperatura. Si, en cambio, la temperatura permanece estable durante un tiempo prolongado, se produce un efecto de habituación: aunque las células receptoras siguen produciendo impulsos nerviosos, se reprime parcialmente el procesamiento de la información en el cerebro. Este efecto se registra, por ejemplo, cuando tomamos un baño caliente. Al poco rato, percibimos el agua mucho menos caliente que al sumergirnos en ella. Si la temperatura de la piel baja muy despacio, puede ocurrir que los receptores del frío apenas respondan, lo que puede provocar hipotermias que no se advierten.

CUANTO MÁS BAJA, MÁS VELOZ El cuerpo suele responder inmediatamente a un cambio de temperatura. Cuanto más baja sea la temperatura inicial en la piel, un enfriamiento producirá más rapido la sensación de frío. Con una temperatura inicial de 28°C en la piel, una bajada de sólo 0,02°C por segundo se percibe como un enfriamiento brusco.

La sensación de frío o de calor es subjetiva y depende de la temperatura anterior que se toma como valor de referencia. Un simple

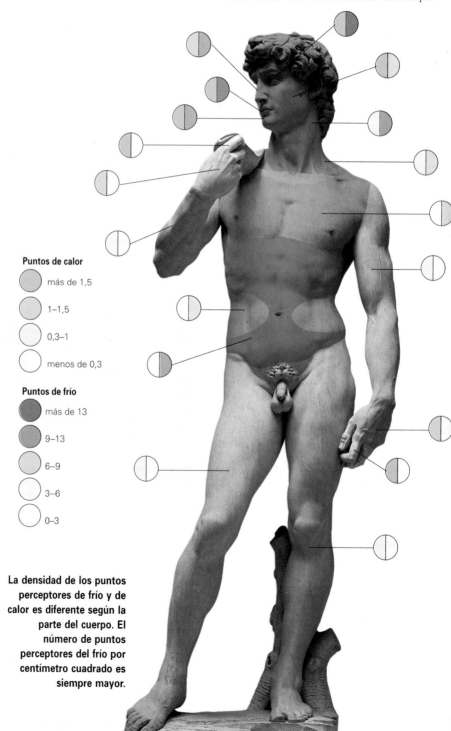

Puntos de calor

- más de 1,5
- 1–1,5
- 0,3–1
- menos de 0,3

Puntos de frío

- más de 13
- 9–13
- 6–9
- 3–6
- 0–3

La densidad de los puntos perceptores de frío y de calor es diferente según la parte del cuerpo. El número de puntos perceptores del frío por centímetro cuadrado es siempre mayor.

experimento lo demuestra: primero se llenan tres cuencos con agua, uno con agua fría, el segundo con agua tibia y el último con agua caliente. Después se mete una mano en el agua fría y la otra en el agua caliente y se aguarda un momento. Acto seguido, se cambian ambas manos al agua tibia. A pesar de que ambas manos están ahora en el mismo agua, nos parece que una está en agua más caliente y la otra en agua más fría. Los sensores de calor de la mano que antes estaba en el agua fría responden plenamente

a la diferencia de temperatura entre frío y tibio. Lo mismo sucede con los sensores de frío de la otra mano, que estaba en el agua caliente. Por ello se producen sensaciones diferentes que, al poco tiempo, volverán a equilibrarse cuando los sensores de temperatura de ambas manos se hayan adaptado a la nueva temperatura.

COMPENSACIÓN TÉRMICA Cuando los sensores de calor en la piel indican una temperatura excesiva, el cuerpo reacciona: comienza a sudar y refuerza el riego

sanguíneo en aquellas zonas de la piel especialmente dotadas para disipar el calor al exterior. El cuerpo responde de distintas maneras a las señales procedentes de los sensores de frío y en función de la localización de las partes afectadas y del estado general de la persona. Consecuencias típicas del frío son la piel de gallina y el castañeteo de los dientes. Todos estos procesos son regulados por nuestro termostato natural, el hipotálamo, encargado de mantener constante la temperatura corporal.

· ·

Nos ha sucedido a casi todos: uno cree haber oído cómo llaman a la puerta y cuando la abre descubre que se ha equivocado. Tal ilusión de los sentidos representa, en efecto, una alucinación. El sonido familiar del timbre está almacenado en nuestro cerebro como patrón de memoria. En el caso de una ilusión auditiva, este patrón se activa sin que haya un estímulo exterior. Si, por ejemplo, alguien aguarda a otra persona, a la espera de que suene el timbre, esta esperanza puede verse aparentemente cumplida por una disfunción del cerebro.

VOCES DESDE LA NADA En personas con trastornos psíquicos, las alucinaciones acústicas pueden adoptar formas mucho más peligrosas. Las personas que sufren de esquizofrenia tienden a oír sus propios pensamientos con voces ajenas. Al enfermo le parece que las voces llegan desde el exterior, por ejemplo, desde el techo, el suelo o incluso de otras partes de su cuerpo, como el vientre. Atormentan e infunden inseguridad al afectado, e incluso le prescriben a veces lo que ha de hacer.

Hasta la fecha, no se han podido aclarar las causas concretas de las alucinaciones, si bien se sabe que determinadas ilusiones de los sentidos se pueden provocar artificialmente. La estimulación eléctrica de determinadas partes de la corteza cerebral desencadena ilusiones acústicas u ópticas. Igualmente, en casos de fiebre alta, graves trastornos hormonales e incluso agonía, los afectados pueden presentar alucinaciones complejas.

En estas ilusiones participan casi todos los sentidos. Los afectados ven, oyen, huelen y sienten algo que existe tan sólo en su cabeza. Esta categoría abarca, por ejemplo, las manifestaciones de difuntos que parecen presentársele a uno en carne y hueso y que

Engaño a los sentidos

Cuando se percibe algo que en realidad no existe, somos víctimas de una alucinación; estas ilusiones pueden producirse en cualquiera de los sentidos.

hablan y posan la mano fría sobre el hombro. Tal ilusión puede provocar pavor y pánico en el afectado y hasta desencadenar una crisis nerviosa, puesto que no advierte la irrealidad de su percepción.

VISIONES MILAGROSAS No todas las alucinaciones son negativas y amenazadoras:

su índole depende mucho del estado de ánimo del afectado. Cuando uno ve imágenes llenas de luz y colorido con un trasfondo religioso o místico-simbólico hablamos de visiones.

Para lograr tales visiones sobrenaturales se aplican técnicas muy distintas. Es posible sumirse en estado de trance con ilusiones y visiones mediante simples ejercicios de meditación. En muchos pueblos primitivos, se suelen utilizar estupefacientes para inducir alucinaciones. Estas sustancias alteran los procesos mentales y emocionales normales, provocando alucinaciones, reacciones insólitas ante situaciones y acontecimientos normales, y otros síntomas similares a los de la psicosis.

A menudo, las ilusiones se forman a partir de simples estructuras geométricas, como esta supuesta cara en una pared rocosa. La causa son estímulos que se pueden procesar y clasificar correctamente y que activan patrones ya registrados en el cerebro.

Gracia e infortunio de poseer un gran talento

Muchas personas poseen dones y capacidades especiales. Si se descubren y despiertan a tiempo, sus dueños pueden alcanzar fama y honores. Pero el camino hacia el éxito no siempre conduce a la felicidad y la satisfacción.

Muchos padres desean un hijo prodigio o, al menos, abrigan esperanzas de que su hijo llegue a ser alguien importante.

En realidad, no escasean tanto las personas altamente dotadas: las hay en cualquier capa social y raza. Sus dones son en su mayor parte heredados, aunque la existencia de un don especial no siempre se descubre. Algunas predisposiciones marcan la personalidad y el carácter desde el principio. Otras, sin embargo, están codificadas y no se pueden aprovechar, sino que se transmiten, sin ser percibidas, a los descendientes. Ocurre muchas veces que los talentos y dones se transmiten de generación en generación hasta que, por azar, se manifiestan en un individuo determinado.

Para hacerlos plenamente válidos se deben fomentar sistemáticamente desde el entorno. Incluso el talento más dotado para la música o las matemáticas puede malograrse si no se le brinda la oportunidad de descubrir y desarrollar su predisposición y sus capacidades.

PROMOCIÓN DE SUPERDOTADOS A los padres y profesores, por tanto, les incumbe la importante tarea de revelar y fomentar a tiempo los talentos y dones de sus hijos o alumnos. En muchos casos es viable, puesto que los grandes talentos se manifiestan a muy corta edad. Las tareas para las que uno está especialmente capacitado resultan fáciles y agradables. Así, la promoción del talento repercute positivamente en la calidad de vida del niño dotado. Convenientemente fomentado, el joven dotado suele lograr una perfección admirable en su especialidad. Sobresale con mucho entre sus contemporáneos, de manera que tiene que fijarse

sus propios criterios para valorar sus posibilidades. Entre ellos está el caso de Wolgang Amadeo Mozart: su extraordinario talento musical despertó en él a muy corta edad el deseo de hacer y componer música. Por esa razón, su padre Leopoldo asumió convencido el papel de promotor del talento. Mozart hizo sus primeras giras a la edad de seis años y con nueve ya era considerado un niño prodigio. Dos años más tarde, compuso su primera ópera.

Vanessa Mae, de origen chino-tailandés, es considerada una niña prodigio: su virtuosismo con el violín eléctrico le ha permitido cosechar grandes éxitos.

VARIEDAD DE TALENTOS Existen varios tipos de talentos, por ejemplo, para los idiomas o las matemáticas. Una persona dotada para los idiomas es probable que tenga los centros cerebrales del lenguaje más desarrollados que los demás y que su memoria esté organizada de manera que disponga de suficientes capacidades libres para varios idiomas. Las personas dotadas para las matemáticas tienen la memoria para

los idiomas más limitada y, en cambio, disponen de mayor capacidad de memoria para números y combinaciones. Por supuesto que también el matemático, mediante el estudio y ejercicio persistente, puede llegar a dominar varios idiomas, sólo que los olvidará si no los practica. Sobre todo, en el caso de idiomas parecidos que se han aprendido sucesivamente, la capacidad de la memoria falla y en el primer idioma se superponen las nuevas informaciones de la segunda lengua. Este problema no se plantea al individuo dotado para los idiomas: puede aprender sin esfuerzo tres, cuatro o más idiomas sin olvidarlos. Un ejemplo fue el famoso arqueólogo alemán Heinrich Schliemann quien, supuestamente, hablaba una docena larga de lenguas diferentes.

ALTO PRECIO Por mucho éxito que los superdotados tengan en sus respectivos campos —ya sean las artes, las letras o las ciencias— su desarrollo personal no suele evolucionar sin problemas, ya que, en otros campos, suelen tener capacidades ordinarias.

Estos campos no les interesarán y no se aplicarán en ellos por no avanzar lo suficiente. Este abismo frecuente entre un don especial y las otras esferas de la vida humana conduce a muchas personas superdotadas a sendas peligrosas y solitarias. A menudo descuidan aspectos importantes de la vida, se adaptan mal a las circunstancias diarias y esperan de los demás la máxima consideración. Eso puede provocar problemas en la convivencia con sus semejantes.

Una de estas personalidades excepcionales y problemáticas fue el poeta-príncipe alemán Johann Wolfgang von Goethe. Hijo de padres acomodados, fue motivado desde pequeño, hizo carrera y se granjeó grandes éxitos como poeta y científico. En su vida privada, sin embargo, fue infeliz en sus distintas relaciones amorosas.

A pesar de ello, muchos superdotados han estado dispuestos a pagar tal precio, como nos muestra la Historia. Contribuyeron sensiblemente al desarrollo de la cultura humana. Muchos fueron pioneros en las ciencias y las artes, si bien a veces se vieron expuestos a las burlas y al menosprecio de sus contemporáneos, y el reconocimiento les llegó después de muertos, como fue el caso del famoso pintor holandés Vincent van Gogh.

Otros grandes espíritus se convirtieron en leyendas en vida. Uno de ellos fue Albert Einstein, quien, por cierto, no fue un niño prodigio. Las circunstancias y condiciones para fomentar sus talentos eran incluso malas, de manera que tuvo que labrarse el éxito trabajando duramente. No obstante, era aún muy joven cuando revolucionó la ciencia con su teoría de la relatividad.

FELICIDAD Y SATISFACCIÓN Cualquiera que sea la participación exacta de la herencia, prácticamente todos los especialistas están de acuerdo en que el medio ambiente también es importante en la determinación de la inteligencia. Las personas que han crecido en el mismo ambiente familiar, estén o no emparentadas, tienen un coeficiente intelectual más parecido que las criadas en otros ambientes. Hay muchos estudios que demuestran también la correlación entre el coeficiente intelectual y el ambiente sociocultural.

Cada persona, superdotada o dotada medianamente, debe intentar desarrollar y sacar el máximo provecho de sus dones naturales. Pero, para la mayoría, es mucho más importante conseguir en la vida felicidad, satisfacción y armonía que lograr grandes hazañas y fama. Y esto le resultará más fácil a una persona con talentos comunes que a cualquier genio.

Viaje al país de la fantasía

Todos los humanos –mayores o pequeños– nos sumimos varias veces al día en ensoñaciones. No sólo nos distraen de la gris cotidianidad, sino que también nos relajan y son beneficiosas para la mente y el espíritu.

A diario nos ocurre que nuestros pensamientos se desvían y empezamos a soñar con los ojos abiertos: en el colegio, en una reunión aburrida de trabajo o sentados en un sillón de casa. La mirada suele nublarse y parece perdida en la lejanía.

Los sueños diurnos son un factor importante para el equilibrio interior de la persona, puesto que estas breves inmersiones en un mundo fantástico y rebosante de color nos brindan la oportunidad de relajarnos y reponer fuerzas. Cuando alguien otorga una imagen plástica a un deseo irrealizable logra zafarse momentáneamente de todos sus problemas cotidianos.

MUNDOS FANTÁSTICOS Los contenidos de las fantasías son muy variados y dependen mucho del estado de ánimo del afectado. Las derrotas y frustraciones de la vida diaria se reproducen en una versión modificada, en la que el afectado sale mejor parado. Los pusilánimes, en sus fantasías, realizan proezas; el ejecutivo estresado huye de su cargada agenda soñando con unas vacaciones en la playa; el niño que empolla sus libros se imagina juegos con sus

amigos y el enamorado sueña con abrazar a su novia.

En algunas situaciones, esta fuga emocional reviste incluso una importancia vital. Un recluso incapaz de soñar con la vida en libertad no podría sobrellevar su situación mucho tiempo. A menudo, los ensueños e imaginaciones son, además, el origen de actividades creativas, puesto que el cerebro puede concebir ideas insólitas cuando damos rienda suelta a nuestra fantasía, en vez de concentrarnos en un determinado punto. Así se encuentran a menudo soluciones sorprendentes.

Muchos artistas y personas creativas reconocen que con frecuencia dejan volar la imaginación y es precisamente entonces cuando les llega la inspiración que necesitan.

RECARGAR BATERÍAS Por lo tanto, el soñar con los ojos abiertos no es en absoluto tiempo perdido como muchos opinan. Al contrario, las ensoñaciones de la fantasía refuerzan la personalidad del individuo y le ayudan a solucionar y superar problemas. Así que no está de más retirarse de vez en cuando al reino de los sueños para pertrecharnos contra las exigencias de la vida diaria, tanto profesional como privada. Pero es peligroso dejarse arrastrar por las fantasías para huir de la realidad.

La mirada soñadora de esta alumna se desvía de la clase por la ventana, mientras sus pensamientos vuelan por un momento al país de la fantasía.

225

La divina genialidad

Lo que en su tiempo fue considerado soplo de las musas se llama hoy creatividad. ¿Se pueden adquirir las potencias creativas o son un raro talento reservado a los artistas?

A menudo, los artistas inician una obra sin tener una idea precisa de su forma definitiva. Así están abiertos a ideas espontáneas, incluso durante el acto de creación.

porque los consideramos ilógicos y absurdos, pero algunos de ellos se distinguen por su originalidad y brillantez. Una persona creativa puede aprovechar este potencial oculto dejando aflorar ideas insólitas en la consciencia. A menudo aparecen de repente; de ahí la imagen de inspiración divina o estro. Incluso es posible que aparezcan con tal profusión que puedan llegar a aturdir a la persona creativa.

EL FRENO DE LA LÓGICA En principio, cualquiera puede aprender a inspirarse en esta fuente mental. Para eso debe ser capaz de relajarse completamente y de dejar fluir sus pensamientos. Una persona cuya mente está estructurada de manera muy lógica o jerárquica raramente puede ser creativa: la predisposición hereditaria y la suma de sus experiencias personales le impiden romper la barrera que rodea su subconsciente. La desenfrenada fuerza creativa del artista encontrará sólo incomprensión en la persona lógica. Un espíritu libre, sin embargo, que no se deja encorsetar, es más proclive a desarrollar tal capacidad: se abre a las sugerencias de su subconsciente, incluso a las más extravagantes, y no las descarta de antemano.

Mientras que el genio artista o inventor será siempre una excepción de la especie humana, el pensador creativo se ha convertido en alguien imprescindible en muchos campos de nuestra vida: publicitarios, ejecutivos y técnicos, por ejemplo, dependen en su trabajo diario de ideas ingeniosas. Y las empresas están dispuestas a invertir dinero en ello. Muchas empresas ofrecen a sus empleados cursillos donde pueden aprender técnicas creativas, entre ellas el famoso *brainstorming*. Estas "tormentas mentales" son reuniones en las que, antes de discutir las soluciones a un problema, todos los asistentes manifiestan sus ideas de forma espontánea y sin inhibiciones.

La técnica más antigua es también la más amena. Se aplica sobre todo en Japón, donde los altos ejecutivos de la publicidad tienen el privilegio de poder estar sentados durante días mirando a las musarañas por la ventana de la oficina. Como se ha podido comprobar, las mejores ideas se les ocurren mientras están absortos en sus pensamientos y ensoñaciones, completamente desligados de los problemas cotidianos.

Quien haya presenciado alguna vez la creación de una auténtica obra de arte no lo olvidará. El acto de creación asombra al espectador, que se pregunta cómo el ser humano puede producir algo tan hermoso y maravilloso, inexistente hasta entonces. ¿Le ha inspirado la musa al artista? ¿Qué ocurre en el artista cuando entra en una fase productiva? ¿Qué es lo que impulsó a pintores como El Greco o a compositores como Richard Wagner a trabajar en una nueva obra hasta el agotamiento?

La respuesta se halla en la estructura compleja del cerebro humano. Allí se produ-cen sin cesar pequeñas descargas eléctricas. Una fina lluvia de impulsos nerviosos desciende sobre la superficie laberíntica de la corteza cerebral y desencadena numerosos procesos mentales simultáneos. La mayor parte de estos pensamientos, sin embargo, se eliminan por filtración antes de llegar a la consciencia.

LA FUERZA DEL SUBCONSCIENTE Todas las áreas de la corteza cerebral están conectadas entre sí por nexos transversales. De esta manera, nuestro subconsciente registra y procesa muchos más pensamientos de los que percibimos. La mayoría se eliminan

Como caído del cielo

Una y otra vez, las mejores ideas nos llegan de improviso. A menudo llevamos largo tiempo rumiando un problema, cuando, de repente, se nos presenta la solución.

En la historia hay muchos ejemplos de intuiciones geniales. Uno de estos rasgos de ingenio fue el descubrimiento de la estructura espacial del benzol por el químico alemán Friedrich August Kekulé von Stradonitz. Llevaba años trabajando con la sustancia y conocía su composición. No obstante, seguía sin descubrir la estructura espacial de sus moléculas. Una noche soñó con una serpiente que se mordía su propia cola. Al despertarse le llegó la iluminación: comprendió que las moléculas del benzol se estructuran en forma de anillo y forman un círculo cerrado, exactamente igual que la serpiente de su sueño.

Kekulé no es un caso aislado. Seguramente, cada uno de nosotros ha tenido alguna vez una buena idea repentina, ya fuese en una cuestión técnica o en un asunto cotidiano. A posteriori, uno se pregunta por qué esa idea no se le había ocurrido antes. La respuesta reside en lo más profundo de nuestro cerebro.

Otro ejemplo de brillante intuición fue el descubrimiento de la estructura helicoidal de la molécula ADN por los científicos James Watson y Francis Crick, de la Universidad de Cambridge, después de descartar gran número de modelos experimentales alternativos.

SIEMPRE EN ACTIVO Muchos procesos mentales y reflexivos se producen en nuestro subconsciente. Allí, las ideas y juicios pasan a un segundo plano sin desaparecer del todo. Puesto que nuestra mente está en activo día y noche, esos procesos inconscientes llegan a resultados sorprendentes, como rayos de luz. Cuando una idea es clasificada como de gran importancia, puede superar la barrera que suele retenerla fuera de nuestra consciencia.

En situaciones de estrés o actividad concentrada, los mecanismos filtrantes del cerebro actúan de manera más contundente. Las ideas del subconsciente, incluso las buenas, se suprimen y retienen para descongestionar el aparato pensante. Por esta razón, los hallazgos brillantes y las intuiciones ingeniosas no aparecen cuando más las precisamos. Las buenas ideas nos llegan cuando la mente puede relajarse, como por ejemplo en el caso de Kekulé, durante el sueño.

Un hallazgo feliz o un rasgo de ingenio aparecen cuando se conectan varias informaciones almacenadas en distintas áreas del cerebro. Producen un resultado que incluso ya no sorprende. En realidad, los elementos de la solución ya llevaban tiempo en la consciencia y sólo hacía falta conectarlos entre sí.

Con gran perspicacia

Todo el mundo sabe que el físico Albert Einstein fue una persona excepcionalmente inteligente. Pero lo que no se sabe muy bien es lo que es la inteligencia.

¿Cómo se distingue a un hombre inteligente? Según una encuesta, una persona así está segura de sí misma, tiene éxito, es responsable y sensible hacia los demás. Se distingue también por su elocuencia, su ánimo y su perseverancia. Sin embargo, esta definición responde únicamente a los ideales de los encuestados y no al fenómeno de la inteligencia, puesto que puede atribuirse tanto a un atracador de bancos como a un tímido matemático.

DEBATE DE SABIOS Desde hace más de un siglo, psicólogos y sociólogos debaten lo que caracteriza a una persona inteligente, sin haber hallado una explicación universal hasta la fecha. En lo que están de acuerdo es en que la inteligencia humana se compone de varias capacidades. Por ejemplo, contribuyen a ella la facilidad de comprensión,

Marilyn vos Savant, de EE.UU., tiene un coeficiente de inteligencia de 230, el máximo medido hasta ahora en un test de inteligencia.

Albert Einstein tenía muchos talentos: fue físico excepcional, músico muy dotado y poseía además una personalidad encantadora y peculiar.

la facultad de pensar con lógica, la de solucionar problemas con rapidez e incluso el talento de tomar decisiones en sintonía con los propios sentimientos.

Cada persona es distinta, y, por tanto, también la inteligencia se manifiesta en las formas más dispares. Una persona puede estar superdotada para las matemáticas y, a la vez, ser incapaz de valorarse a sí misma o a los que le rodean y de comportarse en consecuencia. Presenta por tanto un grave déficit en el nivel de la inteligencia emocional. En general, se podría atribuir la mayor inteligencia a quienes dominan su vida, tienen éxito y ven realizados sus objetivos; estos últimos no son sólo de orden material, sino que incluyen también deseos e ideales. Cuando una persona sagaz comprenda que la riqueza no la hará feliz, ya no aspirará a ella. Dominar su vida con éxito no

La capacidad de colaboración con quienes nos rodean se considera cada vez más como un indicio notable de inteligencia.

significará estar en la cima de la estructura social. Esa es una opinión errónea, según la cual la vida no sería más que un test psicotécnico, y los ricos y los que tienen éxito serían los más inteligentes.

Tests insuficientes La vida es mucho más compleja que cualquier test para medir la inteligencia, por muy elaborado que sea. En estos tests psicotécnicos, el candidato debe completar series numéricas, puzzles, extraer conclusiones lógicas y enlazar palabras afines, todo ello en un tiempo limitado. Cuanto mejor es su resultado, mayor su coeficiente de inteligencia, que es considerado por la sociedad como la medida adecuada de la inteligencia. A pesar de ello,

estos tests no lo dicen todo, ya que no incluyen factores como la inteligencia emocional, y están además enfocados preferentemente a las necesidades de nuestro mundo occidental.

Estudios comparativos han revelado que el coeficiente de inteligencia apenas influye en el éxito o fracaso en la vida profesional. Ni siquiera hay una relación clara entre el coeficiente intelectual de un alumno y sus notas escolares. Muchos psicólogos proponen, por tanto, que los tests midan únicamente determinadas capacidades fáciles de entrenar y no tengan nada que ver

INTELIGENCIA EMOCIONAL

Según los psicólogos, la inteligencia emocional se compone de los siete factores siguientes:

- La capacidad de adoptar las decisiones acertadas basándose en el conocimiento de los propios talentos y emociones.

- La capacidad de controlar los sentimientos a la hora de tomar una decisión.

- La capacidad de estimularse y motivarse a sí mismo aun cuando un fracaso siga a otro.

- El don de dominar la vida desde un planteamiento optimista.

- La capacidad de poder renunciar a algo durante algún tiempo.

- El don de identificarse con otros y así poder comprenderlos mejor.

- El don de llevarse bien con los demás, de colaborar con ellos y controlar las propias emociones.

En definitiva, las actividades fundamentales de la inteligencia son juzgar bien, comprender bien y razonar bien.

con la auténtica inteligencia. En Estados Unidos, por ejemplo, en los tests habituales, los niños blancos de familias acomodadas, entrenados desde pequeños en el pensamiento analítico, suelen obtener mejores

resultados que los jóvenes negros que crecen en los barrios marginales, a menudo sin frecuentar una escuela.

Entorno y herencia Si bien la inteligencia depende en cierto grado del entorno social, la herencia genética también ejerce gran influencia. Sin embargo, y por fortuna, la inteligencia no se puede crear. Las características y facultades que la componen están inscritas en los genes y son, por tanto, hereditarias.

Lo que sí se puede es desarrollar la inteligencia y fortalecerla mediante el entrenamiento mental. El menos inteligente puede acabar con éxito la carrera o formación deseada si se emplea a fondo. Mientras que un estudiante comprende rápidamente y tiene muy buena memoria, a otro le cuesta más y tiene que insistir en la materia muchas veces. El primero captará al vuelo todo lo que el segundo tiene que trabajar con esfuerzo. Pero cuál de los dos es el más inteligente no se puede determinar sin más, puesto que el estudiante aplicado aprovecha sus capacidades hasta el límite y aumenta así su inteligencia. Además, puede que posea dones que no se pueden apreciar ni evaluar en el colegio o la universidad.

Células nerviosas en conexión El psicólogo estadounidense David Wechsler, al que se debe la escala de inteligencia para adultos que ostenta su nombre, definía la inteligencia como la capacidad global del individuo para obrar con un propósito determinado, pensar racionalmente y enfrentarse eficazmente a su medio ambiente. Mientras que los psicólogos y sociólogos siguen discutiendo qué es realmente la inteligencia, los médicos están descubriendo poco a poco lo que sucede en la cabeza cuando uno piensa. En nuestro cerebro hay miles de millones de células nerviosas conectadas entre sí que actúan no sólo como una gigantesca base de datos, sino también como una máquina de pensar. Descargas eléctricas activan de un golpe miles de células nerviosas que, a través de los innumerables nexos, generan el flujo de pensamiento.

Al nacer, el ser humano tiene la memoria prácticamente vacía porque al bebé le faltan las experiencias con qué comparar. Pero al cabo de poco tiempo se forman las primeras asociaciones e imágenes. Cuanto más se aprenda y se acumulen conocimientos y comprensión, mayor será la posibilidad de utilizar la inteligencia congénita. Cada persona presenta una inteligencia individual que ha crecido con ella y forma parte de su identidad.

Pensar con concentración

La capacidad de concentrar los pensamientos mediante el esfuerzo consciente y otorgarles una dirección única nos es innata. Cuando nos concentramos totalmente en un asunto, podemos solucionar las tareas más difíciles.

Nada nos cautiva más que un buen libro de suspense. El lector que se deja cautivar por la trama de una novela se sumerge tanto en aquel mundo que la realidad exterior pasa a un segundo plano. Si el día se desvanece, el lector cautivado enciende la luz de su habitación sin darse cuenta. Al acabar después de horas su lectura, percibe de repente la sensación de hambre que hasta entonces no había notado. La concentración en la trama novelística ha hecho que su cerebro suprima temporalmente cualquier otra interferencia. Incluso pasó por alto un mensaje tan importante del sistema nervioso vegetativo como es el hambre.

UNA TÉCNICA QUE AYUDA

Esta capacidad de la mente para dedicar toda su atención a un asunto le ayuda al ser humano en muchas situaciones. Es producto de la evolución y la poseemos desde pequeños. Desde las primeras semanas de vida, el bebé va centrándose en determinados objetos. El estímulo es su curiosidad, el deseo instintivo de comprender mejor su entorno. A los niños pequeños les gusta investigar con la mayor concentración el modo de hacer funcionar un objeto. Por eso reaccionan a veces con enojo cuando se les quita el juguete.

El don de la concentración se explica por la naturaleza del cerebro humano. Al procesar estímulos percibidos por los órganos sensitivos, el cerebro prefiere informaciones encadenadas en una relación causal. En el subconsciente se buscan permanentemente estas relaciones en todos los estímulos y se retienen los mensajes que podrían obstaculizar el flujo de información deseado. Por ejemplo, cuando uno se concentra en su trabajo en la oficina, apenas percibe el ruido del tráfico. Sin embargo, cuando suena el teléfono en el despacho contiguo, la consciencia lo registra porque el cerebro relaciona este hecho con el trabajo.

La capacidad de concentración se puede entrenar hasta cierto punto. Juegan también un papel relevante la importancia de la tarea y el interés que despierta. Así, nunca podrán desviar su atención del trabajo ni el cirujano que está llevando a cabo una delicada operación, ni el operador de tráfico aéreo situado delante de la pantalla de radar. Puesto que en estas profesiones el cerebro se cansa mucho, son precisos descansos frecuentes. Haciendo ejercicios gimnásticos se estimula la circulación, y una breve salida al aire libre suministra más oxígeno a la masa gris. Quien trabaja mucho tiempo de manera concentrada y sin descanso expone su cuerpo al estrés y puede sufrir las consecuencias.

EL PROFESOR DESPISTADO

En ocasiones, la concentración puede jugarnos incluso una mala pasada. Este es el caso de quien, a fuerza de concentrarse, se desentiende de su entorno. Un ejemplo típico es el profesor despistado. En la búsqueda de soluciones, centra de tal modo sus pensamientos en los problemas científicos que, por la mañana, al salir de casa, olvida su impermeable. En el camino hacia la universidad se equivoca de autobús y vuelve al punto de partida, a la parada de casa. Este tipo de concentración extrema podría resultar nociva: al aislarnos tan radicalmente de nuestro entorno podrían sobrevenirnos peligros sin que llegáramos a advertirlos conscientemente y sin tiempo, por tanto, para reaccionar.

Los alumnos del budismo zen se ejercitan en el arte del tiro con arco. Un máximo de concentración mental debe establecer una unión mágica entre el tirador y la diana, con lo que el disparo será certero.

...y de pronto se le va el santo al cielo...

Cuando la concentración no existe, la tarea más fácil se convierte en una tortura. Crecen el riesgo de cometer errores y la amenaza de fallos. ¿Por qué el ser humano no puede controlar su mente durante 24 horas al día?

Todos los que hemos intentado alguna vez realizar una tarea difícil a pesar de estar muy cansados conocemos esa sensación: uno intenta centrarse con todas sus fuerzas, pero los pensamientos se desvían una y otra vez del objetivo. Pronto todo va mal; el ordenador se bloquea en vez de funcionar con los programas recién instalados, o en la contabilidad aparecen cada vez más déficits inexplicables. Quien se lo puede permitir interrumpe su trabajo y se tumba un rato para combatir el cansancio. Esta simple terapia produce efectos milagrosos. A la mañana siguiente uno se da cuenta de que el programa no está instalado del todo bien, error fácil de reparar, o que los déficits surgían simplemente por haberse saltado una columna al sumar.

MÚLTIPLES CAUSAS Pero no es sólo el cansancio lo que merma nuestro rendimiento intelectual. Quien desee concentrarse debe procurar sentirse plenamente a gusto. Por ejemplo, el calor sofocante de la canícula impide pensar con plena lucidez. Los dolores reducen igualmente la capacidad de concentración: son como pinchazos que invitan a la consciencia a atender al cuerpo lo antes posible.

Otra causa de la falta de concentración es que el cerebro no recibe suficiente oxígeno. El aire viciado contiene poco oxígeno y mucho dióxido de carbono, lo que aumenta la fatiga corporal. Ventilar bien y cada día los pulmones, incluso en invierno, tiene para nuestra mente el efecto de una ducha refrescante. Los momentos críticos son los que siguen a las comidas. Para estimular la digestión, el riego sanguíneo es mayor en el sistema digestivo que en el cerebro, donde se produce un déficit de oxígeno. Este bajón de la sobremesa suele durar de una a dos horas, hasta que la circulación vuelve a sus cauces normales. En este espacio de tiempo hay que evitar actividades que exijan una concentración muy elevada.

Quien por coquetería o por dejadez no lleva gafas o incluso intenta leer el periódico en la penumbra no debe asombrarse de su baja capacidad de concentración. Los ojos son el principal receptor de las informaciones que después procesa el cerebro. Sólo cuando están rindiendo plenamente podemos concentrarnos bien.

LA INFLUENCIA ANÍMICA Un mal estado anímico es otro de los factores responsables de los trastornos en la concentración. Tanto una discusión familiar como una seria preocupación por la salud puede distraernos del trabajo. Otro "mataconcentración" es el estrés: un ejecutivo que corre sin descanso de reunión en reunión, con la sensación de no rendir lo suficiente en el tiempo establecido, es particularmente sensible a los trastornos por estrés. Reduce su capacidad de polarizar la atención y la calidad de su trabajo se ve deteriorada. Un remedio milagroso en esas circunstancias es revisar la agenda o tomarse unas minivacaciones. Practicar algún tipo de deporte o cualquier actividad física, aunque sea una simple caminata, nos ayudará a relajarnos y facilitará posteriormente nuestra concentración. Las técnicas de relajación como el yoga pueden restablecer la concentración.

También el desinterés y aburrimiento matan literalmente la concentración. Las dificultades que tienen muchos alumnos para centrarse se deben probablemente a que la asignatura se presenta de manera muy árida o incomprensible. Pero ni la mejor enseñanza sirve cuando el estudiante rechaza la escuela: a la larga, no se puede forzar a nadie a concentrarse si no quiere.

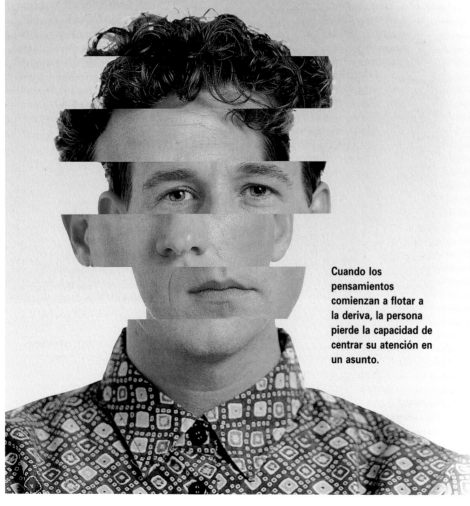

Cuando los pensamientos comienzan a flotar a la deriva, la persona pierde la capacidad de centrar su atención en un asunto.

Un informador incansable

Gracias al cerebro podemos memorizar y consultar al instante ingentes cantidades de datos que continuamente se actualizan con nuevas informaciones.

Cuántas veces nos ha sucedido: estamos en el metro, dejamos correr la mirada a nuestro alrededor y de pronto se detiene en un cara que nos resulta familiar. La hemos visto en algún sitio antes; después de un momento de reflexión sabemos dónde y cuándo. Otro ejemplo: uno, en la infancia, aprendió a tocar el piano, y después lo desatendió hasta acabar por abandonarlo del todo. Años después le acomete el deseo de volver a tocar. Si bien está algo desentrenado, recuperará pronto la capacidad de interpretar piezas antiguas y nuevas de memoria. ¿Qué sucede en la memoria cuando es activada por estímulos externos de esta índole? ¿Y qué acontece con los datos que llegan al cerebro?

INFORMACIONES FILTRADAS Todos los datos que recibe se separan y se registran en distintos puntos del cerebro, en parte en forma codificada. Los estímulos que llegan al cerebro acceden primero a la memoria sensorial y ultracorta. Éste es el primero de los dos sistemas filtrantes antepuestos a la memoria a largo plazo. Estos filtros examinan la información que llega y logran que se registren sólo los hechos más importantes. Esta primera instancia, que sirve para recoger las informaciones entrantes, tiene una capacidad de memoria muy reducida y lleva a cabo una primera selección y valoración. Si el estímulo no alcanza la suficiente intensidad, la información se desvanece en décimas de segundo, es anulada por nuevos estímulos y, por tanto, olvidada.

La razón de esta limitada capacidad de la memoria sensorial es fácil de entender. Sirve sobre todo para activar en la memoria a largo plazo reacciones inmediatas que están almacenadas como programas fijos. Eso permite al ser humano reaccionar con inmediatez a situaciones siempre nuevas, por ejemplo, frenar cuando un semáforo se pone en rojo.

Desde la memoria ultracorta, la mayor parte de los datos pasan a la memoria breve. Allí se retienen como mucho durante algunos minutos para ceder su sitio a otros nuevos y pasar, en su caso, a la memoria a largo plazo. Hasta la fecha, la ciencia no ha

Con el juego de construcciones el niño aprende a levantar una torre. Es sólo una de las experiencias que, acumuladas, le capacitarán más tarde para entender relaciones y contextos más amplios.

Los universitarios deben comprender nexos causales muy complejos, para lo que necesitan una memoria bien entrenada.

en el camino. Aún así, la capacidad de nuestra memoria es asombrosa. Almacena miles de millones de datos y hechos a los que solemos poder acceder en un abrir y cerrar de ojos. Muchos procesos almacenados en la memoria nos parecen tan naturales que ni siquiera los percibimos como prestaciones memorísticas, como por ejemplo, manejar un teléfono.

Para que perdure un recuerdo tiene que consolidarse en el cerebro, y ese proceso requiere repetición y clasificación (asignarle una categoría entre elementos conexos). La consolidación permite que la información pase de la memoria a corto plazo a la de largo plazo.

Precisamos de la memoria no sólo para registrar informaciones cotidianas como las sensaciones, sino también para el aprendizaje y estudio, ya que incluso para poder procesar y comprender nuevas informaciones debe-

aclarado con exactitud el proceso de memorización duradera de una información. Se cree que los datos que acceden a la memoria a largo plazo dejan huellas bioquímicas y operan cambios estructurales en los enlaces de las células nerviosas, las llamadas sinapsis.

UNA MEMORIA GIGANTESCA Sólo el 1% de todas las sensaciones que llegan a la memoria sensorial pasan también a la memoria a largo plazo; el resto se pierde y se olvida

mos recurrir a nuestros recuerdos. Mediante las cadenas de asociaciones y el cotejo podemos clasificar correctamente y hacer utilizables los nuevos datos.

A pesar de los abundantes recuerdos almacenados en nuestra memoria a largo plazo, siempre seremos capaces de seguir aprendiendo. Cuanto más sistemas sensoriales se incluyan en el proceso de aprendizaje, más fácilmente se registrarán las nuevas informaciones. Para entender, por ejemplo, la estructura de una sustancia física o química conviene tanto conocer su composición y fórmula, como examinarla, tocarla y olerla repetidamente. Cuanto más tiempo se toma uno para aprender y más veces repite la información o sensación nuevas, más seguro será el paso de la memoria breve a la memoria a largo plazo, donde se grabará para años, si no para siempre.

Sin la capacidad del cerebro de recordar el pasado más remoto e incluso hechos presuntamente ya olvidados, no podríamos conducirnos en la vida cotidiana y mucho menos aún en situaciones excepcionales, pues no seríamos capaces de memorizar la cara de una persona familiar o el camino a nuestra casa. La memoria es, pues, una base indispensable para manejarse en la vida y para la consciencia. Sólo quienes pueden

registrar, almacenar y evaluar informaciones podrán valorar su propia posición y adquirir conciencia de sí mismos. Sólo quien puede recurrir, con inmediatez y sin problemas, a conocimientos pasados, es capaz de actuar de manera inteligente, y únicamente los que podemos registrar y almacenar datos nuevos para acceder más tarde a ellos evolucionaremos en todos los campos de la vida humana.

Cuando la memoria flaquea

Una y otra vez nos fastidian las malas jugadas de la memoria. Lo que solemos olvidar son nimiedades, pero a veces falla la capacidad de recordar cosas en su totalidad.

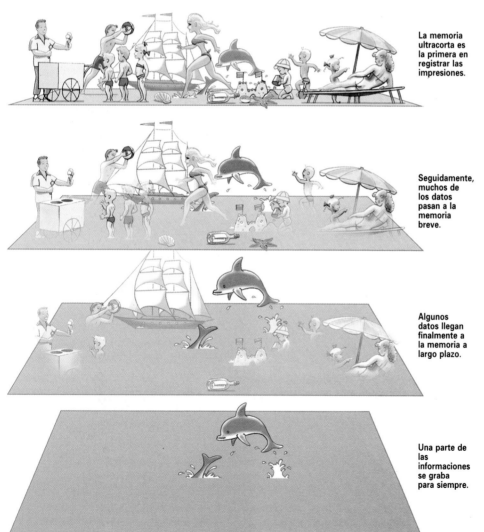

La memoria ultracorta es la primera en registrar las impresiones.

Seguidamente, muchos de los datos pasan a la memoria breve.

Algunos datos llegan finalmente a la memoria a largo plazo.

Una parte de las informaciones se graba para siempre.

Nos ha pasado a todos: escuchamos un chiste, nos proponemos recordarlo, y luego, a la hora de contarlo, no nos viene a la memoria. Lo único que recordamos es que era realmente bueno. Otra situación: estamos en una cabina telefónica y acabamos de consultar un número en Información; justo cuando nos disponemos a marcarlo llaman a la puerta de la cabina preguntando si vamos a tardar mucho más. Cuando volvemos a marcar, el número ya ha naufragado en el mar del olvido. Y, finalmente, otra situación embarazosa: nos encontramos con un viejo conocido en la calle sin poder recordar su nombre, hecho particularmente grave porque ha sido muy amigo nuestro. ¿Cómo ocurren estos fallos en la memoria?

El chiste y el número de teléfono se registran inicialmente en la memoria ultracorta. Su capacidad es muy limitada, por lo que las informaciones supuestamente sin importancia pronto se sustraen a nuestro acceso. No está claro si estos datos registrados se borran o son anulados por otros nuevos que se les sobreponen, o si se someten únicamente a un bloqueo de acceso. Repitiendo el número varias veces aumenta la posibilidad de retenerlo más tiempo.

Cada información que se recibe se registra en su totalidad, es decir, se almacena todo lo que perciben nuestros sentidos en una determinada situación. Cuando alguien tiene una buena idea, no registra sólo la idea, sino también las sensaciones e impresiones que la acompañan, así como todo lo que estaba viendo, oyendo, sintiendo y oliendo en aquel momento. Entre todos estos hechos independientes se establece una relación y,

El gráfico muestra cómo al pasar de la memoria ultracorta a la breve y de ésta a la memoria a largo plazo se pierden cada vez más informaciones. Sólo permanece lo que más nos impresionó.

de esta forma, se registran en el cerebro como recuerdo, susceptible de ser recuperado en el futuro.

Así, a veces, es posible recuperar la memoria de algo olvidado recurriendo a los sentidos y emociones. Al final se puede evocar un pensamiento olvidado poniéndose en el lugar y la situación en que surgió. Por ejemplo: si en el camino a la cocina se ha olvidado por qué se iba allí, ayuda a veces volver al lugar concreto donde se decidió ir a la cocina.

BAJO LLAVE Aparte de estos fallos de la memoria, que son relativamente frecuentes y nos afectan a todos, existen también auténticas lagunas en la memoria provocadas por un impacto externo, como puede ser un golpe en la cabeza. Tal conmoción cerebral perjudica en cualquier caso la memoria primaria, es decir, la ultracorta, cuyo contenido se pierde. Esta es la razón por la cual un accidentado no suele recordar los instantes que preceden al accidente.

En función del daño, pueden perderse también partes más o menos grandes de la memoria breve. Entonces no se recuerdan los últimos minutos antes del accidente. Lo curioso es que la mayor parte de los contenidos de la memoria breve suelen reaparecer una vez curadas las heridas. También en este caso hay que suponer que las informaciones no se perdieron realmente, sino que el acceso a ellas quedó bloqueado temporalmente.

Tal bloqueo mental se puede producir también en situaciones de estrés, como por ejemplo durante un examen. Son los fallos típicos: uno ha estudiado y empollado la asignatura, pero a la hora de acceder a los datos memorizados sobreviene un bloqueo mental absoluto y la capacidad de recordar lo aprendido supuestamente desaparece. Una vez recobrados la calma y el sosiego, la mente se relaja y el candidato recuerda todas las respuestas, pues ahora puede acceder a la información. ¿Cómo se produce tal laguna en la memoria?

El estrés y el pánico son estados de emergencia; nuestro organismo debe prepararse para una situación extraordinaria y posiblemente peligrosa que exige reacciones inmediatas, es decir, reflejos. En estos momentos, el pensamiento puede ser algo contraproducente. Por ello, el cuerpo emite unas hormonas que bloquean momentáneamente la mente y estimulan el cuerpo, y en nuestra cabeza reina entonces el vacío más absoluto.

Existen también personas que pierden completamente la memoria, a menudo por causas psíquicas, y no pueden recordar su vida anterior ni su propio nombre. También en estos casos existe un bloqueo total de las informaciones, que no se borran y pueden reaparecer bajo el efecto de la hipnosis.

Otra causa de pérdida de memoria a corto plazo es el consumo de drogas y estimulantes. Quien haya tomado alguna vez una copa de más habrá experimentado la sensación de ver interrumpida la continuidad de la memoria hasta que recupera la sobriedad la mañana siguiente. Por mucho que lo intenta, no se acuerda de nada; le falta una porción de su experiencia. ¿Qué es lo que sucedió? El alcohol, altamente tóxico para las células, impide que las informaciones se transmitan de almacén a almacén dentro de la memoria. No se produce su traducción en señales bioquímicas con los correspondientes cambios orgánicos en la estructura cerebral.

LA PÉRDIDA DEL PRESENTE Por tanto, se producen graves trastornos de la memoria, las amnesias, no sólo entre personas que han sufrido un accidente o una enfermedad cerebral graves, sino también entre alcohólicos. Los afectados no pueden almacenar nuevas informaciones en la memoria, son incapaces de memorizar nada y no pueden acumular nuevas experiencias. Su memoria a largo plazo puede funcionar perfectamente si el alcohol no ha dañado ya demasiadas células del cerebro. En tal caso, recuerdan en cualquier momento hechos antiguos.

Pero una víctima de amnesia no puede llevar una vida normal. Es incapaz de recordar lo que sucedió el día anterior y por tanto no podrá relacionar los nuevos hechos con su vida. A duras penas se conducirá en el entorno que en su tiempo le fue tan familiar.

En el caso de los ancianos son varios los factores que contribuyen al deterioro progresivo de la memoria. La capacidad para acumular recuerdos nuevos disminuye con la edad; en parte porque se producen cambios físicos y químicos en el cerebro y en parte porque los incentivos cambian con el paso de los años y el presente puede tener poco interés para el anciano. Al mismo tiempo, los recuerdos de antaño suelen acentuarse con el tiempo.

Para que fragmentos aislados del recuerdo formen una imagen completa hay que entrenar el cerebro.

LA MNEMOTECNIA

- La práctica hace maestros. Para memorizar algo de manera duradera, por ejemplo vocablos, hay que repetirlos muchas veces. La información pasa así a la memoria a largo plazo y con cada consulta queda más asentada.

- Sólo con practicar, el éxito no está garantizado. Influyen también las circunstancias en las que memorizamos algo. Así es importante canalizar la materia que se quiere aprender por vías que después, a la hora de recordar, se puedan volver a retomar. Existen ayudas mnemotécnicas en forma de asociaciones, para recordar detalles que se suelen olvidar, más que grandes contextos.

- Un método especial para reforzar la memoria y la capacidad de concentración es el llamado "jogging cerebral". Se parece a un test de inteligencia, es decir, hay que resolver problemas. Lo importante es practicar cada día un poco, incluso algunos minutos. Al igual que el jogging nos pone en buena forma física, la repetición diaria de los ejercicios nos proporciona cierta "forma" mental.

- Una alimentación sana, suficiente ejercicio físico, reducción del estrés y técnicas de relajación contribuyen también a mantener en forma nuestra memoria. Y sobre todo concéntrese. No espere acordarse de aquello en lo que, para empezar, no puso atención.

Cuando la tensión se deshace

Reír es como una válvula de escape para el cuerpo, ya que produce una gran distensión. Resulta beneficioso no sólo para el cuerpo, sino también para la mente y el alma.

En el cerebro se emiten endorfinas.

Los músculos mímicos producen la expresión típica del rostro.

La glotis se abre y cierra rápidamente.

Respiramos a trompicones.

Aumentan los latidos del corazón y sube la tensión.

El diafragma se contrae de manera convulsiva.

En una reunión hay que tomar una decisión importante. Los asistentes discuten acaloradamente, y al final entran en juego la irritación y la agresividad. De pronto, alguien bromea sobre lo delicado de la situación. Entonces ocurre el milagro: de golpe el ambiente cambia de forma ostensible. La tensión se deshace en sonoras e incesantes carcajadas. Los rostros, hasta entonces excesivamente serios, presentan las mismas señales de diversión y alegría. Seguidamente, los interlocutores, aún con la sonrisa en la cara, intentan encontrar una solución equitativa para todas las partes

Cuando vemos, oímos o pensamos algo divertido, se nos escapa una carcajada. Para el cuerpo y el alma, la risa es siempre un bálsamo benéfico.

implicadas. Están distendidos y se sienten liberados de una gran carga.

No es una casualidad, pues la relajación física que sigue a la risa equivale a la distensión tras un esfuerzo deportivo. Cuando nos reímos aumentan nuestro pulso y presión sanguínea. Las contracciones convulsivas del diafragma presionan sobre los órganos, y el aire respirado se expulsa

con velocidades de hasta 100 km/h. La risa determina que muchos músculos se relajen y que las contracturas se distiendan; además estimula la digestión. Si es una risa prolongada, perdemos pronto el aliento porque respiramos a trompicones. Para recobrarlo, es necesario sosegarse de nuevo.

UN REFLEJO DEL ALMA Al reírnos, nuestra fisonomía la marca la musculatura mímica, cuyos músculos están en parte contraídos, en parte distendidos. Cada individuo tiene su risa particular. La risa distiende el rostro y lo hace aparecer más amable y abierto. La cara de las personas refleja su estado anímico, y la risa no sólo relaja el cuerpo, sino también la mente. Durante la risa se emiten unas hormonas en el cerebro, las llamadas endorfinas, cuyo efecto es tranquilizador y placentero a la vez.

El reírnos a carcajadas nos libera de agresiones y temores. Pero para reírse de determinadas situaciones es preciso un distanciamiento personal que otorgue perspectiva y nos aleje del problema. Quien puede reírse de sí mismo podrá sobrellevar los golpes que el destino le depare mejor que las personas que no tienen ese sentido del humor.

UN REFLEJO MÍSTICO Es obvio que la risa es importante y que a todos nos gusta reírnos. Los bebés, cuya risa es la más natural y alegre de todas, se ríen hasta cien veces diarias. Hasta la fecha no se sabe con exactitud el porqué de la risa, que, por cierto, es común a todos los humanos, cualquiera que sea su cultura.

A lo largo de los siglos, los filósofos, psicólogos y científicos han intentado encontrar una explicación plausible de la risa. Las opiniones van desde los etnólogos, que ven en la risa un gesto social de supremacía y triunfo, hasta los psicólogos que la interpretan más bien como gesto de apaciguamiento, pasando por las teorías más dispares.

Aunque sería llevar las cosas demasiado lejos el considerar que la risa es la mejor medicina para cualquier enfermedad, no es exagerado afirmar, como reconocen muchos médicos, que es un buen remedio para muchos estados de ánimo.

Hay muchas hipótesis, pero ninguna ha resistido la crítica necesaria para otorgarle carácter de explicación universal. Lo que sí está claro es que la risa cumple una importante función social y emocional en el comportamiento humano.

Sin poder defenderse...

Una persona muy sensible a las cosquillas sucumbe a la risa y a la indefensión a la vez. La estimulación hace que personas muy sensibles pierdan el control sobre sus movimientos. En tiempos remotos, el hecho de tener cosquillas servía de protección al cuerpo.

¿Por qué algunos individuos apenas tienen cosquillas mientras que otros no resisten el más mínimo roce sin echarse a reír? La intensidad de la reacción al cosquilleo depende del procesamiento de los estímulos en el cerebro. Los estímulos se desencadenan por los órganos táctiles de la piel. Cuando se hacen cosquillas, estos órganos emiten impulsos nerviosos hacia el cerebro, con mayor frecuencia cuanto más se presiona la piel. Entonces reaccionan las terminaciones nerviosas libres, responsables de estímulos por contactos leves, junto con los corpúsculos táctiles, que son los que perciben las presiones sobre la piel. Se envía una verdadera avalancha de impulsos al cerebro donde se desencadenan intensas sensaciones. La persona, en un afán instintivo de defenderse contra la oleada de estímulos, se retuerce y sucumbe. En este caso, la risa no es sólo señal de diversión, sino que trata de apaciguar a quien hace las cosquillas; así se le manifiesta la propia indefensión. Si el oponente entra en el juego, la risa se le contagiará y dejará de hacer cosquillas.

Ciertas personas pueden inhibir voluntariamente su sensibilidad a las cosquillas. Si bien los órganos táctiles en la piel reciben los mismos estímulos y emiten igual número de impulsos, éstos se reprimen en el cerebro provocando sensaciones mucho menos intensas.

ENTRE AMIGOS No nos dejamos tocar por gente desconocida y antipática y aún menos le permitimos hacernos cosquillas. Cuanta menos confianza exista, la sensibilidad a las cosquillas será menor, pues nadie quiere entregarse indefenso a un desconocido. Por eso, las cosquillas se hacen sobre todo entre personas que se conocen bien y se quieren, como amigos o familiares cercanos.

En realidad, percibimos las cosquillas como algo agradable. Pero cuando se producen en exceso, perdemos visiblemente el control sobre nuestro cuerpo y los músculos empiezan a contraerse de manera convulsiva. La abundancia de estímulos impide responder de modo diferenciado y mover sólo los músculos de las partes estimuladas. Por ejemplo, los caballos y las vacas pueden contraer únicamente las partes del cuerpo donde están las moscas para espantarlas. Puede que los estímulos y las reacciones a las cosquillas del humano

Sólo cuando existe una confianza recíproca, como entre padres e hijos, es agradable sentir cosquillas y desencadenar los consiguientes accesos de risa.

sirviesen originariamente para el mismo fin, es decir, como reflejo para "espantar" literalmente insectos molestos portadores de enfermedades e infecciones. Sea como fuere, una de las cosas curiosas acerca de las cosquillas es que el ser humano no se las puede producir a sí mismo.

Como gallina en corral ajeno

A las personas tímidas no les resulta fácil la vida diaria. Su forma de ser introvertida y recelosa les niega el reconocimiento ajeno, por lo que a menudo se sienten solas.

En la escuela evalúan con notas separadas la participación activa y los conocimientos escritos. La razón está en que algunos niños no se atreven a levantar el brazo, y aunque el profesor los invite, sienten temor a responder a pesar de conocer la respuesta correcta. En los ejercicios por escrito, sin embargo, demuestran lo que saben y aprueban cualquier examen sin problemas.

TODO MENOS MIRAR A LOS OJOS En el contacto diario con los demás, las personas tímidas –sean jóvenes o mayores– suelen tener más dificultades que la gente segura y extrovertida, de carácter franco y vivo. Lo que cuenta es la capacidad de dirigirse a alguien, hablar con él mirándole a los ojos. Las personas inseguras y acomplejadas suelen esquivar las miradas del interlocutor y a éste le hace pensar que el otro no está interesado en la conversación, lo que provoca un círculo vicioso. Sobre todo a la hora de tomar contacto con el otro sexo, los tímidos se ven inmersos en un mar de dificultades. Por miedo a fracasar, renuncian a menudo a cualquier intento y, cuando se encuentran frente a alguien atractivo, suelen reaccionar con un bloqueo total. Temerosos de que se descubra su confusión, se ruborizan, se vuelven tensos y se bloquean.

MIEDO AL RIDÍCULO Entre amigos o en el círculo familiar, los tímidos se muestran seguros por conocer bien a los demás y sentirse aceptados por ellos. En una sociedad menos familiar se sienten incómodos y esperan que se los trague la tierra, tanto si pasan desapercibidos como si son el centro de atención. Ante el temor a hacer el ridículo o a decir o hacer tonterías, su cuerpo reacciona como si estuvieran en peligro y la única alternativa consistiera en huir: el pulso se acelera y el latido del corazón retumba en la cabeza; la voz suena ronca y muy débil. Frecuentemente, el tímido enmudece dejando la frase inacabada y baja los ojos en un gesto de humildad. Cuando alguien se comporta así, es posible que los que le rodean dejen de escucharle o se burlen del ya de por sí avergonzado. Nuestra sociedad, orientada al rendimiento y al éxito, tiende a ver en la vacilación y los complejos de nuestros semejantes un defecto considerado como debilidad de ánimo, y por tanto rechazable.

Por otra lado, hay mucha gente que afirma tener problemas para conectar con los demás. Un estudio norteamericano ha revelado que un 40% de los encuestados se clasifican a sí mismos como tímidos. En

Cuando un niño recibe un regalo de un desconocido suele estar demasiado avergonzado para aceptarlo. En la edad adulta, la timidez se puede convertir en un serio problema.

efecto, hay personas normalmente seguras que en determinadas situaciones reaccionan con timidez. Y eso está bien, pues la timidez y la vergüenza ante extraños sirven también de autoprotección, ya que no todos los demás son siempre bienintencionados.

MÁS AUTOESTIMA Si una persona muy tímida quiere ganar más confianza en sí misma y capacidad para relacionarse, primero deberá aprender a apreciarse a sí misma y a reconocer su propia sensibilidad y delicadeza. Además existen cursillos para aprender a superar la timidez y a relacionarse. Cada paso adelante aumenta la confianza en uno mismo y reduce la introversión.

En el caso de los adolescentes, la timidez y la vergüenza suelen ser pasajeros. Deberá animárseles a realizar actividades deportivas en grupo y a relacionarse con otros jóvenes. Perder la timidez no es cosa de un día para otro. Para lograrlo deberá respetarse su inclinación natural y apoyar con entusiasmo los cambios.

El sonrojo nos traiciona

A nadie le gusta meter la pata, pero de vez en cuando le sucede a cualquiera. Aunque el hecho supone suficiente bochorno, además se nos enciende la cara de rubor.

En una de las secuencias más divertidas de la comedia cinematográfica británica *Un pez llamado Wanda*, un abogado de reconocida seriedad baila desnudo y eufórico por el piso vacío de un amigo, ausente por un viaje. De repente se abre la puerta y aparece un matrimonio mayor con dos hijos. Ellos sí que tienen la autorización del dueño para utilizar el piso, y lo hacen, por supuesto, vestidos. Mientras el hombre intenta cubrirse con algo la desnudez, advierte que la familia incluso le conoce, con lo cual la situación se torna aún más embarazosa.

PENOSO, PENOSO Afortunadamente, es muy improbable que lleguemos a vernos en una situación semejante, pero cualquiera de nosotros puede recordar momentos en los

cuales ha querido ocultarse en el último rincón. Por haberle vertido un vaso de vino tinto sobre la blusa de la vecina de mesa, por rompérsele a una la falda en el camino a la tribuna, por criticar al jefe y advertir después su presencia en la mesa contigua, desde la que puede escuchar todo. Son siempre situaciones en las que uno cree haber fracasado. Si encima se advierten las miradas críticas o aniquiladoras de los demás, ya no hay nada que hacer: uno se ruboriza mal que le pese.

En los momentos de vergüenza, las reacciones del cuerpo son las mismas, independientemente de cuál sea el motivo para el bochorno. Las mejillas se ruborizan, el pulso se acelera, se sienten escalofríos, las piernas flaquean y se empieza a tiritar. La

tensión y el tono muscular disminuyen, lo que difunde por todo el cuerpo una sensación paralizante de flojera. Si bien uno anhela poder huir, no puede dar ni un paso. Si la tensión desciende bruscamente, se puede colapsar la circulación y la persona se desmaya. En situaciones especialmente incómodas, puede que el afectado escape así de la valoración por los demás.

MANOS SUDOROSAS Las reacciones corporales se producen porque la sensación de vergüenza en el cerebro actúa sobre el llamado sistema límbico. Esta parte del cerebro está conectada con el hipotálamo que, entre otras, cumple la función de órgano de control en la regulación de la temperatura corporal. En un momento tan precario se ejecuta un programa determinado en el cerebro, de manera inconsciente y bajo el control del hipotálamo. Los capilares, minúsculos vasos sanguíneos del tejido conjuntivo, se abren y la sangre asciende a las capas externas de la piel. Las manos y los pies, sin embargo, parecen muy fríos porque los vasos capilares se contraen y el riego sanguíneo se reduce, aunque se suda más en estas partes: los expertos hablan del sudor emocional. Al poco tiempo, la sangre retorna de las capas cutáneas al interior del cuerpo y la cara, las manos y los pies recobran su color normal. La sangre se ha enfriado un poco, y unos sensores en las venas señalan este enfriamiento al hipotálamo. Entonces se empieza a tiritar ligeramente, lo que se percibe como un escalofrío. El movimiento de los músculos que tiritan produce calor, y cuando la temperatura se ha equilibrado, el temblor cesa. Esta reacción corporal determina que en momentos embarazosos uno sienta alternativamente frío y calor.

PARA SONREÍRSE Si bien inicialmente el hecho nos fastidia porque hemos cometido un error imperdonable, son precisamente estas situaciones embarazosas las que nos ofrecen un buen tema de conversación para las veladas con los amigos. Entonces descubrimos que, en el fondo, todos hemos vivido alguna vez momentos en los cuales casi nos consumimos de bochorno. Con el tiempo, sin embargo, el incidente se convierte en una divertida anécdota a la que no damos mayor importancia. Todos aprendemos de estas situaciones para evitarlas la próxima vez. Pero estos pequeños incidentes forman parte de la vida: son primordialmente humanos.

Nerviosismo: la sensación de estar en ascuas

Cada día vivimos situaciones en las que nos ponemos nerviosos. De repente, aumenta la tensión del cuerpo y de la mente manifestándose en movimientos impacientes. Antaño, esta intranquilidad cumplía una función defensiva.

Llevamos media hora esperando a un amigo en el bar. Nos habíamos citado a una hora determinada, y para llegar a tiempo nos hemos saltado un par de semáforos, gritado a un transeúnte premioso en un paso de cebra y, a falta de otro sitio, hemos acabado estacionando nuestro vehículo en un lugar prohibido. Hemos llegado con la lengua fuera y ahora, mientras aguardamos a nuestro amigo, nos revolvemos inquietos en la silla y empezamos a mover los pies o las piernas.

Le sucede lo mismo al empleado que fue citado por el jefe para una entrevista y debe esperar mucho. También él golpea el suelo con un pie, abre y cierra sin cesar su bolígrafo o tamborilea con él sobre su cuaderno de notas.

EL CUERPO ENTRA EN ACCIÓN Así y de forma similar reaccionamos siempre que nos ponemos nerviosos: la aguda sensación de inquietud pone nuestro cuerpo bajo tensión y refuerza el metabolismo. Se movilizan las reservas de energía, por ejemplo en el hígado, donde el glucógeno se convierte en azúcar. Eso mejora y refuerza el suministro de energía adicional a los músculos y hace subir el nivel de azúcar en la sangre. Estos procesos, que se desarrollan en cualquier situación de estrés, tenían sentido para nuestros antepasados porque el nerviosismo les servía de advertencia. Al verse a sí mismos o a lo suyos en peligro, se preparaban para una huida rápida.

INQUIETUD Y DESASOSIEGO Hoy, por desgracia, rara vez podemos movernos

Cuando estamos estresados y muy ocupados, la inquietud nos incita a juguetear con lápices u otros objetos.

cuando sentimos nerviosismo. Si pudiéramos correr un poco o hacer media hora de gimnasia al notar las primeras señales de inquietud, no tendríamos problemas con la superproducción energética en el cuerpo. A falta de ejercicio físico, la mente excitada intenta desahogarse de otra manera, sacudiendo las piernas o jugueteando con la goma de borrar. Mucha gente se fuma un cigarrillo cuando está nerviosa. En efecto, la nicotina tranquiliza momentáneamente, pues la movilización de las fuentes energéticas en la sangre cesa temporalmente. Pero eso sólo mitiga levemente los efectos y no las causas de la inquietud.

De hecho, el sistema nervioso no necesita un estímulo externo real para alarmarse; por lo que a él concierne, un pensamiento es tan válido como un acto. Una idea perturbadora basta con frecuencia para ponerlo a uno nervioso.

Quien, sin embargo, adquiere conciencia del nerviosismo y de su causa puede controlarlo y adaptarse mejor. Resulta más fácil controlarse sabiendo por qué se está nervioso y que es sólo un estado transitorio. Además, un poco de excitación puede ser incluso beneficiosa si se afrontan misiones difíciles. Por ejemplo, el elevado nivel de azúcar en la sangre aumenta la capacidad de concentración durante un examen y el rendimiento en una competición deportiva. Cuando cunde el nerviosismo y a uno le acomete el hormigueo, no es más que una señal biológica de que todo el cuerpo se está preparando para un esfuerzo. Si hay que realizar una tarea urgente, el nerviosismo nos ayuda a tomar decisiones rápidas.

El irresistible pánico a los focos

Mucha gente teme presentarse o actuar ante los demás. Incluso actores y políticos de gran experiencia luchan a menudo con el miedo escénico. Aún más angustioso les resulta el escenario a los no profesionales.

Quien ha tenido que hablar, leer un discurso o incluso actuar alguna vez ante una multitud de personas conoce esa sensación de flojedad que se presenta poco antes de la actuación. Estamos nerviosos y excitados, nos sudan y tiemblan las manos, la boca está reseca, la voz empañada. En ocasiones, incluso sentimos necesidad de orinar o defecar.

Todos estos son síntomas típicos del miedo escénico. Por cierto, síntomas análogos se pueden presentar en caso de nerviosismo ante un viaje. Puede que uno llegue a sentirse mal: en la noche anterior a la partida aparecen el nerviosismo y el insomnio, y a la hora prevista ya no se tienen ganas de emprender el viaje.

Mientras que las causas del nerviosismo ante un viaje radican en el miedo a lo desconocido y lo nuevo, el miedo escénico se produce por temor a las posibles críticas de los demás. Pero no es sólo gente insegura y temerosa la que siente temor a la hora de exponerse a los ojos de los extraños; incluso actores experimentados con muchos años en el escenario siguen temblando antes de su actuación.

Las personas con miedo escénico están tensas, tienen dificultad para respirar y se les entrecorta la voz. Por añadidura, se produce el temido bloqueo mental. Acaban de ensayar por última vez la intervención, pero una vez ante el micrófono o en la tribuna no pueden articular una palabra coherente. En el cerebro se ha producido un vacío total y absoluto.

HORMONAS LIBERADAS Este bloqueo momentáneo se debe a los cambios que se producen en el equilibrio hormonal en casos de nerviosismo. Las glándulas suprarrenales aumentan la producción de las hormonas adrenalina y noradrenalina que preparan al organismo para una situación de emergencia. Los impulsos nerviosos que deben activar la memoria no se transmiten en los momentos decisivos, y no pueden acceder a las informaciones almacenadas.

El miedo a semejantes situaciones es una pesadilla para cualquier orador o actor, y ni siquiera los intérpretes experimentados son

Todos los grandes actores y actrices han confesado sentir pánico alguna vez ante la presencia del público.

inmunes a esta sensación, que les asalta cuando se aproxima el momento de la intervención, y que tratan de combatir con mil recursos memorísticos. Pero en la mayoría de los casos, la preocupación es innecesaria: en cuanto se levanta el telón, el afectado pierde el miedo escénico y se mueve con dominio y agilidad bajo los focos y las candilejas.

¡Ay, qué susto!

Cuando nos sentimos repentinamente en peligro, solemos llevarnos un gran susto. Quedamos fuera de combate, pero inmediatamente el cuerpo se apresta a la lucha.

Hay innumerables situaciones que son literalmente terroríficas, que nos infunden el terror más categórico. El afectado descubre repentinamente un peligro; se estremece del susto que le sacude como una descarga eléctrica y parece sofocarle. Instintivamente

se nos detiene la respiración y se interrumpen los latidos del corazón. Estamos casi paralizados.

El propósito de estas reacciones, vestigios del pasado humano más remoto, es el de proteger el cuerpo. Cuando a un antepasado

nuestro le atacaba una bestia salvaje, era quizás preferible quedar paralizado, y quien hubiera caído al agua hacía bien en no inhalar aire inmediatamente.

HERENCIA ASUSTADIZA Mientras aún estamos petrificados por el susto se desencadenan además otros procesos corporales, también heredados de nuestros antepasados remotos. Nuestra hipófisis comienza a liberar hormonas. En pocos latidos del corazón, estas hormonas llegan a las glándulas suprarrenales y provocan allí la emisión inmediata de las hormonas del estrés: adrenalina y noradrenalina. Éstas inundan todo el cuerpo desencadenando en él numerosos procesos sucesivos de auto-defensa.

En la corteza cerebral se activan áreas donde están memorizados comportamientos instintivos como la retirada inmediata. La respiración se acelera para enriquecer la sangre de oxígeno. El ritmo cardiaco aumenta para acelerar la circulación de la sangre y el transporte de la glucosa a los músculos donde se necesita esta energía para rendir al máximo.

Los vasos sanguíneos en las regiones periféricas se contraen, y el riego de la piel se detiene prácticamente, por lo que el asustado empalidece. Así se minimiza la pérdida de sangre en caso de una herida. A causa del estrechamiento de los vasos sanguíneos aumenta también la tensión, y con ella el potencial de ataque y defensa.

El asustado presenta además el fenómeno del sudor frío. También éste es un efecto hormonal que prepara al afectado para la situación de emergencia, pues refrigerado de esta manera tendrá más resistencia en la inminente huida o eventual lucha a vida o muerte. Si al final no hay esfuerzo físico, la persona sufre estremecimientos y llega a

tener tanto frío que empieza a tiritar y castañetear los dientes. Esto relaja los músculos de piernas y brazos.

También la digestión se ve afectada por el sobresalto. Mientras las extremidades tiemblan aún, la actividad intestinal se paraliza porque el cuerpo, en ese momento, no puede permitirse malgastar sus fuerzas. Las pupilas se ensanchan, lo que puede ser útil para distinguir mejor un supuesto agresor en la oscuridad.

A algunas personas que se han asustado terriblemente se les ponen los pelos de punta, al igual que a un perro o a un gato en peligro se les eriza el pelo. Esto sirve, por un lado, para parecer más grande y peligroso ante un supuesto enemigo y, por otro, para amortiguar, en su caso, golpes y reducir así el peligro de ser heridos. Si bien el hombre ha perdido gran parte de su pelo y vello, persiste el despeluznamiento como reacción hormonal al pavor.

ANTAÑO Y HOY En la lucha a vida o muerte, el ser humano se beneficia de los procesos automatizados que se desencadenan en su cuerpo. Gracias a ellos, sus reacciones son más rápidas y dirigidas, con

lo que gana valiosos segundos. En nuestra sociedad industrializada, las situaciones realmente amenazadoras son bastante raras. Las tensiones habituales de nuestra civilización no suelen exigir un esfuerzo físico instantáneo y una reacción de tal naturaleza, por lo que la secreción indiscriminada de hormonas que realmente no se necesitan pueden llegar a ejercer un efecto nocivo sobre la salud.

Las respuestas automáticas del cuerpo pueden llegar también a constituir un impedimento. Por ejemplo, quien se queda paralizado de espanto ante un inminente accidente de tráfico puede perder la oportunidad de reaccionar a tiempo esquivando, frenando o girando, lo que empeora la situación sensiblemente. Los efectos instintivos del susto, que en su tiempo representaban una efectiva defensa para sobrevivir, pueden volverse hoy, con las nuevas condiciones de vida, contraproducentes.

Cuando nos asustamos, la hipófisis ordena la liberación masiva de adrenalina, lo que pone en alerta a los diversos órganos corporales.

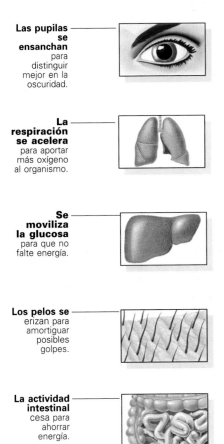

Las pupilas se ensanchan para distinguir mejor en la oscuridad.

La respiración se acelera para aportar más oxígeno al organismo.

Se moviliza la glucosa para que no falte energía.

Los pelos se erizan para amortiguar posibles golpes.

La actividad intestinal cesa para ahorrar energía.

Las glándulas supra-rrenales producen adrenalina.

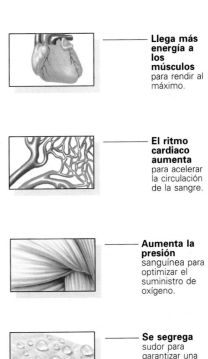

Llega más energía a los músculos para rendir al máximo.

El ritmo cardiaco aumenta para acelerar la circulación de la sangre.

Aumenta la presión sanguínea para optimizar el suministro de oxígeno.

Se segrega sudor para garantizar una buena refrigeración en caso de emergencia.

Alerta máxima

En ocasiones el miedo nos invade lenta y furtivamente; otras veces nos asalta como un animal salvaje. En cualquier caso, en la vida se producen a veces situaciones que es preciso superar como sea.

Las situaciones que nos atemorizan suelen acabar bien. El ratón que nos infundió pánico se marcha por la puerta de la terraza, y el presunto malhechor que nos sorprendió por la espalda poniéndonos la mano en el hombro resulta ser la vecina del tercero que sólo deseaba charlar un rato. Pero a veces se puede llegar a una situación que nos sigue pareciendo amenazadora aun pasado el primer susto. Entonces nos invade el pánico; por ejemplo cuando, al volver a casa de noche, uno se ve repentinamente enfrentado a un grupo de gamberros adolescentes. Finalmente existe el miedo anunciado que no nos asalta, sino que nos invade lentamente y que hay que afrontar como sea: por ejemplo, ante la próxima consulta al dentista. El grado de la amenaza y la magnitud del propio miedo determinan el modo en que nos comportamos en determinadas situaciones.

Estos ataques de pánico se caracterizan por un brote intenso de ansiedad acompañado de síntomas físicos como palpitaciones o dolor en el pecho, mareo, pies o manos dormidos, temblor, sudor o sensación de ahogo.

Cuando se está expuesto a una amenaza real, como

Es de noche, ella está sola en el andén y escucha unas voces sonoras de hombres que se acercan... Habrá muy pocas mujeres que en esta situación potencialmente peligrosa no se aterroricen.

un choque con alborotadores en busca de pelea, cuando tememos incluso por la vida, el miedo agudiza los sentidos para ayudarnos a salir ilesos del peligro. A menudo, el cerebro del afectado está tanteando a toda velocidad las respuestas posibles a una única pregunta: qué hacer ahora. En cuestión de segundos se desarrollan estrategias: ¿estamos aún a tiempo de escondernos o de huir sigilosamente por una callejuela? ¿Podemos llamar a la puerta de los vecinos de las casas colindantes? ¿Hay un bar abierto cerca donde podemos refugiarnos? Lo único que podremos hacer cuando ninguna de estas opciones resulta viable es prepararnos para la emergencia, mantener el tipo y no provocar a los demás. Si se llega a la confrontación, hay que evaluar si es más inteligente ceder o defenderse y dar voces de socorro. Quien, en una situación amenazadora, logra conservar la sangre fría y actuar en función de las posibilidades de éxito, ya ha salido casi del apuro.

MIEDO ESPERADO La serenidad es precisa en cualquier circunstancia de temor. También quien espera lo que se le avecina en el sillón del dentista debe conservar la sangre fría. La mente nos dice que no hay más remedio que adaptarse a la situación y que cualquier reacción instintiva como una huida o la defensa están fuera de lugar. En tal caso, puede ayudar el convencerse a sí mismo de que la situación no es tan grave como parece a primera vista, distraerse con música o dejarse acompañar por una persona de nuestra confianza a la consulta del dentista.

Con el monstruo en la cabeza

En lo más profundo de nuestra cabeza se esconde una bestia llamada miedo. Cuando presiente una oportunidad, sale de su guarida y se precipita sobre su víctima.

Una guerra nuclear o un cáncer, una toma de rehenes o un accidente de tráfico... A cualquiera le asalta el miedo cuando se imagina algo particularmente peligroso. Cuanto más concreto sea el escenario imaginado, mayor será el miedo. Este proceso tiene efectos beneficiosos, pues el ser humano renuncia así a cometer imprudencias de las que sería capaz si no existiera la amenaza.

Nuestros antepasados supuestamente sobrevivieron porque eludían los bosques sombríos donde se ocultaban bestias peligrosas. De la misma manera, nuestro miedo nos salva hoy de lo peor: nadie ha apretado el temido botón rojo para desencadenar una guerra atómica, por lo menos hasta la fecha.

Por otro lado, sucede con frecuencia que las personas sienten únicamente los aspectos negativos del miedo. Ese es el caso de la gente en cuya vida las cosas toman un rumbo distinto del deseado. Alguien que siente presiones psicológicas porque le exigen demasiado o está desorientado o se siente desamparado en su entorno, es especialmente sensible a estados de ansiedad y de miedo. Si su situación personal no cambia en meses, este miedo se le puede adherir y convertirlo en una persona enfermiza.

Socialmente hablando, el afectado no hará más que vegetar, pues rehuye todos los acontecimientos por temor a que se le manifiesten sus temores. Con el tiempo va restringiendo cada vez más su ámbito de movimiento. El horror latente al que se ve sometido crece incesantemente hasta llegar

En ocasiones, la angustia y el miedo pueden adquirir proporciones tan alarmantes que literalmente nos pueden devorar el alma y anular cualquier otra emoción o sensación.

a anularlo. Muchos millones de personas son víctimas del miedo y el número va en aumento. Pero sí hay una posibilidad de escapar al horror interior. En principio, el afectado debe intentar comprender cuál es el desencadenante físico y material de sus temores. Si bien a menudo percibimos el miedo en algún otro lugar de nuestro cuerpo, por ejemplo, en el estómago (de ahí la expresión de "hacer de tripas corazón"), en realidad se genera en el cerebro. Allí, en el sistema límbico, existe una estructura llamada amígdala, con forma de almendra, que desempeña un papel decisivo en la generación de vivencias emocionales. El cerebro puede memorizar experiencias negativas ligadas a determinadas situaciones. Si la situación amenaza de nuevo, el recuerdo desencadena una sensación de miedo. En realidad, es útil, ya que así se evitan muchos errores innecesarios.

DESEQUILIBRIO HORMONAL Junto con el miedo, también se desencadenan en el individuo otros procesos, entre ellos la producción de las hormonas que intervienen en la transmisión de los impulsos nerviosos en el cerebro. En estados de fuerte ansiedad, se modifica el equilibrio de su actuación, adquiriendo la hormona noradrenalina una clara preponderancia, lo que hace que los impulsos nerviosos se transmitan a más velocidad de lo habitual.

Mediante estos cambios hormonales, el cuerpo ofrece a la persona angustiada una viva predisposición a huir, lo que puede desatar en ella un pánico ciego. A menudo no hay razón alguna para este miedo excesivo, y los mencionados procesos bioquímicos deberían estar sometidos a nuestro libre albedrío. Podemos interrumpirlos dominando nuestro miedo y modificando nuestros sentimientos, excepto nuestros temores primordiales y primitivos, los cuales no se dominan a voluntad. Se trata de reacciones automáticas a ruidos repentinos, luz deslumbrante o peligro de caída. Son miedos con fuerte arraigo instintivo que le brindan al cuerpo autoprotección inmediata. Todos los demás temores no son innatos, sino adquiridos.

Con un poco de esfuerzo, cualquiera puede superar sus temores. Un planteamiento es descubrir que el miedo, examinado desde un punto de vista objetivo, carece de fundamento real. En estos casos, se aconseja enfrentarse a la situación temida y dejar que cese la angustia. Si no sucede nada grave, el cerebro registra esta experiencia como un nuevo recuerdo positivo que se puede reproducir cuando se produzca otra situación similar. Así es posible reducir, paso a paso, el miedo irracional.

CÓMO DOMINAR EL MIEDO

- Al principio puede ayudar la táctica de los progresos mínimos: a quien se alegra de los modestos éxitos del presente le preocupará menos el futuro.

- Una rutina fija en las tareas diarias y un ritmo de vida regular proporcionan seguridad interior.

- Una actitud positiva garantiza el equilibrio hormonal y mejora el bienestar general.

- El ejercicio físico, como el deporte o la jardinería, nos sirven de distracción. Al concentrarse en otras actividades, uno deja de meditar sobre sus problemas.

- Las técnicas de relajación, como el entrenamiento autógeno o la meditación, pueden disipar crispaciones interiores.

- Es importante no guardarse los temores para sí, sino revelárselos a la pareja, a los amigos o al médico.

El corazón herido

Todos sabemos que los celos pueden cegar: convencidos de que su pareja le ha sido infiel, algunos han llegado a cometer torpezas de las cuales se arrepienten después.

Pasa por ser el ejemplo clásico del marido celoso: Otelo estrangula a Desdémona porque cree que le engaña con otro. Prácticamente todos los días el periódico nos relata algún drama de celos. Si bien no suelen acabar fatalmente como en el caso de Otelo, ocultan siempre tragedias personales, pues los celos no conocen edad ni existen sólo entre hombre y mujer. Existen en todas las personas que están estrechamente vinculadas entre sí, como pueden ser también los hermanos, amigos o compañeros. Los celosos sufren de privación de afecto y se creen

de su marido está tan obsesionada como el niño dominante que prohíbe a su compañero de juegos relacionarse con otros niños. Más tarde, el recelo se une con la ira. Algunos celosos dirigen su agresividad contra el competidor, al que hacen responsable del propio sufrimiento. Esperan poder rescatar a la persona querida, a la que creen conducida por mal camino, y desbancar al rival. Este intento está generalmente abocado al fracaso, ya que el problema no suele consistir en el rival, sino en una crisis latente de la relación. La víctima más habitual de la

relaciones múltiples y a lo largo de su vida cambia su grado de vinculación con los familiares, amigos y pareja sexual. Una institución como el matrimonio, que supone una relación estable de pareja, no tiene suficientemente en cuenta este hecho, como demuestran las frecuentes infidelidades de muchos cónyuges. Por otro lado, denunciando públicamente los tabúes de nuestra sociedad no se resuelve el problema, pues ni siquiera con la introducción de la libre sexualidad desaparecen los celos. Éstos existen tanto entre hippies y libertinos como en comunidades rurales de fuerte arraigo religioso y costumbres severas.

PAUTAS DE COMPORTAMIENTO ARCAICAS

Los celos y la agresividad ocasionada por ellos se remontan a un arcaico mecanismo de comportamiento que antaño servía para eliminar a los rivales y asegurar la supervivencia. Desde un punto de vista evolucionista, este impulso tenía su razón de ser. Una mujer que se decide por un hombre cuenta con que éste pueda alimentarlos de manera permanente a ella y a sus hijos. Si el hombre se dedica a otra mujer, la primera teme que reparta sus esfuerzos para suministrar sustento a las dos familias o que la concentre sólo en la segunda. La aparición de una competidora reduce, por tanto, las posibilidades de supervivencia de ella y de sus hijos. Y en sentido contrario, el hombre de una mujer infiel teme que esté alimentando a hijos que no son suyos, sino de un rival.

Tenemos que convivir con esta herencia, con el lado oscuro del amor. Pero cualquiera puede aprender a dominar sus celos. Una posibilidad es la de no limitar a una única persona las relaciones interpersonales. La gente con un gran círculo de amistades sobrelleva mejor y supera más rápidamente un abandono ocasional.

En el seno del matrimonio resulta aconsejable expresar los pensamientos y sentimientos propios con honestidad y aceptar el derecho del otro cónyuge a sentir y opinar de manera diferente. Y, sobre todo, ambos cónyuges deberán hacer frente a los problemas cuando se presenten. Si la relación de pareja corre el riesgo de romperse por otro hombre u otra mujer, sólo puede ayudar el aclarar la situación. Quien habla abiertamente de sus emociones tiene más posibilidades de encontrar una vía común de arreglo o de comprender que sus sospechas eran infundadas. Y saber que hay mucha gente a quien uno importa hace que se sobrelleve mejor el temor a la pérdida de afecto.

tratados injustamente. Sus impetuosas sensaciones se inflaman cuando aparece algún competidor imaginado o real a quien se le dispensa más atención de lo que según ellos se merece. Inconscientemente, rehuyen la comparación con este rival. Los psicólogos lo interpretan como un conflicto emocional basado en la falta de confianza en uno mismo y en el orgullo herido.

REACCIONES DISTINTAS En el fondo siempre existe el miedo de que el otro lo abandone. Esta incertidumbre determina que el celoso desconfíe de la persona querida y empiece a controlarla. La mujer que busca restos de perfume o de lápiz labial en la ropa

¿Qué tiene la otra que yo no tenga? Para los adolescentes en búsqueda de su objeto sentimental, la experiencia de los celos es sumamente dolorosa.

ira del celoso es, sin embargo, la pareja supuestamente infiel. Los hombres celosos tienden a la violencia, mientras que las mujeres se consumen en lamentaciones y autocompasión.

En cierto sentido, los celos están incluso justificados, pues el posible peligro de perder a la pareja en favor de un competidor existe en cualquier momento. El humano es un ser social por naturaleza. Vive en grupos, cultiva

¡Hombre, no te enfades!

Algunos gritan e insultan cuando están enojados; otros se lo guardan para sí. Hay muchas maneras de exteriorizar el enojo, pero algunas perjudican silenciosamente la salud.

Quién no conoce el fastidio cotidiano: a veces nos acompaña desde la mañana y nos persigue hasta que, por la noche, descansamos nuestro abatido cuerpo. Creemos que todo el mundo se ha puesto en contra nuestra. Los desencadenantes del fastidio no suelen ser grandes catástrofes, sino una sucesión de pequeños inconvenientes.

¡AL COMBATE! El cuerpo reacciona pronto al enojo, pues los riñones emiten inmediatamente renina. Esta hormona es transformada por el hígado y los pulmones en angiotensina, una sustancia que provoca el estrechamiento de los vasos sanguíneos. El

**"¡Abajo con este gobierno de inútiles!".
Necesitamos una válvula de escape para nuestro enojo, y en ocasiones sienta bien el desahogarse a voces en público.**

corazón acelera el ritmo de latido y aumenta la tensión sanguínea. Este reflejo prepara al cuerpo para un inminente conflicto. El estrechamiento de los vasos sanguíneos tiene como objetivo reducir la pérdida de sangre en caso de herida y mejorar el suministro de oxígeno a los músculos.

Una persona enfurecida fácilmente se obceca y no atiende a razonamientos. También este hecho se debe a la elevada presión sanguínea que limita la capacidad de pensar. Visto desde la supervivencia de la raza humana, esta reacción de nuestro organismo habrá tenido su razón: quien entra de lleno en una batalla no debe pensar en las posibles consecuencias, so pena de una baja motivación, que siempre sería una desventaja desde el principio.

VÁLVULA DE ESCAPE Si bien la mayoría de los conflictos actuales ya no se resuelven con los puños sino con palabras, los procesos biológicos son los mismos. Si la ira y el enfado se acumulan, nuestra salud corre peligro. Una presión sanguínea permanentemente elevada perjudica el corazón, y continuas frustraciones pueden provocar úlceras de estómago; necesitamos oportunidades para desahogar nuestro fastidio.

Revisar las opiniones y actitudes propias contribuye igualmente a evitar el enfado y las decepciones. En la mayoría de los casos, la ira es provocada por la actitud interior frente a un suceso. Este hecho se manifiesta sobre todo en situaciones irremediables. Quien goza de buen humor apenas nota la frustración matutina, mientras que el gruñón casi revienta de ira.

¿Cómo reaccionar cuando a uno le enfurecen las personas de su entorno? Lo más sano es plantear directamente el problema desencadenante y manifestar su enfado sin agresividad. No sirve de nada, sin embargo, buscarse un chivo expiatorio y descargar contra él toda la ira. A la larga, cualquier intento de desviar el fastidio a otros está abocado al fracaso, ya que el subconsciente descubre el autoengaño.

PROCESO DE APRENDIZAJE Cuando en la discusión uno siente que se acumula la cólera, puede aprender al menos a contener sus reacciones físicas. Unos simples ejercicios de relajación nos devuelven la capacidad de razonar. Quien finalmente no puede refrenarse, puede patear el suelo o dar algunos pasos para calmar la efervescencia. Todo esto es mejor que ocultar los sentimientos y acumular el fastidio en el interior. Esta frecuente táctica es uno de los comportamientos más perjudiciales: además, no comporta ninguna solución. Según los científicos, se ha demostrado que cuando una persona está sometida a una fuerte tensión emocional y no exterioriza sus sentimientos, el cerebro reduce la capacidad del sistema inmunitario para combatir las enfermedades. Además, conviene saber que en la mayoría de los conflictos se puede lograr un compromiso aceptable para todos.

En el abismo del alma

Cuando una depresión sumerge el espíritu en un mar de tinieblas, la persona afectada se precipita en una sima. La caída está acompañada de trastornos orgánicos, pero la clave de la curación radica a la vez en la mente y en el cuerpo.

Toda persona vive alguna vez una hora de desesperación, la sensación de hallarse en una situación sin salida que paraliza y quita el sueño. Mientras haya una razón concreta para este estado anímico, por ejemplo, una discusión violenta con alguien, es una reacción normal de nuestro espíritu. El abatimiento cesará al cabo de cierto tiempo. Un bajón anímico de vez en cuando es incluso útil, pues así aprendemos a superar cada vez mejor las crisis que la vida nos depara. Las personas que se aíslan durante un tiempo de su entorno para superar mental-

La depresión tiene muchas facetas: suele empezar de manera poco llamativa, con dolor de cabeza al que se unen inapetencia y trastornos del sueño, para desembocar finalmente en fases de abatimiento.

mente sus problemas anímicos suelen experimentar un gran impulso creativo que se deriva de los nuevos nexos transversales que se establecen en su cerebro.

Cuando la depresión se convierte en algo profundo y duradero o cuando surge sin causa aparente, es una verdadera tortura para el afectado. El abatimiento anula en sus víctimas la capacidad para actuar: se sienten cautivas, vacías y quemadas, literalmente acabadas. Algunas personas ya no pueden liberarse del violento atenazamiento de su alma y llegan al suicidio. Mientras que las mujeres están más predispuestas que los hombres a la depresión, éstos recurren con más frecuencia al suicidio. Los varones están aparentemente menos inclinados a tomar en serio los indicios que advierten de una depresión.

CAOS HORMONAL En su forma más violenta, la depresión es una enfermedad grave. Las causas pueden ser fuertes presiones psicológicas o una predisposición genética en la estructura bioquímica del organismo.

Primero se manifiestan humores negativos: la persona está triste y melancólica. Estas sensaciones se generan en el sistema límbico del cerebro y hacen que la hipófisis y el hipotálamo produzcan determinadas hormonas, entre ellas el cortisol, que aparece con los sentimientos negativos y en realidad es un antiinflamatorio corporal. Pero, al fin y al cabo, las intensas alteraciones del equilibrio hormonal casi siempre tienen repercusiones perjudiciales en el sistema inmunológico.

Las vías nerviosas también sufren con la depresión. Por ejemplo, la hormona transportadora noradrenalina, que transmite los impulsos de una célula nerviosa a otra, deja de producirse en cantidad suficiente. La falta de noradrenalina reduce sensiblemente la actividad en todos los campos: desánimo, apatía, inapetencia e indiferencia frente al entorno son los resultados. La musculatura se distiende; otras consecuencias previsibles son dolor de cabeza, alteraciones visuales y mareos.

Entre las sustancias portadoras que se producen en menor cantidad figura también la acetilcolina. La falta de esta hormona ocasiona trastornos del sueño, pues se altera la secuencia de sus fases. El depresivo se despierta en medio de la noche y ya no puede conciliar el sueño. Se queda meditando en la cama, y carece de energía para levantarse y hacer otra cosa por la falta simultánea de noradrenalina.

POSIBILIDADES DE CURACIÓN La psicología intenta descubrir el desarrollo y las causas psíquicas de la depresión. A muchos pacientes les ayuda el confiar las penas de su alma a otra persona. También existen medicamentos para restablecer el equilibrio hormonal, lo que contribuye al proceso curativo.

LAS DEPRESIONES Y SU TRATAMIENTO

- Los médicos hablan de depresión cuando un trastorno anímico se prolonga durante más de dos semanas y se repite con breves interrupciones.

- Se consideran causas de la depresión factores hereditarios, estrés en la vida privada o cotidiana, fracaso permanente, la falta de vínculos y el aislamiento de la naturaleza.

- El tratamiento resulta difícil, sobre todo al principio, cuando se subestima la depresión o no se diagnostica como tal.

- En casos graves hay que recurrir a un médico especialista o a un psiquiatra para instaurar un tratamiento medicamentoso o psicoterapéutico.

- La llamada terapia del comportamiento intenta identificar y modificar las características personales inductoras de la depresión, como la timidez y la falta de confianza en uno mismo.

- Los pacientes con depresiones graves ingresan en clínicas especiales, donde son tratados con terapias de luz, privación del sueño en la madrugada y, en casos aislados, con electrochoques suaves.

- Los medicamentos antidepresivos se deben administrar exclusivamente por prescripción médica.

- La medicina naturista atribuye a los extractos de melisa e hipérico efectos antidepresivos.

Velos de luto sobre el alma

La dolorosa sensación que causa la muerte de un ser querido resulta insoportable. Sólo quien supera todas las fases del luto acaba recobrando la paz interior.

Cuando un ser querido muere, sus familiares pierden a menudo durante algún tiempo el contacto inmediato con la realidad. Suelen permanecer impávidos ante las condolencias de los demás, y las gestiones que conlleva la preparación del sepelio les parecen repugnantes por su frialdad. El presente y el futuro pierden importancia; los afectados se abstraen en los recuerdos, en el pasado. La muerte de una persona con la que se estaba estrechamente relacionado provoca una reacción depresiva: una extraña insensibilidad se apodera de alma y cuerpo. Nace de un choque sentimental y sirve de autoprotección. Sólo cuando la consciencia está preparada para poder asimilar la magnitud del suceso irrumpen las emociones reprimidas y fluyen las lágrimas.

La reacción de choque es el principio de un proceso natural que los psicólogos denominan "proceso de duelo". Este proceso es necesario para poder superar la depresión. Tras las lágrimas, que a menudo representan la primera manifestación de los sentimientos, afloran las emociones negativas,

Meditación, lágrimas y sufrimiento, pero también buenos recuerdos: el último adiós a un ser querido va acompañado de sensaciones contradictorias.

como el sentido de culpabilidad o la rabia contra los médicos. La impresión de abandono se ve reforzada por el incipiente miedo a la soledad del mañana. Se siente la propia impotencia, la irrevocabilidad del destino. Pero se manifiestan también emociones positivas, como el recuerdo grato de las horas felices compartidas. Paulatinamente, el dolor cede en intensidad, mientras los pensamientos siguen girando en torno al difunto. Si su influencia fue decisiva para el desarrollo personal propio, a menudo se asume parcialmente su planteamiento de vida. En cierto sentido, el espíritu del muerto sigue viviendo en el superviviente. Sólo entonces éste podrá aceptar la muerte como definitiva.

REPRIMIR ES PERJUDICIAL Para la salud mental es importante que los sentimientos y las emociones se exterioricen, incluso si el luto dura mucho. Si se reprimen férreamente o se disimula el dolor, se puede generar una depresión duradera. También el intento de forzar el olvido con psicofármacos y alcohol está abocado al fracaso: aunque puede aliviar momentáneamente la pena, ésta suele rebrotar posteriormente con más virulencia. La mejor ayuda es el apoyo de los amigos. Cuando el afligido puede comunicar su dolor a sus amigos está dando un gran paso hacia la curación: está superando la crisis anímica y recobrando la habitual alegría de vivir. Sin que eso signifique, naturalmente, olvidar al ser querido que nos dejó.

Lágrimas de alegría y dolor

Cuando las emociones se desbordan, suelen fluir las lágrimas. Son la expresión de suma alegría o una llamada de socorro. En cualquier caso, el llanto purifica el alma.

Da igual si uno solloza de dolor, rabia, desesperación o felicidad. Reacciona a situaciones en las que siente su impotencia. No importa si el acontecimiento que le inunda los ojos de lágrimas es realidad o

ficción. Se puede llorar tanto en un entierro como ante una película sentimental cuyo argumento es pura ficción. El umbral de estimulación varía de persona a persona. Algunos no lloran jamás y otros aprovechan

cualquier ocasión para dejar correr libremente las lágrimas.

Cuando una persona llora hay detrás fuertes emociones que se generan en el sistema límbico del cerebro. Las emociones determinan que se transmitan impulsos a través del sistema nervioso vegetativo hasta las glándulas lagrimales, donde producen un aumento del lagrimeo. En principio, las lágrimas lavan sólo los ojos, pero su acción purificadora sobre nuestro ánimo está fuera de cualquier duda. El llanto nos ayuda a sobrellevar mejor horas difíciles. Y en momentos de especial felicidad nos sirve de válvula de escape de nuestros sentimientos.

SEÑAL DE DESESPERACIÓN Los que más lloran son los bebés y los niños pequeños. Para que corran sus lágrimas no hace falta un motivo. Se asustan, se caen o simplemente deben acostarse y prorrumpen en sollozos estremecedores. Si se les consuela y distrae, las lágrimas se agotan pronto. Pero si no se elimina la causa de la desesperación, su llanto puede prolongarse durante horas. Finalmente se duermen de puro agotamiento, y el sueño es la salvación que les hace olvidar el terrible suceso. El llanto es su única posibilidad de encarar situaciones que les superan emocionalmente.

¿POR QUÉ LOS HOMBRES LLORAN POCO? Cuando los niños se convierten en púberes, los caminos de muchachos y muchachas se separan también en la cuestión del llanto. En el cuerpo femenino aumenta sensiblemente el nivel de una hormona llamada prolactina. Esta hormona no sólo regula la producción de leche en las glándulas mamarias sino que influye también en la predisposición a llorar por motivos emocionales. El nivel de prolactina en la sangre de mujeres adultas supera el de los hombres en un 60%, por lo cual lloran más a menudo.

Y eso que a los hombres les beneficiaría mucho llorar de vez en cuando. El llanto es relajante y contribuye a deshacer contracturas anímicas. No obstante, para muchos hombres es difícil llorar. La culpa no es tanto la falta de hormonas como los estereotipos del macho duro que no debe llorar. Pero uno se hace un flaco favor reprimiendo sus emociones. A la larga, las lágrimas no derramadas pueden ocasionar una acumulación de cargas emocionales y trastornos psíquicos.

El escenario clásico donde se manifiesta esta diferencia entre hombre y mujer es la

Palabras de consuelo de la compañera de trabajo. Las mujeres son más propicias al llanto que los hombres, y a veces derraman lágrimas incluso en la vida profesional.

discusión matrimonial, que acaba cuando ella comienza a llorar y él se va. Sus lágrimas no representan sólo una camuflada llamada de socorro, sino también una señal de abandono y renuncia, pues quien llora no quiere seguir discutiendo, sino que se somete a la merced del vencedor. Si el hombre reconoce la señal y abraza y consuela a su mujer, la riña se habrá terminado.

FUNCIÓN SOCIAL El gesto del llanto es universal y lo entienden todos los humanos. Sin embargo, hay factores culturales que determinan la medida en la que se dejan fluir libremente las lágrimas de felicidad, de ira o de dolor. Al contrario de lo que acontece en los países mediterráneos donde llorar en público no causa vergüenza, en los países nórdicos el llanto es considerado una cuestión íntima. Allí, a muchas personas les resultaría bochornoso que se las viera en la calle llorando y más aún ser consoladas por un transeúnte desconocido.

Tanto los hombres como las mujeres se sienten mejor después de llorar en momentos de congoja y de dolor. Pero se trata de una reacción fuertemente influida por normas culturales. En algunas partes del mundo no está mal visto que los hombres lloren; en otras, en cambio, se considera un signo de debilidad.

La capacidad humana de expresar sus sentimientos más profundos mediante lágrimas une a las personas. El llanto incluso se contagia cuando hay varias personas afectadas por el mismo golpe del destino. Así, las lágrimas son también consuelo: quien llora de dolor o de desesperación y descubre que al otro también se le humedecen los ojos, siente un lazo interior que le alivia la pena.

Alcanzar el séptimo cielo

Los recién enamorados pueden intercambiar caricias durante días y noches sin cansarse. La responsable de esa embriaguez del amor es una tormenta de hormonas.

Todos hemos soñado con el famoso flechazo, el choque repentino con el amor de nuestra vida. Y no es nada fácil robar a nadie el corazón, ya que la simple simpatía no es suficiente. Sólo cuando dos personas experimentan fuertes sentimientos y están dispuestas a entablar una relación se produce ese estallido del amor. Entonces se inician fuertes reacciones físicas. Al principio, cuando el enamorado aún no está seguro de si su amor es correspondido, dominan los vaivenes de las emociones. Le invade el temor y a la vez el incontenible anhelo de ternura, caricias e intimidad. El cuerpo reacciona como si estuviera en estrés, con un aumento de la producción de adrenalina y noradrenalina en las glándulas suprarrenales. Las hormonas provocan cierta confusión: el enamorado se sonroja, sus pupilas se ensanchan, su tensión sube, empieza a sudar y tirita de excitación. Es como si el cuerpo considerara que el ser adorado es un peligro. En efecto, existe el peligro de ser rechazado: aunque obtener calabazas no conlleva riesgos

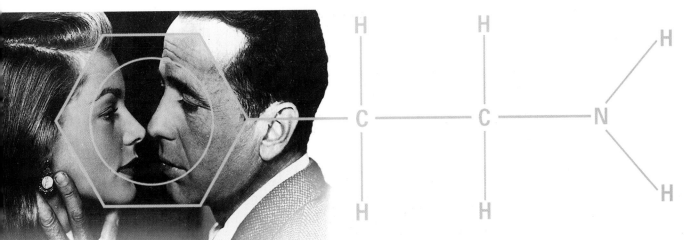

Los enamorados que flotan en el séptimo cielo ignoran que una hormona es la responsable biológica de sus sentimientos.

físicos, puede provocar profundas heridas en el alma.

Si el objeto de nuestro amor corresponde al afecto, se produce una escalada de las reacciones biológicas y el aturdimiento temeroso cede paso a la embriaguez amorosa. En el cerebro del enamorado se generan hormonas que actúan como estupefacientes naturales: feniletilamina, dopamina y otras sustancias intensifican la transmisión de los impulsos nerviosos. La elevada producción de hormonas desencadena una euforia en el enamorado. Sus necesidades de sueño se reducen y, sumido en la felicidad, ve el mundo de color rosa. Para estas personas no

hay regalo mejor que ver correspondido su amor con el mismo ardor. Es tanta su felicidad que quisieran abrazar no sólo al desencadenante de su cariño sino a todo el mundo.

MORIR DE AÑORANZA Si dos enamorados se deben separar por un tiempo, lo insoportable de la situación se torna incontenible. Los adolescentes en especial creen que van a morir de añoranza, por lo que se advierte a los padres: quien separa a los jóvenes enamorados no hace sino echar más

leña al fuego. Es más inteligente esperar: la pasión más inmortal puede desvanecerse al cabo de pocas semanas.

El enamoramiento no conoce edad: afecta tanto a los adolescentes como a personas ya entradas en años. También la otra cara del amor afecta tanto a mozos como viejos: la tormenta emocional acaba amainando. Dura como máximo cuatro años y después las hormonas vuelven a sus cauces. Menos mal que la naturaleza nos depara un sustituto: cuando dos personas se compenetran muy bien, el enamoramiento puede convertirse en otro profundo sentimiento: el verdadero amor que suele durar toda una vida.

Un baño de muchedumbre

En el estadio, en un concierto de rock o en un discurso político, rodeado de gente con igual espíritu e intereses, el individuo es proclive a dejarse arrebatar por el entusiasmo.

Éxtasis: algunos lo encuentran en el ambiente festivo de la verbena de su pueblo; otros en el infierno de un combate de boxeo y, los terceros, en el alborozo del Carnaval. Estos acontecimientos se caracterizan por la asistencia de masas de gentes jubilosas, que se suelen mover con ritmos preestablecidos y al son de una música excitante, con lo cual adquieren un carácter casi religioso. Nuestros remotos antepasados se contorsionaban en la llamada de las hogueras al son de cantos monótonos y de tambores retumbantes, hasta que entraban en trance. El éxtasis nos hace

olvidar el mundo a nuestro alrededor. **BORRACHERA SIN RESACA** El éxtasis representa una sensación sumamente agradable, durante la cual uno cree flotar. Cuando la embriaguez sensual del encanto amaina, no acabamos con resaca, sino que nos sentimos realizados y liberados. Las tensiones interiores que tantas veces nos amargan la vida han desaparecido de repente. El éxtasis es contagioso y más fácil de lograr en medio de la masa que encerrados en casa. Por eso, los jóvenes prefieren ir a la discoteca que bailar al son del equipo de música en el salón de su casa. Y es que todos necesitamos de vez en

cuando una de estas ebulliciones de los sentidos.

La exaltación embriagadora es una de las principales técnicas para purificar el alma, y no puede extrañar que tantas actividades de ocio se basen en ella. Por otro lado, hay personas que nunca echan una cana al aire. No buscan distracción ni en la discoteca ni en la fiesta de su barrio y, no obstante, parecen estar equilibradas. Viven sus éxtasis en secreto, en el reino de sus sueños. Viajes de aventuras por los campos elíseos de la fantasía satisfacen sus necesidades de exaltación y fascinación. El efecto de estos ensueños puede ser el mismo que el causado por bailar con frenesí.

EL CEREBRO RECARGA LAS PILAS Este estado de exaltación se deriva de unas sustancias producidas en el cerebro, sobre todo endorfinas, que ayudan a olvidar por un tiempo las preocupaciones cotidianas. En estos intervalos se relajan tanto los músculos como la mente. Si uno tiene la cabeza libre,

El entusiasmo de las grandes muchedumbres embriaga. El cerebro produce endorfinas que actúan como excitantes naturales.

está más sereno y fuerte. Los yoguis, por ejemplo, renuevan sus energías mentales entrando en trance por un esfuerzo de voluntad. Pero durante cualquier tipo de euforia, incluso cuando no alcanzamos el éxtasis, vivimos algo de exaltación. Una persona que ejerce su trabajo diario alegre y gustosamente suele cumplir sus tareas a satisfacción de todos y disfruta con su actividad. Su actitud optimista es producto de los procesos químicos que tienen lugar en su cerebro.

CON ENTUSIASMO HACIA LA PERDICIÓN
Por desgracia, la búsqueda de la exaltación colectiva puede entrañar también riesgos. Una persona rodeada de una multitud jubilosa que se deja contagiar por su frenesí eufórico es muy proclive a dejarse manipular. De esta debilidad se aprovechan tanto los especialistas en publicidad como las sectas o los demagogos políticos. A los seductores les ayuda conocer la psicología de masas. El individuo suele tender a subordinarse a la voluntad de la mayoría. Para evitar el abuso de la alegría desbordante para fines erróneos hay que dirigirla conscientemente por los cauces más apropiados y positivos.

Un bajón sin causas aparentes

Hay días en los que el mal humor nos tiene atrapados en sus garras. Cuando nos levantamos con el pie izquierdo, no nos sentimos bien hasta desahogarnos con alguien.

Una persona malhumorada no es capaz de alegrarse de nada. Suele estropear el día a los demás, e incluso cuando le ha correspondido una gran herencia se queja de los elevados impuestos que deberá pagar. Afortunadamente, hay pocos gruñones de este calibre. Pero hasta al más alegre se le cruzan los cables de vez en cuando; repentinamente se torna de mal humor. Éste se genera en el sistema límbico, ese espacio entre cerebro y diencéfalo donde residen los sentimientos.

MENSAJES AL ORGANISMO A través de las vías nerviosas se transmite el mensaje a numerosas glándulas del cuerpo. Cuando estamos abatidos y desganados se alteran la concentración y el equilibrio de las hormonas en la sangre. Sube el nivel de cortisol y melatonina mientras que la producción de

serotonina y noradrenalina se ve reducida. Esto reprime las actividades del individuo, con el consiguiente cansancio y falta de concentración, y el humor tiende a bajar a cero. Las mujeres sufren grandes alteraciones hormonales en los días previos a la regla. Se provoca una irritación inexplicable y repentina que a veces resulta difícil controlar a pesar de la autodisciplina y la costumbre.

Pero, por regla general, el ser humano no es un esclavo de sus hormonas. Quien no se rinde al mal humor superará pronto el bajón anímico. El cuerpo reacciona a los impulsos nerviosos producidos en el cerebro, y por tanto se deja influir tanto por pensamientos agradables como desagradables. Si se piensa de manera positiva, el equilibrio hormonal se restablece.

CONSEJOS CONTRA EL MAL HUMOR

- El primer mandato es calma y sosiego. A quien está contento, los pequeños contratiempos no le desquician tan fácilmente.

- La sonrisa permanente es un buen remedio, y, además, es gratis.

- Se puede desarrollar un cierto sentido para detectar los indicios del mal humor a tiempo. Quien lo detecta lo puede engañar.

- El buen humor se contagia, y, por consiguiente, hay que dirigirse a los gruñones con alegría.

- Quien cree ser un cenizo tiene auténtico gafe. El pensar positivamente refuerza la confianza en uno mismo.

El don de tomarse la vida con optimismo

Las personas con sentido del humor pueden reírse pues ven siempre algo positivo, incluso en los lados oscuros de la vida. La verdadera serenidad es señal de madurez personal.

"Sólo sé que no sé nada". Esta sentencia del pensador griego Sócrates encierra no sólo una gran verdad filosófica, sino también bastante sentido del humor. Quien es capaz de bromear sobre sí mismo ha ganado la suficiente perspectiva para poder reírse de sus propias deficiencias. El verdadero humor tiene una dimensión filosófica. Sin embargo, los contemporáneos de Sócrates no tuvieron comprensión alguna para la perspectiva humorística, en especial la del gran pensador, y lo acusaron de herejía y corrupción. La falta de tolerancia de los demás, que suele llevar aparejada la ausencia de sentido del humor, le costó la vida.

¿Qué distingue a una persona con sentido del humor? Gracias a su vivacidad de espíritu capta instintivamente las situaciones cómicas. Su inteligencia le ayuda a detectar las cómicas contradicciones entre el ideal y la realidad. Y tiene el valor de pronunciarse aguda y acertadamente.

SE ENCUENTRAN UN RUSO Y UN ALEMÁN... Si bien últimamente la idea de qué es gracioso y qué no lo es parecen igualarse, en todo el mundo siguen existiendo acusadas diferencias nacionales y regionales. De qué nos reímos depende de nuestro trasfondo cultural, político y social. Por esta razón, hay chistes que no se dejan traducir a otros idiomas sin perder su gracia, y los pueblos se suelen reír de la supuesta ignorancia y estupidez de otros pueblos o regiones, sean belgas, norteamericanos, rusos o los habitantes de Lepe. Por la misma razón se hacen chistes sobre determinados grupos de población, como los médicos, los conductores de determinados coches, los vagabundos o las mujeres rubias.

SENTIDO PARA LO PARADÓJICO En el verdadero humor siempre hay algo de creatividad. Por lo general, las personas que

El humor revela las pequeñas deficiencias con ironía y sátira cariñosas. Muestra a la gente su verdadera imagen, sin desenmascararla del todo.

piensan con una lógica severa no pueden reírse de las cosas absurdas. Esto hace creer a los investigadores que el humor reside en la parte derecha de la corteza cerebral, donde están localizadas las funciones creativas. Por otra parte, parece que el sentido del humor no es innato, sino que más bien se encauza a muy corta edad: cuanto más alegre y feliz sea la infancia, más acentuado será el sentido del humor en la vida adulta.

PROCESO DE MADURACIÓN Con el avance de la edad y de la madurez mental evoluciona también el humor. Personas en diferentes estados de desarrollo no suelen reírse de las mismas cosas, y las mentes simples exhiben también un humor poco sutil. Los niños, por ejemplo, no suelen reconocer la comicidad oculta en libros y películas. Las personas maduras no ven el mundo con tanta ingenuidad, pues son conscientes del sufrimiento, del dolor y de la maldad, aunque no se desanimen por ello. El humor es la señal de su optimismo.

El humor negro es el último bastión al que se retiran las personas cuando no quieren aceptar un golpe irremediable del destino. El director de cine americano Billy Wilder escribió justo antes de someterse a una intervención de intestino una nota a los médicos que le iban a operar: "Limpiad todo bien y, por favor, cuando acabéis no os dejéis ningún cacharro dentro".

CONSUELO PARA EL ALMA Por regla general, sin embargo, se puede decir que las personas con sentido del humor no se doblegan tan fácilmente ante los imponderables y sobrellevan mejor las turbulencias de la vida. Su humor les sirve de consuelo a sí mismos y a su entorno, pues la gente con verdadero sentido del humor disfruta riéndose de sí misma y de otros, pero jamás para burlarse fríamente, sino con ternura y compasión.

El poder de los colores

Los colores viven. Tienen manos y dedos invisibles que se prolongan hacia el individuo para agarrarlo, sujetarlo y envolverlo de manera suave, estimulante, provocadora, igualadora, preocupante... Todo el mundo está pintado en colores, en miles de tonalidades que, se quiera o no, impactan en las personas, sea el rico e infinitamente matizado colorido de la naturaleza, en la cual todo tiene su sitio, sea en las señales de color que el hombre ha establecido para sí mismo, con la elección de su ropa, sus muebles, el diseño de sus lugares de trabajo, de sus ciudades. Si bien el color, desde el punto de vista físico, no es más que la radiación electromagnética de una determinada longitud de onda, el ser humano lo siente. Se deja impregnar por él, lo utiliza para expresarse, para exteriorizar su vida interior. Lo hacemos de manera inconsciente e instintiva o a través de un cálculo mental, buscando siempre un determinado efecto. Incluso hay muchas actividades profesionales que emplean los colores con una clara intención: para adornar, vender, curar, concentrar o relajar.

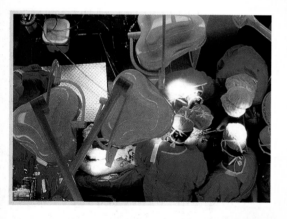

El color contribuye a crear un determinado ambiente de trabajo, lo que puede cobrar una importancia vital. En esta sala de operaciones (izda.) la suave luz azulada concentra las energías y la atención del equipo médico en su delicada tarea, suscitando concentración, calma y nitidez.

No es casual que exista el concepto de colores alegres. Con tonos brillantes y vivos podemos manifestar y reforzar una alegría desenfrenada (foto grande). Mientras que aquí los colores se eligieron con la intención de resaltar, hay otros que hacen desaparecer a quien los luce (izda.). Para estos soldados reviste importancia decisiva el camuflarse, fundirse en el entorno y volverse así invisibles.

Después de un maratón, el corredor disfruta la alegría de haber resistido y la llamada euforia del maratoniano.

El duro camino hacia el éxtasis

Muchas modalidades deportivas de fondo causan en el cuerpo del atleta una sensación embriagadora cuando se sobrepasa el "punto límite" ¿Qué sucede en realidad?

Muchos deportes de resistencia exigen apurar el rendimiento corporal hasta sus últimos límites, como el maratón o la natación y el ciclismo de fondo. En estos casos, el organismo deber rendir varias veces más de lo que se le pide en circunstancias normales. Los pulmones absorben todo el oxígeno que pueden y emiten dióxido de carbono. El corazón bombea la sangre enriquecida en oxígeno en mayor volumen y velocidad hacia los lugares de consumo: los músculos donde se liberan grandes cantidades de energía. El cuerpo funciona como un motor a todo gas.

Pero llega el momento en que el atleta ha alcanzado sus límites de rendimiento. Si entonces siguiera avanzando sería sólo gracias a su fuerza de voluntad. El cuerpo advierte con señales de dolor que se debe parar. Si no se detiene y se sigue corriendo, nadando, pedaleando o lo que sea, el subconsciente deduce que se debe de tratar de una cuestión de vida o muerte. Como la fuerza de voluntad disminuiría si los impulsos de dolor aumentasen, se interrumpe entonces la transmisión de éstos últimos hacia el cerebro. Este efecto se debe a unas hormonas, las endorfinas, que se producen en casos de emergencia. Puesto que se generan por glándulas directamente localizadas en el cerebro y en las terminaciones de las células nerviosas, pueden actuar de inmediato.

El sistema límbico, donde se generan nuestros sentimientos, se ve afectado también por las hormonas analgésicas. Eliminan el cansancio y generan una sensación eufórica que se suele denominar la euforia del maratoniano. El bloqueo del dolor y la euforia aumentan las posibilidades de supervivencia en situaciones extremas, puesto que se movilizan las últimas reservas.

UN JUEGO ARRIESGADO Algunos deportistas literalmente buscan esta sensación eufórica que provoca la producción de endorfinas en caso de esfuerzos extremos. De esta manera, se exponen a peligros: si los límites de rendimiento se superan, aumenta el riesgo de un repentino fallo cardíaco y circulatorio, de lesiones y de perjuicios a la salud a largo o medio plazo.

Cuando el corredor ha llegado al límite, el cuerpo envía señales de dolor y de agotamiento que se transmiten a través de la médula y del tronco cerebral hasta el cerebro. Si el atleta las ignora, el cerebro empieza a producir endorfinas que bloquean los impulsos de dolor.

El sistema límbico (verde) es responsable del procesamiento de los impulsos de dolor. Si las endorfinas eliminan los estímulos negativos, se genera aquí una sensación eufórica.

A pesar del agotamiento, el cerebro recibe desde el sistema límbico impulsos que le invitan a seguir corriendo. Hasta hoy no se ha podido esclarecer por qué vías se transmiten estos impulsos.

Así influye la endorfina (a la izda., observada con el microscopio de polarización) en los procesos que se desencadenan en el cerebro durante esfuerzos de larga duración.

Nuestro espíritu necesita luz

En los meses invernales, las horas de luz escasean. Hay personan que sufren depresiones; sin embargo, se les puede ayudar con un remedio bastante simple.

Durante los meses de invierno, algunas personas acusan una marcada sensación de cansancio, abatimiento y pesimismo. La luz artificial nos brinda una cantidad de luz sensiblemente inferior a la de un día soleado al aire libre. Aparentemente, la falta de luz fomenta el malestar y refuerza las tendencias depresivas. En estos casos se habla de una depresión condicionada por la estación del año.

Nuestro equilibrio hormonal se encuentra bajo la influencia de la luz de nuestro entorno. Esta luz estimula la producción de la hormona serotonina que repercute de manera positiva en el estado anímico y en las sensaciones. Algunas personas posiblemente no producen una cantidad suficiente de esta sustancia y se les genera una especie de abatimiento. Los científicos han descubierto que muchas personas en fases depresivas presentan una escasez de serotonina en el cerebro.

A las personas que sufren depresiones invernales se les puede ayudar exponiéndolas a auténticas duchas de luz. Para ello pasan cada día de una a dos horas delante de una batería de tubos fluorescentes, recibiendo de esta manera las mismas dosis de luminosidad que en una soleada mañana primaveral.

Buenos resultados con un remedio simple: a las personas que sufren depresiones invernales se les aumenta su exposición a la luz mediante tubos fluorescentes.

¿Condenado a la inquietud?

A los niños que no se calman nunca y son incapaces de concentrarse más allá de unos minutos se les llama hiperactivos. ¿Qué les impulsa a la inquietud?

Hay niños que no pueden permanecer quietos, ni sentados ni de pie. Son revoltosos, desasosegados y se distraen con nada. En el colegio sólo pueden concentrarse durante escasos momentos en una cosa, y perturban las clases, canturreando o levantándose de golpe y deambulando por el aula. Algunos necesitan también menos sueño que sus coetáneos. Estos niños, popularmente llamados azogues o zarandillos, no pueden controlar su comportamiento a pesar de las continuas llamadas de atención. Presentan hiperactividad, un trastorno bastante frecuente. Aproximadamente el 80% de los afectados son varones.

Hasta la fecha no se ha podido esclarecer del todo si la hiperactividad es en primer lugar un trastorno funcional del organismo o si las causas residen en problemas psíquicos. La tendencia a la hiperexcitabilidad es probablemente hereditaria. Así se puede crear un círculo vicioso, puesto que una actitud impaciente e irascible por parte de los padres puede literalmente provocar comportamientos hiperactivos en el niño: éste se siente no querido e incomprendido, e inconscientemente reacciona con más inquietud y desasosiego.

¿CULPA DE LAS HORMONAS? Es posible que los niños hiperactivos tengan trastornada o desequilibrada la producción en el cerebro de determinadas hormonas que actúan como calmantes orgánicos y reducen la excitabilidad. Si la concentración de estas hormonas en la sangre es inferior a la normal, el cuerpo reacciona con inquietud y nerviosismo. Particularmente graves para los niños hiperactivos son las situaciones de estrés, ya que en ellas el organismo produce hormonas que refuerzan más la inquietud.

La movilidad de los niños hiperactivos puede evidenciarse fotográficamente colocándoles lámparas en la cabeza y las extremidades.

TRATAMIENTO EQUIVOCADO Algunos padres de hijos hiperactivos les administran calmantes con la esperanza de poder así ayudarles. Pero los extractos de plantas que en personas sanas actúan como calmantes, como por ejemplo la valeriana, en otras, a menudo, no surten efecto alguno. En determinadas circunstancias pueden incluso reforzar la hiperactividad. En sentido inverso, y eso parece realmente paradójico, las sustancias excitantes como las anfetaminas pueden tener un efecto calmante sobre niños hiperactivos. Si se toman regularmente, puede que el niño vuelva pronto a la normalidad. Pero en cuanto dejan de tomarlas, recae en su inquietud anterior. No obstante, estos medicamentos se deben administrar sólo excepcionalmente y en casos muy graves, puesto que tienen unos efectos secundarios desastrosos. Perjudican la maduración del cerebro y afectan al hígado y a los riñones.

Los científicos han investigado en las dos últimas décadas si existe un nexo causal entre hiperactividad y alimentación. Si bien una dieta que ocasionalmente se aconseja, pobre en fósforo, sin aromáticos, colorantes ni conservantes, no puede perjudicar al niño, no está reconocida a nivel científico como terapia. También se sobrevaloran otras dietas cuya composición varía según los casos. Lo que sí está fuera de toda duda es que la alimentación influye en la regulación de nuestro equilibrio hormonal y, por tanto, en nuestra psique. Hasta que no se conozcan bien las causas concretas de la hiperactividad, no será posible establecer una dieta que haga realmente desaparecer este trastorno.

AYUDA A LA AUTOAYUDA Un tratamiento psicológico, la terapia de comportamiento, presenta buenas expectativas de éxito. No se castiga al niño por su falta de concentración para evitarle la consiguiente situación de estrés, sino que se fomentan y se premian sus buenos resultados. No se debe presionar al niño, sino intentar, sin forzar y de manera natural, como jugando, que detecte lo inadecuado de su comportamiento y que a partir de ese momento ejerza más autodisciplina. Eso no elimina por supuesto las causas orgánicas del trastorno, pero los niños aprenden a hacer frente a sus problemas mucho mejor.

Existen colegios especiales en algunas ciudades que registran éxitos con planes docentes especialmente diseñados y enfocados a las necesidades de los niños hiperactivos. Después de los cuatro primeros años de este tipo de enseñanza, la mayoría de los alumnos pueden pasar a colegios normales. Ante estos resultados, se tiende en nuestros días a abandonar del todo el tratamiento farmacológico y dar preferencia a los intentos de ayuda por medios psicológicos y pedagógicos.

La reacción al estrés: entre la autoprotección y el daño

El estrés fue desarrollado como un mecanismo de protección contra los estímulos nocivos del entorno. Un exceso de estrés, sin embargo, puede perjudicar la salud.

¿Qué tienen en común un automovilista con mucha prisa por llegar a tiempo a una importante reunión de negocios, atrapado en un gigantesco embotellamiento en la autopista, y el hombre prehistórico que tenía que defenderse con una maza frente a un oso? Ambos se encuentran en una situación de estrés. Pero hay una diferencia fundamental: el hombre prehistórico tenía que movilizar todas sus reservas físicas para defenderse y asestar al atacante el mazazo decisivo. El automovilista, sin embargo, no tiene oportunidad alguna de liberar la energía acumulada, sino que debe calmarse a sí mismo y esperar a que amaine su agresividad.

En ambos casos, el organismo de los afectados ejecuta un programa que originalmente estaba diseñado como autoprotección del cuerpo frente a estímulos peligrosos del entorno. El mecanismo del estrés es un salvavidas de remota procedencia evolutiva y con control bioquímico. Aún hoy cumple esta función en situaciones de peligro. El mecanismo se desencadena siempre que la persona se percata de algo que su cerebro clasifica como potencialmente peligroso.

REACCIÓN EN CADENA En el sistema límbico, nuestro centro emocional localizado en el diencéfalo, se desencadena una cascada de impulsos eléctricos como reacción a las informaciones procedentes de los estímulos exteriores. Los impulsos detectan un inminente peligro y transmiten esta información en milésimas de segundo al hipotálamo. Allí se genera la hormona CRH que pone en marcha una reacción en cadena. En la hipófisis se ordena que se introduzca otra hormona (ACTH) en el sistema circulatorio, la cual llega al riñón y estimula a su vez las glándulas suprarrenales para que emitan cortisol, una hormona esteroide. El cortisol cumple una serie de funciones: moviliza las reservas energéticas aumentando el nivel de azúcar en la sangre, catabolizando las proteínas y liberando ácidos grasos del tejido adiposo. Se inhiben tanto las inflamaciones como las defensas inmunológicas y se agudizan los sentidos: el oído, el olfato, el gusto y el sentido del tacto mejoran de repente.

Mientras que se ejecuta esta reacción en cadena, la hormona CRH activa a la vez los nervios simpáticos, cuyas señales ordenan que aumente el ritmo cardiaco y que se produzcan en las cápsulas suprarrenales adrenalina y la noradrenalina, las hormonas propias del estrés. Éstas alcanzan en poco tiempo todo el cuerpo y provocan la típica reacción de estrés.

Los vasos sanguíneos a flor de piel se estrechan, el riego sanguíneo de los músculos se intensifica y aumentan la tensión y el ritmo del corazón. El hígado produce más glucosa, los bronquios se ensanchan, la respiración se torna más profunda y el cerebro recibe más oxígeno: el cuerpo está en alerta máxima.

CONSCIENCIA DESVELADA El choque hormonal interrumpe momentáneamente la transmisión de los impulsos nerviosos al cerebro, causando un breve vacío mental. El pensamiento queda restringido a favor de reflejos programados. Todos los sentidos se agudizan y la percepción queda lista al máximo. La producción de hormonas

ESTRÉS

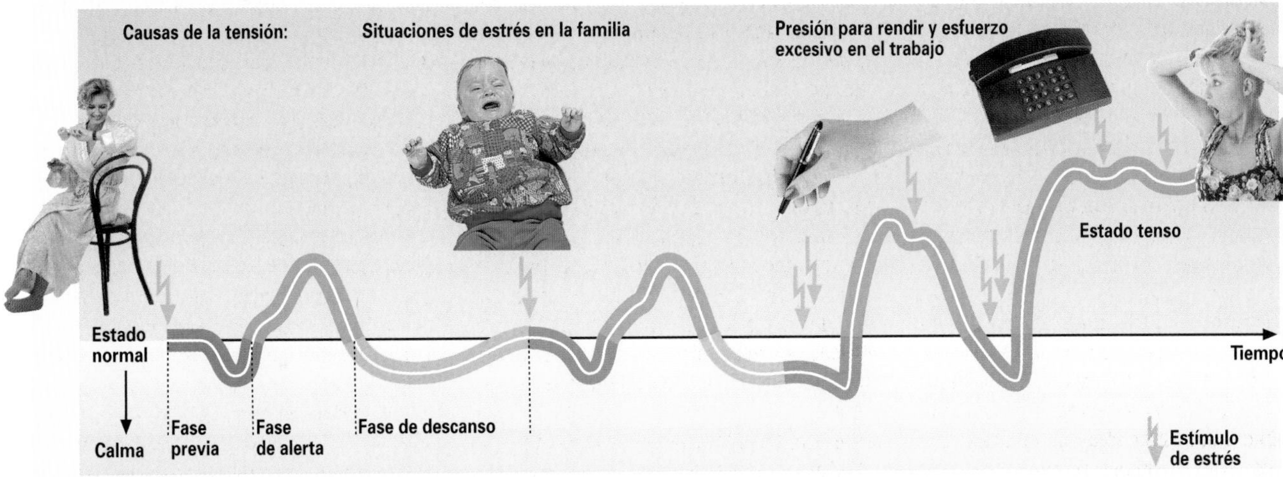

Causas de la tensión:

Situaciones de estrés en la familia

Presión para rendir y esfuerzo excesivo en el trabajo

Estado tenso

Estado normal

Tiempo

Calma

Fase previa

Fase de alerta

Fase de descanso

Estímulo de estrés

sexuales se interrumpe y los procesos de digestión se detienen, de modo que toda la energía movilizable esté a disposición de una posible huida o un posible ataque.

Estas situaciones de estrés, de producirse ocasionalmente, ejercen un efecto estimulante sobre el organismo. Las funciones físicas más importantes reciben un impulso activador y el individuo se siente motivado para actuar. Pero a la larga sería poco saludable que el cuerpo se viera obligado a reaccionar frecuentemente a situaciones de estrés, pues en cualquier momento el más mínimo percance nos aniquilaría.

En la actualidad escasean los problemas que no produzcan estrés. El estilo de vida actual, marcado por un maremágnum de estímulos, induce con frecuencia al individuo a una situación que puede desembocar en el estrés permanente. Los estímulos que llueven sin cesar sobre el organismo lo preparan para rendir al máximo, sin que realmente se aproveche este rendimiento. Si se llega una y otra vez a situaciones de estrés sin que uno pueda desahogarse físicamente, el estrés puede convertirse en un riesgo para la salud.

INFARTO DE MIOCARDIO
Las posibles consecuencias

Si los estímulos estresantes van seguidos de períodos de descanso, no existe peligro. Pero cuando no se puede descansar porque se suceden sin pausa, perjudican frecuentemente la salud.

de lo anterior son la hipertensión permanente y, en última instancia, las enfermedades de las arterias coronarias y el infarto de miocardio. Los ácidos grasos que durante el estrés se disuelven en la sangre pueden sedimentarse como colesterol en las paredes de los vasos sanguíneos y provocar una vasoconstricción, la temida arteriosclerosis. El cortisol, la hormona del estrés, debilita el sistema inmunológico a largo plazo y aumenta la propensión a las enfermedades infecciosas. El debilitamiento de las defensas corporales contra los tumores deja crecer y multiplicarse las células cancerosas antes de que el sistema inmunológico pueda intervenir. El momentáneo bloqueo mental le resultará familiar a cuantos alguna vez hayan fallado en un examen, a pesar de haberlo preparado concienzudamente. La desconexión de la función sexual y de la digestión en casos de intenso estrés conlleva impotencia temporal y enfermedades gastrointestinales

Lo peor es el efecto del estrés sobre la mente. Según la predisposición individual, los trastornos en la regulación hormonal provocan agresividad

Un máximo de concentración y, además, la presión del tiempo y del rendimiento: no sólo los controladores aéreos sufren estrés en su trabajo.

255

CÓMO HACER FRENTE AL ESTRÉS

→ **Se genera estrés**   → **Posibles estrategias de solución**

Situación: una larga cola ante una caja del supermercado poco antes de cerrar. Sólo dos de cinco cajas están abiertas.

Enfado/pensamientos negativos:
"¡Cuánto tardan! ¡Cuánto tiempo perdido! ¿Por qué no abren más cajas?".

Monologo positivo:
"Calma, hombre. En diez minutos me toca a mí".

Incipiente nerviosismo:
comparación con la otra cola; ¿dónde se avanza más?, ¿quién es el lento allí, quién paraliza la circulación, quién no tiene preparado el dinero?

Distraer la atención:
hojear una revista que hemos comprado.

Crece el enojo:
"Vaya cretino; lleva horas en la cola y ahora no encuentra el dinero suelto".

Relajación:
contemplar el lado cómico del asunto.

Irritación, prisas:
sudo, soy antipático con la cajera; movimientos nerviosos al guardar los artículos en la bolsa: se rompen los huevos.

Calma, concentración:
poner en la bolsa los huevos y el resto de la compra sin prisas y abandonar la tienda relajado.

Algunas situaciones de estrés se pueden desactivar actuando con voluntad de relajarse y fomentando pensamientos positivos. Nuestro ejemplo es la cola de un supermercado.

o depresión. Estos trastornos, que aparecen acompañados por una sensación de desamparo e impotencia, tienen también repercusiones en lo físico. Un ejemplo son los ataques de asma que presentan muchos niños. A menudo sufren de un fuerte estrés emocional porque los adultos les han forzado a un papel al que no pueden hacer frente. Eso los frena en el libre desarrollo de su personalidad y los hace vivir con el omnipresente temor de no poder responder a los deseos de sus padres.

NIÑOS CON ATAQUES DE ASMA La presión emocional busca un escape y trastorna el ritmo de la respiración natural. Puesto que también se debilitan las defensas naturales de los niños, incluso cuerpos extraños muy pequeños como el polvo o el polen de las plantas pueden desencadenar una fuerte reacción alérgica. Las mucosas se hinchan y se producen los típicos ataques de asma con disneas. Muchas veces basta una agitación mínima para iniciar la reacción de estrés y el consiguiente acceso.

En ocasiones, esta enfermedad puede curarse mediante una terapia algo inhabitual. Los médicos y psicólogos no la dirigen a los niños sino a sus padres. Se les muestra que la enfermedad de su hijo tiene causas anímicas, es decir, que los ataques de asma sólo desaparecerán si los niños no se sienten expuestos a una presión permanente. Si los padres cambian de actitud, los niños llegan con menos frecuencia a situaciones de estrés y sus conflictos interiores se desvanecen. Con menos estrés emocional disminuye también la recurrencia del asma.

ESTRÉS PROFESIONAL La vida profesional encabeza la escala de factores de estrés en personas adultas. Quienes trabajan bajo presión de tiempo, quienes no pueden realizarse en su trabajo o quienes tienen una relación tensa con sus jefes son especialmente sensibles a las situaciones de estrés. Es especialmente desagradable cuando el estresado, después de una jornada demoledora, no encuentra el merecido descanso. El solo recuerdo de las dificultades de la jornada es a veces suficiente para reproducir la situación de estrés en el organismo. El cerebro reacciona a los recuerdos negativos como si de estímulos exteriores se tratara.

Este estrés que tampoco cesa en el hogar, lejos del puesto de trabajo, puede repercutir negativamente en la funcionalidad de la glándula pineal en el cerebro, productora de la melatonina que regula la alternancia entre el sueño y la vigilia. Si la producción de esta hormona se desequilibra, el cuerpo no puede relajarse bien y cada noche se espera en vano el sueño.

Quizás son también estímulos exteriores los que impiden el sueño reparador por la noche. El ruido nocturno, por ejemplo, provoca vivas molestias. Primero, hace difícil conciliar el sueño y, más tarde, perturba la intensidad del mismo. El estrés del entorno, como el ruido, el tráfico, los gases de escape, masas de personas con prisa y las luces artificiales pueden acumular también un potencial considerable de estrés.

El estrés físico y psicológico es parte de la vida; lo que importa es la intensidad y la respuesta. Si le impide disfrutar de la vida, su cuerpo está sometido a demasiada presión.

Hecho literalmente polvo

Expectativas, ajetreo, horas extra: quien permanentemente se exige a sí mismo más de lo que puede rendir está arruinando sus fuerzas físicas y mentales. Al así estresado le amenaza el agotamiento psíquico total. Esto suele paralizar cualquier energía y desembocar en una enfermedad.

Algunos sólo encuentran reconocimiento si pueden demostrar en todo momento su capacidad para rendir. Una persona tan ambiciosa es a menudo un verdadero *estrésdependiente*: estar tenso se convierte en su estado anímico habitual y le falta tiempo para regenerarse. Cuando ha de enfrentarse con un trabajo que le supera, se siente frustrado.

PRIMERO REACCIONA LA PSIQUE El subconsciente registra la incipiente decepción, pero no la puede clasificar. El afectado se siente agotado y cansado sin poder conciliar el sueño. Se torna iracundo por naderías y reacciona apáticamente mientras que en su interior le invade un gran vacío. Disminuye tanto el apetito como el deseo sexual. El trabajo degenera en mera rutina, mientras la mente está en otro lugar; las ideas buenas e innovadoras brillan por su ausencia. Este estado figura entre los esfuerzos permanentes más insalubres: si se prolonga, puede perjudicar seriamente la salud. Una presión desagradable en el estómago es el primer indicio alarmante. El hipotálamo emite impulsos que hacen aumentar la producción de gastrina, la cual intensifica la segregación de ácido por las mucosas del estómago.

MEDIDA DE DEFENSA Originariamente, este proceso natural prevenía las intoxicaciones que se producían por la ingestión de alimentos podridos. Pero si las causas son psíquicas, como el agotamiento por trabajo excesivo, el mecanismo se vuelve en su contra, pues la producción permanente de excesivo ácido gástrico provoca una irritación de las mucosas del estómago que puede degenerar en inflamación e incluso úlceras.

Una frustración prolongada altera el equilibrio hormonal. El menor apetito sexual se puede interpretar como otra medida de defensa. Durante el estrés permanente, el cuerpo produce menos hormonas sexuales: aparentemente interpreta que las fuerzas se necesitan más en otros lugares del organismo. También la interacción entre la serotonina y la melatonina está alterada: por consiguiente, aumentan los trastornos del sueño y el cansancio. La hormona cortisol, que debilita las defensas inmunológicas, afluye en grandes cantidades a la sangre, por lo que crece la susceptibilidad a las infecciones. Finalmente, las glándulas suprarrenales generan más hormonas de estrés, lo que determina que este órgano crezca y, a la larga, degenere.

El estrés prolongado y la falta de esperanza de superarlo conduce a muchas personas, tarde o temprano, a estados de depresión. Hay múltiples indicios de que una permanente sobrecarga del organismo actúa como agente cancerígeno, si bien esta causalidad no está demostrada del todo. Lo que sí es un hecho es que muchos estresados aumentan sensiblemente su consumo de cigarrillos, y el nexo causal entre el cáncer de pulmón o de laringe está más que probado.

LO QUE CUENTA ES LA VOLUNTAD Muchas personas logran no dejarse dominar por el estrés. Cuando esta situación se produce a pesar de todo, urgen medidas serias para evitar daños psíquicos y orgánicos permanentes. Lo que importa es que el afectado reconozca su estado o encuentre la fuerza de voluntad para cambiar. La mayoría de los pacientes afectados por el llamado agotamiento psíquico total no se sienten enfermos, sino que intentan restablecer su motivación recurriendo a psicofármacos y alcohol. Este autoengaño suele empeorar su estado, y lo único que les puede ayudar es un tratamiento psicoterapéutico. Con él, el paciente recibe impulsos para cambiar su vida y disminuir las causas de la sobrecarga.

El momento en que ya nada funciona... Entre las causas sociales del agotamiento psíquico figuran el exceso de responsabilidad y la cada vez mayor presión competitiva en los países industrializados.

Cautivado por el subconsciente

Mientras dormimos, le concedemos un respiro a nuestro cuerpo, pero cuando soñamos, nuestro cerebro está en plena actividad. En el sueño, la mente viaja a un mundo imaginario.

La noche llega a su fin, el despertador suena y nos arranca de nuestros hermosos sueños. El intento de arrastrarlos a la luz del día, es decir, de recordarlos, frecuentemente está abocado al fracaso: al poco tiempo las aventuras nocturnas, por muy sugestivas que fueran, se nos han escapado. Sólo en pocas ocasiones, cuando nos conmovieron y despertaron nuestras emociones más profundas, podemos recordar fragmentos aislados de lo soñado.

¿Pero para qué sirven los sueños realmente si los olvidamos al instante o ni siquiera podemos recordar si hemos soñado algo o no? ¿Qué sucede en el cerebro cuando se sueña mientras dormimos?

Mientras dormimos, los pensamientos no pueden llegar hasta la consciencia y no se pueden controlar. Es el gran momento del subconsciente, que se ha adueñado no sólo del cuerpo sino también de la mente. Esto vale aún más para una determinada fase del sueño, la fase REM, cuando el subconsciente nos tiene totalmente bajo control. Esta fase se produce cada 90 minutos del sueño y nos sumerge en un mundo imaginario. Entonces el cerebro entra en una fase de gran actividad, lo que se manifiesta por ejemplo en que los ojos del durmiente se mueven mucho debajo de los párpados cerrados. De ahí el nombre fase REM: *Rapid Eye Movement* (movimiento rápido de los ojos).

EN LAS PROFUNDIDADES DEL ALMA Los sueños se generan probablemente en el hemisferio derecho del cerebro, donde residen los centros emocional y creativo. Por

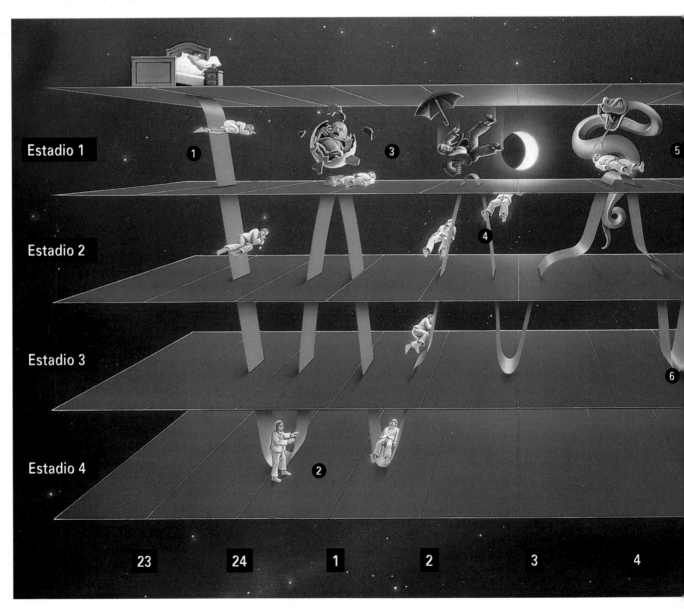

Estadio 1

Estadio 2

Estadio 3

Estadio 4

23 24 1 2 3 4

tanto, no es de extrañar que los sueños no suelan ser racionales sino más bien fantásticos, caóticos y sentimentales.

En muchas ocasiones, los sueños evocan los temores y deseos ocultos en el subconsciente. De esta manera, algunos sueños compensan deseos y necesidades, y la persona se puede reponer mejor después de choques emocionales o sucesos desagradables. Las personas de luto suelen soñar una y otra vez con el ser querido que falleció, y las personas frustradas y abatidas celebran en sueños grandes éxitos que seguramente jamás experimentarán en sus vidas. Los sueños pueden contener también advertencias y consejos, y para algunos afectados es conveniente tomar estos sueños en serio.

Salvador Dalí pintó este cuadro a partir de un sueño que tuvo poco antes de despertarse, cuando cerca de él una abeja volaba alrededor de una granada.

En el subconsciente se reviven y se reordenan muchos de los problemas que preocupan a la persona, pero también sucesos sin importancia. Una parte de los sueños recurre a los acontecimientos del día anterior. Otros se nutren de recuerdos de hace años que la consciencia ya ha olvidado y eliminado. Vuelven a escena, pero únicamente en sueños.

Normalmente, el soñador recibe impresiones visuales, reforzadas por estímulos acústicos, táctiles, aromáticos y gustativos. En sueños, uno está casi siempre en movi-

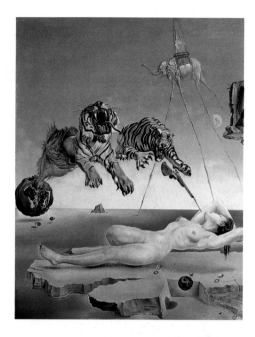

miento: va, viene, a pie, en coche, avión; flota por los aires y por doquier... Esta sensación de estar moviéndose se genera con impulsos del órgano del equilibrio, alojado en el oído, que se entremezclan con el sueño.

IMPOTENTE Para garantizar el descanso físico, la musculatura se desconecta durante el sueño. Esta paralización se refleja ocasionalmente en los contenidos del sueño: uno corre y corre y no avanza nada.

También las pesadillas, más bien escasas, marcadas por miedos existenciales, pueden producir angustias físicas: el afligido suele despertarse empapado de sudor. Una vez despierta, la persona se tranquiliza de inmediato y por lo general puede volver a conciliar el sueño. Las pesadillas suelen grabarse en la memoria del afectado y a la mañana siguiente puede recordar y reproducir perfectamente las sobrecogedoras vivencias nocturnas.

Aparentemente, el hombre tiene necesidad de soñar y es posible que los sueños contribuyan a la salud mental. ¿Por qué? Según una teoría, soñar es el mecanismo que emplea el cerebro para captar el sentido de los acontecimientos del día y desechar la información inútil. Según otra, permite a la gente expresar sus deseos prohibidos, ocultos bajo un disfraz. Sea como fuere, el viaje al país de los ensueños suele hacerse cada noche. El espíritu humano se encuentra entonces en otro mundo, cerrado a la consciencia, pero un mundo de importancia decisiva para el hombre despierto y para su mente.

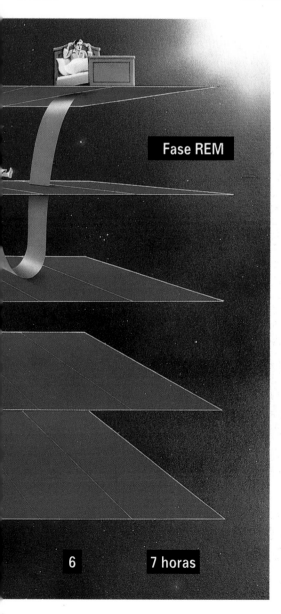

Fase REM

6   **7 horas**

❶ **Durante la fase de adormecimiento el cuerpo se relaja; se producen ligeras convulsiones musculares.**

❷ **Durante el sueño profundo es cuando el cuerpo descansa mejor y, ocasionalmente, se puede manifestar sonambulismo.**

❸ **Después del sueño profundo, se entra en la fase de soñar o fase REM. El estado del durmiente se parece al del sueño ligero.**

❹ **Cuando nos damos la vuelta en la cama solemos pasar de una fase del sueño a la siguiente.**

❺ **En las fases de soñar se pueden emitir hormonas sexuales independientemente de que se trate de fantasías de horror o eróticas.**

❻ **Cuanto más se duerme de noche, más se sueña y menos frecuentes son las fases de sueño profundo.**

Durante la noche, el sueño pasa por viarias fases. Después de adormecerse (estadio 1) llega el sueño ligero (estadio 2), el sueño profundo (estadios 3 y 4) y finalmente la fase de soñar.

Zonas prohibidas de la memoria

Quien domina el arte de reprimir recuerdos desagradables se ahorra muchos quebraderos de cabeza, pero corre el riesgo de que un día lo alcancen y lo superen.

Cuando determinados deseos, aspiraciones o hechos nos parecen más que insoportables los desterramos inadvertidamente de la consciencia hasta el inconsciente. Si bien las informaciones siguen almacenadas en la memoria, no podemos acceder a ellas. La inhibición de recuerdos puede acarrear también efectos negativos, pero en una primera instancia supone una protección para la salud mental. Para las personas que han tenido que vivir situaciones terribles es, a menudo, la única salvación posible. Los soldados que han experimentado el horror de la guerra o los prisioneros que han sido torturados y humillados sólo pueden reencontrar su paz interior si reprimen el recuerdo de sus experiencias traumáticas.

AUTOENGAÑO Cuando el individuo inconscientemente bloquea el acceso a sus recuerdos, en cierto sentido está engañándose a sí mismo. No obstante, los pensamientos reprimidos siguen estando allí y a veces reaparecen en los momentos menos esperados. Por ejemplo, si el jefe del departamento se dirige a su joven y guapa secretaria llamándola por su nombre está expresando el deseo reprimido de acercársele más de lo admisible. Quien por la mañana saluda a su vecino con "Buenas noches" manifiesta obviamente su esperanza de que el día pase en breve. A este fenómeno se le denomina "fallo freudiano", en honor del padre del psicoanálisis, quien acuñó también el concepto de "represión".

El bloqueo mental de los pensamientos insoportables o moralmente condenables se desarrolla desde muy corta edad. Por esta razón, Sigmund Freud vio en la represión mental la causa de muchos problemas psíquicos que se manifestarían en la vida posterior. De hecho, hay muchos indicios de que el ser humano soporta toda su vida experiencias desagradables o no asumidas desde su infancia. Los recuerdos reprimidos suelen reaparecer en los sueños, pero modificados hasta tal punto que la consciencia ya no los clasifica como peligrosos y resultan por tanto inocuos.

La exclusión intencionada de pensamientos y experiencias funciona sólo en raras ocasiones. Para olvidar algo, hay que empezar justo por el otro extremo, es decir, hay que tomar plena conciencia de ello. Sólo cuando el asunto haya sido pensado y meditado se relajará el control de la consciencia y el subconsciente podrá desterrar los pensamientos desagradables o traumáticos. Con ello recuperaremos la noción de su verdadero significado y el recuerdo dejará de atormentarnos.

El rechinar de dientes nocturno

Rechinar los dientes es una costumbre poco agradable cuya existencia ignoran los afectados. Perjudica la dentadura y se interpreta como señal de tensión reprimida.

Quien se despierta a veces por la mañana con una sensación de contractura o un ligero dolor en los maxilares, es probable que pertenezca al grupo de las personas que por la noche rechinan los dientes. Hay muchas personas que comparten este destino, pero sólo muy pocos saben que por la noche sus dientes mastican y muelen bajo la fuerte presión de los maxilares. Este esfuerzo físico inconsciente se observa sobre todo cuando la persona pasa del sueño profundo a fases de sueño ligero.

En la Biblia se dice que "llorarán y rechinarán los dientes". Los científicos han descubierto que el rechinar de dientes representa un patrón de comportamiento muy antiguo que tiene causas psíquicas. Cuando estamos afligidos y enfadados y nos gustaría pegar o morder de rabia, rechinamos audible y persistentemente los dien-

Cuando se mastica la comida, la presión equivale a un peso de 15 kilogramos.

Cuando de noche se rechinan los dientes, la presión equivale a 30 kg.

Un fuerte mordisco genera una presión equivalente a 70 kg.

tes. Este gesto refleja una agresividad reprimida y es comprensible para cualquiera. También quien experimenta temores, está decepcionado o receloso, "muele" con la mandíbula. En estos casos, el rechinar de

La mente tensa genera fuerzas destructivas. Mientras un mordisco apenas dura medio o un segundo, en el rechinar nocturno la presión sobre los dientes puede durar hasta 4 minutos.

dientes es señal de contrición y de perturbación interior.

"Aprieta los dientes", se dice a veces cuando se trata de soportar un dolor, un gran reto o una situación difícil. Pero cuando se trata de estrés prolongado, el permanente rechinamiento puede dañar seriamente la dentadura. La musculatura de los maxilares está contraída y se desencadena una presión elevada que, en principio, sirve para masticar los alimentos. A falta de éstos, la presión se transmite directamente a los dientes. El continuo masticar en vacío desgasta el esmalte, los empastes se sueltan y se desprenden, las coronas se desgastan y, bajo los efectos de la presión, los dientes pueden romperse literalmente. El rechinar perjudica además la articulación temporomandibular; los maxilares duelen al masticar y al abrir la boca se producen extraños crujidos. El rechinamiento frecuente provoca también contracturas de la musculatura del cráneo y de la nuca: el afectado está tenso, le duele la cabeza y sufre ataques de jaqueca.

RELAJACIÓN Quien descubra tener esta mala costumbre puede adoptar algunos remedios. Lo primero es eliminar los factores de estrés, las causas que lo desencadenan. Seguidamente se puede influir conscientemente en el propio comportamiento. Cada vez que el afectado se sorprenda a sí mismo apretando los dientes, deberá relajar los músculos maxilares. Un suave masaje de las mejillas y unos ejercicios diarios para relajar los hombros y la nuca contribuyen a deshacer las contracturas. El entrenamiento autógeno es otra de la técnicas sugeridas modernamente en estos casos para disminuir la carga física y mental.

El rechinar nocturno, sin embargo, tiene difícil remedio por tratarse de un esfuerzo físico inconsciente casi imposible de reprimir. El dentista puede recomendar una férula de morder que el paciente se coloca en la boca al acostarse como un aparato de ortodoncia. Este trozo de plástico entre los dientes no puede evitar el rechinar, pero sí proteger la dentadura contra las consecuencias perjudiciales de las presiones nocturnas.

¡Ay qué asco!

Las almas sensibles apartan la vista cuando ven algo repulsivo. El asco es un reflejo que, en el peor de los casos, desemboca en vómitos y que sirvió para garantizar la supervivencia.

Dice el refrán que los colores se pintaron para diferentes gustos, lo que se puede aplicar del mismo modo a las costumbres alimenticias de los humanos. Caracoles con mantequilla de hierbas u ostras con limón... Aún eso nos parece tolerable, aunque a duras penas para algunos. ¿Pero qué dice un centroeuropeo sobre las serpientes de cascabel a la parrilla, como se comen en las regiones desérticas de México, o sobre el batido de leche y sangre vacuna, una mezcla muy popular entre los masai en África? ¿Se serviría alegremente una enorme araña asada como las que se ofrecen en la selva sudamericana, o sesos frescos de mono, un manjar muy apreciado en China?

COSTUMBRES Y EDUCACIÓN Estos ejemplos ilustran cómo estamos marcados por nuestra cultura y civilización y hasta qué punto el asco es una cuestión de educación. Ninguno de los platos mencionados perjudica la salud; nuestras reservas son más bien de índole emocional y se basan en arraigadas costumbres. Nos producen repugnancia los alimentos a los que no estamos acostumbrados y que nos parecen algo sospechosos o, por alguna razón, incomestibles.

El asco tiene su origen en la alimentación, y de ahí se proyecta hacia otros ámbitos. Una persona que emite fuertes hedores y está vestida con sucios harapos nos repele tanto como una herida purulenta o cualquier tipo de materias fecales. Tras la sensación de repugnancia se oculta un mecanismo protector del organismo. Olores a podrido y otros aspectos repulsivos provocan una actitud de defensa en el cerebro. En el sistema límbico, donde se generan las emociones, se reproduce un complejo patrón de estímulos que genera el asco. Estos impulsos nerviosos se transmiten al hipotálamo, el centro de control de la alimentación y la digestión. Allí se desencadenan las náuseas, que van acompañadas del acto reflejo de apartar la vista. Si el asco es grande, se vomita el contenido del estóma-

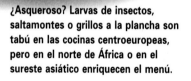

¿Asqueroso? Larvas de insectos, saltamontes o grillos a la plancha son tabú en las cocinas centroeuropeas, pero en el norte de África o en el sureste asiático enriquecen el menú.

go, una medida preventiva contra posibles intoxicaciones. El miedo a tocar lo asqueroso nos protege contra bacterias y gérmenes infecciosos.

Mucha gente traslada su asco, a veces exagerado, a cosas de las que siente miedo. Si bien se puede comprender el miedo a las serpientes y a las arañas, no son animales asquerosos en absoluto. Pero al igual que aprendemos a tener asco, podemos superarlo. Si no fuera así, no habría médicos que curaran heridas, ni padres que cambiaran pañales a sus bebés varias veces a lo largo de la jornada.

La permanente ansia de embriaguez de los sentidos

El deseo de probar experiencias placenteras es uno de nuestros instintos más básicos. Pero si la búsqueda del deleite se convierte en la única razón de ser, el afectado pierde completamente el control sobre su vida.

¿Qué sería la vida sin los pequeños placeres? Un pastelito para premiarse por un éxito, una copa de licor para calmarse tras una discusión, o una partidita para distraerse después de una jornada fatigosa. Todos experimentamos de vez en cuando estos deseos. La situación se torna realmente peligrosa cuando uno piensa que ya no puede vivir sin estos y otros pequeños deleites, y desarrolla una dependencia.

La señora mayor que ya no puede conciliar el sueño sin el somnífero que el médico le prescribe desde hace años; el estudiante que se fuma el primer porro por la mañana; la ejecutiva que por la noche acude a la nevera para atiborrarse indiscriminadamente de alimentos y vomitarlos al instante; todos ellos tienen algo en común: sufren de una dependencia que se ha apoderado de sus vidas.

LA ADICCIÓN OMNIPRESENTE Cualquier persona de cualquier parte del mundo puede desarrollar una adicción, con independencia de su nivel social, cultural o de edad. Que dependan de la jeringuilla, de las máquinas tragaperras o de la botella, es igual. Todas las adicciones tienen algo en común: al principio suscitan una sensación agradable y placentera. El cerebro memoriza esta impresión positiva, lo que induce a la persona a sucumbir de nuevo a este placer. Con el tiempo, sin embargo, el efecto

Estos yemeníes mastican qat, una droga que contiene más de 40 alcaloides diferentes; les enerva la mente y les reprime la sensación de hambre y cansancio.

La esperanza de ganar una fortuna convierte el juego de azar en una droga.

placentero disminuye y hay que aumentar la dosis para alcanzarlo. Cuando el ansia de voluptuosidad de los sentidos se vuelve demasiado poderosa, el afectado pierde el control sobre su comportamiento. Entonces, la adicción y su satisfacción regular ocupan en la consciencia la máxima prioridad. Esta fase supone un serio peligro para la salud mental y física, si es que ésta no está ya dañada.

Los científicos aún no han encontrado una respuesta unánime para justificar cómo se produce una adicción. Lo que sí parece claro es que todas las adicciones actúan sobre el sistema de recompensa y premio del cerebro, donde se transmiten las sensaciones placenteras. Se compone de una red compleja de ganglios nerviosos localizados sobre todo en el sistema límbico, que controla las emociones, y en la corteza cerebral anterior y en el hipotálamo, que regula el sistema de los nervios vegetativos. Si se estimula el sistema de recompensa, se generan las sensaciones de satisfacción, felicidad, placer, euforia y ausencia de dolor.

CARICIAS PARA EL CEREBRO El sistema de recompensa se puede excitar por varias vías; por ejemplo, con sustancias químicas. Éstas pueden ser las drogas de adicción propiamente dichas, como la heroína, el opio, la cocaína, LSD, el cannabis y las benzodiacepinas que se distribuyen bajo el nombre de tranquilizantes, o bien el alcohol, la nicotina y la cafeína. Algunas de estas sustancias poseen un efecto estimulante más bien suave, mientras que otras secuestran al consumidor y lo arrastran a otras esferas de la consciencia. Su modo de actuación sobre el organismo, sea cual fuere la sustancia adictiva, es idéntico: el adicto no puede dejar de suministrar una y otra vez nuevos estímulos a su sistema de recompensa.

Una de las sustancias adictivas de mayor difusión es el alcohol. Esta droga se puede tomar durante docenas de años sin sufrir daños y a su consumo moderado se le atribuye incluso un efecto estimulante sobre la circulación. Consumido regularmente y en grandes cantidades, el alcohol perjudica seriamente la salud. Al circular por la sangre, extrae agua de los tejidos, altera las estructuras de las proteínas y disuelve las grasas del cuerpo. Estas alteraciones afectan también a las células nerviosas y el cerebro. El hígado, que se ocupa de neutralizar cualquier tóxico del organismo, se ve seriamente dañado si debe eliminar durante largo tiempo cantidades excesivas de alcohol.

EUFORIA SIN DROGAS El cerebro puede perfectamente conseguir la euforia sin la ingestión de sustancias químicas. Determi-

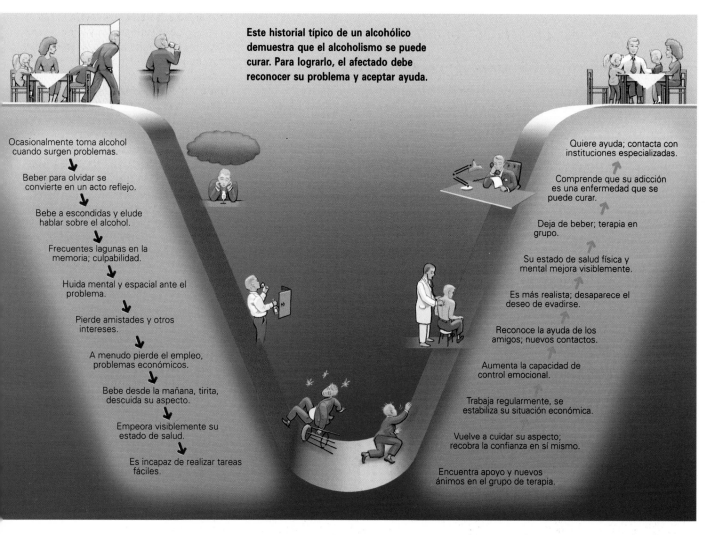

Este historial típico de un alcohólico demuestra que el alcoholismo se puede curar. Para lograrlo, el afectado debe reconocer su problema y aceptar ayuda.

Ocasionalmente toma alcohol cuando surgen problemas.

Beber para olvidar se convierte en un acto reflejo.

Bebe a escondidas y elude hablar sobre el alcohol.

Frecuentes lagunas en la memoria; culpabilidad.

Huida mental y espacial ante el problema.

Pierde amistades y otros intereses.

A menudo pierde el empleo, problemas económicos.

Bebe desde la mañana, tirita, descuida su aspecto.

Empeora visiblemente su estado de salud.

Es incapaz de realizar tareas fáciles.

Quiere ayuda; contacta con instituciones especializadas.

Comprende que su adicción es una enfermedad que se puede curar.

Deja de beber; terapia en grupo.

Su estado de salud física y mental mejora visiblemente.

Es más realista; desaparece el deseo de evadirse.

Reconoce la ayuda de los amigos; nuevos contactos.

Aumenta la capacidad de control emocional.

Trabaja regularmente, se estabiliza su situación económica.

Vuelve a cuidar su aspecto; recobra la confianza en sí mismo.

Encuentra apoyo y nuevos ánimos en el grupo de terapia.

nadas actividades y comportamientos se clasifican en el centro de recompensa como placenteros. Esto es especialmente importante cuando alguien que sufre graves problemas personales puede distraerse de los aspectos odiosos de su vida con actividades placenteras como pueden ser el trabajo, ir de compras o el sexo.

Al jugador empedernido se le enervan los sentidos cuando se sienta en la mesa de juego. La agitación le hace producir hormonas que generan la sensación de euforia. Su memoria relaciona esta sensación agradable con la situación en el tapete verde; así que, en cuanto sienta de nuevo que debe olvidar sus problemas y permitirse un poco de azar y emoción, volverá al juego. Si se satisface así una y otra vez, el juego se convierte para él en una adicción de la que no puede liberarse. Si bien no hay que temer graves consecuencias para su organismo, a menudo derrocha todo su patrimonio y contrae deudas importantes, lo que no es menos grave que la decadencia física que ocasionan las drogas.

ESCAPAR DE LAS DROGAS Hay millones de personas que sufren adicciones y sus consecuencias. Una vez que se hallan sometidas al vicio, por lo general no pueden dejarlo por sí solas. Un tratamiento que les enseñe a hacer frente a los síntomas de abstinencia ayuda a muchos a empezar una nueva vida sin estimulantes artificiales.

CHICLES Y DEPORTE CONTRA EL TABAQUISMO

- Quien quiere dejar el tabaco, que lo deje de golpe en vez de reducir la dosis.

- Para no caer en la tentación, lo mejor es apartar todos los cigarrillos que están a la vista.

- Se aconseja eludir, en un principio, lugares donde se fuma.

- También es conveniente dejar de relacionarse con fumadores.

- Algunas personas lo sobrellevan mejor si mastican un chicle o dan vueltas a un palillo.

- Aumentará ligeramente el apetito y, con él, el peso.

- Las técnicas de relajación como el entrenamiento autógeno pueden ayudar a combatir el nerviosismo.

- El deporte o cualquier ejercicio físico contribuyen a superar la frustración.

La pasta que nos hace felices

Un cocido como dios manda, un filete tierno o un pastel de nata: cuando vemos semejantes manjares, nuestros buenos propósitos se quedan en agua de borrajas. Cuando se nos hace la boca agua, el apetito vence a la mente.

¿Por qué nos resulta tan difícil controlarnos con la comida? Un buen menú hay que rematarlo con un postre por muy lleno que esté el estómago. El café de la merienda tiene que ir acompañado por un pastel y, como tentempié entre las comidas, una barrita de chocolate. Incluso cuando la báscula ya indica exceso de peso y mala conciencia, seguimos comiendo como si no fuera con nosotros. ¿Qué impulsa a las personas a comer más de lo que realmente necesitan?

La culpa la tiene el llamado "buen" apetito, que no hay que confundir con el hambre propiamente dicha, que se manifiesta de manera distinta. Cuando alguien tiene hambre, se le contrae el estómago, desciende el nivel de azúcar en la sangre y se quema la grasa almacenada en el cuerpo para obtener energía. Entonces suele ser suficiente comer un plato pequeño para satisfacer las necesidades básicas del organismo. Sin embargo, detrás del apetito se oculta una incontenible glotonería, una herencia de tiempos remotos.

ESTRATEGIA DE SUPERVIVENCIA Originariamente, el apetito ayudó al hombre a sobrevivir durante períodos de escasez. Cuando había muchos alimentos, comía hasta producir una capa de grasa de la que podía vivir en tiempos de vacas flacas. Puesto que en los países industrializados ya no hay períodos de escasez, sus habitantes sufren de exceso de peso. Hay que crear la escasez artificialmente: se prescriben regímenes para disminuir las reservas de energía. Desafortunadamente, en un primer momento, nuestro cuerpo reclama con mayor ansiedad alimentos con alto valor energético.

La glotonería nos es tan innata como el gusto por lo dulce o lo picante que antaño servía para distinguir los productos comestibles. Cuando se despierta el goloso en nosotros, significa a menudo que el nivel de azúcar en la sangre ha sufrido una caída drástica. Además, el capricho de comer dulces suele tener causas psíquicas, pues inconscientemente queremos estar de buen humor. En efecto, el truco funciona: el alimento rico en hidratos de carbono suministra energía rápida al cuerpo, lo que a su vez mejora el estado anímico.

El chocolate, sobre todo, nos vuelve de buen humor: su azúcar proporciona energía y la teobromina –un componente del cacao– estimula el cerebro. También a la pasta, rica en hidratos de carbono, se le atribuye un efecto estimulante. Los espaguetis y la lasaña son fuentes de energía y estimulantes legales: no es de extrañar que la pasta figure en todos los menús de los deportistas de elite. Pero, a veces, nos asalta el capricho por lo ácido, como los pepinillos en vinagre. Este fenómeno se puede deber a que la segregación de ácido en nuestro estómago no funciona siempre a pleno rendimiento.

SE COME CON LOS OJOS Un apetito más o menos voraz depende también en gran medida de las costumbres. Sobre todo en la dieta rica en grasas y proteínas, el hombre prefiere lo que conoce. Un musulmán se apartaría con repugnancia si le ofrecieran un codillo de cerdo. En cambio, muchos europeos no pueden comer las grandes larvas blancas por las que los aborígenes australianos sienten tanto entusiasmo. Sin embargo, ambos manjares apenas se diferencian en su composición de grasas y proteínas. Pero, como es sabido, comemos tanto con los ojos como con la boca y el estómago.

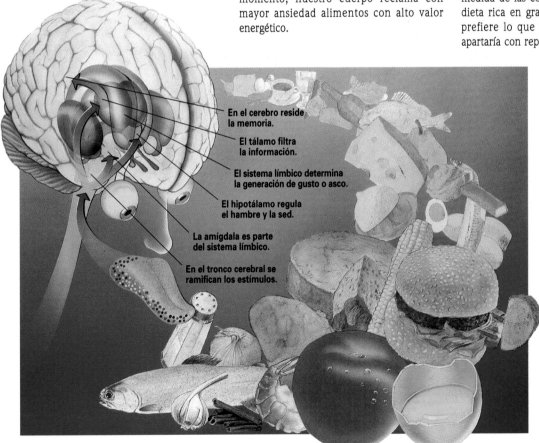

En el cerebro reside la memoria.

El tálamo filtra la información.

El sistema límbico determina la generación de gusto o asco.

El hipotálamo regula el hambre y la sed.

La amígdala es parte del sistema límbico.

En el tronco cerebral se ramifican los estímulos.

El aspecto y el olor de los alimentos estimulan los sentidos humanos: la vista y el olfato los reciben y los transmiten al cerebro, donde se procesan; la lengua y el paladar nos brindarán más información cuando los hayamos probado.

6

EL CUERPO
Y EL PASO
DE LOS AÑOS

Estrías en la superficie de la piel (toma ampliada 20 veces)

Antojos de pepinillos

Cualquier embarazada sufre de antojos: de repente se le antoja comer cosas insólitas o experimenta ataques de hambre feroz a cualquier hora.

Desde la mañana temprano, por la tarde o incluso de noche, a muchas futuras madres en las primeras semanas de gestación les invade el irresistible deseo de algo agrio o picante, como pepinillos o boquerones en vinagre, otras variantes o simplemente una manzana. Además, a las embarazadas, ocasionalmente, les puede asaltar un hambre de lobos y suelen atracarse de cualquier cosa comestible. Una encuesta entre embarazadas inglesas ha revelado la existencia de antojos de pasta de dientes y jabón. En estos casos los médicos hablan de picacismo, concepto derivado de la raíz latina *pica* que significa "urraca".

Por el momento, no se ha encontrado una explicación satisfactoria de este fenómeno. Se supone que las embarazadas perciben los cuatro gustos básicos (salado, ácido, amargo y dulce) con menos intensidad, y de ahí el deseo de comidas con sabor fuerte y muy especiadas. Lo más probable es que una vez más influyan las hormonas. Se cree que la producción masiva de la hormona del cuerpo lúteo, que debe conservar la flexibilidad y suavidad de los músculos lisos para facilitar el parto, interfiere en las paredes del estómago y del intestino, por lo que el estómago emite una difusa sensación de hambre. Además, durante la gestación todas las glándulas de secreción interna trabajan a tope. Es posible que por esta razón el cuerpo necesite más nutrientes, vitaminas y minerales, pero no sirve de explicación para los antojos, como tampoco el hecho de que a las embarazadas les baste con mirar u oler una comida determinada para sentir repugnancia. Esta susceptibilidad desaparece pronto, a más tardar con el parto.

Las embarazadas engullen a menudo frutos en vinagre o productos picantes, pero estos antojos desaparecen pronto.

Las náuseas matutinas

El embarazo suele ir acompañado de molestias como las náuseas y el dolor de espalda, así como de estados anímicos que oscilan frecuentemente entre el buen y el mal humor.

Suele empezar entre la 6ª y 12ª semana de gestación: casi dos tercios de todas las embarazadas experimentan entonces ataques de náuseas y llegan a vomitar. Aún no se sabe cuál es la causa concreta, pero se cree que el rápido crecimiento del útero, junto con la elevada producción de varias hormonas sexuales, tienen algo que ver con este fenómeno. Probablemente las hormonas repercuten en el estómago, sobre todo los estrógenos. Por la mañana el estómago está vacío, por lo cual la sensación de irritación se percibe con más intensidad. Este es el motivo por el que algunas mujeres, antes de levantarse, ingieren una galleta para suprimir las náuseas. Si la embarazada llega a vomitar más de cinco veces al día, deberá acudir al médico.

Otras molestias que incomodan a las embarazadas son el estreñimiento, la acidez de estómago, la flatulencia, pruritos y dolores de espalda. Además, la vejiga debe trabajar más, puesto que el cuerpo produce y excreta más líquido. La presión sanguínea aumenta porque el corazón de la embarazada late con más velocidad y la capacidad de bombeo es un tercio más alta de lo habitual. Estos cambios del sistema circulatorio pueden provocar ocasionalmente mareos y agotamiento. Las alteraciones del sistema nervioso vegetativo son responsables de los fuertes vaivenes emocionales que familiares y amigos deben asumir con comprensión, en la confianza de que se trata de una alteración pasajera que desaparece tras el parto.

EMBARAZADA Y SANA

Especialmente durante el embarazo, es importante seguir una vida sana y una dieta pobre en grasas y rica en fibra. El alcohol, el tabaco y otras drogas, al igual que muchos medicamentos, pueden perjudicar seriamente al feto.

Consejos útiles:

- Un buen remedio para problemas circulatorios son las infusiones de frutas o hierbas. En general, conviene beber mucho líquido: de ocho a diez vasos al día.

- Colocar los pies en alto con frecuencia y mucho movimiento son la mejor prevención contra las varices. Contra los calambres nocturnos en las piernas se administra magnesio.

- Los baños de agua tibia de asiento alivian el dolor causado por las hemorroides.

Cuando la gravidez empieza a notarse

Desde el momento de la concepción, todos los órganos del cuerpo hacen lo posible para ofrecer al bebé un ambiente sano y apoyar a la madre en el trance que se avecina.

Mientras que en siglos pasados las mujeres solían dar luz a varios niños, hoy día el embarazo representa una situación de excepción en la vida de la mujer. De hecho, cuando su cuerpo entra en estado de gravidez experimenta cambios radicales. Lo que más salta a la vista es su volumen creciente.

Los expertos en estadística han calculado que la superficie corporal de la mujer aumenta desde el momento de la concepción hasta el parto en un promedio de 1.350 cm². Esto equivale a la superficie de dos hojas de papel en formato A4. Uno de los milagros del embarazo consiste en el hecho de que el cuerpo de la madre pueda albergar un feto o incluso varios que crecen enormemente. Si bien la futura madre está produciendo continuamente hormonas de crecimiento para el bebé, ella misma no crece nada. Tan sólo aumenta su circunferencia y la de sus órganos (por ejemplo, entre la cuarta y la décima semana, en unos 20 cm en la zona abdominal).

PRIMEROS CAMBIOS A partir de la décima semana, la embarazada aumenta su peso al ritmo de unos 500 gramos por mes. En el centro del abdomen, puede aparecer una línea vertical algo más oscura, la *línea nigra*, que después del parto vuelve a fundirse con el resto de la piel. Los senos se tornan más rígidos, los pezones resaltan más, la aréola se vuelve más ancha y a veces más oscura. A partir de la semana 16ª, la gestante necesita otra talla mayor de sujetador.

Pero el órgano que más crece es el útero. Su tejido se vuelve más esponjoso, las fibras musculares aumentan en tamaño y número y al final del embarazo el útero será 20 veces más grande que al principio. Su peso crece

El útero crece continuamente para dar cobijo al feto cada vez más grande. En la semana 40 del embarazo, el útero desciende, lo que anuncia el parto inminente. Los números del gráfico se refieren a las semanas de embarazo.

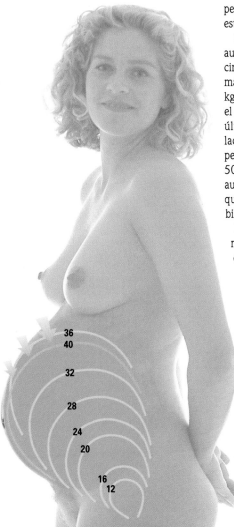

de los 50 gramos del útero de una primeriza en la primera semana del embarazo a unos 1.000 gramos, y su longitud en el momento del parto alcanza los 30 cm. Ya en la octava semana, ha triplicado su volumen, y en la décima semana pesa 200 gramos. Al final de la duodécima semana alcanza el tamaño del puño de un hombre adulto. Entonces contendrá hasta 100 gramos de líquido. También la vagina se agranda durante el embarazo. Se torna más elástica para permitir el paso del bebé durante el parto. Por el mayor volumen de bombeo, también el corazón ha aumentado en volumen y se desplaza, al igual que otros órganos, hacia arriba. La actividad del tiroides se intensifica, por lo que el cuello de algunas embarazadas se ensancha.

AUMENTO DE PESO En condiciones normales, la futura madre no suele aumentar su peso durante el embarazo en más de 10 o 12,5 kg. Claro que hay también excepciones; algunas mujeres han engordado tanto que en el parto pesan hasta 25 kg más que al principio del embarazo. Hay otras que en los tres primeros meses incluso pierden peso y también después apenas se les nota su estado.

El volumen de líquido corporal suele aumentar constantemente, de manera que la circulación de la parturienta contiene 1,2 kg más sangre que antes y en el tejido hay 1,2 kg más de agua. Entre las semanas 10 y 30 el cuerpo empieza a almacenar grasa para la última fase del embarazo y el período de lactancia. También los senos aumentan su peso hasta el nacimiento del niño en unos 500 gramos. De esta manera, la madre aumenta su peso en hasta 4,5 kg más de lo que pesan el bebé, placenta, cordón umbilical y líquido amniótico.

La mayoría de los cambios físicos en la madre han desaparecido totalmente un año después del nacimiento del bebé. Pero incluso cinco años después del embarazo, las mujeres pesan como promedio 2-3 kg más que antes, si bien este aumento de peso se suele producir sólo después del primer hijo.

Por cierto, la opinión de que la embarazada debe "comer por dos" está anticuada. Según datos proporcionados por la ONU, la mujer encinta, a lo largo de todo el embarazo, necesitará un máximo de 335.000 kJ (79.762 kcal) de energía adicional en su alimentación normal para dar a luz un niño sano. En opinión de muchos médicos, es suficiente si la embarazada empieza a añadir, a partir del cuarto mes, unos 1.200 kJ (286 kcal) diarios a su dieta, lo que equivale más o menos a una rebanada de pan integral con queso y una manzana.

Volteretas en el vientre

Desde antes de nacer, el bebé empieza a entrenarse para la vida: pedalea y se gira, de manera que sus movimientos son perceptibles a través de la pared abdominal de la madre.

El embrión empieza a moverse a partir de la novena semana del embarazo, aunque la futura madre aún no lo nota. No puede hacerlo, pues el feto entonces pesa sólo unos 10 gramos y su cabeza tiene el tamaño de un huevo de paloma. Pero los surcos en las manos y los pies que se están formando precisamente entonces no cambiarán de estructura en toda la vida.

El día 70 de su corta existencia, el feto habrá pasado un cuarto de su tiempo de desarrollo, pero antes de venir al mundo aumentará su peso 600 veces. Entre las semanas 11 y 14 ya sabrá tragar líquido amniótico y digerirlo y expulsarlo por el riñón; todos los órganos necesarios funcionan ya. En la semana 16, el médico, con la ayuda de un estetoscopio, podrá oír los latidos del corazón y algún que otro hipo. Entonces podrá determinar también si la embarazada está gestando un bebé, gemelos o incluso trillizos.

Seguidamente, entre el cuarto y quinto mes de embarazo, empieza a notar los movimientos del niño y, a su vez, el niño advertirá si la madre acaricia su abdomen. Las mujeres delgadas y las madres que ya han tenido algún hijo suelen percibir antes las actividades del feto. Fuera del cuerpo de la madre, el embrión sobreviviría sólo unos minutos.

EL PRIMER JUGUETE En torno a la vigésima semana, el feto empieza a abrir de vez en cuando los párpados. Con sus manos diminutas ya puede agarrar el cordón umbilical. Pronto se meterá el dedo en la boca y lo succionará, a pesar de que el feto no es mayor que una naranja. A partir del octavo mes, a algunos bebés les crece en la cabeza algo de pelo, que puede alcanzar 2,5 cm de longitud. Pero, en general, los niños suelen nacer calvos.

A los 7-8 meses de gestación, cuando el feto abre los párpados que antes tenía adheridos, sus ojos están bien desarrollados y puede ver la luz que atraviesa las paredes dilatadas del abdomen materno. A partir de la 33ª semana, el feto ocupa todo el útero. En lugar de dar volteretas, ya sólo puede hacer pequeños movimientos que, en la mayoría de los casos, le colocan en la posición de parto: la cabeza, que sigue siendo la parte más pesada del cuerpo, se encaja en la parte inferior del útero.

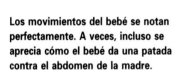

Los movimientos del bebé se notan perfectamente. A veces, incluso se aprecia cómo el bebé da una patada contra el abdomen de la madre.

Mozart tiene efecto calmante

El ambiente en el seno materno es cualquier cosa menos silencioso: el bebé no oye sólo los latidos del corazón materno, sino que percibe muchas cosas más.

Hasta hace pocos años, incluso comadronas experimentadas creían que los bebés en el seno materno llevaban una vida totalmente enclaustrada y aislada. Hoy sabemos que no sólo se mueven, sino que también les funcionan los sentidos del oído y del tacto. Estos conocimientos los debemos al hecho de que, gracias a las avanzadas técnicas quirúrgicas, hoy se pueden intervenir incluso fetos nonatos. Así se descubrió que los embriones reaccionan a partir de la novena semana a estímulos táctiles, aunque midan tan sólo 5 cm. Si se le toca la palma de la mano con el dedo, el feto intenta agarrarlo. A partir de la semana 22, se chupa a menudo el pulgar, pero no se sabe si ya tiene desarrollado el gusto. Si la madre bebe mucho zumo de naranja, el bebé empieza a agitarse, presuntamente a causa del ácido cítrico. El niño está unido a través del cordón umbilical y la placenta a la circulación materna y recibe todas las hormonas que ésta produce, incluso las del estrés, por lo cual la taquicardia de la madre se transmite al feto.

En torno a la mitad del embarazo, los bebés comienzan a percibir la luz que penetra desde fuera en el seno materno y parpadean. De vez en cuando arriesgan una mirada, ya que el útero no es en absoluto una cueva oscura. La piel tensa de la madre deja traslucirse una luz de color naranja, sobre todo en verano, cuando la madre lleva ropa ligera o toma un baño de sol en la playa. Esta luz se parece a la que se ve cuando los niños, en la oscuridad, se introducen una linterna encendida en la boca. Por esta razón algunos pediatras aconsejan cortinas de telas anaranjadas para la habitación de los niños, para proporcionarles un ambiente familiar después del parto.

EL FETO, A LA ESCUCHA Hacia el final del séptimo mes del embarazo, el feto ya puede oír. El líquido amniótico en el cual está flotando es un buen conductor de sonidos, lo que puede comprobar cualquiera en la bañera sumergiendo su cabeza. El sonido más audible serán sin duda los latidos del corazón materno; sobre todo en las últimas semanas del embarazo, el niño está situado literalmente debajo del corazón. Quizás el palpitar regular tenga un efecto hipnótico que se prolongará en la vida posterior. En cualquier caso, los latidos del corazón materno calman al bebé. Cuando más tarde la madre vaya a mecer a su hijo, automáticamente lo cogerá de manera que su cabeza se apoye contra el seno izquierdo, donde está el corazón. Por cierto, así lo hacen también los hombres que cogen a un

bebé. Hay madres que se aprovechan de este efecto tranquilizador para calmar al niño, como se le calmaría con un chupete. Algunas embarazadas graban el sonido que emite su corazón para reproducirlo más tarde cuando el bebé se inquiete: se ha comprobado que sus niños se adormecen con más facilidad. El bebé en el cuerpo materno también se familiariza ya con la voz de la madre. Después de nacer, la reconoce de inmediato entre otras voces femeninas.

Igualmente, reacciona a otros ruidos que llegan al útero desde el exterior: se asusta con música rock a un volumen alto y se sosiega con piezas para piano de Mozart. Los investigadores incluso han comprobado que los bebés a los que se ha hecho escuchar música de relajación a partir del séptimo mes, una vez nacidos la reconocen y se tranquilizan con ella.

La succión del dedo es una de las actividades preferidas por el feto, pero se ignora si ya tiene sentido del gusto. Incluso hay niños que al nacer tienen callos en los pulgares.

Cuando se pierde al bebé

Los abortos son más frecuentes de lo que se piensa. Las causas son múltiples: en no pocas ocasiones, se producen en un estado tan temprano que la embarazada ni lo advierte.

En Alemania, por ejemplo, uno de cada cuatro embarazos acaba en aborto. El feto muere en el útero o es expulsado tan pronto que no puede sobrevivir. Como posibles causas se barajan, entre otros, factores genéticos: la naturaleza quiere evitar que nazca un niño enfermo. Otras causas de que la mujer pierda a su bebé pueden ser un accidente, una mala constitución física, grandes esfuerzos y un exceso de estrés. Muchos psiquiatras opinan que algunos abortos espontáneos pueden tener un trasfondo psicológico, quizá un miedo inconsciente al embarazo o a la maternidad. El inminente aborto se anuncia con dolores en el bajo abdomen y hemorragias. Si aparecen estos síntomas, la mujer embarazada debe acudir

Después de la décima semana de gestación, el peligro de abortar es cada día menor, puesto que el feto ya se ha implantado.

de inmediato al médico para que la atienda.

La mayoría de los abortos se producen antes de la décima semana del embarazo. Después son más bien escasos y se asimilan en sus síntomas más a un parto. Si se produce un aborto muy temprano, por ejemplo en la sexta semana, la afectada a menudo cree tener una regla particularmente fuerte y copiosa. Pero las mujeres que viven el aborto totalmente conscientes, suelen sufrir depresiones. Después de la 16ª semana, la probabilidad de perder el feto es cada vez menor.

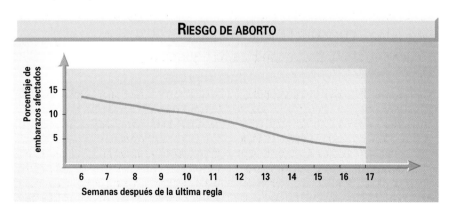

RIESGO DE ABORTO

Porcentaje de embarazos afectados

15
10
5

6 7 8 9 10 11 12 13 14 15 16 17
Semanas después de la última regla

El parto empieza con dolor

Unas parturientas notan primero una tirantez en la espalda; otras sienten dolores en el bajo abdomen. Pero todas comprenden al instante que su bebé viene al mundo.

Visto desde una perspectiva estadística, las niñas permanecen un día más que los varones en el vientre de la madre, y los bebés blancos cinco días más que los negros. Pero cuando llega su momento, todos quieren ver la luz del mundo, y su impaciencia se manifiesta con las primeras contracciones. Lo que dispara las contracciones del parto aún no se ha podido esclarecer del todo, pero se sabe que influyen factores diferentes, como el gran tamaño del feto, la creciente presión sobre los órganos maternos y la producción de determinadas hormonas y procesos metabólicos por parte de madre e hijo.

ENTRENADO PARA LAS CONTRACCIONES El útero ha empezado a entrenarse para el parto con mucha antelación, contrayendo y relajando sus músculos de fibra larga. Cuanto más grande se vuelve el útero, antes notará la embarazada estas llamadas contracciones de tono: de repente el abdomen se torna duro e incluso se levanta un poco. En las últimas semanas del embarazo, el útero ya produce durante las contracciones de tono la misma presión que desarrollará en las contracciones del parto.

De seis a cuatro semanas antes del parto, se producen unas contracciones que anuncian la colocación del niño en la posición de parto. Algunas embarazadas las sienten como una ligera tirantez que parte de la espalda, mientras que otras no sienten nada. Su función es empujar al bebé hacia abajo

Un aparato registra los intervalos entre las contracciones y mide su intensidad. Además, refleja el comportamiento del niño durante cada contracción, lo que ayudará en el momento del parto.

dentro de la pelvis materna. Al mismo tiempo, se emiten unas hormonas que reblandecen y flexibilizan el cuello del útero, preparándolo para el parto.

EL CUELLO DEL ÚTERO SE ENSANCHA Con el comienzo de las primeras contracciones, moderadas pero regulares, empieza la primera fase del parto. Se llama dilatación y puede durar entre 2 y 20 horas. Lo primero que dilata es el orificio cervical interno. Este orificio constituye el extremo superior del cuello uterino y desemboca en la vagina. Durante el embarazo, este canal estaba cerrado por un tapón mucoso del tamaño de la yema de un dedo para evitar que los gérmenes y las bacterias de la vagina pudieran subir por el canal y llegar hasta el bebé. Al iniciarse las contracciones, este tapón ya ha sido expulsado por la vagina en forma de una masa gelatinosa mezclada con algo de sangre.

Al principio, los intervalos entre las contracciones duran de 5 a 10 minutos, mientras que cada contracción tiene una duración de 20 a 60 segundos. Después se producen con mayor frecuencia e intensidad, y acaban apareciendo cada dos minutos. En esta fase ya se pueden aplicar las técnicas de respiración y relajación que habrá aprendido la embarazada –y quizás su pareja– en las clases de preparación al parto. De esta manera, la parturienta podrá relajarse en los intervalos entre las contracciones y mantener intactas sus fuerzas para el gran momento que se avecina.

Trabajo duro para la madre

El parto va acompañado de intensos dolores para la mujer. Pero, cuando con la cabecita ha salido la parte más grande del bebé, ha pasado ya lo peor.

Después de la fase de dilatación, se inicia el período de expulsión que, a veces, dura sólo dos minutos, y otras veces hasta dos horas. Entonces la parte posterior de la cabeza (occipucio) del bebé estará colocada sobre el orificio uterino en dirección a la pelvis. Pero, mientras que el orificio interior está ya abierto, el exterior aún retiene

la cabeza del bebé como un par de labios cerrados. En este momento, también estos músculos empiezan a dilatarse, antes y con más facilidad en mujeres multíparas que en primerizas.

ROMPER AGUAS Cuando el orificio del cuello uterino se haya dilatado hasta medir nueve centímetros, el 85% de las

parturientas rompe aguas. Primero sale el agua que estaba debajo de la cabeza del niño y que la lubrificó para que encajase en la pelvis materna. Después la cabecita se introduce un poco más en el canal del parto, cuya forma recuerda ligeramente una ese. Para avanzar por este canal, la naturaleza le echa una mano en forma de las contracciones de presión. Duran 1 minuto cada una y la madre siente durante 4 o 5 segundos un fuerte impulso para empujar. El útero se contrae para empujar al niño algo más adelante en su fatigoso camino hacia el mundo. A veces puede incluso retroceder mínimamente. Cada 45 segundos se produce otra contracción del útero que presiona enormemente sobre el cuerpo del pequeño.

Finalmente, el niño está apoyado uniformemente con la parte posterior de la cabeza sobre el perineo, de manera que ya no puede deslizarse hacia atrás en los intervalos entre las contracciones.

PARA QUE NO SE DESGARRE EL PERINEO Si bien la cabeza del niño está fuertemente comprimida en el canal del parto, la parturienta tiene la sensación de que la desgarran desde dentro. La comadrona suele aplicar una pequeña incisión para que el perineo de la madre no se desgarre. Después del parto, el corte se sutura y pronto habrá cicatrizado.

Una vez que haya salido la cabeza del niño, se ha superado la fase más difícil, pues representa la parte más grande del bebé. Primero, la cara del bebé aparece hacia abajo y la espalda está aún torcida, pero, al salir el resto del cuerpo, la cabeza se gira hacia un lado, de manera que los hombros se coloquen uno detrás del otro. Primero sale un hombro, después el otro, y, seguidamente, el resto del cuerpo con relativa facilidad.

Mientras que el bebé esté unido a la placenta, ésta le sigue suministrando oxígeno y nutrientes, lo que se puede apreciar en el pulso rítmico del cordón umbilical. Una vez fuera el niño, el cordón es estrangulado y cortado a una distancia de 5 a 8 cm del cuerpo. Este cabo de cordón se secará y desprenderá aproximadamente al cabo de una semana. Un fenómeno extraño y aún sin explicación es la longitud del cordón, que puede variar mucho según el caso. Mientras algunos apenas miden 18 cm al nacer, otros llegan a alcanzar una longitud de 1,22 metros.

La tercera y última fase del parto dura ya sólo de 5 a 20 minutos. Entonces la matriz hace limpieza general: con la ayuda de las llamadas contracciones o dolores de sobreparto se expulsan por la vagina la placenta, el líquido amniótico que queda y el resto del cordón. Casi inmediatamente después del parto, la matriz reduce su longitud de 30 cm a la mitad. Seis semanas más tarde, pesará ya sólo 60 gramos y medirá menos de 10 cm.

El 96% de las embarazadas tiene un parto normal, es decir, la cabeza del niño sale primero. Pero, a veces, el niño no se coloca con la cabeza hacia abajo, sino en una posición oblicua o con los pies para abajo. También puede ocurrir que el cordón se enrede alrededor del cuello. Si no se logra colocar al niño correctamente, estos partos pueden durar mucho y ser dolorosos y hasta

Después del largo plazo de espera y esperanza, llega el momento aguardado con tanta ilusión: la madre ve por vez primera a su hijo.

La fecha prevista para el parto se calcula así: Primer día de la última regla + 1 año +7 días - 3 meses +/- desviación de un ciclo de 28 días.

peligrosos para la madre y el niño. En caso de complicaciones, se suele recurrir a la operación de cesárea para evitar problemas al recién nacido y a la madre.

TEORÍA Y PRÁCTICA La mayoría de las madres habrán superado el parto en un máximo de 24 horas, es decir, un día. Pero que este día inolvidable coincida con el día

que ha salido de cuentas es otra cuestión, pues sólo el 5% de los niños nacen el día para el que se les ha previsto. En la mayoría de los casos, los dolores aparecen en el espacio de tiempo que media entre las dos últimas semanas antes de la fecha de cuentas y las dos posteriores, con las naturales oscilaciones.

Llegada a grito pelado

Apenas ha abandonado el cuerpo protector de la madre para salir a un mundo frío, deslumbrante y a menudo ruidoso, el neonato da su primer grito: empieza a respirar.

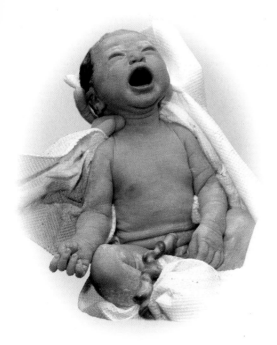

El primer grito del neonato es la señal de que ha comenzado a respirar. Si la madre lo toma después en brazos, se calmará en unos instantes.

Para la madre, el primer grito de su hijo es una señal de su vitalidad; para el médico, un indicio de que empieza a respirar autónomamente. Antes se les daba un pequeño azote para provocar el grito y la respiración. Hoy se considera este tratamiento algo rudo, y también innecesario, puesto que el primer grito se producirá de todas maneras.

En efecto, en el canal del parto fue comprimida no sólo la cabeza sino también el tórax. Inmediatamente después de salir de la angostura, la caja torácica vuelve a expandirse y los pulmones se llenan de aire que seguidamente se expulsa: el bebé ha empezado a respirar. En este momento, el neonato da uno o varios gritos. La labor del recién nacido no es fácil; se calcula que la primera inspiración requiere cinco veces más esfuerzo que la respiración normal.

En los bebés nacidos por cesárea, no se comprime el tórax, que por tanto tampoco se expande. Puesto que la respiración no se impulsa por esta vía natural, hay que inducirla mediante un masaje.

LAS ARCADAS: REACCIÓN NORMAL El primer respiro del bebé suele ir acompañado de fuertes arcadas. La madre a veces se angustia viendo la cara del bebé, amoratada del esfuerzo. Pero las arcadas representan una reacción normal. Si el niño ha tragado las mucosidades que están en boca y nariz, las arcadas pueden continuar después de la primera inhalación. En este caso, se coloca al niño con el trasero algo más elevado que la cabeza para facilitarle la expulsión de las mucosas. En la mayoría de los casos no se necesitan esfuerzos especiales para que el recién nacido respire.

Prematuros en peligro

En teoría, los bebés se desarrollan durante 40 semanas en la matriz, pero también los hay que nacen semanas o incluso tres meses antes de tiempo.

Según la definición de la Organización Mundial de la Salud (OMS), un bebé nacido con vida es considerado prematuro si pesa menos de 2.500 gramos o si el tiempo de gestación ha sido inferior a 37 semanas. Los bebés prematuros están más expuestos a riesgos, puesto que sus órganos, especialmente los pulmones, aún no están plenamente desarrollados. Por esta razón, los médicos, cuando amenaza un parto prematuro, luchan por cada día que el bebé pueda madurar más en la cavidad protectora de la madre. Y con razón: los ochomesinos tienen un 50% más de probabilidades de sobrevivir que los sietemesinos.

Si, a pesar de todos los esfuerzos, el parto no se deja retrasar más, el niño tiene más posibilidades de salir adelante si inmediatamente es trasladado a una incubadora, una especie de matriz artificial. En un ambiente con temperatura y humedad severamente controlados, al niño se le administran oxígeno y los medicamentos necesarios para que sus pulmones puedan madurar. A pesar de todo, los prematuros tardan mucho en compensar las últimas semanas de desarrollo que les faltaron.

En los últimos tiempos, muchos neonatólogos prefieren renunciar al exceso de tecnología en el cuidado de los prematuros. Según ellos, es mucho más importante el permanente contacto con la piel de la madre. Las estadísticas comparativas parecen darles la razón: los prematuros tratados de esta manera crecen mejor y sufren menos infecciones y trastornos respiratorios.

Los prematuros reciben en la incubadora una óptima atención médica, pero precisan en igual medida el contacto íntimo con la piel materna.

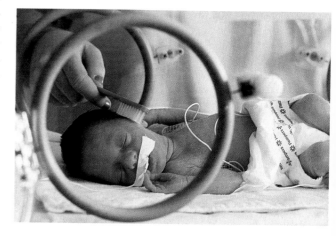

Una bebida sana y plena de energía

La leche materna es el alimento óptimo para el recién nacido, ya que contiene todo lo que necesita durante los primeros meses de vida. Así pues, no es de extrañar que el bebé busque y encuentre sin problemas este manantial.

Una científica, al dar a luz a su quinto hijo, decidió dejar al bebé entre sus piernas y con el cordón puesto. Al cabo de unos quince minutos, el neonato empezó a reptar en dirección al pecho materno. Tal reacción se observó también en algunos pueblos primitivos. Desde entonces, los científicos han podido demostrar que el neonato reconoce y encuentra el pezón de su madre por el olor. Por esta razón, se aconseja a las madres lactantes lavarse las mamas sólo con agua y no aplicarse lociones o geles.

La búsqueda del pecho materno y la succión son las primeras actividades independientes del recién nacido. La mayoría de ellos ya aprendió a succionarse el dedo en la matriz.

EL CALOSTRO Si se le da de mamar inmediatamente después del parto, lo primero que recibe el bebé es una leche amarillenta llamada calostro. Esta leche es una bebida bastante sana que contiene proteínas y anticuerpos, mucha grasa y algo de azúcar, que le servirán al bebé durante los primeros meses de protección contra las infecciones. El calostro contiene también una sustancia que en el intestino del neonato crea una capa cremosa y lubrificante para facilitar al niño la expulsión del meconio, una mezcla verdosa y dura de mucosa y secreciones intestinales, líquido amniótico tragado, lanugo, grasa y colorantes de la bilis. La producción de la verdadera leche materna empieza unos tres días después del parto. Al expulsar la pla-

centa, el cuerpo de la madre pierde de golpe casi todas las hormonas del embarazo: esto es la señal para que la hipófisis libere la hormona prolactina que ha acumulado

Durante muchos años, dar el pecho incluso estaba mal visto porque presuntamente desfiguraba la anatomía. Hoy vuelve a estar de moda y con razón: la leche materna es el alimento óptimo para el bebé.

durante la gestación. Cuando la hormona empieza a circular por la sangre, el tejido de las mamas se hincha. Esta hinchazón presiona a su vez sobre las glándulas mamarias, de manera que los senos, que hasta entonces acumulaban mucha agua, se llenan de leche y están preparados para cumplir su función.

ALIMENTO CONCENTRADO La leche que ingerirá el niño a partir de ese momento es de color blanco azulado y contiene proteínas y el doble de grasa y azúcar que el calostro, por lo que posee un elevado valor energético. Y es que el neonato necesita a partir de ahora mucha energía, puesto que ha permanecido durante tres días sólo con calostro, lo que equivale prácticamente a ayunar.

Antes, a los bebés se les daba de mamar a horas fijas. Hoy, casi todos los pediatras aconsejan hacerlo según las necesidades. Normalmente, el bebé habrá ingerido lo suficiente tras succionar de cada mama de 5 a 10 minutos. Cuando está saciado, suele expulsar el pezón con la lengua y aparta la cabeza. Si se comienza a dar el biberón al bebé, mamará menos del pecho y pronto la producción de la madre comenzará a disminuir y cesará por completo.

Actualmente se aconseja a los padres empezar a añadir papillas y a deshabituar al bebé del pecho a partir de los 3 o 4 meses de edad; como muy tarde, en el sexto mes. Para entonces, la leche materna ya no puede suministrarle la cantidad de hierro que necesita y el bebé está listo para cambiar de alimentación.

PECHO O BIBERÓN

Si bien la leche materna es el mejor alimento para el recién nacido, también los niños alimentados con biberón crecen sanos. Hoy existen preparados lácteos que son una excelente imitación de la leche materna, de manera que el biberón con leche de vaca diluida, enriquecida con determinadas sustancias nutritivas y activas, puede perfectamente sustituir el pecho de la madre.

Ahora bien, hay algunas limitaciones. La leche de vaca contiene más sodio y fosfato que la humana, pero sus vitaminas no siempre son adecuadas para el bebé. Hay incluso niños con una marcada alergia a ella: les brotan más granos y tienen el trasero más escocido que otros bebés que maman leche materna. La leche de vacuno carece también de los anticuerpos típicamente humanos.

Otra desventaja es que la leche de vaca se digiere peor por contener más grasas y caseína, una proteína que cuaja en copos grandes y forma bolas en el estómago del bebé.

La pasajera depresión postparto

No es raro el caso de que a las madres primerizas, después del parto, les acometan ganas de llorar. Pero normalmente la presunta tristeza desaparece pronto.

Tras dar a luz, la madre puede experimentar un bajón anímico. Esta depresión postparto suele durar pocos días.

Cuando a una madre, pocos días después del parto, le acomete el llanto sin motivo ni causa aparentes, su entorno suele reaccionar irritado y a menudo sin comprensión, pues supone que debería sentirse feliz y no triste. Las primerizas sobre todo sufren depresiones postparto. Este fenómeno sigue siendo tabú, pues nadie quiere hablar de él, e incluso tiene nombres populares como días de llorera o *babyblues*.

La extraña tristeza suele coincidir con la subida de la leche, lo que podría ser un indicio para atribuir el repentino bajón anímico a los cambios hormonales. El equilibrio hormonal, de hecho, sufre profundos cambios después del parto. La hipófisis emite grandes cantidades de las hormonas femeninas prolactina y oxitocina, que ejercen un papel decisivo en la producción y suministro de la leche materna. También la proporción entre el estrógeno y la progesterona cambia. Si, además, la madre experimenta problemas o preocupaciones, la depresión se refuerza. La angustia sin embargo puede reducir la secreción de leche; en ese caso hay que lograr que la madre recobre la confianza en su capacidad para amamantar adecuadamente al bebé.

DESAHOGAR SUS EMOCIONES Muchas madres creen que la situación las supera, tienen miedo a no dar la talla y a fracasar en su nuevo papel. O se sienten decepcionadas porque el parto no ha sido tan idílico como esperaban. Otras no acaban de acostumbrarse a su nueva situación, quizás porque trabajaron antes del embarazo o hasta el parto: ahora se sienten atadas al niño, que además ha ocupado el centro de atención en el cual estaba antes la embarazada. A pesar de toda esta mezcla emocional de frustración, fastidio, pánico e incluso celos, los familiares y amigos no esperan de la joven madre nada más que felicidad y satisfacción. Y ella intenta ocultar sus sentimientos a toda costa. Así pues, no puede extrañar a nadie que la más mínima agitación desemboque en llanto.

En la mayoría de las madres, sobre todo primerizas, la tristeza desaparece al cabo de pocos días, si bien puede durar más. En cualquier caso, puede ser de gran ayuda intercambiar experiencias con otras madres o comentarlo con una comadrona experimentada.

- -

Tus lindos ojos azules...

Los ojos de los niños irradian una fascinación especial. No sólo porque suelen ser azules, sino también porque sus pupilas muestran claramente sus intenciones.

¿Por qué tantos bebés tienen al nacer los ojos azules? O, mejor dicho, un iris azul, puesto que es el iris el que otorga al ojo su color. En los bebés, esta parte coloreada del ojo es clara o transparente y sólo parece azul por la luz del día que incide en el ojo. Sólo cuando el organismo haya transportado a los ojos suficiente melanina, es decir, pigmentos de color, se desarrollará su color definitivo. Hasta entonces pueden transcurrir unos seis meses.

Si el azul del iris se oscurece o se enturbia, el niño tendrá los ojos oscuros o marrones. Si el color no cambia, las capas superiores del iris se mantienen incoloras y el niño andará por este mundo con los ojos azules claros.

MENSAJES DE LAS PUPILAS El iris transparente de los bebés es sólo un medio para conseguir un fin determinado, ya que ante un fondo claro se ve mejor cuándo se ensanchan las pupilas para indicar "¡hola, estoy aquí!". Los investigadores del comportamiento creen que los bebés, al agrandar sus pupilas, llaman la atención de la madre, truco que funciona también con los adultos. Cuando estamos frente a personas simpáticas, nuestras pupilas se

Los niños de tez clara suelen nacer con los ojos azules. En los seis primeros meses se decide el color definitivo.

dilatan; si nos caen mal, se estrechan. Estas señales mediante las pupilas no se dejan controlar conscientemente, pero nuestro interlocutor las percibe y las entiende. Así, para el bebé aumenta también la posibilidad de que lo tomen en brazos y lo acaricien si sus pupilas se ensanchan.

Una cabezota blanda

La naturaleza se ha ingeniado un truco para permitir que la gran cabeza de los bebés pase por el canal del parto: al nacer, la cabeza del niño es blanda y algo moldeable y, por tanto, puede comprimirse.

Hay padres que se asustan cuando miran bien por primera vez la forma de la cabeza de sus hijos. A menudo se ha alargado de forma aerodinámica, con un marcado occipucio y la frente plana. Las causas no son de orden genético, sino que más bien se relacionan con la adaptación del hombre a la posición erecta.

HERENCIA DEL HOMBRE PRIMITIVO Cuando nuestros antepasados empezaron a erguirse hace miles de años para andar sobre dos pies, se desencadenaron una serie de cambios orgánicos y funcionales. Así, la pelvis tuvo que adaptarse al nuevo modo de andar, es decir, se fue estrechando a la vez que conservaba la suficiente anchura para dejar paso a la descendencia. La naturaleza ingenió un compromiso: una pelvis más estrecha en la madre y una cabeza más elástica en el bebé. Esto exigía que los huesos del cráneo fuesen no sólo blandos, sino que debajo de la fina piel que los recubre pudieran desplazarse unos contra otros o incluso unos sobre otros en el momento del parto. Puesto que el bebé suele nacer con el occipucio por delante, su cráneo se puede comprimir y alargar para reducir su circunferencia.

Este movimiento es posible gracias al fino, pero muy resistente, tejido que une los diferentes huesos craneales. Este tejido es tan fino que a través del cuero cabelludo sentimos cómo late la sangre: como el agua en un manantial. Por esta razón, estas partes blandas del cráneo fueron denominadas por médicos franceses con el nombre de fontanelas. La mayor de ellas se encuentra un poco por encima de la frente y tiene el tamaño de la yema del dedo de un adulto. Además hay fontanelas en el occipucio y en las sienes.

El tejido de estas membranas empieza a endurecerse a partir del tercer mes de vida. Los huesos van aproximándose y soldándose hasta que a los dos años ha desaparecido la última y mayor fontanela, la de la parte anterior de la cabeza. Entonces los huesos encajan como las piezas de un rompecabezas. Las costuras, que se asemejan a un dibujo en zigzag, garantizan una especial resistencia.

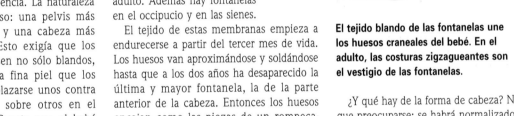

El tejido blando de las fontanelas une los huesos craneales del bebé. En el adulto, las costuras zigzagueantes son el vestigio de las fontanelas.

¿Y qué hay de la forma de cabeza? No hay que preocuparse: se habrá normalizado a los pocos días de nacer el niño. Nada recordará en la edad adulta esa deformación de la cabeza del recién nacido.

Michelines y grasa

Desde el cuerpo materno, donde ha permanecido a 37°C, el bebé, desnudo y húmedo, sale a un mundo frío de apenas 21°C. Para protegerse ha acumulado reservas de grasa.

En las fotos de los nadadores que cruzan el Canal de la Mancha se ve cómo untan su cuerpo con una gruesa capa de grasa antes de lanzarse al agua en Calais o Dover. El bebé al nacer recuerda la imagen de estos nadadores de fondo, pues también su cuerpo está embadurnado de una grasa blanco-grisácea o amarillenta. Su nombre

científico es *vernix caseosa;* cubre al neonato y se compone de células muertas de la piel y sebo que ha producido en grandes cantidades en las últimas semanas del embarazo. En algunos niños, la grasa cubre sólo algunas partes del cuerpo; en otros, lo recubre totalmente, pelo y cara incluidos. Pero, ¿para qué sirve? Su efecto lubrificante, sin duda,

facilita el parto. Antaño, para nuestros antepasados primitivos, la grasa cumplía la función de proteger la piel contra el frío, infecciones o heridas. Si no se lava al niño después de nacer, la piel absorberá la grasa en unos dos o tres días.

GRASA DE COLOR PARDO Aparte de esta grasa, el neonato tiene otra segunda capa de protección subcutánea, es decir, debajo de la piel. A partir de la 34ª semana del embarazo, el cuerpo del bebé ha empezado a acumular reservas energéticas para el día D, al igual que muchos mamíferos antes de hibernar. Estas reservas se forman con la llamada "grasa marrón", así denominada por contener muchos vasos sanguíneos y nervios que le otorgan este color. La grasa marrón se forma sobre todo en la espalda, la nuca y el cuello, y encima de las nalgas, y cubre también la zona renal y de la aorta. En total puede alcanzar hasta el 5% del peso total del bebé.

EL BEBÉ NO TIRITA Cuando una persona adulta siente frío, tirita. Este proceso moviliza y quema grasa y azúcar acumulados, y esta energía adicional evita que la temperatura del cuerpo descienda. El cuerpo del neonato aún no puede tiritar, aunque tenga frío. Podría acelerar las transferencias de energía respirando a más velocidad, pero sus reservas se agotarían en pocos minutos, su nivel de azúcar en la sangre descendería peligrosamente y su cerebro estaría en peligro. Contra un enfriamiento tan peligroso sólo puede ayudar la reserva acumulada de grasa marrón, que suministra energía y protege contra el frío. Puesto que los niños prematuros no disponen de suficiente grasa marrón, inmediatamente después del parto deben alojarse en un ambiente con la misma temperatura que predominaba en la matriz.

MICHELINES DE BEBÉ Como la grasa marrón se consume a los pocos días, el cuerpo del recién nacido debe acumular

Este niño, rebosante de salud, está bien protegido contra el frío por sus reservas de grasa. Las pequeñas adiposidades suelen hallarse en el vientre y alrededor de las articulaciones.

nuevas reservas de grasa contra el frío. Pocos días después de nacer, empieza a formar tejido adiposo, esta vez de grasa blanca, igual que los adultos. En caso de necesidad, estas reservas de grasa se quemarán en el cuerpo para volver a acumularlas en tiempos favorables.

Una vez que ha cumplido un año, el bebé acumula menos grasa y las adiposidades van desapareciendo. Aquellos bebés que a los tres años estén más gordos que el promedio, también de mayores serán propensos al exceso de peso, pues los adultos podemos acumular mucha grasa blanca, sobre todo en el abdomen.

No se debe considerar poco sanos a los bebés regordetes. Éstos necesitan iniciar bien su vida y, si están muy delgados, pueden perder peso rápidamente a consecuencia de una diarrea o cuando dejen de comer por hallarse enfermos. Los padres deben llevar a sus hijos al médico regularmente para vigilar su peso. Así se detectará pronto cualquier desviación importante de las pautas normales.

Una bomba prodigiosa

El corazón de un recién nacido late el doble de rápido que el de un adulto. Sólo así puede suministrar oxígeno a todos los órganos de su tierno cuerpo.

Cuando se toma el pulso a un recién nacido, uno se asombra de la velocidad de los latidos. El corazón está literalmente desbocado, ya que debe abastecer oxígeno a todo el cuerpo. El cerebro, el corazón y el hígado del bebé son muy grandes en proporción al resto del cuerpo, y por tanto, necesitan aún más oxígeno. Esto explica el elevado ritmo del corazón: cuanto más veloz late, más oxígeno puede bombear hacia los órganos donde a esa edad resulta tan necesario.

Ahora bien, un recién nacido no puede respirar el mismo volumen de aire que un adulto. Los pulmones del pequeño, que despiertan con el primer grito, alcanzan su plenitud sólo al cabo de varios días. Para asegurar el suministro de oxígeno a todos los órganos, el neonato debe respirar entre 30 y 80 veces por minuto. Y, por cierto, el bostezo no es más que un acto reflejo cuando hay necesidad de más oxígeno.

SUBE LA PRESIÓN SANGUÍNEA Al término del primer mes, el número de latidos del bebé se estabiliza en unos 130 por minuto, lo que sigue siendo casi el doble que en un adulto. A medida que crece el niño, el número de latidos por minuto disminuye, a la vez que se duplica la tensión sanguínea y el corazón aumenta su tamaño unas 12 veces.

Es extraño que el número de latidos sea superior en las niñas: 5 más por minuto que los varones. En unos y otras, lo importante es la fuerza, regularidad y ritmo de las pulsaciones.

El electrocardiograma lo demuestra: el corazón de un adulto late mucho más lentamente que el de un neonato.

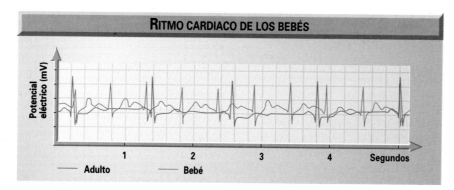

RITMO CARDIACO DE LOS BEBÉS

Potencial eléctrico (mV)

1   2   3   4   Segundos

— Adulto   — Bebé

A un bebé nadie es capaz de resistirse

La imagen de un recién nacido despierta amor y afecto en cualquiera. Pero, ¿por qué los encontramos lindos y graciosos?

Los cachorros de perros, gatos o conejos nos atraen a cualquiera. Queremos cogerlos en brazos y acariciarlos. Cuando vemos a un niño recién nacido reaccionamos de la misma manera, y las mujeres más que los hombres.

ESQUEMA DE NIÑO PEQUEÑO La causa de esta reacción subyace en determinados estímulos clave que nos transmite el aspecto exterior del bebé. El famoso investigador del comportamiento Konrad Lorenz acuñó el concepto de "esquema de niño pequeño". La cabeza es relativamente grande en proporción al resto del cuerpo, puesto que el cerebro posee ya el mismo número de células que el de un adulto. La frente es alta y prominente, al igual que las mejillas, y los ojos están hundidos. Los movimientos con las cortas y compactas extremidades y el cuerpo regordete parecen torpes y despiertan el deseo de proteger al pequeño y desamparado ser. Los científicos creen que este instinto de protección es innato en cada individuo y sirve para aumentar las probabilidades de supervivencia del neonato.

Actualmente, los fabricantes de muñecos, los publicitarios y los directores cinematográficos sacan partido del "esquema de niño pequeño". En los dibujos animados, los buenos suelen tener las cabezas redondas con los ojos grandes, al contrario que los malos.

Una cabeza redonda, los ojos grandes, una frente alta y mejillas marcadas caracterizan la cara del bebé. Es un aspecto físico al que no se resiste casi nadie, pues inspira ternura.

Nacidos para expertos

Un recién nacido sabe hacer cosas sorprendentes. Pero algunas de sus capacidades se pierden pronto y se tienen que reaprender con mucho esfuerzo: eran sólo reflejos.

Si se acaricia el rostro de un neonato, éste gira la cabeza y tuerce la boca hacia el dedo. Si después se le tocan los labios, los redondea y empieza a chupar el dedo. Y si la boca encuentra el pezón materno, succiona y traga la leche automáticamente. Estos sorprendentes comportamientos que el bebé presenta desde los primeros días de vida no son actos controlados por la voluntad, sino reflejos ingeniados por la naturaleza para garantizar la supervivencia del neonato.

Para el bebé también reviste importancia vital el poder respirar libremente. Si se cubre la boca y la nariz de un recién nacido con un pañuelo, siempre intentará apartarlo con la lengua o los labios, o incluso con las manos, agitando mucho la cabeza, a pesar de que su musculatura apenas está desarrollada.

PRIMEROS PASOS Si se sostiene a un bebé por debajo de los brazos y se deja que sus pies entren en contacto con una superficie dura, al momento intentará dar pasos. Sin embargo, este fenómeno andarín desaparece al cabo de pocos días. Algo más, hasta el tercer mes, le dura el llamado reflejo de Moro: sosteniéndolo en brazos y quitándole de repente el apoyo bajo la cabeza, el niño sano extiende de inmediato los brazos y los dedos y, a veces, grita. El neonato reacciona de manera similar cuando se asusta.

Un reflejo particularmente llamativo se manifiesta en los primeros seis meses cuando se toca la palma de la manita con el

En las primeras semanas de vida, el niño se aferra a todo; sin embargo, el reflejo prensil desaparece al cabo de tres a seis meses.

· dedo o con un juguete: lo agarra con asombrosa fuerza. Si después se intenta retirar el dedo u objeto, el bebé se aferrará con más fuerza a él, hasta el punto de que podrá incorporarse desde la posición tumbada a la sentada. Este reflejo prensil funciona también en los pies del bebé. Como todos los primeros reflejos, son movimientos involuntarios e instintivos. Son reacciones innatas que se transmiten por las vías nerviosas de los llamados centros profundos del cerebro. Las contracciones de la musculatura las desencadenan determinados estímulos exteriores y le sirven al neonato, en primer lugar, para alimentarse y, además, como autoprotección.

COMO UN CACHORRO Los investigadores del comportamiento infantil suponen que los reflejos tienen su raíz y explicación en la evolución del ser humano. Por ejemplo, el reflejo prensil existe también en el reino animal, y garantiza a muchos cachorros la supervivencia, como a las crías de mono que, gracias al reflejo prensil, se agarran al pelo de la madre. Si se interrumpe el contacto con la piel materna, los pequeños empiezan a gritar para que los agarre, pues sin ella están indefensos y desamparados. Los monos, como muchos otros mamíferos y el ser humano, pertenecen al grupo de animales que llevan a sus cachorros sujetos al cuerpo de la madre.

El médico comprueba estos reflejos después del parto y en las semanas siguientes. Existen otra serie de pruebas orientadas a evaluar la viveza y habilidades del bebé, que se suelen realizar horas después del nacimiento, en presencia de la madre. Mientras que algunos actos reflejos desaparecen del todo y se deben reaprender con mucho esfuerzo, como el dar pasos o el agarrar objetos, hay otros que subsisten toda la vida, como tragar.

Con los ojos abiertos al mundo

Antes se creía que los recién nacidos no podían ver nada. Hoy se sabe, en cambio, que pueden ver perfectamente, sólo que en blanco y negro y no de lejos.

Algunos niños nacen con los ojos muy abiertos, como si quisieran ver adónde acaban de llegar. En efecto, a los pocos minutos de nacer, ya reconocen algunos detalles y, si una luz clara los deslumbra, cierran con fuerza los ojos. A pesar de todo, los ojos del recién nacido no están entrenados para ver y, de todos los sentidos, la vista es el menos desarrollado. En el vientre materno el único estímulo óptico que han percibido sus ojos ha sido la distinción entre claro y oscuro. Además, las vías nerviosas que discurren desde el ojo al cerebro del neonato deben madurar aún. Incluso aunque estuvieran desarrolladas del todo, el bebé no tiene experiencia alguna sobre cómo clasificar una imagen. Sin embargo, aprende todas estas cosas "a ojos vista", pues empieza a descubrir el mundo sobre todo por la vista. Al nacer, la córnea y el cristalino del ojo aún no han alcanzado su plena fuerza refractaria, pero la vista mejora día a día. En las primeras jornadas, el niño ve todo plano y no tridimensional, pero a las tres semanas de vida levanta la mano en un gesto de defensa si un objeto se acerca rápidamente hacia sus ojos.

LOS NEONATOS SON MIOPES Un recién nacido no puede enfocar bien a personas u objetos situados a una cierta distancia; los verá sin nitidez y borrosos. Sin embargo, puede ver claramente todo lo que tiene a menos de 20-30 cm de distancia. Esta distancia óptica no es casual: corresponde a la que media entre su cara y la de la madre cuando ésta lo sostiene en brazos. Las

280

madres suelen acercar instintivamente su cara al bebé hasta alcanzar esta distancia.

CUANTO MÁS COMPLEJO, MEJOR Todos los recién nacidos sienten curiosidad por su entorno e intentan captarlo con los ojos. Cosas con dibujos complicados llaman más su atención que las superficies con colores planos. El bebé mirará su sonajero rojo mientras no tenga otra cosa a la vista, pero si se le muestra una hoja adornada con cuadrados blancos y negros, prefiere mirar ésta.

A partir del segundo o tercer mes, el bebé va percibiendo los objetos con más nitidez, hasta llegar a distinguir bien detalles pequeños a los cuatro meses. De manera similar desarrolla la capacidad de mirar y distinguir caras. Cuando el bebé mira la cara de su madre o de otra persona que se dirige a él, su mirada descenderá desde el inicio del pelo hasta los ojos, después al mentón y volverá a subir a los ojos. Un niño de dos meses ya sabe distinguir caras de verdad de otras dibujadas. Pocas semanas más tarde, aproximadamente a los cuatro meses de edad, reconoce a sus padres, les sonríe abiertamente y los prefiere a otras personas.

Puede ocurrir que los recién nacidos bizqueen ocasionalmente, pues aún no controlan bien los músculos de los ojos. Esta debilidad muscular se debe a que el bebé, en el útero, no ha tenido un punto fijo para entrenar el ajuste de la vista y los músculos oculares. Éstos tardarán entre cuatro y seis semanas en cobrar fuerza, de manera que pueda ver de manera coordinada con ambos ojos. De todas maneras, se ha comprobado que, desde el día de su nacimiento, los bebés se interesan más contemplando una superficie estampada que una lisa, y a los pocos días siguen ya con los ojos el movimiento de una luz. Si se le muestra la fotografía de un rostro humano y un cuadro en blanco, el bebé es capaz de girar su cabeza 180 grados para no perder de vista la cara.

El desarrollo de la percepción espacial se produce de modo similar. En los últimos años se han concebido numerosos tests para analizar e investigar la capacidad visual de los bebés. Por ejemplo, se colocó a unos niños que ya gateaban sobre una mesa cubierta con un cristal. La mesa estaba pintada con un dibujo de azulejos blancos y negros que continuaba en el suelo. El cristal

Neonato   **6 meses**   **12 meses**

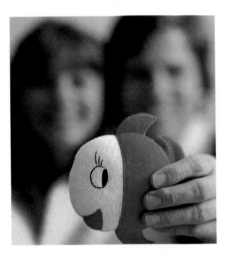

A los cuatro meses de edad, los bebés pueden fijar su mirada en un objeto de colores vivos si está a una distancia de 20-30 cm aproximadamente.

cubría la mesa, pero no sólo la mesa, sino toda la superficie pintada de la misma manera (mesa y suelo). En cuanto uno de los niños gateó sobre el cristal hasta el borde de la mesa, se asustó ante el supuesto abismo. Esta percepción de la profundidad, la llamada visión binocular, empieza a formarse a la edad de cuatro meses.

En torno a esta edad, el niño, al descubrir el mundo, comienza a investigar la interacción entre ojos y manos. Ya lleva algunas semanas mirándose los dedos con cierta curiosidad. Ahora extiende la mano hacia algún juguete, intenta medir la distancia entre mano y objeto alternando la mirada entre éste y aquélla, y lo va repitiendo y tanteando hasta que logra tocar el juguete.

TODO EN ROJO Un neonato no puede distinguir los colores. Primero le parecen sombras más o menos oscuras, puesto que los conos de su retina aún deben crecer. Paulatinamente, va reconociendo primero el rojo, después el azul, seguido por el verde y, finalmente, el amarillo. Ya percibe matices con algunos meses de edad y a los dos años tiene el aparato visual plenamente desarrollado. Niños de pocos meses sometidos a

Los científicos han descubierto que los bebés se ven estimulados a mirar mediante dibujos de acentuada tonalidad oscura-clara. Conforme crece, el niño ve mejor y empieza a interesarse por dibujos más matizados.

un experimento demostraron más interés por los colores rojo y azul. También prefirieron los colores puros a los formados por una mezcla.

La importancia de las impresiones ópticas para el neonato quedó de manifiesto en investigaciones realizadas con tribus africanas. Las mujeres de Togo llevan a sus bebés en los primeros meses a la espalda, de manera que ven principalmente el lado posterior de la madre. A veces pueden aventurar alguna mirada hacia la izquierda o derecha, pero siempre con un sólo ojo. Los niños de los bamilecos de Camerún están atados a la cadera de la madre y ven todo lo que pasa en torno a ellos. Comparando la prontitud, atención y la vista espacial, los bebés de Camerún superaban a los de Togo. En Europa sucede igual: los bebés que son llevados mucho tiempo en brazos o en el regazo presentan una actividad visual mucho más despierta que sus coetáneos que permanecen mucho tiempo tumbados.

A los bebés les gusta estudiar las caras, siempre que estén suficientemente cerca para mirarlas y reconocerlas.

Un clamor que conmueve a cualquier padre

Gritar es la única posibilidad del bebé para llamar la atención. Aunque a veces llega a exasperarnos, los berridos y el llanto tienen una función comunicativa.

¿POR QUÉ LLORAN LOS BEBÉS?

- En las primeras semanas los recién nacidos suelen berrear porque tienen hambre. Si se les acostumbra a tomar el pecho a determinadas horas, se agitarán cuando se acerque el momento.

- A veces, los lactantes están irritados por el cansancio o por factores de su entorno, como ruido, humo de tabaco o luz deslumbradora.

Los berridos pueden tener causas diversas, pero suelen ser llamadas de socorro.

- Por regla general, el bebé se calmará cuando se le tome en brazos y se le meza. Un bebé sano que recibe mucho afecto y atención gimotea menos.

- Los bebés necesitan que se les cambien regularmente los pañales. No les gusta estar con pañales mojados y, además, podrían escocerse.

- Cuando se alimentan tragan mucho aire, lo que les provoca gases y flatulencia. Estos cólicos de gases se caracterizan por fuertes dolores de vientre. Un suave masaje en el abdomen los aliviará.

- Cuando un bebé está seriamente enfermo, se manifiesta más con gemidos que con berridos. Reclama y merece atención urgente.

- A partir del sexto mes, los bebés pueden berrear de puro aburrimiento. Empiezan a estar interesados en su entorno y quieren estar ocupados. O gritan de enfado porque su cuerpo no les obedece.

Los pingüinos reconocen la voz de sus polluelos entre centenares y hasta miles de crías. ¿Y los hombres? Un experimento que se llevó a cabo en varias maternidades donde madres y recién nacidos están juntos ha revelado un hecho curioso: la mayoría de las madres reconocían la voz de su bebé cuando escuchaban grabaciones de varios bebés gritando. Incluso en sueños se despertaban con los gritos de su propio hijo; si eran otros los que lloraban, seguían durmiendo. Incluso había madres a las que les brotaba leche cuando su hijo gritaba de hambre.

LOS BEBÉS NO GRITAN SIN MOTIVO Cuando un lactante llora y grita es que quiere comunicar algo. Al cabo de algún tiempo la madre aprende a distinguir los motivos de los gemidos: enfado, hambre, dolor o simplemente aburrimiento. En cualquier caso volverá a calmarse de inmediato cuando se le tome en brazos y se le acaricie. Algunos padres piensan que pueden acostumbrar al bebe a no llorar si ignoran su llanto hasta que cese de puro cansancio y agotamiento. Sin embargo, estudios científicos demuestran que cuanto más frecuente sea la atención y el contacto físico con los padres, mejor se desarrollará el niño. Llevar el niño consigo sujeto a la espalda o al pecho otorga a éste sensación de intimidad y protección.

Por cierto, al nacer, el bebé sólo sabe gimotear, pero no llorar. El líquido lagrimal se empieza a producir cuando cumple varias semanas de edad. Pero su propósito es el mismo: llamar la atención ajena para que sean satisfechas sus necesidades más perentorias.

La ansiada primera palabra

Todos los padres se sienten felices cuando sus hijos emiten un sonido que semeja "mamá" o "papá". Pero el bebé hace sólo lo que los demás: balbucea.

El camino desde el primer grito a la primera palabra es largo y suele ir unido a la facultad de escuchar. Desde los primeros días de vida, el bebé mira a su madre cuando ésta le habla. Algo más tarde será capaz de responder, aunque con medios modestos: contestará con una sonrisa o ronroneando de satisfacción.

Al principio, los bebés saben emitir únicamente sonidos como gárgaras. Esto se debe a que la epiglotis está todavía adherida al paladar, lo cual resulta necesario para que el bebé no se atragante. Cuando el niño tenga tres meses, la epiglotis habrá descendido tanto que la lengua tendrá más espacio para moverse, y también las cuerdas vocales tendrán más libertad para vibrar. De esta manera, el bebé empieza a balbucir y sonríe cuando los adultos lo imitan. Pronto pronunciará monosílabos con determinadas vocales que pueden sonar como "ma", "ba" o "pa", pero que no se refieren a nada. Hasta que un niño sepa hablar con sentido deben crecer y cooperar miríadas de células nerviosas, cinco músculos en la laringe y otros doscientos en el cuello y la caja torácica.

MONÓLOGOS Con seis meses, el niño ensarta sílabas simples. Salvo la "ma" y la "ba" ya conocidas, todas las sílabas empiezan con consonantes labiales o palatales que puede formar al expulsar el aire, como por ejemplo, "ta". Ya no resulta tan largo el camino de la "ma" a la "mamá" que, si se articula, no se refiere en absoluto a la madre.

Con estos balbuceos, que son idénticos en todas las culturas y razas humanas, el niño entrena los músculos de la boca y la laringe para el habla. El entorno del bebé determina cuál de los 6.000 idiomas de este mundo aprenderá. El niño empieza a acostumbrarse al sonido de su lengua materna. Si los padres le hablan a su hijo en serio o le leen algo, pronto los imitará y aprenderá a hablar con más facilidad. En el segundo semestre del primer año empezará a llamar la atención con determinados sonidos.

LOS SONIDOS COBRAN SENTIDO El momento decisivo en que el niño pronuncia por primera vez la palabra "mamá" cuando ve a su madre, llega para algunos a los diez meses, mientras que otros pueden tardar hasta ocho meses más. Puesto que la pronunciación aún no es muy correcta, a menudo confunde consonantes distintas o altera su orden. Esto no es indicativo de ninguna deficiencia mental ni de desarrollo intelectual.

Pero los niños aprenden con facilidad y rapidez. A los dos años ya pueden articular frases simples en estilo telegráfico, que los padres suelen entender en función de la entonación. El aprendizaje del lenguaje y el enriquecimiento del vocabulario ya no se detendrán.

Un largo camino: *del gateo a la marcha erguida*

Los bebés tardan al menos un año en poder dar pasos. Su programa de entrenamiento consiste en reptar, gatear, ponerse de pie y finalmente andar. Pero hay niños que se saltan alguna fase del aprendizaje.

En los primeros meses, los movimientos torpes y patosos del bebé suelen divertir a los espectadores. Tumbado boca abajo, levanta el pecho y los pies y da patadas al aire. A los cinco meses tiene suficiente fuerza para darse la vuelta tumbado. Paulatinamente va aprendiendo a controlar mejor sus movimientos, y en esta fase se desarrolla toda la movilidad voluntaria.

Cuando ha cumplido seis meses, el bebé intentará apoyar el tronco sobre las manos. Además flexiona las rodillas, las coloca bajo el cuerpo y se columpia hacia delante y detrás. Estos ejercicios refuerzan los músculos en piernas y brazos, de manera que el niño puede comenzar a reptar. A veces comienza a hacerlo hacia atrás porque así es más fácil. Lo importante es que aprende a coordinar los movimientos de brazos y piernas: brazo derecho y pierna izquierda, seguidos de brazo izquierdo y pierna derecha.

LA FASE DE GATEAR Con 8 o 9 meses, el niño tiene fuerzas suficientes para levantar todo el tronco del suelo y andar a gatas. En los siguientes dos o tres meses perfecciona la técnica y aumenta la velocidad: el vientre ya no roza el suelo. Llega el momento de poner las cosas del hogar a salvo, pues el niño se agarra a todo lo que está a su alcance.

A los niños les gusta moverse y descubrir su entorno. Al principio deben ir de la mano, pero pronto sus pasos torpes e inseguros se vuelven más hábiles y veloces.

Empieza a curiosear y a ampliar su radio de actividad, e incluso se levanta agarrado a sillas y estanterías, con las piernas muy flojas. Los objetos pequeños que encuentra en su camino se los suele meter en la boca para comprobar qué son o a qué saben.

LOS PRIMEROS PASOS Hay muchos niños que el día de su primer cumpleaños ya saben dar dos o tres pasos de la mano de alguien. Algunos incluso ya andan algo sin apoyo para desplomarse enseguida, pues aún no tienen desarrollado el sentido del equilibrio. Para mantener el equilibrio levantan automáticamente las manos y las extienden hacia delante. La velocidad con la que aprende un niño a gatear, permanecer de pie o andar depende sobre todo del desarrollo de las múltiples fibras nerviosas del cuerpo. Los nervios deben transmitir los mensajes a los músculos para que los distintos y, a veces muy complejos, movimientos corporales se puedan coordinar. Como esta capacidad se desarrolla en torno al primer año de edad, hasta entonces los niños no suelen poder mantenerse de pie por sí solos o andar sin apoyo.

Los primeros dientes: pequeños, pero insufribles

En las primeras semanas después del nacimiento, el bebé nos sonríe con la boca sin dientes. Éstos empiezan a crecer algo más tarde; sólo cuando estén completos podrá masticar comida sólida.

Sólo uno de cada 2.000 niños nace ya con un diente de leche completamente desarrollado, casi siempre uno de los incisivos inferiores. En casos muy excepcionales ya han salido los dos incisivos centrales del maxilar inferior. Estos dientes aún no suelen estar anclados, por lo que no impiden la succión del pecho materno. Si se extrae estos dientes, el niño tendrá una mella hasta que le salgan los definitivos.

Los brotes de los que saldrán los dientes se forman en la sexta semana del embarazo

A este bebé le queda un largo y duro camino que recorrer. Aún tendrá que derramar muchas lágrimas hasta que le salgan todos los dientes de leche y pueda morder.

y se calcifican entre la 16ª y 20ª semanas. Cuando nace el bebé, sus mandíbulas ya tienen todos los dientes dispuestos bajo las encías, en total 20 de leche. Se denominan también los primeros dientes porque después se caerán y cederán su sitio a la segunda dentición o dientes definitivos.

El momento en que salen los primeros dientes oscila según los casos. Antes, los niños dentaban entre el sexto y el noveno mes de vida, mientras que últimamente se

El proceso de la dentición sigue un patrón determinado; las posibles desviaciones son de carácter hereditario y existían ya en la madre o el padre. Los primeros dientes que salen son los dos incisivos centrales del maxilar inferior, seguidos por los mismos del maxilar superior. Después afloran los incisivos laterales inferiores y después los superiores. Sin embargo, este orden no se cumple siempre: es perfectamente posible que los incisivos centrales salgan al mismo tiempo arriba y abajo, al igual que después todos los

AYUDAS PARA LA DENTICIÓN E HIGIENE BUCAL

- Se pueden aliviar las molestias del bebé que está echando los dientes si se aplica a las encías un masaje suave con el dedo o un poco de tintura de alcanfor diluida.

- Un mordedor también puede aliviarle. No debe ser hueco o de plástico, puesto que el niño ya puede morder con fuerza. Lo mejor es un mordedor de caucho.

- Mientras está dentando, el bebé tiene las defensas biológicas más débiles y es más sensible a infecciones. Si la fiebre aumenta por encima de los 38°C, hay que consultar al médico.

- Los dentistas aconsejan limpiar y cuidar los primeros dientes del niño con un bastoncillo de algodón. En cuanto salen las muelas hay que empezar a limpiarle la dentadura con el cepillo. La pasta dentífrica se utilizará lo antes posible.

- A partir del tercer año de vida hay que llevar el niño dos veces al año a la consulta del dentista, puesto que la caries se puede manifestar desde tan temprana edad. Puede acompañar a sus padres cuando éstos acudan al dentista, con lo que el niño se familiarizará con el tratamiento. También existen dentistas especializados en niños, cuya consulta resulta más tranquilizadora.

observa que lo hacen ya a partir del quinto o cuarto mes. Puede pasar perfectamente un año hasta que afloren los primeros dientes, y en las niñas suelen aparecer antes que en los niños.

Cuando un bebé está dentando, le cae mucha baba y presenta fácilmente unas décimas de fiebre. De noche se despierta con frecuencia y llora, ya que suele ser un proceso doloroso. El diente que perfora las encías tiene el mismo efecto que un cuerpo extraño: irrita las encías y éstas se hinchan y enrojecen. Para aliviar las molestias, el bebé se frota las encías con los puños. Las pequeñas ramificaciones de los nervios faciales llegan no sólo a los dientes, sino también a las mejillas y las orejas, por lo cual el niño se frota además la cara y la oreja. Se podría creer incluso que le duele el oído. Para localizar la fuente del dolor, se le tocan las encías: si llora quejumbroso, no hay duda de que le está saliendo un diente.

incisivos laterales. Al cabo de unos seis meses les siguen los colmillos y las muelas.

LA DENTADURA COMPLETA La dentadura de leche completa se compone de dos incisivos, un colmillo y dos muelas para cada una de las cuatro hemiarcadas. En el pequeño maxilar del bebé, no hay sitio para más dientes. La dentadura de leche estará completa en torno al segundo cumpleaños del niño; en ese momento ya habrá empezado el desarrollo de los dientes definitivos.

La idea de que los dientes de leche no importan porque de todas maneras se van a caer es un error. Descuidar los dientes de los niños acarrea problemas dentales que pueden durar toda la vida. A medida que el niño madura, los dientes de leche guían el crecimiento de los maxilares y de los dientes definitivos. Si la primera dentición se pierde prematuramente, es probable que los maxilares no se desarrollen correctamente y que los nuevos dientes queden superpuestos o crezcan torcidos.

Sesiones de aprendizaje

El niño no comprende la importancia de la higiene. Pero no sólo debe entenderla, sino aprender pronto a controlar activamente la vejiga y el esfínter.

Antes se otorgaba mucha importancia a que el niño aprendiera lo antes posible a prescindir de los pañales. Se le colocaba regularmente en el orinal, dejándolo allí hasta lograr el resultado esperado, el cual se producía sólo gracias a un reflejo: el aire fresco estimulaba la vejiga y el asiento frío del orinal relajaba el esfínter.

Hoy se sabe que este reflejo desaparece en torno al año y que muchos niños pequeños vuelven entonces a los pañales. Esto es normal, puesto que a esta edad aún no pueden controlar conscientemente la vejiga y el esfínter. Tardarán varios meses, a menudo hasta los 18 meses y más, para dominarlo. Siempre se empieza por controlar el esfínter para aprender después a controlar la vejiga.

Pero incluso después, suelen surgir problemas porque a veces, por la noche, se hacen pis en la cama, los varones más que las niñas. Supuestamente es la uretra más larga de los niños la responsable de su incontinencia nocturna. Además puede tener causas psíquicas, como los celos de un nuevo hermanito. Un adecuado entrenamiento, con cariño y paciencia, logrará que la situación mejore con el tiempo. Por lo general, no es un problema preocupante: sólo si es crónico hay que consultar a un especialista.

Los dos años son una buena edad para enseñar al niño a controlar la vejiga y el esfínter, sin forzarlo y con recompensas.

Cuando los niños nos superan

Un niño tiene varias fases de crecimiento intensivo hasta que alcanza su estatura definitiva. Probablemente deja de crecer en invierno y cuando está enfermo.

Hace cien años, el hombre alcanzaba su talla definitiva entre los 20 y 25 años, mientras que las muchachas y los muchachos de hoy alcanzan su pleno desarrollo físico mucho antes. Esta aceleración del desarrollo se debe entre otros factores a que la alimentación de los países industrializados es más sana y más variada.

Para que el niño alcance la estatura de adulto debe pasar por varias fases de crecimiento. En torno a los siete años, y en la pubertad sobre todo, crece varios centímetros al año. Es curioso que los niños del hemisferio norte crezcan más entre abril y junio que en los otros meses, mientras que en invierno aumentan de peso. Los niños que viven al sur del ecuador experimentan el mismo fenómeno, sólo que al revés. Aún

A veces, los niños crecen con tanta rapidez que podría hacerse cada semana una nueva marca en la regla que lo registra.

no se han podido esclarecer las causas de estas marcadas diferencias.

A los dos años, los cuerpos regordetes de los niños se estiran un poco y las piernas se alargan y se hacen más fuertes. Sin embargo, el tronco todavía no está diferenciado en tórax y abdomen, por lo que los niños a esta edad parecen muy barrigones. El cuello es corto ya que la columna vertebral aún no ha adoptado su forma definitiva de ese. La enorme cabeza de bebé parece algo más pequeña, pero el espacio frontal sigue siendo mayor que la parte facial. A partir de la edad de 4-7 años, las extremidades y el cuerpo crecen permanente y uniformemente.

CAMBIA LA ESTATURA Cuando un niño de seis o siete años puede tocar con sus dedos el lóbulo de la oreja opuesta extendiendo el brazo por encima de la cabeza, se dice que ha alcanzado la llamada talla de los filipinos. Antes se consideraba como señal de la madurez escolar, e indica que las proporciones del cuerpo comienzan a cambiar. A partir de entonces crecerán sobre todo los brazos y las piernas, mientras que la cabeza y el tronco ya no resaltan tanto. La barriga desaparece y se forman las caderas. La parte inferior de la cara crece en detrimento de la zona frontal, de modo que el niño va mostrando las primeras características de su aspecto definitivo.

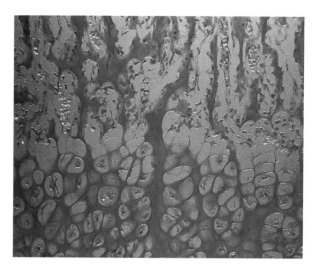

Zona de crecimiento en un esqueleto infantil: el cartílago crece y va siendo sustituido por tejido óseo. En medio se ve la médula.

LAS MUCHACHAS CRECEN ANTES Cuando entran en la pubertad, los adolescentes suelen dar un estirón impresionante. Temporalmente, las chicas pueden incluso superar a los muchachos, puesto que el estirón se produce en ellas un año antes. En las fases sucesivas del crecimiento pubescente los varones recuperarán con

creces este atraso. Pueden crecer hasta 15 centímetros por año, mientras que la estatura de las chicas puede incrementarse hasta en 8 cm. También el peso aumenta entre 10 a 11 kg por año. Estas fuertes variaciones de talla y peso determina que los adolescentes parezcan a veces muy desgarbados y larguiruchos, y sus movimientos desmañados y torpes, como si los brazos y piernas les hubieran salido demasiado largos. En efecto, las manos y los pies son lo primero que crece, seguidos por las caderas, el pecho y los hombros, y el tronco suele estirarse al final del proceso.

Al término de la pubertad, las proporciones están desarrolladas, es decir, los brazos y las piernas son más largos que el tronco, y la cabeza ocupa ya sólo una octava parte de la longitud total del cuerpo. Para entonces, los cartílagos del esqueleto se han convertido en sustancia ósea. Este proceso de osificación ha empezado con la salida de los segundos dientes.

CRECIMIENTO DESACELERADO A menudo sucede que un niño crece menos mientras sufre alguna enfermedad. Una vez curado, crecerá incluso más que otros y su tasa de crecimiento triplicará el promedio hasta que haya recuperado los centímetros perdidos. El crecimiento incluso puede detenerse del todo cuando el niño enferma gravemente o está desnutrido. Empieza a crecer de nuevo si es tratado adecuadamente, pero los daños, sobre todo en los huesos más largos, pueden ser irreversibles. De todas maneras, no existe correlación entre el ritmo de crecimiento durante la infancia y la estatura definitiva de un persona. De todos los factores que influyen en el crecimiento, los más importantes son la herencia y la nutrición.

Jugando, el niño encuentra su sitio en este mundo

Cuando el niño se hace mayor y más independiente, su círculo de amistades y su entorno cobran más importancia. Como compañero de juegos y amigo, ensaya papeles nuevos.

En la zona infantil de un parque se pueden observar los caracteres más variados. Está el niño callado y tímido que sólo mira desde fuera; el pequeño vándalo que pisa las construcciones de arena de los demás; o el niño disciplinado que hace cola en el tobogán aguardando su turno y a que alguien le ayude a subir.

Los juegos en el parque o en la guardería son muy importantes para el desarrollo social del niño. Los niños aprenden lo que significa dar y recibir, ayudar y adquirir poder. Entablan relación con coetáneos y adultos e inconscientemente ensayan el comportamiento que les han enseñado sus padres y que seguramente se prolongará toda su vida. En esta edad, las actitudes

sociales de padres e hijos presentan muchas características comunes.

JUGAR Y APRENDER Cuando ingresa en la guardería o en el colegio, el niño debe aprender a convivir con otros niños y a comportarse en un grupo. Hay niños que manifiesta un carácter más dominante que otros. Algunos aprenden a liderar, otros saben sólo oprimir y otros se integran sin problemas. La mayoría encuentra compañeros de juegos preferidos y rechaza a otros. En esta edad empiezan a descubrirse

Cuando un niño va al colegio, su vida cambia totalmente. Allí hace grandes progresos tanto intelectuales como sociales, que marcarán su futuro.

en juegos de rol como "madre, padre, hijo", "ladrones y policías" o "tendero y cliente". Además descubren juegos donde se trata siempre de ganar: carrera, competición, concurso... el entrenamiento para nuestra sociedad competitiva.

En el colegio aprenden a leer si es que no saben hacerlo ya. En cualquier caso, se les abren nuevas posibilidades para descubrir el mundo por su cuenta. Las amistades con coetáneos son cada vez más importantes y fomentan el desarrollo del niño. Su autonomía e independencia aumentan y se va formando el carácter; aunque de momento siguen siendo los padres los que, con sus valores, imponen la orientación y las pautas de conducta. Es éste también el mejor momento para que padres y educadores inculquen al niño los valores que deberán configurar en el futuro su conducta social: laboriosidad, orden, lealtad, sinceridad, desprendimiento, valentía y respeto a los demás.

ASUMIR RESPONSABILIDADES Un niño de 9 o 10 años ya sabe distinguir entre lo que está bien y lo que está mal y comienza a experimentar incipientes sensaciones de lealtad, compañerismo, responsabilidad y conciencia del deber. A menudo quiere tener un animal doméstico cuyo cuidado sea responsabilidad suya. Hay que destacar que las niñas demuestran generalmente más madurez que los varones de esta misma edad.

Cuando se hacen mayores aprenden y confrontan más sus opiniones. Al mismo tiempo emprenden la búsqueda de sus propios valores, de su papel en esta vida, de ideales y modelos. Por vez primera les invaden dudas sobre sí mismos. ¿Quién soy? ¿Qué quiero? ¿Adónde voy? En no pocos casos se produce la primera confrontación seria con los padres, cuyos valores se cuestionan cada vez más.

Particularmente, cuando los hijos entran en la pubertad, encuentran mucho más agradable la compañía de sus amigos que la de sus padres. En su pandilla pueden ensayar papeles nuevos y variados. Y se inician las relaciones entre muchachos y muchachas, fundamentales para su posterior desarrollo.

La retaguardia está lista

Los dientes de leche aguardan ser desalojados; cuando los definitivos están listos, obligan a los primeros a cederles su sitio para completar la segunda dentición.

Una foto como ésta la tenemos todos: el primer día de colegio, con una amplia sonrisa y una mella. No es nada raro, puesto que los segundos dientes suelen empezar a salir a los seis años, cuando muchos niños ingresan en el colegio.

Antes de que se sustituyan los dientes de leche, en los extremos de los maxilares, donde hasta ahora no había dientes, salen los molares. Al mismo tiempo, o algo más tarde, se caen los incisivos centrales de la dentición de leche, después los incisivos laterales y, finalmente, los colmillos y las muelas. Los dientes de leche se aflojan y su raíz se va disolviendo hasta que queda sólo el tronco, que acaba por caer. Muchos niños aceleran la segunda dentición toqueteando los dientes ya flojos hasta que se los pueden sacar.

Es curioso que las niñas, una vez más, se adelantan unos 7-11 meses a los niños en la segunda dentición, como acontece con la primera.

La segunda dentición comienza en torno a los seis años y las últimas mellas desaparecen a los 12-13 años.

La dentadura definitiva (azul) se compone de más dientes que la de leche (blanco). Primero afloran los molares, después los incisivos.

MÁS DIENTES QUE ANTES Cuando nació el niño ya tenía dispuestos los primeros dientes y, debajo, también los segundos. Los dientes definitivos suelen salir en el mismo orden que años atrás los primeros, si bien con una diferencia importante: en la mandíbula

Empiezan a formarse los dientes definitivos.

Sale el primer molar.

Le siguen los incisivos centrales.

Salen los incisivos laterales.

esperan a salir los veinte dientes que sustituyen a los primeros, más otros doce que no figuraban en la dentadura de leche. El proceso de sustitución dura de 6 a 7 años, es decir, hasta la edad de 11-13 años; pero hasta que todos los incisivos, colmillos, premolares y molares se hayan formado del todo, transcurren por lo menos otros cinco años. Las muelas del juicio no aparecen antes de los 18 años, si es que aparecen. Con ellas, la dentadura completa constaría de 32 dientes.

La segunda dentición suele ser poco problemática, sin los dolores que incomodaban al bebé cuando dentaba por primera vez. Pero los dientes pueden salir algo torcidos, lo que tiene que controlar el den-tista y, en su caso, corregir con aparatos ortodóncicos o incluso extrayendo una o varias piezas. Tales medidas de prevención pueden ahorrar gastos y complejos en la vida futura.

HIGIENE DENTAL INFANTIL Para que después de los dientes segundos y definitivos no sean necesarios unos terceros artificiales, hay que limpiarlos regular y cuidadosamente. Se aconseja lavarse los dientes después de cada comida, pero, en cualquier caso, después de la cena, para que los niños no se acuesten con los restos de azúcar y leche en los dientes, ya que estas sustancias son especialmente nocivas. La forma de limpiarse los dientes es más importante que el tipo o marca de dentífrico utilizado. A ser posible, deberá usarse un cepillo de superficie plana y cerdas flexibles; también es conveniente cambiarlo a menudo, pues se desgasta y pierde eficacia.

Un estudio realizado en Alemania en 1994 reveló que el 64% de los niños de seis años, el 70% de los que comienzan el colegio y el 85% de los que ya han superado cuatro cursos escolares no tienen una dentadura sana. A menudo los dientes de leche presentan caries, lo que puede dañar los brotes de los definitivos. Además, los dientes de leche afectados por la caries se caen antes. En adolescentes es cada vez más frecuente también la parodontitis o inflamación de las encías, con la posterior afección de los cuellos de los dientes.

Cuando llega el cambio de voz

En la pubertad, la laringe del adolescente crece de manera notable y su voz empieza a mudar para convertirse en voz de hombre, grave y profunda.

Antes de mudar la voz, los chicos pueden cantar entre las voces altas de un coro. Después tendrán las voces más graves y deberán cambiar a tenor o barítono. En su cuerpo están ocurriendo importantes cambios fisiológicos.

Alrededor de los 14 años, la voz de los adolescentes sufre un cambio: de repente se torna ronca y grave, y cambia de clara a profunda. Esta es una señal de importantes cambios fisiológicos. La causa de los nuevos registros reside en el fuerte crecimiento de la laringe. Al nacer, las cuerdas vocales de los niños y de las niñas tienen la misma longitud, unos 5,8 mm. Después, siguen el crecimiento del cuerpo y alcanzan unos 7-8 mm a los dos años. Con seis años, miden más de 10 mm y con diez, 11,5 mm. Puesto que hasta esta edad el crecimiento de niños y niñas se asemeja bastante, sus voces suenan casi igual. Pero el unísono acaba con la pubertad.

ÉPOCA DE MUDA Las cuerdas vocales de una adolescente de 14 años miden unos 11,7 mm, un milímetro menos que las de un muchacho de la misma edad. En esta fase, cuando el fuerte crecimiento de los caracteres sexuales primarios está en su apogeo, la laringe da un verdadero estirón. Como todos los cambios de la pubertad, también la mutación se debe a una elevada producción de hormonas en la hipófisis, que afecta a la laringe y con ella a la voz. La producción de elevadas cantidades de la hormona sexual masculina, la testosterona, determina que este órgano crezca sensiblemente. Crecen tanto los cartílagos como las cuerdas vocales, lo que altera la voz, que se torna más grave. Esta fase se llama muda, el cambio de voz.

El proceso presenta una particularidad: los cartílagos de la laringe crecen más deprisa que los músculos y los nervios, lo que trastorna durante algún tiempo el concierto y la interacción entre todas las partes del aparato vocal. Una vez terminada la muda, cuando todas las partes han vuelto a cooperar en armonía, la voz cambia a un registro más equilibrado. Pero sucede que, a causa de las cuerdas vocales alargadas, este registro será una octava más grave que antes.

Sin embargo, hay una etapa en que la voz del muchacho pasa repentinamente de los tonos graves a los agudos, provocando los temidos "gallos". El motivo es que toma algún tiempo acostumbrarse a emplear una laringe más grande; los adolescentes tienen que aprender a manejar los músculos que controlan la tensión de las cuerdas vocales, que ahora son más largas.

En la pubertad cambia también la voz de las adolescentes, aunque en mucha menor medida: en un tono entero o una tercera menor (un tono entero y otro semitono) o en una tercera mayor (dos tonos enteros).

CUERDAS VOCALES MÁS LARGAS El registro de voz de una persona cambia varias veces a lo largo de su vida. En los primeros 30 años, las cuerdas vocales crecen y provocan cambios en la voz que, sin embargo, son menos llamativos una vez culminada la pubertad. A los 20 años, un hombre tiene unas cuerdas vocales de 23,4 mm de longitud, mientras que las de la mujer alcanzan 15,2 mm. Un varón de 30 años tiene las cuerdas cinco veces más largas que al nacer (30,5 mm), mientras que en las mujeres la longitud es el triple de la inicial.

En las personas mayores, la voz vuelve a quebrarse, puesto que las cuerdas vocales se acortan. Por ello, la voz de hombres y mujeres mayores es más aguda de lo que fue en la fase anterior de su vida.

Ese bozo incipiente

Pocas veces los adolescentes se miran tanto y con tanta atención en el espejo como al principio de la pubertad. Los muchachos aguardan impacientes los primeros pelos de la barba; son el símbolo de su nueva virilidad.

En la pubertad, se estimulan los folículos pilosos en el cutis mediante la acción de las hormonas masculinas y apunta el bozo. Dónde empieza, si está más o menos poblado y qué superficie cubre depende de los genes.

El cuerpo del niño está cubierto por doquier de un fino vello de color claro, a excepción de los genitales y las axilas. Esto se modifica cuando entran en la pubertad. Bajo la influencia de las hormonas sexuales, en la zona de los genitales y en las axilas les crece un vello fuerte y oscuro. Los folículos responsables de la vellosidad del adolescente estaban en su piel desde el nacimiento, pero permanecieron inactivos hasta el momento de la pubertad.

Puesto que las adolescentes, estadísticamente, entran en la pubertad unos dos años antes que los muchachos, sus vellosidades aparecen antes. Cuando sus pezones empiezan a desarrollarse les aflora el primer vello en los labios de la vulva. Dos años después de la primera menstruación, su vello púbico es completo y, al cabo de otros dos años, les ha crecido vello más o menos exuberante en las axilas.

SÍMBOLO DE VIRILIDAD En los muchachos aparece el primer vello púbico cuando los testículos han empezado a crecer. Al igual que en las chicas, el vello de las axilas aparece más tarde. La barba reviste importancia especial para el adolescente, pues su aparición y posterior afeitado simbolizan ostensiblemente la virilidad y el carácter adulto. Los científicos argumentan que la barba indica a las mujeres la madurez sexual de su portador, al igual que la melena del león macho.

En esta edad se perfila si el individuo tendrá más o menos vello en el pecho y la espalda, las piernas y los brazos. La vellosidad depende de la predisposición genética. Los habitantes de los países mediterráneos tienen el cuerpo más velloso que los del norte de Europa.

Por cierto, los antropólogos creen haber descubierto la función original del vello púbico y axilar. Mientras en esas zonas crecen los primeros pelos, el cuerpo genera las glándulas sudoríparas que con la ayuda de bacterias emiten olores. Éstos impregnan el vello y comunican a su entorno un mensaje: "esta persona tiene capacidad reproductora".

Los vaivenes hormonales hacen la piel rebelde

Muchos adolescentes púberes sufren de granos y espinillas. Sobre todo en el rostro no se pueden ocultar. La culpa de la piel impura, de la que no están exentas las muchachas, la tienen las hormonas sexuales masculinas.

El acné suele ser una molestia benigna y pasajera, pero los granos rojos y purulentos preocupan bastante a los adolescentes. En este período fascinante, en el que empiezan a descubrir sus propios cuerpos y a descubrirse también los unos a los otros, les brotan espinillas y pequeños granos en la frente y las mejillas, el pecho, los hombros y la espalda.

Las impurezas de la piel se deben precisamente a este cambio de niño a adolescente, puesto que en la pubertad aumenta la producción de hormonas sexuales. Entre ellas se encuentran los andrógenos, las hormonas masculinas, responsables directas de los granos que brotan, pues estimulan a las glándulas de la epidermis a producir más sebo.

POROS OBTURADOS Las glándulas sebáceas o folículos se encuentran al final de los poros de la piel donde salen los pelos. En condiciones normales, la secreción producida por las glándulas aflora al exterior a través del canal del pelo, y genera en la epidermis una capa protectora. Durante la pubertad se produce tanto sebo que las glándulas se atascan. Esto produce la famosa piel grasa, de naranja. Además, los folículos desprenden cada vez más células muertas, tantas que ya no salen a la superficie sino que se aglutinan con el sebo excedente y se solidifican en los poros. Resultado: el folículo se hincha, el poro se obtura y la piel se abomba.

Desde fuera se ven pequeños puntos negros, las espinillas o comedones. Cada vez se llenan más de sebo y las bacterias del acné provocan inflamaciones. El cutis empeora visiblemente, también porque se intenta abrir y reventar los granos. Con la presión, el contenido de la glándula sebácea junto con las bacterias del acné es empujado hacia el tejido colindante y allí provoca nuevas inflamaciones. Brotan más granos, que incluso pueden dejar marcas. Si el proceso inflamatorio penetra en las capas profundas de la piel y se producen quistes o abscesos, las marcas pueden degenerar en pequeños cráteres.

PROBLEMAS PSÍQUICOS El acné no es sólo un problema cosmético, sino que los granos pueden perjudicar seriamente la confianza en sí mismos de los adolescentes. Sobre todo si padecen un acné violento, pueden sentirse desfigurados y rehúyen la compañía de sus coetáneos. Si bien los trastornos dermatológicos afectan con más frecuencia y virulencia a los muchachos, pueden verse afectadas también las chicas, puesto que ellas también producen hormonas masculinas. Sobre todo en los días anteriores y posteriores a la regla, cuando se altera su equilibrio hormonal, puede empeorar su tez.

Cuando el nivel de las hormonas del joven haya vuelto a la normalidad, lo que suele ocurrir en la primera fase de la edad adulta, el acné tiende a desaparecer. Mientras tanto, una buena medida será lavarse suavemente la cara cada vez que se sienta grasienta y tomar el sol con moderación. Deberán evitarse las cremas y lociones humectantes que pueden obstruir los poros y no dejar salir el sebo. Prescíndase igualmente de cuellos altos y prendas ajustadas que impidan la libre transpiración de la piel.

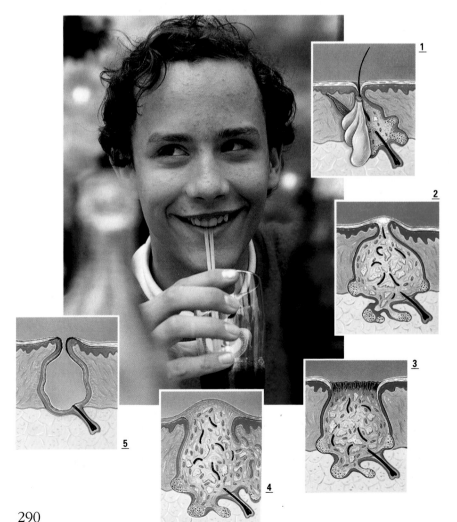

¿Qué ocurre en la piel cuando se padece acné? De un folículo sano crece un pelo (1). El exceso de sebo y células muertas obtura el poro (2); se forma una espinilla negra (3). Si se inflama, se convierte en un grano purulento (4). Después de curarse el grano, pueden quedar marcas (5).

El niño ya no es un niño

La pubertad, como un proceso químico de fermentación, siembra la agitación en el organismo. Los jóvenes viven también un periodo tempestuoso desde el punto de vista psíquico.

La pubertad es el momento en que se transforma el cuerpo de una persona joven y se descubre la sexualidad; la época del soñar despierto, pero también la etapa de mensajeras, con cuya ayuda madura el cuerpo según un ritmo establecido por los patrones genéticos. Algunos órganos, como el corazón y los pulmones, experimentan un

tamaño y adopta una tonalidad más oscura. Aproximadamente un año después del crecimiento de los testículos, se segregan los primeros espermatozoides maduros: el joven experimenta su primera espermatorrea o derrame de semen.

En general, las niñas entran en la pubertad dos años antes que los niños. Entre el décimo y el decimosexto año, los ovarios comienzan a distribuir progesterona y estrógenos. Estas hormonas tan efectivas provocan la transformación de la niña en una mujer joven. En la zona de las caderas,

rebelión contra el mundo de los adultos. De repente, el joven ya no comprende los valores que le han transmitido sus padres, y muchas veces se siente solo e incomprendido. De ahí la facilidad con que pueden surgir conflictos con sus progenitores. Éstos suelen quedarse desconcertados frente a sus hijos.

CRECIMIENTO DIRIGIDO POR LAS HORMONAS El desencadenante de esta revolución anímica y corporal es una glándula diminuta, del tamaño de un guisante. Esta glándula, la hipófisis, se encuentra en la parte inferior del cerebro. Por motivos todavía desconocidos, comienza a producir pequeñas cantidades de una hormona determinada. Ésta pone en marcha la producción de otras hormonas y sustancias

Durante la pubertad, los jóvenes suelen entrar en conflicto con su entorno. Se rebelan contra los valores que les han sido inculcados, se enfrentan a sus padres y buscan nuevos ideales y objetivos.

fuerte crecimiento, casi tres veces más rápido que hasta entonces. El esqueleto también aumenta, de manera que el joven adolescente va desarrollando la figura de un hombre o una mujer adultos.

Los rasgos sexuales maduran especialmente durante la pubertad. En los varones, los testículos y el escroto crecen en primer lugar. La hormona masculina testosterona se encarga de que surja vello por todo el cuerpo y en la zona de la barba. El pene aumenta su

los muslos, el trasero y la parte superior de los brazos se depositan panículos adiposos, que configuran las características curvas femeninas. Además se ensancha la pelvis, los senos se hinchan y aumentan de tamaño, y la vellosidad del pubis se torna cada vez más intensa.

FERTILIDAD El útero, que en la infancia tiene el tamaño de una ciruela, adquiere la dimensión de una pera. En los ovarios, que desde el nacimiento están provistos de la cantidad vital de óvulos, comienzan a madurar los primeros. Unos dos años después de la pubertad, tiene lugar la primera menstruación: la muchacha puede quedarse embarazada; a partir de entonces ya es una mujer.

Inseguridad en la mejor edad del hombre

Los hombres no llegan a la menopausia, como las mujeres. Pero tampoco se libran de una crisis psíquica: la denominada crisis de la mediana edad.

La mayoría de los artistas occidentales que han vivido en los últimos siglos se han visto arrebatados por una crisis creadora decisiva entre los 35 y los 40 años. Goethe, Van Gogh, Voltaire, da Vinci... ningún genio escapó de una crisis así. Este fenómeno en la vida del hombre, hasta ahora poco estudiado, lo descubrió el psicoanalista Elliott Jaques en

su expresión. O incluso puede dedicarse a otro ámbito del arte emparentado con el suyo: un músico quizá pase a ser director, o un pintor se dedicará a la arquitectura. En un caso así, la crisis llega a ejercer incluso un impacto positivo. La tercera forma de la crisis no ha de tener indispensablemente consecuencias negativas: el afectado se

En los denominados mejores años de su vida, el hombre hace una revisión del pasado y mira con escepticismo al futuro.

los años cincuenta. Se había dedicado intensamente a estudiar el destino de los artistas, los vivos y los que sólo conocemos por sus obras.

Jaques estableció tres tipos principales de crisis. En el primer caso, la fuerza creadora del artista se paraliza o se apaga, y el artista muere. Si sobrevive a la crisis desde los puntos de vista corporal y artístico, casi siempre se produce una transformación en su creación. Cambia su estilo, su temática,

libera de cuanto hasta entonces había oprimido o adormecido de alguna forma sus energías creadoras. Un caso conocido es el del banquero parisino Paul Gauguin, que a los 35 años abandonó una profesión segura, se separó de su mujer y se marchó a Tahití para dedicarse sólo a la pintura. Hoy en día

se le conoce como uno de los principales representantes del movimiento pictórico del postimpresionismo.

Jaques comprobó además que los artistas no son ninguna excepción. El psicoanalista observó también en sus pacientes masculinos y en la gente que le rodeaba que alrededor de los 35 años experimentaban una fase crítica de transición. Superaban la crisis, pero durante ella se producía una transformación en sus vidas. En 1965, Jaques formuló la denominada crisis de la mediana edad en el hombre corriente. Hoy, muchos psiquiatras consideran que es probable que exista, pero todavía no se han adivinado las causas: al contrario que en la menopausia femenina, tan profundamente estudiada, no resultan nada claras.

HORMONAS FEMENINAS, PSIQUE MASCULINA Se sabe con seguridad que el hombre no experimenta nada similar a lo que en las mujeres se conoce como climaterio. Por ello, algunos investigadores creen que no existe el *climacterium virile*, es decir, la edad crítica masculina. Los síntomas de la crisis de la mediana edad tendrían entonces un carácter más bien anímico.

En todo caso, en una investigación realizada con 240 hombres en edades comprendidas entre los 35-64 años se demostró que, sorprendentemente, muchos de ellos padecían las mismas molestias que las mujeres durante los años críticos. El 60% sufría fatiga crónica, el 64% alteraciones de la memoria, y en cerca de un tercio aparecieron depresiones y molestias cardiacas similares a ataques. Estos síntomas estuvieron acompañados de oscilaciones en el estado de ánimo y de explosiones de sentimientos que los propios afectados eran incapaces de explicar.

MOMENTO DE CAMBIO Los psicólogos opinan que, a partir de la mitad de la vida, los hombres se toman más en serio que hasta entonces su situación de salud, familiar, profesional y también económica; comienza una fase para recobrar el aliento y reflexionar. Al hombre se le plantean preguntas como: "¿he hecho todo bien?", "¿qué he desatendido?", "¿cómo debo continuar?", "¿puedo recuperar algo todavía?". Un hombre que en la mitad de su vida no haya logrado triunfar en la escala profesional ya no conseguirá llegar a la cima. Quien hasta ese momento tuviera dudas secretas sobre si su pareja era la adecuada, lo manifestará ahora, o se lo planteará de vez en cuando. Quien no haya hecho realidad para entonces sus sueños de juventud verá cómo esas perspectivas se desvanecen poco a poco. En el mejor de los casos, todos estos problemas desconciertan a los hombres de edades comprendidas entre los 45 y 55 años; en el peor de los casos, puede conducirlos a depresiones o incluso a intentar eliminarlos con la ayuda de las drogas.

A esto se añaden las transformaciones físicas. Sin embargo, el envejecimiento en el hombre se produce de forma más lenta que en la mujer, y esto crea otro problema. El hombre al principio no percibe, o lo que es peor, no quiere reconocer que su cuerpo está envejeciendo, pues su apariencia externa en un primer momento tampoco se modifica mucho; va por detrás del organismo en el proceso de envejecimiento. Así pues, se le plantea un dilema en la mejor edad: cree ser el hombre que ya no es en realidad.

DOLOROSO RECONOCIMIENTO Por ejemplo en el deporte: los futbolistas juegan al mismo ritmo y se asombran de recibir mayor número de lesiones; los jugadores de tenis o los corredores se quejan de que poco a poco les falta la respiración. Finalmente, según los psicólogos, los hombres ya no pueden aferrarse al llamado fantasma de su juventud, sino que reconocen inevitablemente que han envejecido corporalmente; para muchos es un descubrimiento deprimente.

MIEDO A LA IMPOTENCIA Los hombres de mediana edad también observan en sí alteraciones de carácter hormonal. Éstas no resultan tan radicales como las experimentadas por las mujeres en la menopausia, pero pueden inducir también molestias anímicas y el estallido de una crisis. Al contrario que en la mujer, que tras la menopausia no puede tener hijos, un hombre sigue siendo apto para la procreación durante toda su vida. En él se modifica del mismo modo el nivel hormonal con el paso del tiempo: se reduce la producción de la hormona sexual testosterona. Aunque los testículos continúan produciendo esperma, la cantidad y calidad son menores. El interés sexual también puede disminuir, y con ello la actividad sexual, hasta llegar en ocasiones a la impotencia. Este temor oculto acentúa en algunos hombres los problemas de su crisis de la mediana edad. Y muchos ya se ven amenazados por otra crisis en la lejanía: el final de la vida profesional activa, la jubilación.

CRISIS DE LA MEDIANA EDAD

- Debido al riesgo de cáncer de próstata, el tratamiento hormonal en el hombre es muy discutido.

- Se recomiendan métodos de tratamiento naturales y remedios como el deporte apropiado a la edad. Quien hasta entonces no haya llevado una vida sana debería empezar a hacerlo.

- En vacaciones, o tal vez cuando se esté sólo, se debería dedicar tiempo a reflexionar sobre la propia vida. ¿Qué se debería emprender con calma en el futuro? ¿Qué es lo que todavía le gustaría hacer a uno? ¿Por qué no hacer realidad de una vez los sueños tanto tiempo anhelados?

- En todos los problemas de esta etapa resulta de gran ayuda una compañera comprensiva. Los cimientos de la felicidad en la vejez se establecen en la mitad de la vida. Y la mayoría de las veces son cosa de dos.

Final y vuelta a empezar

Cuando los ovarios van dejando de producir óvulos fértiles se cierra un capítulo en la vida de la mujer y comienza un periodo de transición: son los años del cambio.

Una niña al nacer dispone de alrededor de 400.000 bolsas amnióticas en sus ovarios. De estas reservas se desarrollarán a lo largo de su vida cerca de 400. Decenios después de la pubertad se detiene el desarrollo: la mujer ya no puede tener hijos. El periodo directamente anterior a esta importante etapa de su vida se denomina premenopausia. La mujer continúa teniendo la regla pero los óvulos son cada vez más escasos, y la producción de estrógenos se reduce considerablemente. Cuando dejan de producirse óvulos por completo, aparece la menopausia.

CADA VEZ MENOS HEMORRAGIAS La menopausia no supone una pausa en un proceso, sino más bien el final de la menstruación. El camino hasta esta conclusión se produce por etapas. En primer lugar, las menstruaciones se vuelven irregulares y aumenta el intervalo entre ellas; la pérdida de sangre es también

La mayoría de las mujeres se toman los años del cambio con tranquilidad. Una vez independizados los hijos, pueden disfrutar de tiempo para sí mismas.

distinta cada vez. Puede suceder incluso que tras una época de menstruaciones irregulares, vuelvan a aparecer con regularidad. La edad media para la aparición de la menopausia es en torno a los 50 años, y puede variar cinco años arriba o abajo. La mayoría de las veces resulta verdadero el hecho de que cuanto más tarde ha

Las depresiones y los cambios de humor repentinos son síntomas frecuentes del climaterio.

La transformación hormonal y la reducción del nivel de estrógenos desequilibran en el cuerpo femenino numerosas funciones orgánicas.

embargo, los ovarios reaccionan lentamente, o no lo hacen en absoluto. El cerebro vuelve a intentar en vano conseguir ayuda. Por muchas sustancias mensajeras que envíe, la producción de las hormonas sexuales continúa descendiendo hasta quedar suspendida.

No obstante, no se puede detener al cerebro. Hasta aproximadamente los 70 años de edad, produce más hormonas que durante el periodo de fertilidad. Este juego de alternancia para el equilibrio entre las glándulas y los órganos ocasiona los trastornos del climaterio. Hasta 300 funciones del organismo se ven afectadas por ellos.

Los síntomas más frecuentes de los años de cambio son los sofocos, las sudoraciones, las depresiones y el insomnio. La intensidad con la que aparecen los ataques de calor varía en las distintas

pone en marcha las glándulas sudoríparas de forma inmediata. El sudor trata de conseguir un enfriamiento mediante la evaporación. Pero como este mecanismo ya no funciona correctamente, la sudoración resulta tan intensa que la mujer se siente como debajo de la ducha. Junto a los sofocos y sudoraciones suelen aparecer hormigueos en las piernas y sensación de mareo. De forma ocasional, la mujer puede notar una cortina negra delante de los ojos. El sofoco característico puede durar entre 30 segundos y 3 minutos. En algunas mujeres pueden producirse incluso 30 veces al día. Si sobrevienen por la noche, se producen trastornos del sueño. El sueño profundo, necesario para el descanso, no llega a alcanzarse. A veces, los primeros sofocos aparecen durante la premenopausia, es decir, en el periodo anterior a la última menstruación.

EL ÚTERO MENGUA La reducción del nivel hormonal ocasiona otra serie de acontecimientos. Si se reduce el nivel de estrógenos (hormona que protege, entre otras cosas, los vasos sanguíneos y los huesos), aumenta el peligro de sufrir un infarto. Las pérdidas rápidas de sustancia

experimentado la pubertad una mujer antes llega a los años del cambio.
LOS OVARIOS NO REACCIONAN Tras la menopausia, el metabolismo hormonal queda desequilibrado. Como ya no se producen más óvulos, los ovarios dejan de cumplir su función. Pronto dejan de estar capacitados para la formación de determinadas hormonas: el nivel de estrógenos y progesterona se reduce poco a poco. Tan pronto como el cerebro recibe el aviso correspondiente, reacciona a la señal de alarma: agita las denominadas hormonas gonadotropas. De esta forma se estimula a los ovarios a que produzcan estrógenos. Sin

mujeres; sólo el resultado es similar. La función de la hipófisis, una especie de termostato corporal localizado en el cerebro, se regula mediante los estrógenos y gestágenos. Debido a la falta de estrógenos, sufre alteraciones de aproximadamente hora y media. Entonces se desequilibran otras funciones de regulación del cerebro. Los vasos cutáneos se ensanchan y la piel aumenta de temperatura.
SUDORACIONES Y SOFOCOS Estos síntomas son mucho más marcados en la parte superior del cuerpo: de pronto, la cara, el cuello y el pecho se ven invadidos por el calor. Para luchar contra ello, la hipófisis

ósea, la denominada osteoporosis, incrementan el riesgo de fracturas óseas. La piel se vuelve más delgada y seca por la reducción del nivel de estrógenos. Las glándulas mamarias y el útero van disminuyendo de tamaño con los años, y la mucosidad de la vagina pierde humedad. Esto requiere más cuidado durante las relaciones sexuales, pero no perjudica la sensación placentera durante el acto propiamente dicho. Además, durante la menopausia pueden aparecer dolores de cabeza, incontinencia involuntaria de orina, irritabilidad, falta de apetito sexual y sobre todo estados depresivos.

CÓMO SUPERAR LOS AÑOS DE CAMBIO

- Muchos ginecólogos recomiendan un tratamiento con estrógenos. Sin embargo, se trata de un tema muy discutido: puede aliviar muchas molestias pero ocasionar efectos secundarios dañinos.

- Una alimentación rica en calcio frena la reducción ósea, aunque sólo si va acompañada de dosis de estrógenos.

- En la menopausia, la mujer necesita mucho sueño. Un deporte ligero, como montar en bicicleta, nadar, hacer gimnasia, bailar u otro tipo de ejercicio corporal, ayudan a mantener el peso. Se han de evitar los ejercicios abdominales, ya que descienden los órganos internos.

- Los tratamientos hidroterápicos atenúan los sofocos: las duchas alternando la temperatura, andar descalza por el césped, bañarse en mares fríos estimulan la respiración, el metabolismo y la circulación, y mantienen la piel joven.

- Las mujeres que padecen sofocos intensos han de vestirse según el principio de la cebolla: varias capas de ropa que puedan quitarse según lo necesiten.

- Contra las depresiones, que aparecen con frecuencia cuando los hijos se han independizado, puede servir de ayuda reanudar una profesión.

El estado anímico también sufre. Al igual que en la crisis de la mediana edad en el hombre, el climaterio de la mujer es una época de cambio de orientación. Muchas mujeres adquieren conciencia de lo que ha sido su vida hasta entonces. Meditan sobre cómo hubiera podido ser y qué será de ella a partir de entonces. Las negligencias e imprevisiones resultan ahora especialmente dolorosas. Si los hijos ya han abandonado el hogar, el hombre y la mujer pueden llegar a pensar que no tienen nada más que decirse. Hay ocasiones en que la única salida que se abre ante las mujeres es la de separarse de su pareja y tratar de realizarse por sí mismas.

NINGUNA ENFERMEDAD No hay ninguna regla establecida sobre cómo sobrellevar los años del climaterio. Su duración también varía en cada caso: algunas mujeres lo superan en unos pocos meses sin mayores problemas; en otros casos, la transición de la menopausia a la postmenopausia puede durar varios años y acarrear una serie de molestias. Sin embargo, el climaterio no es ninguna enfermedad, sino algo tan natural en la vida de una mujer como la pubertad, el embarazo y el parto.

No obstante, estos años de cambio fueron un tema tabú durante mucho tiempo, sobre todo porque la mujer ya no podía tener hijos después de la menopausia. Desprovista de toda función biológica, resultaba inútil según la opinión popular. Otro motivo por el que se ha informado poco sobre la menopausia a lo largo de la historia ha sido que, anteriormente, las mujeres no solían vivir lo suficiente para experimentarla.

No hay que renunciar al placer y al amor

Es cierto que a medida que aumenta la edad cambia el comportamiento sexual. Pero no es verdad que al llegar a la edad dorada se desvanezca súbitamente el deseo.

Nuestras abuelas todavía opinaban que tras la menopausia se acababa todo. Tener hijos y educarlos era la función específica de la mujer. El sexo debía servir para la procreación; como expresión del amor y la ternura, o simplemente como fuente de placer sensual, estaba mal visto. Por suerte, esta concepción pertenece cada vez más al pasado. Sigue habiendo sin embargo personas mayores que evitan hablar de este asunto: les parece ridículo, vergonzoso u obsceno tener sentimientos a su edad, o incluso exteriorizarlos.

Esta actitud no es normal desde ningún punto de vista. Según una encuesta estadounidense, el sexo no es ningún privilegio de la juventud: el 74% de las personas de la tercera edad son activas sexualmente con su pareja, y el 20% de las personas mayores de 60 años mantiene relaciones sexuales al menos una vez por semana. La idea de que el placer se desvanece cuando la piel comienza a marchitarse es sólo un prejuicio.

DISFRUTAR A LOS 80 La edad no tiene por qué ahogar el placer. Sin embargo, resulta muy diferente al de la época del ímpetu. En las mujeres, después de la menopausia va desapareciendo la producción de hormonas sexuales. No obstante, la libido, la necesidad de satisfacción sexual, no resulta afectada por ello. Tras los años de cambio, el deseo

El placer sexual no es ningún privilegio de los jóvenes; con el progreso de la edad no se extingue el placer derivado de la actividad sexual y la exteriorización de los sentimientos.

SIN MIEDO AL SEXO EN LA TERCERA EDAD

- Los años de cambio no son ninguna señal de la naturaleza para terminar con el sexo.

- La actividad sexual rejuvenece el cuerpo y el alma con la edad. Se estimula la circulación, se proporciona más oxígeno a las células y se activa la producción de hormonas.

- Los enfermos del corazón tampoco han de renunciar al sexo, ni siquiera tras haber superado un infarto, una operación de by-pass o el implante de un marcapasos.

- Algunos médicos creen incluso que quien evita el sexo por miedo a un infarto sólo consigue aumentar el estrés y el riesgo de que se reproduzca.

- Quien pueda subir dos pisos por las escaleras sin perder la respiración no ha de temer al sexo.

- Los trastornos sexuales a cualquier edad implican siempre trastornos de comunicación. Por ello, debe acentuarse la comprensión de la pareja en lugar de someterla a presión.

de que haya una próxima vez llega a ser incluso más intenso que antes; sólo se vuelve más escaso a partir de los 60. Tampoco desaparece la posibilidad de llegar al orgasmo: incluso las mujeres de 80 o 90 años pueden llegar a experimentarlo y disfrutarlo.

En el hombre también se reduce el nivel de las hormonas sexuales. Todavía no está claro si la merma de su potencia radica en la progesterona. Lo cierto es que el denominado periodo refractario comienza a acentuarse a partir de los 20 años de edad. Esto significa que, a mayor edad, más largo será el periodo entre el acto sexual y la siguiente erección. Pero la potencia del hombre, al contrario que la libido de una mujer, es susceptible de sufrir trastornos. El 60% de los hombres mayores ya no están tan "dispuestos" como en su juventud. Incluso algunos en su mejor edad pueden sufrir impotencia total. Los motivos pueden atribuirse desde la aparición de azúcar o enfermedades circulatorias, a la nicotina, cafeína, medicamentos y, sobre todo, al estrés. Normalmente, un hombre es apto para la procreación hasta el final de su vida. **LA TERNURA, MEJOR QUE LAS PASTILLAS** El amor y la atracción entre dos personas no tienen por qué verse alterados con la edad. Al contrario: el afecto y los hábitos que se hayan desarrollado en la pareja en el transcurso de su vida juntos pueden superar el final de la sexualidad. Algunos psicólogos denominan a este periodo el otoño dorado. Muchas cosas para las que antes no había tiempo por culpa del trabajo y de los hijos se pueden recuperar ahora, disfrutarlas y vivirlas juntos.

La espalda se arquea

La curvatura de la espalda y el cuello encorvado son tan frecuentes en las mujeres mayores que el lenguaje popular ha acuñado la expresión "joroba de la viuda".

La leve curvatura en S de la columna vertebral nos la ha proporcionado la naturaleza y confiere cierta estabilidad a la estructura ósea. Sin embargo, si la espina dorsal se curva en exceso, los daños son inevitables, sobre todo en las personas mayores. Las mujeres son las que más padecen este trastorno, en el que los hombros y la nuca se inclinan hacia delante; de esta forma aparece una joroba. Las culpables de la mayoría de las degeneraciones suelen ser una o varias vértebras.

El interior de este fino enrejado óseo se vuelve quebradizo y poroso. A continuación comienza a dilatarse la vértebra central. Cada vez se vuelve más fina, mientras que sus paredes externas permanecen sin modificaciones. Como en esta fase hay cierto parecido con la silueta de un pez, en medicina se denomina vértebra de pescado. Si la vértebra sigue perdiendo sustancia, se rompe por la parte delantera y surge la denominada vértebra en cuña. De esta forma, la columna vertebral se curva hacia adelante y la espalda se arquea.

Las fracturas de cuña y por aplastamiento –las últimas surgen cuando la parte trasera de la vértebra tampoco puede mantenerse fija por los trastornos surgidos y se rompe por completo– aparecen en la parte media de la espalda, así como en la sínfisis entre la región lumbar y la última vértebra dorsal, donde la columna vertebral soporta fuertes tensiones.

IRRADIACIÓN DE DOLOR Toda fractura viene acompañada de un dolor intenso y agudo en la zona en la que se encuentra. Puede durar hasta 4 semanas, mientras se recuperan la vértebra y el tejido que la rodea. Pero el dolor no termina aquí. Sobreviene después la fase de dolor crónico, que puede prolongarse a lo largo de un año. Estos dolores son más

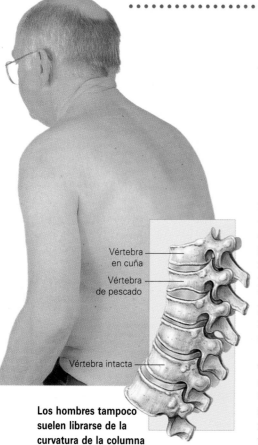

Vértebra en cuña

Vértebra de pescado

Vértebra intacta

Los hombres tampoco suelen librarse de la curvatura de la columna vertebral condicionada por la edad.

débiles, pero se irradian desde el centro de la espalda hacia el interior del cuerpo, desencadenados por un miospasmo y una elongación de los tendones y de parte del tejido. La recuperación hasta la siguiente fractura no se produce hasta que el cuerpo se ha adaptado a la transformación operada en la estructural vertebral.

La anostosis o atrofia de los huesos por enfermedad está muy extendida entre los 50 y los 70 años de edad. Alrededor de los 65

años, aumenta la probabilidad de que se produzca una fractura vertebral, especialmente en las mujeres. Aproximadamente la mitad de ellas experimenta fracturas de cuña en una o varias vértebras. Y en una de cada diez mujeres se produce una fractura total de al menos una vértebra.

ESPALDA Y PIERNAS ENCORVADAS Cuanto más se colapsan una o varias vértebras, más se acentúa la curvatura de la espina dorsal. En muchas mujeres entradas en años, la

pérdida de sustancia ósea producida por la edad está ya tan avanzada que solamente pueden adoptar una posición inclinada, y son incapaces de caminar sin la ayuda de un bastón.

Es normal que con los años se curven también las piernas. La fortaleza de las paredes de los huesos largos disminuye, lo que provoca una pérdida de estabilidad: no pueden mantener el peso del cuerpo situado sobre ellas y se curvan hacia fuera.

Primero se crece, luego se encoge

Apenas ha alcanzado una persona su estatura máxima tras la pubertad, comienza a encoger de nuevo: su columna vertebral se acorta porque pierde sustancia ósea.

Los hombres y las mujeres mayores son unos centímetros más bajos que en su juventud. Pocos pueden mantener también su postura erguida. Con los años, suele inclinarse hacia adelante la zona de los hombros. La causa principal es la reducción del tejido óseo en el interior de las vértebras.

Los músculos y los ligamentos que estabilizan la espina dorsal, compuesta por 26 huesos, se van adormeciendo con el paso de los años. Con la edad, la columna vertebral, al igual que el cuerpo en general, va perdiendo líquido y por ello se reduce. Los discos invertebrales, situados entre las distintas vértebras y con una función amortiguadora, se secan y se encogen. En casi dos docenas de ellos se produce una diferencia de altura considerable, por lo que el cuerpo se desploma literalmente.

El cuerpo vertebral es especialmente vulnerable. Al contrario que muchos otros huesos, está compuesto en un 90% de un fino esqueleto de trabéculas óseas rodeadas por una delgada corteza. Esta construcción reticular soporta una gran capacidad de

carga con una cantidad mínima de material. Con el paso de los años se pierde cada vez más sustancia ósea, por lo que el cuerpo vertebral se vuelve más frágil. En la red que conforma surgen pequeños rasguños; a veces esta construcción de filigrana puede llegar incluso a romperse; la vértebra se aplasta de repente.

LAS MUJERES ENCOGEN MÁS DEPRISA Resulta desconcertante que la pérdida de trabécula ósea en la columna vertebral

comience en el segundo decenio de nuestra vida, es decir, inmediatamente después de la pubertad. Por lo general, la reducción ósea es más intensa en las mujeres que en los hombres. El resultado final es que un hombre de 80 años ha perdido un promedio del 14% de la masa ósea, y una mujer de la misma edad el 47%, casi la mitad del total. En el caso de la osteoporosis, pérdida ósea que surge especialmente después de la menopausia, la columna vertebral se curva y se encoge considerablemente. Así pues, una persona afectada de 60 años será 4 cm más pequeña que con 40; a los 70, la diferencia puede ascender a 9-10 cm. Una mujer puede llegar a perder hasta 20 cm.

Las mujeres, con la edad, pierden claramente tamaño corporal. En casos extremos llegan a medir 20 cm menos.

Una bomba de relojería

Hasta los 30 años de edad, el cuerpo humano produce cerca de un 1% más de masa ósea de la que pierde. A los 40 años aproximadamente, la relación se invierte.

El tejido óseo es una de las estructuras más fuertes que puede ofrecer el cuerpo. Para poder resistir la carga a la que está sometido el esqueleto a diario, se ha de renovar continuamente. De esta forma se genera sin descanso sustancia ósea conforme se descompone el tejido anterior. En los adultos se sustituye al año aproximadamente el 10-30% de la masa ósea. Sin embargo, entre los 40 y los 45 años el cuerpo comienza a perder al año un 1% más de sustancia ósea de la que genera.

A partir de la menopausia, las mujeres se ven especialmente afectadas por la reducción ósea. En ellas se produce de forma más rápida que en los hombres. La razón es el hecho de que durante el climaterio disminuye cada vez más la producción de estrógenos, las hormonas sexuales. Los estrógenos son los encargados de proporcionar el calcio a los huesos.

Aunque es normal que se produzca cierta pérdida ósea condicionada por la edad, la falta de calcio debida a los estrógenos determina que los huesos sean cada vez más porosos y débiles. Si las mujeres no adoptan medidas al respecto y se alimentan de forma inadecuada, resultan víctimas fáciles para la osteoporosis.

REDUCCIÓN ÓSEA NATURAL De hecho, la reducción ósea no es ninguna enfermedad. Es más bien una manifestación de la edad que experimentan las mujeres actuales como precio por gozar de una mayor longevidad. La osteoporosis es el trastorno más frecuente en la mujer en el mundo occidental: afecta a un tercio de ellas aproximadamente.

La mayoría de la sustancia ósea se pierde en la columna vertebral y en las manos, pero sobre todo en las piernas y en las caderas.

Por ello, en las caídas, las mujeres mayores son propensas a sufrir fracturas en la zona de las caderas; así sucede en una de cada seis mujeres de más de 60 años, mientras que una de cada cinco sufre fracturas vertebrales. Los huesos de las víctimas de la osteoporosis

El tejido de las trabéculas óseas se torna cada vez más delgado, hasta formar mallas, con lo que la mínima presión producirá una fractura.

pueden llegar a ser tan porosos que la más mínima presión es capaz de romperlos: por ejemplo, si la mujer levanta una bolsa de la compra pesada, se agacha mucho o estornuda con fuerza. Las fracturas del cuello del fémur son especialmente frecuentes: aunque se curan, el resultado es muy dudoso y a menudo se hace preciso un implante de cadera. Hasta los 65 años no

vuelve a reducirse el ritmo de la pérdida ósea en las mujeres.

La reducción ósea tampoco perdona a los hombres, pues la padece alrededor de un 13%. Se cree que en ellos la responsable es la menor producción de la hormona sexual testosterona con el paso de los años. Sin embargo, el riesgo de que un hombre de más de 60 años sufra una fractura de cadera es menor que el de una mujer de la misma edad, porque parte desde el principio con una mayor cantidad de masa ósea.

LA NICOTINA, ASESINA DEL HUESO Recientes investigaciones demuestran que la osteoporosis tiene también una determinación genética. Se ha comprobado que las mujeres cuya madre haya experimentado una reducción ósea suelen verse afectadas con mayor frecuencia. Otros riesgos son una constitución corporal delgada, la falta de movimiento, la ingestión de medicamentos durante un periodo largo de tiempo (sobre todo cortisona) y demasiada nicotina. Las fumadoras de 50 años disponen de un 8-9% menos de sustancia ósea que las no fumadoras de su misma edad, lo que implica una pérdida similar a la de las mujeres 10 años mayores que ellas.

En casos muy aislados puede diagnosticarse una osteoporosis

FRENAR LA REDUCCIÓN

- El cuerpo necesita una cantidad de 100 mg de calcio diarios aproximadamente. Esta cantidad la contienen 100 g de queso duro. En edad de crecimiento, durante el embarazo y en la menopausia se necesita una dosis mayor.

- Una alimentación rica en calcio incluirá queso, leche desnatada, ensaladas, especias, verduras frescas, nueces y agua mineral.

- Deben evitarse las grasas, el alcohol y los fosfatos de los embutidos.

- El ejercicio muscular desde edad temprana (correr, nadar, hacer gimnasia) fortalece los huesos.

temprana, que normalmente no se manifiesta hasta que tiene lugar una fractura ósea. Para evitar o retrasar la osteoporosis, muchos especialistas recomiendan una terapia hormonal, que debe iniciarse al comienzo de la menopausia: la administración de estrógenos artificiales combinada con la adición de calcio y vitamina D. Otros médicos rechazan el tratamiento con estrógenos porque consideran que puede aumentar el riesgo de cáncer. Sin embargo, si se suministra progesterona es posible reducir este riesgo, aunque se ha de contar con efectos secundarios como la mayor probabilidad de una trombosis.

EXAMEN DE LA DENSIDAD ÓSEA Comprobar la densidad ósea puede ser una ayuda decisiva para el paciente y para el médico a la hora de administrar una terapia. Con ayuda de la densitometría, en la radiografía del hueso examinado se puede observar la intensidad de la descalcificación. El grosor de la piel del brazo, que puede reconocerse por la transparencia de las venas en la palma de la mano, también proporciona pistas sobre el estado óseo: cuanto más fina sea, menos colágeno contiene. Esta sustancia de apoyo es una parte importante del tejido óseo, y cuando falta se produce una debilidad en los huesos. El medio más eficaz contra la reducción ósea es la prevención desde la juventud. Mediante una alimentación adecuada y rica en minerales, acompañada del ejercicio apropiado, se pueden fortalecer los huesos con un carácter duradero.

Cuando disminuye la tensión

La piel delata la edad de su propietario mucho antes que cualquier otro órgano, pues con los años se vuelve más delgada, se reseca y pierde elasticidad.

Incluso las cremas de belleza más costosas resultan inútiles. A partir de los 30 años, la piel se vuelve cada vez más seca. No sólo eso: se hace más delgada y pierde capacidad de tensión, un proceso que afecta por igual a los hombres y a las mujeres.

El escenario más importante de este proceso de envejecimiento es la esclerótica. Se encuentra por debajo de la capa córnea, que es la envoltura protectora de la piel, y se compone en su mayor parte de colágeno. Esta sustancia proteica forma en la esclerótica una fina red constituida por haces fibrosos que sirven de apoyo, y que a su vez gozan de gran elasticidad. Los distintos haces están situados de forma paralela a la superficie de la piel, y se cruzan con ella como una reja extensible. Mediante esta disposición puede extenderse la piel en la dirección deseada sin que se desgarre. Si disminuye la tensión, las fibras elásticas vuelven a tensar la piel.

LAS FIBRAS SE ENDURECEN Durante la juventud, las fibras de la piel son tan suaves como el algodón. Pero, con el paso del tiempo, su colágeno pierde gran parte del agua que contiene y sus moléculas se enlazan como cadenas más largas. Así, la reja extensible pierde su movilidad y elasticidad: se oxida en cierto modo. Las fibras desaparecen en parte en las capas más superficiales de la piel, y en parte se endurecen. Se agrupan en fardos irregulares que se rompen con facilidad. Este proceso puede acelerarse mediante la exposición a los rayos ultravioleta del sol.

Entre las fibras del enrejado se sitúan las células conjuntivas denominadas fibroblastos. A medida que aumenta la edad se reduce su número, y su contenido ya no es tan fuerte como antes: la piel pierde estabilidad.

Los panículos adiposos del tejido subcutáneo también van deteriorándose. A partir de los 60 años se encogen cada vez más, hasta que sólo queda de ellos una capa protectora muy fina. Como el colágeno almacena menos agua, se reduce la presión de la piel. Las glándulas sebáceas generan menor secreción y se van secando; las glándulas sudoríparas también tienen menos actividad en edad avanzada.

LA PIEL SE VUELVE FLÁCIDA Todos estos factores determinan una disminución de la tersura de la piel, que se vuelve más flácida y da lugar a la aparición de arrugas. La piel vieja, endurecida y mal irrigada es más vulnerable, y en ella las heridas se curan más despacio: para la misma herida, una persona de 60 años necesita un tiempo de curación cinco veces mayor que un niño de 10 años.

La piel tersa del bebé se convertirá irremediablemente en piel envejecida y llena de arrugas decenios más tarde.

Manchas marrones en la piel

Las manos de las personas mayores suelen estar salpicadas de manchas marrones con aspecto de pecas. La causa es una concentración de sustancia activa de las células.

Al contrario que en el pasado, cuando la palidez resultaba muy elegante, hoy nos gusta presumir de una piel bronceada y muy pigmentada. Naturalmente, siempre que el tono de la piel esté repartido por igual. Pero, a medida que avanza la edad, la pigmentación de la piel se vuelve irregular, comenzando por las zonas que están más expuestas al sol, es decir, la cara, las manos, los brazos y el cuello.

Allí se forman las denominadas manchas cutáneas de vejez. Son relativamente pequeñas, aunque pueden llegar a alcanzar el tamaño de una moneda. A veces tienen una tonalidad amarillenta, y otras marrón. Estas pecas consisten en una acumulación de lipofuscina, una sustancia activa de las células. Normalmente tiene la función de disolver una célula cuando muere, pero en la piel más vieja aparece incluso durante la vida de las células. Si se acumula, forma un pigmento cutáneo marrón.

PECAS OSCURAS, PIEL CLARA Estas acumulaciones de lipofuscina suelen aparecer junto a zonas de la piel con poco pigmento.

En las zonas de la piel más expuestas al sol, como las manos, las manchas cutáneas aparecen con mayor intensidad que en otros lugares del cuerpo.

Debido al fuerte contraste con la piel clara, llaman especialmente la atención.

La formación de estas manchas cutáneas de la vejez puede estimularse por distintos factores. Hay quienes piensan que las hormonas que contiene la píldora anticonceptiva contribuyen a su formación. Es evidente que si la piel se expone intensamente a los rayos ultravioleta del sol surgen más pecas, porque se produce una concentración de los principales pigmentos.

Como la piel se va volviendo más fina con los años, ofreciendo así una menor protección a las influencias del entorno, aumenta el número de manchas. Algunas mujeres intentan eliminar estas pecas tan antiestéticas frotando las capas más superficiales de la piel, o decolorándolas, medidas que sólo favorecen de forma transitoria, ya que la raíz del problema se encuentra más adentro.

Huellas de la vida

Mientras que algunas personas jóvenes se contrarían cuando descubren sus primeras arrugas, los mayores soportan su cara arrugada con dignidad y resignación.

Cuando la piel de una mujer comienza a envejecer suele decirse que se marchita. Por el contrario, en el caso de los hombres, se habla de surcos que esculpe la edad en la cara. A la pregunta de qué es lo que más temen las norteamericanas más jóvenes, el 43% respondió que las arrugas en los ojos. De hecho son los primeros síntomas de la

En este paisaje de arrugas se esconde una rica experiencia vital; un rostro envejecido tiene su propio encanto.

edad: las pequeñas líneas agrupadas en forma de estrella alrededor del ángulo del ojo, las denominadas patas de gallo.

En este lugar la piel se deteriora especialmente: al reírse, al abrir o cerrar los ojos bruscamente. Como esta piel es extremadamente fina y desprovista de grasa, es el lugar donde primero se hacen visibles las huellas del esfuerzo. Por el contrario, según afirman los dermatólogos norteamericanos, la piel de la cara masculina se estimula a diario mediante el afeitado, con lo que permanece tersa durante un tiempo más prolongado.

Sin embargo, el motivo principal de que las mujeres tengan que luchar más contra las arrugas faciales es que en la menopausia se reduce el nivel de estrógenos. Esta hormona sexual es importante para la piel: la alimenta, la mantiene elástica y tersa, y confiere brillo al pelo durante la juventud.

Poco a poco desaparecen también los panículos adiposos subcutáneos de las otras partes de la cara. Las fibras del tejido, elásticas en otro tiempo, se vuelven flácidas como bandas de goma gastadas. Entre los 35 y los 40 años puede apreciarse en el rostro de la mayoría de las personas un modelo individual de líneas y pliegues. Después de las patas de gallo aparecen las arrugas entre los ojos, en la parte superior e inferior de los párpados y en la frente.

POROS GRANDES Y CUELLO DE TORTUGA
Los poros, la salida de las glándulas sudoríparas, se ensanchan con la edad. En la zona de la garganta la piel comienza a relajarse; en algunas personas surge el temido cuello de tortuga. Entre los 60 y los 70 años los labios pierden su elasticidad

característica. Se forman pequeñas arrugas verticales, similares a las de las bocas que pintan a las abuelas en las caricaturas. La nariz se expande y se vuele más flácida, porque el tejido conjuntivo pierde estabilidad. A una edad avanzada puede cambiar incluso la esclerótica de los ojos: a menudo adopta un tono amarillento, de forma que los ojos pierden su brillo.

El rostro de un anciano, con sus arrugas y marcas, termina asemejándose al de una manzana apergaminada. Algunas mujeres se someten al bisturí del cirujano para escapar a este destino. Aunque tal vez así se estén quitando la oportunidad de envejecer con dignidad. Porque un rostro marcado por el transcurso de la vida posee un encanto muy particular.

LO QUE FAVORECE A LA PIEL DEL CUERPO Y DEL ROSTRO

- La permanencia regular al aire libre es buena para la irrigación sanguínea de la piel. Sin embargo, los baños de sol excesivos la secan y pueden llegar a dañarla.

- La administración de grasa y humedad en forma de crema y tónico es especialmente importante para la piel madura.

- Use un producto humectante después de lavarse la cara, en especial por las mañanas y antes de salir.

- Dormir mucho resulta muy favorable para la piel, ya que su división celular se vuelve más intensa por la noche.

- Es importante abastecerla continuamente con vitamina E. Se encuentra en los copos de avena, los huevos y el aceite de mesa.

- Se debe evitar el alcohol y las comidas demasiado ricas en grasas y picante. Fumar también ocasiona daños, ya que la nicotina perjudica la irrigación sanguínea de la piel.

Bolsas colgantes de los ojos

Las llamadas bolsas de lágrimas no están llenas de lágrimas, ni se forman cuando alguien ha llorado demasiado. Esta especie de bolsas surgen bajo los ojos cuando la piel y los tejidos pierden elasticidad con la edad.

Quien acude al cabo de los años a una reunión de antiguos condiscípulos observa a sus antiguos compañeros con una mezcla de sentimientos. Aunque en muchos todavía pueden reconocerse los mismos rasgos del rostro que en su juventud, y el temperamento no ha cambiado en absoluto, a todos les ha afectado el paso del tiempo. Y sus efectos, no deseados, perjudican especialmente a la parte de la cara que se encuentra debajo de los ojos. Aquí se les forman bolsas a muchas personas mayores.

LA PIEL DEL ROSTRO SE DESLIZA
En la piel de la cara se registra un desplazamiento con los años. Entre el ángulo exterior de los ojos y el lomo de la nariz, se desplaza cada vez más hacia abajo. Por debajo de la piel se encuentra un surco óseo plano, la parte

inferior de la órbitas de los ojos en el cráneo. Cuando el tejido corporal comienza a relajarse lentamente, la piel de esta zona también pierde su elasticidad. Se agrupa en una bolsa y desciende cada vez más. Como la piel del rostro, y sobre todo la del contorno de los ojos, es extremadamente delgada, este aflojamiento llama especialmente la atención. De ahí que finalmente cuelgue como una bolsa flácida por debajo de los ojos.

INOFENSIVA PERO ANTIESTÉTICA
Estas manifestaciones tan antiestéticas resultan inofensivas mientras no se produzcan como consecuencia de una enfermedad. Sin embargo, a muchas personas les molestan tanto que se someten a una intervención de cirugía estética para volver a tensar el tejido

de la parte inferior al ojo. En muchos casos se le inyecta al afectado un material de relleno tolerable por el cuerpo.

Otra manifestación del aflojamiento de los tejidos se produce cuando el párpado superior del ojo se hunde poco a poco y comienza a colgar. Se puede observar cómo queda contemplando fotografías del armador griego Aristóteles Onassis, que tenía el párpado superior marcadamente colgante. A veces, el deslizamiento es tan intenso que cubre la parte superior del globo ocular. Si de esta forma se perjudica la capacidad visual, es inevitable una operación. En la mayoría de los casos, basta con una intervención con tratamiento sin necesidad de hospitalización.

PÁRPADO INFERIOR ELÁSTICO
El párpado inferior también puede relajarse al ceder un tejido o tras la cicatrización de una herida ocular. En los casos más graves, debidos a enfermedades oculares, se cubren de puntos lagrimales y el borde del párpado inferior se curva hacia afuera. Si se infecta o se somete a corrientes de aire, se corre el peligro de una conjuntivitis.

A veces, el párpado inferior y las pestañas se curvan hacia adentro. Entonces las pestañas friccionan continuamente el globo ocular y provocan lesiones en la córnea. Las cicatrices que se producen al curarse las zonas friccionadas disminuyen la agudeza visual.

A medida que aumenta la edad, los ojos se vuelven más secos. Pero también se sospecha que el entorno cargado y el exceso de rayos ultravioleta estimulan esta sequedad. Una de cada siete personas sufre trastornos en la producción de lágrimas, con sus dolorosas manifestaciones.

Normalmente, las glándulas lagrimales producen lágrimas en una proporción de alrededor de dos vasos de licor. Al parpadear se distribuye de forma equilibrada por todo el tejido conjuntivo del ojo. Sin embargo, si no se dispone de suficientes lágrimas, se puede llegar incluso a conjuntivitis crónicas, opacidad de la córnea e incluso ceguera total.

ARENA EN LOS OJOS El primer indicio de los trastornos en la producción de lágrimas es la sensación de un cuerpo extraño; como si se tuviera arena dentro del ojo. La solución puede residir en que el médico recete lágrimas artificiales: gotas de una solución salina que se instilan en el ojo. Un microcirujano alemán ha conseguido implantar una glándula salivar para que asuma el papel de una lagrimal y forme una película constante de líquido entre los párpados y la córnea. Las personas con los ojos secos deben asegurarse de que en los espacios cerrados haya suficiente humedad en el aire.

- -

Abuelo, ¿por qué tienes las orejas tan grandes?

Aunque su crecimiento no es ninguna característica de la edad, la nariz y las orejas de las personas pierden elasticidad y se alargan con el paso de los años.

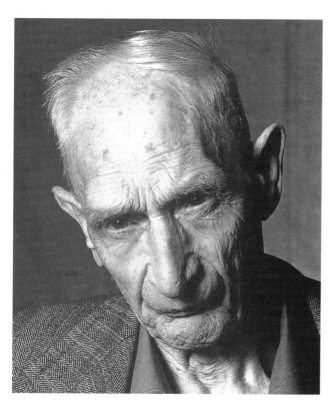

Como la masa cartilaginosa pierde elasticidad, las orejas y la nariz de las personas mayores se desplazan cada vez más hacia abajo; se alargan.

Cuanto mayor se hace una persona, más duros se vuelven los rasgos de su rostro. En las personas de 60 años aproximadamente, llama la atención que sus orejas parezcan más grandes que antes, y su nariz más larga, más ancha y más carnosa.

De hecho, no es que sólo lo parezca, sino que en las personas de la tercera edad los cartílagos de la nariz y las orejas –al igual que la piel– ya no son tan elásticos. Cuando desciende el cartílago de la nariz, ésta se alarga y su punta se ensancha. Incluso quien haya tenido de niño una nariz respingona podrá exhibir en la edad madura una nariz ancha o aguileña.

Los cartílagos de las orejas experimentan una evolución similar. Cuando se hunden, se alargan los lóbulos de las orejas, a veces incluso de forma destacable. La barbilla también sobresale mucho con la edad y acentúa así el perfil. En el caso de los hombres crece también el arco situado por encima de los ojos, de manera que las partes cartilaginosas se marcan aún más sobre las cejas.

En el pelo también pueden percibirse una serie de cambios. Al mirarse al espejo, algunas mujeres mayores descubren con horror que alrededor de la boca les han salido unos pelos fuertes que crecen imparables y tenaces. Sobre todo las que en otro tiempo hayan tenido el pelo oscuro, han de recurrir a las pinzas varias veces por semana.

Sin embargo, los hombres se llevan más sorpresas con el pelo, especialmente en las cejas. Éstas se vuelven cada vez más espesas, sobre todo si en su juventud ya eran tupidas, y los pelos aumentan su grosor.

A muchos hombres les brota vello en la espalda, en la nariz, en las orejas y en los lóbulos de la oreja. A menudo crece tan fuerte que resulta molesto, por no hablar de la apariencia. Los peluqueros conocen bien el problema, pues muchos de sus clientes quieren que se los quiten, al menos en la parte superior del cuello.

Todavía no se ha estudiado en profundidad la causa por la que crece de repente más vello. El crecimiento del cabello en general se produce por el estímulo de los denominados andrógenos, hormonas de las glándulas sexuales masculinas. Se forman en las células intersticiales de los testículos, y en parte también en la corteza adrenal. En algún momento de la vida, los folículos de la nariz y de las orejas se vuelven más sensibles a estas hormonas. El fino vello de la nariz y las orejas, similar al que cubre el cuerpo de los bebés, se transforma y adquiere un aspecto semejante al de las cerdas. Los pelos se vuelven más gruesos, duros, y se parecen a los del bigote de un gato.

Cuando empieza a clarear el cabello

Los hombres que por la mañana encuentran la almohada llena de pelos suelen llevarse un buen susto: ¿es el anuncio de la inevitable calvicie?

Una persona pierde alrededor de 100 pelos al día. Pero normalmente el cuerpo los reemplaza en pocos meses. Sin embargo, esta sustitución llega un momento en que termina para siempre en el hombre. Sus folículos pilosos cesan de trabajar de forma definitiva; su pelo se vuelve cada vez más escaso, y al final aparece una calva en la coronilla, la denominada corona. O el pelo agranda la frente cada vez más y se detectan entradas en las sienes; finalmente surge la temida calva. Es muy raro que la calvicie sea total; en la mayoría de los casos al hombre le queda una corona de pelo al menos en el borde de la cabeza.

PELUSA ESCASA No es raro que a partir de los 20 años de edad una parte de los folículos pilosos trabaje de forma limitada en el hombre; la causa son las transformaciones de su metabolismo hormonal, una manifestación que parece estar especialmente extendida en los países industriales de Occidente. Alrededor del 70% de todos los hombres se quedan calvos en Europa, y cada vez más jóvenes. En lugar de producir un cabello fuerte y sano, que en el caso normal tiene un diámetro en torno a 1/10 mm, los folículos producen sólo escasos pelillos que con la edad llegan a ser de cerca de 2/1.000 mm. Así, la zona afectada se cubre de vello muy fino formado por pelos muy pequeños. Finalmente, algunos folículos pilosos cesan completamente en su producción: el pelo se aclara y termina por desaparecer del todo en algunas zonas características.

Anteriormente había centenares de explicaciones para explicar la pérdida del pelo: demasiado sexo, o demasiado poco, exceso de sol, falta de aseo o un aseo exagerado, o incluso la caspa. Hoy creemos saber el motivo por el que mueren los folículos pilosos en un momento determinado: se considera que las causas son de índole hormonal o genética. En la mayoría de los casos se hereda la tendencia a la calvicie, especialmente en el caso de los hombres. Si el padre o el abuelo lucieron una calva total o parcial, hay un 50% de

Calvo como una bola de billar: a algunos les resulta desagradable tener una calva, aunque la mayoría de los afectados por la calvicie asumen la escasez de su cabello.

probabilidades de que ésta la hereden el hijo o el nieto.

ANDRÓGENOS COMO DESENCADENANTES La hormona que se supone responsable de la decadencia del pelo es la hormona sexual masculina, el andrógeno. Un nivel demasiado elevado de andrógenos puede detener fácilmente el centro activo de la raíz del cabello, con lo que dejan de formarse nuevas células pilosas. Como en las mujeres el nivel de andrógenos es más reducido, hay pocas mujeres –sólo el 8%– con riesgo de sufrir una caída intensa del cabello o sufrir calvicie en una zona determinada de la cabeza.

LOS CASTRADOS MANTIENEN EL CABELLO Hay otras teorías que apoyan la de las hormonas. Durante el embarazo se reduce intensamente el crecimiento del cabello en la mujer. El filósofo griego Aristóteles realizó la siguiente observación: "Ningún joven sin cabello, ninguna mujer y ningún eunuco". De hecho, los cantantes que eran castrados de niños durante los siglos XVII y XVIII para mantenerles la voz, solían conservar durante toda su vida el brillo y la tersura del cabello.

También se responsabiliza de la calvicie al mal funcionamiento de determinadas glándulas, como la tiroides. Los medicamentos contra el hipertiroidismo, entre otros, pueden considerarse también desencadenantes. Se conocen unas 200 sustancias que pueden provocar la caída del cabello.

Quienes no quieren resignarse a que su adorno natural de la cabeza disminuya cada vez más, se aferran a la porción de cabello que les queda o se someten a una operación de cirugía estética para un implante de cabello. Éste puede tener un precio realmente elevado según la importancia del injerto o la cantidad del cabello propio implantado. Cada año, muchos miles de personas, hombres en su mayoría, se someten a un trasplante de su propio pelo a las zonas calvas. El procedimiento es doloroso y no está exento de riesgos, pero el cabello nuevo, por lo general, resulta duradero.

Los masajes regulares del cuero cabelludo estimulan la irrigación y la secreción de las glándulas sebáceas que desembocan en el folículo piloso. Pero todavía no existe ningún remedio eficaz para desacelerar o incluso impedir la caída del cabello de origen genético u hormonal. Así pues, quien tenga una calva ha de resignarse a su destino. Hay sin embargo personas a las que no les molesta. Incluso hay mujeres a las que las calvas les resultan atractivas.

Se extingue el colorante

A los hombres les confiere cierto toque de seriedad; a su vista las mujeres sienten un leve pánico: estamos hablando de la primera cana. Una persona de cada cuatro descubre canas en su cabeza al pasar la barrera de los 30 años.

Los especialistas de la herencia han descubierto que en la mayoría de los casos encanecemos en la edad en que nuestros padres y abuelos empezaron a hacerlo. Por tanto, la edad del encanecimiento está determinada genéticamente. Es un proceso de envejecimiento que puede producirse cuando todavía no se observan otros síntomas propios de la edad.

El color del pelo de una persona, determinado por el pigmento llamado melanina, también depende de factores genéticos. Los melanocitos, que producen el colorante capilar y lo transportan a las raíces del pelo, no empiezan a trabajar de verdad hasta varios años después del nacimiento. Esta es la razón por la que el pelo de los niños de tono rubio muy claro se oscurece con el crecimiento, hasta adquirir su color definitivo.

Aunque está muy extendida la creencia de que las personas pueden encanecer de la noche a la mañana, no pasa de ser un cuento. Lo que sí es cierto es que una vivencia traumática puede detener de golpe la producción de pigmentos capilares, y que a partir de ese momento el pelo crece gris o blanco. Pero, normalmente, el colorante capilar se agota paulatinamente en el transcurso de los años.

MENOS MELANINA Entre los 20 y 30 años de edad, la actividad de los melanocitos se reduce: llevan cada vez menos melanina al tallo de los cabellos y los nuevos cabellos que brotan parecen incoloros. Si la actividad de estos productores del pigmento cesa completamente, el cabello se vuelve progresivamente blanco como la nieve. El tamaño de las partículas de queratina se reduce, y los cabellos se vuelven más finos. En ocasiones, el pelo blanco también muestra cierto brillo: tiene su origen en unas minúsculas burbujas de aire encerradas en las partículas de queratina.

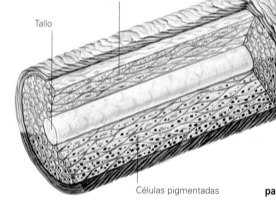

Células capilares sin pigmentos

Tallo

Células pigmentadas

El cabello de un adulto joven aún tiene todos sus pigmentos (mitad inferior del dibujo). Con los años se produce cada vez menos melanina, y se vuelve paulatinamente blanco (mitad superior).

Cuando se agota la munición

No solamente la propia persona, sino también su sistema inmunológico se vuelve frágil en la vejez. Los ancianos son más propensos a enfermedades infecciosas.

"¡Cerrad la puerta, que corre mucho aire!". Este grito preocupado de las personas mayores suele encontrar sólo incomprensión en la generación joven, pero es totalmente justificado. En efecto, en la vejez, las enfermedades comunes son más peligrosas que en la juventud. Así, un virus de

constipado normalmente inocuo puede desencadenar un fuerte resfriado, pues el sistema inmunológico carece ya de la fortaleza necesaria para neutralizar inmediatamente los agentes patógenos.

SIEMPRE ALERTA De día como de noche, el sistema inmunológico permanece siempre en

estado de alerta, dispuesto a repeler a los intrusos. Pero la disposición permanente de esta defensa propia del organismo requiere mucha energía. Con los años, este hecho resulta cada vez más claramente perceptible: al sistema inmunológico le cuesta hacer frente al esfuerzo físico excesivo, al estrés psíquico continuo y a la exposición a sustancias tóxicas procedentes del entorno. Y muchas personas agravan aún más la situación por su modo de vivir poco saludable: nutrición incompleta, tabaquismo, ausencia de ejercicio...

Desde hace poco, se supone que el timo desempeña un papel importante, cuando no el papel dominante, en el debilitamiento del sistema inmunológico. En efecto, se han comprobado comportamientos irregulares del timo en niños enfermizos con un sistema inmunológico deficiente.

UNA GLÁNDULA LLENA DE ENIGMAS Este órgano estirado, que se esconde detrás del esternón, es una de las glándulas más llenas de secretos de todo el organismo; su función encierra aún muchos enigmas, a pesar de haber sido mejor estudiada en los últimos años. En los recién nacidos, el timo pesa unos 12 g. Hasta los 3 o 4 años, crece y se dilata hasta alcanzar un peso de unos 40 g. Luego desarrolla una gran actividad hasta la pubertad, y abastece los órganos periféricos para la defensa inmunológica, como por ejemplo los ganglios linfáticos de linfocitos, glóbulos blancos que desempeñan un papel importante en la defensa inmunológica.

Pero, a partir de la pubertad, es decir más o menos desde los 14 años, esta glándula comienza a reducirse poco a poco otra vez bajo el efecto de las hormonas sexuales. Las zonas en las que los linfocitos maduran y llegan a convertirse en células para la defensa inmunológica son cada vez más reducidas. Al final, el timo es otra vez tan pequeño que ni siquiera se puede apreciar en una radiografía. Pero su función, y con ella su efecto en el sistema inmunológico, se mantienen aún bastante tiempo.

EL TIMO SE REDUCE A partir de los 45 años, la capacidad funcional de esta glándula declina rápidamente, y con ella se reduce la llamada inmunidad dependiente del timo. Esta es la razón por la cual las personas de edad avanzada contraen infecciones con más facilidad. Son más susceptibles a las afecciones reumáticas y a las enfermedades causadas por la reacción inmunológica a sustancias endógenas. En el caso de estas últimas, el sistema inmunológico ataca de repente no sólo a las células extrañas sino también a las propias. Por otra parte, las mujeres que han superado la menopausia son más propensas a las enfermedades causadas por la reacción inmunológica a sustancias endógenas que los hombres. De este hecho se deduce que el sistema inmunológico está sujeto a las influencias hormonales. Los expertos creen que la reducción de la inmunidad dependiente del timo podría ser responsable de la incidencia del cáncer pasados los 50 años.

Más tarde, las personas mayores se ven aquejadas a menudo de enfermedades tales como infecciones de las vías urinarias y neumonías. Algunas de estas ponen el punto final a la vida: el cuerpo ya no está en condiciones de protegerse. De ahí que los investigadores debatan si tal vez el sistema inmunológico pudiera fortalecerse mediante la aportación de hormonas o la estimulación del timo.

En la juventud, la pantalla protectora del sistema inmunológico hace rebotar sencillamente las influencias nocivas del entorno. Con los años, esta pantalla se vuelve cada vez más permeable.

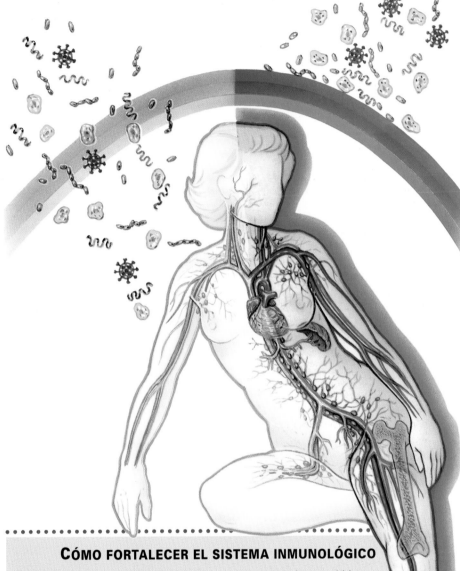

CÓMO FORTALECER EL SISTEMA INMUNOLÓGICO

- Cuando los ojos empiezan a picar, puede ser señal de que la defensa inmunológica del propio cuerpo está bajando, y es hora de preocuparse más por la salud.

- Reglas a seguir: evitar el estrés, acabar con el tabaco y el alcohol, menos calorías, más alimentos crudos en vez de grasas y carne.

- Resulta importante una buena oxigenación de los tejidos. Se puede conseguir con ejercicio regular.

- Los tratamientos hidroterápicos por el método de Kneipp (pedaleo en el agua, chorros de agua fría) estimulan el riego sanguíneo.

- Una alimentación adaptada a la edad es mejor que preparados artificiales. Además de oligoelementos como el cinc y el selenio, son importantes las vitaminas A, C y D, así como las del complejo B. Se encuentran en la leche, el hígado y la levadura.

¡Hable más alto, por favor!

Muchos ancianos ya no son todo oídos: como los demás sentidos, la capacidad auditiva también disminuye con el paso de los años.

Esta trompetilla acústica, parecida a un cuerno alpino, ayudaba antiguamente a los sordos a entender a sus semejantes.

Al principio no oyen las llamadas del teléfono; luego, en las conversaciones se les escapa alguna que otra palabra y al final ya no entienden nada cuando varias personas hablan a la vez. Se trata de las personas que padecen de sordera causada por la vejez.

La causa de esta merma creciente de la capacidad auditiva en la vejez radica en el oído interno. Las células auditivas de éste, encargadas de transformar los estímulos acústicos en impulsos nerviosos, son cada vez menos numerosas con el paso de los años. En su juventud, la persona dispone de unas 20.000 de estas células sensoriales, que poseen la forma de finos pelillos y funcionan como micrófonos. A partir de los 20 años se pierden las primeras de estas células: las que captan los tonos altos. Y cuantas más células sensoriales estén dañadas, peor es la recepción. También el nervio auditivo degenera a medida que avanzan los años.

MÁS HOMBRES SORDOS Las personas mayores de 50 años apenas pueden percibir ya las frecuencias superiores a los 12.000 Hz. Diez años más tarde el límite se sitúa ya en unos 10.000 Hz (los tonos musicales, en comparación, raras veces superan los 8.000 Hz). Las frecuencias a las cuales el oído es más sensible son las comprendidas entre los 1.000 y los 4.000 Hz; la mayoría de los sonidos que forman el lenguaje están incluidos en esta gama de frecuencias. El oído está seriamente dañado cuando una persona deja de percibir, o percibe muy apagados, los tonos comprendidos dentro de esta gama, o cuando en una conversación se le escapan palabras enteras. Cuando se produce esta audición deficiente, las consonantes, sobre todo, dejan de oírse bien. Si la persona mayor tiene que escuchar a varias personas a la vez, en la mayoría de los casos no entenderá nada, situación típica de la sordera causada por la vejez. Esta debilidad auditiva afecta a los hombres con mayor frecuencia que a las mujeres, probablemente a causa de la mayor contaminación sonora –desde un punto de vista estadístico– en los lugares de trabajo.

EL RUIDO, DESTRUCTOR DEL OÍDO No solamente la vejez; también el ruido estropea el oído: cuanto más fuerte y más largo, más rápidamente. Las células sensoriales son delicadas y no pueden nunca acostumbrarse a los grandes volúmenes, pues su metabolismo está sometido a un esfuerzo excesivo cuando tienen que transformar constantemente ruido en impulsos nerviosos. Reciben muy poco oxígeno, y la sangre es incapaz de transportar demasiadas sustancias de desecho fuera de la zona del oído. Cuando retorna el silencio, domina por un tiempo la sensación de sordera en el oído.

Además del ruido y los procesos de envejecimiento, también las enfermedades y los medicamentos pueden conducir a la sordera. El otólogo puede comprobar el grado de deterioro del oído mediante un examen audiométrico, que consiste en emitir por auriculares tonos cada vez más altos; el paciente tiene que hacer una señal en cuanto deja de percibir el tono. En muchas formas de sordera causada por la vejez ayudan los audífonos electrónicos.

Los brazos se quedan cortos

Suena paradójico, pero la llamada "presbicia senil" empieza en la pubertad. Son contadas las personas que gozan del privilegio de librarse de ella.

El ojo humano sano es capaz de realizar esfuerzos asombrosos: en una noche clara y sin luna, puede percibir, desde la cumbre de una montaña, un fósforo que se inflame a 8 km de distancia. También en la visión a corta distancia, el aparato ocular tiene una capacidad notable, aunque solamente en los primeros años de vida de una persona: los niños son capaces de ver con precisión objetos situados a tan sólo 7 cm de sus ojos. Una persona de 20 años tiene ya que mantener un periódico o un libro a una distancia de unos 10 cm para poder distinguir claramente las líneas. En los cuadragenarios, la distancia necesaria es de unos 16 cm, y para que un sexagenario pueda ver una imagen con precisión, esta tiene que estar situada a una distancia de 60 cm como mínimo de los ojos.

CRISTALINO ENDURECIDO En los casos en que sólo se crea una imagen precisa a distancias mayores, se habla de presbicia. Es un fenómeno natural, causado por la edad madura, que se manifiesta más o menos

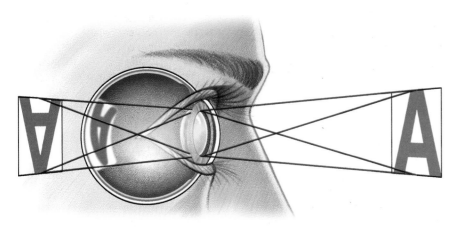

Cuando el cristalino pierde fuerza de refracción con los años, la imagen que se forma sobre la retina carece de precisión, pues los rayos confluyen detrás de la misma.

pronto según los individuos. La reducción de la capacidad visual se debe a modificaciones de todo el aparato ocular. El cristalino resulta especialmente afectado, se vuelve más grueso y duro a causa de la inmigración de células, y pierde por ello cada vez más capacidad de adaptación, es decir, la propiedad de ajustarse automáticamente a la distancia del objeto observado.

Cuando un niño de 10 años se aproxima mucho un periódico a la cara y a pesar de ello lo puede leer bien, los cristalinos de sus ojos tienen que realizar un esfuerzo considerable: tienen que modificar su curvatura tanto que a pesar de la corta distancia entre el periódico y los ojos se pueda proyectar una imagen nítida de las líneas sobre la retina.

Por regla general, esta adaptación funciona sin esfuerzo hasta los 40 años. Pero a partir de entonces, como sucede con los demás tejidos, la elasticidad de los cristalinos va disminuyendo más rápidamente que en años anteriores. Los interesados ya no pueden ver con precisión de cerca, aunque el ojo présbita puede dar imágenes perfectamente nítidas de los objetos situados en la distancia. La reducción de la capacidad visual causada por la vejez no es, con todo, un proceso inevitable. Curiosamente, una de cada 50 personas se libra de ella.

Los ejercicios visuales ayudan a mantener en forma el órgano sensorial más importante. Sin mover la cabeza, sígase con la mirada el recorrido de la línea (comienza en el triángulo inferior, a la derecha).

LA IMAGEN DETRÁS DE LA RETINA Aunque el efecto es el mismo, las causas de la presbicia no tienen nada que ver con las de la hipermetropía, que puede aparecer en la niñez y tiene su origen en una deformación del globo ocular. Al contrario de la distancia reducida entre el cristalino y la retina que se presenta en la hipermetropía, en el caso de la presbicia es la reducción progresiva de la fuerza de refracción del cristalino la que conduce a que la persona deje de ver con precisión. Por esta razón, los présbitas necesitan lentes que compensen el insuficiente poder de refracción de sus ojos. Si renuncian a esta ayuda, la musculatura del ojo se fatigará excesivamente, lo que puede provocar dolores de cabeza. Pero muchas personas preferirían tener brazos más largos y no tener que ponerse gafas.

VISTA CON MATERIA SINTÉTICA En la actualidad, la ciencia puede ayudar con cristalinos artificiales a quienes no deseen usar gafas o a quienes presenten dificultades visuales patológicas causadas por la vejez. Además de la alternativa que suponen las lentes de contacto para hipermétropes y miopes, ya utilizadas con éxito por millones de personas, existen en la actualidad lentillas especiales para présbitas.

También se pueden remediar deterioros más graves de la capacidad visual con medios parecidos. Por ejemplo, se implantan cristalinos de materia sintética a los pacientes que sufren de catarata. En esta enfermedad, el cristalino se enturbia porque afluyen demasiadas células y se incrustan en él. Mediante una intervención quirúrgica que ya es común, el cristalino es extraído y sustituido por otro artificial.

FRAGMENTOS EN EL OJO La tolerancia por el ojo humano de este tipo de cuerpos extraños la descubrieron los oftalmólogos durante la II Guerra Mundial. Algunos pilotos heridos en combate recibieron en el ojo fragmentos minúsculos del plexiglás roto de sus carlingas, y se pudo comprobar posteriormente que estos fragmentos se habían encarnado sin ninguna complicación.

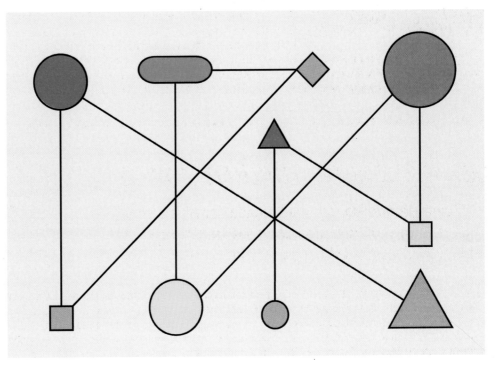

Quedarse sin aliento

Cuantas más velas tiene la tarta de cumpleaños, menos aliento tiene el protagonista para apagarlas. Así describió el poeta francés Jean Cocteau la disnea causada por la edad.

Se podría establecer una comparación entre las uvas que no se han recogido a tiempo y se han convertido en pasas, y los alvéolos pulmonares que han perdido su elasticidad y, arrugados y flácidos, siguen cumpliendo con su misión en los pulmones.

Mientras los entre 300 y 500 millones de alvéolos pulmonares del hombre son jóvenes y frescos, facilitan el intercambio de oxígeno en los pulmones al contraerse para expulsar el aire. Pero, con la edad, sus paredes pierden elasticidad y se arrugan, por lo que ya no pueden relajarse del todo. La consecuencia es que aumenta el volumen de los alvéolos en los pulmones en estado de espiración, y con él la cantidad de aire que no se expulsa de los pulmones, pues queda retenido en ellos. Esto repercute en perjuicio de la capacidad vital, es decir, del máximo de aire que el hombre puede aspirar o espirar. En personas mayores puede quedar reducida al 55% de la capacidad inicial. Por tanto, no puede extrañar el hecho de que los mayores pierdan fácilmente el aliento.

MENOS INTERCAMBIO DE GASES Además de este proceso, consecuencia del deterioro de la edad, comienzan a romperse las frágiles paredes entre los alvéolos. Los alvéolos pequeños descienden en número mientras que los que subsisten son más grandes. Hay por tanto menos superficie de alvéolos disponible para el intercambio de gases y se reduce la cantidad de oxígeno suministrado a la sangre.

Mientras la persona no se someta a grandes esfuerzos físicos, el reducido intercambio de gases no influye en el bienestar. También quien en la edad madura practica algún ejercicio físico y no fuma queda exento de la disnea, nombre que recibe la dificultad respiratoria consecuencia de este deterioro pulmonar.

La disnea en edad avanzada no es una enfermedad, pero sí acarrea ciertos riesgos: el tórax puede hincharse y envararse si los alvéolos flácidos dejan cada vez más aire en los pulmones, lo que se denomina enfisema senil. El afectado tiene la respiración corta y jadea al más mínimo esfuerzo.

Con la edad se reduce el volumen de aire que puede aspirar una persona en una sola inhalación (capacidad vital).

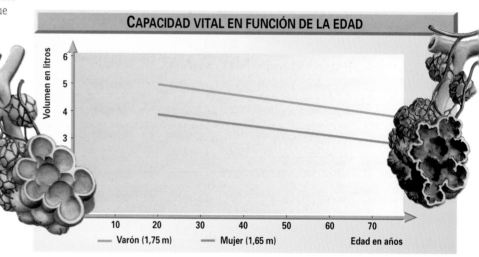

CAPACIDAD VITAL EN FUNCIÓN DE LA EDAD

Volumen en litros

— Varón (1,75 m)   — Mujer (1,65 m)   Edad en años

Con las cuerdas flojas

Con el cuerpo envejece también el aparato fonador. Pero los cambios no siempre se producen a la misma edad: hay más personas mayores que voces quebradas.

Durante muchos años la laringe canta, llora, susurra, chilla. Y eso acarrea consecuencias: sus cartílagos elásticos, poco a poco empiezan a sufrir alteraciones, se envaran e incluso se osifican.

La osificación se extiende desde abajo hacia arriba. Este proceso repercute en la voz de la misma manera que repercute una lengüeta de un clarinete o de un oboe que hubiese perdido su capacidad de vibrar: el sonido se torna cada vez más monótono. En lugar de abarcar una escala de dos o tres octavas, la gama de frecuencia entre el sonido más agudo y el más grave se restringe cada vez más.

Al mismo tiempo, los músculos provocan alteraciones en la superficie de las cuerdas vocales. Ya no se humidifican de manera uniforme y permanente e incluso pueden llegar a secarse. Entonces la voz se hace más ronca y quebrada.

Para hablar necesitamos, amén de laringe y cuerdas vocales, la faringe y la cavidad bucal, que también sufren cambios con la edad. Los músculos faciales y maxilares pierden su elasticidad, y los pulmones y las costillas, que constituyen la caja de resonancia, su movilidad. La respiración se hace menos profunda: a los 75 años tiene sólo la mitad de fuerza que a los 30. En consecuencia, el aire ya no pasa con tanto vigor por la glotis y la voz de la persona pierde algo de su sonoridad.

Las características más importantes de la voz en la edad avanzada son la pérdida de la voz pectoral, de la fuerza, de la resonancia y

El sonido de la "a" en una persona mayor y en un niño: la voz clara del niño presenta tonos básicos y agudos delimitados; la voz madura presenta tonos de todas las alturas a la vez.

del timbre. Incluso los tenores profesionales pierden su aliento en torno a los 40 años. El do de pecho ya no les sale tan bien, si es que les llega a salir. Muchos cantantes famosos de opera se dedican más a conciertos de gala, recitales o a la opereta cuando advierten que han superado el apogeo de su fuerza para cantar.

El registro medio de la voz al hablar cambia también. En las mujeres se hace más grave, en los hombres, algo más aguda. Si se refleja la evolución de la voz en una curva, la etapa de la niñez, hasta los 15 años, presenta una caída fuerte: hasta la muda, la voz se hace siempre más grave. Posteriormente baja hasta los 30 años, para volver a subir después. Finalmente, la voz de un varón de 80-90 años coincide con la de la pubertad.

En personas mayores físicamente extenuadas, por enfermedad u otra causa, el debilitamiento repercute también en la voz, que pierde sensiblemente su sonoridad y su fuerza y resulta apagada e inconstante. Esto se debe al debilitamiento de las cuerdas vocales cuyos músculos han perdido su tono: uno tiene literalmente las cuerdas flojas. La glotis no se puede abrir y cerrar bien y la voz parece que susurra.

VOCES QUE SE HAN QUEDADO JÓVENES
Cuando a una edad avanzada la voz pierde intensidad, influyen muchos factores, pero no todos de la misma manera y en todas las personas por igual. Por consiguiente, voces de personas diferentes envejecen de manera diferente y no siempre en proporción al envejecimiento del resto del organismo: hay más personas mayores que voces seniles.

Una voz senil muy marcada se caracteriza por un graznido sin sonoridad alguna. El cerebro, que controla el modo de hablar, funciona con más lentitud en una persona mayor, por lo que su locuacidad ya no será tan grande.

Las personas que al hablar utilizaban todos los registros de su voz, presentan con la edad avanzada un timbre más serio y grave, y por tanto más uniforme. En una persona que hablaba de manera apacible, la voz se vuelve más monótona. Pero no son razones para dejar de escuchar a los mayores, pues lo que importa es lo que tienen que decir, que será cada vez más interesante según avance su experiencia, es decir, su edad.

Porcelana en la boca

Sin los logros de la estomatología actual, muchas personas mayores tendrían problemas: la nueva dentadura les permite morder pan en lugar de comer papillas.

Desde los tiempos más remotos, los hombres han estado aquejados de malas dentaduras: empezaban por doler y, a falta de un tratamiento adecuado, las piezas tenían que extraerse o se caían por sí solas a una edad avanzada. Hace siglos que se intenta remediar esta grave pérdida de calidad de vida, con resultados de todo tipo. George Washington, el primer presidente de los Estados Unidos, se torturaba con una dentadura que le habían tallado de un solo diente de rinoceronte y que hoy está expuesta en un museo de la capital norteamericana. El rey Luis II de Baviera vivía aquejado de una mala dentadura natural desde muy joven, por lo que se aislaba durante días. Y de un Gran Duque de Weimar se dice que tiró su dentadura sobre la mesa diciendo "¡Come por tu cuenta!"

DIENTES POSTIZOS PARA JÓVENES Cuando los huesos maxilares envejecen, se aplanan. La bolsa en la cual está alojado el diente, pierde profundidad. Aunque el diente conservase un buen estado hasta mucho más

tomas como la pérdida de memoria o incluso la terquedad. Cuando el afectado no recuerda ni siquiera los nombres de sus familiares o el día del propio cumpleaños, hay que temer pérdidas serias de masa cerebral. En estos casos, los neurólogos hablan de demencia senil: su causa puede ser la enfermedad de Alzheimer, una atrofia cerebral. Las partes más deterioradas son las circunvoluciones de la corteza cerebral, donde residen el pensamiento y la percepción. En la medida en que mueren las neuronas, se agrandan los surcos entre las circunvoluciones así como los ventrículos cerebrales, que son unas cámaras rellenas de líquido.

CADA VEZ MÁS OSCURO En otras neuronas de la corteza cerebral se sedimenta un pigmento de la vejez, la lipofuscina. Esta sustancia otorga un color crema-amarillo a las células, que adquiere tonos más oscuros según avanza la edad. Entre las distintas células se forman inclusiones de pigmento, las llamadas placas seniles, que también dificultan el intercambio de información entre las células nerviosas.

Se sabe que el 20-50% de las neuronas del lóbulo frontal, es decir, de los centros motores, se pierde a lo largo de la vida. En el centro de la visión es la mitad, la misma proporción que en el área responsable de las sensaciones corporales. A pesar de todo, la ingente cantidad de células nerviosas determina que la mayoría de las personas mayores acusen sólo pérdidas insignificantes de sus capacidades de reflexión y juicio.

Confuso y solo en el mundo

Si una persona anciana no recuerda su nombre ni reconoce a sus hijos, sufre algo más que un problema de memoria: la demencia senil le ofusca los sentidos.

Según un prejuicio muy difundido, las personas ancianas están chochas y confusas, lo que es acertado únicamente para una proporción muy pequeña de ellas. Pero como cada vez son más las personas que alcanzan edades avanzadas, hay también más que padecen demencia senil.

Olvidarse de algunas cosas es considerado normal en una persona mayor. De demencia senil se habla cuando una persona anciana no recuerda de improviso en qué ciudad

Las personas con trastornos seniles precisan 24 horas al día de atención y cuidado, por parte de sus familiares o de enfermeros.

vive o cómo se llama. A veces, estos trastornos mentales, que pueden ir acompañados de alteraciones del sentido del equilibrio, se presentan sólo transitoriamente y suelen atribuirse a carencia de agua y sal. Estudios con personas mayores han revelado que los pacientes presentaban una sensible pérdida de memoria cuando se les prescribía una dieta pobre en sal. Pero ésta es precisamente la dieta que se prepara en muchos hogares y residencias de ancianos, pues contribuye a evitar la hipertensión.

Personas mayores que dan la sensación de estar confusas, frecuentemente se hallan bajo los efectos de una intoxicación de fármacos latente. Su organismo tarda mucho en eliminar las sustancias activas de estos medicamentos, que a menudo consumen en dosis excesivas.

FALTA DE OXÍGENO EN EL CEREBRO Un riego sanguíneo insuficiente en el cerebro puede provocar consecuencias fatales. Al contrario de lo que sucede con la arteriosclerosis en los grandes vasos sanguíneos, en cuyas paredes se sedimentan partículas de colesterina, los estrechamientos de los vasos cerebrales no se pueden corregir quirúrgicamente, pues son demasiado delgados para una intervención. Los primeros indicios de una falta de oxígeno en el cerebro son las famosas cabezadas y una sensación de aturdimiento en el anciano. En estado avanzado, algunas partes del cerebro pueden reblandecerse; el tejido cerebral se deteriora y el paciente se olvida de casi todo. Además, aumenta el peligro de apoplejía o derrame cerebral.

También si se sufre durante años de hipertensión, además de alteraciones del ritmo cardiaco u otras disfunciones del sistema circulatorio, se pueden dañar las células del cerebro y verse mermada su capacidad de rendimiento. En estos casos, los médicos hablan de una demencia múltiple por infarto. Algunas personas con sus facultades mentales disminuidas desarrollan fuertes recelos hacia su entorno, o incluso se creen rodeadas por dementes. Este estadio de la demencia senil prácticamente no tiene tratamiento farmacológico.

Obstinación por inseguridad

Cuando las personas mayores se empeñan insistentemente en algo, lo hacen a menudo por inseguridad: quedan desorientadas ante la avalancha de cosas nuevas.

Cuando adolescentes progresistas no coinciden nunca con la opinión de sus abuelos porque éstos no quieren seguir sus planteamientos modernos y admiten sólo lo experimentado, nos hallamos ante un caso típico de conflicto generacional. Estos choques son inevitables, pues los especialistas han descubierto que en parte se deben a procesos fisiológicos relacionados con la edad.

Si una persona mayor no puede seguir de inmediato los razonamientos de la juventud es porque su metabolismo cerebral es más lento. Su inteligencia ya no tiene la fluidez para captar nuevos adelantos, por no hablar ya de admitirlos. Para evitar que las situaciones inesperadas lo desborden, muchas veces instala un esquema fijo en su vida: todo tiene su sitio y camino, pues, en caso contrario, pierde la orientación. Por la misma razón, puede insistir obstinadamente en su posición, que para él es probada y experimentada; así que ¿por qué abandonarla?

De la misma manera que las ideas se pueden volver fijas, la personalidad se refuerza con la edad. Quien en su juventud fue ahorrativo puede volverse tacaño; el precavido, temeroso; el ordenado, pedante, y el generoso, derrochador. Algunos ancianos ya no pueden manifestar emociones de ningún género, mientras que otros prorrumpen en sollozos al más mínimo motivo.

MIEDO INFUNDADO Otro fenómeno propio de la edad es el miedo a empobrecerse que invade sobre todo a personas que viven solas. Por el temor a una repentina miseria, comienzan a acumular trastos y cachivaches que antes hubieran tirado sin más: periódicos antiguos, cartones, medicamentos, botellas o latas vacías. Y en lugar de confiar sus ahorros a un banco, los atesoran en un escondite presuntamente seguro. Todos conocemos la imagen patética de esos ancianos sin techo, que vagabundean por las ciudades rodeados de bolsas y paquetes con sus humildes pertenencias, seguramente innecesarias.

Sesenta años y mucha marcha

Entre los 60 y 70 años, el cuerpo se degrada más que la mente. Pero en lugar de resignarse, muchas personas mayores siguen activas y se preocupan de su forma física.

Los antiguos griegos sabían que las personas mayores normalmente pueden rendir mucho más de lo que se las cree capaces. "Mis años no me molestarían, si no fuera porque me los recuerdan con sus permanentes cortesías, consejos y compasiones", dijo un heleno que se había mantenido joven.

En Estados Unidos, la generación de los mayores activos se ha convertido en un auténtico objetivo de la industria y el comercio. Los supermercados y los grandes almacenes han analizado su comportamiento de compra y han empezado a tener en cuenta los fenómenos relacionados con la edad en sus envases y embalajes, así como en la disposición de las tiendas. Por ejemplo, se recomienda que las letras en los envases sean más grandes y su contenido menor. Los productos se ofrecen a la altura de la cabeza, e incluso se están probando los primeros carros de compra con asientos plegables.

Esta estrategia es muy inteligente ya que actualmente hay más ancianos que nunca. En 1880, en Europa, el porcentaje de las personas mayores de 60 años en el total de habitantes era sólo del 5%; en el año 2000, será del 25%, y en el 2030, del 38%. Hoy, hasta un 50% de las mujeres y muchos de los varones mayores de 65 años no cultivan actividad

El abuelo lee cuentos a sus nietos. En medio de los niños, encuentra una nueva actividad gratificante.

alguna, salvo las tareas domésticas. No se fijan objetivos ni se entrenan en nada, pero su pasividad no siempre es voluntaria. En algunos casos, las convenciones sociales y determinadas leyes les condenan a la inactividad.

A quien la sociedad le pone frenos y le hace creer que la edad conlleva estar achacoso y senil, acaba por estarlo. En muchos países occidentales, los trabajadores se deben jubilar a los 65 años, quieran o no. Los bancos no conceden créditos para creación de empresas a mayores de 50 años y los catedráticos han de retirarse cuando están en el apogeo de su sabiduría y experiencia. Incluso para misiones caritativas se ha rechazado a mayores de 55 años.

ACTIVOS COMO NUNCA Pero las personas mayores, según las estadísticas, tienen una forma física cada vez mejor. La mayoría se siente 10 años más jóvenes de lo que realmente son y quieren que se las trate así. Su confianza en sí mismas crece, tienen representación política, publican sus propios periódicos y trabajan como voluntarios en organizaciones humanitarias y de variados fines.

El concepto de los "mayores" o de "la tercera edad" se acepta mejor que hace 10 años. A pesar de todos los obstáculos, los ancianos nunca han tenido tantas perspectivas para el futuro como hoy. Muchos relacionan la tercera edad no con el pasado sino con las posibilidades que se les abren ante ellos.

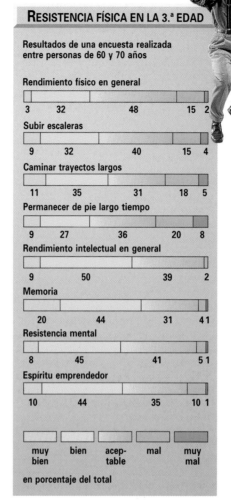

RESISTENCIA FÍSICA EN LA 3.ª EDAD

Resultados de una encuesta realizada entre personas de 60 y 70 años

Rendimiento físico en general

| 3 | 32 | 48 | 15 | 2 |

Subir escaleras

| 9 | 32 | 40 | 15 | 4 |

Caminar trayectos largos

| 11 | 35 | 31 | 18 | 5 |

Permanecer de pie largo tiempo

| 9 | 27 | 36 | 20 | 8 |

Rendimiento intelectual en general

| 9 | 50 | 39 | 2 |

Memoria

| 20 | 44 | 31 | 4 | 1 |

Resistencia mental

| 8 | 45 | 41 | 5 | 1 |

Espíritu emprendedor

| 10 | 44 | 35 | 10 | 1 |

| muy bien | bien | aceptable | mal | muy mal |

en porcentaje del total

Las limitaciones del rendimiento físico se perciben más que el retroceso de las facultades psíquicas, según una encuesta realizada entre 500 personas mayores.

Las personas mayores, a pesar de su energía y vitalidad, sufren naturalmente los achaques de la edad. A los sesentones les resulta difícil estar mucho tiempo de pie, caminar mucho o subir escaleras. Sus deportes favoritos son los paseos (varios por semana), montar en bicicleta y otros ejercicios fáciles, como el *jogging* o la marcha moderada. Algunos hacen incluso más esfuerzos y cortan leña o trabajan en el jardín o la huerta.

SIN EXCESOS Los ejercicios ideales para un cuerpo maduro son los que calientan lentamente su masa muscular, bastante reducida y rígida. La mayoría de los mayores de 60 años no debe practicar ni el submarinismo ni el alpinismo extremo, puesto que conllevan un esfuerzo excesivo para la circulación. En todos los deportes para ancianos, el pulso no debe superar los 110 latidos por minuto.

Incluso cuando se merman las energías de cuerpo y mente, hay personas que logran conservar cierta actividad gracias a un truco psicológico: hacen planes para el futuro e intentan realizarlos.

Su lema es disfrutar

Quien después de decenios de trabajo se jubila, puede sentirse feliz. A partir de ahora tendrá el tiempo y la calma para dedicarse a las cosas bonitas de la vida.

La vida no acaba con la jubilación, ni mucho menos. Al contrario, es entonces cuando muchas personas mayores empiezan a disfrutar plenamente de ella.

De repente se ven liberados de toda presión y restricción impuesta por el trabajo. La competitividad profesional se acaba, ya no hay un jefe que dé motivos para enfadarse.

Los problemas financieros suelen ser más llevaderos: la casa está pagada, la formación de los hijos acabada. Los deseos materiales de años pasados están ya satisfechos. Uno posee los objetos anhelados en el pasado o ya no los necesita. Una moto, un coche deportivo, un barco de vela: son cosas que han perdido su importancia vital. A muchos les basta con la tumbona en un sitio soleado.

También los viajes desenfrenados se han convertido en algo prescindible. En vez de volar sumidos en el estrés durante dos semanas a no se sabe qué país, el jubilado puede proyectar con calma: un crucero por el Mediterráneo o un viaje tranquilo en coche. Se dispone de tiempo y, en general, también de dinero.

"Tenemos los viejos más ricos de todos los tiempos", dice un estudio sobre el potencial de poder adquisitivo de la población europea mayor de 60 años. Aunque la frase no sea igualmente aplicable a todos los países y hay muchos jubilados que tienen que vivir todavía con la pensión mínima, hay una aseveración cierta: la envidia disminuye generalmente con la edad.

DISFRUTAR DE LA VIDA La satisfacción es la sensación predominante de muchos jubilados. Una encuesta entre setentones reveló lo siguiente: el 44% disfruta de la vida y está contento; el 5% intenta disfrutar y estarlo; el 14% tienen aún planes de futuro, pero se les escapa el tiempo. Sin embargo, el 29% están descontentos y aburridos, y algunos, nada menos que el 8%, señalaron estar amargados y solos.

Sobre todo en los asuntos personales, muchos ancianos reaccionan con más calma y sosiego que antes. Las necesidades y los problemas de los hijos los perciben sólo de manera indirecta, y la educación de los nietos no es asunto suyo. Si el niño vuelca la cafetera llena encima del mantel limpio, la madre le regañará, mientras que la abuela, con una sonrisa indulgente, dirá: "¡Para eso están los manteles!"

COMPRENSIÓN PARA LOS NIETOS En el siglo pasado, los abuelos solían morir cuando los nietos eran aún muy pequeños. Hoy muchos mayores ven a sus nietos crecer y ello les permite participar en cierta medida en el mundo de la generación de los jóvenes, tan distinto del suyo en gustos, aficiones e intereses vitales. Es normal que no siempre puedan entender sus expresiones, relaciones y entusiasmos, pero a la frase usual de muchos adolescentes "¡Qué vas a entender tú de eso!", vale sólo la respuesta "Entonces, ¡explícamelo!".

Tiempo para disfrutar: mientras que los jóvenes deben aún trabajar, los mayores disponen de todo el tiempo del mundo.

Parejas para toda la vida

Dos personas que pasan largo tiempo juntas van adoptando las costumbres de la pareja. Matrimonios que llevan decenios casados incluso pueden llegar a parecerse.

Se podría pensar que son hermanos si no se supiera que están casados: viejos matrimonios que conviven durante muchas décadas. En los años que han pasado juntos han adoptado, voluntaria o inconscientemente, muchos hábitos de su pareja, e incluso acaban pareciéndose físicamente.

El instinto de imitación –como existe también en los monos, nuestros parientes más cercanos del reino animal– está profundamente arraigado en nuestro interior. Los niños pequeños intentan ser como el hermano mayor, y ambos quieren ser como su padre, mientras que las niñas imitan a la madre, copian su modo de hablar, sus gestos y costumbres.

La imitación es un buen método educativo, ya que los padres aspiran a enseñar a sus hijos lo que les parece bueno para ellos.

Los niños se desprenden de parte de estos hábitos cuando se forma su personalidad de adulto.

Pero cuando entran en una relación de pareja, la adaptación empieza de nuevo. Cuanto más armónica y duradera sea la relación, más tiende una pareja a adoptar las características positivas de la otra.

LA MISMA MÍMICA, LAS MISMAS ARRUGAS Puesto que la mímica, que refleja las emociones de una persona, marca su fisionomía, no es raro el caso en que un matrimonio anciano empieza a parecerse en su exterior. Desarrollan las mismas arrugas por reírse o preocuparse de las mismas cosas, y presentan la misma expresión despierta –o quizás aturdida– en sus ojos. Esta es la mejor prueba de una larga y feliz vida en común.

Han compartido las alegrías y las penas; experiencias comunes marcan el rostro de parejas ancianas que llegan a compartir rasgos parecidos.

325

Más allá de la muerte

Todos tenemos que morir, y cada uno de nosotros debe enfrentarse al hecho de que su vida terrenal tiene un fin, y a los vacíos que deja la muerte de familiares o amigos. Morir es difícil. Es sobre todo doloroso: abandonar y ser abandonado; es dejar lo querido y no poder recuperar lo perdido. En nuestra sociedad, que cree en la juventud eterna, se reprime pensar en la muerte. Pero se puede mirar la muerte también bajo otra luz, como parte natural del ser humano. Al horror de una ruptura imprevista se enfrenta la oportunidad de madurez profunda. Según este razonamiento, la muerte se puede convertir en fuente de muchos entendimientos, en el gran reto de la vida. Entonces ya no será el terrible enemigo que expulsa a los hombres del paraíso imaginado de la perennidad, sino más bien algo que, de manera suave, insistente y omnipresente, nos advierte y nos invita a vivir cada día con plenitud, a no dejarlo pasar simplemente sino a darle un sentido y una perspectiva. Entonces, al final de la existencia se sabrá abandonar este mundo con aceptación y tomar el último tren de esta vida para emprender un viaje cuyo destino nos es desconocido.

Cuando los restos mortales se confían al fuego, el difunto se disuelve en cenizas y humo (foto superior). Este acto ritual simboliza el paso del mundo material y efímero a la existencia espiritual en el más allá.

La muerte es parte inseparable de la culturas que manifiestan esta relació trasladando fiestas familiares a los cementerios (foto de la izda.). La tum queda marginada, sino que se busca directamente la cercanía del muerto, mantiene vivo su recuerdo. Los seres que fallecieron siguen viviendo con n Para prepararse a la muerte, muchas encuentran fuerzas en la fe (foto gran confianza en el más allá les facilita la despedida y les otorga consuelo y es

Entre la vida y la muerte: los últimos pasos del organismo

Primero se detiene el corazón, después la persona deja de respirar y, finalmente, se apaga la actividad cerebral. Pero antes de que se dé el último adiós al difunto, se ejecutan determinados procesos bioquímicos en su cuerpo.

Cuando una persona muere, no se extinguen sólo las funciones vitales, como los latidos del corazón, la respiración y la actividad cerebral. La muerte desencadena toda una serie de procesos que impiden definitivamente que el cuerpo vuelva a la vida.

Según el pensamiento actual, para que una persona sea considerada como oficialmente muerta, deben existir pruebas concluyentes de que su cerebro ha dejado de funcionar definitivamente. Su actividad se puede medir con la ayuda de varios electrodos colocados sobre la cabeza, que analizan las corrientes cerebrales. El electroencefalograma (EEG) señala hasta la más mínima actividad eléctrica en el cerebro. Mientras esta actividad perdure, no se pueden desconectar los aparatos que lo mantienen con vida sin la preceptiva autorización del juez y los familiares.

LA MUERTE A PLAZOS El organismo no muere de repente, sino que incluso la muerte más rápida tiene varias fases. Antes de que muera el cerebro de la persona, el organismo agonizante pasa por una serie de etapas. La más conocida es la llamada fase agónica, en la que se interrumpen visiblemente los últimos procesos vitales. El agonizante puede estar ya sin conocimiento, pero el alto nivel de azúcar en la sangre provoca unas últimas reacciones. A veces, respira una o varias veces profundamente o incluso se incorpora levemente. A medida que va disminuyendo la circulación sanguínea, perecen los distintos tipos de tejidos en función de sus necesidades de oxígeno.

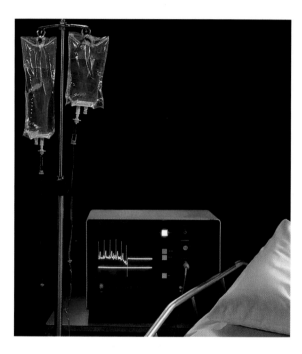

El cerebro ha cesado en su actividad cuando en el monitor del EEG desaparecen las oscilaciones de corriente. Este es el criterio oficial para dictaminar la muerte de una persona.

En el momento en que el corazón y los pulmones dejan de funcionar, la persona está clínicamente muerta. Cuando se trata de un paciente cuyo estado de salud no augura una muerte natural en breve tiempo, como es el caso del que sufre una parada cardiaca después de una intervención quirúrgica, los médicos tratarán de reanimarlo estimulando el corazón mediante electrochoques para que vuelva a latir.

SALVADO EN 5 MINUTOS Si el tratamiento no surte efecto en los primeros cinco minutos, se puede suponer que el cerebro ha quedado irremediablemente dañado por la falta de oxígeno y se abandona los intentos de reanimación. No obstante, se han registrado casos de personas que han vuelto a la vida 20 minutos después de la muerte clínica, y sin sufrir daños cerebrales.

Hace varios años, la Escuela de Medicina de la universidad de Harvard recomendó que se tomaran en cuenta cuatro criterios para determinar la muerte cerebral: falta de respuesta al tacto, al sonido y demás estímulos externos; que no haya movimientos ni respiración espontánea; que no se produzcan reflejos y que el EEG resulte lineal.

LA PIEL PÁLIDA, LA MIRADA VIDRIOSA Pocos minutos después de morir, el aspecto del difunto cambia. La circulación sanguínea se ha colapsado y los diminutos vasos de la tez se han vaciado, por lo cual el rostro adopta un color blanco-grisáceo: se habla de la palidez cadavérica. Los ojos se tornan vidriosos y miran al vacío. En pocos minutos, pierden su brillo y las pupilas se ensanchan, ya que el iris se relaja. La mirada se vuelve fija y se quiebra; un fino velo opaco cubre los dos ojos. Toda la musculatura y la piel pierden su tensión, la cara se hunde, las mejillas cuelgan. Finalmente, mueren el tejido conjuntivo y el de los tendones.

Las historias de cadáveres a los que siguen creciéndoles el pelo y las uñas de pies y manos son pura ficción. Otra cosa son los órganos que no necesitan oxígeno para funcionar. El hígado, por ejemplo, puede catabolizar alcohol incluso horas después de la muerte.

En el cuerpo vivo, las proteínas actina y miosina se unen para provocar la contracción de un músculo. Con impulsos eléctricos, se pueden inducir movimientos de determinados músculos incluso horas después de la muerte clínica, pero la rigidez cadavérica avanza implacablemente. El cuerpo ya no produce sustancias que aseguran la separación entre la actina y la miosina. Unas 5 o 6 horas después de la muerte, los miembros del cuerpo empiezan a ponerse rígidos; las proteínas cuajan, de forma similar a lo que sucede cuando se cuece un huevo.

RÍGIDO A LAS 36 HORAS Al cabo de 12-36 horas, casi todos los músculos se habrán endurecido. Las articulaciones son tan rígidas que se romperían al moverlas. Los médicos y criminalistas hablan de *rigor mortis,* la rigidez mortal o cadavérica. Un experto puede deducir del avance de la rigidez mortal el momento aproximado en que se produjo la muerte. Cuando 24-48 después de la muerte el cuerpo empieza a descomponerse, la rigidez va desapareciendo, en el mismo orden en el que sobrevino.

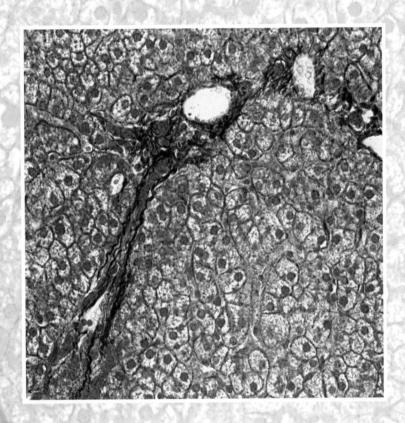

CUANDO
EL CUERPO
NO FUNCIONA BIEN

Células hepáticas alrededor de un vaso sanguíneo. Foto ampliada 80 veces.

Sección especial

A espaldas de la humanidad

Hace millones de años, cuando nuestros antepasados comenzaron a andar erguidos se desarrolló también la civilización humana. Pero aunque estemos muy orgullosos de este progreso, también supone ciertos inconvenientes.

Quien haya observado alguna vez a un chimpancé, y cómo se ayuda para andar con una mano, como si fuera una tercera pierna, podrá imaginarse lo intensamente que hubo de transformarse el esqueleto humano para que fuera posible, por ejemplo, caminar con la elegancia de una bailarina, saltar como un patinador o regatear como un futbolista.

El principal punto de apoyo de nuestra forma bípeda de movernos es la columna vertebral, aunque todo el conjunto del esqueleto tuvo que adaptarse en el transcurso de la evolución para caminar en una postura erguida.

Así, la longitud de las piernas y los pies se transformaron para poder andar sobre las plantas y surgió el arco del pie. La pelvis también adquirió una nueva estructura: se hizo más estable, sobre todo porque en nuestros días descansa sobre ella casi todo el peso del cuerpo. Por último, se acortaron los brazos, ya que, como las personas caminan erguidas, no son necesarios para transportar el peso del cuerpo y contribuir a su avance.

SUSPENSIÓN SUAVE Mientras que la columna vertebral de un mono todavía equivale a una pértiga relativamente rígida, en los seres humanos tiene forma de S y proporciona cierta estabilidad, al igual que la suspensión de un coche. Además, entre las distintas vértebras se encuentran los cartílagos, que actúan de amortiguadores y pueden reaccionar a la carga con flexibi-

lidad. Estos cartílagos intervertebrales son discos cartilaginosos con un núcleo gelatinoso elástico. Puesto que durante la noche absorben agua como si fueran una esponja, por la mañana son más gruesos: el

Como es habitual en muchos países tercermundistas, las mujeres indias transportan su carga sobre la cabeza. Protegen su columna vertebral adoptando una posición correcta.

núcleo va perdiendo líquido en el transcurso del día y por la carga permanente que supone el peso corporal. Por eso siempre se pesa un poco más recién levantado que por la tarde.

ENFERMEDAD DE LA CIVILIZACIÓN Los cartílagos intervertebrales son muy sensibles,

y pueden provocar dolores de espalda muy agudos. A veces se desplazan del conjunto vertebral y provocan la temida y muy dolorosa hernia discal. En las personas mayores, los cartílagos intervertebrales y la columna vertebral han perdido elasticidad por el desgaste y tienen menos cantidad de agua, de forma que siempre están aplanados. Entonces ejercen presión sobre las vías nerviosas que se encuentran entre ellos y que parten de la médula espinal, y pueden provocar lumbago de mayor o menor intensidad. Como es natural, estos problemas pueden aparecer también en los jóvenes, en los casos en que se bloqueen dos vértebras –por un movimiento brusco o una mala postura–, dando lugar a una irritación del nervio.

Asimismo, los tendones, ligamentos y músculos que unen las vértebras entre sí, o que parten de ellas y se dirigen a otras partes del cuerpo, son muy delicados. Sirven sobre todo para mantener el equilibro de la columna vertebral. Si los músculos no están suficientemente ejercitados, como es el caso de muchas personas que trabajan sentadas, pueden originarse con mucha frecuencia dolores de espalda. Siempre que hay tensión o carga, la musculatura, que es muy débil, sufre una contractura.

Además de la falta de movimiento, las contracturas pueden producirse cuando se utiliza una silla de despacho mal regulada o se descansa sobre un colchón blando, por no hablar de las posiciones incorrectas en determinadas tareas laborales. La obesidad y la osteoporosis son otros factores que provocan dolores de espalda.

En principio, la cadena de reacción es la misma en todos los problemas de espalda. Uno de los elementos de la columna vertebral, ya sea músculo, hueso o nervio, se ve alterada en la realización de su función, y como este conjunto se asienta sobre multitud de articulaciones, músculos, ligamentos, tendones, puntos de entrada y de partida de nervios y vasos sanguíneos,

PREVENCIÓN DE LOS DOLORES DE ESPALDA

- Los dolores de espalda provocados por la posición en que nos sentamos se pueden evitar utilizando una silla adecuada.

- Los músculos de la espalda necesitan actividad de vez en cuando. Estirarse de forma regular y relajar la espalda, sobre todo la zona lumbar, resulta de gran ayuda.

- La gimnasia de compensación no sólo fortalece la musculatura de la espalda, sino que la vuelve más elástica y con ello menos propensa al dolor.

- Los baños calientes y las fricciones estimulan la circulación sanguínea. Debido a su efecto relajante, ayudan también en los casos de accesos de dolor.

- Si se ha de llevar mucho peso al hacer la compra, deberá repartirse en dos bolsas. De este modo, la carga se distribuye de forma equilibrada por toda la columna vertebral.

Para no forzar la columna vertebral al levantar objetos pesados conviene doblar previamente las rodillas.

cualquier alteración se va extendiendo a todo el sistema y puede causar un daño incluso prolongado.

AVISO DE LESIÓN Se puede comparar con una maqueta en la que al tambalearse una pieza, se tambalean todas. De ahí que a veces se propaguen a toda la espalda los dolores intensos emanados en una parte del cuerpo alejada de la columna vertebral. El transporte lo llevan a cabo las denominadas sustancias mediadoras, que parten del tejido afectado por la lesión o por un menor riego sanguíneo, y alcanzan los lugares de conexión de los nervios de la espalda a través del flujo sanguíneo.

Estos nervios, que actúan como los relés de los vehículos de motor, contienen receptores y comunican al cerebro cualquier alteración de forma fiable, mediante una señal de dolor. El sentido de este dispositivo aparentemente innecesario es proteger al vulnerable sistema de movimiento de la columna vertebral antes de que se produzcan daños. Estos dolores obligan a cambiar la posición forzada o de carga, a adoptar una posición nueva en caso de inflamación e incluso a evitar determinados movimientos para que la zona dañada pueda curarse sin complicaciones.

Todas estas alteraciones del funcionamiento no son más que un recuerdo lejano de nuestros antepasados cuadrúpedos, que con su forma de moverse no conocían estos problemas: un precio que al parecer hemos de pagar actualmente por nuestra cultura y civilización.

Aunque quizá sirva de consuelo saber que el dolor y los problemas de espalda figuran entre los padecimientos más comunes en las personas sanas.

Atrapado por el lumbago

Este dolor punzante aparece de forma inesperada. Casi siempre es un aviso de la columna vertebral, aunque puede ser también síntoma de enfermedades más graves.

Más de una persona ha tenido que comprobar que abrocharse el zapato puede convertirse en una experiencia dolorosa. Aún con la nariz en el suelo y el cordón en la mano, ha sufrido de repente un dolor agudo en la espalda. Pronto se da cuenta de lo que sucede: es un ataque de lumbago. Levantarse parece imposible: uno queda atrapado en esta posición tan incómoda. Sólo con un gran esfuerzo y mucho dolor consigue liberarse de esta situación.

El martirio siguiente se lo reserva el médico, después de acudir a él con gran padecimiento; la mayoría de las veces todo termina con una inyección. Sin embargo, si detrás de esto se oculta alguna enfermedad, se abre un panorama de largo sufrimiento, en algunas circunstancias unido a hospitalización. El término médico para este dolor, que a veces vuelve a reaparecer con distintas frecuencias e intensidades tras su estreno inicial, es mialgia lumbar o, simplemente, lumbago.

AMPLIAS POSIBILIDADES DE ATAQUE Tras el lumbago se oculta un amplio abanico de posibles desencadenantes, que pueden aparecer en cualquier parte del conjunto de la columna vertebral; así, puede tratarse del bloqueo de un cuerpo vertebral, unido a una irritación del nervio producida por él; pero también puede deberse a un desgaste o deterioro de los cartílagos intervertebrales, o a entumecimiento muscular producido por las malas posturas. La causa del lumbago puede hallarse además en los pies planos y otras deformaciones de las extremidades inferiores, así como en trastornos orgánicos como enfermedades renales e intestinales. En este caso, el dolor local del órgano afectado provoca una contracción del músculo situado sobre él, con lo que también pueden aparecer accesos de dolor en la zona lumbar a través del complejo sistema de la columna vertebral, compuesto de músculos, ligamentos, tendones y nervios. Así pues, básicamente, el lumbago es sólo una denominación para un síntoma, concretamente un dolor repentino y agudo en la zona de las vértebras lumbares, que puede extenderse a través de la región glútea hasta la pierna, y cuyas causas pueden ser de muy diversa naturaleza.

El escenario más frecuente del dolor suele ser la zona de las articulaciones y los cartílagos intervertebrales, ya que están sometidos a diario a cargas considerables. Es fácil imaginarse la importante función que desempeñan los cartílagos como parachoques elásticos necesarios para la estabilidad y la movilidad. Han de soportar una

El dolor del lumbago es tan fuerte que una persona sólo puede moverse con esfuerzo.

Como parachoques de la columna vertebral, los cartílagos intervertebrales se encuentran entre los cuerpos vertebrales.

En caso de prolapso del cartílago en el punto de salida del conducto vertebral del nervio ciático, se produce un aplastamiento del nervio.

La zona de dolor del nervio ciático aplastado se extiende a la pierna.

Como el nervio ciático llega hasta los pies, se puede sentir el dolor incluso allí.

Se aplasta el nervio.

El anillo fibroso del cartílago se ha desgarrado.

Se sale el núcleo gelatinoso del cartílago intervertebral.

En caso de prolapso del cartílago intervertebral, el anillo fibroso que rodea al núcleo gelatinoso queda dañado, con lo que el núcleo se sale y presiona los cordones nerviosos.

dependiendo de que la persona se apoye sobre las rodillas para descargar la columna vertebral, o adopte una postura incorrecta.

UN RIESGO FRECUENTE Como el desgaste aumenta con la edad, todo el mundo puede llegar a conocer alguna vez en su vida el dolor del lumbago. Sin embargo, no tiene por qué ser así, ya que es posible prevenirlo. Para ello, lo más importante es fortalecer y estabilizar la musculatura de la espalda. Cuanto más fuertes y grandes sean los músculos, mayor apoyo proporcionan y más descargan a la columna vertebral de su

enorme presión, que de otro modo afectaría directamente a la columna vertebral.

Si se parte de la base de que la carga que soportan los cartílagos intervertebrales es del 100% cuando nos hallamos de pie, sentados con la espalda apoyada será del 40% y del 190% con la espalda arqueada. Si se levantan objetos pesados, la carga se multiplica. La carga aumenta al 300-500%,

función de mantener el cuerpo erguido. De esta forma, cada vértebra y cartílago quedan más descansados y, si ya están deteriorados, se desgastarán o desintegrarán menos con la edad, pues no les será tan fácil que se rocen, enganchen, bloqueen o incluso rompan.

Gimnasia especial para la espalda, incluso durante el trabajo, algo de deporte de compensación y un calzado apropiado son muy eficaces a la hora de prevenir el lumbago y reducen considerablemente su incidencia. Por el contrario, quien pase el día con la espalda doblada en una silla de despacho incómoda o mal regulada y delante de la pantalla de un ordenador, sin moverse lo suficiente, no deberá sorprenderse cuando le asalte el dolor del lumbago y se hagan frecuentes sus ataques.

SERIAMENTE AFECTADO Todas las medidas de precaución dejan de ser útiles en caso de graves enfermedades de la columna vertebral, como por ejemplo el prolapso de un cartílago intervertebral o la inmovilidad o inflamación del nervio ciático. Entonces el ataque de lumbago ya no es sólo una señal de aviso que desaparece en la mayoría de las ocasiones a los pocos días, sino que se ha producido un caso de urgencia que revela alteraciones graves y peligrosas del aparato de sujeción humano.

El nervio ciático, como muchos otros, sale de la médula espinal entre las vértebras. Evitando un plexo nervioso en la zona del hueso sacro, pasa por encima de los glúteos y desciende por la parte lateral del muslo, extendiéndose hasta el hueco poplíteo. Aquí se divide en dos: el nervio de la tibia y el del peroné. Por consiguiente, si este nervio sufre algún trastorno, se producen repercusiones considerables en toda la mitad inferior del cuerpo.

En principio, las alteraciones de este género pueden surgir en cualquier parte del recorrido de este nervio, el más largo del cuerpo, y la aparición de enfermedades es todavía más grave. Es posible detectar una amplia gama de síntomas, dependiendo del alcance de la lesión de este cable conductor principal. Los trastornos abarcan desde dolores más o menos intensos, pasando por alteraciones de la sensibilidad o sensación de sordera, hasta llegar a la parálisis.

La causa de la lesión del nervio ciático en el punto de salida del conducto vertebral suele ser un aplastamiento por prolapso del cartílago intervertebral. En este caso el núcleo gelatinoso sale del cartílago dañado, y a menudo desgastado, a través del espacio intervertebral y presiona el nervio ciático, que reacciona emitiendo fuertes señales de dolor desde la espalda hacia los glúteos y los pies.

Los prolapsos se producen con mayor frecuencia en la zona de los dos últimos cartílagos intervertebrales. Pero un descenso así no es un fenómeno natural: se puede prevenir en gran medida mediante el correspondiente ejercicio de la musculatura de la espalda y el vientre. También proporciona gran ayuda el tumbarse con las piernas

en alto, para que el núcleo gelatinoso de los cartílagos vuelva a recibir líquido sin presión.

Si el nervio ciático ya está inflamado, es importante paliar el dolor mediante medicamentos o inyecciones aplicadas cerca de la raíz nerviosa. Finalmente, puede mejorarse también mediante un tratamiento de estiramiento de la columna vertebral, así como con termoterapia o electroterapia.

En resumen, en la mayoría de los dolores de espalda el tratamiento consistirá en

reposo, aplicación local de calor y administración de analgésicos. Los medicamentos relajantes musculares, si el médico los considera necesarios, pueden ser también útiles. Muchas personas encuentran alivio si duermen sobre una superficie dura y colocan una tabla bajo el colchón. Pero si el dolor de espalda dura más de dos o tres días conviene consultar al médico. Este recomendará una radiografía de columna antes de instaurar cualquier tratamiento.

- -

El precio de la elegancia

Día tras día, los tendones de Aquiles, sensibles pero fuertes, han de transportar mucho peso. A menudo reaccionan con dolores e inflamación.

En las consultas de ortopedia, junto a las personas mayores y los deportistas, se encuentran cada vez más mujeres jóvenes que se quejan de dolores en los talones. Son las víctimas de su predilección por la moda de los zapatos con tacón de aguja que, si se llevan demasiado altos o con demasiada frecuencia, pueden llegar a dañar el tendón de Aquiles. Este tendón debe su nombre al legendario héroe helénico, que era invulnerable excepto en este tendón, donde recibió precisamente un flechazo mortal. Ya hace tiempo que se sabe que este tendón, que comunica los músculos del peroné y el calcáneo y se ocupa de que podamos ponernos de puntillas y volver a bajar el pie, es extremadamente sensible.

Muy vulnerable A diferencia de los otros tendones del cuerpo, el de Aquiles carece de una capa protectora, con lo que es especialmente propenso a recibir heridas y sufrir inflamaciones. Además, ha de soportar el peso del cuerpo que presiona sobre los pies. Junto al desgaste, se puede llegar a una sobrecarga del tendón.

Los zapatos con tacón de aguja perjudican especialmente al tendón de Aquiles, porque la transmisión de la tensión muscular al talón funciona sólo cuando el tendón está tenso, como en el tiro con arco. Mediante los tacones altos se reduce intensamente la distancia entre el punto de partida del tendón en el calcáneo y el peroné, de modo que la transmisión de la fuerza con el músculo relajado resulta muy difícil. Para

tensar el tendón sólo hay una posibilidad: el músculo del peroné ha de realizar un intenso movimiento adicional hacia arriba sobre el ligamento del tendón para poder tensarlo artificialmente. Las personas que llevan tacones saben el dolor que se produce cuando se fuerza demasiado el músculo del peroné.

Si se utilizan tacones de aguja con frecuencia, esta sensación permanente conduce a que el tendón se acorte en el

punto de partida hacia el músculo. El exceso de tejido tendinoso va desapareciendo poco a poco, hasta que finalmente alcanza una longitud que ya no requiere el movimiento adicional.

En el peor de los casos, esto puede conducir a una reducción permanente del tendón, con lo que resulta imposible calzar zapatos con tacones más bajos. Entonces suelen registrarse inflamaciones del tejido circundante y, para evitar el dolor, se trata de hacer recaer el peso de otra forma –probablemente inadecuada– sobre el pie. Esto puede conducir, en casos extremos, a deformaciones de los pies, lo que sólo podrá corregirse con dificultad; entonces, la nivelación con los tacones de aguja será tan molesta como, a menudo, poco elegante.

- -

TENDONES DE AQUILES SANOS

- A ser posible, no lleve habitualmente zapatos con tacones altos y estrechos. Utilice zapatos con tacones de aguja, a lo sumo, sólo para acontecimientos especiales como asistir al teatro, un concierto, grandes celebraciones o para bailar.

- Si el sensible tendón de Aquiles ya está inflamado, o aunque sólo sea irritado, se prohibe toda elevación. Esto significa que, cuando haya que llevar zapatos, habrán de ser los más cómodos. A menos que resulte absolutamente necesario, no se debe caminar hasta que se hayan curado los trastornos agudos.

- Los baños de pies, las pomadas y una gimnasia especial estimulan el proceso de curación de los tendones enfermos.

- Si el tendón de Aquiles está inflamado y duele hay que tener mucha paciencia: el tratamiento es de larga duración, pues la recuperación del tejido tendinoso, mermado y mal irrigado, requiere un largo periodo de tiempo.

Aunque los tacones de aguja tienen un aspecto elegante, son muy perjudiciales para el tendón de Aquiles.

La gimnasia acuática es una forma de terapia que ayuda bastante en el proceso de curación de las articulaciones dañadas.

Las sensibles bisagras de nuestro cuerpo

Articulaciones, tendones y ligamentos: sin sus complicados mecanismos, que permiten distintos grados de movimiento, seríamos tan pesados como sacos de harina. Y, sin embargo, a menudo maltratan al hombre sin piedad.

Rotura del ligamento interno, del ligamento cruzado y de la cápsula, codo de tenista y brazo de golfista, lesión de menisco y defecto en el tendón de Aquiles: hoy en día, las noticias deportivas de los periódicos parecen informes clínicos ortopédicos. Y quien quiera enterarse, hará bien en informarse con la ayuda de un libro de anatomía.

Las articulaciones son las partes del cuerpo que hacen posible el movimiento mecánico, y figuran entre las construcciones más refinadas de nuestro organismo. Las estructuras de las que se componen –huesos, tendones, vainas tendinosas, ligamentos, cápsulas fibrosas, cartílagos, líquido sinovial, músculos– son extraordinariamente resisten-

tes, pero también muy lentas en reaccionar. Su ritmo de metabolismo, y con ello su velocidad de regeneración, es muy bajo. De ahí que un tendón roto, o un cartílago defectuoso, suela precisar muchas semanas para recuperarse. Las articulaciones dañadas sufren inflamaciones, y por lo general se hacen notar mediante dolores y una reducción de la movilidad.

SE REBELA UNA ARTICULACIÓN Un buen ejemplo de ello es el codo de tenista. Aunque todavía no se comprende con todo detalle el proceso que conduce a este conocido cuadro clínico, se supone que la lesión surge de la siguiente manera: en los partidos de tenis profesionales, con raquetas muy tensas, la pelota suele alcanzar una velocidad de

más de 200 km/h. La energía del movimiento de la pelota se frena de forma violenta; a través de la raqueta se transmiten ondas de choque que llegan hasta la mano y el antebrazo del jugador. Los huesos de la mano y el brazo son un buen medio elástico, y la muñeca del jugador también es relativamente flexible y favorable a las vibraciones gracias a sus múltiples huesos del carpo. Finalmente, las ondas de choque llegan a la articulación del codo, donde producen múltiples microlesiones.

Llega un momento en que el cartílago, si no se le deja reposar, no puede reparar estas diminutas lesiones, especialmente en lo que se refiere a la curación de las estructuras cartilaginosas de los ligamentos y tendones. En consecuencia, la inflamación se extiende poco a poco y abarca la zona circundante, pero sobre todo los músculos y los nervios. Así puede llegarse finalmente a inflamaciones nerviosas de larga duración, sumamente dolorosas. En el codo de tenista y en las demás lesiones comparables, un principio importante del tratamiento es el reposo absoluto de la articulación afectada, que, de forma muy lenta, vuelve a ser capaz de desempeñar su función. Para ello hay formas apropiadas de terapia de movimiento, como la gimnasia acuática.

Un lamentable paso en falso

Luxación, torcedura, dislocación: denominaciones desagradables para las sobrecargas de las articulaciones, muchas veces inofensivas pero a menudo muy dolorosas.

En un contorsionista o una gimnasta puede apreciarse la movilidad que llegan a alcanzar las articulaciones ejercitadas. Como además deben soportar grandes cargas, poseen una estructura extraordinariamente estable.

Sin embargo, las relaciones son especialmente complicadas en el pie, en el que hay dos articulaciones en la zona del tobillo. La cara superior de la articulación tibiotarsiana es una articulación en charnela en la que se sitúan la tibia y el peroné, con movilidad pero sin capacidad de giro; por el contrario, la cara inferior tiene la capacidad de girar sobre su eje, porque aquí se sitúa el astrágalo, que puede moverse adicionalmente hacia afuera o hacia adentro.

LEYES ANGULARES En los movimientos de giro dentro de una articulación hay un ángulo máximo que no debe sobrepasarse. Si sucede, las consecuencias son muy dolorosas; pueden aparecer torsiones de distinto grado. Si se sobrepasa ligeramente el ángulo se habla de una distensión de ligamentos. Si la sobrecarga es más intensa, puede llegarse a la distensión de varios ligamentos con rotura y con pequeñas hemorragias: esto sucede, por ejemplo, cuando se tuerce un pie. Finalmente, cabe la posibilidad de que se desgarre la cápsula de la articulación.

En todos los casos, la cabeza de la articulación sale de su posición por un momento, aunque vuelve a ella rápidamente por sí misma. Si esto no ocurre, se habla de una dislocación o luxación: entonces la cabeza de la articulación se tiene que colocar en su posición de forma artificial. En cualquier caso, las partes de la articulación afectada se inflaman, los tejidos que la cubren quedan amoratados por la sangre vertida y se produce un derrame articular. El movimiento queda impedido por la inflamación y por la sangre vertida en la cavidad articular. Los intensos dolores dificultan generalmente cualquier intento de movimiento. El reposo, las compresas frías que reducen la hinchazón y, después, aplicaciones de calor son los métodos de curación más habituales.

Algunas personas presentan una fuerte tendencia a las torsiones. Suele ser una debilidad hereditaria de los ligamentos, que puede atenuarse o eliminarse mediante la gimnasia adecuada. Otro factor estimulante de las torsiones es el fuerte desgaste de las articulaciones en los deportistas.

En un deporte como el baloncesto no hay nada que hacer sin capacidad de salto. En la mayoría de los casos, las que más sufren son las articulaciones, que han de soportar fuertes cargas.

¡Cuidado con las fracturas óseas!

Una fractura ósea no es nada agradable para quien la padece. Sin embargo, su curación es uno de los milagros bioquímicos más asombrosos del cuerpo humano.

El esqueleto humano se compone de más de 200 huesos. Parece fácil pensar que podrían romperse un par de ellos, ya que ofrecen muchos puntos de ataque. Sin embargo, no es tan fácil romper un hueso, que se compone del material más resistente del cuerpo después del esmalte dental. Un fémur, por ejemplo, resiste una presión de 1,5 t. Y el hueso más resistente del cuerpo, la tibia, puede soportar veinte veces el peso del cuerpo. De forma que, para que se rompa un hueso, tienen que actuar fuerzas considerables.

Si se quieren averiguar las causas de esta extraordinaria resistencia, hay que observar a través del microscopio. El hueso no es simplemente un tejido compacto, sin estructura, sino que se compone más bien de innumerables puntales y pilares de apoyo diminutos: las denominadas trabéculas. Éstas se encargan, por ejemplo, de que las fuerzas de presión y flexión que actúan sobre el tejido óseo se distribuyan de forma equilibrada, confiriéndole así una elasticidad muy elevada.

La osificación del esqueleto se da por concluida aproximadamente al final de la pubertad. Antes, y durante el nacimiento, la sustancia de sostén se compone en un primer momento de cartílago, en el que posteriormente se va almacenando calcio. La ruptura de uno de esos huesos cartilaginosos durante la infancia recibe el nombre de fractura en tallo verde, que se cura con gran rapidez. Esas fracturas en los niños son dramáticas si se producen en una zona de crecimiento de un hueso largo, las ranuras de la epífisis, pues se interrumpe el crecimiento del hueso y la extremidad tampoco crece más. Un ejemplo es el famoso pintor francés Tolouse-Lautrec: en su infancia se rompió las dos piernas en una caída de caballo, y quedaron cortas para siempre, confiriéndole su peculiar aspecto.

CON YESO Y CLAVOS Cuando a pesar de toda precaución se produce la fractura de un hueso en un adulto, se inicia un proceso denominado curación de la fractura. La actividad del médico, en un primer momento, se limita a dejar en reposo el hueso roto inmovilizándolo con una escayola. En determinadas situaciones, los huesos se clavan, se atornillan, se

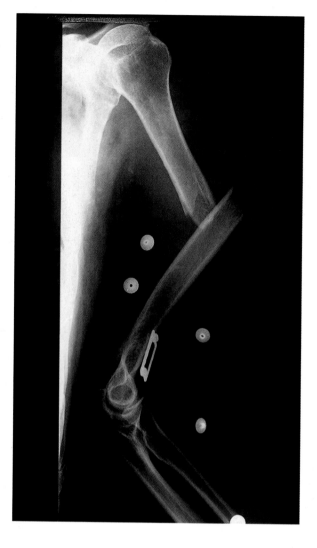

fijan con placas y con alambres o incluso se estabilizan con cemento óseo y astillas artificiales. Con ello se puede acortar notablemente el tiempo de curación, y el paciente podrá volver a soportar peso con el hueso roto al cabo de unos días o semanas.

La duración de la curación de la fractura depende del tipo: hay más de cien clases. La curación es más rápida en el caso de que no se haya lesionado el periostio y se trate sólo de una fisura fina sin modificación de la posición del hueso. Una fisura de este tipo sana como una herida normal, de forma que los vasos sanguíneos se renuevan al otro lado de la rotura. Por el contrario, en la curación de una fractura se forma un callo. Se trata de un tejido de sustitución cuya estructura definitiva no se forma hasta después del sexagésimo día del proceso de curación, y que puede reconocerse toda la vida en las radiografías en forma de nódulo.

La radiografía muestra un húmero roto. Para que su curación se produzca en la posición adecuada y con la mayor brevedad posible, será necesario estabilizarlo y colocarlo en reposo.

Con mal pie

Pie valgo, pie transverso plano, pie plano, pie zambo: las causas de los trastornos en los pies, congénitas o no, son tan variadas como sus manifestaciones.

En las fotos antiguas de China se pueden apreciar a veces mujeres con los pies atados y deformes. Este tipo de pies deformes, que se consiguen atándoles los dedos a la planta del pie a las niñas desde una edad muy temprana, eran frecuentes en las mujeres chinas hasta el final de la época imperial, en 1911, sobre todo porque el hecho de caminar a pasos muy cortos, como resultado de esa atadura, resultaba extraordinariamente erótico. Esta costumbre ha de

reprobarse desde el punto de vista de la salud, aunque si se echa un vistazo a una revista de moda y se observan los armarios para zapatos se comprueba que en nuestros días también se atormentan los pies de muchas formas: los zapatos de plataforma y de tacón de aguja, las zapatillas de deporte ensanchadas por el uso y las botas de vaquero terminadas en punta, a ser posible también de cuero artificial, que provoca una gran producción de sudor. Cualquier cámara de los horrores medieval

estaría perfectamente equipada con todos estos instrumentos de tortura.

VERDADEROS BÍPEDOS Al contrario que nuestros antepasados de cuatro patas, en nosotros todo el peso corporal recae sobre los dos pies. Con una estructura extremadamente complicada de 26 huesos y cartílagos cada uno, así como numerosos ligamentos, articulaciones, tendones, músculos y una construcción abovedada y elástica de la planta del pie, evitan que nos caigamos de bruces a cada paso. Todo el sistema se controla por receptores de presión en la piel, y mantiene el equilibrio mediante lazos de realimentación con la médula espinal.

Ahora bien, los trastornos en los pies aparecen cuando su estructura está alterada desde el nacimiento, o cuando se modifica en el transcurso de la vida. A los primeros trastornos pertenece el pie zambo, en el que el talón está elevado por un giro hacia adentro del hueso del talón y el arco del pie queda deformado de forma patológica. Hoy en día esta malformación se suele tratar muy pronto quirúrgicamente, también por motivos estéticos, ya que un pie zambo resulta desagradable. Según la leyenda, el propio demonio tiene uno.

Los trastornos del segundo tipo, al que pertenecen los pies planos, los pies transversos planos y los pies valgos, suelen ser muy dolorosos, porque la función alterada ha de compensarse de la mejor forma posible. En el pie plano, por ejemplo, esto se manifiesta con dolores agudos en el diámetro interior de la planta del pie y en una forma de andar voluntaria llamada paso de pato.

Los pasos cortos que se consideraban eróticos en las mujeres chinas son evidencia de una malformación deliberada. Los baños de pies suelen ayudar a paliar los dolores de este tipo.

BIENESTAR EN LOS PIES
Los pies planos, transversos planos y valgos son manifestaciones propias de la civilización y aparecen frecuentemente por un calzado inapropiado; sin embargo, la debilidad hereditaria de los ligamentos y un peso corporal excesivo también revisten importancia. En estas deformaciones del pie, el hueso del talón está desviado hacia adentro formando una X con los cartílagos (pie valgo), o los arcos largos exteriores están más o menos planos (pie plano). Si además la parte delantera del pie está tan ensanchada que las cabezas de los huesos metatarsianos dos, tres y cuatro soportan el peso principal, el pie recibe entonces el nombre de pie transverso plano. Las plantillas ortopédicas hacen milagros con este tipo de deformaciones del pie.

Libertad y comodidad para los dedos atormentados

Su función principal es mantener el equilibrio, y las bailarinas flotan sobre sus puntas. El dedo gordo y sus hermanos pequeños del pie también sufren si se les sobrecarga de peso en forma inapropiada.

El tendón de Aquiles no es el único perjudicado con los zapatos de tacón de aguja. Los dedos gordos, que han de aguantar el peso principal del cuerpo, también sufren por culpa de ese calzado tan elegante como poco apropiado y deformador. Al igual que los tendones de Aquiles, reaccionan con deformaciones para poder recoger y transmitir la presión de forma relativamente inofensiva. Sin embargo, tienen que cumplir además su función propia: ocuparse de que se mantenga el equilibrio corporal al caminar.

De hecho, el pie sano se apoya sólo en tres puntos: detrás, en el potente hueso del talón, donde se recoge el peso principal, y delante, al final del primer y quinto metatarsianos. Pero en los pies deformados se desplazan los puntos de carga. El arco de los pies cae parcialmente, como en el caso de los pies planos, mientras que el pie transverso plano transmite el peso principal a los dedos. De ahí que surjan deformaciones en los dedos que reciben nombres como dedos en garra o con desviación en X.

MANIOBRA DE DESVIACIÓN En los dedos en X, cuyo nombre técnico es *Hallux valgus*, el dedo gordo se desvía hacia fuera en forma de X, y el primer metatarsiano se desvía hacia adentro. Las consecuencias son inflamaciones debidas a la presión y formación de callos.

En los dedos en garra, por el contrario, los dedos segundo a quinto están excesivamente alargados en la articulación metatarsofalángica, y ligeramente inclinados en las articulaciones media y final, de forma que parecen garras. Cuál de estas dos manifestaciones se forma por una carga errónea depende del tipo y la duración de dicha carga, es decir, de cuánto tiempo se calcen los zapatos inapropiados, así como de la construcción individual de cada pie. En ambos casos, el tratamiento consiste en usar el calzado apropiado, plantillas ortopédicas y gimnasia terapéutica; en casos extremos habrá que recurrir a una intervención quirúrgica.

El dedo en martillo es una deformación normalmente de nacimiento, en la que el dedo se alarga excesivamente en la articulación metatarsofalángica, se tuerce a la mitad y vuelve a alargarse al final, de forma que adquiere una apariencia semejante a la de un martillo. En cualquier caso, debe operarse. Por lo demás, hay que tener cuidado de no considerar esas deformaciones simplemente como antiestéticas. Son una clara señal de que se carga mal el peso sobre el pie y pueden provocar fuertes dolores al caminar.

Una uña escarba a fondo

Las uñas encarnadas, inadvertidas al principio aunque más tarde duelen intensamente, son una de las numerosas posibilidades de venganza de nuestros maltratados pies.

Las uñas muestran tendencia a desviar su crecimiento hacia adentro, sobre todo en los dedos laterales de los pies, el gordo y el pequeño, pues sobre ellos descarga esencialmente la presión de un calzado demasiado estrecho. Como sucede con la fruta cultivada en espaldera, a la que se obliga a crecer en la dirección deseada por medio de ataduras, la uña, que está compuesta de un material córneo blando, reacciona replegando fuertemente los bordes y creciendo hacia el interior. Por otro lado, se puede hacer como con los rosales: impedir por medio del corte el crecimiento en la dirección que no se desea. Sin embargo, a diferencia de las uñas de los dedos de las manos, las de los pies deben cortarse relativamente en línea recta porque, en caso contrario, se estimularía la encarnadura. Si se redondean las puntas de las uñas de los pies, se las estará encaminando en la dirección equivocada.

MEDIDAS DE ALIVIO En ningún caso debe intentar manipular uno mismo la uña encarnada, ni con tijeras ni con pinzas. Si se advierte el problema al sentir dolores agudos, la causa suele ser una inflamación supurante del pliegue de la uña: una hinchazón de la piel en los bordes de la uña visible o de la placa oculta. En ese caso el dedo afectado se inflama, lo que aumenta aún más la presión de los zapatos. El médico intentará separar lo más posible el pliegue uñero de la uña mediante un esparadrapo que presione hacia un lado, y luego aplicará entre pliegue y uña una torunda de algodón impregnada de un producto desinfectante. Sólo en casos extremos es necesario extraer la uña.

Pero, afortunadamente, estos procedimientos desagradables, y dolorosos en el peor de los casos, se pueden evitar con una pedicura periódica y profesional. También al comprar zapatos deberá procurarse que todos los dedos del pie dispongan de la suficiente libertad de movimientos.

¡Devoradores de escamas!

Los pies sudados son su sustento favorito, pero tampoco le hacen ascos a otras partes del cuerpo. Son los hongos cutáneos, compañía a menudo irritante y siempre indeseada.

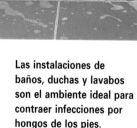

Las instalaciones de baños, duchas y lavabos son el ambiente ideal para contraer infecciones por hongos de los pies.

Esta imagen al microscopio electrónico muestra el entramado de un hongo de pie *(Tinea pedis)* que se ha desarrollado sobre un diminuto filamento celular.

No son ni animales ni plantas: los hongos son un grupo totalmente autónomo de seres vivos. Como carecen de clorofila, se alimentan de la materia orgánica que descomponen. Por lo tanto, se encontrarán a gusto en un entorno oscuro, húmedo y templado que les ofrezca abundantemente estas sustancias alimenticias. Un refugio de este tipo es el que ofrece, por ejemplo, el espacio que media entre los dedos de nuestros pies. Si se transfieren allí los hongos, comienzan a desarrollarse inmediatamente y empiezan a crear bajo la piel una gran red o micelio. La condición necesaria para una colonización de este tipo es que existan tejidos muertos que puedan servir de alimento y, sobre la piel, que realiza una muda constante, siempre hay una provisión abundante. En este proceso, los hongos van destruyendo progresivamente la piel del entorno y en determinadas circunstan-

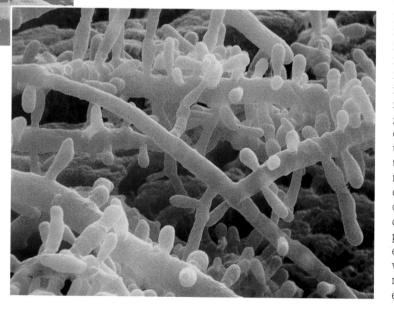

cias penetran hasta las capas musculares situadas debajo. Esto no causa dolores; sólo se produce una irritación local provocada por las sustancias en descomposición, que suele originar un fuerte picor.

El hongo causante suele pertenecer al género de los tricófitos, pero pueden también presentarse otros géneros. Por regla general, se transmite por el contacto con escamas de piel infectadas, a menudo en las piscinas, puesto que las famosas duchas de pies no impiden en modo alguno, como bien se sabe hoy, una infección de este tipo, sino que más bien la provocan. Otro efecto desagradable de esta infección por hongos son los olores provocados en los pies por la descomposición química producida por el hongo, que libera gases malolientes: por ejemplo, ácido sulfhídrico, el gas que se utiliza para las bombas fétidas, y metano, que aparece sobre todo como producto final de la fermentación.

EL ENEMIGO NO SE RINDE En cuanto una zona de la piel es atacada comienzan los picores. Si se desprende la piel en fragmentos húmedos, el único remedio, además de una penosa higiene, serán los polvos y pomadas fungicidas y mucha paciencia, pues apenas existe un ser más pertinaz que un hongo que se haya instalado

confortablemente en la piel humana. En este caso es aconsejable recurrir a un dermatólogo que, por medio de una exploración al microscopio, pueda descubrir el tipo de hongo y recetar en consecuencia el mejor medicamento contra este desencadenante. Pero las recaídas son frecuentes, sobre todo cuando se interrumpe el tratamiento demasiado pronto. Bastará con que quede un solo filamento insignificante del hongo y con él una sola célula, para que el ataque se reinicie a no mucho tardar. Lo mismo sucederá cuando el hongo se haya abierto ya camino en capas de tejido muy profundas y no le alcancen las pomadas, que sólo penetran en la piel unas décimas de milímetro. En tales casos, el medicamento fungicida deberá tomarse por vía oral para que pueda actuar desde el interior del cuerpo.

Junto al hongo de los pies, más bien inofensivo, existen otros tipos de hongos más peligrosos para el ser humano. A esta clase pertenecen los hongos *Candida* que atacan principalmente la piel mucosa de la boca, así como otros órganos. Igualmente sensible a las infecciones suele ser la zona genital femenina, la vagina. Los hongos hacen acto de presencia generalmente cuando la resistencia del organismo está debilitada, por ejemplo en casos de sida.

MEDIDAS PREVENTIVAS

- Quien sea propenso al sudor de los pies, debe intentar combatir este mal mediante lavados frecuentes: los pies sudados son el alimento favorito de los hongos.

- Hay que evitar el contagio: en todos los lugares donde se congregan personas descalzas deben adoptarse precauciones. ¡A ser posible, no utilice las duchas de pies en lugares de baño! Es preferible un lavado cuidadoso de los pies antes y después del baño. El simple lavado no es suficiente; se debe emplear jabón.

- Si ha sucedido a pesar de todo, acuda al dermatólogo lo antes posible; le recetará la pomada apropiada contra los hongos. Intensifique la limpieza de pies, cámbiese de calcetines varias veces al día y trátelos adicionalmente con una solución fungicida. En el lavado utilice preparados especiales y no jabón, para no irritar las capas profundas de piel desprendidas.

Los controladores se alteran

A veces, el cuerpo se las ingenia para obtener buena parte de los beneficios que suelen derivarse de las curas milagrosas. Pero hay que vigilar la aparición de sarcomas.

La formación de tejido cicatricial normalmente desaparece de modo automático en cuanto ha cumplido su misión de recubrir una herida. Para ello, las células activas generadoras de colágenos, los fibroblastos, se convierten en fibrocitos inactivos que dejan de crecer. Sin embargo, a veces se alteran los mecanismos de regulación que controlan el crecimiento de los fibroblastos y su conversión en el plazo adecuado.

Todavía no se sabe con exactitud por qué sucede esto ni qué reacciones bioquímicas celulares son las que fallan. Pero el resultado es que la cicatriz aumenta y se produce una hinchazón, que se denomina también queloide. Su aparición repetida es, en determinadas circunstancias, un síntoma preocupante. En estos casos, el médico debería tratar de descubrir cuidadosamente las causas, por ejemplo, determinados trastornos del metabolismo.

FORMACIONES ANTIESTÉTICAS Por el contrario, un queloide en sentido específico no procede del desarrollo de una cicatriz, sino que aparece espontáneamente y se localiza preferentemente en la parte superior de la espalda o en el pecho, con frecuencia como resultado de un fuerte acné en esas zonas. Curiosamente, las personas de raza negra presentan queloides con mucha mayor frecuencia que los blancos. Sin duda, esto tiene que ver con la diferente estructura de

su piel: a causa de la mayor cantidad de pigmentos que posee, resulta más fuerte y compacta y contiene por tanto más sustancia protectora fibrosa que la piel de los blancos. Su aparición se considera generalmente como un sarcoma benigno y sus efectos son sólo negativos desde el punto de vista de la estética. Es exclusivamente en las articulaciones donde su influencia puede tener un efecto distinto.

Si se presenta una hinchazón de este tipo sin relación con una cicatriz, se recomienda siempre tomar una muestra de tejidos y hacerla analizar, pues no es infrecuente que tras ella se oculte un tumor maligno. Habitualmente será necesaria una terapia, más por razones estéticas que funcionales.

Las inyecciones de cortisona pueden hacer disminuir el sarcoma, pero a veces los corticosteroides resultan igualmente poco efectivos. Se puede intentar también una eliminación quirúrgica, por medio de rayos láser. Los queloides por acné pueden ser limados, pero el tratamiento resulta doloroso y sólo se practica en caso de acné extremo.

341

Células malignas en la piel

Una excesiva radiación ultravioleta no es buena para la piel. La división celular resulta dañada y su mecanismo de recuperación paralizado. El resultado pueden ser tumores.

Las células pueden degenerar cuando se exponen excesivamente a los rayos ultravioleta.

El riesgo de cáncer de piel se ha multiplicado por diez en los últimos 60 años y los científicos suponen que la frecuencia de los tumores de piel seguirá aumentando por lo menos un 10% cada diez años. La razón primordial es que la mayoría de los seres humanos, contra lo que recomienda la sensatez, siguen exponiéndose demasiado al sol, y que, además, la capa de ozono, por razones medioambientales, es cada vez más transparente para los rayos ultravioleta. De

este modo, la radiación ultravioleta puede alterar peligrosamente las células de la piel y sus caracteres hereditarios.

DIVISIÓN INCONTROLADA En situaciones normales, estas células se mueren. El peligro surge cuando comienzan a dividirse, porque a través de este proceso puede originarse el peor de todos los tumores, el melanoma maligno. Aproximadamente la mitad de los melanomas se desarrolla a partir de los lunares, o, dicho con más precisión, a partir de los melanocitos, que forman el pigmento oscuro de la piel. Este tipo de células se divide con especial frecuencia, de modo que forman rápidamente inflamaciones suplementarias.

Puesto que nuestra piel dispone de una especie de memoria celular, cada quemadura producida por el sol –especialmente en el caso de las personas de piel clara– comporta el riesgo de contraer un cáncer de piel.

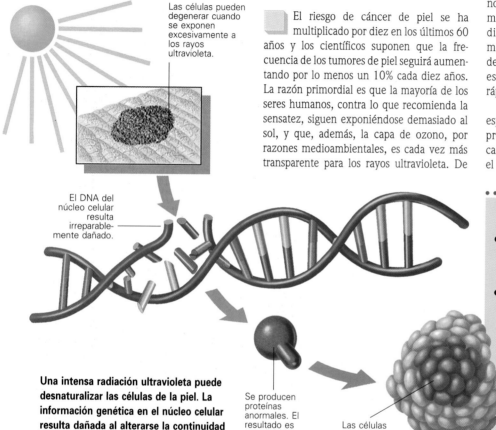

El DNA del núcleo celular resulta irreparablemente dañado.

Una intensa radiación ultravioleta puede desnaturalizar las células de la piel. La información genética en el núcleo celular resulta dañada al alterarse la continuidad de las parejas de base del DNA. Como resultado se produce una división irregular de las células.

Se producen proteínas anormales. El resultado es una división incontrolada y permanente de las células cancerígenas.

Las células cancerígenas se multiplican rápidamente y presionan sobre el tejido sano.

SEÑALES DE ALARMA

- Todo el mundo debe prestar atención a su piel y vigilar sobre todo los lunares.

- Cuando cambia el tamaño de un lunar y sus límites se hacen poco definidos o asimétricos, el color se oscurece en todo o en parte, y cuando sangra, debe ser eliminado inmediatamente por el médico.

- La mayoría de las personas de piel clara no deben permanecer al sol más de 20 minutos al día sin arriesgarse a sufrir daños. Úsense protectores cutáneos con un alto factor contra la radiación solar.

Parejas sin sucesión

Si una pareja no tiene hijos, la causa puede residir tanto en el hombre como en la mujer. Frecuentemente, el motivo consiste en simples disfunciones orgánicas.

Cuando una mujer no logra quedar embarazada a pesar de que la pareja desearía tener un hijo, los posibles motivos son muy variados. De acuerdo con los últimos conocimientos, una pareja de cada diez no

tiene hijos a pesar de desearlo. El deseo incumplido de paternidad puede deberse, por ejemplo, a que la función reproductora en uno de los componentes de la pareja esté dañada. Causas orgánicas comunes son malfor-

maciones de los órganos sexuales internos y externos, alteraciones del metabolismo, perturbaciones inmunológicas y problemas análogos. También algunas infecciones, como las paperas, pueden provocar la esterilidad. Por otro lado, la fertilidad de la mujer disminuye a partir de los 30 años.

Cuando una pareja sin hijos consulta a un médico acerca de su problema, éste debe examinar a ambos miembros. A menudo saldrán a la luz causas de esterilidad relativamente fáciles de superar, como por ejemplo que se estén tomando determinados medicamentos, un medio vaginal hostil al

Muchas parejas desean tener un niño antes o después. Si no pueden tener hijos, existe la posibilidad de adoptarlos.

esperma en la mujer, o una perturbación de la erección en el hombre, como la que puede producirse a consecuencia de una mala irrigación sanguínea en los muy fumadores. Algunos impedimentos, especialmente en las mujeres, pueden eliminarse quirúrgicamente, por ejemplo cuando las trompas están ligadas. Los trastornos hormonales, como un ciclo muy irregular, se pueden tratar por medio de las correspondientes dosis de hormonas.

BARRERAS PSÍQUICAS A veces no se descubre ninguna causa física para la esterilidad, y falla cualquier explicación plausible que aclare por qué el deseo de tener un hijo no se ve satisfecho. Cuando se han agotado todas las posibilidades de diagnóstico fisiológico, se intentará profundizar en posibles causas psicosomáticas. Éstas pueden residir en problemas conyugales, o incluso puede deberse a que sólo uno de los cónyuges desee tener un hijo. En conversación con terapeutas matrimoniales se llega a menudo a descubrir problemas que hasta entonces se hallaban ocultos; se pueden

traer al nivel consciente y a menudo curarlos con sólo esta acción.

Si la pareja sigue queriendo tener descendencia a pesar de esfuerzos terapéuticos infructuosos, existen otras posibilidades de satisfacer el deseo de tener un hijo. En este caso, la mujer puede ser inseminada artificialmente extrayendo óvulos, fecundándolos fuera de su cuerpo con esperma de su compañero y volviendo a implantarlos. Se trata de un método fatigoso e inseguro, que

ha de ir acompañado de un intenso tratamiento hormonal muy molesto para la mujer.

LA ADOPCIÓN COMO SOLUCIÓN Cuando todo falla, muchas parejas se deciden a adoptar un niño, un niño deseado. Pero también para llegar a la adopción hay que vencer muchos obstáculos, aunque todos de naturaleza burocrática. Sin embargo, si están decididos, acabarán lográndolo y podrán ver satisfechos sus instintos paternales.

Ni demasiado grande, ni demasiado pequeña

La glándula tiroides cumple muchas e importantes funciones. Su funcionamiento excesivo o insuficiente provoca dolencias, que a veces pueden constituir amenazas serias.

Cuando se escucha la palabra tiroides, se piensa generalmente en un bocio o en los ojos saltones a causa de la enfermedad de Basedow. Las alteraciones funcionales de este órgano producen a menudo efectos graves que van más allá de las simples alteraciones del aspecto externo. Muchas personalidades históricas han sufrido este padecimiento, y en Alemania se afirma que

las crisis de nerviosismo de que fue víctima el antiguo canciller federal Helmut Schmidt a finales de los años setenta se debieron a un funcionamiento excesivo de la glándula tiroides, que llegó incluso a influir en la política internacional del momento.

EL YODO, FUNDAMENTAL La glándula tiroides, conocida en el lenguaje médico como *glandula thyreoidea*, pesa en los seres

humanos de 20 a 30 g, está compuesta por numerosas vesículas o folículos de 0,5 mm de tamaño que producen hormonas, y está constituida por dos lóbulos y situada sobre la tráquea, el esófago y la laringe, a derecha e izquierda. Los lóbulos están unidos por debajo de la laringe mediante un paso transversal, el denominado istmo. Es la mayor de las glándulas del cuerpo humano y funciona al mismo tiempo como depósito del yodo, su componente principal, del que utiliza diariamente de 0,1 a 0,2 mg para producir hormonas, y del que debiera ingerirse otro tanto por medio de la alimentación. Contienen especialmente mucho yodo los pescados, los mariscos y los productos lácteos. Muchas personas utilizan actualmente sal yodada para condimentar sus comidas, con lo que mejoran el contenido de yodo del organismo.

Junto a la hormona calcitonina, que desempeña un papel principal en el metabolismo del calcio y por tanto en el afianzamiento de los huesos, esta glándula produce otras cuatro hormonas que se abrevian como T_1, T_2, T_3 y T_4. Mientras que la T_1 y la T_2 no afectan de modo activo al metabolismo, porque son el paso previo para la creación de las otras dos hormonas del tiroides, la T_3, triyodotironina, y la T_4, tiroxina, controlan el metabolismo de la energía, es decir, el aumento y disminución de albúmina, grasas e hidratos de carbono. Además, actúan como reguladoras de otros ciclos de hormonas o son controladas por éstas.

CONSTANTEMENTE EN ACCIÓN Si se generan demasiadas hormonas del tiroides habrá un funcionamiento excesivo o hipertiroidismo. Como sucede con un motor de automóvil mal regulado, todo el cuerpo funciona con un exceso de revoluciones. El resultado es que la persona afectada se consume; sufre de insomnio, pulso acelerado, irritabilidad, escalofríos y pérdida de peso. Un posible motivo del hiperfuncionamiento

es la enfermedad de Basedow, uno de cuyos síntomas típicos son los ojos saltones o exoftalmia.

Las causas del hipertiroidismo son múltiples: desde una ingestión excesiva de yodo, pasando por intoxicaciones e infecciones, hasta un cáncer de tiroides. Sin embargo, actualmente, su diagnóstico es relativamente fácil gracias a la gammagrafía. Para ello se inyecta en el flujo sanguíneo yodo radioactivado que aparecerá representado en la imagen de rayos X con determinados colores, dependiendo de la potencia de la radiación. De este modo, podrá comprobarse si en el tejido del tiroides existen los llamados nódulos calientes, causantes de la producción excesiva de tiroxina y triyodotironina.

Por medio del gammagrafía se pueden diagnosticar también nódulos fríos: sarcomas en los que ya no se registra ninguna producción de hormonas. Es habitual que estos nódulos fríos se presenten cuando se produce un infrafuncionamiento del tiroides, llamado también hipotiroidismo. En regiones

alejadas del mar se observan con más frecuencia personas con bocio, el síntoma más reconocible de esta enfermedad. Por el contrario, los habitantes de la costa la padecen raramente a causa de la riqueza en yodo de su alimentación.

Las víctimas de hipotiroidismo sufren un cansancio constante, exceso de peso, estreñimiento, y son muy sensibles al frío. A menudo presentan la cara demacrada, el cabello quebradizo y se les caen los dientes. La única posibilidad de tratamiento consiste en un suplemento de hormonas aplicado a tiempo, que no tarda en eliminar los síntomas. Las causas del hipotiroidismo son tan variadas como las del hipertiroidismo: intoxicaciones, una antigua inflamación del tiroides, ataques alérgicos que hayan destruido tejidos del tiroides, o enfermedades del metabolismo.

PEQUEÑAS, PERO IMPORTANTES Además de la glándula tiroides propiamente dicha existen las paratiroides. Se trata de cuatro pequeñas bolitas del tamaño aproximado de un grano de trigo que producen hormonas y que están situadas, respectivamente, encima y debajo del lado posterior de los lóbulos laterales del tiroides. Allí se forma la paratormona, que, junto con otras hormonas, controla los metabolismos del calcio y del fósforo.

La distribución de las hormonas del tiroides está regulada por un circuito regulador entre la hipófisis, el hipotálamo y el tiroides. A través de la sangre llegan a todo el cuerpo.

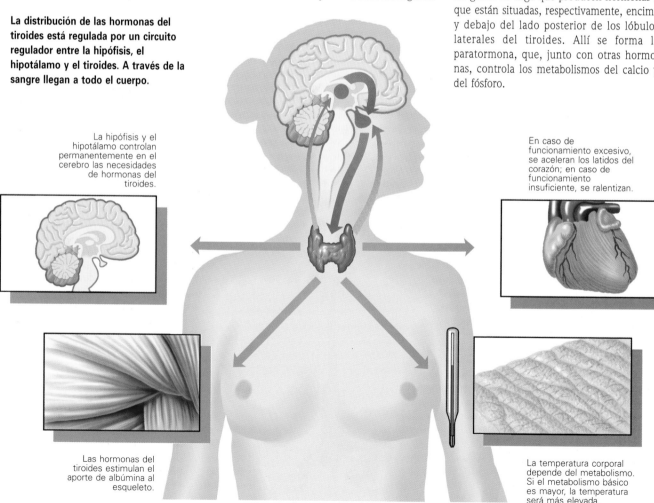

La hipófisis y el hipotálamo controlan permanentemente en el cerebro las necesidades de hormonas del tiroides.

En caso de funcionamiento excesivo, se aceleran los latidos del corazón; en caso de funcionamiento insuficiente, se ralentizan.

Las hormonas del tiroides estimulan el aporte de albúmina al esqueleto.

La temperatura corporal depende del metabolismo. Si el metabolismo básico es mayor, la temperatura será más elevada.

El carrusel gira cada vez a mayor velocidad hasta que se llega a perder el sentido de orientación. Esta sensación de vértigo puede llegar a ser en ocasiones muy desagradable.

De repente, todo da vueltas

El suelo se balancea, y uno da tumbos inseguros. El mareo se presenta siempre por sorpresa. Pero, sin embargo, se pueden adoptar precauciones para evitarlo.

Muchas personas buscan artificialmente la sensación de mareo: en las ferias dan vueltas en un carrusel de cadenas hasta experimentar una sensación embriagadora de ingravidez. Luego, una vez en tierra, les parece que todo se mueve a su alrededor: los ojos, el oído interno y el riego sanguíneo necesitan un cierto tiempo para volver a adaptarse a la posición de reposo. También se tambalean los que han abusado de la bebida, aunque en este caso es la intoxicación por alcohol la que altera los sentidos.

Cuando las alteraciones del equilibrio proceden de una mala constitución corporal o de enfermedades, la situación es más grave. A las personas con baja tensión arterial suele nublárseles la vista. También una larga permanencia en la cama, una enfermedad del oído interno o determinados medicamentos son responsables de repentinos y reiterados mareos. Lo importante es que el mareo no es una enfermedad, sino sólo un síntoma.

REPRESENTACION EN EL CEREBRO Cuando esto sucede, siempre hay un trastorno del órgano estatoacústico del oído interno o, dicho con más exactitud, el laberinto con sus conductos semicirculares llenos de líquido y colocados verticalmente uno sobre otro. Numerosas células sensoras registran el cambio de posición del líquido. Las señales de estos sensores de altísima sensibilidad llegan al cerebro a través del nervio vestibular. En el cerebelo se comparan constantemente con posiciones conocidas del cuerpo. Al mismo tiempo, se almacenan las informaciones que llegan a través de los ojos; esto sucede gracias a conexiones trans-versales con el centro de la vista; los que sufren un mareo en el mar, saben que la sensación de vértigo se aminora si se fija la vista en un punto inmóvil del horizonte. Al mismo tiempo, se están elaborando las señales de dirección del sonido captadas por los oídos y los datos de los sensores de presión de la piel. Si uno de estos sistemas de captación sufre alteraciones o se envían informaciones contradictorias que se aparten de las posiciones básicas conocidas, el cerebro reacciona con una especie de secuencia de fallos: el mareo.

Hasta qué punto se es sensible a las alteraciones del equilibro es algo que varía de una persona a otra. A algunos no les produce ningún efecto un viaje en la montaña rusa, mientras que otros se sienten afectados e inseguros tras un simple baño con el estómago lleno. Para este caso existe una explicación muy sencilla: tanto los órganos de digestión como la piel deben recibir temporalmente un abundante riego sanguíneo, lo que provoca una sobrecarga de la circulación. Para prevenir un mareo matinal y evitar que todo dé vueltas a nuestro alrededor suele ser aconsejable levantarse con calma.

345

Los sentidos se desorientan

Una fuerte bajada de la presión arterial, el alcohol o una enfermedad grave pueden determinar que alguien pierda el sentido. En realidad se trata de una característica positiva, pues el organismo se está protegiendo con ello.

Todavía a principios de este siglo las damas de la buena sociedad se martirizaban con corsés para lograr el ideal de una cintura de avispa. Pero esta moda era bastante insana, pues el corsé muy apretado dificultaba la respiración, presionaba fuertemente el intestino y obstaculizaba el flujo de la sangre en las grandes arterias y venas del abdomen. La consecuencia era que las señoras se desmayaban con frecuencia, por lo que llevaban siempre en el bolso unas sales de olor, cuyo intenso aroma les devolvía la consciencia. Este es el motivo por el que la Margarita del *Fausto* de Goethe implora en la escena de la catedral : "Vecina, vuestro frasquito", antes de perder el sentido.

SENSACIÓN DE NÁUSEA

Una pérdida del conocimiento se anuncia normalmente con sensaciones de náusea y pérdida del equilibrio; además se nubla la vista. Esto está relacionado con el hecho de que la presión arterial desciende notablemente, con lo que al organismo le faltan sangre u oxígeno suficiente. Si la presión arterial llega a un límite crítico, el organismo reduce a una provisión mínima todos los núcleos no imprescindibles; entre éstos, en primer lugar, los centros de la consciencia del cerebro. Como, a diferencia del corazón y la respiración, no son directamente necesarios para la supervivencia, se reduce en ellos el riego sanguíneo. La consecuencia es que se presenta una falta de oxígeno en el cerebro y el paciente se desploma sin conocimiento. No reacciona ni a las palabras, ni al contacto ni siquiera a las sacudidas.

Si la pérdida del conocimiento se debe a una debilidad momentánea de la circulación, el desvanecido recobra normalmente el conocimiento poco después. En cualquier caso, se le deberá tumbar con los pies en alto y con la cabeza ligeramente caída, para facilitar el riego sanguíneo del cerebro con ayuda de la gravedad. Los lugares donde la ropa pueda presionar, como un cuello de

En las actuaciones en vivo de los Beatles era frecuente que la admiración de las *fans* femeninas se expresara con gritos de tal intensidad e histeria que acababan produciendo fallos en la circulación y pérdidas de conocimiento.

camisa o una cintura de pantalón apretada, deberán aflojarse puesto que afectan tanto a la respiración como al flujo sanguíneo.

Si el paciente no vuelve en sí a los pocos segundos, nos encontraremos ante una señal de peligro y se deberá solicitar asistencia médica, ya que un desvanecimiento puede obedecer también a múltiples enfermedades, como es el caso de los ataques epilépticos. Un desvanecimiento profundo y de larga duración es siempre un peligro mortal, pues el cerebro sobre todo puede resultar permanentemente dañado. Tal estado se conoce como coma.

En el caso de un desvanecimiento a consecuencia de un temor profundo o de otra forma de estrés corporal o mental –también se incluye aquí a los adolescentes que gritan histéricamente hasta perder el sentido en un concierto de rock– la consciencia no suele tardar en recuperarse.

Ocasionalmente, los centros de la consciencia se desconectan directamente. Así, un golpe fuerte en la cabeza puede causar una pérdida inmediata del conocimiento; caso frecuente en el boxeo. Lo cierto es que el cerebro está bien protegido exteriormente: tres recubrimientos cerebrales, entre los cuales circulan líquidos, lo rodean como una almohadilla protectora. De todas formas, un golpe fuerte o un impacto frecuente contra el cerebro no pueden ser asimilados por la zona de impacto y se producirá entonces una conmoción cerebral. En algunos casos, se presentarán distorsiones temporales de la consciencia. A menudo, la víctima sufre fuertes dolores de cabeza durante algunos días; la cabeza retumba, como en el caso de mareos o vértigo, y el médico recomendará reposo en cama.

SANGRE ENVENENADA

A menudo, los responsables de que el ser humano pierda el conocimiento son venenos. El excesivo consumo de alcohol conduce a una pérdida total del conocimiento. También producen pérdida del conocimiento y alteraciones de la consciencia ciertos medicamentos, como los somníferos. Un efecto parecido originan también algunos gases, como el monóxido de carbono, que desplazan el oxígeno de la sangre, produciendo una alteración de la consciencia y finalmente su pérdida. En principio, se producen los mismos efectos que cuando desciende la presión arterial; una baja provisión de oxígeno hace que sea insuficiente para las células nerviosas.

La tensión baja puede deberse a causas diversas. En algunas personas está afectada la regulación vegetativa, una complicada interrelación de impulsos hormonales y neurológicos, sometida a un equilibrio muy preciso. Especialmente en el caso de las personas de edad, pero también en los no acostumbrados al deporte, no se la puede someter a cargas excesivas, ya que sus límites de tolerancia son relativamente limitados. En este caso, cuando se levanta uno bruscamente de la cama o de un sillón, puede producirse el llamado síndrome ortostático, que provoca una caída tan fuerte de la tensión que puede conducir a la pérdida del conocimiento. Normalmente, se puede evitar con una puesta a punto sistemática de la circulación por medio del entrenamiento, para llegar a ampliar los límites de tolerancia de la presión sanguínea. Con una simple gimnasia diaria, en la que se desarrolle un cierto esfuerzo, se puede llegar a conseguirlo; también las actividades cotidianas al aire libre pueden contribuir a mejorar el aporte de oxígeno al cerebro.

SITUACIONES DE TRASTORNO Ocasionalmente se producen situaciones en las que la presión sanguínea en el cerebro desciende alarmantemente porque los órganos dejan de funcionar correctamente o porque disminuye su aprovisionamiento. En el caso de un ataque de apoplejía, por ejemplo, las arterias pueden quedar bloqueadas o estallar. La respiración puede quedar muy disminuida tras la toma de una dosis excesiva de codeína, pues esta sustancia bloquea su control. Una angina de pecho o un infarto de miocardio reducirán también el riego cerebral. El corazón deja de bombear satisfactoriamente y al cerebro le llega poco oxígeno.

Desvanecimiento total

Cuando una víctima de un accidente camina titubeante y pálida, suele estar a punto de sufrir una conmoción. La causa es siempre una interrupción del control circulatorio.

Antiguamente a la conmoción se la denominaba colapso, es decir, una postración repentina. Con ello se describe este fenómeno de forma más precisa que con el término más moderno procedente del inglés: *shock* o choque. En primer lugar, el afectado palidece, a menudo se muestra hiperactivo y de repente se desvanece, por lo general en medio de un movimiento o mientras habla, como si se desconectara un circuito. Si esta situación no se aborda inmediatamente, puede conducir a la muerte.

EL SHOCK NO ES SIEMPRE IGUAL Los desencadenantes de un shock son muy variados. En los accidentes de tráfico se suelen producir graves lesiones con hemorragias internas, que junto a las heridas externas provocan una grave pérdida de sangre y desencadenan un shock por fallo circulatorio. Se habla de un shock cardiaco cuando el corazón se detiene debido a un infarto agudo. Las reacciones alérgicas a los medicamentos, o a las picaduras de insectos, pueden desencadenar un shock anafiláctico. Los venenos también pueden producir una detención del sistema circulatorio, como por ejemplo una toxina bacteriana en un shock

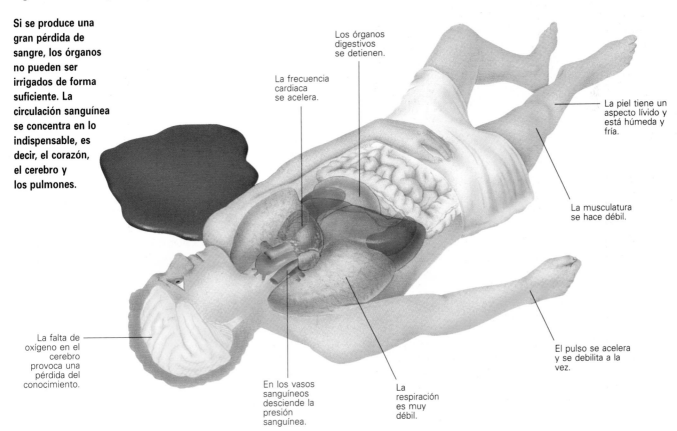

Si se produce una gran pérdida de sangre, los órganos no pueden ser irrigados de forma suficiente. La circulación sanguínea se concentra en lo indispensable, es decir, el corazón, el cerebro y los pulmones.

Los órganos digestivos se detienen.

La frecuencia cardiaca se acelera.

La piel tiene un aspecto lívido y está húmeda y fría.

La musculatura se hace débil.

La falta de oxígeno en el cerebro provoca una pérdida del conocimiento.

En los vasos sanguíneos desciende la presión sanguínea.

La respiración es muy débil.

El pulso se acelera y se debilita a la vez.

QUÉ HACER EN CASO DE EMERGENCIA

- Un shock significa un peligro grave de muerte, y se ha de avisar inmediatamente al médico de urgencia. Hasta su llegada, deberá acostarse al afectado de forma que se facilite la circulación.

- Si la víctima está consciente y respira, la posición de shock debe interrumpirse, es decir, debe mantener el tronco recostado y elevar ligeramente las piernas: además, deberán cortarse las hemorragias.

- Si el paciente está inconsciente, deberá permanecer tumbado en posición lateral, a ser posible con las piernas en alto.

- Se debe acostar al afectado sobre una manta y taparlo con otra.

- Contrólese el pulso y la respiración; el mejor lugar para detectar el pulso es la arteria carótida.

- Se ha de procurar que las víctimas de un accidente se tumben en el suelo para facilitar la circulación y prevenir un shock.

- El resto de las medidas, que no son indispensables para salvar la vida, han de reservarse para el médico de urgencia, ya que podrían tener una repercusión perjudicial.

séptico. El shock psicógeno, en el que el afectado se desmaya, puede ser provocado por un acontecimiento o experiencia traumática; se trata de una reacción del sistema nervioso vegetativo.

Los acontecimientos durante un shock son básicamente comunes en todas las modalidades. Debido a la llamada detención circulatoria generalizada, los órganos ya no pueden recibir suficiente oxígeno. En las zonas principales del organismo se produce un vacío sanguíneo. El pulso se acelera y se debilita hasta que apenas puede percibirse; la respiración se detiene o es muy débil; la piel se torna lívida y presenta un tacto frío y húmedo; la frente se inunda de gotas de sudor y se produce una pérdida de conciencia.

LIMITACIÓN A continuación se produce un fenómeno que se denomina centralización circulatoria. Se trata de una medida de urgencia del cuerpo para su protección, que sin embargo sólo es eficaz durante un breve periodo de tiempo; después aparecen las lesiones. En todas las zonas periféricas, así como en los órganos que carecen de importancia vital directa, se estrechan fuertemente los vasos sanguíneos, y solamente el corazón, los pulmones y el cerebro siguen recibiendo sangre. Esta denominada fase de compensación pasa muy rápido a la de descompensación grave, en la que todos los vasos sanguíneos se dilatan. Entonces la sangre invade definitivamente las venas grandes y pequeñas de la zona abdominal.

Taponamientos y desviaciones

Si se produce un atasco en una autopista, los conductores intentan dar un rodeo. Con las arterias y las venas bloqueadas sucede lo mismo, aunque con distinto éxito.

Como todo el mundo sabe, la sangre es líquida. Pero contiene también partes sólidas, los glóbulos rojos, los blancos y las plaquetas, que en términos médicos se denominan trombocitos. Poseen la capacidad de agruparse y aglutinarse cuando se produce una herida. Especialmente en las venas, aunque también en las arterias, puede producirse una alteración y originarse un coágulo en los vasos sanguíneos, a pesar de que no haya ninguna herida que cerrar. Esto provoca una trombosis.

OBSTRUCCIÓN PELIGROSA Un trombo o coágulo de sangre supone siempre un peligro para el organismo, pues cuando se desprende de la pared del vaso sanguíneo —entonces se denomina émbolo— arrastra en la caída un torrente de sangre. Tan pronto como se queda atascado en cualquier punto del sistema vascular, se produce una

obstrucción: es decir, una embolia. Según la situación de la obstrucción, las consecuencias pueden ser muy diversas, desde un simple deterioro cosmético de la piel, pasando por una trombosis en las venas de las piernas hasta una embolia pulmonar, e incluso un infarto cardiaco, mesentérico o cerebral, si se obstruyen las principales arterias y venas centrales. Las oclusiones arteriales son peligrosas y pueden conducir a estados de gravedad, mientras que las oclusiones venosas inducen la aparición de enfermedades crónicas.

Las obstrucciones masivas impiden que los órganos principales, como son el miocardio, el tejido nervioso del cerebro o los pulmones, puedan ser irrigados. En estas zonas se produce entonces una falta de oxígeno, denominada hipoxia, que determina un abastecimiento insuficiente, una isquemia, lo que puede originar rápidamente que el corazón, los pulmones, el cerebro u otros órganos afectados cesen parcial o totalmente en sus funciones. A veces

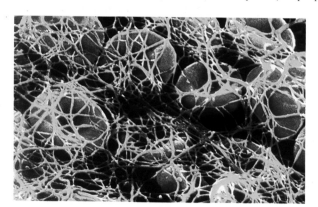

Cuando la sangre circula de forma lenta, como sucede cuando se está largo tiempo en cama, se puede producir un trombo. La fibrina crea una red que atrapa los glóbulos rojos.

tiene lugar de forma repentina, como en el caso del infarto, y otras de forma lenta. En este último caso el cuerpo todavía tiene tiempo de realizar un rodeo en la circulación, las llamadas circulaciones colaterales, análogo a las desviaciones en una calle cortada. La persona nota sólo una pérdida progresiva de sus funciones, dolores en las piernas y dificultad para respirar, ya que estas vías alternativas para la sangre no son tan eficaces como las venas obstruidas.

A veces se forma una prominencia en la vena atascada, que se hincha en la zona de la obstrucción como un globo lleno de aire. Este aneurisma de paredes delgadas puede reventar en cualquier momento. Con frecuencia, el resultado es una hemorragia masiva mortal de carácter interno, acompañada de síntomas de infarto o de shock.

GRUMOS DE COLOR En la formación de un trombo capaz de obstruir un vaso sanguíneo pueden intervenir determinadas sustancias del suero sanguíneo: los coagulantes que circulan por la sangre, así como el denominado sistema del complemento. La fibrina, que forma la sustancia de sostén fibrosa de coagulación de la sangre, desempeña un papel muy importante. Si existe una fuerte tendencia a la coagulación, por ejemplo a causa de la ingestión de nicotina, dicha sustancia se precipita y forma pequeños tejidos en las paredes de los vasos, en los que quedan atrapados los trombocitos y los glóbulos blancos, dando lugar a una masa compacta que obstruye cada vez más el vaso. Debido a su color se los denomina trombos blancos o grises, a diferencia del peligroso trombo rojo. En efecto, mientras que un trombo blanco o de separación se desprende ligeramente de la pared de la vena, del corazón o de las válvulas venosas, dándole al cuerpo la oportunidad de adoptar un sistema de desviaciones, el trombo rojo surge de forma espontánea por un trastorno de la coagulación en las venas.

Después de una intervención quirúrgica aumenta el peligro de obstrucción sanguínea en las piernas, debido a la postración y al prolongado periodo de reposo. En los enfermos que guardan cama la sangre fluye cada vez más despacio. El sistema de vasos sanguíneos se puede coagular en las ramificaciones y bifurcaciones, ya que en ellas se forman pequeños remolinos. Un

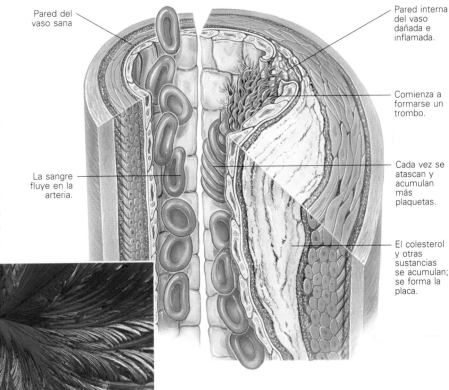

Pared del vaso sana

La sangre fluye en la arteria.

Pared interna del vaso dañada e inflamada.

Comienza a formarse un trombo.

Cada vez se atascan y acumulan más plaquetas.

El colesterol y otras sustancias se acumulan; se forma la placa.

Mientras la sangre circula sin impedimentos por las arterias sanas (mitad izda. de la imagen superior), las intensas acumulaciones de colesterol (ilustración pequeña, tomada al microscopio polarizado) estrechan las paredes arteriales (mitad dcha.).

coágulo de este tipo no se adhiere a las paredes, sino que fluye con la circulación sanguínea, hasta que llega a un vaso más estrecho, como un vaso cardiaco enfermo, una arteria o vena pulmonar más pequeña, e incluso una vena en el cerebro. Allí queda atascado y bloquea la irrigación sanguínea de la zona a la que abastece el vaso, o bien impide la salida de la sangre: entonces se produce el infarto.

TUBERÍA ATASCADA Los depósitos de partículas de grasa o de calcio en los vasos sanguíneos, denominado arteriosclerosis, favorece la obstrucción. Surge en zonas estrechas, en las que la sangre se agolpa regularmente, dando lugar a los trombos. O se depositan plaquetas en las paredes, de manera que la vena crece de forma lenta, pero continua.

Conviene evitar el concepto de calcificación, ya que puede inducir a confusiones.

Los depósitos de calcio en los vasos no son el problema principal, sino la acumulación de partículas de grasa y de colesterol. En el metabolismo se desprenden partículas de grasa que el hígado convierte en ácidos grasos, los cuales pueden ser aprovechados por el organismo en el consumo de energía. En el hígado se produce además parte del colesterol necesario. Este proceso puede alterarse, por ejemplo en caso de una alimentación rica en grasas o en colesterol, un elevado consumo de alcohol, abuso del tabaco o incluso con la edad. Entonces se multiplican las partículas de grasa que no se pueden descomponer en su totalidad y que son transportadas por las venas. Como todavía son demasiado grandes, no pueden circular entre las paredes de los vasos y se adhieren a las células, donde permanecen. A su vez, el colesterol sobrante se acumula también en forma cristalizada, y se forman las denominadas placas, en las que quedan atrapadas partículas de calcio. Las paredes de los vasos, y sobre todo su sensible revestimiento interior, se vuelven cada vez más rígidas y propensas a la ruptura. Si se propaga la situación, se produce una inflamación y se crean las condiciones de partida ideales para el crecimiento de un trombo blanco.

Un torrente rojo de la nariz

La nariz no sangra sólo a consecuencia de un puñetazo. Las finas venillas acaban reventándose sin motivo aparente. La mayoría de las veces la hemorragia nasal no es grave, aunque puede ocultar motivos más serios.

En numerosas películas, después de una violenta pelea, aparece algún héroe sangrando por la nariz. Aunque en la vida cotidiana podemos sangrar de repente por la nariz, generalmente es por causas distintas. Los finos y delicados vasos sanguíneos de la pituitaria pueden reventarse por los motivos más inofensivos, aunque una hemorragia de este tipo suele detenerse por sí misma. Con frecuencia se sangra sólo por una parte muy concreta del meato nasal, el área vascular de Kiesselbach, un tejido grueso de vasos capitales venosos en el tabique nasal, algo más arriba de la abertura de las fosas nasales, donde la piel externa recubre una pituitaria ocupada por pesta-

Cuando sangra la nariz, lo lógico es mantenerla tapada. La contención de la hemorragia puede acelerarse manteniendo en la nuca un trapo humedecido con agua fría.

ñas vibrátiles. Los estornudos fuertes, o sonarse la nariz, pueden rasgar las pequeñas venas, especialmente en la época fría del año. Ello sucede porque la pituitaria está más irrigada, ya que ha de calentar el aire respirado, que es más frío. También en las inflamaciones e infecciones pueden reventarse los finos capilares microscópicos. Quien se hurgue la nariz se expone a algo así a menudo.

NARIZ SANGRANTE Si de repente sale sangre por la nariz, lo mejor es mantenerla tapada y contener la hemorragia con un pañuelo. Se puede detener de forma más fácil si se coloca un pañuelo o un trapo humedecido con agua fría sobre la nuca, pues así se estrechan los vasos, y a la vez se inclina la cabeza hacia atrás.

Cuando la hemorragia nasal –cuyo término médico es epistaxis– dura más de 15-20 minutos, o surge sin ningún motivo aparente, se deberá acudir al médico, quien colocará un tampón impregnado con una solución o, en su caso, decidirá eliminar los pólipos. Por lo demás, procederá a un reconocimiento para averiguar si tras ello se oculta una enfermedad más grave, como escasa capacidad de coagulación de la sangre o hipertensión arterial.

En casos extremos, la hemorragia nasal puede deberse a una fractura grave del cráneo, por ejemplo en un accidente de tráfico, una caída desde gran altura o un simple golpe. La gravedad de estas lesiones aconsejará siempre la atención médica inmediata.

Un corazón acelerado

A todo el mundo le late el corazón más rápido algunas veces. Si se acelera con mucha frecuencia, puede ser indicio de algún trastorno grave del ritmo cardiaco.

El corazón late sin que nos demos cuenta de ello, aunque a veces se siente de forma directa cómo golpea, altera su ritmo durante un breve periodo de tiempo y vuelve a tranquilizarse. El motor de la circulación corporal, habitualmente equilibrado, realiza a veces una pequeña pausa o tiene algún fallo. Esto puede suceder de vez en cuando en una persona sana.

FALSO TICTAC Si el corazón se acelera con frecuencia y durante mucho tiempo, aunque

se esté tranquilo, es indicio de alguna alteración en la formación o en el impulso de los latidos. Para averiguar la causa, el médico llevará a cabo un reconocimiento con ayuda del electrocardiograma. En el gráfico que se obtiene tras la excitación del músculo cardiaco se pueden descubrir indicaciones sobre el tipo de trastorno del ritmo cardíaco.

Un latido irregular, en el que el corazón bombea de forma descompasada, se deno-

mina arritmia. Cuando los ventrículos del corazón se contraen fuera del ritmo normal y se produce una contracción prematura, el médico habla de extrasístole. Resulta grave si el corazón la repite de forma rápida durante varios minutos u horas. En un paroxismo así, conocido como taquicardia, el corazón late más de 100 veces. Cuando se trata de una taquicardia ventricular, que parte del ventrículo y siempre se debe a un corazón enfermo, puede llegar incluso a las 150 o 180 veces por minuto.

LAPSUS PELIGROSO Si se registran con frecuencia extrasístoles ventriculares, es decir, latidos adicionales procedentes de los ventrículos, son señal de una enfermedad grave del órgano; entre otras un infarto cardiaco previo, estrechamientos de los vasos ventriculares o una infección del músculo cardiaco. Las múltiples descargas eléctricas espontáneas pueden suponer un peligro de muerte. En el peor de los casos, pueden desencadenar un cortocircuito en el sistema excitoconductor de los ventrículos, la llamada descarga de extrasístoles, que no puede llegar a las células del músculo del ventrículo. Así se produce una disminución de la irrigación del cerebro y el afectado se marea. Si el corazón no se recupera por sí mismo, como sucede en la mayoría de los casos, la oscilación ventricular llega a lo que se conoce como fibrilación. Debido al desequilibrio del movimiento oscilante, la sangre ya no puede llegar a todo el cuerpo. Consecuencia: paro cardiaco.

BOMBA DÉBIL El corazón se comporta de forma completamente distinta en el caso de una bradicardia, caracterizada por una frecuencia cardiaca más baja, menor de 50 latidos por minuto. Lo que para un deportista en plena forma resulta normal (generalmente suelen tener una frecuencia cardiaca más baja), en caso de enfermedad puede conducir a agotamiento y mareos. Si el ritmo cardiaco disminuye de 40 latidos por minuto sobreviene un grave peligro de muerte. A la persona se le oscurece la vista y sufre un espasmo. En un caso de crisis de Stokes-Adams siempre existe un bloqueo de la excitación. Si a esto le sigue una parada cardiaca de más de 3-4 minutos de duración, sobreviene la muerte.

Con un marcapasos accionado por batería

Cuando el sistema de generación de estímulos y el sistema excitoconductor del corazón están alterados, se producen trastornos en el ritmo cardiaco.

El nódulo sinusal produce el estímulo y lo impulsa al exterior.

Vaso coronario.

El nódulo aurículo-ventricular forma parte del sistema de formación de estímulos. De él parten los fascículos de Hiss.

El impulso se extiende a continuación hacia la aurícula.

Las paredes del músculo del ventrículo se juntan.

se puede corregir una apoplejía. Se implanta cerca del corazón, y administra al sistema nervioso impulsos eléctricos desde el punto en que el médico lo coloque, de forma que

vuelven a normalizarse los latidos cardiacos. En caso de una bradicardia, el marcapasos le confiere un impulso al corazón cada vez que ha de latir.

Ocultos dolores al sentarse

Las hemorroides son los parientes menores de la varices. Llevan a cabo su doloroso trabajo de forma oculta, en una parte del cuerpo a la que no se le suele otorgar importancia.

A pesar de que muchas personas padecen de hemorroides, casi nadie quiere hablar sobre ello. Los molestos síntomas se pueden eliminar prácticamente con un tratamiento adecuado, instaurado a tiempo y con ayuda del médico. El prurito, ardor o humedad en el ano, los dolores al sentarse, una mancha de sangre roja en el inodoro o marcas en la ropa interior son los síntomas típicos de este trastorno.

De hecho, las hemorroides no son más que prominencias de pequeñas venas superficiales de la mucosa existente al final

del intestino. Los denominados plexos hemorroideos, que circundan el ano, suelen inflamarse. Especialmente en las personas que llevan a cabo su trabajo sentadas, se alimentan con una dieta pobre o padecen una debilidad capilar hereditaria, estos plexos hemorroideos aumentan por estasis sanguínea y se van inflamando por la presión hasta formar nódulos hemorroidales cada vez más intensos. Cuando el intestino está lleno ejercen una presión continua en las paredes relativamente delgadas de los vasos. Si además se presiona esta zona, no es

infrecuente que aparezcan manchas de sangre en el inodoro al reventarse los vasos sanguíneos.

CREMAS U OBLITERACIÓN En las hemorroides se distinguen cuatro fases. En el primer grado no suelen notarse dolores. Se habla del segundo grado de gravedad cuando al presionar descienden al ano, aunque después retroceden por sí mismas; sangran ocasionalmente y duelen. En tales casos, el tratamiento con pomadas o supositorios puede ser útil: no se puede obtener la curación, sino solamente un retroceso transitorio de los síntomas. Las hemorroides del tercer y cuarto grado ya no retroceden, y deben someterse a tratamiento quirúrgico. Las posibilidades de tratamiento abarcan desde la obliteración de los vasos afectados mediante la denominada ‘ligación con anillo de goma, en la que se estrangula el nódulo hemorroidal, hasta una extracción quirúrgica convencional.

VENAS LESIONADAS De forma equivocada también se consideran hemorroides los hematomas localizados directamente bajo la mucosa del entorno exterior de ano, ya que provocan las mismas molestias. En este caso no se trata de prominencias de los vasos, sino que surgen al rasgarse una pequeña vena por debajo de la piel.

Contra los dolores hemorroidales y el prurito ayudan las pomadas y los supositorios especiales, aunque también proporcionan alivio los baños templados en manzanilla. Es importante lavar la zona del ano con una esponja limpia y agua clara y templada después de ir al baño. Es todavía mejor lavarse en el bidé, o ducharse la zona

sentado en el borde de la bañera; después es indispensable secarse bien. Por lo demás, los afectados tienen que evitar la formación de nuevas hemorroides. Para ello deberán combatir el estreñimiento mediante una alimentación rica en fibra, suficiente ingestión de líquidos y ejercicio corporal frecuente.

Nódulos en las piernas

Muchas personas padecen trastornos en las venas de las piernas. No todas tienen que someterse a tratamiento médico, pero pocas encuentran estéticas las varices azules.

Las mujeres especialmente saben que las piernas varicosas son un inconveniente estético del que no podrán escapar una vez que se hayan producido. Mientras las varices no estén inflamadas, no molestan ni provocan calambres. Sólo resultan dolorosas cuando se produce una inflamación en las venas que resulta visible y perceptible al tacto.

VENAS INFLAMADAS Básicamente hay dos factores decisivos que determinan la aparición de las varices: las paredes venosas delgadas y vulnerables y una afluencia lenta de la sangre. Esto favorece además el que se formen coágulos de sangre en el interior de una vena, que obstruyen el vaso y provocan una trombosis venosa. Un trombo de estas características se adhiere a la pared del vaso y supone una irritación adicional para la sensible pared interior de la vena. Las

El ejercicio es el mejor procedimiento para combatir las lesiones venosas; los baños también son útiles.

Con ayuda de un medio de contraste que se inyecta en la sangre se pueden observar las varices en la radiografía.

consecuencias son la dilatación de los vasos y la inflamación. Los afectados padecen dolores en forma de calambre por la aparición de síntomas irritantes en la zona circundante y en los correspondientes focos inflamatorios.

CONTROLAR LA SALIDA Cualquier alteración venosa debe someterse obligatoriamente a reconocimiento médico. Para su tratamiento, en una primera fase, podrán utilizarse las ondas ultrasónicas y la flebografía. En este último caso se inyecta un medio de contraste en las venas conductoras. Las radiografías obtenidas, tomadas en serie, proporcionan indicaciones sobre el flujo de la sangre y el estado en que se encuentran los vasos.

Con mucho movimiento, ejercicios especiales de gimnasia y duchas frías puede contenerse el avance de la enfermedad. En el caso de que las varices estén inflamadas, las pomadas con extracto de castañas pueden aliviar las molestias de la congestión. También es recomendable usar medias de descanso, sobre todo durante el embarazo; existen modelos para hombres y mujeres. En muchos casos se puede encontrar una solución cosméticamente satisfactoria mediante la llamada obliteración, que consiste en inyectar a la vena varicosa un medicamento que pega la pared interior del vaso e inmoviliza la vena. Además, se puede vaciar la vena, es decir, extraer la parte enferma de un vaso mediante una pequeña incisión.

Venenos peligrosos en la sangre

Las estrías rojas en los brazos o en las piernas suelen considerarse a veces, equivocadamente, como septicemia. Cuando el veneno se introduce en los humores, es menos leve.

Los torrentes circulatorios están bien protegidos frente a la invasión de agentes peligrosos. Toda la superficie corporal está recubierta de piel y mucosas. Si las bacterias atraviesan este escudo protector, a través de una herida, por ejemplo, se encuentran inmediatamente con otro sistema interno de defensa del organismo: el sistema inmunológico, que actúa dentro de la sangre y la linfa. Se trata de un auténtico ejército de células defensoras listo para combatir a los agentes de la enfermedad. Las posibilidades de que los estafilococos, los estreptococos, las colibacterias y otros causantes de pus y putrefacción penetren en la sangre y no sólo sobrevivan, sino que también se multipliquen de forma explosiva, como sucede con la septicemia, son por lo tanto mínimas.

PELIGROSO PODER SUPERIOR Cuando el sistema inmunológico se debilita, como es el caso de los enfermos de sida, o en las enfermedades cancerígenas durante las fases de radio y quimioterapia, el proceso es distinto. Puede aparecer una septicemia por supuraciones de los dientes, amígdalas, oídos, infecciones de heridas, inflamaciones de las vías biliares, o por una sonda vesical sucia. Como la circulación distribuye las sustancias por todo el cuerpo de forma muy rápida, los

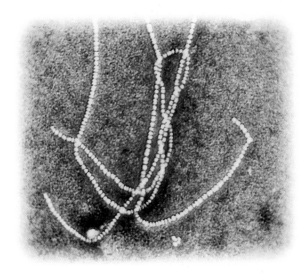

Los estreptococos (que aquí aparecen con un preparado de contraste) son uno de los agentes desencadenantes de enfermedades. En pacientes con defensas bajas pueden provocar una septicemia, con consecuencias muy graves.

invasores pueden inundar todo el organismo a partir de un foco purulento: en tales casos se produce una septicemia o piemia. El sistema inmunológico queda derrotado y ya no tiene capacidad para dominar a los numerosos y variados invasores. Los consiguientes síntomas de enfermedad son dramáticos: fiebres muy altas, que suben y bajan con intensidad cada 24 horas, fuertes escalofríos y síntomas generales de una

infección grave. Debido al elevado número de gérmenes distintos –se conocen más de 20 tipos de causantes de septicemia– las características de la enfermedad son muy variadas.

La septicemia es siempre un estado de peligro mortal. A pesar de los métodos médicos más modernos, la mortalidad actual sigue siendo muy elevada. Por ello el tratamiento ha de realizarse en el hospital y la mayoría de las veces en la unidad de cuidados intensivos. Se lucha contra los invasores mediante antibióticos; se elimina, si es posible, el foco purulento del que parte la septicemia, y se fortalece el sistema inmunológico general.

PISTA FALSA Un enrojecimiento en forma de estría y una inflamación de la piel no implican, como muchos creen, una septicemia de la sangre, sino más bien una linfangitis, o inflamación de uno o varios vasos linfáticos, que suele partir de las heridas infectadas. Como esta enfermedad puede conducir a una septicemia, se ha de combatir inmediatamente.

Destructores del esmalte dental

¿A quién no le gustaría tener dientes inmaculados? Pero la mayoría de las personas padecen caries, que corroe el diente de fuera hacia dentro y lo destruye.

Todos estamos familiarizados con los anuncios televisivos que nos muestran un ejército de torvas bacterias pugnando por destruir la dentadura, hasta que son barridas por una oleada de refrescante y purificadora pasta dentífrica. Desgraciadamente, no siempre ocurre así. La mayoría de las personas

descuidan la higiene bucal, y prueba de ello es que casi todos sufrimos enfermedades que requieren antes o después la intervención del dentista. De hecho, todos sabemos que los dulces son perjudiciales para los dientes, y es igualmente conocido que una limpieza regular prolonga la vida de la dentadura. Sin

embargo, la caries, que deriva del latín *caries*, pútrido, es responsable de que la mayoría de las personas tengan molestos huecos en su dentadura.

En un principio, la enfermedad de la caries se hace notar por unas coloraciones blancas y marrones en el diente. Al mismo tiempo, éste reacciona con sensibilidad a la comida fría o caliente, y también al dulce. El proceso puede desembocar en dolores permanentes, punzantes o palpitantes en los dientes.

LOS ÁCIDOS DESENCADENANTES La caries ataca a la sustancia dura del diente, es decir, comienza por correr el esmalte y, si no se elimina, va penetrando en el diente. Enton-

SIN TEMOR AL DENTISTA

- Cuando duela un diente hay que acudir siempre al dentista, pues la pérdida del marfil dental sano es irreparable.

- La caries no se cura sola. Por ello se ha de retirar la parte enferma de diente, es decir, taladrarlo.

- Si se tiene miedo al tratamiento, hay

que comentarlo tranquilamente con el dentista.

- En algunas clínicas dentales, el paciente puede escuchar música durante el tratamiento para relajarse y distraerse.

- El dolor en los dientes se puede aliviar de forma transitoria con unas gotitas de esencia de aceite de clavo. Tiene un efecto calmante y antibacteriano.

Con los dientes más vale prevenir que curar. Con una limpieza a fondo, incluyendo la seda dental, se puede contemplar con otros ojos la visita al dentista.

ces sobreviene la catástrofe, ya que el esmalte dental no es resistente al ácido. En la cubierta dental viven bacterias que transforman en ácido los restos de comida y el azúcar; este ácido es el que ataca la cubierta dura del diente. Al desprender el calcio del esmalte dental, debilitan el diente y despejan el camino para la peligrosa caries. Ésta empieza siempre en la superficie y se va extendiendo hacia al interior.

Si expresamos esto con una fórmula, hay cuatro factores que contribuyen a la formación de la caries: dientes, bacterias, azúcar y tiempo. Si se elimina uno de ellos, por ejemplo al no comer azúcar o limpiarse la boca después de las comidas para que a las bacterias no les dé tiempo a formar ácidos, se puede prolongar considerablemente la vida de los dientes.

¿ES CONTAGIOSA LA CARIES? La peor de las bacterias de la boca es el *streptococcus mutans*. Se desarrolla especialmente con una alimentación rica en azúcares y origina la caries dental. La mayoría de las veces llega a la cavidad bucal en los primeros meses de vida, por ejemplo cuando la madre toca el chupete de su bebé, o con un beso, ya que se transmite con la saliva. Este transporte fatal, sin embargo, se puede evitar, o al menos limitar, con una profilaxis anticaries.

En este diente, las bacterias de la caries ya han infectado la pulpa recubierta por cordones nerviosos. Si no se aplica un tratamiento, la enfermedad atacará a una parte cada vez mayor del diente.

La limpieza regular de los dientes es el primer paso. Después de cada comida, sobre todo si se han ingerido dulces, hay que limpiarse los dientes, algo que puede convertirse en una costumbre lógica y estimulante para la salud. Los restos de comida y los depósitos de los intersticios interdentales han de limpiarse de forma adicional mediante el hilo dental. La placa dental se tiene que retirar dos veces al año en una visita al dentista, para que las

bacterias no se sientan demasiado cómodas. Además, hay que contar con una alimentación sana, que contenga poco azúcar y harina fina, para eliminar así la base nutritiva de los malhechores dentales.

La pasta dentífrica, los líquidos para enjuagues bucales y los chicles dentales contienen fluoruro hidrosoluble que fortalece el esmalte dental y equilibra la pérdida del material duro; lo que los dentistas denominan remineralización. El esmalte se puede restablecer hasta cierto punto; además, también es posible recubrir los dientes con una capa protectora de esmalte con flúor. El oxígeno, que notamos en los productos para el cuidado de los dientes por su frescor y picor, también desempeña un papel importante contra la liberación de ácidos.

MEDIDAS DE REPARACIÓN Si el dentista descubre un diente invadido por la caries, extraerá las zonas afectadas hasta que se hayan eliminado todos los restos de la enfermedad. Mientras lo hace no se siente ningún dolor, pues suele aplicarse anestesia local. El orificio resultante se limpia y se cierra. Para ello se utilizó durante mucho tiempo la amalgama, una mezcla de mercurio y de distintas virutas metálicas, aunque actualmente se sospecha que es causante de determinadas enfermedades. A pesar de que no hay pruebas seguras, muchas personas prefieren las denominadas

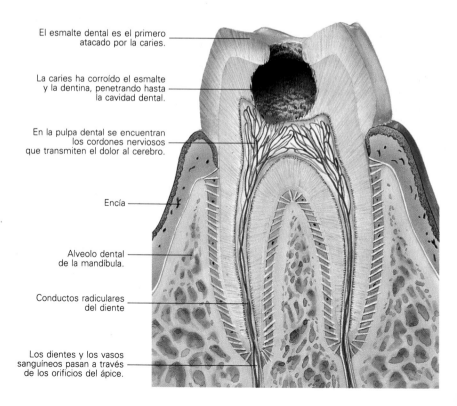

El esmalte dental es el primero atacado por la caries.

La caries ha corroído el esmalte y la dentina, penetrando hasta la cavidad dental.

En la pulpa dental se encuentran los cordones nerviosos que transmiten el dolor al cerebro.

Encía

Alveolo dental de la mandíbula.

Conductos radiculares del diente

Los dientes y los vasos sanguíneos pasan a través de los orificios del ápice.

incrustaciones de oro o de materiales de relleno del mismo color que los dientes, denominados compuestos y constituidos por resinas sintéticas y otras sustancias.

SENTIRLO EN EL DIENTE A veces el dentista realiza una radiografía de toda la dentadura para examinar con exactitud los procesos de caries que surgen por debajo de una sustancia de relleno, y así poder emprender

un tratamiento. Cuando un diente está tan afectado que se ha de retirar la mayor parte de la corona, puede salvarse a veces colocando una funda sobre el muñón.

Incluso aunque se sienta horror a la visita al dentista, la parte enferma del diente se ha de retirar en todo caso, ya que de lo contrario la caries puede extenderse a las otras piezas. Además, subsiste el peligro de

que las bacterias perjudiciales penetren en la pulpa dental y provoquen una infección purulenta, que, además de ser muy dolorosa y requerir un tratamiento de la raíz, puede costar el diente entero. Por lo demás, no todo el mundo está igualmente expuesto a la caries: la resistencia genética del esmalte dental hace posible disfrutar de los dulces y mantener unos dientes sanos.

Cuando falla el anclaje

El dolor y la sangre al lavarse los dientes suelen impedir la limpieza esmerada de la dentadura. Es un círculo vicioso que puede conducir a la pérdida definitiva de los dientes.

En su estado sano, la rosada encía está pegada al cuello del diente y lo protege, junto a la raíz, de las perjudiciales bacterias. Pero si la higiene bucal es insuficiente, a partir de los restos de comida y de los minerales que ésta contiene se forma la peligrosa placa, una capa dental dura en la que las bacterias se encuentran confortablemente alojadas. Las placas se depositan en el borde de la encía y la irritan. Primero aparece sólo un ligero enrojecimiento, y se puede notar con la lengua que la encía –también llamada gingiva– está hinchada; de vez en cuando, sangra ligeramente.

LIMPIEZA Y MASAJE En esta fase es muy importante limpiarse los dientes intensivamente y aplicar un masaje al borde de la encía, pues las hemorragias sólo desaparecerán cuando se haya eliminado la placa. De otro modo, la placa bacteriana penetra cada vez más entre el diente y la encía y duele. En las bolsas que se forman se acumulan más restos de comida: un paraíso para las bacterias y los procesos desencadenantes de la caries. En consecuencia, la encía retrocede cada vez más, con el resultado de que el borde gingival, muy sensible al dolor, queda al

descubierto. De esta forma se puede producir una parodontitis, a partir de una hinchazón aparentemente inofensiva del diente.

Se debe masticar con fuerza, sobre todo fruta, que limpia los dientes. Es importante no dañar la encía durante la higiene bucal.

A veces, el lecho dental comienza a disminuir sin que haya una infección aguda. En este caso se habla de parodontosis. A largo plazo, ambas enfermedades llevan a un triste final: la pérdida del diente.

FUERA LAS PLACAS La causa principal de las enfermedades dentales es la falta de higiene. El mejor remedio para evitarlas es limpiar los dientes correctamente. Cada cierto número de meses se ha de eliminar el sarro dental. Una alimentación rica en fibra, que obliga a intensificar la masticación, desgasta la placa de forma adicional. También el tabaco es perjudicial para la dentadura: una reciente investigación ha demostrado que el 88% de los fumadores padecen una parodontitis grave, frente al 33% de no fumadores.

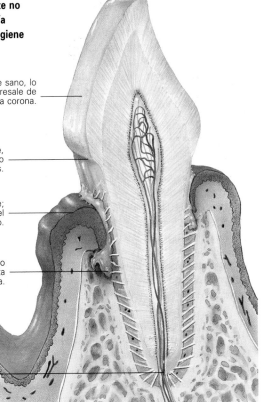

En un diente sano, lo único que sobresale de la encía es la corona.

Cuando el borde gingival está al aire, las comidas frías, calientes, dulces o ácidas provocan dolores punzantes.

La encía se inflama y se enrojece; disminuye cada vez más a lo largo del proceso infeccioso.

La placa se desplaza poco a poco dentro de la bolsa de la encía y afecta también a la mandíbula.

Cuando el aparato de sujeción –compuesto por la encía envolvente, el periodontio y sus bandas de fijación– se mueve, el diente pierde su anclaje fijo, se debilita y cae irremediablemente.

En el peor de los casos, la infección de la zona del ápice llega al periodontio y al entorno óseo, un proceso purulento muy doloroso.

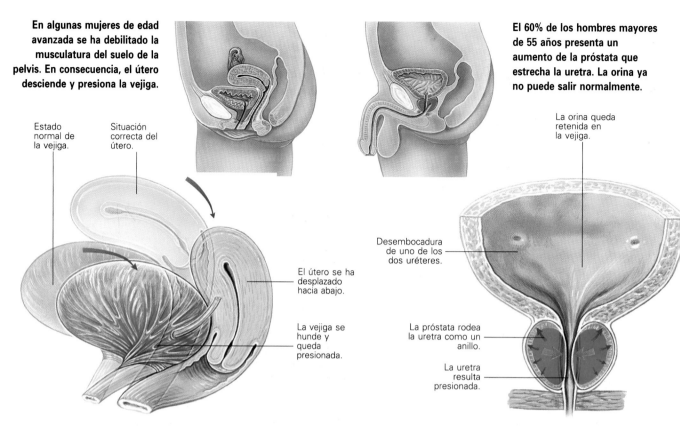

En algunas mujeres de edad avanzada se ha debilitado la musculatura del suelo de la pelvis. En consecuencia, el útero desciende y presiona la vejiga.

El 60% de los hombres mayores de 55 años presenta un aumento de la próstata que estrecha la uretra. La orina ya no puede salir normalmente.

Estado normal de la vejiga.

Situación correcta del útero.

El útero se ha desplazado hacia abajo.

La vejiga se hunde y queda presionada.

La orina queda retenida en la vejiga.

Desembocadura de uno de los dos uréteres.

La próstata rodea la uretra como un anillo.

La uretra resulta presionada.

detiene cuando se ha vaciado la vejiga. Este tipo de incontinencia aparece con frecuencia en mujeres durante y tras la menopausia. La razón es que, después de los años de cambio, se vierten pocas hormonas femeninas en el cuerpo. Una posible terapia consiste en suministrar estrógenos para aumentar la irrigación del tejido del suelo de la pelvis y devolverle su tensión normal. La incontinencia por presión, sin embargo, puede aparecer acompañada de un síndrome uretral. En estos pacientes, la incontinencia es desmesurada y torturante. A menudo se trata de una infección del uréter o de la vejiga, aunque también se barajan los factores del estrés.

GOTEO CONTINUO Muchas personas mayores tienen que luchar con el problema del goteo de orina, como en el caso de la incontinencia por rebosamiento, en la que el mecanismo normal de vaciado de la vejiga está alterado. La causa de este tipo de debilidad de la vejiga suele ser un aumento noduloso benigno en la próstata, el denominado adenoma de próstata. Al situarse en un círculo alrededor de la uretra, la estrecha e impide la salida normal de la orina. En consecuencia, el afectado sufre una urgencia frecuente de orinar, pero la vejiga no se vacía lo suficiente de forma voluntaria: libera de continuo pequeñas cantidades de orina, ya

que el músculo de cierre de la vejiga no puede soportar más el exceso de presión. La terapia suele consistir en una reducción quirúrgica de la próstata. Si se trata de un carcinoma de próstata, el órgano ha de extirparse por completo.

En casos de parálisis transversa o de apoplejía puede producirse la llamada incontinencia refleja. En este caso, el vaciado de la vejiga se produce por un estímulo procedente de la médula espinal, sobre el que no

se puede influir voluntariamente. La pérdida de orina no va precedida en el afectado del deseo apremiante de vaciar la vejiga, por lo que resulta mucho más imprevisible.

En muchos casos, la incontinencia urinaria no se puede curar por completo. Es más importante atenuar las molestias y proporcionar al paciente los medios auxiliares que le puedan permitir de nuevo la convivencia social y un razonable nivel de calidad de vida.

¿QUÉ HACER CON LA VEJIGA DÉBIL?

- Los medios auxiliares, como fajas especiales, dispositivos absorbentes o una bolsa, ofrecen protección para evitar que escape la humedad o se produzca olor. Tales ayudas a la incontinencia han de adaptarse de forma individual. Cuando la incontinencia no puede evitarse impide el desarrollo de una vida satisfactoriamente normal.

- Con ejercicios especiales se puede fortalecer la musculatura del suelo de la pelvis. Para entrenarla se ha de tensar y relajar durante 10 segundos alternativamente.

- El peligro de un hundimiento del útero puede evitarse si las mujeres llevan a cabo gimnasia apropiada para fortalecer el suelo de la pelvis durante el embarazo y tras el parto.

- Los hombres de más de 40 años deberían acudir a una revisión de próstata una vez al año. Las oportunidades de curación de un carcinoma de próstata son mucho más elevadas en su fase temprana.

- En caso de debilidad de la vejiga también es importante beber líquidos en cantidad suficiente.

El intestino expulsa cuanto perturba su tranquilidad

Sorprende a los que viajan a países cálidos y a los que están nerviosos por los exámenes. Nunca se desea, y cuando llega es tremendamente molesta. Pero la diarrea es una reacción de defensa necesaria e indispensable del intestino.

Comienza con contracciones intestinales y dolores de vientre, a veces acompañados de una ligera presión y sensación de saturación. Una presión irresistible avisa pronto de la necesidad imperiosa de evacuar.

La diarrea, evacuación intestinal frecuente, líquida y abundante, la ha experimentado casi todo el mundo alguna vez. Normalmente las molestias que conlleva se superan al cabo de 2 o 3 días; y el intestino vuelve a tranquilizarse. Un incidente así indica, en la mayoría de los casos, que el sistema digestivo se ha visto afectado por alimentos en mal estado o que contienen gérmenes patógenos. Los venenosos productos en descomposición de las comidas no digestivas o de las bacterias extrañas atacan la mucosa intestinal y provocan dos episodios distintos: de una parte, se acelera el movimiento propio del intestino, el peristaltismo, y, por otra, la mucosa intestinal desprende más cantidad de agua. Ambas reacciones tratan de expulsar lo antes posible a los agentes perturbadores. A su vez, la papilla digestiva no se espesa, como sucedería en una digestión normal. La consecuencia inmediata es un tenesmo rectal más intenso y frecuente en el que se expulsan excrementos acuosos.

Desde el punto de vista médico, se distinguen la enteritis, una enfermedad del intestino delgado, y la enterocolitis, en la que también se ve afectado el intestino grueso. A menudo aparecen formas mixtas, como sucede cuando se extiende la enfermedad.

Una diarrea débil y transitoria puede surgir simple- mente por una comida excesivamente copiosa o un consumo desmesurado de alcohol. También cuando la persona se encuentra bajo los efectos del estrés, como antes de un examen importante, el aumento de la actividad simpática y parasimpática puede provocar visitas inesperadas al cuarto de baño.

LA VENGANZA DE MOCTEZUMA Muchas personas sufren la denominada diarrea del viajero cuando se trasladan de vacaciones a países tropicales y de calor húmedo. En general, es de condición infecciosa y surge, por ejemplo, por la salmonela en los alimentos podridos y por colibacterias presentes en el agua en mal estado. Es frecuente que los virus y las bacterias no afecten a los nativos y, por el contrario, provoquen diarrea en los extranjeros, cuyo organismo no está habituado. Por esa razón, siempre que se viaja conviene extremar las precauciones con los alimentos crudos y con el agua del grifo. Lo mejor es mantener la siguiente regla: ¡cocer, pelar o evitar!

Una diarrea del viajero es incómoda, pero suele disminuir rápidamente. Si por el contrario se trata de una enfermedad infecciosa aguda, como el cólera, se llega a una deshidratación del cuerpo grave y peligrosa, pues se expulsan rápidamente las sales minerales necesarias para el buen funcionamiento del organismo.

Mientras que para la diarrea aguda puede encontrarse una explicación, sobre los antecedentes de las diarreas crónicas sólo hay suposiciones. Hasta el momento no se ha podido averiguar la causa de la colitis ulcerosa, una infección crónica de la mucosa intestinal cuyo síntoma típico es una diarrea de 5 a 10 deposiciones diarias con sangre y mucosidad. Se supone que las influencias psíquicas pueden inducir el brote de la enfermedad en las personas con una propensión genética. Otra enfermedad infecciosa crónica del intestino es la enfermedad de Crohn, cuyos síntomas se pueden atenuar, pero no combatir la causa.

BEBER MUCHO Por lo demás, para las personas con un estado normal de salud, la diarrea no es peligrosa si no va acompañada de sangre o fiebre y si dura sólo pocos días. Generalmente, basta con cuidar el intestino y proporcionarle alimentos en buen estado. Sin embargo, es importante compensar la pérdida excesiva de líquido y electrolitos y reponer la flora intestinal. En los niños y las personas mayores se ha de avisar al médico.

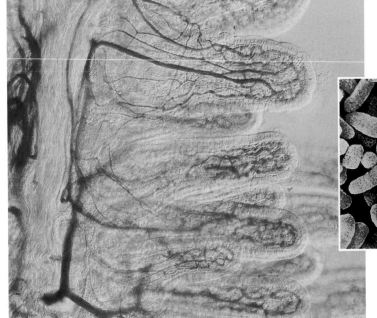

Cuando la comida en mal estado llega a las vellosidades del intestino, éste se mueve de forma más rápida para expulsarla.

Las colibacterias (vistas al microscopio, arriba), suelen ser los agentes responsables de la diarrea.

La fuente de curación interior

Por desgracia no existe una píldora mágica que nos devuelva al instante la salud. Quien acuda al médico abrumado por sus trastornos y espere que éste lo cure completamente con sus artes está obstaculizando su propia curación. La frase "quiero que me curen" niega la poderosa relación entre el cuerpo y el alma, la existencia de problemas más profundos que no dejan ninguna huella corporal. Más bien, el enfermo debería aceptar el planteamiento de que "nadie más que yo es responsable de mi curación". Esto implica enfrentarse a los trastornos de forma activa y consciente. El paciente dialoga con su cuerpo, descubre su posible relación con condiciones de vida nocivas o potencialmente peligrosas. Ya no permanece a la defensiva, sino que comprende; ya no es conducido, sino que actúa; se esfuerza por mantener un equilibrio fundamental en su vida: el equilibrio en la salud. No sólo la curación, sino también el mantenimiento de la salud puede fortalecerse así. Todo el mundo puede recuperarse, por ejemplo mediante ejercicios respiratorios o de meditación para conseguir eliminar las tensiones extenuantes de la vida cotidiana. Una relación cercana y atenta con los demás también brinda bienestar y equilibrio. Aferrarse a una filosofía vital y positiva no es menos importante para conseguir apoyo y fortaleza.

Muchas personas fortalecen su voluntad de vivir (izda.) mediante la confianza y la paz interior que les confiere la fe. Las experiencias con la naturaleza pueden ser también una fuente de energía con la que se puede conseguir estar en consonancia consigo mismo y, de esta forma, gozar de salud (dcha.).

Ser aceptado sin reservas fortalece la confianza en uno mismo, proporciona un sentimiento vital positivo y ayuda a conservarse sano. Este es el objetivo de la introducción de delfines como terapia para los niños enfermos e impedidos (izda.). Se acercan con más libertad que las personas a los pequeños pacientes y pueden convertir su aislamiento en una nueva fuente de vitalidad.

Dolor de garganta, goteo nasal

Quien haya sido invadido por el virus del resfriado
se vuelve inmune. Pero siempre hay virus nuevos, por lo que
la nariz sigue goteando y la garganta continúa doliendo.

Hay personas que se acatarran media docena de veces al año. Los causantes son siempre los mismos: los virus del catarro. Si ya se ha sufrido un ataque de este género, el organismo se vuelve inmune al virus correspondiente. Pero por desgracia se conocen más de cien tipos, que a su vez mutan dando lugar a otros nuevos. Por ello la vacunación es inútil, al igual que el tratamiento con antibióticos. Estos remedios sólo actúan contra las bacterias.

VIRUS CONTRARRELOJ Los virus son gérmenes patógenos que sólo pueden vivir y multiplicarse a costa de otras células. Programan el núcleo de una célula ajena de forma que ésta produzca virus, hasta que muere por agotamiento. Entonces revienta, y de ella fluyen cantidades importantes de virus, listos para caer sobre las siguientes células sanas, donde volverán a empezar el proceso.

Una vez que los virus han entrado en la mucosa nasal, el catarro sigue su curso, con frecuencia pocas horas después del contagio. La nariz comienza a picar mucho, síntoma de que los mediadores de la infección, sobre todo la hormona tisular histamina, se han puesto en marcha. La pituitaria arde en un duro combate. Numerosas células de la pituitaria caen y arrastran consigo al virus hacia el exterior mediante un exceso de mucosidad; el afectado lo advierte porque le gotea la nariz. Parte de la mucosidad se expulsa también hacia fuera al estornudar. La pituitaria se inflama por la reacción infecciosa y aumenta sensiblemente la temperatura corporal.

MUCHAS VÍAS DE CONTAGIO Hay muchas formas de acatarrarse. Cuando se saluda a alguien con la mano, se empuña el pomo de una puerta o se toca un pañuelo sucio, los virus pueden dar un rodeo y pasar de la mano a la pituitaria para anidar allí. El mayor peligro de contagio son los ataques aéreos, cuando los compañeros están resfriados y pulverizan gotitas de mucosidad repletas de virus al estornudar, de forma que las respiran los demás a pesar de que no pueden recorrer grandes distancias (es lo que sucede por ejemplo en un autobús lleno, en el colegio o en la cola de la caja del supermercado).

PROHIBIDOS LOS BESOS También es mejor privarse de ellos cuando la pareja muestre los síntomas característicos del resfriado. En lugar de besos se han de aplicar al cuerpo otras fuentes de calor más curativas, como un té caliente, baños, la visita a la sauna o inhalaciones de vapor medicinal. Un ligero aumento de calor en el cuerpo es suficiente para que el virus atacante se vuelva inofensivo.

Pero es frecuente que el contagio no quede sólo en un catarro nasal. Muchos

enfermos sufren otros síntomas de resfriado, como la infección de garganta y fuertes molestias al tragar. Esto se puede deber a que los cordones laterales del sistema linfático hayan sido atacados, sobre todo en la cavidad de la garganta, en la zona de las amígdalas. En la mayoría de los casos se trata de estreptococos, es decir, bacterias que se aprovechan de la debilidad del sistema inmunológico y se establecen en el tejido linfático de la zona de la faringe.

Las amígdalas de la faringe, pero también las de la garganta y la lengua, se inflaman como consecuencia de la infección, y pueden adquirir un color rojo intenso con puntos blancos de pus. Los cordones linfáticos laterales enrojecen y pueden observarse con facilidad si se mira uno la boca al espejo con una linterna. Es frecuente

que todo esto vaya acompañado de fiebre. Cuando la temperatura corporal es muy elevada y sólo retrocede de forma vacilante, puede ser aconsejable utilizar antibióticos en determinadas circunstancias. Pero también suele ayudar el tratamiento sintomático con gárgaras, caramelos balsámicos, reposo en cama, etcétera. Al cabo de una semana, habrá pasado lo peor.

EL OÍDO MEDIO, AFECTADO Tales infecciones pueden alcanzar también zonas situadas fuera de la cavidad bucal. Es posible que

El virus penetra en la pituitaria.

El virus introduce su información en el núcleo de la célula.

La célula produce nuevos virus del resfriado.

Una barrera contra los virus: cuando la boca y la nariz están protegidas, a los gérmenes del resfriado les resulta muy difícil llegar hasta la pituitaria.

lleguen hasta la trompa de Eustaquio, que se inflama hasta quedar obturada. Se percibe por una repentina dificultad –o incluso imposibilidad– de oír, ya que el equilibrio de presión necesario para ello entre el oído y la garganta se dificulta por el cierre de la trompa de Eustaquio. Esto siempre es síntoma de un grave peligro en la zona del oído medio, extremadamente sensible.

También las zonas más profundas de la amígdala palatina, la laringe, la tráquea y los bronquios pueden verse afectados. El primer síntoma es la ronquera: las cuerdas vocales se inflaman y le sigue una tos estimulada por la pituitaria atacada de la tráquea. En caso extremo se puede llegar incluso a una pulmonía.

GOTAS DE ACEITE Para que no resulte tan grave, la infección se puede tratar de forma

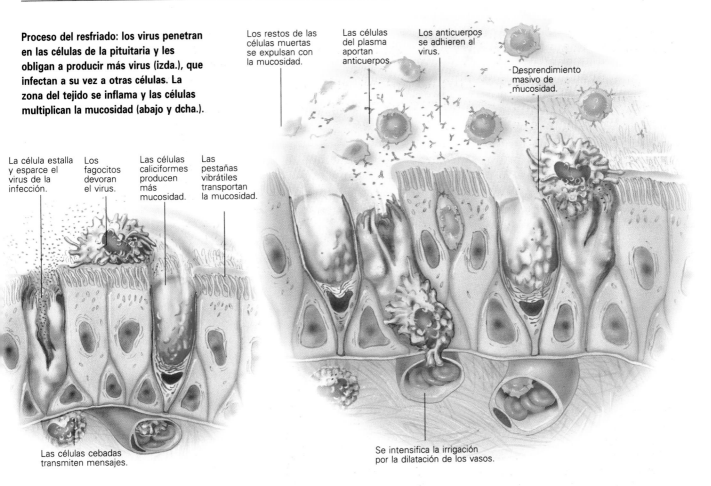

Proceso del resfriado: los virus penetran en las células de la pituitaria y les obligan a producir más virus (izda.), que infectan a su vez a otras células. La zona del tejido se inflama y las células multiplican la mucosidad (abajo y dcha.).

Los restos de las células muertas se expulsan con la mucosidad.

Las células del plasma aportan anticuerpos.

Los anticuerpos se adhieren al virus.

Desprendimiento masivo de mucosidad.

La célula estalla y esparce el virus de la infección.

Los fagocitos devoran el virus.

Las células caliciformes producen más mucosidad.

Las pestañas vibrátiles transportan la mucosidad.

Las células cebadas transmiten mensajes.

Se intensifica la irrigación por la dilatación de los vasos.

temprana, por ejemplo, mediante un aceite esencial. Se administra en forma de gotas por la nariz y facilita la respiración por su efecto antiinflamatorio. Inhalar aceite de manzanilla resulta especialmente eficaz; es un procedimiento laborioso: se extiende un trapo sobre la cabeza, se inclina uno sobre el recipiente de la manzanilla caliente e inhala el vapor que despide. Como profilaxis hay que seguir el consejo tan repetido de tomar dosis más elevadas de vitamina C. Por lo demás, la vitamina C que el cuerpo no necesita no se almacena, sino que vuelve a expulsarse inmediatamente. Los resfriados mejoran por sí solos y el médico no puede curarlos. Los antibióticos resultan inútiles a menos que existan complicaciones infecciosas que puedan responder a ellos. El mejor remedio contra el resfriado, sin embargo, no se encuentra en las farmacias: consiste en elevadas dosis de paciencia.

Explosión salvadora

Si tuviéramos que reflexionar sobre cómo expulsar los cuerpos extraños de la tráquea, ya nos habríamos ahogado. Por suerte tenemos la tos, que lo hace de forma automática.

Mimi, la protagonista femenina de la ópera de Pucini *La Bohême,* tose de forma muy melódica hasta que le sobreviene la muerte en brazos de su Rodolfo. Pero cuando alguien intenta imitarla en el patio de butacas, ha de contar con las miradas severas de su entorno. Y cuando lo hace, simple-mente libera un acto reflejo protector incontrolable, que sirve para eliminar los cuerpos extraños y el exceso de mucosidad de las vías respiratorias.

La tos se desencadena cuando se irritan los llamados puntos de tos, que se encuentran en la nariz y en las cavidades cercanas, en la pared interna de la laringe, en las vías respiratorias bajas, en el pecho y en el diafragma, así como en el conducto auditivo. El arco reflejo pasa por los sensibles vasos del nervio neumogástrico hasta el centro de tos, que se encuentra localizado en el centro respiratorio dentro de la *medula oblongata,* en el extremo superior de la médula espinal, así como a lo largo de una serie de nervios encefálicos.

ACCIÓN CON EFECTO DETONANTE En el centro de tos se coordinan los músculos del vientre, el pecho, la laringe y la cara que participan en la reacción. El resultado es la acción conjunta: la glotis se cierra apretándose, con lo que el aire respirado ya no

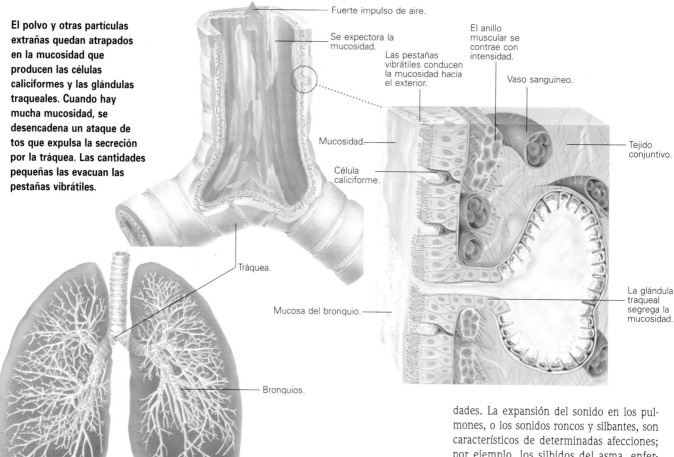

El polvo y otras partículas extrañas quedan atrapados en la mucosidad que producen las células caliciformes y las glándulas traqueales. Cuando hay mucha mucosidad, se desencadena un ataque de tos que expulsa la secreción por la tráquea. Las cantidades pequeñas las evacuan las pestañas vibrátiles.

Fuerte impulso de aire.

Se expectora la mucosidad.

El anillo muscular se contrae con intensidad.

Las pestañas vibrátiles conducen la mucosidad hacia el exterior.

Vaso sanguíneo.

Mucosidad.

Célula caliciforme.

Tejido conjuntivo.

Tráquea.

Mucosa del bronquio.

La glándula traqueal segrega la mucosidad.

Bronquios.

puede escapar. Sin embargo, la musculatura respiratoria intenta empujar hacia fuera, con lo que aumenta la presión del aire encerrado. Entonces la laringe se abre de repente, de forma que la corriente de aire que expulsa alcanza una velocidad de casi 1.000 km/h, es decir, casi la velocidad del sonido. De esta manera, los elementos perturbadores y sobrantes de las vías respiratorias son arrastrados hacia el exterior a través de la boca, que se abre bruscamente de forma refleja.

PESTAÑAS PEGADAS Cuando las estructuras de las vías respiratorias, sobre todo los pulmones, la laringe, y la tráquea y su mucosidad están enfermas, se produce una permanente y molesta tos irritante. Aquí desempeñan una activa participación las pestañas vibrátiles de los bronquios y la tráquea, cuya función es conducir permanentemente las partículas y la mucosidad en dirección a la boca. En caso de resfriado, por ejemplo, suelen quedarse pegadas por la secreción de mucosidad espesa y no pueden funcionar. Los puntos de tos se irritan porque las partículas de suciedad y la

mucosidad viscosa no se eliminan, de forma que los afectados sufren golpes de tos continuos. Las pestañas vibrátiles se irritan también al fumar cigarrillos, o cuando el aire es caliente, seco, o contiene sustancias nocivas. Cada vez hay más niños que padecen laringitis estridulosa, debida a la creciente contaminación atmosférica y que se manifiesta por ataques de asfixia, tos y sonidos silbantes al respirar.

Es normal que al toser se produzca mucosidad. Pero si al expectorar aparece sangre, pus o cualquier otro cuerpo extraño, podrá sospecharse de una enfermedad pulmonar más seria, como la tuberculosis.

TOSES DE AYUDA AL DIAGNÓSTICO Muchas enfermedades están vinculadas a la tos. Aparece en la mayoría de los casos de resfriado, como por ejemplo en la infección gripal, así como en las enfermedades pulmonares o de laringe. Para el médico, la tos supone una ayuda al diagnóstico: al auscultar la cavidad torácica pide a sus pacientes que tosan. El sonido de la tos en el estetoscopio ofrece indicios sobre el estado de los pulmones y sus posibles enferme-

dades. La expansión del sonido en los pulmones, o los sonidos roncos y silbantes, son característicos de determinadas afecciones; por ejemplo, los silbidos del asma, enfermedad de origen alérgico, en la que la pituitaria de las vías respiratorias se inflama y provoca ataques de asfixia.

CARA AZULADA Es frecuente que la cara de la persona que tose con intensidad se vuelva azulada. Esto puede asustar mucho, sobre todo si sucede a los niños. La causa es una cianosis de la sangre, es decir, una sobrecarga de dióxido de carbono. El pulmón está estancado durante la tos, con lo que la sangre no puede enriquecerse de oxígeno en esos momentos. En consecuencia, la piel se llena de sangre con dióxido de carbono, especialmente los capilares. Si la piel es muy clara y transparente, como sucede en los niños, se torna de color azulado.

Finalmente, la tos puede desencadenarse también de forma voluntaria. La tos nerviosa, por el contrario, suele ser un síntoma de estrés. Para luchar contra la tos hay muchos remedios caseros, como el aceite esencial, que se aplica también contra el resfriado nasal y que actúa desprendiendo la mucosidad. Antes se utilizaba un remedio que solucionaba los ataques de tos y atenuaba el dolor, pero tenía una desventaja fundamental: creaba dependencia. Hoy en día, la heroína está sometida a la ley sobre narcóticos.

Una voz como un trueno: a algunos les gusta ronca

En algunos cantantes y actores gusta; los locutores la temen. La ronquera suele ser un indicio de trastornos en el sensible aparato de las cuerdas vocales.

Cuando a Louis Armstrong le ofreció un conocido otorrinolaringólogo curarle la ronquera, el músico y cantante debió contestar airado: "Pero hombre, ¿es que quiere quitarme el pan?".

Otros artistas como Marlene Dietrich o Juliette Gréco, así como también Mick Jagger y otras figuras del rock, poseen un timbre ronco inimitable en sus voces, que confiere a sus portadores cierto encanto erótico.

Pero la ronquera sólo es innata en los casos más extraños. Es mucho más frecuente que la provoquen influencias externas, ya que las cuerdas vocales son muy sensibles a ligeros trastornos. Junto al tabaco están los resfriados, a menudo en combinación con una infección de garganta, el desencadenante más frecuente de la ronquera. En este caso se produce una inflamación de la pituitaria que recubre la laringe. Consecuencia: las cuerdas vocales encuentran un impedimento considerable para realizar sus funciones, y el afectado sólo puede carraspear con mucho esfuerzo.

Lo que otros cantantes temen se ha convertido en la marca de calidad de Rod Stewart: su característica voz ronca.

LOCUTORES SIN VOZ En este caso, la voz desaparece por completo. Esta alteración, denominada afonía, surge cuando las cuerdas vocales, junto a toda la musculatura del aparato que las sostiene, se inflaman del todo. Este catarro de fatiga suele atacar a los locutores muy activos y a los políticos durante las campañas electorales.

Quien padece de una garganta entumecida, anomalía que suele desaparecer en pocos días, es mejor que cuide la voz y haga algo contra su resfriado. Si la situación se prolonga más de 3 o 4 días, cabe la posibilidad de que detrás de esta alteración se oculte una enfermedad más grave, sobre todo si no hay síntomas de resfriado. El reconocimiento médico de las cuerdas vocales y las vías respiratorias puede eliminar la sospecha de un catarro bronquial, o incluso de un cáncer de laringe.

NÓDULOS DE CANTANTE
Un motivo más inofensivo para la garganta entumecida son las vegetaciones de las cuerdas vocales, llamadas nódulos de cantante. Surgen por un cansancio crónico de las cuerdas. Una fatiga así puede provocar un laringoespasmo repentino, si el artista tiene mala suerte, incluso en medio de un concierto. Finalmente, las contracciones nerviosas, unidas a los síntomas de estrés, pueden ser también responsables ocasionales de un entumecimiento directo de la garganta.

La causa de una voz ronca nerviosa es la contracción de toda la musculatura del cuerpo, incluyendo la de los músculos que tensan las cuerdas vocales. La glotis se estrecha y resulta muy fatigoso lograr que las cuerdas vocales articulen las palabras de forma clara, por no hablar de cantar.

Rigidez del cuello

Quien se expone con frecuencia a corrientes de aire ya sabe lo que le aguarda: un cuello rígido, que duele al menor movimiento, si es que se puede mover la cabeza.

La bufanda es una prenda bastante molesta. Es difícil de encontrar cuando se necesita y siempre está resbalando cuando se usa. Con el calor del autobús uno desearía librarse de la prenda, y lamenta haberla olvidado cuando sale a la calle en tiempo frío porque pronto aparece el síndrome miálgico, que es como los médicos denominan al cuello rígido o tortícolis.

La causa de esta dolorosa aparición, que puede afectar a los músculos situados bajo la garganta, es la escasa irrigación de la musculatura, lo que produce una contractura de la fibra muscular. La culpa es la irritación térmica o mecánica, como un exceso de refrigeración, o una contractura de partes concretas del músculo. Suele afectar al cuello si se lleva demasiado al descubierto o cuando se expone a una corriente de aire fría.

ATASCO DE LA EXCITACIÓN NERVIOSA
Motivo de la contractura: las células musculares quedan desabastecidas. Con una irrigación insuficiente no se pueden transportar los productos perjudiciales del metabolismo, como el ácido láctico, que se acumulan en las células musculares. Como el abastecimiento de oxígeno también está alterado, las células musculares no pueden funcionar. Allí se atascan los impulsos nerviosos que llegan a la placa motora, es decir, al punto intermedio entre el sistema nervioso y el aparato muscular. Si todo ello se produce al mismo tiempo, el afectado sólo puede mover el cuello en forma oblicua: es lo que el médico denomina *torticollis rheumaticus*.

En algunos casos, esta contractura muscular puede atribuirse a causas más graves, como enfermedades nerviosas o mal funcionamiento de la columna vertebral. El exceso de fatiga de los cartílagos intervertebrales, por ejemplo, puede determinar un endurecimiento de la musculatura del cuello.

El tipo de contractura muscular reumática debido a un resfriado es molesto y doloroso, pero no dura mucho. Se le aplican tratamientos antirreumáticos, en los que se utiliza sobre todo calor en forma de compresas, radiaciones de onda corta, ultrasonidos, masajes o pomadas. Una visita a la sauna puede aliviar el dolor, al igual que algunas tazas de infusión o inhalaciones de vapor para sudar.

Disfrutar de la corriente de aire fresco en toda su intensidad es una experiencia que los conductores de descapotables suelen pagar con un cuello rígido.

También es frecuente que se bloquee una vértebra cervical. El ortopeda puede eliminar el bloqueo mediante un masaje. Sin embargo, la enfermedad tiende a aparecer con frecuencia o a convertirse en crónica.

Después de haber sufrido alguna vez por un cuello rígido, incluso al que no le guste llevar bufanda se le planteará la cuestión de que aguantar esta prenda es un mal menor comparado con sus ventajas.

Centrifugadora de bacterias a buena temperatura

Quien ha que soportar en la oficina temperaturas de 35° sabe apreciar las ventajas de una instalación de aire acondicionado. Pero la técnica no sólo proporciona bienestar.

Tras una reunión de veteranos de guerra norteamericanos en Filadelfia en 1976, varios participantes se quejaron repentinamente de sufrir graves síntomas de resfriado. La mayoría pensaron que se trataba de una infección gripal y pocos de los afectados se sometieron a tratamiento médico, con lo que los síntomas empeoraron rápidamente. Aparecieron la tos y una fiebre muy alta, y la crisis evolucionó en neumonía, a la que se añadieron síntomas de demencia. Muchos infectados murieron a consecuencia de esta enfermedad.

ENFERMEDAD DEL LEGIONARIO Desde entonces se ha averiguado que esta enfermedad se debió a un agente provocador que entonces no se conocía aún. Es la denominada enfermedad del legionario –nombre elegido porque se observó por primera vez en aquellos soldados veteranos– y suele afectar a personas de más de 50 años de edad con lesiones previas en los pulmones, especialmente a los fumadores. Tras largas investigaciones se descubrió la causa del contagio masivo: el sistema de aire acondicionado del hotel donde se celebraron las reuniones. Mediante el aire acondicionado se distribuyó por los salones de la convención el agente provocador de la neumonía, la *legionella*, que suele aparecer en superficies mojadas y suelos húmedos.

Los espacios climatizados, como las grandes superficies de oficinas o fábricas, suelen estar expuestos a corrientes de aire, y los empleados se quejan con frecuencia de ojos llorosos y voz cargada.

Con ayuda de los equipos de aire acondicionado se pulverizan pequeñas gotas de agua y partículas de polvo, que son portadores ideales de gérmenes; además, algunas partes del sistema constituyen un lecho ideal para las bacterias y los hongos. El aire acondicionado permite distribuir el aire contaminado de forma inmediata por toda la habitación, por lo que los presentes no pueden escapar a su influencia. También en los hospitales existen instalaciones de aire acondicionado, a menudo distribuidoras de peligrosos gérmenes clínicos; el riesgo de infección para los pacientes bajos en defensas no debe subestimarse.

CLIMA CONSTANTE EN LA HABITACIÓN

De hecho, los sistemas de aire acondicionado tienen la función de mantener un ambiente constante en los espacios cerrados durante todo el año, tanto en lo referente a la temperatura como en lo relativo a la humedad. Esto se consigue mediante una serie de dispositivos que filtran el aire, lo calientan, lo enfrían, lo humedecen y lo deshumedecen.

Las infecciones no son el único efecto secundario desagradable que puede acarrear el aire acondicionado. Los alérgicos temen a los alergenos que transporta de forma masiva. El polvo de las casas, por ejemplo, contiene excrementos de ácaros, a los que algunas personas reaccionan de forma extremadamente sensible. Las consecuencias son estornudos, una nariz hinchada y goteante, ojos enrojecidos y ataques de asma, entre otras. Los alérgicos al polen sufren reacciones similares en primavera y verano. El polen de las flores y la hierba, absorbido del exterior, puede concentrarse en una instalación así, ya que los poros de los filtros del aire acondicionado no son tan finos como para detener a estos agentes microscópicos. El polen más pequeño tiene un diámetro de unos 0,002 mm. Sólo los filtros especiales para espacios estériles, como los destinados a la producción de chips, pueden detener este tipo de partículas diminutas.

Una instalación de aire acondicionado normal puede perjudicar el bienestar de las personas que se encuentren en su zona de influencia, e incluso provocar enfermedades. Sobre todo en los amplios espacios de las oficinas, en las que no resulta fácil abrir las ventanas para regular la temperatura ambiental y la humedad del aire, hay muchos empleados que se sienten incómodos: a unos les parece demasiado caliente, a otros demasiado frío, unos lo consideran seco, otros húmedo. Lo que a una persona le parece agradable, a la otra le molesta. Mucha gente está sometida a esta acción irritante negativa para el bienestar y la salud. Tampoco deben excluirse las reacciones corporales como el ardor de ojos, el dolor de garganta y la fatiga en la lengua y la voz.

CHOQUE TÉRMICO EN VERANO

A esto se añade, sobre todo en pleno verano, cuando la instalación de aire acondicionado se programa a una temperatura muy baja, un efecto de choque por el cambio brusco de temperatura. Cuando el cuerpo se ha habituado a la elevada temperatura exterior, el sistema inmunológico de las personas sensibles se desequilibra al entrar en un edificio climatizado, oportunidad que no pasa desapercibida a ciertos virus del resfriado, sobre todo en verano.

Quien en verano lleva puestas las gafas de sol incluso en casa no es que esté tramando algo misterioso. Los aquejados de fiebre del heno también tienen fotofobia, pero por otras razones: a menudo padecen conjuntivitis.

La conjuntiva, o *tunica conjunctiva*, es una membrana transparente que tapiza el interior del párpado como prolongación de la piel exterior. Como toda membrana, es un bastión contra los agentes externos y reacciona contra las agresiones inflamándose, aumentando la segregación de mucosa y enrojeciéndose como consecuencia de un aumento del flujo sanguíneo. Con la sangre que fluye por los vasos dilatados circulan también los llamados agentes inflamatorios –sobre todo, la histamina, temida por su prurito– que desencadenan los síntomas de inflamación.

PRURITOS: MOLESTOS PERO NECESARIOS

Aunque este prurito es molesto, tiene su razón de ser. El organismo se defiende de cuerpos extraños y logra que nos frotemos los ojos irritados para eliminar al invasor. Al mismo tiempo, las glándulas lagrimales inflamadas entran en acción: cubren el ojo con una película acuosa de lágrimas que disminuye el roce entre la conjuntiva y la córnea al mover el párpado. Ayudados por una mayor producción de lágrimas, los cuerpos extraños acaban siendo arrastrados fuera del ojo.

Este sistema de defensa se puede desencadenar ante la presencia de agentes externos como el polen, el polvo u otros cuerpos extraños, el aire seco, líquidos o gases agresivos, así como por estímulos luminosos intensos o un excesivo agotamiento de los ojos. La conjuntiva se inflama aumentando el roce con el globo ocular cuando éste se mueve. Además, se produce una molesta sensación de cuerpo extraño que puede llegar a resultar dolorosa y que determina que la conjuntiva se llene de más sangre todavía. También se enrojece el ojo, así como los sacos lagrimales enormemente inflamados. Otra causa de conjuntivitis son las infecciones bacterianas.

Un ojo enrojecido

Los ojos rojizos son normales en los albinos. Pero en las demás personas, un enrojecimiento ocular unido a escozor es, por lo general, síntoma de conjuntivitis.

OSCURECER Y REFRESCAR

- Cuando el párpado está muy inflamado, humedecer un paño y ponerlo en el ojo contribuye a calmar la hinchazón.

- Póngase gafas de sol oscuras incluso en espacios interiores.

- Para combatir la fiebre del heno, a menudo se recetan antihistamínicos que también son eficaces contra la conjuntivitis.

- Cuando se padece conjuntivitis, es aconsejable renunciar a las lentes de contacto, ya que irritan más aún la conjuntiva.

Hace mucho que no vamos al cine y estamos contentos porque al fin vamos a ver un *thriller* interesante y emocionante. Encontramos sitio en una de las primeras filas, nos sentamos cerca de la pantalla y, sin embargo, sólo podemos reconocer las imágenes sucesivas de forma imprecisa, y eso que nos hemos puesto las gafas. Pero sucede que hace mucho que no visitamos al oftalmólogo para graduarnos la vista. Nuestro enfado va en aumento, ya que nos estamos perdiendo detalles importantes e interesantes de la película. Al final, se impone la decisión: hay que comprar unas gafas nuevas con mayor graduación. Sólo así podremos ver la próxima película entera.

Esos problemas surgen cuando alguien ve las distancias largas borrosas y difusas, mientras que de cerca las distingue perfectamente: es el caso de los miopes. Por el contrario, cuando alguien ve borroso de cerca y bien de lejos, padece hipermetropía. La causa de estas dos formas de ametropía es el hecho de que el globo ocular ha abandonado su forma redonda normal.

FALTA DE VISTA En el caso de la miopía, los globos oculares se dilatan y, en consecuencia, debido a una elevada capacidad de refracción del cristalino, el espacio de enfoque de los rayos, es decir, la distancia focal, es demasiado corta con respecto a la longitud del globo ocular. En casos raros, también puede ocurrir que un simple aumento de la capacidad de refracción del cristalino provoque una miopía. Cuando los rayos luminosos inciden en un ojo así desde distancia larga, no se enfocan en la retina y, por lo tanto, no tienen el foco en ella, sino delante. Como la retina es responsable de la visión correcta, todos los rayos que llegan a ella producen, como en un proyector de diapositivas desenfocado, una imagen borrosa, que lo será más cuanto más dilatado esté el globo ocular y más grande resulte por ese motivo la distancia entre la retina y el foco.

Los miopes pueden apreciar con claridad y precisión los objetos que se encuentran cerca de los ojos porque, en este caso, la desproporción entre la longitud del globo ocular y la capacidad de refracción del cristalino funciona justo al revés: para poder representar correctamente un objeto cercano en la retina, un ojo sano debe aumentar la capacidad de refracción de su cristalino; si no, la distancia focal sería demasiado larga con respecto a la longitud del globo ocular. Pero el ojo miope ya no tiene que adaptar su cristalino, pues la distancia hasta la retina es

Cuando la vista nos traiciona

Aproximadamente la mitad de los seres humanos padecen alguna anomalía de refracción del ojo. Sin ayuda óptica no son capaces de ver con claridad y precisión.

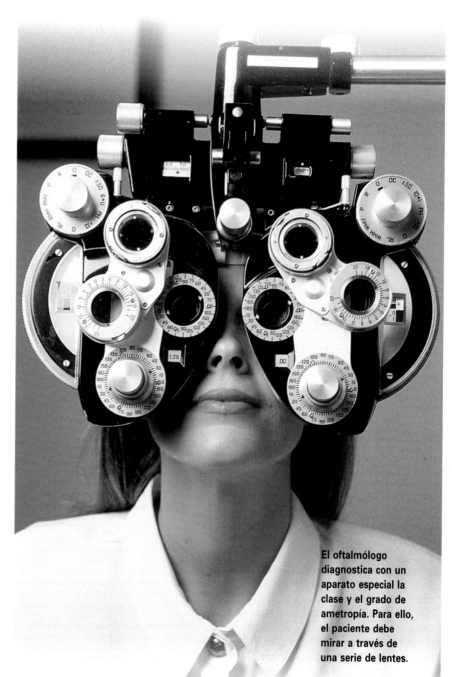

El oftalmólogo diagnostica con un aparato especial la clase y el grado de ametropía. Para ello, el paciente debe mirar a través de una serie de lentes.

de todas formas más larga debido a la deformación del globo ocular. Si se intenta corregir esta ametropía con unas gafas, éstas deben permitir que los rayos procedentes de distancias largas lleguen a la retina y se

enfoquen en ella. Por eso, las gafas de una persona miope están provistas de lentes divergentes. Éstas desvían los rayos que llegan en paralelo para que incidan en el cristalino en forma de embudo, o sea divergente. De esta manera, la distancia focal se alarga y el foco es trasladado artificialmente hacia atrás, hasta la retina. Cuanto más dilatado esté el globo ocular, mayor deberá ser la capacidad de dispersión del cristalino.

GLOBO OCULAR CRECIENTE Hay dos clases de miopía: en la mayor parte de los casos, se produce la llamada miopía benigna, que se desarrolla durante la pubertad. A esta edad, todo el organismo se encuentra en una fase de crecimiento y puede suceder que el globo ocular aumente de tamaño. Al concluir la pubertad, este desarrollo se detiene y la ambliopía se paraliza. En cambio, el segundo tipo de miopía, la miopía maligna, se sigue desarrollando. Aparentemente, se debe a una capacidad de dilatación elevada del globo ocular que puede prolongarse durante toda la vida. Esta distensión del globo ocular puede llegar a ser tan grande que la retina acaba separándose de la pared ocular y desprendiéndose.

Por el contrario, los hipermétropes tienen un globo ocular demasiado pequeño con relación a la capacidad de refracción del cristalino. También se pueden registrar casos raros en los que la función del cristalino se altera y determina que los rayos luminosos que recibe experimenten una refracción demasiado débil.

Si a ese tipo de ojo llegan rayos desde una distancia inferior a 5 metros, la distancia

---

CUIDADOS DE LOS OJOS

● Los ojos miopes e hipermétropes siempre deben ser corregidos con unas gafas; en caso contrario se corre el peligro de que la ambliopía se agrave.

● Los ojos sanos también pueden presentar trastornos de visión, sobre todo cuando están excesivamente cansados. Por eso, a lo largo del día siempre se les debe conceder periodos de descanso y taparlos con las palmas de las manos ahuecadas o dejar vagar la mirada en la distancia.

● Se deberá abandonar toda actividad que provoque dolor ocular, como leer o ver la televisión con una iluminación inadecuada. A menudo, el uso de gafas elimina el problema definitivamente.

---

focal es demasiado larga. En consecuencia, el foco se sitúa detrás de la retina y esta distancia va disminuyendo a medida que aumenta la distancia a la que se sitúan los objetos. Para corregir esta clase de ametropía, el médico recomendará al paciente unas gafas con las llamadas lentes convergentes, las cuales permiten que los rayos

luminosos que se reciben tengan una mayor capacidad de refracción. De esta manera, se reduce la distancia focal y el foco se adelanta hasta la retina.

CORRECCIÓN NATURAL A pesar de estos defectos visuales anatómicos, los hipermétropes, a diferencia de los miopes, pueden corregir hasta cierto punto su anomalía, ya que el cristalino puede aumentar mucho su capacidad de refracción según las necesidades. En el caso de los jóvenes cuyo cristalino es todavía muy elástico, a menudo la hipermetropía no se reconoce y puede que su ambliopía no se manifieste hasta unos años después, cuando el cristalino presente síntomas de cansancio. A menudo, estas personas se quejan de fuertes y frecuentes dolores de cabeza.

La medida en que la ayuda óptica puede corregir los ojos miopes e hipermétropes dependerá de lo grande que sea la desproporción entre la capacidad de refracción y la longitud del globo ocular. La potencia de los cristales de las gafas o de las lentes de contacto se mide en dioptrías. Un valor elevado con signo positivo indica que el paciente es muy hipermétrope. De forma análoga, un valor elevado con signo negativo indica una fuerte miopía. Algunos tipos de miopía pueden tratarse con cirugía con rayo láser. Los mejores candidatos son quienes tienen hasta 4 dioptrías sin astigmatismo ni distorsión de la lente.

Romeo y Julieta habrían tenido graves problemas en la escena del balcón si uno de los dos hubiera sufrido hemeralopía, es decir, disminución de la agudeza visual a la luz crepuscular. Los ojos sanos pueden ver bastante incluso en la oscuridad. Bastan unos cuantos fotones, las unidades de energía más pequeñas de intensidad de la luz, para producir una impresión de luminosidad en la retina. Ni siquiera las películas extremadamente fotosensibles alcanzan ni de lejos esta capacidad de observación.

SIN BASTONES NO FUNCIONA Al anochecer y en la oscuridad, los 120 millones de bastones existentes en la periferia de la retina nos permiten apreciar distintos tonos de gris, objetos difusos e impresiones de movimiento. Los ojos de una persona sana se acostumbran a condiciones luminosas variables. Aunque requiere algo de tiempo, poco a poco se pueden ir reconociendo al menos los contornos.

Fallos a media luz

Al anochecer, los bastones de la retina se adaptan lentamente para que podamos ver un poco en la oscuridad. Pero en los casos de hemeralopía no funcionan.

Pero cuando la capacidad de adaptación de los bastones falla total o parcialmente, es muy difícil ver con luz crepuscular; en un entorno nocturno completamente oscuro, la persona afectada es incapaz de distinguir absolutamente nada: es hemerálope. La causa de que la percepción de los bastones deje de funcionar puede ser, además de una afección de la retina, un trastorno de la nutrición por falta de vitamina A. Esta vitamina es uno de los elementos de la rodopsina o púrpura visual indispensable para la excitación de los bastones.

MIRAR POR LA CERRADURA La mala visión nocturna puede ser congénita. Esta enfermedad se desarrolla casi siempre alrededor de los 16 años. Al principio, los trastornos visuales se aprecian únicamente a media luz, pero después el campo visual, es decir, la región que perciben los dos ojos a la vez sin moverse, se va reduciendo paulatinamente. Al final, el afectado tiene la impresión de que está mirando por el estrecho ojo de una cerradura. La hemeralopía se debe a una degeneración de origen hereditario de la retina que puede llegar a provocar ceguera.

Algunas personas son capaces de controlar voluntariamente sus músculos oculares y ponerse bizcas un instante. Entonces, ya no ven una imagen congruente, sino que las impresiones ópticas se desplazan unas contra otras porque los ejes oculares no están dispuestos paralelamente como es habitual. En el hecho de que podamos ver claramente participa, además de los ojos y de sus músculos, el cerebro, que transforma la información suministrada por ambos órganos sensoriales en una imagen tridimensional.

TODO DOBLE Pero cuando la coordinación entre los músculos oculares externos se altera, los dos ejes visuales dejan de estar correctamente orientados. Así, un objeto fijo dejará de reproducirse en los puntos correspondientes de la retina, provocando el estrabismo. Como de esa manera se producirían imágenes dobles, el cerebro recurre a una solución de urgencia: utiliza simplemente una de las dos imágenes y suprime la otra. Un ojo toma la delantera y el otro bizquea.

La forma más frecuente de estrabismo es el estrabismo convergente, *strabismus convergens*, en el que los ejes visuales se cruzan delante de los ojos. Por el contrario, en el caso del estrabismo divergente, *strabismus divergens*, se separan. Las direcciones visuales no son paralelas, sobre

Ver torcido no compensa

En el caso de los recién nacidos es normal, pero en los niños mayores el estrabismo es un defecto visual que hay que tomar en serio. Sin tratamiento, un ojo puede debilitarse.

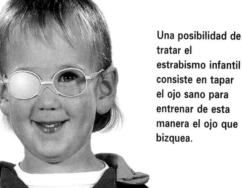

Una posibilidad de tratar el estrabismo infantil consiste en tapar el ojo sano para entrenar de esta manera el ojo que bizquea.

todo al mirar a lo lejos, y la visión de objetos cercanos también puede verse alterada cuando los ejes visuales se cruzan fuera del punto fijo verdadero.

MALA IMAGEN En muchos casos, un defecto congénito de los músculos oculares es responsable del estrabismo: los recién nacidos presentan a veces la llamada mirada desviada porque sus músculos oculares todavía tienen que fortalecerse para poder

poner en paralelo los globos oculares. Otra causa frecuente del estrabismo infantil es el hecho de que el niño sea hipermétrope y, en consecuencia, desarrolla estrabismo.

Como todos los trastornos visuales, el estrabismo también se puede tratar a tiempo en la infancia, incluso a los pocos meses de edad. Si el oftalmólogo inicia a tiempo una terapia, el desarrollo adecuado de estos músculos se puede estimular y mejorar. Además, la corrección es absolutamente necesaria para evitar que el ojo que bizquea y cuya imagen no se puede utilizar desarrolle una visión débil por falta de estímulo. No hay que subestimar las consecuencias físicas que pueden sufrir quienes bizquean.

Un método de tratamiento consiste en tapar el ojo sano durante algún tiempo, mediante un parche o unas gafas con un cristal opaco, para estimular al que bizquea. Pero algunos médicos temen que eso debilite la visión conjunta de ambos ojos, lo que resulta importante para la visión tridimensional. Otra posibilidad para remediar el estrabismo es una operación mediante la cual los músculos oculares se acortan o se alargan.

La vida no tiene el mismo color para todos

Nos parece normal que nuestro entorno sea de colores. Pero algunas personas, hombres en su mayoría, sin advertirlo, son incapaces de diferenciar determinados colores.

Hay algunas personas con discromatopsia de grado mínimo que ni siquiera saben que la padecen. En los semáforos pueden distinguir cuándo se ilumina la parte inferior, y de ahí deducir cuándo se puede pasar y cuándo no. Sólo si acuden al médico alguna vez por otros trastornos se descubre

fortuitamente esta anomalía. Una persona con discromatopsia no reconoce que haya ningún fallo en la observación de su entorno, puesto que no son conscientes de la incapacidad de sus ojos para distinguir determinados matices: el rojo, el verde, o rara vez el azul. Nunca han percibido los colores de

forma distinta, sino que en lugar de ello han aprendido a diferenciarlos por sus valores de tonalidad.

IMÁGENES TERGIVERSADAS El oculista comprueba el sentido del color con ayuda de las denominadas tablas pseudoisocromáticas, o con un instrumento especial, el anomaloscopio. Las tablas muestran figuras formadas por puntos rojos y verdes sobre un fondo punteado de otro color. Las personas con alteraciones en su capacidad visual de los colores no pueden diferenciar en absoluto los tonos verdes y los rojos sobre estas tablas. Sin embargo, no siempre son daltónicas, que es como se califica esta anomalía en lenguaje vulgar, sino que en la mayoría de los casos se trata de una merma de la capacidad de reconocimiento de los distintos colores. Tal discromatopsia afecta

Con una vista
sana, en este
dibujo se ven
superficies de
distintos colores.
Por el contrario,
los dicrómatas ven
otros colores.

también a otros colores distintos del ausente. En efecto, cuando miramos a nuestro alrededor, no vemos los colores del espectro solar en estado puro, con una longitud de onda definida, sino simplemente los colores compuestos. Así, en el verde de una pradera, o en un bosque, también está incluida la tonalidad roja. Si falta parcialmente, el cuadro que ve el afectado es más oscuro en su totalidad: las flores rojas son bastante oscuras, puesto que la llamada tonalidad gris del rojo es relativamente baja.

TÍPICO DEL HOMBRE La discromatopsia es innata en la mayoría de los casos. Los trastornos más frecuentes de este tipo, que son los referentes al rojo y al verde, los hereda el cromosoma X de forma recesiva, de manera que los afectados son sobre todo hombres. Casi el 10% de la población masculina sigue padeciendo alguna forma de debilidad de percepción del rojo y el verde. En los sujetos en que la discromatopsia es innata, se distingue entre la tricromasia anómala, caracterizada por una hiposensibilidad a determinados colores del espectro solar, y la dicromasia, una ceguera parcial a los colores. Las personas con dicromasia no pueden diferenciar algunos colores del espectro solar de otros, ya que las células correspondientes de la retina, con las que se detectan normalmente, no se han formado.

Los afectados por tricromasia anómala manifiestan a menudo una debilidad en la percepción del rojo, de forma que confun-

Cuando las células
de percepción del
rojo no funcionan,
se confunde el rojo
oscuro con el
negro, pero
también el rojo, el
amarillo, el marrón
y el verde entre sí.

En la acloropsia, a
los afectados les
faltan las células
de percepción del
verde. Confunden
el color marrón
con el verde.

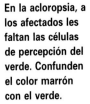

Las personas
ciegas al azul ven
el mundo de forma
distinta; confunden
el color azul con el
verde.

den el rojo oscuro con el negro, el verde con el blanco o el gris, y el violeta con el azul. En el caso de una sensibilidad reducida del verde, se suele considerar que el verde es amarillo y el marrón es gris. Rara vez se produce una hiposensibilidad de la retina al color azul, en la que el azul claro se confunde con el gris.

A TODO LE FALTA COLOR Como a los dicrómatas les falta la percepción de algún color, se les denomina videntes en bicolor. Confunden determinados colores con otros y

entre los objetos coloreados ven distintas sombras grises más claras u oscuras. De la ceguera total a los colores, es decir, la discromatopsia total, sólo se habla cuando no se puede percibir ningún color. Semejante reducción de la visión del claroscuro está condicionada, en general, por enfermedades de la retina y no es muy frecuente.

Las personas afectadas por esta enfermedad no pueden dedicarse a determinadas profesiones, por ejemplo, a conductor de autobús o diseñador.

Párpados dolorosos

Los abscesos parpebrales no son nada dramáticos. Pero si crecen en el ojo, hay que curarlos. Un orzuelo perturba realmente la tranquilidad y, si se propaga, puede afectar no sólo al órgano de la vista.

El *hordeolus* u orzuelo, cuyo nombre procede del término latino que designa la cebada, tiene poco que ver con las propiedades benéficas de este cereal, que nos proporciona pan y cerveza. Este absceso en el borde parpebral, causado la mayoría de las veces por los conocidos gérmenes estafilococos y estreptococos, pertenece más bien a la categoría de los espíritus especialmente atormentadores.

Se distingue entre el orzuelo externo, que afecta a las glándulas sudoríparas y sebáceas (glándulas de Moll y de Zeis) del borde parpebral exterior, y el orzuelo interno, una infección de las glándulas de Meibomio en el borde parpebral interior. Ambos tipos de glándulas son especialmente propensas a las acumulaciones de pus, ya que aquí se interrumpe la superficie de la piel y existe un conducto adenoide que conduce al interior, y que las bacterias utilizan para penetrar en zonas más profundas.

EN PROFUNDIDAD La causa de que se forme un grano en este lugar no está muy clara todavía. Pueden originarlo leves daños superficiales, o producirlo un conducto adenoide de salida obstruido por los restos sebáceos y celulares, lo que brinda a las bacterias abundante sustento. La zona infectada comienza a enrojecer, se inflama y aparece un ligero dolor por presión, mientras se forma pus en el interior.

La infección afecta también a las glándulas vecinas, mientras la primera se reblandece cada vez más: por fin surge una infección purulenta masiva de todo el borde parpebral (blefaritis ulcerosa). Entretanto aparecen fuertes dolores, puesto que el párpado es una zona repleta de nervios y por lo tanto muy sensible. Además, el afectado tiene la sensación de que hay alojado un cuerpo extraño, ya que el orzuelo inflamado produce una excoriación en la superficie del ojo. La reincidencia es grande, especialmente en las personas con debilidad de las defensas inmunológicas.

Por consiguiente, cuando se note el más mínimo dolor en el borde parpebral hay que observar la zona atentamente y administrarse una pomada ocular si existe la más mínima sospecha. La aplicación de calor también favorece en la fase inicial. Más tarde, cuando la supuración se acentúa, suele ser necesario abrir el orzuelo quirúrgicamente. Sin embargo, hay que tener en cuenta siempre que puede llegarse a una infección por roce, de la que, en el peor de los casos, pudiera surgir una meningitis purulenta.

¡Grita, si puedes!

La otalgia es uno de los peores dolores que se conocen en medicina, pues en esta zona del cráneo se encuentra un plexo nervioso extremadamente sensible.

No son pocas las enfermedades que van acompañadas de molestas otalgias, en las que pueden estar involucradas todas las estructuras del oído. Junto a las tres áreas bien diferenciadas –oído externo, medio e interno– suelen contribuir a la formación del dolor la mandíbula, los dientes, las amígdalas, el nervio trigémino, que proporciona los impulsos de excitación a la cara, entre otras funciones, y los músculos de la cabeza.

AFECCIÓN DE LA RED Estos dolores son muy intensos porque en la zona del oído se encuentra la llamada zona de Hunt. Se trata de un tejido grueso de fibras nerviosas muy sensibles, al que pertenecen los distintos centros de conexión y los principales haces nerviosos (nervios encefálicos, ganglios cervicales) próximos al cerebro. La zona de Hunt forma un área triangular de revestimiento del oído, cuyo vértice es la membrana del tímpano; los lados, las paredes del conducto auditivo, y la base, el músculo auricular.

Las sensaciones de dolor del área que rodea esta zona se transfieren a ella, y así se estimula todo el tejido nervioso. Puede tratarse de dolores de muelas o de mandíbulas, pero también de los intensos ataques de dolor, a menudo unilaterales, de una neuralgia del trigémino, en la que se producen contracciones incontroladas en la musculatura de la cara y cuyo centro radica precisamente allí.

Los furúnculos en el oído y las heridas de la membrana del tímpano, las infecciones del oído medio y de las amígdalas, las de la trompa de Eustaquio y las del músculo auricular van acompañadas siempre de otalgias intensas. Por ello constituyen también un síntoma que aparece en la mayoría de los resfriados, pero que hay que investigar siempre cuidadosamente para poder eliminar a tiempo las eventuales enfermedades más graves.

RECONOCER LAS OTALGIAS

- Un furúnculo en el oído se caracteriza por dolores penetrantes en esa zona. Surge cuando penetran bacterias piógenas en las glándulas sebáceas de la piel del conducto auditivo.

- En un desgarro del tímpano, causado por ejemplo por una horquilla de punta, la otalgia aparece de repente, acompañada de zumbido de oídos y sordera.

- Una infección del oído medio provoca demasiada presión interna en su interior, por lo que la membrana del tímpano se curva hacia fuera, provocando la otalgia.

Ataque al nervio del oído

Los audífonos están pasados de moda. Pero algunos admiradores del tecno y la música disco pudieran pertenecer pronto a la comunidad de los sordos.

Muchos millones de personas en todo el mundo tienen problemas de oído. La mayoría presentan daños auditivos de grado medio e intenso, pero son muchos también los que padecen sorderas graves. Pero el dato más sobrecogedor en Europa es que uno de cada tres jóvenes menores de 20 años tiene mermada su capacidad auditiva, y además en el espectro de frecuencia más utilizado, en el que se escuchan la música y la voz. Después, a partir de los 40 años de vida, comienza la sordera por la edad.

PALABRA CLAVE: RUIDO En principio, la sordera puede deberse a dos causas. En un primer tipo se produce un trastorno en la transmisión del sonido desde el exterior al oído interno. El responsable puede ser, por ejemplo, un defecto en la membrana del tímpano o, como en el caso del sordo más famoso, Ludwig van Beethoven, una lesión de los huesecillos del oído contraída en el transcurso de una enfermedad venérea. Sin embargo, hoy se pueden eliminar sin problemas estas alteraciones.

El segundo grupo de causas es distinto. Una vez que el sonido pasa por el oído externo, la membrana del tímpano y la cadena de huesecillos, en la que su frecuencia e intensidad se multiplican por 20, continúa su camino a través de una abertura oval hasta el caracol del oído interno, lleno de líquido. Aquí las vibraciones producidas por los receptores mecánicos, provistos de pelillos y células sensoriales, se transforman en impulsos nerviosos que viajan al cerebro.

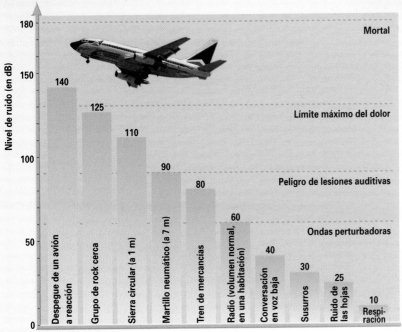

REPERCUSIÓN DEL RUIDO EN EL CUERPO

Nivel de ruido (en dB)

- 180 — Mortal
- 140 — Despegue de un avión a reacción
- 125 — Grupo de rock cerca
- 110 — Sierra circular (a 1 m)
- Límite máximo del dolor
- 90 — Martillo neumático (a 7 m)
- 80 — Tren de mercancías
- Peligro de lesiones auditivas
- 60 — Radio (volumen normal, en una habitación)
- Ondas perturbadoras
- 40 — Conversación en voz baja
- 30 — Susurros
- 25 — Ruido de las hojas
- 10 — Respiración

El gráfico representa la intensidad de los sonidos cotidianos mediante barras.

Los admiradores del rock se someten en los conciertos a una intensidad de ruido de hasta 120 dB, que desemboca en lesiones auditivas.

La intensidad del ruido se mide con una escala logarítmica que adopta como unidad el decibelio (dB).

Cuando estos receptores quedan lesionados por vibraciones demasiado intensas, como por ejemplo un ruido muy fuerte en el lugar de trabajo, o en el caso de los conciertos de rock, ya no vuelven a regenerarse. Por lo tanto, una sordera de este tipo, por sensibilidad al ruido, es irreparable y tiene consecuencias importantes. En lugar de los distintos tonos, se oye sólo un ruido ronco y poco consistente, que entre otros aspectos desagradables viene acompañado de sonidos silbantes secundarios.

Un final precipitado para el milagro de la audición

El oído no puede desconectarse a voluntad, y sin embargo esto es lo que sucede en el caso del colapso auditivo. Se acciona un misterioso interruptor interno y nadie sabe exactamente cómo funciona ni qué lo provoca.

Afortunadamente, esto se produce sólo de modo parcial y su frecuencia de 1:5.000 lo hace también muy raro. También debemos alegrarnos de que este fenómeno suela desaparecer por sí solo tras 10-14 días, sin necesidad de tratamiento. Pero si esto no sucede, el colapso auditivo puede mantenerse ocasionalmente o transformarse en un permanente zumbido acústico (*tinnitus* o tintineo) con percepción de ruidos. Pero además, las víctimas de este mal no son, como creen algunos, preferentemente empresarios de edad avanzada, asediados por el estrés y en peligro de infarto, sino más bien niños y adolescentes de mediana edad.

INVESTIGACIÓN DE LAS CAUSAS Durante mucho tiempo se atribuyó este fenómeno a perturbaciones del riego sanguíneo en el oído interno. Pero esta hipótesis la contradice el hecho de que los pacientes afectados no vuelven a mostrar en su mayoría signos de afecciones vasculares. Por el contrario, en estudios del tejido del oído interno se encuentran frecuentemente síntomas de una enfermedad producida por virus, como la que se presenta en el caso de paperas o sarampión. Y como tercera causa, se toma en consideración en ocasiones también una fístula en el oído interno; además hay factores externos que también pueden desempeñar un papel, como por ejemplo, oscilaciones repentinas de la tensión o fuertes sobrecargas corporales, como en el caso del levantamiento de pesos. Al parecer, en dos tercios de los pacientes, el colapso auditivo tiene una clara causa psicosomática.

En conjunto, parece tratarse de fenómenos que ejercen un efecto negativo sobre el oído interno donde, en el caracol, se encuentra el órgano de Corti con las células del sentido del oído. Por un lado, existe la posibilidad de que algo en la ventana oval, que comunica la caja del tímpano con el vestíbulo del oído, produzca trastornos del riego sanguíneo. Con ello resulta afectada la estabilidad de la membrana, de modo que pequeñas alteraciones normales de la presión pueden causar resquebrajamientos. Por otro lado, en ocasiones puede alterarse el aparato de la membrana que separa entre sí los líquidos del oído interno. Si por ejemplo se resquebraja una de estas membranas, no se podrá mantener el equilibrio de los iones en las cavidades de los líquidos. La consecuencia es una afección de las células del sentido del oído y de las terminaciones nerviosas que allí se alojan.

Otra variante de las causas es de origen microanatómico. Aquí se parte del hecho de que igual que sucede con una cremallera, a través de una sobrecarga mecánica se destruye la delicada interrelación entre las células sensoriales y protectoras del órgano de Corti. A los receptores les falta entonces el contacto normal con el entorno y pierden su capacidad funcional.

Junto a la repentina sordera parcial, los afectados se quejan, por lo menos al principio, de mareos y todo tipo de ruidos en el oído. La sensación de mareo se considera un síntoma de que el órgano del equilibrio, que se encuentra también en la zona del oído interno, ha sido afectado por simpatía; pero esta sensación acaba por desaparecer pasados algunos días.

REFRENAR LA DESCONEXIÓN El tratamiento de esta enigmática enfermedad resulta problemático debido a que, con frecuencia, sus causas sólo pueden inferirse. Cuando la desconexión auditiva no desaparece por sí misma después de 24 horas, debería consultarse necesariamente a un médico. La aplicación de sustancias anticoagulantes y vasodilatadoras ha resultado ser poco eficaz, mientras que las acciones encaminadas a regular la presión de la sangre y con ello el riego sanguíneo del oído han sido efectivas ocasionalmente. En cualquier caso, se debe guardar reposo en cama. Si la responsable del colapso auditivo es una fístula que segregue linfa, será necesario operar. A veces, el paciente puede oír la formación de la fístula, como sucede cuando revienta la ventana oval entre el oído medio y el interno.

Una sinfonía no deseada

Su variedad de matices tonales es casi tan grande como la de la Filarmónica de Viena, pero, desgraciadamente, los ruidos en el oído no producen ningún placer.

Millones de personas pasan la vida entre zumbidos; para otras, el oído está sometido a crujidos, timbrazos, silbidos o martilleo constantes. La causa de estos fenómenos resulta poco clara y puede partir de muchos puntos de la cadena que nos permite oír: del conducto auditivo, del tímpano, de la perilinfa del caracol, de los receptores del órgano de Corti, así como del nervio acústico o del centro auditivo del cerebro.

LIMPIEZA DEL TIMBRE En los aproximadamente 3 meses de la fase aguda de un *tinni-tus,* que es como se denomina correctamente esta molesta afección que nos hace sentir ruidos, es posible atenuar el sufrimiento con medidas aisladas. Pero en todos los casos debe tratar de encontrarse el desencadenante. Así, por ejemplo, no tendría sentido la utilización de medicamentos estimulantes del flujo sanguíneo o la práctica del yoga cuando los ruidos hayan sido producidos por un tapón de cera en el conducto auditivo, una inflamación de la trompa de Eustaquio o del oído medio. En estos casos, es normal que no se originen ruidos de pulsación. Esto sucede también, por ejemplo, en el caso de un tímpano dañado o de un estribo bloqueado por hinchazón; sin embargo, el oído produce entonces, además, ruidos de chasquido o fractura, y el repertorio se enriquece con zumbidos o vibraciones. Las causas suelen ser fáciles de establecer por el médico.

EL PULSO EN EL OÍDO La situación es diferente en el caso de ruidos en sincronía con el pulso y chirridos o silbidos. Su origen debe buscarse siempre en el oído interno o en trastornos del nervio auditivo. Es posible que la linfa que transmite el sonido al oído interno haya sufrido alteraciones en su composición, o que las células sensoriales que recogen el sonido y transmiten el impulso eléctrico del nervio hayan perdido su función.

Si el fenómeno sonoro procede de una fuente real, como por ejemplo cuando se transmite la fricción de un músculo o de un hueso, o cuando se capta involuntariamente el propio flujo sanguíneo, se podrán eliminar eventualmente tales ruidos estimulando un mejor riego sanguíneo del oído. Los chirridos y silbidos, por el contrario, tienen siempre una causa nerviosa y son los más difíciles de tratar. En este caso existen nuevas posibilidades por medio del yoga; además, a veces se puede engañar al *tinnitus* por medio de aparatos auditivos especiales que superponen otra frecuencia sobre el sonido que produce la perturbación y lo anulan.

Una ofrenda involuntaria

A veces una travesía por mar no es nada divertida, pero también el conductor de un automóvil y el astronauta que flota en el espacio pueden ser víctimas del mal del viajero.

Uno de los grandes héroes de la Marina inglesa, Sir Francis Drake, vencedor en 1588, junto con Lord Howard, de la Armada Invencible española por encargo de la reina Isabel I, era tan extremamente sensible al mareo que sólo embarcaba en su nao capitana en el último momento. También los muy entrenados astronautas pueden verse afectados por la cinetosis o mal del viajero, término con el que se describe en realidad un síndrome de pérdida de gravedad.

PÉRDIDA DEL EQUILIBRIO Participan en el mal sobre todo dos estructuras de la cabeza: el llamado centro de fractura en la médula oblonga y el laberinto del oído interno. Aquí se aloja el órgano del equilibrio, que registra los cambios de posición y movimiento y regula nuestro equilibrio. También desempeña un papel importante un nervio cerebral, el *nervus vestibulocochlearis,* que engloba el nervio del oído y del equilibrio y que comunica a ambos con sus centros de control independientes en la porción posterior del cerebro.

La causa principal de la cinetosis es una excitación excesiva del conjunto del aparato del equilibrio. Las estimulaciones visuales, como un horizonte que se mueve bruscamente; una mala ventilación; los olores intensos, como el de la comida, y los factores emocionales también contribuyen a la gravedad de sus manifestaciones. Las diversas aceleraciones, con un cambio permanen-

Cuando se conduce por una carretera serpenteante o se navega en alta mar, el ser humano se ha visto siempre expuesto al mareo, y los medicamentos suelen ser ineficaces para combatir esta desagradable alteración.

te del plano de movimiento, irritan la función del equilibrio por medio de impulsos confusos y contradictorios entre sí, de modo que llega a convertirse en una señal de emergencia que el nervio vestibular envía al cerebro. La falta de concordancia con las impresiones visuales hace el resto.

SUFRIMIENTO MORTAL Para estabilizar de nuevo el sistema, el mareo, el malestar y las náuseas, los sudores y dolores de cabeza se

ocupan de que adoptemos rápidamente una posición horizontal, a poder ser con los ojos cerrados para desconectar las impresiones ópticas.

Si los movimientos desencadenantes se detienen durante un periodo prolongado, nos acostumbramos lentamente a esta situación y los síntomas van desapareciendo. Así, por ejemplo, los primeros días de un viaje por mar son siempre los peores, y los sínto-

mas se presentan incluso en marinos veteranos tras una larga estancia en tierra, pero van disminuyendo con el tiempo. Sin embargo, en algunas personas, debido a una hipersensibilidad congénita, esto no sucede así o sucede sólo relativamente. Las consecuencias son entonces graves, debido sobre todo a la constante sensación de náusea. Por lo demás, los síntomas del mal del viajero se suavizan con la edad.

Sin aliento en las alturas

Los alpinistas y escaladores lo temen; por el contrario, los habitantes de los Andes o del Himalaya son inmunes a él: el mal de las alturas es el grito de auxilio del cuerpo pidiendo desesperadamente oxígeno.

Aunque el famoso alpinista tirolés Reinhold Messner fuera capaz de conquistar en 1978 el monte Everest sin oxígeno artificial, eso no impediría que la gente normal, incluso los muy entrenados,

enfermaran inevitablemente si trataran de imitarle. Porque ni siquiera un escalador experimentado como él puede ignorar las leyes de la física y de la fisiología: una osadía semejante sólo puede ponerse en práctica tras

desciende rápidamente al aumentar la altura. Lo mismo puede decirse de la presión parcial del oxígeno, decisiva para la captación por la sangre de los gases necesarios para la vida y que, a unos 5.500 m de altitud, sólo posee la mitad de la presión que al nivel del mar. Para absorber la misma cantidad de O_2, habría que respirar por tanto al doble de velocidad. Esto puede compensarse ascendiendo más lentamente y deteniéndose durante periodos más largos a medida que aumenta la altura. Como límite máximo para un corto, aunque también reducido rendimiento, se consideran los 8.000-8.800 m.

JUEGO DE VIDA O MUERTE El 15% de las personas que ascienden en el transcurso de un día a los 2.700 m desarrollan a esta altitud los primeros síntomas del mal de las alturas, como dolores de cabeza y náuseas.

Las personas sensibles deben también tener en cuenta que cuando vayan a realizar un viaje en avión, la presión de cabina corresponderá por lo general a una altura de 2.000 m, pero se alcanza en el transcurso de pocos minutos.

Por lo general, las primeras reacciones se presentan a los 3.000-4.000 m, y consisten ante todo en un aumento de la presión sanguínea, una respiración acelerada y una disminución de la actividad. A grandes alturas, se intensifican los síntomas: se presentan trastornos de la coordinación y la consciencia, se acentúa la abulia, hasta que finalmente a los 5.000-6.000 m comienzan a observarse una especie de ebriedad de las alturas y espasmos como señal de crisis, consecuencia del bajo suministro de oxígeno al cerebro. A una altitud superior a los 6.000 m se presenta un claro peligro de muerte (colapso de las alturas), y por encima de los 7.000 m se habla de la zona de la muerte.

Los habitantes de la región montañosa del Tíbet están adaptados a una vida a los 4.500-5.000 m de altitud. En caso de ataque agudo del mal de las alturas, sólo cabe la administración inmediata de oxígeno (dcha.).

un largo e intenso entrenamiento en las alturas, gracias al cual la sangre se enriquece en alto grado con los glóbulos rojos que transportan el oxígeno.

Mientras que el porcentaje de oxígeno permanece constante, la presión atmosférica

Como un martillo neumático y un torno de suplicio

Sólo el que lo padece sabe el sufrimiento que representa el dolor de cabeza o migraña. Hoy por fin se toma en serio una dolencia subestimada durante largo tiempo.

Ya se trate de un tumor cerebral, de una resaca, de una excitación nerviosa o dolor de muelas, de migraña o inflamación del oído medio, fiebre, reúma, dolencias de la columna vertebral o de los ojos, todos ellos tienen algo en común: la cefalalgia o dolor de cabeza. Casi todos lo pademos en alguna ocasión. Se distinguen más de 160 formas diferentes según el origen, tipo de dolor, periodicidad, efectos secundarios, causas, etcétera, pero el 92% de los pacientes se consideran expuestos sólo a dos tipos : el 54% al llamado dolor de cabeza por tensión y el 38% a la migraña. El 8% restante se divide entre otros 163 tipos de dolores de cabeza.

EL VELO SE RASGA El dolor de cabeza, como tal, es ciertamente un fenómeno enigmático, pues se sabe que el cerebro en sí no es sensible al dolor. Son muy pocas las zonas del cerebro provistas de detectores del dolor. En primer lugar están las membranas o meninges, ante todo la duramadre. A esto se añaden las arterias de la base del cerebro, así como algunos nervios craneales –los V, IX y X– y nervios espinales de la médula oblonga; también desempeña un papel importante el seno cerebral, de abundante flujo sanguíneo, vehículo venoso para la sangre.

Los dolores de cabeza por tanto se generan siempre cuando los receptores de dolor allí situados reciben algún tipo de estímulo. Las causas, como se ha dicho, pueden ser muy diversas. Con ayuda de los equipos de que dispone la medicina actual, se pueden al menos descubrir y tratar los trastornos graves que producen alteraciones visibles, como es el caso de los tumores gracias a un programa específico de ordenador. Pero, entre tanto, resulta cada vez más evidente la participación de componentes anímicos como desencadenantes de los dolores de cabeza; cuáles son los mecanismos operantes en ello es algo que se ha empezado a investigar hace sólo unos años.

En principio se creía que los dolores de cabeza tensionales procedían de una excesiva tensión de los músculos, como los del cuello o los de la columna vertebral. Pero no se trata de algo tan simple, pues los calambres musculares no suelen ser por regla general tan fuertes como para provocar consecuencias de tal alcance. Entre tanto, se

Muchos pacientes de migraña han interpretado su enfermedad con sentido artístico pero no menos estremecedor.

parte del principio de que probablemente el umbral de dolor, diferente en cada ser humano, está también sujeto a variaciones en un mismo individuo, de modo que un estado normal puede llegar a percibirse como doloroso. Y en esto intervienen posiblemente factores psicológicos.

Es de suponer que el mecanismo bioquímico produce una variación cuantitativa de las materias preventivas (la serotonina sobre todo) que controlan los filtros de dolor en el cerebro. Si su proporción se agota con demasiada rapidez, desciende el umbral del dolor y no se resisten siquiera pequeñas cargas, ya que los impulsos de dolor dejan de ser bloqueados.

CEREBRO HIPERACTIVO En el segundo tipo de dolor de cabeza importante, la migraña, el origen debe buscarse en el aumento de estrógenos. Efectivamente, tres cuartas partes de los pacientes son mujeres. Al principio se creía que una dilatación de los vasos sanguíneos ejercía presión sobre los nervios. Pero seguía siendo desconcertante el gran número de desencadenantes de migrañas, como son el café o la meteorología. En consecuencia, se emprendió la búsqueda de un factor común y se descubrió que el cerebro de los afectados por la migraña es hiperactivo y que la estimulación de los sentidos se produce con una intensidad de hasta siete veces la normal. Esto produce una fuerte sobrecarga e inflamación de los vasos sanguíneos, a la que contribuye el estrógeno reforzando aún más los efectos.

LO QUE DEBE SABERSE SOBRE EL DOLOR DE CABEZA

- Cualquier dolor de cabeza que se prolongue más de 8-10 horas y que no tenga una causa reconocible, como fiebre, resaca, un golpe o contusión, etcétera, debe ser informado al médico.

- El miedo a un tumor cerebral suele ser infundado casi siempre. En este caso, los dolores de cabeza suelen ser un síntoma absolutamente tardío, precedidos por otros.

- En dolores de cabeza causados por la tensión muscular, no se debería nunca tomar calmantes durante mucho tiempo e indiscriminadamente. En ocasiones, pueden dañar el riñón. A veces son útiles y proporcionan alivio las aplicaciones de calor en la zona de la nuca y hombros.

- En caso de migraña son útiles técnicas de relajación como el yoga. Deberán evitarse los desencadenantes conocidos, como el chocolate. La terapia adecuada en un caso de ataque agudo es ampliamente sintomática: descanso, oscuridad y disminución del ritmo de trabajo y de la tensión emocional.

Ozono: un gas fatídico

Como capa protectora sobre la tierra, el ozono nos presta grandes servicios; en las capas cercanas a la superficie resulta sin embargo altamente nocivo para el cuerpo.

Todo el mundo habla de él, pero nadie sabe con exactitud qué es el ozono. Las células de oxígeno normales se componen de dos átomos, de ahí su símbolo O_2; el ozono, sin embargo, es una molécula de estructura angular con tres átomos de oxígeno, o sea O_3. No es especialmente estable y se produce sólo mediante una alta aportación de energía. Este es el caso, por ejemplo, de la estratosfera, las capas altas de nuestra atmósfera, situadas a 20-50 km de altitud, donde la intensa y violenta radiación ultravioleta del sol incide sobre la capa de gases que rodea la tierra y transforma el oxígeno normal en el agresivo ozono.

En el proceso se absorbe luz ultravioleta, sobre todo de la longitud de onda situada entre 290 y 310 nm, de modo que la biosfera, situada a mayor profundidad, queda protegida de las radiaciones nocivas. Sin embargo, una fracción menor y más pobre en energía de la radiación ultravioleta llega hasta la superficie donde, por ejemplo, en personas de piel clara, puede producir quemaduras en la piel y provocar incluso en algunas circunstancias cáncer de piel, una enfermedad cada vez más frecuente a causa de la reducción del espesor de la capa de ozono.

PLAGA SOBRE LA TIERRA Este gas extremadamente tóxico tiene un olor irritante y se percibe incluso en proporciones mínimas (1:500.000); en grandes concentraciones adquiere un tono azulado. Respirado directamente, el ozono en las capas de aire cercanas a la superficie de la troposfera es altamente perjudicial. En estas capas tiene otro origen, pues para su formación desempeñan un papel decisivo, especialmente, los escapes de automóviles y los gases industriales, así como el nitrógeno y el óxido de azufre de las chimeneas de las calefacciones privadas, cuyo contenido de oxígeno se transforma

en ozono por efecto de la radiación solar.

En las zonas densamente habitadas, en las horas posteriores al mediodía en verano, con tiempo cálido y soleado, se produce una verdadera acumulación de ozono que se disipa de nuevo por la noche y en las horas tempranas del día. El monóxido de carbono libe-

Tos y carraspera características suelen aquejar a quienes sufren sobrecarga de ozono.

rado por el tráfico puede eliminar ozono sin trabas en la oscuridad, por lo que no forma ozono nuevo. Durante el día, por el contrario, los hidrocarburos procedentes de los escapes y chimeneas impiden esta regresión y, en lugar de ello, se producen por la acción de la luz radicales libres muy agresivos. Se trata en este caso de asociaciones que poseen uno o varios electrones no emparejados y que, por tanto, son muy reactivos y de corta duración.

La verdadera cadena de formación del ozono sigue siendo muy debatida. Pero en última instancia conduce al efecto paradójico de que el ozono se elimina de noche mucho más rápidamente en el centro de ciudades con mucho tráfico que en las zonas de la periferia. La concentración de ozono en éstas, incluso tras un cambio meteorológico, sigue siendo más alta que en las ciudades por falta del monóxido de nitrógeno con su efecto eliminador. Un fenómeno que suscitó considerable desconcierto entre los especialistas tras un famoso experimento llevado a cabo en 1994.

En grandes concentraciones —los valores límite no se han establecido todavía de modo preciso y alcanzan de 180 a 300 µg/m³—, el ozono daña las mucosas y produce en ellas, al igual que en las plantas y otras materias orgánicas, asociaciones que en ambientes húmedos generan potentes ácidos, puesto que el tercer átomo de oxígeno del ozono no esta asociado de modo muy estable y se libera químicamente con facilidad. Incluso las superficies metálicas son corroídas y oxidadas por el ozono; se utiliza por tanto como cáustico y desinfectante.

RADICALES AGRESIVOS Su alta capacidad de reacción se debe al exceso de electrones en el inestable conjunto de átomos. De aquí se derivan también, probablemente, los daños producidos a los caracteres hereditarios por el ozono, comprobados ya en ratas. Al parecer, su transformación genera en el cuerpo radicales libres provistos de electrones que no forman pares. Este exceso de energía ataca fundamentalmente a los ácidos grasos de las membranas celulares y determina que en el sensible núcleo de la célula se destruyan parcialmente códigos hereditarios y enzimas reguladoras. Las células corporales así deformadas degeneran a veces: el resultado es un cáncer.

En comparación con esto, las irritaciones de las mucosas producidas por la acción de los ácidos son relativamente inofensivas. Pero también las membranas mucosas pueden llegar a inflamarse, por ejemplo si se ven sometidas a una irritación constante. La consecuencia es entonces una tos irritante especialmente en los niños y en las personas alérgicas.

CONSECUENCIAS A LARGO PLAZO El organismo humano dispone efectivamente de una serie de enzimas propias del cuerpo y asociaciones no enzimáticas, los llamados antioxidantes, como captadores de radicales, pero en caso de exceso de ozono se consumen rápidamente. También los daños que sufren las masas forestales dependen en parte de un efecto perjudicial semejante, y el ozono es igualmente responsable del efecto invernadero.

Colaboración afortunada

En los movimientos corporales coordinados actúan diversos centros nerviosos. Sin embargo, su funcionamiento se ve amenazado por peligros de muy diversa procedencia.

Lo que los saltimbanquis, equilibristas, patinadores sobre hielo, gimnastas olímpicos, bailarinas, atletas o profesionales del fútbol ofrecen a un público asombrado son verdaderos logros magistrales del dominio del cuerpo y de la coordinación corporal. Esta acción conjunta y coordinada consiste sobre todo en lograr que concuerden las capacidades musculares con los reflejos involuntarios de la médula espinal y del cerebro, y a su vez coordinar correctamente los reflejos con la voluntad y las percepciones del afectado. Si esta cadena funciona, nuestros pies bailarán grácilmente sobre el parqué; pero si uno sólo de los elementos falla, podemos aterrizar de bruces.

DONDE EXISTA VOLUNTAD, HABRÁ MOVIMIENTO En el cerebro hay esencialmente cuatro zonas que actúan en este sentido y que tienen que funcionar juntas. En primer lugar, los centros de la voluntad en la corteza cerebral. Allí se decide hacia dónde se anda, a qué velocidad, de qué forma y en qué momento. La información decisoria la proporcionan entre otros los centros sensoriales relacionados con los órganos de los sentidos, especialmente del ojo, oído y nariz. El tercer factor importante para la coordinación es el oído interno, donde reside el órgano del equilibrio, y que, con ayuda del cerebro y del cerebelo, transmite las informaciones sobre la posición espacial del cuerpo en cada momento.

El cuarto sistema cerebral consiste en diversos canales conductores, especialmente la vía piramidal y el sistema extrapiramidal. Ambos tienen a su cargo el transporte de señales a los centros cerebrales más profundos y son muy sensibles a los trastornos, por ejemplo, los derivados del alcohol.

De otras informaciones sensoriales se ocupan además receptores del tacto o impresiones como calor, frío y dolor, todos los cuales influyen en nuestro programa de movimientos bajo determinadas circunstancias. Importancia fundamental revisten también el cerebelo, con los programas involuntarios de movimiento allí almacenados, y las terminaciones motoras en los músculos, donde se coordinan las órdenes de movimiento entrantes y se transmiten a zonas musculares concretas. En este sistema los músculos son, pues, el punto final, el llamado órgano de cumplimiento u órgano efector.

SISTEMA SENSIBLE A LOS TRASTORNOS Todos los procesos de coordinación se desarrollan parcialmente en el transcurso de milisegundos. En esta cadena funcional los más lentos son el músculo mismo y los centros de la voluntad. Los trastornos pueden aparecer en todos los niveles. Tóxicos nerviosos como el alcohol y los somníferos afectan al cerebro, mientras que sustancias como la nicotina y la cafeína alteran el riego sanguíneo. Pero también las inflamaciones y heridas de nervios y músculos, como en el caso de una lesión medular o un desgarro de fibra muscular, afectan a uno o varios puntos y bloquean o irritan los procesos de movimiento.

Hay muchas enfermedades que se manifiestan en una notable perturbación de la capacidad de movimiento. Por ejemplo, las

El hombre orquesta es un ejemplo asombroso de coordinación de los diversos órganos funcionales. Cabeza, manos, piernas y pies actúan simultánea y coordinadamente para el mismo fin.

parálisis son causadas por fallos en las conducciones nerviosas. Lo mismo puede afirmarse de la enfermedad de Parkinson o parálisis temblorosa, en la que los impulsos inductores son transmitidos de forma irregular. La causa reside en este caso en una enfermedad crónico-degenerativa que motiva que el material transmisor de las señales, la dopamina, no se produzca suficientemente.

COMPARABLE A UN ORDENADOR En la infancia, los programas del movimiento no se han desarrollado todavía plenamente. La situación puede compararse a un ordenador que disponga del sistema operativo básico, pero al que no se le haya instalado todavía ningún programa de usuario. Programas de usuario semejantes a éstos se crean en diversos puntos, especialmente en los centros motores del cerebro, tanto en la médula espinal como en las terminales de los nervios musculares. Los arcos reflejos de la médula espinal desempeñan la función de desconectar el desvío por el cerebro cuando se realizan movimientos normales, acortando así el proceso de las decisiones. Esto protege al cerebro de un exceso de información y evita el bloqueo que se produciría.

¡Alto y claro, por favor!

El que los hombres tengan la capacidad de entenderse por medio del habla es un fenómeno de singular importancia para su desarrollo. Pero, por desgracia, también aquí pueden surgir defectos y trastornos.

La capacidad de hablar de los seres humanos, o mejor dicho, su capacidad de emitir sonidos diferenciados, es una de las condiciones fundamentales para la aparición de la cultura. Cuándo y por qué surgió esta capacidad sigue siendo algo muy debatido entre los antropólogos. De todas formas, hay unanimidad en cuanto a que factores como el desarrollo y diferenciación cerebral, la capacidad de andar erguidos y la consiguiente libertad de las manos, así como la necesidad de coordinarse con precisión en complicadas tareas comunes –como la caza– desempeñaron un papel esencial.

CONTROL DEL HABLA De los dos centros del habla más importantes del cerebro, el área de Broca, situada en las circunvoluciones frontales del cerebro, es la encargada del control motriz del lenguaje y de la coordinación de los músculos necesarios; el área de Wernicke, situada en la zona posterior izquierda de las circunvoluciones temporales (en los zurdos se halla en la mitad derecha del cerebro) controla por el contrario los ámbitos acústico y sensorial, así como la capacidad general de comprensión del lenguaje.

Ambas áreas están estrechamente unidas por redes a otras zonas del cerebro: entre ellas, con los centros de la vista y del oído; con los puntos decisivos para la consciencia, sobre todo del tálamo, y con el sistema límbico, que influye en los sentimientos y es responsable también de la matización emocional del habla y la memoria del lenguaje. Además del cerebro, existe un segundo fac-

Un defecto en el habla puede convertirse en marca de fábrica: Hans Moser, uno de los actores de cine favoritos de los años cuarenta, era famoso por su balbuceo.

tor decisivo para la formación del lenguaje: el órgano específico de la voz, o sea, las cuerdas vocales y la laringe, así como la cavidad bucal con las fosas nasales, la lengua, los dientes y los labios.

Si uno de estos sistemas sufre algún daño, el resultado será siempre un trastorno mayor o menor de la capacidad de hablar y, a veces, una pérdida total o parcial del habla. Por ejemplo, un niño que nazca sordo no aprenderá a hablar por sí mismo y, por tanto, uno de los reconocimientos más importantes que se efectúan a los recién nacidos y a los niños de corta edad es comprobar si pueden oír.

TARTAMUDOS Y GANGOSOS El más conocido de los trastornos del lenguaje es el tartamudeo. Consiste en una interrupción del flujo de la palabra causado por una falta de coordinación de la respiración, la emisión de voz, la articulación y el proceso de pensamiento asociado con el habla. Con frecuencia se manifiesta entre el cuarto y el séptimo año de vida, durante el proceso de aprendizaje del lenguaje y, en la mayoría de los casos, vuelve a desaparecer. La causa suele ser un trastorno neurótico, pero un tratamiento logopédico temprano, eventualmente con psicoterapia, ayuda a eliminarlo. También pueden intervenir factores de estrés. La noradrenalina, por ejemplo, agarrota los músculos del habla y provoca el que determinadas sílabas queden bloqueadas y luego se pronuncien repetidas o se emitan de forma explosiva. En ocasiones, influyen factores sociales o del entorno, como una vida familiar tensa, con discusiones continuas e incluso agresiones corporales.

La segunda disfunción frecuente del lenguaje es el hablar gangoso. En el niño pequeño constituye un ejercicio verbal absolutamente normal a partir del segundo mes de

vida. Si, por el contrario, persiste hasta más tarde suele ser señal de una alteración psíquica grave o de un daño cerebral que ha afectado profundamente a los centros superiores del cerebro. La intoxicación por alcohol afecta también a las mismas zonas por simpatía y las deja fuera de funcionamiento, aunque sólo temporalmente.

DEFECTOS MENORES DEL LENGUAJE El ceceo en los niños de hasta 6 años no es en absoluto preocupante. Más tarde estará ocasionado por defectos de la lengua y el paladar que impiden la articulación correcta de la *s*. También puede estar causado por mal-

formaciones de los dientes, contra los que choca permanentemente la lengua. A veces, aparece incluso sin causa anatómica.

El habla gutural o excesivamente nasal obedece a trastornos insignificantes de los órganos de la fonación. En ocasiones la causa puede ser un catarro o la presencia de pólipos nasales. Hablar demasiado bajo, demasiado alto o demasiado rápido depende en la mayoría de los casos de los sentimientos y situaciones anímicas del individuo. Lo mismo puede afirmarse de una voz artificialmente alta que produce una irritación que agarrota las cuerdas vocales.

Al hablar de los defectos de lectura y escritura que padecen muchos niños, los pedagogos, psicólogos, sociólogos y médicos no se ponen de acuerdo sobre las causas y los modos de superarlos.

El fenómeno se manifiesta en la incapacidad de los niños para aprender a leer y a escribir correctamente desde el punto de vista de la ortografía. La mayoría de las veces, el defecto se descubre al segundo año de escuela. Se trata principalmente de cambios de posición de letras sueltas o sílabas completas, lo que se denomina disfunción formal de las palabras. Además, se presentan defectos en la lectura y la pronunciación. Comúnmente, no se ve afectado el manejo de los números. Si se trata simplemente de un trastorno en el proceso de aprendizaje escolar, que puede tener motivos muy diversos como trastornos de motivación o de concentración, o si obedece a una ausencia específica de talento, o si hay que culpar de ello al entorno social, es algo que queda abierto al debate.

CÉLULAS MÁS PEQUEÑAS En los últimos años se ha conseguido relacionar este fenómeno con alteraciones neurológicas, en las que la herencia puede también desempeñar un cierto papel. Se ha comprobado que los niños que oyen mal los sonidos cortos aislados tienen más tarde dificultades para aprender a leer. Investigaciones sobre el tejido cerebral de estas personas fallecidas han evidenciado que en un punto de conmutación esencial del tálamo, situado en el cerebro intermedio, donde se elaboran los estímulos visuales y acústicos, las células nerviosas eran claramente más pequeñas de lo normal. Y precisamente las células grandes que faltaban son las que manipulan los rápidos sonidos de *b*, *p*, *k* y *t*, que funcionan como con-

Defectos de lectura y escritura

Antiguamente se etiquetaba como deficientes a los escolares normales o inteligentes que padecían algún defecto de lectura o escritura. Hoy día se sabe más sobre el asunto.

sonantes oclusivas en la formación de las palabras.

Un programa de ordenador reproduce lentamente estos sonidos, de modo que los niños puedan retener en el cerebro tales

muestras. Hay otros intentos de terapias, sobre todo de carácter pedagógico y psicológico, que vaticinan éxitos en diferentes proporciones. En cualquier caso, conviene prestar ayuda lo antes posible a los niños afectados.

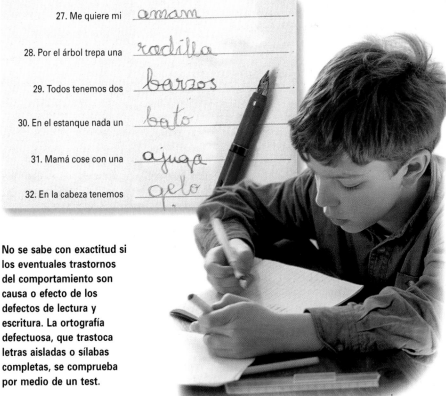

27. Me quiere mi *amam*

28. Por el árbol trepa una *radilla*

29. Todos tenemos dos *barzos*

30. En el estanque nada un *bato*

31. Mamá cose con una *ajuga*

32. En la cabeza tenemos *qelo*

No se sabe con exactitud si los eventuales trastornos del comportamiento son causa o efecto de los defectos de lectura y escritura. La ortografía defectuosa, que trastoca letras aisladas o sílabas completas, se comprueba por medio de un test.

Esnifadores y tragones: algo tienen en común

Que las materias que envenenan nuestro cuerpo le sean proporcionadas a través de la nariz, los pulmones o el estómago es indiferente para el cerebro. Tanto los disolventes como el alcohol aniquilan células nerviosas por millones.

Existe toda una serie de sustancias peligrosas que crean adicción, consumidas especialmente por los jóvenes porque son fáciles de conseguir. Se trata de disolventes orgánicos como acetona, tolueno, cloroformo, gasolina, tricloroetileno y otros.

Tienen en común que son muy volátiles, de olor penetrante y que si se respiran producen una intoxicación narcótica. Forman parte sobre todo de los disolventes, detergentes caseros y pinturas, pero también de los pegamentos, por lo que este fenómeno entre los jóvenes se conoce como *glue-sniffing* (esnifado de pegamento). Hay incluso niños que participan ocasionalmente, impulsados por la presión del grupo, en verdaderas orgías de esnifado. Las consecuencias a largo plazo que han podido determinarse son espantosas. Después de cierto tiempo se presentan invariablemente daños serios o incurables del sistema nervioso o del cerebro, ya que todas estas sustancias producen un efecto semejante al del alcohol, pues su composición química es en parte semejante.

GABA Y NEUROENDORFINAS La sustancia tóxica por excelencia del sistema nervioso, el alcohol, produce un efecto tóxico sobre las neuronas, es decir, daña sobre todo a las muy sensibles células nerviosas, que son destruidas con gran rapidez. Hay millones de células cerebrales que mueren definitivamente con cada intoxicación y no se recuperan jamás. La segunda consecuencia, todavía más fatídica, consiste en que el alcohol crea hábito. Hace sólo relativamente poco tiempo que se conoce el proceso bioquímico exacto que opera en el cerebro.

Como en el caso de otras drogas, la heroína por ejemplo, el alcohol se acumula en determinados receptores de las células cerebrales. A diferencia de los muy selectivos opiáceos, que únicamente invaden un receptor concreto, el alcohol bloquea todo tipo de receptores y es sustancialmente más peligroso por tanto. Esto determina que el sistema de información del cerebro, que funciona

con la ayuda de los llamados neurotransmisores –materias transmisoras que se liberan en las terminaciones nerviosas– se vayan desconectando poco a poco. Al mismo tiempo se destruyen los diminutos canales celulares que transportan el calcio, de enorme importancia para el funcionamiento interno de las células. Dos sistemas transmisores se ven principalmente afectados: GABA, el ácido gammaaminoglobulínico, que ejerce un efecto estabilizador de las membranas, y las neuroendorfinas, fundamentales para la percepción de los dolores.

ALIENTO TÓXICO Cuando se inhalan disolventes, se producen en cualquier caso náuseas agudas, vómitos, dolores de cabeza y a largo plazo graves erosiones de las vías respiratorias. Además, todas estas sustancias originan daños graves en hígado, riñones y en la médula espinal. Por tanto, si los padres o educadores observan en los niños un empeoramiento visible del estado de salud y del rendimiento escolar, perciben un olor a menudo acre en la ropa o en el aliento y aprecian trastornos respiratorios o crisis nerviosas con disfunciones en el comportamiento, deberán sospechar que pueden hallarse ante un pequeño esnifador.

DISOLVENTES TÓXICOS

- El grupo de los hidrocarburos clorados está muy difundido actualmente, pero se elimina con lentitud en la naturaleza. Los productos de limpieza y los decapantes los incluyen frecuentemente. Estos hidrocarburos pueden atravesar la piel y atacar al sistema nervioso central. Ante una acción prolongada resultan dañadas células nerviosas y cerebrales. El tetracloruro de carbono es un potente veneno para el hígado; el cloroformo ha demostrado ser cancerígeno en experimentos con animales.

  En las mangueras de las gasolineras se incorporan extractores de protección para recuperar los vapores tóxicos de la gasolina. Su aspiración podría originar desvanecimiento y muerte.

- Benzol
  Líquido de olor aromático, buen disolvente de grasas, por ejemplo. Es una importante materia prima para la fabricación de muchas pinturas, así como productos farmacéuticos; el benzol es cancerígeno.

- Tolueno (metilbenceno)
  Es un disolvente de olor semejante al benzol, cuya inhalación produce cansancio, malestar y cuyos efectos son duraderos. Puede provocar además estados de euforia y excitación. Una aplicación prolongada puede dañar el sistema nervioso, hígado y piel.

- Xilol (dimetilbenceno)
  Líquido inflamable insoluble en el agua, que se utiliza entre otras cosas como disolvente. Tras una prolongada aspiración produce defectos de concentración, disfunciones de la vista y el equilibrio, así como dolores de cabeza; también perjudica a la sangre por su carácter tóxico.

Lamentable equivocación

A veces el cerebro hace sentir dolencias en partes del cuerpo que ya no existen. El dolor fantasma es un síntoma mortificante tras la pérdida de un miembro.

El fenómeno lo padece el 90% de los amputados. A veces sufren fuertes dolores en brazos o piernas que no existen, que con frecuencia sólo pueden ser mitigados mediante la aplicación de potentes analgésicos. Estos dolores irreales proceden exclusivamente del cerebro –como cualquier dolor normal– que ignora la falta del miembro correspondiente y, por el contrario, sigue captando su existencia. Las sensaciones se manifiestan como picores o dolores ya sea espontáneamente o también a consecuencia del contacto accidental con una zona del cuerpo relacionada con el miembro desaparecido.

IMAGEN MIGRATORIA Esta especie de dislocación ha inducido en los últimos años a algunos investigadores a seguir el rastro de las posibles causas. En su mente, el ser humano dispone de un llamado esquema corporal, es decir, una imagen del propio cuerpo que cambia constantemente en virtud de las informaciones del organismo y del entorno y a la que corresponden determinadas zonas del cerebro.

Si esas zonas dejan de ser estimuladas por la ausencia de un miembro, y por tanto se mantienen en tensión, aumentan de tamaño y se solapan con otras zonas. Los estímulos experimentados allí pasan a la zona del miembro ausente y producen sensaciones. Sin embargo, como se trata de un proceso aprendido, puede que exista la posibilidad de eliminar los dolores fantasma invirtiéndolo. Lo agradecerían muchas víctimas de amputaciones quirúrgicas o traumáticas.

Los sonámbulos se contemplaban con notable temor en las antiguas culturas. No se podía explicar el fenómeno y se suponía que espíritus o demonios nocturnos habían penetrado en el alma del ser humano y lo controlaban.

Considerado estadísticamente, se produce sobre todo en el 15% de los niños de entre 5 y 12 años; este porcentaje se repite en aproximadamente el 6% de los jóvenes en edad escolar. El desarrollo es siempre relativamente similar: un supuesto durmiente se levanta de la cama con movimientos rígidos y los ojos abiertos, camina un poco, esquivando los obstáculos y evitando los contactos, y vuelve de nuevo a la cama. En el curso de esta actividad pueden producirse acciones bastante complejas.

EN LETARGO La base neurobiológica del proceso es un peculiar estado de letargo cuya causa no está clara. En todo caso, el sonambulismo no se produce durante la fase del sueño REM. Sin embargo los sonámbulos, una vez despiertos, describen intensas experiencias oníricas a pesar de que no conservan ningún recuerdo sobre su actividad fuera del lecho. Su deambular nocturno se produce al parecer en un estado en que la percepción del entorno queda muy atenuada, aunque no desactivada, y en la que los estímulos sensoriales son elaborados de modo inconsciente.

Sonambulismo con luna llena: una posible explicación es la mayor claridad de estas noches, que hace el sueño más sensible a las alteraciones.

Impulso nocturno de andar

El sonambulismo ha permanecido hasta hoy como algo enigmático y rodeado de leyendas. Sobre todo, los niños son aparentemente atraídos fuera de la cama por la luna.

El poder del convencimiento

Por qué son efectivos, aunque no sirven para nada, es algo que nadie sabe. A pesar de los múltiples intentos de explicación, el efecto de los placebos sigue siendo enigmático.

La palabra *placebo* procede del latín y significa algo que produce placer. Los placebos son, pues, preparaciones farmacéuticas que sólo contienen productos inertes pero que surten efectos psicoterápicos. La mayoría están compuestos de una sustancia amarga o dulce –lactosa, almidón– que, por lo demás, no produce ningún mal. Por su forma, color y tamaño, sin embargo, presentan todas las características de un verdadero medicamento. La principal aplicación de los placebos son los llamados experimentos a doble ciego en los ensayos clínicos de medicamentos, que se realizan para comprobar la eficacia de un fármaco. En estas pruebas hay que evitar cualquier influencia humana. Para ello, ni los pacientes ni el médico deben saber a quién se administra el llamado *verum*, es decir, el elemento que se desea probar, y a quién el falso medicamento. Lo curioso y lo enigmático de los resultados de tales experimentos es que hasta el 40% de los pacientes a los que se administra un placebo muestran síntomas de curación. La razón de este fenómeno continúa siendo totalmente confusa e inexplicable.

TRAS LA HUELLA DEL PODER CURATIVO Dos disciplinas especializadas se ocupan principalmente de los efectos de los placebos y los utilizan en consecuencia. Este es el caso de la homeopatía, que actúa por medio de disoluciones de sustancias en bajísimos porcentajes; hasta el punto de que a veces sólo hay unas pocas moléculas del agente en el disolvente de un medicamento homeopático. A pesar de una dosificación tan claramente ineficaz, se producen mejorías en aproximadamente el 30% de los pacientes tratados, lo que casi se corresponde con el porcentaje de los efectos del placebo. La segunda disciplina que lo utiliza es la psicosomática, según la cual el aspecto decisivo del efecto de un placebo es la personalidad del paciente. De todas formas, se ha averiguado también que la posibilidad de reaccionar positivamente guarda mucha relación con los resultados, y depende por ejemplo de hasta qué punto puede convencer el médico al paciente de la supuesta eficacia de la sustancia.

El sostén biológico de la efectividad del placebo radica posiblemente en los círculos reguladores neuroendocrinos, es decir, la interrelación ya conocida entre el estrés, psique, hormonas y el sistema nervioso. Lo que sucede es que, en el caso de los placebos, tales mecanismos no son todavía conocidos con exactitud.

Los placebos pueden no sólo manifestar los mismos efectos curativos que las medicinas, sino también sus desventajas. Entre ellas se cuentan incluso síntomas de adicción.

Un infierno en vida

Arañas y serpientes, grandes alturas o amplios espacios pueden desencadenar fobias que a veces paralizan la capacidad de acción de las personas que las sufren.

Las dos lunas de Marte, Fobos y Deimos, se bautizaron así por los acompañantes del dios griego de la guerra, Ares: miedo y terror. Con miedo y con terror reacciona cualquiera que se encuentre frente a una situación amenazadora. En primer lugar, toma la iniciativa el instinto de conservación, que emprende una retirada veloz si el peligro es inminente como sucede ante un automóvil que se nos echa encima. Hay, sin embargo, personas que se asustan en circunstancias completamente normales e inofensivas y llegan a sufrir auténticos ataques de pánico. Estas personas sufren un grave trastorno neurótico, una fobia, que se suele denominar científicamente según el desencadenante respectivo.

La más conocida es la claustrofobia, el miedo a los espacios cerrados; pero también están muy difundidos el miedo a los espacios abiertos (agorafobia), a las alturas y a volar; todos ellos pertenecen al grupo de fobias condicionadas por la situación. También está relativamente presente el miedo a determinados animales como arañas, serpientes, perros o gatos. En el siglo pasado, el miedo a los ratones era incluso una obligación social. Las damas reaccionaban en general gritando por miedo a que los roedores se metieran bajo las largas faldas de la época y les subieran por las piernas. Las fobias sociales o funcionales constituyen el tercer grupo. El miedo a ruborizarse o a determinadas actividades en público, por ejemplo comer o hablar ante un auditorio, se cuentan entre éstas. Algunos de estos desencadenantes de fobias están asociados a un cierto sentimiento de temor, incluso entre personas de sensibilidad normal. Ante insectos picadores,

No todo el mundo puede realizar una actividad a gran altura. Los técnicos que arreglan averías a muchos metros del suelo deben ser necesariamente insensibles al vértigo y a las alturas.

La simulación del entorno por ordenador –aquí vemos un ascensor de cristal– puede ayudar a los pacientes a superar poco a poco trastornos causados por las fobias, como el miedo a las alturas.

como las avispas, ante serpientes, que pueden ser venenosas, o ante grandes alturas muchos sentimos un sano respeto. Pero en tales casos sólo se habla de fobia cuando este sentimiento desencadena el pánico.

Las fobias pueden superar cualquier cuadro psiquiátrico; a menudo dan origen paulatinamente a psicosis agudas. Los síntomas corporales de un ataque de pánico son los de un estrés profundo provocado por el miedo: temblores, ojos desencajados, huida a la carrera, gritos y palidez. Los afectados intentan consecuentemente evitar los objetos desencadenantes de su fobia por todos los medios. Eso les hace ser muy limitados en sus posibilidades de desarrollo; se encierran a menudo en casa y evitan el contacto con sus semejantes para no sucumbir ante el temido estado de fobia y evitar en lo posible el ridículo que conlleva. A menudo esto produce estados de ánimo depresivos.

Los trastornos generados por fobias comienzan generalmente a manifestarse en

la temprana edad adulta y registran una sucesión de empeoramientos e involuciones. Estas son poco probables cuando la fobia dura más de un año. Por otro lado, la víctima de una fobia puede también superar sin grandes inconvenientes la situación desencadenante del miedo si se encuentra en compañía de una persona con la que tenga una profunda relación anímica.

ALTA TECNOLOGÍA El origen de las fobias está en la mayoría de los casos profundamente enraizado en la infancia. A menudo se producen con frecuencia en el seno de una misma familia, lo que hace sospechar que tienen un condicionamiento hereditario. A diferencia de las neurosis agudas, los desencadenantes deben buscarse fuera de la persona afectada. El punto de partida de la explicación psicoanalítica parte de que se reprimieron en la infancia miedos realmente existentes y básicos, por ejemplo las reacciones a tendencias nuevas pero prohibidas, como la sexualidad. Más tarde estos temores primitivos insoportables se proyectan hacia afuera y se asocian a situaciones u objetos externos, que sirven como sustitutivos y asumen el papel de los temores originales ocultos. Una segunda explicación está condicionada por la teoría del aprendizaje. Se basa en

la admisión de que vivencias negativas repetidas han ido reforzando su efecto y, al igual que en un proceso de aprendizaje, acaban transformándose en una fobia que escapa al control. En cuanto a las eventuales posibilidades de terapia, esta presunción reviste una importancia mayor que la basada en el psicoanálisis, en la que el especialista tiene que consumir previamente largas y tediosas sesiones tratando de rastrear y definir el miedo original. Pero tampoco ha dado muchos resultados.

Por ello, el tratamiento actual se enmarca casi siempre en el ámbito de la terapia del comportamiento; así se consigue muchas veces corregir los problemas en un corto espacio de tiempo. Se va eliminando paso a paso el miedo del paciente a la situación u objeto desencadenante, conduciéndolo literalmente cada vez más cerca de su presencia y confrontándolo con él. Con la ayuda de nuevos métodos informáticos, basados en la llamada realidad virtual, se ha llegado incluso a introducir al paciente, por medio de visores estereoscópicos y guantes dotados de sensores, en la situación desencadenante del miedo, mientras el psicólogo que lo observa va disminuyendo la distancia según las reacciones del paciente. Así, con el temor controlado por medios artificiales, el paciente logra superar la situación de pánico.

Índice alfabético

Los números de página compuestos en **negritas** remiten a un titular de sección, donde el tema se desarrolla ampliamente. Los números en *cursiva* remiten a una ilustración.

A

abatimiento 244
aborto **271**
absceso 118, 290
abstracción **181-181**
aburrimiento 230
ácaros 367
acetilcolina 35, 203, 244
acidez de estómago **104-105,** 268
ácido
    acetilsalicílico 150
    clorhídrico 103, 104
    desoxirribonucléico (ADN) 14
    gammaaminoglobulínico (GABA) 382
    gástrico 257
    láctico 90
    murámico 139
    úrico 167
ácidos grasos 20
acidosis láctica 96
acné 78-79, **290**
acondicionamiento físico 173
actina *18*
activación del prototipo 187
actividad sexual 297
actividad respiratoria 173
adenina 14
adenoma de próstata 358
adicción 151, **262-263**
    a disolventes **382**
adiposidades 96
adiuretina (HAD) 162
ADN 14
adopción 197
adrenalina 98, 100, 132, 134, 150, 173, 189, 190, 193, 238
afonía 365
agentes coagulantes 118
agonía 328
agorafobia 384
agotamiento **96-97**
    psíquico **257**

agresividad 243
agua 161, 168, 315
    anódica 162
    mineral 162
agujetas **90-91**
aire acondicionado, reacciones al **366-367**
albinismo 41
albúmina 167
alcaloides 150
alcohol 69, 80, 100, 102, 151, 153, 182, 262, 321, 346, 382
alcoholismo **182-183**
alegría vital **175**, 178
alergenos 367
alergia 122
alimentación 254, 319
alimento 161, 163
alucinaciones 149, 214, **223**
alucinógenos **152**
alvéolos pulmonares 31, 67, 170, 312
amalgama dental 354
amamantamiento 200
ametropía **368-369**
amígdalas 71, 362
amilasa salivar 62, 164
aminoácidos 19, 165
amnesia 233
amor **189**, 246
ampollas **129**
amputación 128, 383
anabolizantes 19
anafilaxia 122
analgesia congénita 132
analgésicos 150, **151-152**
anastomosis 98
andrógenos 85, 307
anestesia 151, 156, 175
    epidural 95
    local 95
    troncular 95
aneurisma 349
anfetaminas 150, 151, 189, 254
angioma 45
angiotensina 100, 243
angustia **240-241**
anhídrido carbónico 23
animales domésticos 182
ano 106, 165
anorexia 356
anostosis 301
ansiedad 105, 240, 241
antebrazos *10*
antibióticos 81, 117, 353, 362
anticonceptivos 196
anticuerpos
    a *26*
    b *26*
antígenos 25, 112, 155

antiséptico 129
antitrago *58*
antojos 45, **268**
ántrax 124
antro 103, 164
añoranza del país **184**
aorta *22*
    abdominal *22*
aparato locomotor 295
apatía 244
apéndice 165
apetito 160, 183, 257, **264,** 357
apetito sexual 195
apoplejía 294, 322, 347
aprendizaje 177, 231
    escolar 381
    visual **280-281**
araña vascular 46
arcadas 148
arco reflejo 137
ardor de estómago **104-105**
área
    de Broca 186, 187, 380
    de Wernicke 186, 187, 380
    vascular de Kiesselbach 350
aréola 269
armonía 178
aromas 220
arritmia 350
arrugas **304-305**, 325
    en las manos **77-78**
    faciales 293
arterias
    facial *23*
    femoral *23*
    hepática *23*
    humeral *23*
    pedial *23*
    poplítea *23*
    pulmonares *23*
    radial *23*
    subclavia *23*
    temporal *23*
    tibial *23*
arteriolas 47
arteriosclerosis 255, 322, 349
articulación
    elipsoide 17
    en charnela *17*
    en silla de montar *17*
    esferoidal *17*
    rígida *17*
    uniaxial 17
articulaciones **16-17**, 337
    crujientes 295, **89-90**
    lesiones en las **336**
    rigidez de las **295**
artritis 90

G

gafas 146, 311, 368
gametos 14
ganglios *36*
    cervicales *27*
    linfáticos 26, *27, 112,* 124
gangrena 118
garganta 70
gases 68
    CFC 43
    intestinales **103-104**
gastrina 257
gateo del niño pequeño 283
gemelos 270
    univitelinos 180
gemidos **140-141**
    del recién nacido **282**
genes 14
genialidad 226
genotipo 14
gestos 185
gimnasia 295, 334
gingiva 355
glandulas
    apocrinas 85
    ceruminosas 58
    de Meibomio 53, 372
    de Moll 372
    de secreción interna 268
    de Zeis 372
    lagrimales *54*
    mamarias 275
    pineal 204, 207
    salivales 61, *164*
    sebáceas 58, 77, 78, 79, 80, 290
    sudoríparas 28, 39, 42, 58, 79, 88, 146
    tiroides 31, 307, 343, *344*
globo ocular 54, 74
glóbulos
    blancos 25, 113, *116*
    rojos *25, 26, 116*
glotis 32, 69, 70, 312, 363
glotonería 264
glucógeno 96
glucosa 24, 96, 160, 162, *164,* 171, 254
gonadotropinas 191
gonococos 117
granos 78, 124, 290
granulocitos *112,* 113
grasa 20, 24, 264, 293, 346, 357
    acumulada **277-278**
    corporal 20
    de almacenamiento 20
    de reserva 163
    estructural 20
    invernal **155**
    marrón 277

néutra 21
    poliinsaturada 21
    saturada 21
    simple 21
gravidez 269
gripe 364
grito del neonato **274**
grupos sanguíneos **25-26**
guanina 14
gusto
    pérdida del **316**
    sentido del **219-220**, 316

H

hábitos
    alimenticios 357
    higiénicos **285**
habla
    gangosa 381
    gutural 381
    trastornos del **380-381**
habón 122, 123
hachís 152
hallux valgus 339
hambre **160-161,** 268, 282
heces 166
hélix *58*
hemangiomas
    capilar 45
    cavernoso 45
hematoma **82**, 83
hemeralopía **369**
hemisferios cerebrales **36-37**
hemofilia 119
hemoglobina 25, 82, 155
hemorragia 82, 116, 271
    nasal **350**
hemorroides 107, **351-352**
herencia genética 228, 225
heroicidad 181
heroína 152, 262, 382
herpes **125**, 129
    simple 125
    zona 125
    zoster 125
hidratos de carbono 21, 96, 160, 164, 264
hidrocarburos policíclicos 153
hidroterapia 89, 90, 102

hierro 155
hígado 101, 102, 105, *154, 164*
higiene
    bucal 107
    corporal 85
    dental 287, 355
hijos, deseo de tener **196-197**
hinchazón 116, 122
hiperactividad **253-254**
hiperexcitabilidad 253
hipermetropía 311, 368
hiperqueratosis 130
hipersensibilidad a la luz 146
hipertensión 255, 322
hipertermia 88
hipertiroidismo 307, 344
hipnotoxina 138
hipo **69-70**
hipodermis *39*
hipófisis 33, 191, 197, 291, *344*
hipogastrio 193
hipotálamo 27, 28, 114, 134, 176
hipotiroidismo 344
hipoxia 348
histamina 68, 83, 100, 116, 118, 123, 131, 203
homeopatía 384
homosexualidad **195**
hongos 89, 112
    Candida 341
    cutáneos **340-341**
    tricófitos 341
hormigueo **96**
hormonas 24
    ACTH 254
    adiuretina (HAD) 162
    antidiurética 162, 315
    calcitonina 344
    cortisona 204
    CRH 254
    del crecimiento 12, 13, 201, 269
    del cuerpo lúteo 268
    del embarazo 275
    del estrés 70, 257
    del tiroides 344
    dopamina 247
    fenietilamina 247
    foliculoestimulante (FSH) 191, 198
    gonadotropa 298
    luteinizante (LH) 191, 198
    prolactina 246, 275
    sexuales 51, 208, 290
    tiroidea tiroxina 12
    vasoconstrictoras 100
    vasodilatadoras 100
    vasopresina 77
huellas dactilares **40-41**
huesos 15, 337

X

Y

Z

Créditos

Fotos

Cubierta: i.: Loster und Weisensel/VDB · c.: Dan Heringa/Image Bank · d.: Mehau Kulyk/Science Photo Library/Focus · **Guardas:** Phototake/Mauritius · **Anteportada:** Mehau Kulyk/Science Photo Library/Focus · **Título principal:** Jeff Cadge/Image Bank

5 Manfred P. Kage/Okapia · **7** Manfred P. Kage/Okapia · **8/9** TCL/Bavaria · **10** Ralf Schultheiß/Picture Press · **11** Ingo Hess · **13** Klaus Bossemeyer/Bilderberg · **14** b. i.: action press · b. d.: Peter Bischoff · **15** Studio Loster/Weisensel · **16** a.: Prof. P. Motta/Dept. of Anatomy/University „La Sapienza", Rome/Science Photo Library/Focus · b.: Bruce de Lis/Picture Group/Focus · **18** Rosenfeld/Mauritius · **19** Paoli-Sipa/Superbild · **20** i.: J-M Barey/Vandystadt/Focus · d.: Prof. P. Motta/Dept. of Anatomy/University „La Sapienza", Rome/Science Photo Library/Focus · **22** Lou Lainey/Medichrome · **23** Studio Loster/Weisensel · **25** i.: Prof. P. M. Motta & S. Correr/Science Photo Library/Focus · d.: Bernd Ducke/Superbild · **26** Fawcett, Friend/ScienceSource/Okapia · **27** Studio Loster/Weisensel · **29** Dr. Ray Clark & M. R. Goff/ Science Photo Library/Focus · **30** Ginger Neumann, Hubatka/Mauritius · **31** Techniker Krankenkasse Hamburg · **32** i.: James Balog/Das Fotoarchiv · d.: Eberhard Reimann · **33** Ginger Neumann, Hubatka/Mauritius · **34** Raichle/Washington University · **35** a.: Lennart Nilsson, UNSER KÖRPER NEU GESEHEN, Verlag Herder · b.: Eberhard Reimann · **36** Eberhard Reimann · **37** Eberhard Reimann · **38** Jorie Gracen/Lfi/Photo Selection · **40** Peter Grumann/Image Bank · **41** Paysan Bildarchiv · **42** Henning Christoph/Das Fotoarchiv · **43** i.: Laboratory for Atmospheres, Nasa Space Flight Center/Science Photo Library/Focus · c.: Dr. Jeremy Burgess/ Science Photo Library/Focus · d. a.: 1 J. Clarke/Bavaria · 2 Sacha Ajbeszic/Image Bank · 3 Paolo Curto/ Image Bank · 4 NDS/Helga Lade Fotoagentur · 5 Tschanz/IFA- Bilderteam · 6 Diaf/IFA-Bilderteam · **44** Milan Horacek/Bilderberg · **45** i.: M. Hoffmann/Fotex · d.: Archiv für Kunst und Geschichte · **46** Naturbild Ag Schacke/Okapia · **47** Aberham/IFA-Bilderteam · **48** i.: Hapke/Zefa · c.: Reine/action press · d.: R. Witt · **50** a.: Archiv für Kunst und Geschichte · b.: Manfred P. Kage/Okapia · **51** Bildart/Helga Lade Fotoagentur · **53** a.: Archiv für Kunst und Geschichte · b.: Wolfgang Kunz/Bilderberg · **55** Judi Cobb/Focus · **56** a.: Celebrity/Inter Topics · b.: Ostarhild/IFA-Bilderteam · **56/57** Eric Bouvet/Rea/Laif · **58** L.Janicek/Transglobe Agency · **61** Greg Riffi/Transglobe/Vertical/Favre · **62** Ginger Neumann · **63** Manfred P. Kage/Okapia · **64/65** Bushnell Soifer/Tony Stone · **66** Chris Niedenthal/Das Fotoarchiv · **67** Studio Loster/Weisensel · **68** T. Mc Carthy/Fotex · **70** Thomas Mayer/Das Fotoarchiv **71** M. Luft/Fotex · **72** Fisler-Wohlert/IFA/Bilderteam · **73** H. Krischl/Helga Lade Fotoagentur · **74** Ginger Neumann · **76** i.: Pictures/Helga Lade Foto-agentur · d.: Pigneter/Mauritius · **78** Ginger Neumann · **79** Dr. Jeremy Burgess/Science Photo Library/Focus · **80** i.: Zefa/BlackStar · d.: Manfred P. Kage/Okapia ·

82 gr. Bild: Deuter/IFA-Bilderteam · p.: Bild: Poehlmann/Mauritius · **84** Ginger Neumann · **85** Louis Psihoyos/Contact Press Images/Focus · **86** a.: Thomas Ernsting/Bilderberg · b.: Dan Bosler/Tony Stone · **86/87** Bruce Ayres/Tony Stone · **88** i.: Custom Medical/Bavaria · d.: Rainer Martini/Look · **91** H. Schmidbauer/Superbild · **92** i.: Jim Anderson/Das Fotoarchiv · d.: Alfred Pasieka/Science Photo Library/Focus · **93** Fawcett/PR/ScienceSource/Okapia · **94** Ginger Neumann · **95** Ben Simmons/Transglobe Agency · **96** Richard Rowen/Transglobe · **97** Heiner Müller-Elsner/Focus · **98** Guilles Guittard/Image Bank · **99** Toma Babovic/Das Fotoarchiv · **100** Nitz/Mauritius · **101** a.: Toma Babovic/Das Fotoarchiv · b.: Photo Researcher/Zefa · **102** Nick Dolding/Tony Stone · **104** Archiv für Kunst und Geschichte · **105** Verlag Das Beste **107** Ginger Neumann · **108** gr. Bild: Science Photo Library/Focus · p.: Bild: Martin Dohrn/Science Photo Library/Focus · **109** Manfred P. Kage/Okapia · **110/111** Diaphor/Superbild · **113** F. P. Wartenberg/New Eyes · **114** Hans Reinhard/Okapia · **116** Roy Underhill · **119** FPG/Bavaria · **120** i.: Dolf Hartsuiker/Thames & Hudson · **120/121** a.: Will Steger/APA/Das Fotoarchiv· b.: Uli Wiesmeier/Look · **122** i.: Claus Meyer/Das Fotoarchiv · d.: Dr. Jeremy Burgess/Science Photo Library/Focus · **123** i.: Hardenberg/Bavaria· d.: Adam Hart-Davis/Science Photo Library/Focus · **125** Alfred Pasieka/Science Photo Library/Focus · **126** Sam Zarember/Image Bank · **128** Süddeutscher Verlag · **129** Ginger Neumann · **130** Karl Johaentges/Look · **132** Lynn Johnson/Aurora · **133** Ginger Neumann · **134** Bruce Haley/Das Fotoarchiv · **135** Studio Loster/Weisensel · **136** Antipodes/Fotex · **137** Studio Loster/Weisensel · **138** Archiv für Kunst und Geschichte · **139** Mike Blank/Tony Stone · **141** Archiv für Kunst und Geschichte · **143** J. Beck/Mauritius · **144** Olaf Kraass/Helga Lade Fotoagentur · **145** Ginger Neumann · **146** Pictor · **147** Marcel-Isy Schwart/Image Bank · **148** Michler/IFA-Bilderteam · **149** Frithjof Skibbe/Silvestris · **150** Ginger Neumann · **151** Weststock/IFA-Bilderteam · **152** C. Rätsch · **153** Paul Grebliunas/Tony Stone · **155** B. & C. Alexander/Das Fotoarchiv · **156** Bill Robbins/Tony Stone · **157** Manfred P. Kage/Okapia · **158/159** Mauritius · **160** a.: Pinto/Zefa · b.: Black Star/Zefa · **162** Janos Merkl/Stiftung Warentest · **163** Ginger Neumann · **165** Ginger Neumann · **166** Professoren P. Motta & F. Magliocca/University „La Sapienza", Rome/Science Photo Library/Focus · **168** a.: Axel Krause/Laif · b.: Gevin Hellier/Tony Stone · **168/169** Ken Fischer/Tony Stone · **170** David Madison/Tony Stone · **171** Ginger Neumann · **172** Ginger Neumann · **173** Stockmarket/Zefa · **174** Diaphor/Superbild · **175** Diaf/IFA-Bilderteam · **176** i.: J. Heron/IFA-Bilderteam · d.: NDS/Helga Lade Fotoagentur · **177** Sander/Zefa · **178** Hans Madej/Bilderberg · **179** Thomas Mayer/Das Fotoarchiv · **180** West-light/Mauritius · **181** Ginger Neumann **182** Techniker Krankenkasse Hamburg · **183** a.: Mike Yamashita/Focus · b.: Rosenfeld/Mauritius · **184** Peter Menzel/Focus · **185** a.: Romilly Lockyer/Image Bank · b.: J. Clarke/Bavaria · **186** Archiv für Kunst und Geschichte · **187** a.: Thomas Mayer/

188 Milan Horacek/Bilderberg · **189** Dale Durfee/Tony Stone · **190** a.: Dr. R. Clark & M. Goff/Science Photo Library/Focus · b.: Claus Meyer/Das Fotoarchiv · **192** Courtesy Georg Eastman House · **193** Ethan Hofman/Focus · **194** Lennart Nilsson, UNSER KÖRPER NEU GESEHEN, Verlag Herder · **195** Erica Lansner/Das Fotoarchiv · **196** Sander/Zefa · **198** Lennard Nilsson, DER MENSCH · **199** a.: Francis Leroy, Biocosmos/Science Photo Library/Focus · b.: Prof. P. Motta/Dept. of Anatomy/University „La Sapienza", Rome/Science Photo Library/Focus · **200** Nomi Baumgartl/Alete/Bilderberg · **201** a.: Gio Brato/Image Bank · b.: K. Rudolph/Institut für wissenschaftliche Fotografie M. P. Kage · **202** Kolmikow/dpa · **203** a.: Rolf Nobel/Visum · b.: W. H. Freeman, N.Y., USA · **204** a.: Knut Müller/Das Fotoarchiv · b.: Sidney Moulds/Science Photo Library/Focus · **207** David W. Hamilton/ Image Bank · **208** Hank Morgan/Science Photo Library/Focus · **209** Manfred P. Kage/Okapia · **210/211** David Delossy/Image Bank · **212** Ginger Neumann · **214** a.: Prof. P. Motta/Dept. of Anatomy/University „La Sapienza", Rome/Science Photo Library/Focus · **215** Norman/Zefa **216** Weststock/IFA-Bilderteam · **217** a.: Vertical/J. P. Roudier/Transglobe · b.: Prof. P. Motta/Dept. of Anatomy/University „La Sapienza", Rome/Science Photo Library/Focus · **218** Th. Müller/Bild der Wissenschaft · **220** Prof. P. Motta/Dept. of Anatomy/University „La Sapienza", Rome/Science Photo Library/Focus · **221** Arthur/Mauritius · **222** Archiv für Kunst und Geschichte · **223** Charles Compère · **224** All-Action/InterTopics · **225** Diaphor/Superbild · **226** Marcia/Mauritius · **227** i.: Transglobe/Interfoto · d.: Jeffery J. Foxx/Woodfin Camp/Focus · **228** Bruce Ayres/Tony Stone · **229** H. W. Silvester/Focus · **230** Psychologie Heute · **231** a.: Pictor · b.: N. Fischer/IFA-Bilderteam · **233** B.S.I.P./Superbild · **234** Studio Loster/Weisensel · **236** Norman/Zefa · **238** Ullstein · **240** Wartenberg/Zefa · **241** Archiv für Kunst und Geschichte · **242** Penny Tweedie/Tony Stone · **243** Gerg Ludwig/Visum · **244** Stockmarket/Zefa · **245** dpa · **246** David de Lossy/Image Bank · **247** Lu Wortig/Interfoto · **248** Bocoon-Gibot/Transglobe/Sipa **249** Bulls Press · **250** a.: Custom Medical/Fotex · b.: H. J. Burkard/Bilderberg · **250/251** Pictor · **252** a.: Lorenz Baader · b.: V. Steger · **253** a.: Louis Psihoyos/Matrix/Focus · **253** b.: Mike Mandel, *Flying*, 1980 *16x16* from the book MAKING GOOD TIME, 1989, Santa Cruz, CA., USA · **255** c.: TCL/Bavaria · b.: Tom Sobolik/Black Star/Das Fotoarchiv · **256** Techniker Krankenkasse Hamburg **257** FPG/Bavaria · **258/259** Joachim Widmann · **259** Artephot/Artothek · **261** Alexis Duclos/Gamma/Studio-X · **262** a.: Economopoulos/Magnum/Focus · b.: Georg Fischer/Bilder- berg · **264** Holger Everling/Geo · **265** Manfred P. Kage/Okapia · **266/267** Mauritius · **268** M. Schröder/Fotex · **269** Picture Partners/Schapowalow · **270** Studio Loster/Weisensel · **271** Lennart Nilsson, EIN KIND ENTSTEHT, Mosaik Verlag · **272** Hewlett-Packard · **273** SIU/NAS/ Okapia · **274** a.: Custom Medical/Bavaria · b.: Bryn Mawr/Stock Boston/Focus · **275** Weinhäupl/Mauritius · **276** a.: Color Box/Fotex · b.: Diaphor/Superbild · **278** Janeart/

CRÉDITOS

Image Bank · **279** Eva Lindenburger/Silvestris · **280** Guido Mangold · **281** c.: Vogt/Geduldig · b.: Power Stock/Transglobe · **282** Vogt/Geduldig · **283** Jacques Thomas/Jerrican · **284** J. F. Bauret/Rapho/Focus · **285** a.: Valerie Winkler/Rapho/Focus · b.: Studio Loster/Weisensel · **286** a.: Lennart Nilsson, UNSER KÖRPER NEU GESEHEN, Herder Verlag · b.: Benser/Zefa · **287** Tosca Radigonda/Image Bank · **288** Gregor Schläger/Visum · **289** Studio Loster/Weisensel · **290** F. Buillot-M. P./Superbild · **291** Robb Kendrick · **292** Jo Mc Bride/Tony Stone · **293** Dale Durfee/Tony Stone · **294** David Madison/Tony Stone · **295** Rick Rickman/Duomo · **296** Studio Loster/Weisensel · **297** Hubatka/Mauritius · **298** Bruce Ayres/Tony Stone · **299** Yellow Dog Produktions/Image Bank · **300** Ginger Neumann · **301** Junker/Helga Lade Fotoagentur · **302** Dr. L. Reinbacher · **303** Kindermann/IFA-Bilderteam · **304** a.: Ginger Neumann · b.: Bambou/Helga Lade Fotoagentur · **306** J. Booz · **307** Fritz Hoffmann/JB Pictures/Focus · **308** TCL/Bavaria · **310** Archiv für Kunst und Geschichte · **313** Ginger Neumann · **314** i.: National Institute of Health/Science Photo Library/Focus · d.: Karol Kallay/Bilderberg · **315** Studio Loster/Weisensel · **316** Comnet/IFA-Bilderteam · **317** a.: Lennart Nilsson, UNSER KÖRPER NEU GESEHEN, Herder Verlag · b.: Zephyr/Fotex · **318** a.: Foto: Ginger Neumann · **319** b.: Techniker Krankenkasse Hamburg · **320** Marlen Unger-Raabe · **321** Studio Loster/Weisensel · **322** Sarah Leen/Matrix/Focus · **323** Volker Rauch/IFA-Bilderteam · **324** Kupka/Mauritius · **325** a.: L.D. Gordon/Image Bank · b.: Astrid Ott · **326** a.: Roland & Sabrina Michaud/Focus · b.: E. Hartmann/Magnum/Focus · **326/327** Hans Madej/Bilderberg · **328** Roger Ressmeyer/Starlight/Focus · **329** Manfred P. Kage/Okapia · **330/331** Herve Donnezan/Mauritius · **332** TCL/Bavaria · **333** Techniker Krankenkasse Hamburg · **334** Studio Loster/Weisensel · **335** Harding/Bildagentur Schuster · **336** Heiner Müller-Elsner/Focus · **337** Richard Clintsman/Tony Stone · **338** Custom Medical/Bavaria · **339** Explorer/Bildagentur Schuster · **340** a.: Studio Loster/Weisensel · b.: Manfred P. Kage/Okapia · **343** Studio Loster/Weisensel · **345** Stuart Dee/Image Bank · **346**

Keystone · **348** Secchi-Lecaque/Roussel-Uclaf/CNRI/Science Photo Library/Focus · **349** Alfred Pasieka/ Science Photo Library/Focus · **350** Ginger Neumann · **352** i.: Susan/Mauritius · d.: CNRI/ Science Photo Library/Focus · **353** Dr. H. Winkler **354** Pawel, Kanicki/Transglobe · **355** Rettinghaus/Zefa · **356** SUS/Camera Press · **357** Tom Raymond/Tony Stone · **359** i.: Biophoto Associates/Photo Researchers/Okapia · d.: A. B. Dowsett/Science Photo Library/Focus · **360** a.: Manfred Linke/Laif · b.: W. Fischer/Wildlife · **360/361** Jeremy Walker/ Tony Stone · **362** Yann Layma/Anzenberger · **365** teutopress · **366** a.: Fotopic/Transglobe · b.: Milan Horacek/Bilderberg · **368** Larry Gatz/Image Bank · **370** Habel/Mauritius · **371** MEV Verlag GmbH/Dr. Lindsay Sharpe, Dr. Karl Gegenfurter · **373** A. Diessel/Musik + Show · **375** i.: Diaf/IFA-Bilderteam · d.: Deuter/IFA-Bilderteam · **376** i.: Andrew Errington/Tony Stone · d.: Dr. P. Lorenz · **377** a.: Glaxo Welcome GmbH · b.: TWFS/Transglobe · **378** Ginger Neumann · **379** M.S. Yamashita/Focus · **380** Archiv für Kunst und Geschichte · **381** i.: Walter Schmidt/Novum · d.: BISP/Superbild · **382** R. Cerri/Stockmarket/Zefa · **383** A. Choisnet/Image Bank · **384** Ginger Neumann · **385** a.: Michael Kerstgens/Visum · b.: Dr. L. F. Hodges, T. C. Meyer, R. Kooper/Georgia Tech

Ilustraciones:

12 i.: Universitätskinderklinik, Heidelberg · d.: Atelier Bütefisch · **14** Ingo Hess · **15** Eitel Schwarzer · **17** Eitel Schwarzer · 18 Eitel Schwarzer · **19** Atelier Bütefisch · **22** Eberhard Reimann · **23** Eitel Schwarzer · **24** Atelier Bütefisch · **26** Ingo Hess · **27** Eitel Schwarzer · 28 Peer Ziegler · **39** Eitel Schwarzer · **42** Eitel Schwarzer · **46** Atelier Bütefisch · **52** Eitel Schwarzer · **54** Eitel Schwarzer · **60** Eberhard Reimann · **62** Ingo Hess · **69** Eitel Schwarzer · **71** Eitel Schwarzer · **75** Ingo Hess · **77** Eitel Schwarzer · **78** Atelier Bütefisch · **81** Eitel Schwarzer · **83** Eitel Schwarzer · **84** Eitel Schwarzer · **89** Eitel Schwarzer · **91** Eitel Schwarzer · **94** Eitel Schwarzer · **97** Peer Zieg-

ler **103** Eitel Schwarzer · **106** Eitel Schwarzer · **107** Retusche: Atelier Bütefisch · **112** Eberhard Reimann · **116** Eberhard Reimann · **119** Atelier Bütefisch · **124** Atelier Bütefisch · **129** Atelier Bütefisch · **131** Atelier Bütefisch · **132** Atelier Bütefisch/Dr. H. Göbel · **133** Eberhard Reimann · **135** Inkje von Wurmb · **137** Eberhard Reimann · **140** Atelier Bütefisch · **142** Eberhard Reimann · **145** Atelier Bütefisch · **148** Eberhard Reimann · **150** Eberhard Reimann · **154** Eberhard Reimann · **161** Eitel Schwarzer · **164** Ingo Hess · **165** Atelier Bütefisch · **167** a.: Eberhard Reimann · b.: Ingo Hess · **170** Ingo Hess · **188** Ingo Hess · **191** Ingo Hess · **193** Eitel Schwarzer · **194** Atelier Bütefisch · **197** Eberhard Reimann · **198** Ingo Hess · **205** Joachim Widmann · **206** Atelier Bütefisch · **212** Eberhard Reimann · **213** Eberhard Reimann · **214** i.: Eberhard Reimann · b.: Inkje von Wurmb · **216** Atelier Bütefisch · **219** Ingo Hess · **220** Ingo Hess · **221** Eitel Schwarzer **222** Inkje von Wurmb · **232** Joachim Widmann · **235** Ginger Neumann · **237** Ginger Neumann · **239** Ingo Hess · **247** Atelier Bütefisch · **252** Atelier Bütefisch/modifiziert nach H. Selye · b.: Inkje von Wurmb · **260** Ingo Hess · **263** Joachim Widmann · **269** Atelier Bütefisch · **271** Peer Ziegler · **273** Peer Ziegler · **277** Ingo Hess · **278** Peer Ziegler · **281** Peer Ziegler · **287** Eberhard Reimann · **290** Eitel Schwarzer · **292** Peer Ziegler · **294** Peer Ziegler · **298** Peer Ziegler · **300** Eitel Schwarzer · **308** Eitel Schwarzer · **309** Eitel Schwarzer · **311** a.: Ingo Hess · b.: Inkje von Wurmb · **312** Dietmar Klittich. Diagramm: Atelier Bütefisch · **313** Atelier Bütefisch/Dr. Adrian Simpson · **318** Peer Ziegler **319** Atelier Bütefisch/Deutsche Gesellschaft für Ernährung · **321** Peer Ziegler · **324** Peer Ziegler/Hamburg-Mannheimer Stiftung für Informationsmedizin · **334** i.: Eberhard Reimann · b.: Eberhard Reimann · **342** Ingo Hess · **344** Ingo Hess · **347** Eberhard Reimann · **349** Eitel Schwarzer · **351** Eberhard Reimann · **354** Eberhard Reimann · **355** Eberhard Reimann · **358** Eitel Schwarzer · **362** Eberhard Reimann · **363** Eberhard Reimann · **364** Eberhard Reimann · **373** Atelier Bütefisch · **378** Inkje von Wurmb

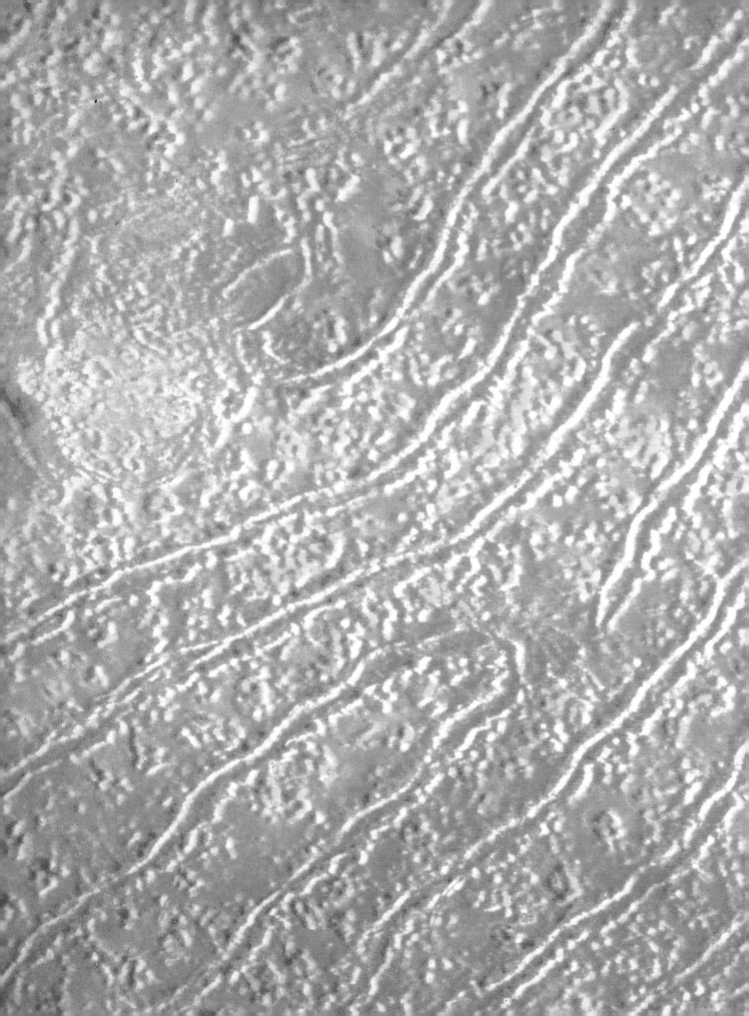